D1084911

GUIDE PRATIQUE
DE LA
DÉCORATION

GUIDE PRATIQUE DE LA DÉCORATION

SÉLECTION DU READER'S DIGEST

MONTRÉAL

Ce guide a été réalisé par Sélection du Reader's Digest avec la collaboration de Jacques Debaigts pour les chapitres I à VI, Michel Galy pour le chapitre VII, Charete del Castillo pour le chapitre VIII, Gilles de Bure et Dominique Dupré pour l'étude sur le design.

Réalisation graphique par le service artistique de Sélection du Reader's Digest, avec la collaboration de Robert Bonneville, Luis Camps, Maurice Espérance et Joël Gauvin.

Les sources des photographies se trouvent en page 502 de l'ouvrage.

DEUXIÈME ÉDITION

SÉLECTION DU READER'S DIGEST (CANADA) LTÉE
215, avenue Redfern, Montréal, Qué. H3Z 2V9

IMPRIMÉ AU CANADA
ISBN 0-88850-063-7

TABLE DES MATIÈRES

Les éléments de construction dans la décoration (suite)

Les matériaux et les couleurs

Les meubles

Les rideaux et autres utilisations des tissus

La maison de l'homme est à la fois son abri et son palais, et chacun de nous veut rendre cet abri toujours plus confortable, ce palais toujours plus beau.
C'est pour vous permettre d'aller, sans difficulté, du confort à la beauté que ce Guide pratique de la décoration *a été conçu. Car votre maison ne sera harmonieuse et il ne fera vraiment bon y vivre que si, avant de penser à la « décorer », vous l'avez organisée de manière à satisfaire vos besoins et ceux de votre famille.*

◆◆◆

Que vous aménagiez complètement votre maison ou que vous transformiez simplement une pièce, à la base de toute réussite dans ce domaine se trouve la définition de vos besoins, compte tenu des moyens dont vous disposez. De cette confrontation souhaits-moyens naîtra ce qu'on appelle un programme, qui fait l'objet du premier chapitre.
Il s'agit ensuite, et c'est le but du deuxième chapitre consacré à l'implantation, de répartir dans l'espace les différents éléments du confort : déterminer où viendra la cuisine, où vous placerez la télévision, quel mode de chauffage vous envisagez, etc. Pour cela, vous allez apprendre à faire un plan, à lire ceux qui vous seront soumis, puis à profiter au mieux de l'espace d'une pièce ou d'une maison tout entière en disposant, de la meilleure manière, les cloisons, les différents éléments de rangement, le mobilier, etc.
Nous ne traitons de la décoration proprement dite (dans les chapitres III et IV) qu'une fois résolus les problèmes d'implantation. Nous vous expliquons alors quelles sont les bases de la décoration, comment choisir couleurs et matériaux, comment faire cohabiter meubles anciens et meubles modernes. Viennent ensuite des conseils qui vous permettront de créer une ambiance en sachant disposer vos tableaux, vos bibelots, vos plantes, vos fleurs, tous ces objets que vous aimez et qui sont le reflet de votre personnalité.
Nous avons jugé utile de consacrer ensuite un chapitre aux résidences secondaires, puisque tant de nos contemporains vivant dans les villes les considèrent avec raison comme indispensables à leur équilibre physique et psychique. Vous trouverez donc des conseils d'aménagement qui s'appliquent plus spécialement aux maisons situées à la campagne, à la mer et à la montagne. Qu'il s'agisse d'habitations principales ou secondaires, ces conseils vous permettront d'y vivre en harmonie avec la nature environnante et de profiter vraiment au maximum des bienfaits qu'elle vous offre.

◆◆◆

Vous croyez peut-être que notre ouvrage s'arrête là. Mais nous avons eu d'autres ambitions. Et d'abord, celle de vous aider à gagner de la place. A notre époque, nous manquons presque tous de place et nous voulons utiliser au mieux celle dont nous disposons. Le chapitre VI est une mine d'idées astucieuses dans laquelle vous pourrez puiser pour tirer le meilleur parti de l'espace dans lequel vous vivez.
Nous avons ensuite voulu vous faire connaître les principaux matériaux et techniques que l'industrie moderne met à votre disposition pour réaliser vos projets. Chaque matériau fait l'objet d'une étude de ses caractéristiques, de sa mise en œuvre et de ses principales applications dans le domaine de la décoration. C'est dans ce chapitre que vous trouverez les explications techniques nécessaires pour concrétiser vos idées de décoration.
Après cette lecture un peu ardue, vous trouverez votre récompense dans un dernier chapitre particulièrement attrayant : celui consacré à l'histoire des styles décoratifs. Il vous permettra de connaître et de reconnaître les principaux styles, vous fera suivre leur évolution. Vous y trouverez également des renseignements sur le marché des meubles et des objets anciens, et des conseils pour leur remise en état éventuelle.
Enfin, nous avons réalisé un glossaire des mots techniques qui sont imprimés en italique dans le corps de l'ouvrage à leur première apparition dans le texte et que vous trouverez ainsi définis en fin d'ouvrage dans le sens précis où nous les avons employés.

◆◆◆

Le Guide pratique de la décoration *ne cherche pas à vous imposer des conceptions artistiques ou un style de décoration. Il ne vous propose pas des formules toutes faites ou des recettes magiques. Il ne prétend pas apporter de solution unique à tous les problèmes que vous pouvez rencontrer au cours d'une installation.*
Mais nous pensons vous donner un outil qui vous sera utile pour tout ce qui touche à la décoration et vous aidera à embellir votre maison. Que vous cherchiez simplement un meuble, une disposition nouvelle de vos bibelots, que, au contraire, vous souhaitiez transformer partiellement votre maison, ou qu'enfin vous vous lanciez dans l'aventure passionnante qu'est l'installation complète de votre habitation, vous trouverez dans ce Guide pratique de la décoration *des idées, des conseils qui vous permettront de réussir.*

CHAPITRE I

LE PROGRAMME

Qu'il s'agisse d'aménager de fond en comble une maison que l'on vient d'acquérir ou, tout simplement, d'installer deux chambres dans un grenier, qu'il s'agisse de faire construire une villa ou, plus modestement, de moderniser une vieille cuisine, la première chose à faire est d'établir un programme. Le programme est, en effet, le seul moyen sûr pour ne courir aucun risque dans aucun domaine, pour parvenir sans mauvaise surprise ou sans catastrophe imprévue au résultat que l'on veut obtenir.

l'établissement du programme

Tout programme résulte de la confrontation d'un certain nombre d'éléments qui restent les mêmes quelle que soit l'importance des travaux.

Dans l'ordre, nous citerons: vos besoins, la nature des travaux à effectuer, le choix des matériaux et des entreprises, le budget et, enfin, les diverses démarches parallèles aux travaux (administratives, juridiques, etc.).

Pour vous y retrouver facilement, nous pensons que le mieux est de faire un tableau dans lequel une colonne sera réservée à chacun de ces éléments.

les besoins

C'est la partie essentielle du programme. Plus et mieux vous analyserez vos besoins dans le détail, plus vous mettrez de chances de votre côté. Ce n'est pas aussi simple qu'il peut paraître à première vue. Si, en effet, il est facile de déterminer le nombre de chambres nécessaires à une famille, par exemple, ou l'importance des rangements, bien des points sont plus difficiles à préciser. Essayons de vous aider à les éclaircir :

● **Les utilisateurs** : certaines pièces d'une maison appartiennent à tous les membres d'une famille, d'autres, au contraire, sont le royaume d'un seul. Une salle de séjour, une salle à manger, une salle de bains, par exemple, sont destinées à accueillir parents, enfants et amis. A l'opposé, une chambre, un cabinet de toilette, un bureau, un atelier sont en principe réservés à l'usage d'une ou deux personnes au maximum.

● **L'espace** : vous tiendrez compte de l'espace total disponible au départ, mais aussi de l'espace qui demeure libre une fois les aménagements terminés. Vous devez déterminer vos besoins dans ce domaine avant de tracer le plan définitif d'une installation. Un espace restreint est suffisant pour certaines pièces (chambre, cabinet de toilette, bureau...); dans d'autres, il faut pouvoir circuler agréablement.

● **La lumière** : selon leur utilisation, les différentes pièces d'une maison ont besoin d'être plus ou moins éclairées. D'une façon générale, les pièces où l'on se tient longuement et celles où l'on travaille doivent être largement éclairées par la lumière du jour. Par contre, les pièces où l'on ne séjourne que peu de temps peuvent ne recevoir qu'un éclairage artificiel (salle de bains, lingerie).

● **Le confort** : dans ce domaine également vos besoins sont différents pour chaque pièce. Pour le chauffage, par exemple, vous devez savoir approximativement la température que vous désirez: ce qui déterminera le nombre de radiateurs. Pour l'eau froide et l'eau chaude, vous pouvez, un jour, en avoir besoin dans une pièce où elles ne vous sont pas nécessaires actuellement. Il faut donc que cela soit techniquement possible. Songez également à l'isolation phonique et, dans certains cas, à la ventilation.

les démarches administratives

En général, toute modification architecturale extérieure ou intérieure ne peut s'effectuer sans l'assentiment des services spécialisés de votre ville ou de votre localité. Beaucoup de raisons justifient ces obligations : sécurité, salubrité et accord esthétique avec le site ou l'environnement. Vous obtiendrez tous les renseignements et tous les papiers à remplir à l'hôtel de ville de votre municipalité. Si vous êtes copropriétaire ou locataire, vous ne pouvez rien entreprendre sans en référer aux copropriétaires ou au propriétaire des lieux.

Votre programme doit éventuellement tenir compte d'autres démarches administratives : par exemple, auprès des compagnies ou services de l'électricité, du téléphone, des eaux, etc. Certaines de ces démarches peuvent être faites pour vous par vos entrepreneurs.

Pensez également à prévenir votre compagnie d'assurances, si vous modifiez de façon importante l'objet des différentes polices que vous avez souscrites. Si vous omettez de le faire, vous risquez de pénibles contestations en cas de sinistre.

matériaux, entrepreneurs, artisans

Lorsqu'on se décide à transformer ou à aménager sa maison, on envisage souvent d'effectuer soi-même certains travaux et d'en confier

d'autres à des entreprises spécialisées. Dans les deux cas, il est bon de dresser la liste des principales fournitures qui seront nécessaires. Le mieux est généralement d'examiner successivement chaque «poste» susceptible d'entraîner des travaux, c'est-à-dire maçonnerie, menuiserie, plomberie, électricité, chauffage, couverture, revêtement de sol, miroiterie, peinture.
Vous pouvez également faire le tour de la pièce ou des pièces que vous désirez aménager et en examiner soigneusement les différentes parties (murs, plafond, sol, ouvertures, etc.) et tous leurs éléments (installations de gaz, d'électricité, de chauffage, d'aération, de plomberie, etc.).

Après avoir fait ce recensement par écrit, vous indiquerez, en face de chaque poste, la solution adoptée, c'est-à-dire si les travaux seront ou non confiés à une entreprise et quelles fournitures sont indispensables à leur exécution.
A ce sujet, vous pourrez tenir compte d'un certain nombre de considérations générales qui vous guideront utilement dans la répartition des différents travaux envisagés :

- Sauf si vous-même (ou un membre de votre famille) êtes un très bon technicien, certains travaux doivent être réalisés par des spécialistes; c'est le cas, en particulier, de tout ce qui concerne la plomberie, l'électricité, le chauffage, la maçonnerie et la couverture.
- Pour la peinture, les revêtements de sol (carrelages ou moquettes), la miroiterie et même la menuiserie, un bricoleur adroit peut éventuellement se passer d'entrepreneur. Les économies qu'il fera ainsi sont parfois justifiées et ne présentent aucun risque, mais la qualité du travail ne sera sans doute pas la même. En outre, de nombreux matériaux sont précisément conçus maintenant à l'intention des amateurs.

les devis

Les entrepreneurs ou les artisans auxquels vous ferez appel doivent vous fournir des devis détaillés faisant apparaître clairement le prix des fournitures et celui de la main-d'oeuvre. Cela vous permet de les contrôler, lorsqu'ils vous paraissent trop élevés. Quand il s'agit de travaux importants, vous pouvez mettre deux entreprises en concurrence, mais vous ne donnerez votre préférence au devis le moins onéreux qu'après avoir vérifié qu'il s'agit bien de prestations équivalentes en qualité.
Lorsqu'il s'agit de travaux que vous effectuez vous-même, la liste des fournitures que vous aurez précédemment établie vous permettra d'estimer approximativement la dépense. N'oubliez pas le prix des outils, des instruments et des accessoires dont vous pouvez avoir besoin. Sachez aussi que vous pouvez en louer facilement.
Toutes ces indications chiffrées doivent figurer sur votre programme. N'hésitez pas à y ajouter une somme globale pour les imprévus. C'est le cas, en particulier, lorsqu'une entreprise n'a pu vous fournir de devis forfaitaire et n'a établi qu'un devis estimatif; des murs, des fondations ou une toiture en mauvais état peuvent réserver de mauvaises surprises.
Enfin, il est souvent de votre intérêt de prendre conseil auprès d'un architecte, même pour de simples travaux de transformation. C'est une garantie de bonne exécution, puisque l'architecte est responsable techniquement de tous les travaux pour lesquels il a donné son accord. C'est aussi une garantie en ce qui concerne le montant des devis, puisque l'architecte se charge de les contrôler. Bien entendu, il faut prévoir les honoraires de l'architecte.

le financement

Votre programme fera apparaître le montant total des travaux à entreprendre et, après l'avoir comparé à vos disponibilités, vous devrez peut-être faire appel au crédit. Dans le cas d'une construction neuve, il existe souvent une aide officielle importante, au sujet de laquelle vous pouvez vous renseigner dans toutes les banques ou les bureaux appropriés de l'État. Mais, même s'il s'agit de simples transformations, d'aménagements pratiques ou décoratifs, plusieurs formes de crédit vous sont offertes.
Dans ce domaine, l'important est de savoir que, quels que soient les fournitures et l'entrepreneur choisis, vous avez la possibilité de trouver rapidement un moyen de financement. Rien ne vous oblige donc à vous adresser à telle ou telle maison de commerce, sous prétexte qu'elle pratique le crédit.

le déroulement des travaux

Une fois réglé le problème du financement, votre programme doit comporter des indications précises au sujet du déroulement chronologique des travaux. C'est une rubrique importante, surtout s'il s'agit de transformations dans une maison que vous habitez.
Lorsque plusieurs entrepreneurs ou artisans doivent travailler les uns après les autres, cherchez à obtenir d'eux des engagements fermes quant au commencement et à la durée des travaux et prévoyez à chaque étape quelques jours de battement pour pallier un retard imprévisible, mais trop souvent bien réel. Bien entendu, il faut respecter l'ordre logique du déroulement des travaux et ne pas mettre la peinture avant la maçonnerie.
Toutefois, certains travaux peuvent être menés de front surtout si les transformations sont assez importantes et à condition, bien entendu, que la maison soit assez vaste pour que les corps de métiers puissent cohabiter : par exemple, rien n'empêche que l'installation du chauffage ait lieu en même temps que des travaux d'électricité.

CHAPITRE II

L'IMPLANTATION

Une fois le programme établi, tâche ingrate mais déterminante pour votre réussite finale, vous allez, avec grand soin, tracer le plan de votre future installation, travail plus facile et amusant. Le programme que vous avez déterminé vous a permis de dresser la liste des travaux à prévoir et des éléments à acquérir dans l'ordre de leur importance. Vous savez ce qu'il est indispensable de faire en premier, et ce qui peut attendre ; vous pouvez ainsi organiser votre budget dans le temps, en fonction de vos disponibilités. Les acquisitions que vous ferez progressivement n'en seront que plus rationnelles.

le tracé du plan

le plan original

Il s'agit d'abord de faire le plan des locaux tels qu'ils existent avant les transformations que vous vous proposez d'entreprendre. Lorsque les locaux sont neufs ou de construction récente, votre travail est simplifié puisque le promoteur, le constructeur, ou peut-être même l'ancien occupant, peuvent vous fournir un plan des lieux.
Ce plan a été dessiné par l'architecte avant la construction. Il est très précis, mais il vaut mieux procéder à une vérification des *cotes* indiquées, car parfois de petites modifications de détail ont pu survenir dans les dimensions pendant la construction.

le relevé

Dans tous les autres cas, vous devez effectuer vous-même le *relevé*. Le plus simple est de faire d'abord un tracé sommaire sur le papier. Prenez ensuite un double mètre et mesurez les dimensions de chaque partie de la construction que vous portez immédiatement, en chiffres, sur le tracé. Ces dimensions doivent être aussi précises que possible. Si vous n'êtes pas tout à fait sûr de l'exactitude d'une dimension, portez plutôt une cote légèrement inférieure. Une cote supérieure risquerait de vous faire croire que vous avez la place suffisante pour mettre un meuble là où, en fait, il ne pourra pas tenir.
Si vous relevez le plan d'une ou de plusieurs pièces carrées ou rectangulaires, les difficultés ne seront pas grandes, mais, par contre, lorsque les lieux présentent des irrégularités (deux murs non perpendiculaires, des pans coupés, des arrondis), les choses ne sont pas aussi simples.
Dans ce cas, vous tracerez sur le sol, à l'aide d'une craie ou d'un fusain et en utilisant une ficelle et une équerre d'écolier, un quadrillage régulier constitué de carrés de 50 cm de côté (*fig. 1* et *2*). La première bande de carrés longera le mur le plus long et le plus droit (A sur la *fig. 1*). Ce quadrillage reporté sur votre tracé sommaire (*fig. 2*) vous facilitera le relevé des dimensions.
Les premières dimensions à prendre sont celles des murs A et B (mur-fenêtre). Suivront les mesures des lignes C, D, E, et de quelques lignes intermédiaires. Quand le relevé de ces lignes sera établi, le tracé des murs qu'elles séparent sera en place. Il faudra alors vérifier que les dimensions de chaque mur correspondent à la réalité (une marge d'erreur de quelques centimètres est acceptable ici).
C'est à partir du relevé sommaire sur lequel sont portées toutes les dimensions que vous pouvez tracer le plan proprement dit, de préférence sur du papier millimétré, pour faciliter la transcription à l'échelle choisie. Faites-le d'abord au crayon, afin de pouvoir corriger facilement en cas d'erreurs. Vous utiliserez ensuite, pour le trait définitif, un *tire-ligne*, une plume ou un stylo à encre noire (encre de Chine ou encre normale), ou une pointe-feutre noire. Le plan devant être souvent manipulé, le stylo à bille est à éviter si l'on veut que le tracé reste net.

l'échelle du plan

Les professionnels utilisent l'échelle dite de 2 par mètre, c'est-à-dire qu'un mètre réel est représenté par 2 cm sur le papier. Par exemple, un mur mesurant réellement 2,30 m se traduira sur le papier par un trait de 4,6 cm. Cette échelle est la plus pratique; en effet, l'échelle de 1 centimètre par mètre réel donne un plan trop petit sur lequel il est

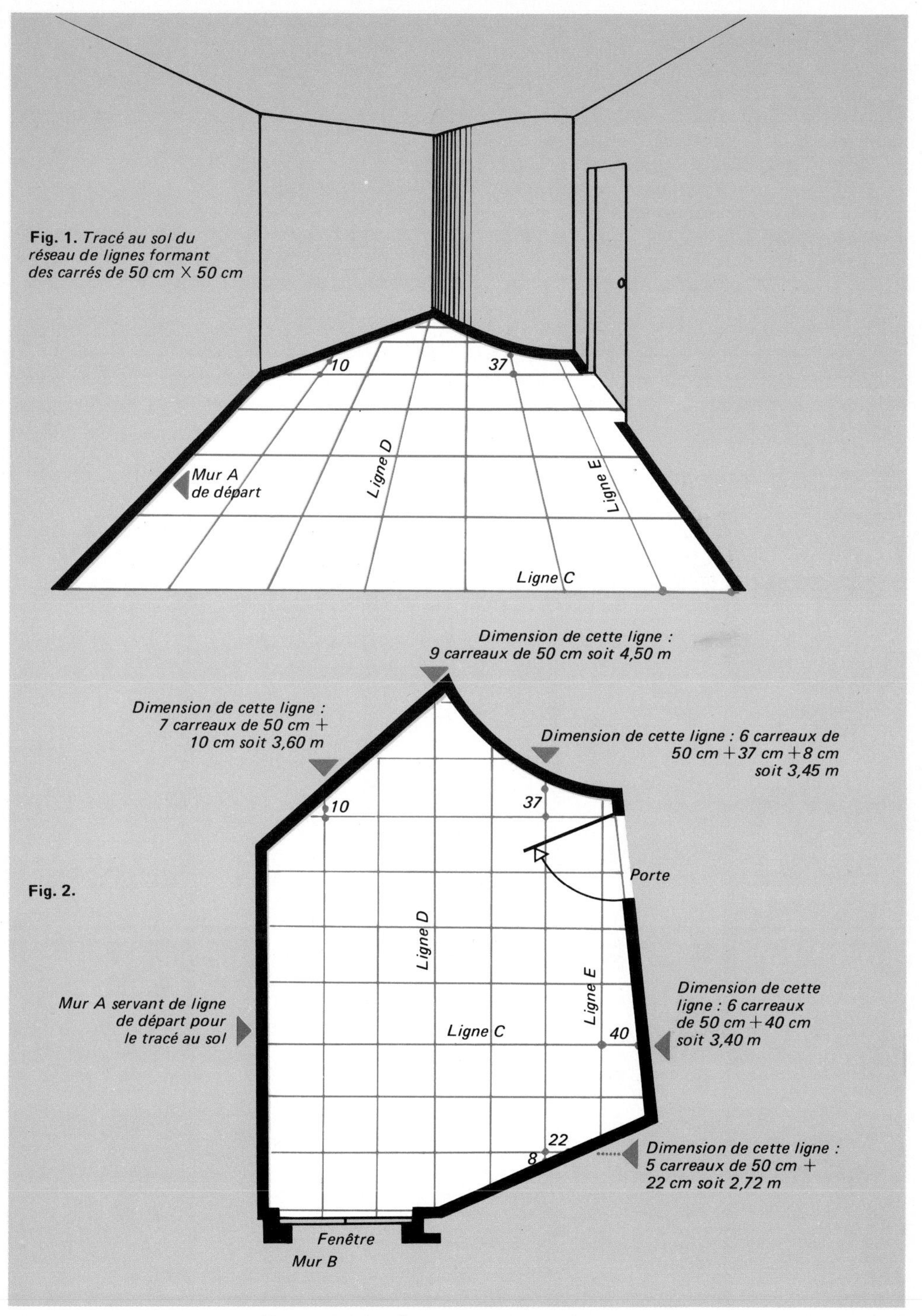

Fig. 1 et 2. TRACÉ DU PLAN D'UNE PIÈCE.

difficile de porter des indications claires et ne facilite pas les recherches. Si certains travaux sont très précis et ne concernent qu'une pièce, l'échelle de 5 par mètre (soit 5 cm pour 1 mètre réel) est pratique et moins approximative.
En résumé, pour une disposition générale des différentes zones d'activité, des cloisons, du mobilier, et pour l'indication des matériaux et des couleurs, l'échelle de 2 par mètre est parfaite. Lorsqu'il s'agit de la disposition plus précise des meubles fixes et des placards, de la répartition des prises électriques, des points d'eau, des radiateurs, l'échelle de 5 par mètre est préférable.
Un dossier bien constitué comportera, d'une part, un plan général à 2 et, d'autre part, des plans partiels des pièces à 5.
Peut-être avez-vous ou aurez-vous besoin de consulter un plan, sans pour autant avoir des perspectives d'aménagement. L'échelle n'est pas toujours indiquée. Afin de la reconstituer, sachez qu'une porte normale mesure entre 70 et 75 cm de large. Vous pourrez ainsi retrouver, grâce à ce module, les dimensions des pièces, à quelques centimètres près.

les indications utiles

Les plans d'architecture comportent des indications schématiques qui symbolisent les éléments de la construction ainsi que les équipements (*fig. 3*). Lorsque vous connaîtrez ces symboles, vous comprendrez sans peine un plan déjà dessiné et vous pourrez porter vous-même sur votre plan toutes les indications nécessaires pour mener à bien vos futurs travaux et agencements.

Vous constaterez aussi à la lecture de ces symboles que les murs et les cloisons ont des épaisseurs différentes, dont il faut tenir compte dans le tracé, de même qu'il faut indiquer avec soin quel est le sens de l'ouverture des portes ou l'emplacement de l'évier. Avec un crayon, vous porterez, enfin, sur le plan, à quelles hauteurs se trouvent les divers éléments tels que dessus de radiateurs, *sous-plafonds, allèges, retombées, soffites,* etc.

le plan définitif

Premier cas. La distribution des murs, des cloisons, des pièces vous convient; vous n'envisagez pas des modifications radicales. Dans ce cas, votre premier plan tracé clairement à l'échelle choisie (2 cm ou 5 cm par mètre) vous permettra de trouver le meilleur emplacement des meubles et des équipements futurs tels que les placards, pen-

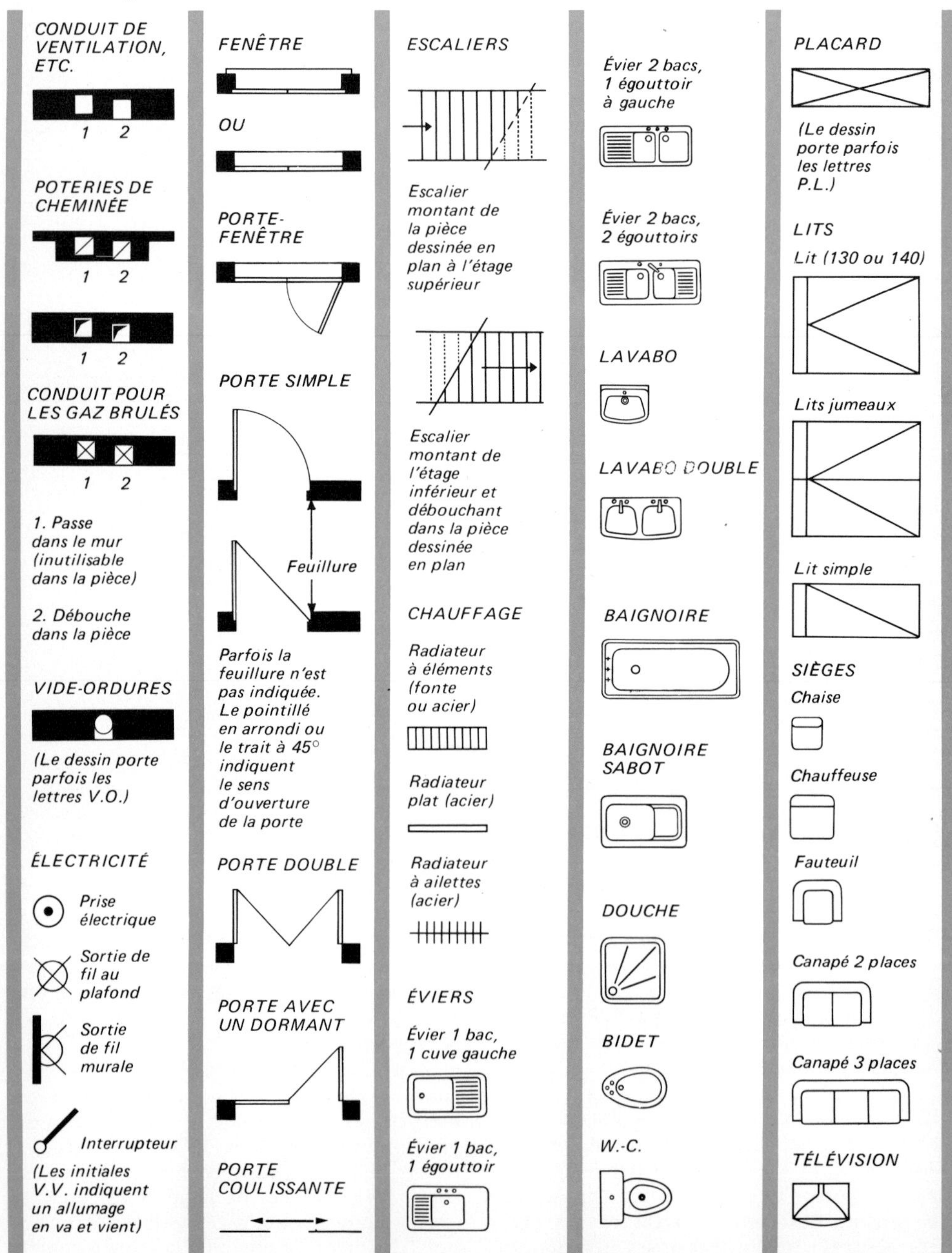

Fig. 3. PRINCIPAUX SYMBOLES FIGURANT SUR LES PLANS D'ARCHITECTE.

deries, prises de courant supplémentaires, etc.

Second cas. La structure architecturale des lieux est modifiée, des cloisons vont être démolies, des murs défoncés, des cheminées enlevées ou déplacées, etc.

Vous tracerez le plan définitif sur un calque, maintenu sur le plan de base à l'aide de ruban adhésif. Ce procédé permet de juger continuellement de l'importance des transformations. Il évitera que vous perdiez du temps en retranscrivant le plan modifié sur un autre papier. Dans la plupart des cas, nos conseils vous permettront de tracer vos plans sans trop de difficultés. Cependant, s'il s'agit de modifications très importantes, s'il faut recréer tout un plan, réaménager tout un volume, il vaut mieux confier le travail de base à un architecte et vous réserver la décoration. Cette solution vous déchargera des plus gros problèmes techniques.

les différentes zones

Que le plan original soit modifié ou non, vous allez ensuite procéder à l'implantation, c'est-à-dire décider, dans certains cas, de la fonction de chaque pièce, de l'emplacement des nouvelles cloisons, des placards, des équipements appropriés, et, dans tous les cas, de la disposition des meubles, des luminaires, des rangements.

La première phase de l'implantation c'est la répartition des différentes zones : repas, détente, sommeil, toilette, jeux, travaux ménagers, cuisine. Chacune de ces zones doit répondre à des besoins précis, donc présenter certaines particularités et être conforme à des normes définies. C'est ainsi qu'il faut respecter certaines distances pour pouvoir utiliser aisément meubles et équipements ménagers; d'instinct, nous évitons de regarder un téléviseur grand écran à moins de 2 mètres, l'inverse fatiguerait désagréablement la vue; de même, lorsque nous nous reposons dans un bon fauteuil, il est logique que nous puissions allonger nos jambes sans nous heurter à un mur ou à une table. Notre confort en dépend.

La *figure 4* présente un plan fonctionnel. L'entrée dessert directement et indépendamment les trois zones essentielles : cuisine, séjour, chambres-sanitaires, évitant ainsi de traverser l'une pour aller dans l'autre. Le coin des repas se trouve logiquement situé dans la partie du séjour proche de la cuisine. Les chambres, dont l'une possède un cabinet de toilette, s'ouvrent sur un dégagement secondaire donnant accès à la salle de bains et aux w.-c.

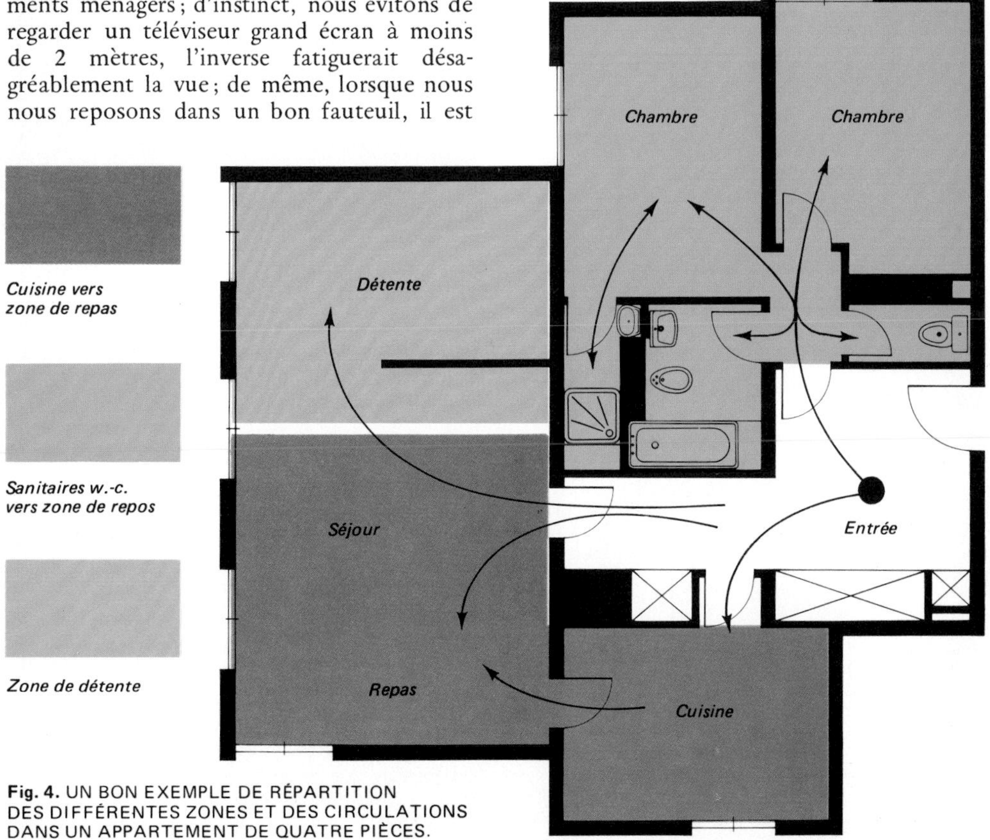

Fig. 4. UN BON EXEMPLE DE RÉPARTITION DES DIFFÉRENTES ZONES ET DES CIRCULATIONS DANS UN APPARTEMENT DE QUATRE PIÈCES.

C'est, en effet, l'implantation qui permet de réserver à chaque activité la surface qui lui convient, et de créer entre les différentes zones des circulations fluides, pratiques, directes, grâce auxquelles vous passerez du vestibule à la chambre sans traverser le séjour, et vous apporterez le potage sur la table sans contourner l'escalier de la cave... Il existe des correspondances logiques évidentes : de la zone des repas à la cuisine, de la zone sommeil à la toilette, etc.
Dans l'exemple suivant (*fig.* 5), on voit que l'appartement d'origine présente trois défauts majeurs : les w.-c. et la salle de bains ne sont pas groupés; il faut traverser le séjour pour les atteindre en venant de la chambre; le couloir se terminant sur un placard présente une surface perdue.
Pour y remédier :
1. On a installé le w.-c. à côté de la salle de bains. C'est un w.-c. à broyeur qu'on peut brancher sur le tout-à-l'égout.
2. Le placard du fond du couloir a été supprimé et remplacé par une porte.
3. On a construit au début du couloir un placard plus large pris sur le séjour.
4. On a remodelé l'entrée, d'une part en créant une penderie-vestiaire du côté adjacent à la cuisine, et d'autre part en installant un écran de forme libre pour la séparer du séjour.

Fig. 5 et 5 bis. PLANS D'UN APPARTEMENT AVANT ET APRÈS TRANSFORMATIONS.

Avant

Fig. 5.

1. *Séjour* **2.** *Chambre* **3.** *Placard* **4.** *Entrée* **5.** *w.-c.* **6.** *Cuisine* **7.** *Salle de bains* **8.** *Penderie-vestiaire* **9.** *Écran* **10.** *Couloir*

Après

Fig. 5 bis.

On a ainsi assuré une bonne liaison directe chambres-sanitaires, agrandi le volume de rangement, donné de meilleures proportions à l'entrée d'une part et, d'autre part, à la cuisine, qui se trouve bien reliée au séjour.
Ces transformations ont entraîné une dépense inférieure à dix mille nouveaux francs.

Dans une pièce, une meilleure utilisation de la surface et une circulation plus aisée peuvent dépendre de la position des meubles. Dans le cas du séjour présenté sur la *figure* 6, les trois zones des repas, de détente, de travail s'interpénètrent inutilement : on passe sans cesse par le coin de détente. Les coins de travail et de la télévision ne sont pas isolés. Le coin des repas est loin de la cuisine.
Pour y remédier :
1. Le coin des repas est installé à la place du

Une bonne implantation : le coin des repas est près de la porte de la cuisine et indépendant de la zone de détente. Les circulations (à gauche) *n'interfèrent pas dans la pièce.*

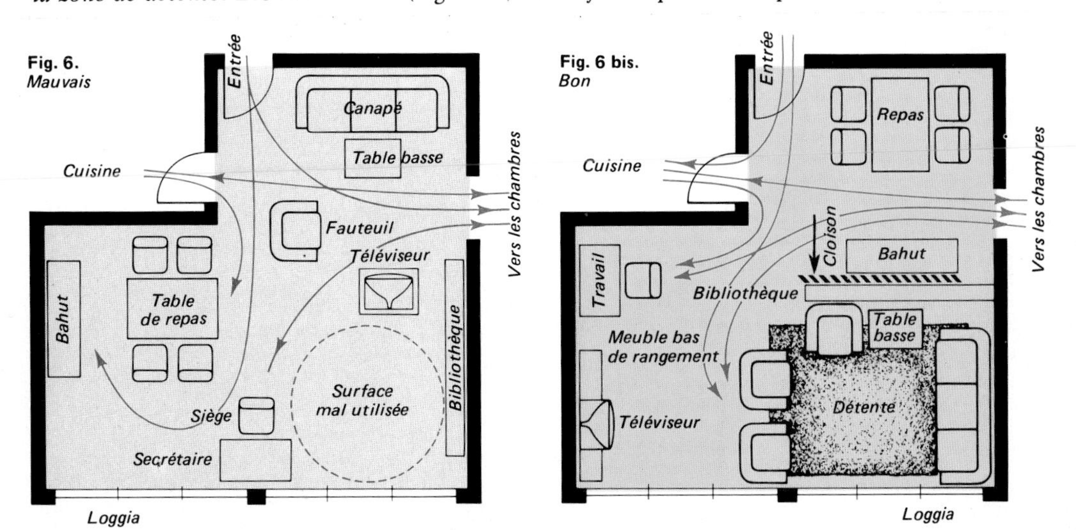

Fig. 6 et 6 bis. PLANS D'UN SÉJOUR AVANT ET APRÈS TRANSFORMATIONS.

canapé, du fauteuil et de la table basse.
2. La surface mal utilisée précédemment est occupée par le coin de détente, qui regroupe le canapé, trois fauteuils et la table basse.
3. En face du coin de détente, le téléviseur est posé sur un meuble de rangement bas.
4. Le coin de travail avec le secrétaire et sa chaise est isolé.
5. La bibliothèque et le bahut se répartissent de part et d'autre d'une cloison légère, chacun dans la zone qu'il dessert.

Fig. 7.
Mauvais

Fig. 7 bis.
Bon

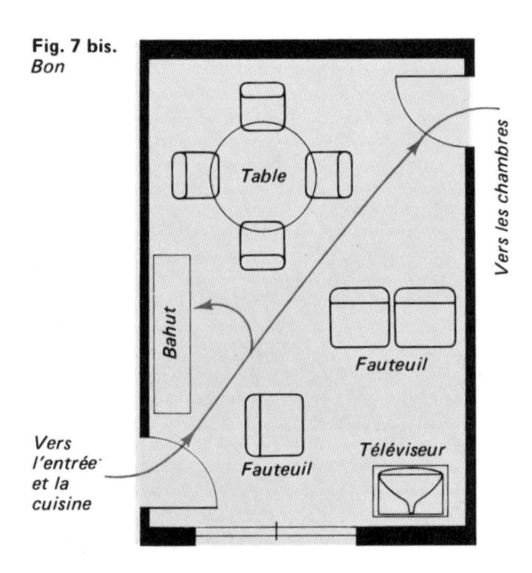

Dans l'exemple ci-dessus d'une petite salle de séjour (*fig.* 7), la table était traditionnellement placée au milieu de la pièce, ce qui rendait les circulations difficiles puisqu'il fallait à chaque fois contourner la table et les chaises en passant en outre devant les fauteuils. Les meubles étaient ainsi dispersés et d'un accès peu aisé.
En plaçant la table dans un angle de la pièce, on crée deux zones distinctes : le coin des repas avec le meuble de rangement de la vaisselle près de la porte de la cuisine, et un coin de détente qui peut accueillir trois fauteuils groupés autour du téléviseur. Entre ces deux zones, on peut aller facilement de l'entrée à la chambre sans gêner ceux qui se trouvent dans le séjour.

Pour fixer la place des meubles dans chacune des zones que vous avez déterminées, vous découperez dans du papier de couleur de petites surfaces correspondant à l'encombrement de vos meubles, en respectant bien l'échelle du plan général (*fig. 8*). Vous déplacerez ensuite sur le plan les schémas de ces meubles, ce qui vous permettra ainsi de trouver leurs meilleurs emplacements (*fig. 9*). Dès que ceux-ci seront décidés, vous fixerez chaque schéma sur le plan à l'aide d'un point de colle.

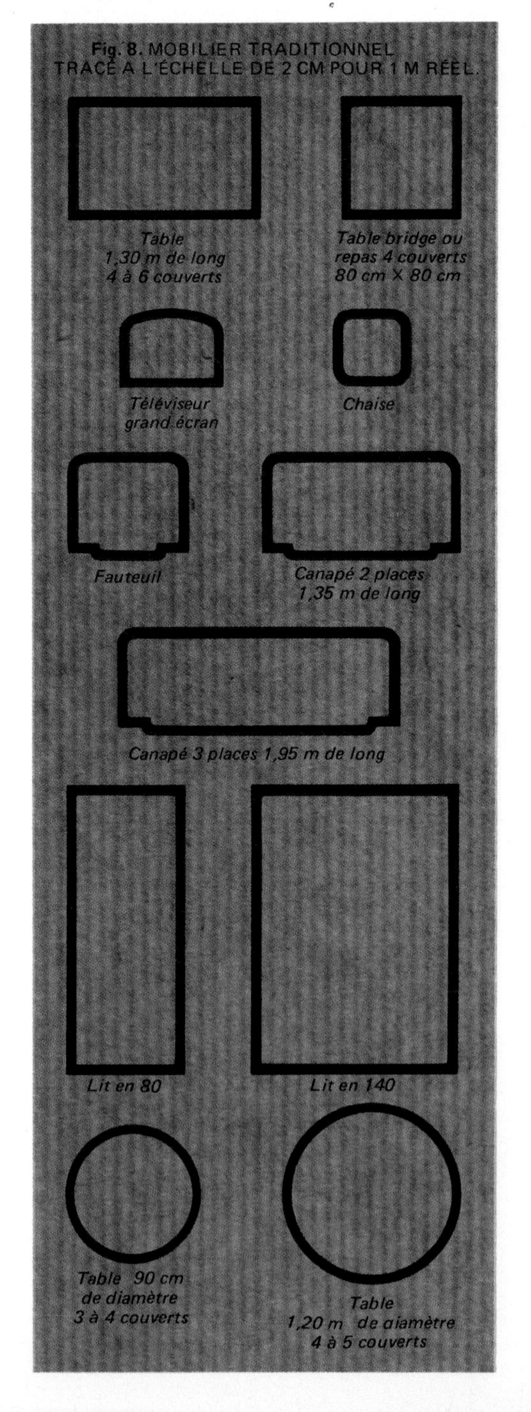

Fig. 8. MOBILIER TRADITIONNEL TRACÉ À L'ÉCHELLE DE 2 CM POUR 1 M RÉEL.

Fig. 9. DÉCOUPE DES SCHÉMAS DE MEUBLES POUR DÉTERMINER LEUR EMPLACEMENT.

les zones d'accueil et de circulation

l'entrée

Grande ou minuscule, l'entrée (*fig. 10*) est avant tout une zone de passage et d'accueil. C'est aussi là que vous prévoirez un meuble (petite table, tablette ou coffre), sur lequel vous poserez en entrant sacs, gants, papiers, serviettes, courrier. Si vous envisagez d'installer le téléphone dans l'entrée, il faut que vous ayez la place pour un siège et pour le rangement des annuaires.
Une vraie penderie, si la place le permet, ou quelques patères, dans le cas contraire, vous éviteront de transformer parfois la chambre en vestiaire lorsque vous recevez des amis.
Si vous êtes obligé d'installer des patères, choisissez-les avec soin. Elles doivent être d'un aspect suffisamment agréable à l'œil pour que vous ne soyez pas tenté de les dissimuler derrière un rideau, solution à proscrire, car l'aspect qui en résulte est souvent peu net, le rideau étant plus ou moins régulièrement gonflé par les vêtements. Un seul éclairage est utile : appliques, plafonnier ou luminaire sur pied. Si votre entrée est bien distribuée, les différentes portes menant aux autres pièces ne butent pas les unes sur les autres. Si elle ne l'est pas, vous pouvez installer des portes coulissantes pour éviter ce désagrément.

les couloirs

Là aussi la difficulté principale est posée par les portes. Elle se résout comme pour l'entrée. Prévoyez pour l'éclairage des appareils muraux ou en plafond avec allumage en va et vient.

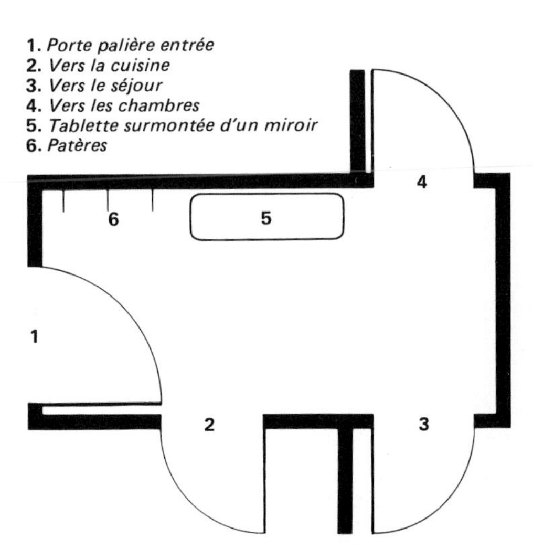

Fig. 10. AMÉNAGEMENT D'UNE ENTRÉE.

la zone des repas

On prend les repas soit dans la salle à manger, soit dans le séjour, soit dans la cuisine, et, dans chaque cas, les problèmes se posent de façon différente.

dans une salle à manger

C'est toujours la solution traditionnelle dans les constructions anciennes. Généralement, cette pièce ouvre sur le salon, mais se trouve assez éloignée de la cuisine. L'architecture des lieux ne permet pas toujours de remédier à cet illogisme. Une solution : la table roulante, avec plaque chauffante, pour véhiculer la vaisselle et les plats en une fois et éviter à la maîtresse de maison de se déranger sans cesse au cours des repas.

dans un séjour

C'est la solution adoptée de nos jours, que les appartements soient luxueux ou modestes. Elle est décontractée, plus simple, pleine de charme, mais présente un inconvénient, le spectacle inesthétique de la table non desservie après un repas.
Cette table pourra être isolée le moment venu, grâce à une cloison légère coulissant sur un rail et facilement repliable (*fig. 11*) ou grâce à un store déroulable fixé au plafond ou encore en utilisant un paravent que vous replierez ensuite.

Voici quelques principes qui vous permettront d'obtenir une bonne implantation du coin des repas :

1. La proximité de la cuisine est évidemment très souhaitable. Dans le meilleur des cas, elle sera mitoyenne et communiquera grâce à une porte, parfois doublée d'un *passe-plat*.
2. A table, chaque convive doit pouvoir disposer d'une place de 55 cm de large au minimum (*fig. 12*).
3. Afin de faciliter l'accès à la table, un passage de 65 cm au minimum est nécessaire sur son pourtour (*fig. 12*).
4. Dans le cas d'une table accolée à un mur avec une banquette le long d'un des côtés, les cotes données ci-dessus peuvent être légèrement réduites (*fig. 13*).
5. Une fenêtre ou une baie proches de la table sont agréables, mais non indispensables. Par contre, un éclairage central, commandé en va et vient à l'entrée du séjour, est nécessaire.
6. La proximité des radiateurs est déconseillée, sauf dans des cas bien particuliers : verrière, *bow-window* par exemple.
7. Il est souhaitable qu'on puisse circuler facilement autour de cette zone, mais il faut tout de même éviter de situer le coin des repas entre deux portes se faisant face.
8. Bien entendu, vous placerez dans cette zone le meuble dans lequel vous rangerez la vaisselle quotidienne et ses accessoires. Qu'il s'agisse d'un buffet traditionnel, d'un bahut (en voie de disparition), d'un placard intégré au mur ou placé en épi (*fig. 14*), c'est-à-dire perpendiculairement au mur, ce meuble comportera les tablettes, casiers et tiroirs nécessaires. Si ce meuble est placé en épi, il doit s'ouvrir du côté de la table. Au dos du meuble vous pourrez appuyer un canapé, ou quelques bacs remplis de plantes, à moins

Fig. 11. SÉPARATION DU COIN DE REPAS DANS UN SÉJOUR GRACE A UNE CLOISON COULISSANTE.

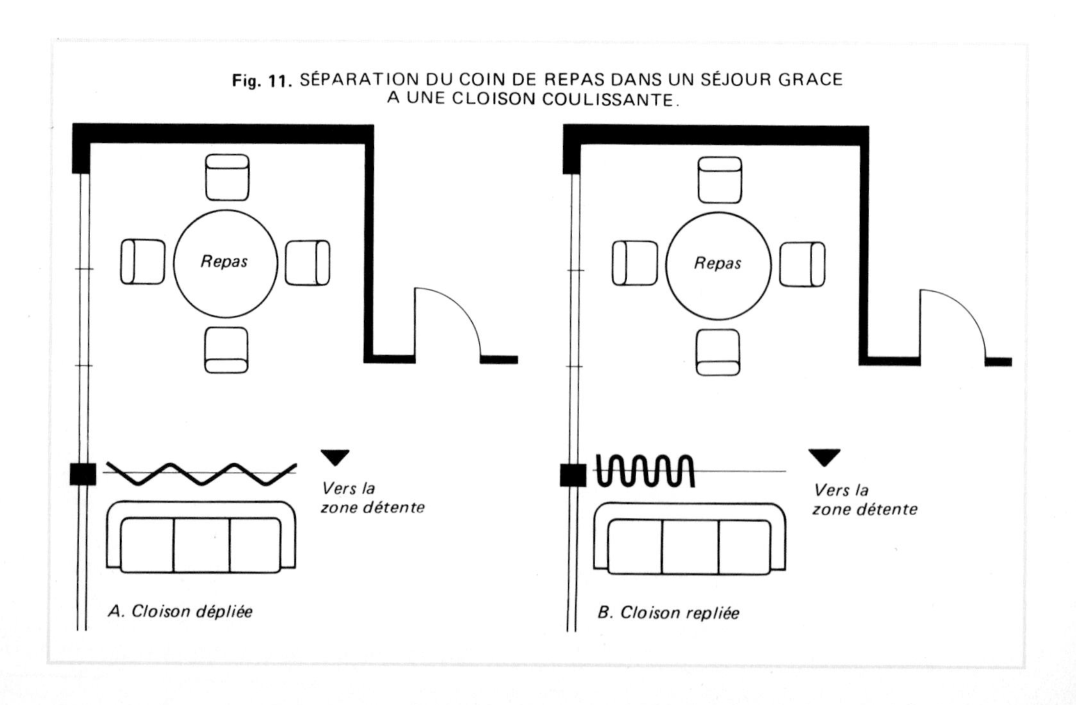

Cuisine et coin des repas sont mitoyens et communiquent par la porte de droite et par le passe-plat aménagé dans la cloison séparant les deux pièces. Cette cloison a reçu, côté séjour, un revêtement dans le même bois que celui de la table. En dehors des repas, le passe-plat est fermé par des panneaux en lamifié blanc coulissant dans une cornière très fine en aluminium.

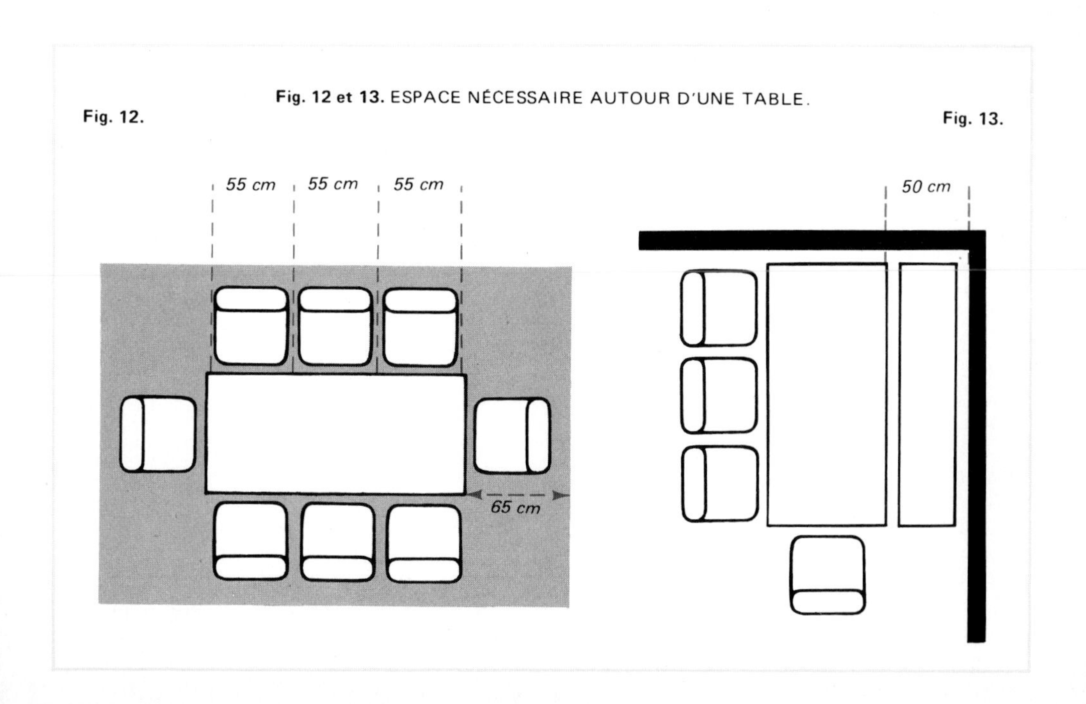

Fig. 12 et 13. ESPACE NÉCESSAIRE AUTOUR D'UNE TABLE.

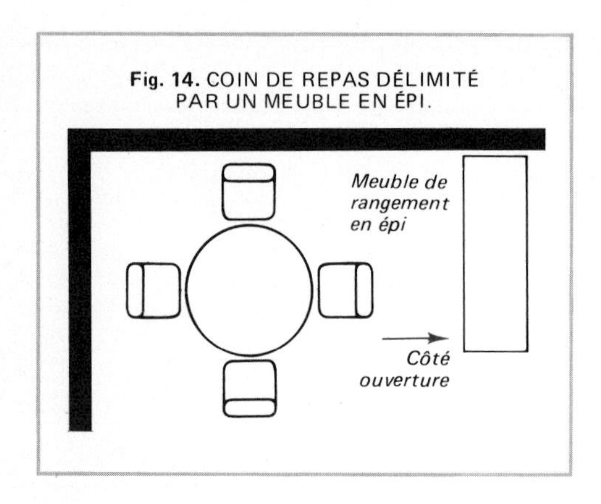

Fig. 14. COIN DE REPAS DÉLIMITÉ PAR UN MEUBLE EN ÉPI.

que vous ne préfériez avoir un écran de tissu destiné à créer une séparation légère. Si aucun élément ne vient dissimuler l'arrière du meuble, veillez à ce que son aspect soit net. S'il ne l'est pas, vous pouvez prévoir un habillage de contre-plaqué destiné à être peint dans la couleur des murs, ou tendu d'un tissu en harmonie avec ceux qui habilleront les fenêtres ou les sièges.

Cette cuisine est assez grande pour que trois personnes y prennent quotidiennement leurs repas. La table à abattants est en chêne, les chaises en bois laqué. Le mur du fond a été traité en frise de pin vernis.

dans une cuisine

Les normes que nous venons de donner restent valables, si vous voulez prendre vos repas à l'aise, décontracté, bien assis et bien éclairé. Vous veillerez, en outre, à ne pas gêner l'ouverture des portes de placards ou des tiroirs les plus proches de la table.
Si vous ne prenez dans la cuisine que des repas rapides ou simples (repas des enfants, petits déjeuners, en-cas matinaux ou tardifs), il existe une solution pratique, celle d'un bar-repas composé d'une tablette fixe ou abattante installée le long d'un mur (*fig. 15*).

Fig. 15. COIN DE REPAS DANS UNE CUISINE : *une petite tablette abattante (85 cm X 35 cm), sur laquelle vous prendrez des repas rapides, est fixée au mur à 1 m du sol.*

la zone de détente

Une pièce isolée peut être totalement réservée à la détente et à vos réceptions : c'est le salon, qui subsiste encore dans les maisons et immeubles anciens où, la place étant moins mesurée, chaque pièce avait une destination précise. Actuellement, on tend de plus en plus à donner au séjour un volume maximal dans lequel on crée des zones différenciées dont la zone de détente, qui acquiert ainsi un caractère moins guindé, plus décontracté.
Que cette zone soit plus ou moins importante, son aspect et sa disposition doivent toujours vous permettre de vous détendre, de bavarder, de lire, d'écouter des disques ou de regarder la télévision dans le calme et avec le maximum de confort. Vous ne devez pas être dérangé et vous devez avoir à portée de main les objets que vous aimez.
1. Le coin de détente sera plus intime s'il se referme sur lui-même, constituant ainsi une zone bien délimitée qui peut d'ailleurs tourner totalement le dos à la zone des repas. Aussi, n'alignez pas les sièges les uns à

Deux chauffeuses, placées perpendiculairement à une banquette de trois places prolongée par un petit rayonnage recevant des livres, entourent deux tables basses et délimitent ainsi une zone de détente dans un séjour. Le tapis assure la liaison visuelle entre les différents éléments.

Fig. 16. COIN DE DÉTENTE : SIÈGES EN ANGLE.

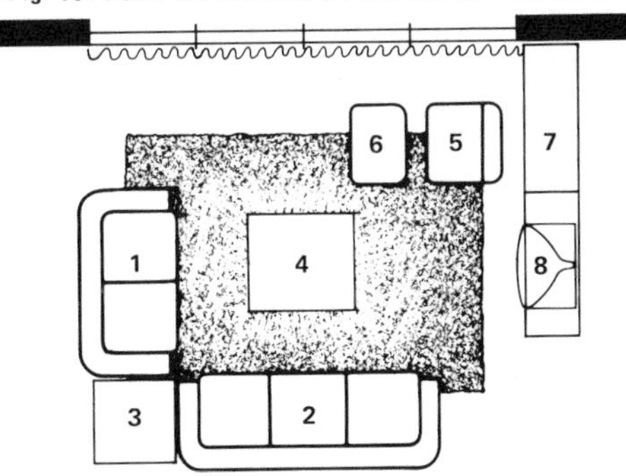

1. *Canapé 2 places* **2.** *Canapé 3 places* **3.** *Table basse faisant l'angle* **4.** *Table basse centrale* **5.** *Fauteuil confortable* **6.** *Repose-pieds* **7.** *Bibliothèque placée en épi, donc visible de deux côtés* **8.** *Téléviseur.*

Fig. 17. COIN DE DÉTENTE : SIÈGES SE FAISANT FACE.

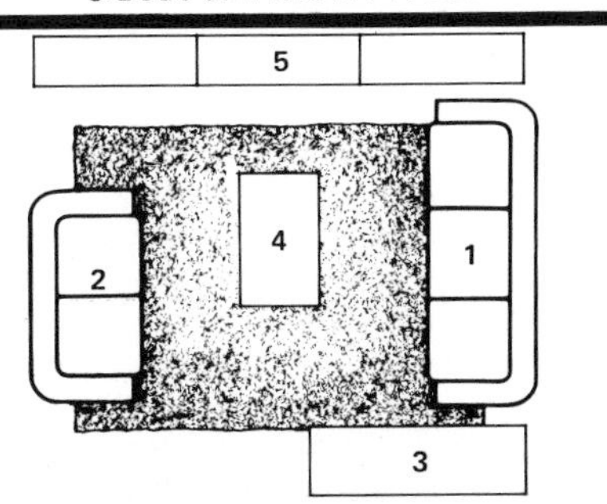

1. *Canapé 3 places* **2.** *Canapé 2 places* **3.** *Meuble bas pouvant être un bar ou un meuble réservé aux bibelots, à quelques livres* **4.** *Table basse* **5.** *Bibliothèque adossée au mur avec tourne-disque et chaîne HI-FI.*

Fig. 18. ESPACE NÉCESSAIRE DEVANT UN CANAPÉ.

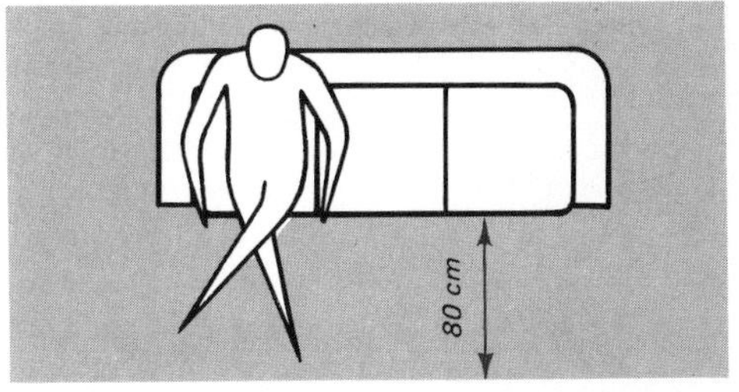

côté des autres, placez-les *en angle* (*fig. 16*), perpendiculairement, ou bien face à face (*fig. 17*). Tenez compte qu'un espace libre de 80 cm devant chaque siège semble être le minimum (*fig. 18*).

2. Une ou plusieurs tables basses recevront les objets quotidiens : verres, bibelots, bouquets, journaux. Ces tables n'étant pas seulement décoratives mais répondant à des besoins réels, ne choisissez pas des tables de petites dimensions qui sont peu pratiques. Elles sont, en outre, vite encombrées et donnent alors une impression de désordre.

Prévoyez également dans cette zone les meubles appropriés au rangement des divers objets qui font partie de vos loisirs : livres, disques, télévision, bibelots et, éventuellement, objets de collection.

3. Comme pour le coin des repas, des fenêtres peuvent ou non faire partie de cette zone. Les rideaux apporteront une note de plus grande intimité.

4. Les radiateurs ne gênent pas, il suffira de les intégrer au décor.
5. En ce qui concerne l'éclairage, prévoyez les prises de courant nécessaires pour avoir une lumière d'ambiance générale et plusieurs points lumineux (lampes, luminaires). Certaines prises seront commandées de la porte d'entrée, en particulier pour l'éclairage général. Pensez aussi à l'alimentation en courant électrique des appareils de télévision, électrophones, projecteurs.
6. Pour préserver le calme et l'intimité de cette zone, placez-la en dehors des circulations sinon vous risqueriez d'être sans cesse dérangé par de fréquentes allées et venues.
7. Si votre cheminée vous semble désuète ou fonctionne mal, ne la supprimez pas pour autant : pensez plutôt à la moderniser et à améliorer son tirage s'il est insuffisant. Un feu de bois peut être un élément important dans le décor d'un séjour. Sachez en tirer parti en disposant plusieurs sièges autour de la cheminée, créant ainsi un coin de feu propice à la détente et au calme (*fig. 19* et *20*). Et, dans ce cas, n'oubliez pas de prévoir le rangement du petit bois et des bûches dans une niche aménagée dans le mur ou même simplement dans un très grand panier.

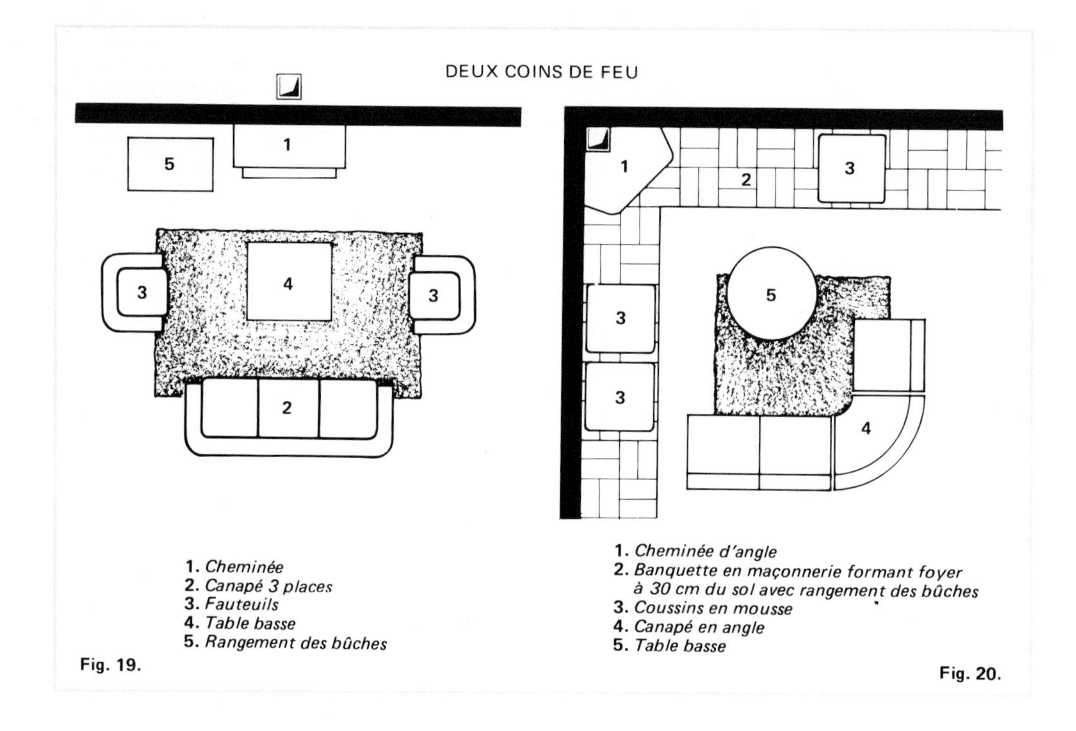

1. *Cheminée*
2. *Canapé 3 places*
3. *Fauteuils*
4. *Table basse*
5. *Rangement des bûches*

Fig. 19.

1. *Cheminée d'angle*
2. *Banquette en maçonnerie formant foyer à 30 cm du sol avec rangement des bûches*
3. *Coussins en mousse*
4. *Canapé en angle*
5. *Table basse*

Fig. 20.

la zone de repos

Que vous ayez une chambre ou que, faute de place, vous optiez pour la solution du canapé-lit ou du lit escamotable dans le séjour, les longues heures de sommeil pendant lesquelles votre organisme reprend des forces doivent se dérouler dans le calme.
L'orientation du lit est propre à chaque utilisateur. Certaines personnes dorment mieux la tête au nord, d'autres préfèrent dormir la tête au sud. Ce qui compte le plus à notre avis, c'est la tranquillité et la qualité du décor, qui doit être calme et harmonieux.
Vous tiendrez compte aussi des normes indispensables au confort :
1. La largeur du lit ne peut être inférieure à 1,30 m pour deux personnes et à 70 cm pour une personne. La longueur standard d'un lit d'adulte est de 1,90 m, mais vous pouvez obtenir sur demande des lits de 1,95 m ou 2 m, de même qu'il existe des lits d'enfant d'une longueur inférieure à 1,90 m.
2. Les dégagements devront être suffisants pour faire le lit, soit 50 cm au minimum sur son pourtour (*fig. 21*).
Vous équiperez un lit d'angle avec des pieds tonneaux fixés au sommier, ce qui vous permettra de déplacer le tout sans fatigue. Si, par manque de place, vous adoptez des lits superposés (ou un canapé-lit), ou si votre lit est placé dans une alcôve, pensez aux solutions qui, comme le drap-housse, facilitent le travail journalier.
3. La zone de repos ou la chambre devront être proches d'une salle d'eau et d'un w.-c. Pensez à vos matinées de calme et efforcez-vous de préserver la liaison lit-sanitaires, qui doit rester totalement indépendante et, en principe, ne recouper aucune des autres

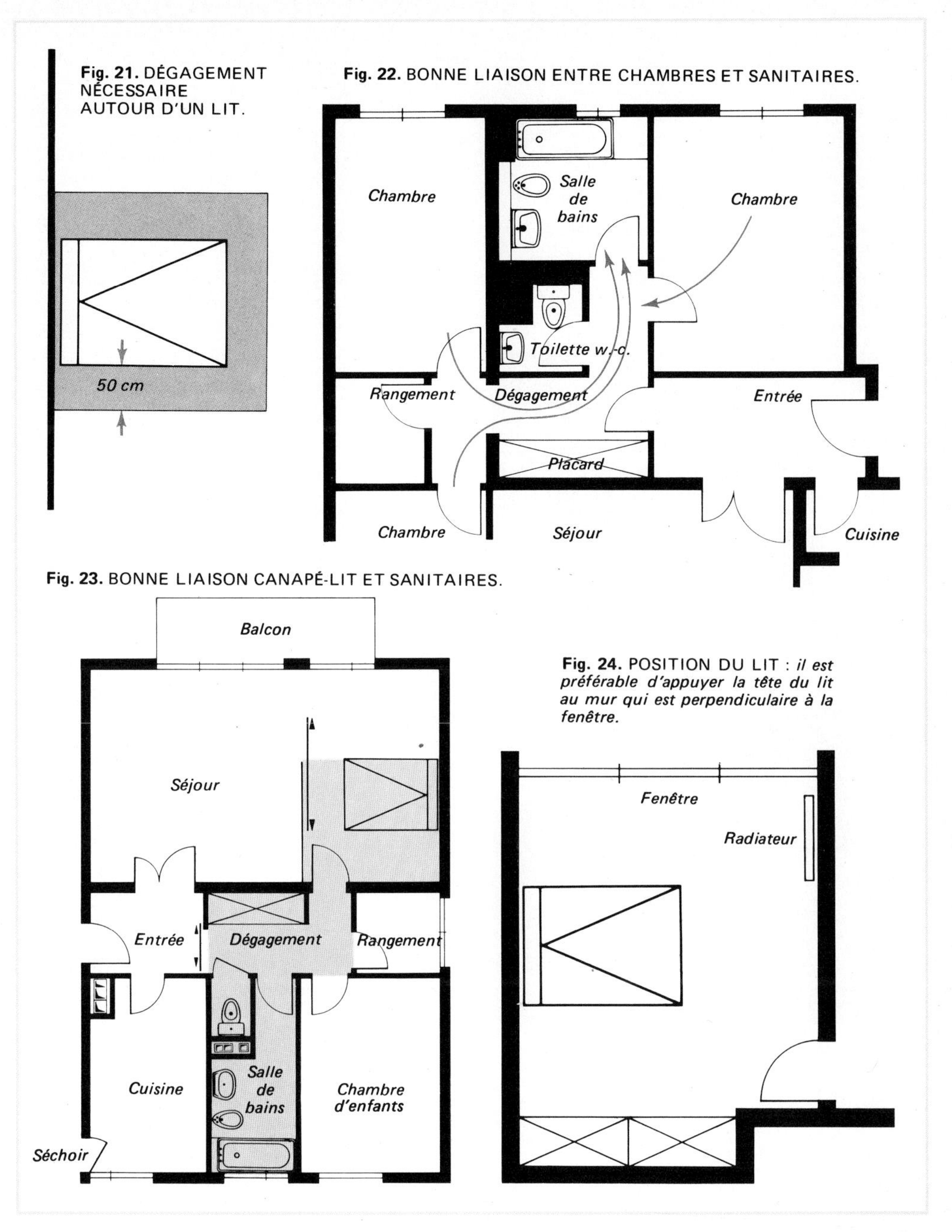

Fig. 21. DÉGAGEMENT NÉCESSAIRE AUTOUR D'UN LIT.

Fig. 22. BONNE LIAISON ENTRE CHAMBRES ET SANITAIRES.

Fig. 23. BONNE LIAISON CANAPÉ-LIT ET SANITAIRES.

Fig. 24. POSITION DU LIT : *il est préférable d'appuyer la tête du lit au mur qui est perpendiculaire à la fenêtre.*

circulations de l'appartement (*fig.* 22). La *figure 22* montre une zone de repos bien conçue : les chambres, les sanitaires et les rangements sont totalement indépendants de l'entrée, du séjour et de la cuisine. La *figure 23* correspond à un appartement comportant comme pièces principales un grand séjour, dans lequel est installé un canapé-lit pour les parents, et une chambre où couchent deux enfants. Les liaisons sommeil-sanitaires restent valables pour tous les membres de la famille. La nuit, un écran de toile (dont l'axe d'enroulement est fixé au plafond) est descendu pour recréer une pièce intime autour du lit déplié dans le séjour. Le passage entre l'entrée et le couloir se ferme par des portes coulissantes qui isolent totalement la zone de repos.

4. Éloignez la tête du lit du point de chauffage et, si possible, adossez-la au mur perpendiculaire à celui de la fenêtre (*fig. 24*).

5. Pour l'éclairage de chevet, prévoyez des alimentations électriques à la tête du lit, de part et d'autre pour un lit de 140, à droite pour un lit d'une personne.

L'éclairage général étant assuré par un luminaire sur pied ou une lampe posée sur un meuble, ces appareils seront commandés en va et vient entre la porte et un des chevets. Prévoyez un volume de rangement qui recevra les vêtements et le linge. Qu'il s'agisse d'une penderie ou d'une armoire, vous l'équiperez de tringles, de tiroirs et d'une glace (d'environ 150 cm x 50 cm). Vous compléterez ensuite ce rangement avec un ou plusieurs petits meubles : commode, coiffeuse, coffre, si la place vous le permet.

la zone de travail

pour la famille

Pour écrire votre courrier, faire vos comptes, classer vos papiers familiaux ou étudier un dossier rapporté de votre bureau, vous serez content d'avoir un poste de travail aménagé à cet effet, soit dans le séjour, soit dans la chambre. Suivant la place dont vous disposez, vous pouvez soit utiliser un meuble indépendant (bureau ou secrétaire), soit prévoir dans la bibliothèque ou dans le bloc de rangement de la chambre un élément à abattant formant secrétaire.
Dans tous les cas, il faut un espace suffisant pour ranger dossiers, crayons, papier à lettre et mettre une chaise devant ce poste de travail. L'éclairage sera assuré par une lampe orientable et peu encombrante.

pour les enfants et les étudiants

Ils ont besoin d'une place plus grande pour étaler leurs livres et leurs cahiers; une bonne surface est de l'ordre de 3 m^2. Vous pouvez aménager leur poste de travail dans un meuble ou prévoir l'achat d'un bureau. Là aussi, vous assurerez l'éclairage grâce à une lampe orientable.
Il existe sur le marché des meubles-bureaux dont la hauteur de plateau est réglable, ce qui permet d'utiliser ce mobilier pendant une grande partie des études.

Solution économique pour créer un coin de travail : un long plateau laqué posé sur des tréteaux permet de travailler dans une chambre tout en respectant l'ambiance de celle-ci. L'éclairage est assuré par une lampe articulée orientable pour éviter l'éblouissement.

la cuisine

Il fut une époque où, spécialement à la campagne, la grande salle commune incluait la cuisine. Cette conception ancienne connut un certain renouveau voici quelques années où des plans contemporains intégraient la cuisine au séjour-salle à manger, ou au contraire installaient le coin des repas d'une façon permanente dans la cuisine. Pourtant, dans la plupart des cas, la cuisine est indépendante des autres pièces. Son aménagement doit permettre à la maîtresse de maison d'effectuer les tâches ménagères avec le maximum de confort dans une ambiance agréable et chaleureuse.
Dans les immeubles collectifs, cette pièce a été dessinée et organisée bien avant le début de la construction; aussi les cuisines sont-elles superposées, ce qui permet de grouper les canalisations importantes telles que le tout-à-l'égout, les alimentations d'eau et, maintenant, le vide-ordures et les gaines de ventilation. Vous comprendrez que, dans ce cas, il est difficile et onéreux d'envisager de changer la cuisine de place. Par contre, dans les petites maisons ne comportant qu'un ou deux appartements, dans les villas, les propriétés privées, l'emplacement de la cuisine peut être plus facilement changé.
Que votre cuisine soit une vaste pièce, une cuisine-couloir ou un placard aménagé, vous voulez l'utiliser au mieux. Pour y parvenir, il vous faudra tenir compte d'un certain nombre d'impératifs fonctionnels et de règles de bon sens :

1. Coordination entre les divers lieux et équipements.
Les travaux qui s'effectuent dans la cuisine (épluchage, préparation des repas, etc.) demandent des surfaces ou plans de travail situés entre 85 et 90 cm au-dessus du sol

Cette cuisine d'une maison provençale donnant sur une terrasse est assez vaste pour qu'il soit possible d'y prendre les repas. Le coin des repas est constitué par une tablette à tiroirs en lamifié blanc, située perpendiculairement au plan de travail et accessible à la fois côté cuisine et côté terrasse. Les tabourets peuvent se glisser sous la tablette pour éviter qu'ils n'encombrent la pièce. Les éléments hauts de rangement, au-dessus du plan de cuisson, sont en noyer naturel. Un jeu de lames de verre orientables permet de régler la ventilation.

(*fig.* 25) : plan de cuisson, plan de lavage, etc. Certaines de ces surfaces sont constituées par la partie supérieure d'éléments de rangement posés au sol. Des éléments à suspendre, de même type que ces éléments bas, seront fixés aux murs à 45 cm au-dessus des plans de travail. Si cette distance ne peut être respectée, vous aurez intérêt à utiliser des éléments hauts peu profonds (25 cm environ).

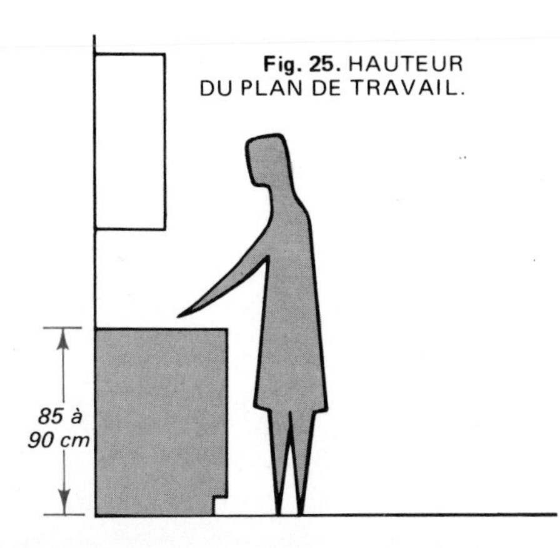

Fig. 25. HAUTEUR DU PLAN DE TRAVAIL.

En règle générale, le plan de travail destiné à la préparation des repas, à l'épluchage, à la découpe des viandes, à la pâtisserie, vous rendra davantage de services s'il se trouve entre le plan de cuisson et le plan de lavage. Si la cuisine est assez grande, n'hésitez pas à prévoir un second plan de travail : il ne sera pas superflu. La conservation des denrées périssables (réfrigérateur, congélateur) ne nécessite pas un emplacement préférentiel, mais la proximité d'un plan de travail est utile, même s'il est éloigné des plans de cuisson et de lavage.

N'hésitez pas à donner au plan de lavage une place généreuse et, si cela est possible, choisissez un évier à deux bacs et au moins un égouttoir. Si vous possédez un lave-vaisselle, vous l'installerez, bien entendu, le plus près possible de ce plan de lavage. Dans les cuisines suffisamment grandes, vous pouvez installer un coin de repas, comme nous l'évoquions plus haut, et une zone de lavage — séchage — repassage du linge, si votre maison ou votre appartement ne vous permettent pas de réserver une pièce à cet usage. Dans la mesure du possible, écartez cette zone annexe du plan de cuisson et du plan de lavage de la vaisselle, les deux activités étant très différentes.

2. Répartition des divers plans et des rangements annexes.

Cette répartition est déterminée par les dimensions de la pièce et l'emplacement des portes, des tuyauteries, des conduits, des prises de courant, etc. De petites modifications de ces emplacements peuvent parfois améliorer la disposition choisie.

sept types principaux d'implantation

La cuisine en longueur (*fig. 26*)

Vous alignerez dans l'ordre le plan de lavage, un premier plan de préparation, le plan de cuisson, un deuxième plan de préparation.

Vous veillerez à disposer devant ces plans d'au moins 1 m pour vous déplacer aisément, car souvent, dans ce type de cuisine, des portes s'ouvrent aux deux extrémités.

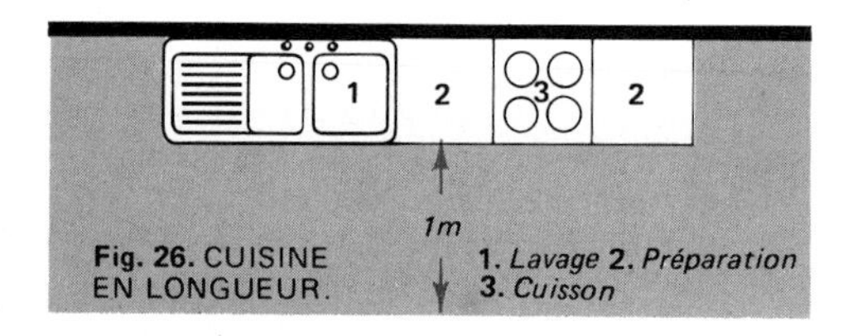

Fig. 26. CUISINE EN LONGUEUR. **1.** *Lavage* **2.** *Préparation* **3.** *Cuisson*

La cuisine deux faces (*fig. 27*)

Vous organiserez, d'un côté, le plan de lavage et un plan de préparation, de l'autre côté, le plan de cuisson et un second plan de préparation.

Là aussi, bien souvent, une circulation traverse la pièce, mais, comme vous travaillerez des deux côtés, vous porterez la distance entre les deux séries de plans entre 1,10 m et 1,20 m.

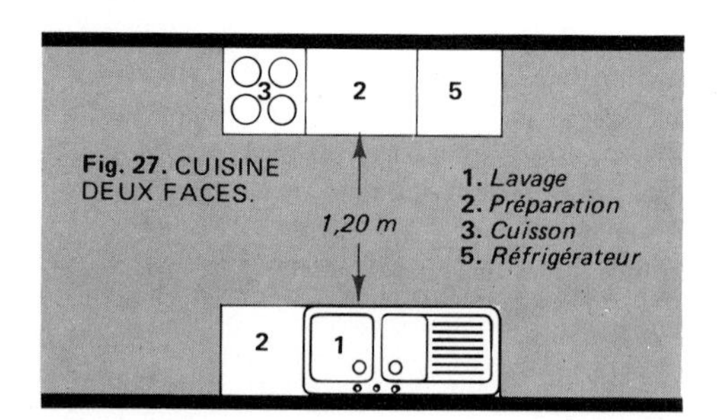

Fig. 27. CUISINE DEUX FACES.
1. *Lavage*
2. *Préparation*
3. *Cuisson*
5. *Réfrigérateur*

La cuisine en L (*fig. 28*)

Votre plan de lavage se trouvera à l'extrémité de la base du L. La cuisson et la préparation se juxtaposent sur la grande branche. Convient bien à une cuisine étroite.

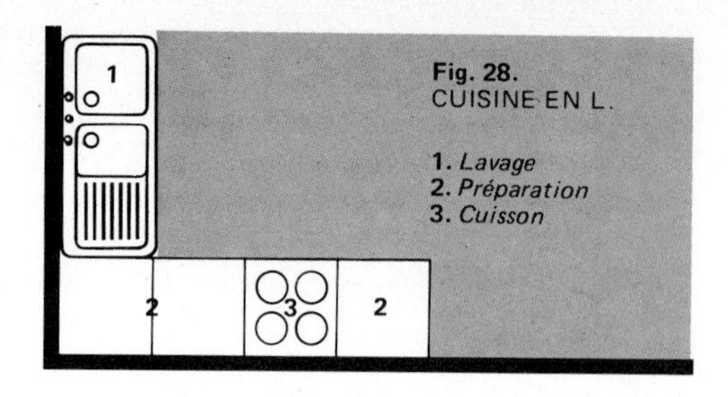

Fig. 28. CUISINE EN L.
1. *Lavage*
2. *Préparation*
3. *Cuisson*

La cuisine en U (*fig. 29*)

Ici, tentez de placer le lavage au fond du U, les autres plans se répartissant de part et d'autre. Distance minimale entre les deux grandes branches : 90 cm.

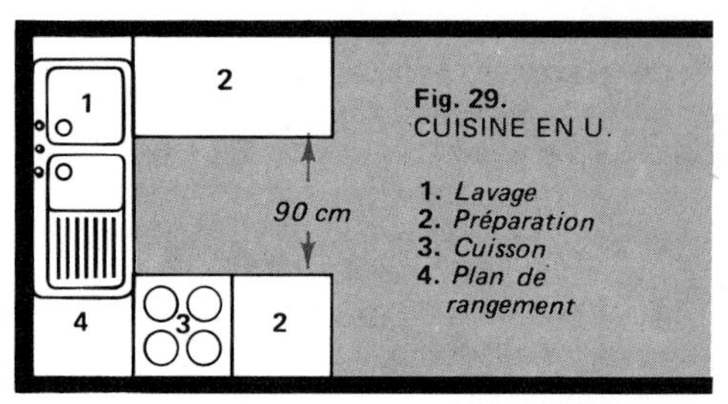

Fig. 29. CUISINE EN U.
1. *Lavage*
2. *Préparation*
3. *Cuisson*
4. *Plan de rangement*

La kitchenette (*fig. 30*)

Kitchenette aménagée dans un ancien placard. Les murs et le plafond sont laqués. Sous la table de cuisson encastrée se trouve un petit réfrigérateur.

Dans un petit appartement, un studio ou une pièce isolée, vous pouvez être amené à installer un coin de cuisine dans la pièce unique. Bien que la surface soit réduite, vous aurez intérêt à respecter, dans toute la mesure du possible, les mêmes principes que pour une cuisine normale et à veiller particulièrement à une bonne ventilation.

Vous pourrez isoler cette kitchenette du

reste de la pièce avec un rideau ou mieux avec une porte accordéon montée sur rail ou avec un store roulant.

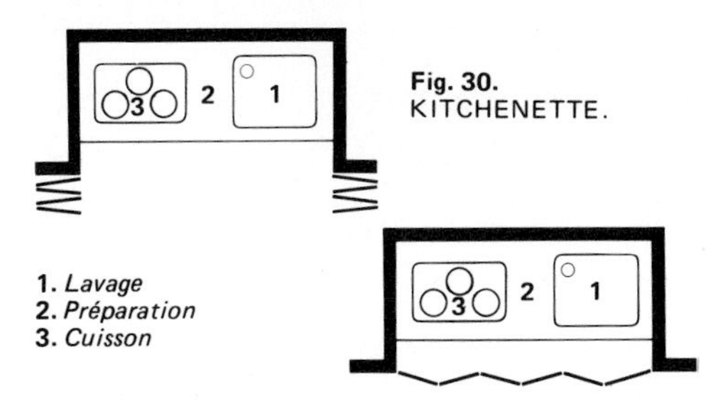

Fig. 30.
KITCHENETTE.

1. *Lavage*
2. *Préparation*
3. *Cuisson*

La cuisine centrale (*fig. 31*)

Vous ne pouvez songer à cette solution que si la pièce a une surface d'au moins 3,50 m x 3 m. Dans ce cas, un bloc central groupe soit les trois plans, cuisson-lavage-préparation, soit les deux plans, cuisson-préparation.
Les équipements complémentaires sont alors répartis sur un ou plusieurs murs de la pièce. Une telle cuisine est vivante, mais peut entraîner des travaux importants pour résoudre dans certains cas les problèmes d'arrivée d'eau, d'évacuation et de ventilation.

La cuisine en épi (*fig. 32*)

C'est la fusion de la cuisine centrale et de la cuisine deux faces. Cette solution subdivise la surface au sol, mais si vous respectez les circulations normales, elle permet d'élargir visuellement les lieux.

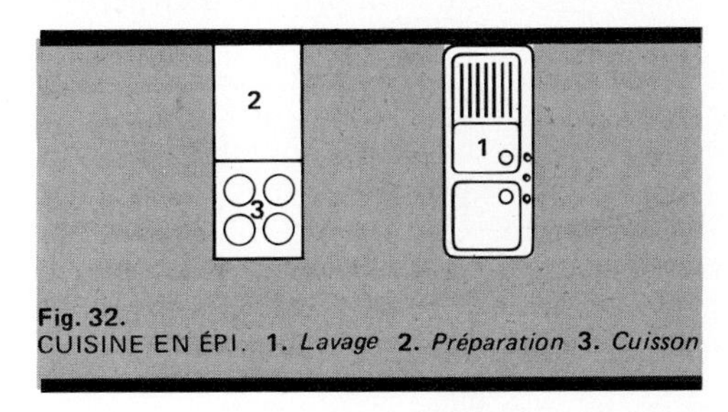

Fig. 32.
CUISINE EN ÉPI. 1. *Lavage* 2. *Préparation* 3. *Cuisson*

Quel que soit le type de cuisine que vous adoptiez, la plupart des fabricants de réfrigérateurs, machines à laver et lave-vaisselle proposent des modèles normalisés à une hauteur de 85 cm et équipés d'un plan de travail, ce qui vous facilitera la répartition des divers éléments.
De toute façon, l'emplacement du réfrigérateur est à déterminer après avoir résolu la

A gauche : *Cuisine centrale comportant un bloc-évier en inox et une table de cuisson. Des tablettes latérales abattantes permettent de prendre des repas rapides.* A droite : *Une cuisine un peu sommaire a été transformée en cuisine en épi. Les éléments bas et hauts sont accrochés à une structure qui transforme les proportions de la pièce.*

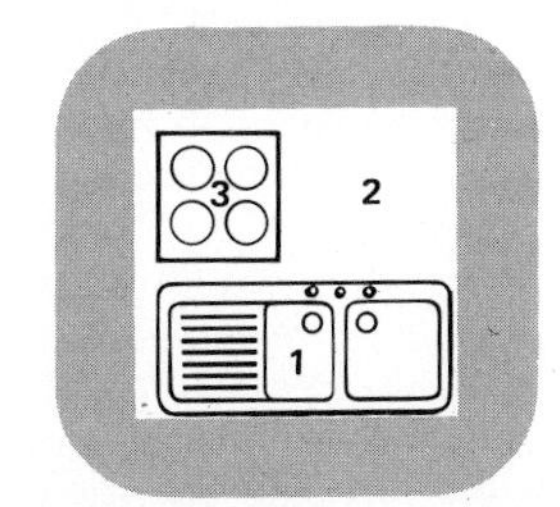

Fig. 31.
CUISINE CENTRALE

1. *Lavage*
2. *Préparation*
3. *Cuisson*

disposition logique des trois plans principaux. Selon la place dont vous disposez, vous pouvez choisir entre les réfrigérateurs bas, que vous placerez sous les plans de travail (120 à 135 l), les réfrigérateurs muraux à accrocher (50 à 145 l), et les réfrigérateurs traditionnels de hauteurs et de contenances diverses. Il est admis qu'un réfrigérateur de 140 litres répond aux

besoins de deux personnes et que, pour une famille de six à huit personnes, un appareil d'une capacité de 390 litres est nécessaire.
A titre d'exemples, disons que dans une cuisine en longueur, en L ou en épi, un réfrigérateur *table-top* pourrait, par exemple, rendre les services d'un plan de préparation; dans une cuisine deux faces ou dans une cuisine centrale se placerait un réfrigérateur haut (c'est-à-dire de plus de 1,10 m) de grande contenance. Dans la cuisine en U, le plan de travail pourrait être surplombé par un réfrigérateur mural. Le choix pour la kitchenette se porterait sur un appareil mural ou à intégrer en partie basse sous les plans lavage-préparation.
Si vous adoptez un four mural ou une rôtissoire, efforcez-vous de les mettre le plus près possible du plan de cuisson et de la hotte de ventilation. La bonne hauteur pour placer ces appareils se situe entre 1,35 m et 1,55 m. Ils conviennent bien aux cuisines étroites.
Enfin, notez que le ou les radiateurs n'ont pas de place spéciale et que, si votre cuisine est éclairée par une fenêtre dont l'allège se trouve à environ 95 cm du sol, vous pouvez installer le plan de lavage ou le plan de cuisson sous celle-ci; ainsi vos problèmes de ventilation seront facilement résolus.

les rangements

Dans les placards bas situés sous les plans de travail, vous rangerez tous les objets lourds et les produits d'entretien. Les tiroirs de ces placards recevront les couverts et les petits accessoires de cuisine (ouvre-boîtes, décapsuleur, louche, etc.). Dans les éléments hauts, vous grouperez tous les ustensiles légers, la vaisselle courante et les produits alimentaires.

Deux éléments de rangement haut et bas se détachent sur un mur de briques. Ce sont des lampes dissimulées sous l'élément haut qui assurent un bon éclairage du plan de travail.

les alimentations électriques à prévoir

Éclairage général

Une sortie de fil centrale pour un appareil au plafond ou une sortie de fil murale pour un éclairage indirect sont nécessaires. Dans l'un et l'autre cas, prévoyez les allumages en va et vient près de chaque porte d'entrée.

Éclairage ponctuel

C'est celui des plans de travail pour lesquels vous prévoirez plusieurs sorties de fil permettant l'installation d'appareils d'éclairage (tubes au néon, spots, etc.) sous les éléments supérieurs. L'allumage de ces appareils sera placé sur le mur à 10 cm au-dessus des plans de travail. Cet éclairage est indispensable pour effectuer certains travaux dans de bonnes conditions.

Alimentations diverses

Des prises de courant pourront être jumelées avec les allumages au-dessus des plans de travail, afin d'alimenter les petits appareils ménagers tels que moulin à café, mixer, etc. Enfin, n'omettez pas de prévoir les alimentations électriques pour les appareils importants, cuisinière, four, réfrigérateur, hotte aspirante, lave-vaisselle, machine à laver, etc.

la ventilation

La ventilation d'une cuisine est importante. Si la fenêtre ne suffit pas, vous disposez alors de trois solutions :
- L'installation d'un aérateur électrique fixé directement sur la vitre de la fenêtre ou de la baie. Cette installation est très efficace si le plan de cuisson n'est pas trop éloigné de l'appareil.
- L'installation d'un aérateur sur un mur extérieur si celui-ci peut être percé facilement.
- L'installation au-dessus du plan de cuisson d'une hotte avec ou sans évacuation. Dans le premier cas, vous veillerez à raccorder l'évacuation à une sortie vers l'extérieur. Cette sortie existe dans les appartements neufs; elle est à créer dans les maisons ou appartements anciens, en perçant un mur ou en utilisant une ancienne cheminée désaffectée.

Si la hotte n'est pas juste en dessous de la sortie vers l'extérieur, vous établirez un raccord entre l'évacuation de la hotte et cette sortie, au moyen d'un tuyau souple de 15 à 20 cm de section que vous pourrez dissimuler dans les rangements supérieurs.
Il existe également des hottes sans évacuation. Elles comportent un filtre incorporé qui absorbe les graisses et les odeurs, mais elles sont peut-être moins efficaces.

les zones sanitaires

la salle d'eau ou le cabinet de toilette

Si vous ne disposez pas d'une pièce déterminée et aménagée, vous pouvez installer, dans un débarras ou dans un grand placard, un lavabo, une douche, parfois même une petite baignoire.

Les types d'appareils

Les modèles d'appareils sanitaires sont multiples, leurs dimensions diverses. Du lave-mains de 30 cm de large au lavabo double de

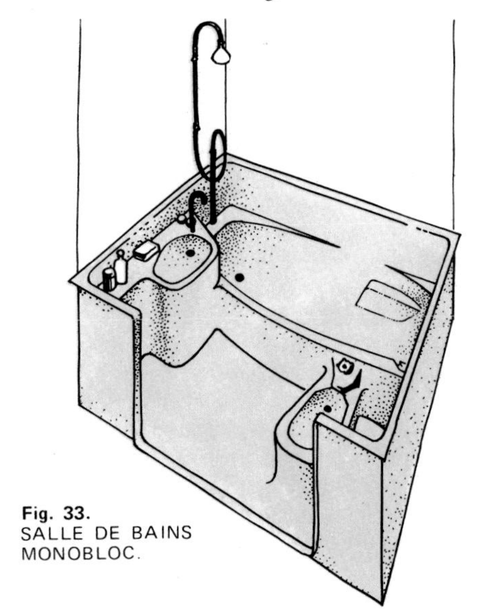

Fig. 33. SALLE DE BAINS MONOBLOC.

1,10 m, le choix est vaste. Quant aux receveurs de douche, certains sont repliables et peu encombrants. Les dimensions des baignoires sont également multiples : du bac de 95 cm de long à la baignoire de 1,80 m, avec des largeurs variant entre 65 cm et 90 cm. Les formes en sont très variées.
Le matériau le plus usité est la fonte émaillée blanche ou colorée; mais les matières plastiques s'imposent aussi peu à peu, avec des couleurs intenses et vivantes. Si vous habillez la façade ou tout le pourtour de votre baignoire, prévoyez une trappe de visite de 30 cm × 30 cm démontable pour accéder aux raccords des tuyaux. Dans le choix de la robinetterie, vous trouverez des appareils répondant à tous les besoins (douche sur conduit flexible, dite douche téléphone, mélangeur thermostatique, etc.).
Enfin, apparaissent sur le marché des équipements monoblocs en polyester moulé, conçus pour de petites surfaces et de petits volumes (*fig. 33*). Ces éléments moulés d'une seule pièce comportent soit deux appareils (baignoire, lavabo), soit trois appareils comme sur le dessin (baignoire, lavabo, bidet). En général, les arrivées d'eau et les évacuations sont groupées et ne nécessitent qu'un ou deux raccords faciles à brancher.

La répartition des appareils

Dans les appartements neufs, ils sont en place; mais si vous envisagez une nouvelle installation et si les lieux le permettent, efforcez-vous de disposer les appareils en ligne (*fig. 34* et *35*). Les avantages principaux d'une telle installation sont :

- d'ordre technique, puisque toutes les vidanges se raccordent à une seule canalisation et que les alimentations se branchent sur un seul tuyau;
- d'ordre économique, puisque la main-d'œuvre et le matériel sont réduits. Pour améliorer la pente d'écoulement, la disposition des appareils par hauteur décroissante est très efficace. Vous aurez par exemple comme sur la *figure 35* : lavabo (1); bidet (2); baignoire (3); chute vers le tout-à-l'égout (4), puisque le lavabo est l'appareil le plus haut.

Il est parfois prudent de surélever le sol de la pièce de 8 à 10 cm pour assurer aux évacuations une pente normale de 1 à 2 cm par mètre (*fig. 36*). En dessous de ces cotes, des odeurs désagréables, dues à un mauvais écoulement, risquent de se produire.

Fig. 34 et 35. MISE EN PLACE DES APPAREILS SANITAIRES DANS UNE SALLE DE BAINS.

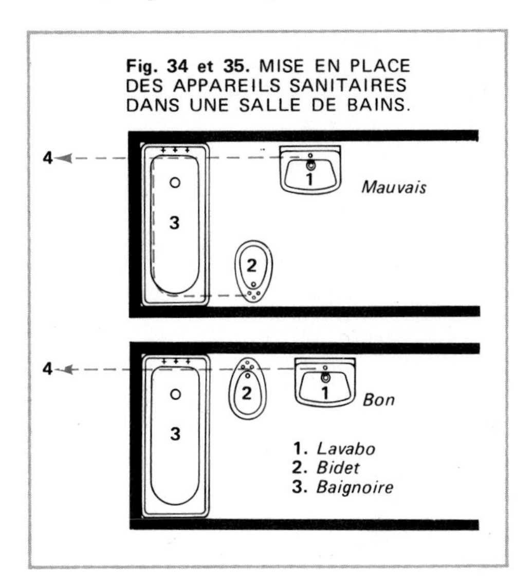

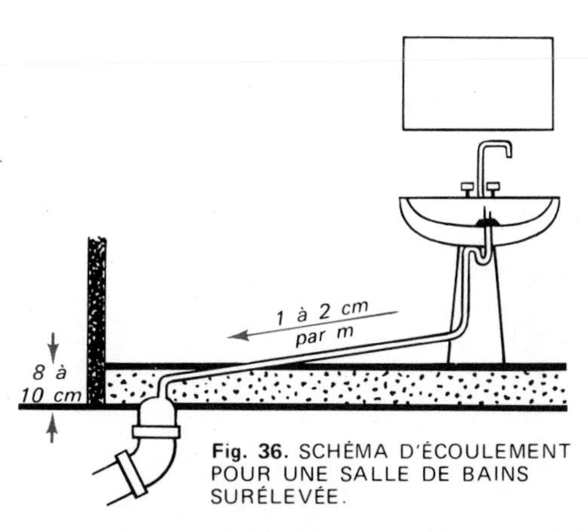

Fig. 36. SCHÉMA D'ÉCOULEMENT POUR UNE SALLE DE BAINS SURÉLEVÉE.

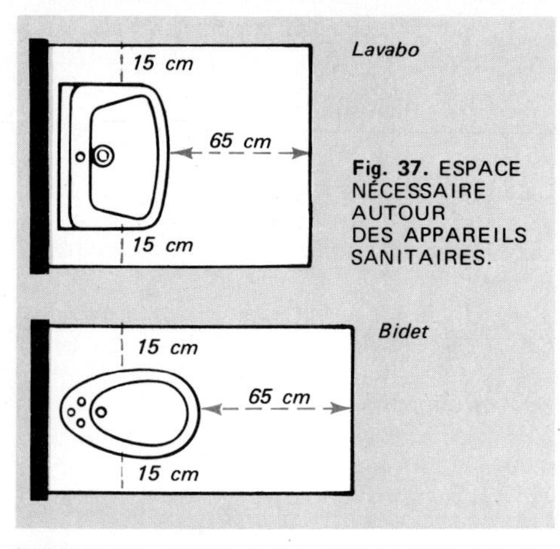

Fig. 37. ESPACE NÉCESSAIRE AUTOUR DES APPAREILS SANITAIRES.

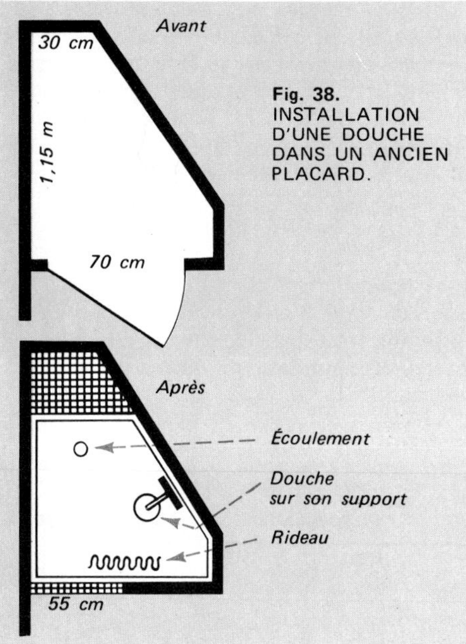

Fig. 38. INSTALLATION D'UNE DOUCHE DANS UN ANCIEN PLACARD.

Les normes utiles

Sachez qu'il faut laisser environ 65 cm devant un lavabo ou un bidet, et entre 15 cm et 25 cm sur les côtés (*fig. 37*). Si vous ne disposez que d'un espace réduit, choisissez un appareil plus petit pour avoir une place suffisante pour vous mouvoir sans être gêné. Si vous utilisez un receveur de type courant, l'installation d'une douche exige une surface au sol de 75 cm x 75 cm. Ce type d'installation peut se faire dans un recoin inutilisé (*fig. 38*), ou dans un placard, l'important étant de pouvoir bouger aisément. Ce sont donc les dimensions des appareils qui guideront votre choix.

Pour faire une telle installation (*fig. 38*), vous vous assurerez d'abord que l'évacuation et les alimentations en eau chaude et froide sont possibles. Vous construirez ensuite autour de la *bonde* une cuvette cimentée et étanche (forme en zinc ou en plomb). Cette cuvette sera ensuite carrelée, ainsi que les murs. L'extrême « pointe » située au fond du placard sera surélevée de 20 à 25 cm et servira de repose-pieds. Elle sera carrelée. Un rideau en plastique fermera cette douche.

La répartition électrique

Les conditions de sécurité préconisées par l'É.D.F. indiquent qu'il ne doit pas y avoir de prise de courant ou d'interrupteur à moins de 1 mètre du poste d'eau le plus proche. Près d'une baignoire et d'une douche vous respecterez scrupuleusement ces conditions. Pourtant, vous avez tout de même la latitude de prévoir des alimentations électriques pour l'éclairage et l'installation d'une prise destinée au rasoir ou au sèche-cheveux, au-dessus ou de part et d'autre du lavabo. Mais les allumages correspondants resteront à l'extérieur de la pièce.

Fig. 39. VENTILATION D'UNE PIÈCE SANS FENÊTRE *par une gaine souple qui, dissimulée par un caisson, rejoint l'extérieur.*

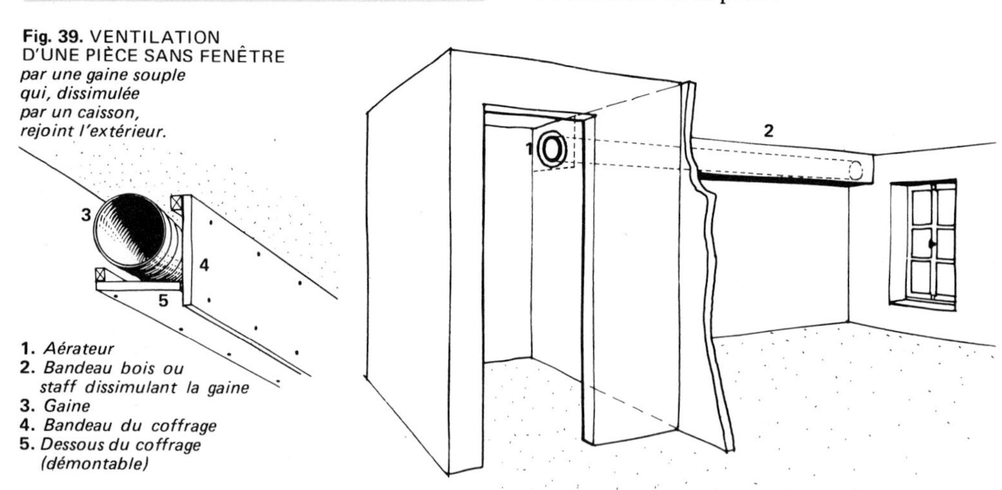

1. *Aérateur*
2. *Bandeau bois ou staff dissimulant la gaine*
3. *Gaine*
4. *Bandeau du coffrage*
5. *Dessous du coffrage (démontable)*

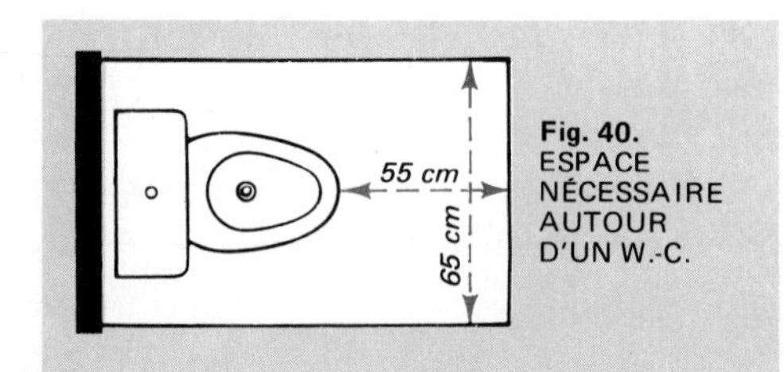

Fig. 40. ESPACE NÉCESSAIRE AUTOUR D'UN W.-C.

Les rangements utiles

L'armoire dite à pharmacie ou armoire de toilette reçoit aussi bien les produits de toilette que les médicaments couramment utilisés. Elle peut être remplacée par l'aménagement d'un meuble permettant en outre le rangement du linge de toilette et des divers flacons, accessoires et boîtes. Un coffre roulant ou basculant recevra le linge sale.

Le plafond d'une salle d'eau supporte d'être très bas (2 m). La pièce est ainsi plus intime et plus facile à chauffer. En outre, l'espace délimité par le plafond d'origine et le faux plafond peut soit offrir un volume de rangement supplémentaire, soit permettre de dissimuler l'accumulateur d'eau chaude.

La ventilation
Pour éviter les condensations de buée, vous veillerez à installer une bonne ventilation si elle n'existe pas. Dans le cas où le percement d'une fenêtre ou d'une bouche d'aération est impossible, vous résoudrez le problème en installant une *gaine* souple de 10 à 15 cm de section entre la partie supérieure de la pièce et l'extérieur (*fig. 39*). Cette gaine traverse ou longe une pièce mitoyenne avant de rejoindre l'extérieur. Plusieurs solutions vous permettent de la dissimuler : faux plafond, soffite, habillage mural, *coffrage*, etc. Nous y reviendrons ultérieurement.

les w.-c.

Les dimensions normales d'un w.-c. sont d'environ 1,10 m × 0,65 m. Devant la cuvette, la dimension minimale est de 55 cm (*fig. 40*). Prévoyez une alimentation électrique murale ou au plafond afin d'assurer l'éclairage, l'interrupteur étant à l'intérieur. Vous pouvez aménager dans un w.-c. des rangements hauts, fermés ou non, au-dessus de la porte d'entrée. Enfin, si elle n'existe pas, vous veillerez à assurer la ventilation en installant, comme dans la salle de bains, une petite gaine rejoignant l'extérieur.

les pièces annexes

la buanderie

Bien que ce soit le plus souvent dans la cuisine que se font lavage et repassage, vous pouvez installer un coin-buanderie dans votre salle de bains, si celle-ci est assez grande, ou dans une pièce libre, si vous en avez une. L'installation comprendra :

- Un coin de lavage-séchage, composé d'un bac avec eau chaude et froide, d'une machine à laver et d'un séchoir ou, mieux, d'un sèche-linge (meuble bas ou armoire).

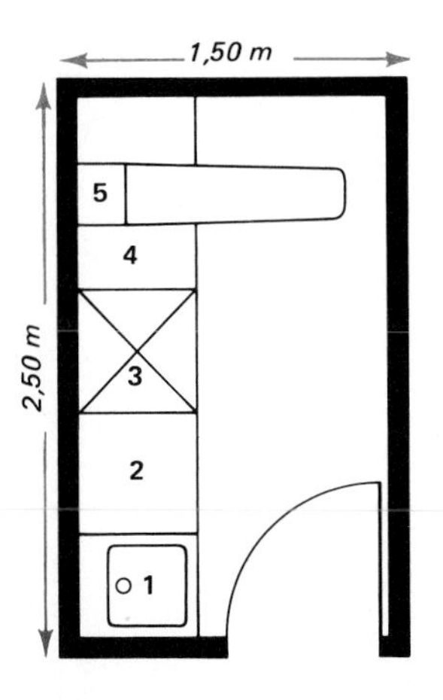

Fig. 41. BUANDERIE DANS UNE PIÈCE DE 2,50 m × 1,50 m.

1. *Bac lavage avec robinetterie*
2. *Machine à laver*
3. *Sèche-linge (bloc bas ou armoire)*
4. *Plan de rangement*
5. *Planche à repasser repliable*

Ces appareils s'appuient le long du mur sur une longueur d'environ 1,80 m. Des étagères en partie haute seront réservées au rangement du linge.

- Un coin de repassage, qui occupera une place réduite, car la table à repasser ne nécessite que 0,50 m × 2 m, et qui comportera un petit placard mural destiné au rangement du fer et des accessoires.
- Un coin pour la couture, qui, lui aussi, ne nécessite qu'environ 1,50 m × 1,50 m, surface dans laquelle vous placerez une table ou un équipement en épi pour poser la machine à coudre et, au mur, des petits placards et tiroirs de diverses dimensions.

Notez qu'il vous faut disposer de 80 cm au minimum devant tous les appareils et équipements pour pouvoir travailler. Ainsi, même une petite pièce peut tenir lieu de buanderie, quitte à supprimer le coin-couture et à le prévoir dans le séjour. Pour installer une buanderie, il suffit alors seulement de 2,50 m × 1,50 m (*fig. 41*).

Pour tous ces travaux, une bonne lumière est importante et nécessite, outre un éclairage central commandé de la porte d'entrée, des éclairages ponctuels. Enfin, prévoyez des alimentations électriques normales pour le fer à repasser et la machine à coudre, et des prises de force ou une prise triphasée, selon les indications du fabricant, pour la machine à laver et le sèche-linge. En ce qui concerne la ventilation, les solutions sont les mêmes que pour la salle d'eau et les w.-c.

la cave, le cellier

C'est là que vous stockerez vos réserves d'alimentation, de combustible, etc.; mais vous y rangerez aussi tous les objets usagés ou démodés dont vous ne voulez pourtant pas vous séparer.

Si le générateur de chauffage se trouve dans cette pièce, il sera préférable de l'isoler légèrement et de l'écarter du stockage des denrées alimentaires.

Ces différents rangements se font sur des étagères bon marché, qui peuvent être soit en bois blanc, verni ou peint, soit en métal.

les rangements

Un rangement bien conçu, avec des emplacements appropriés et en nombre suffisant pour chaque catégorie d'objets, facilite la vie de chacun des membres de la famille, évite bien des énervements regrettables et des recherches inutiles et permet de garder sans peine la maison dans un ordre rationnel.
C'est dès l'implantation que vous devez vous préoccuper de ce problème et déterminer l'espace qui vous est nécessaire dans chaque pièce pour ranger vos affaires et l'emplacement des meubles qui les recevront.

Bien entendu, vous tiendrez compte des meubles que vous possédez et qui vous donnent satisfaction, des placards déjà intégrés dans la construction, de ceux que vous pouvez construire et, enfin, des meubles complémentaires qu'il vous faudra acheter.
Il existe trois types de rangements permettant de résoudre les problèmes qui se posent dans une maison (*fig. 42*) : les rangements intégrés (*fig. 43*), les rangements semi-mobiles (bahuts, commodes, etc.) et les rangements mobiles ou déplaçables (*fig. 44*).

les différents types de rangements

Fig. 42. LES TROIS TYPES DE RANGEMENTS.

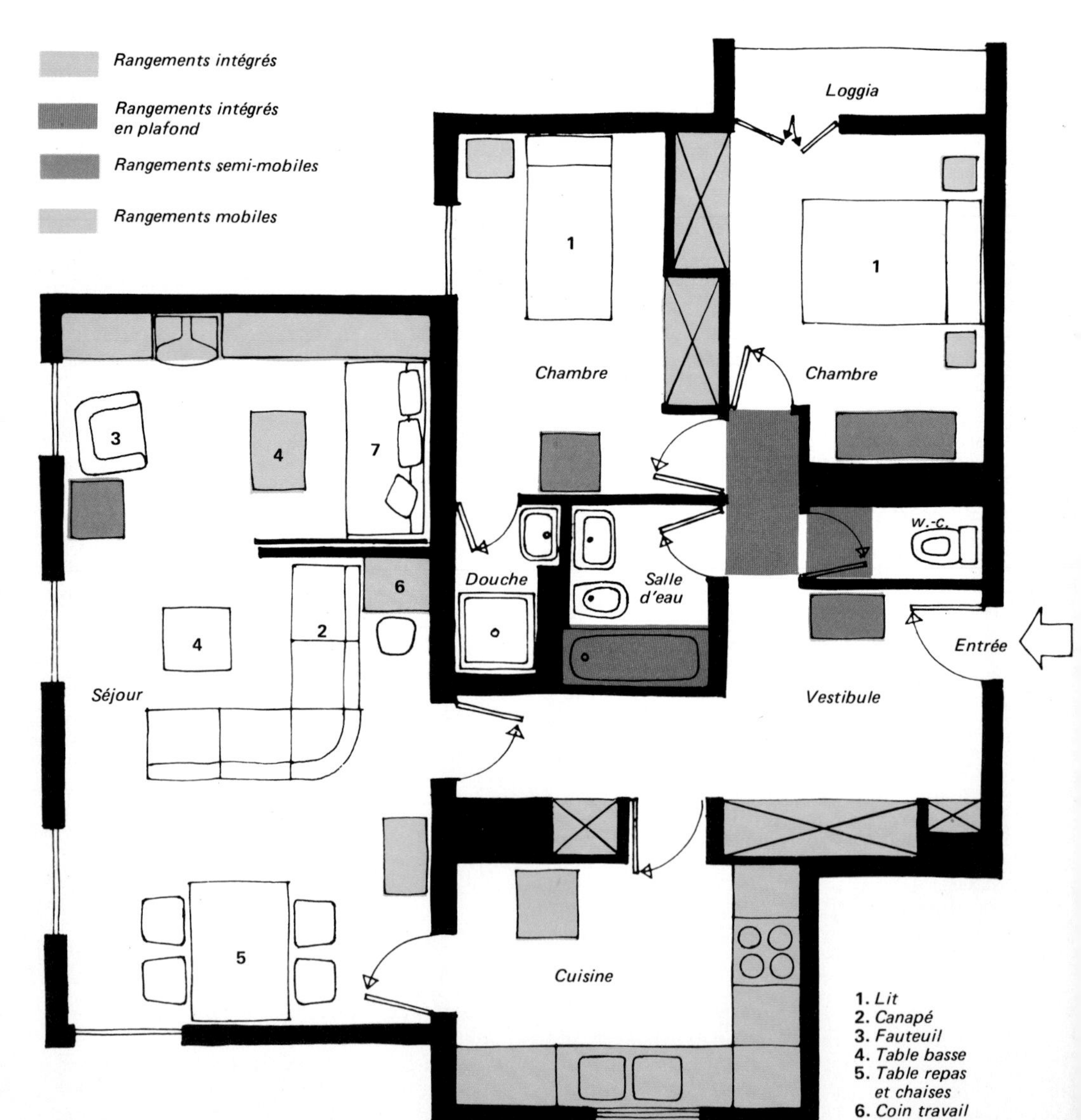

Fig. 43. RANGEMENT FIXE : *secrétaire dans un rangement intégré.*

Fig. 44. RANGEMENT MOBILE : *secrétaire monté sur roulettes.*

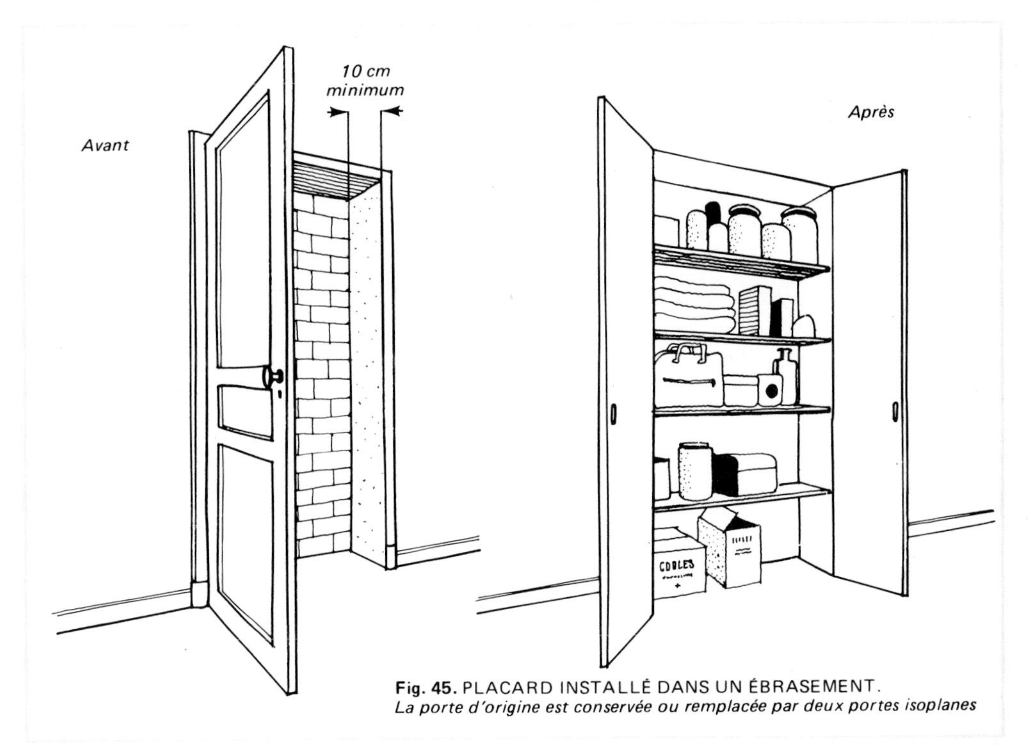

Fig. 45. PLACARD INSTALLÉ DANS UN ÉBRASEMENT.
La porte d'origine est conservée ou remplacée par deux portes isoplanes

les rangements intégrés

a. Dans les locaux neufs

Dans les appartements neufs ou récents, vous trouverez généralement des placards intégrés à la construction, que vous prendrez vite l'habitude de reconnaître sur les plans qui vous sont soumis (voir *fig. 9*). Théoriquement, en plus des volumes de rangement situés dans l'entrée et le couloir, chaque chambre devra avoir son placard. Les cuisines comportent en général un rangement sous l'évier et, plus rarement, des blocs hauts. La plupart du temps, les placards sont peu équipés ou pas du tout. Il faudra donc y installer les tringles, les tablettes et les tiroirs nécessaires.

b. Dans les locaux anciens

Il est rare que vous trouviez déjà installés les mêmes éléments de rangement dans des locaux anciens. Vous devrez donc les créer. Vous avez, pour ce faire, deux solutions :

1. Dissimuler les rangements le mieux possible en profitant de certaines caractéristiques de la pièce : *ébrasement* (*fig. 45*), *alcôve*, fond de couloir inutilisé, an-

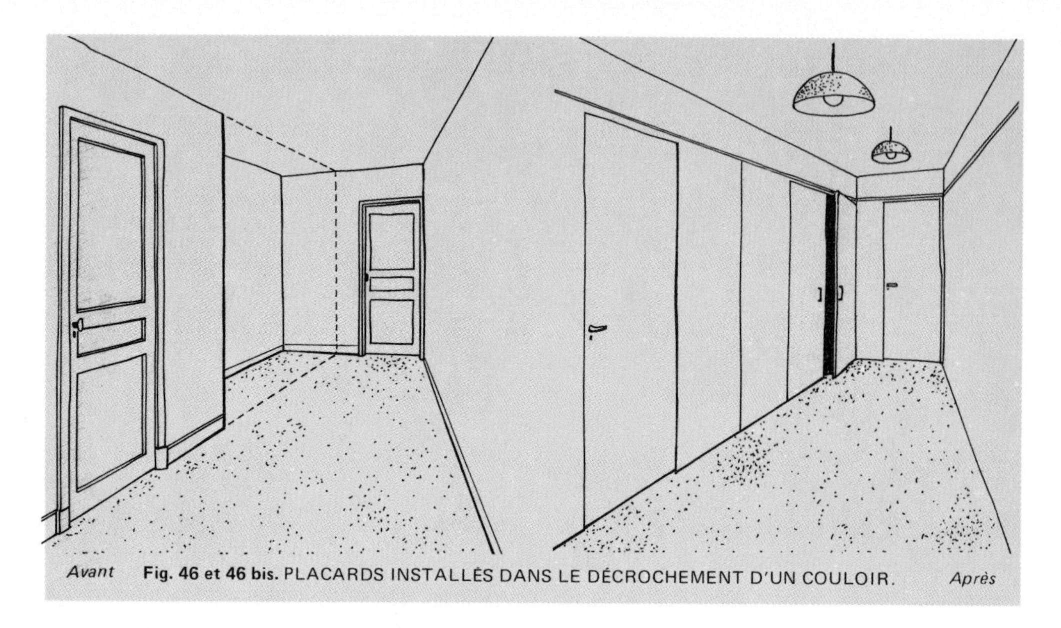

Avant **Fig. 46 et 46 bis.** PLACARDS INSTALLÉS DANS LE DÉCROCHEMENT D'UN COULOIR. *Après*

cienne porte condamnée, *décrochements* (*fig. 46*), dessous d'escalier (*fig. 47*), sous-plafonds dans l'entrée, les w.-c. ou la salle d'eau, etc.

2. Prendre le parti inverse, c'est-à-dire faire de ces éléments de rangement des structures intérieures très visibles dont il convient de tirer un parti décoratif en même temps que pratique, très nettement affirmé.

Vous pouvez, de cette manière, organiser une chambre d'enfants autour d'un placard accessible des deux côtés (*fig. 48*) et ne montant pas jusqu'au plafond, ou séparer la zone de repas du reste du séjour par une bibliothèque ouverte des deux côtés selon le même principe. Vous pouvez également créer, dans un studio sans dégagement, une minuscule entrée en plaçant une penderie-vestiaire formant écran. Si de tels aménagements sont parfois les seules solutions pour créer les rangements indispensables dans des locaux anciens, ils peuvent aussi trouver place dans des locaux neufs.

les rangements semi-mobiles

Il s'agit de meubles importants tels que les armoires, les bahuts, les commodes, les coffres. Leur déplacement, bien que pos-

Fig. 47. RANGEMENT SOUS UN ESCALIER. *Successivement en partant de la pointe à droite : coffres roulants (objets de sport ou petit bois pour la cheminée), tiroirs (foulards, lainages, gants), penderie ou placard à balais.*

sible, n'est pourtant pas aisé. Il peut néanmoins permettre de corriger des erreurs importantes d'implantation. Si l'équipement de ces meubles est insuffisant, des *tringles télescopiques*, des supports de cravates, des petits tiroirs intérieurs, un miroir, etc. augmenteront les capacités du meuble d'origine et faciliteront les rangements et l'utilisation. Vous trouverez dans le commerce des meubles composés de modules combinables par superposition et juxtaposition, faciles à mettre en place.

les rangements mobiles

Généralement de fabrication contemporaine, ces meubles sont conçus pour être transportés facilement : petites tables, tables roulantes, bars et tous les nouveaux *containers* dans lesquels vous rangerez les objets les plus divers : accessoires de couture, jouets, linge à repasser, bouteilles, bûches pour la cheminée et, parfois même, téléviseur, électrophone et disques.

Fig. 48. DEUX PLACARDS INSTALLÉS CÔTE À CÔTE EN POSITION INVERSÉE *au centre d'une chambre d'enfants la séparent en deux parties. Comme ces placards ne montent pas jusqu'au plafond, le volume de la pièce est conservé. Le dos de chaque placard sert de tableau noir dans l'autre partie de la chambre.*

Dans un studio de dimensions réduites, c'est à partir du bloc penderie-vestiaire installé en position centrale que sont distribuées les différentes zones (entrée, repos et détente). Sur l'une des faces de ce bloc de rangement s'accroche un appareil d'éclairage orienté vers le plafond, créant ainsi une unité d'ambiance lumineuse et décorative dans toute la pièce.

normes et particularités des divers rangements

les livres

Le rangement des livres peut aller de la simple étagère à la bibliothèque occupant tout un mur du séjour. Une bibliothèque peut aussi être placée en épi ou en position centrale et jouer ainsi le rôle de séparation entre deux zones d'un séjour.
La diversité de format des livres pose des problèmes de rangement. Si vous envisagez la construction de meubles ou d'équipements spéciaux, vous aurez intérêt à opter pour un système de rayonnages présentant des tablettes de diverses profondeurs et comportant des systèmes à crémaillère ou des clés à violon (*fig. 49* et *49 bis*) qui vous permettront de varier la hauteur. Si, par contre, vous installez une bibliothèque dans un renfoncement atteignant une quarantaine de centimètres de profondeur, vous répartirez les ouvrages sur deux rangs en prenant soin de relever la rangée du fond par un support de bois glissé avant la mise en place (*fig. 50*), pour que les titres restent lisibles et les ouvrages plus accessibles. Vous pouvez aussi ranger les livres dans le fond des tablettes et poser devant objets et bibelots.
N'oubliez pas que les livres sont lourds et qu'une surcharge risque toujours de provoquer un fléchissement (ou *flèche*) des rayons qui les supportent. Comptez que, pour une épaisseur de 15 à 20 mm, il ne faut pas que le rayonnage dépasse une longueur de 80 cm (*fig. 51*).
Enfin, qu'elle soit construite sur mesure ou achetée dans le commerce, une bibliothèque peut être équipée de portes coulissantes ouvrantes pour protéger les ouvrages de la poussière. Vérifiez qu'elles coulissent bien.

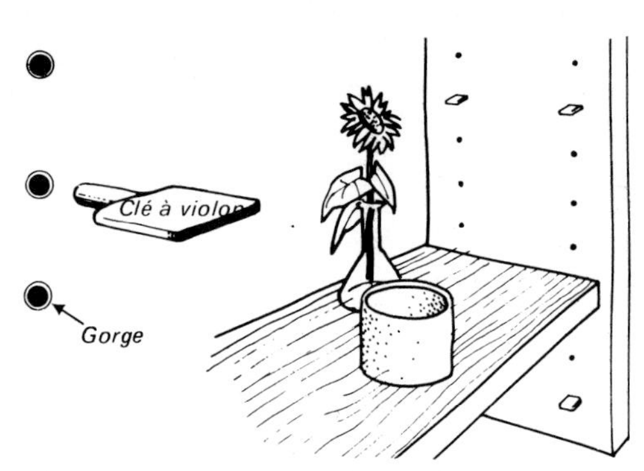

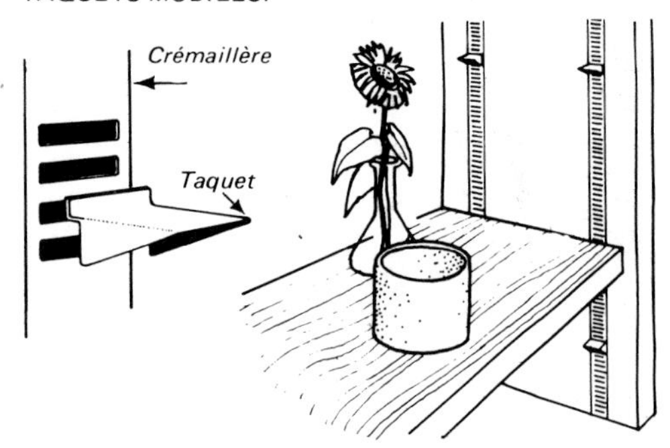

Fig. 49 et 49 bis. CRÉMAILLÈRES MÉTALLIQUES ET TAQUETS MOBILES.

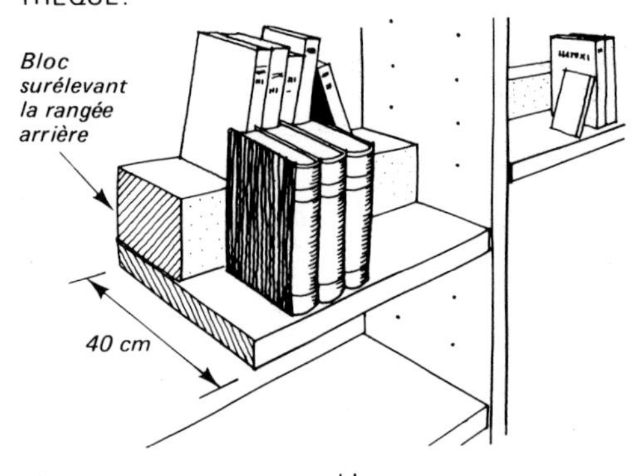

Fig. 50. SURÉLÉVATION DE LA RANGÉE DE LIVRES PLACÉS A L'ARRIÈRE D'UNE BIBLIOTHÈQUE.

Fig. 51. FLÈCHE D'UNE TABLETTE TROP MINCE.

Épaisseur trop faible

80 cm ou plus

le bar

Qu'il s'intègre dans un équipement plus vaste ou qu'il constitue un meuble indépendant, il doit permettre de prendre facilement bouteilles, seau à glace et biscuits (*fig. 52*).

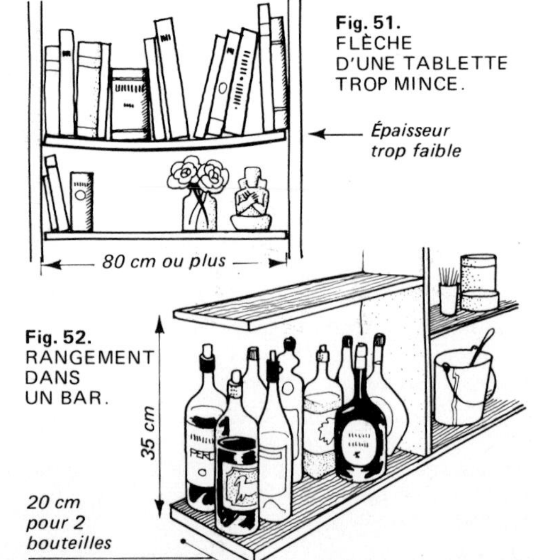

Fig. 52. RANGEMENT DANS UN BAR.

le matériel audio-visuel

1. Chaîne HI-FI, tourne-disque tuner MF, magnétophone

Certains éléments sont très beaux et dépouillés. C'est donc l'aspect extérieur de ces appareils qui vous décidera à les enfermer ou à les laisser visibles. Un bon rangement doit être suffisamment généreux pour permettre un accès facile aux fiches arrière et aux boutons et assurer une aération normale des appareils non transistorisés.

QUELQUES NORMES UTILES POUR LE RANGEMENT DES OBJETS

OBJETS	LARGEUR	PROFONDEUR	HAUTEUR
Appareils audio-visuels (à placer entre 40 cm et 1 m)	En fonction des dimensions plus 8 cm ou plus pour accès aux fiches et ventilation	En fonction des dimensions plus 8 cm ou davantage pour accès aux fiches et ventilation	En fonction des dimensions plus 8 cm ou davantage pour accès aux fiches et ventilation
Assiettes creuses et assiettes plates	24 cm	24 cm	10 assiettes creuses occupent une hauteur de 12 cm
Bandes magnétiques dans leurs boîtes	25 cm maximum	25 cm maximum	25 cm maximum
Bouteilles debout (éviter de ranger 3 bouteilles en profondeur)	10 cm	10 cm	35 cm
Chaussures (sur tringles) (sur support mural)	15 cm pour une paire 15 cm pour une paire	32 cm 20 cm	12 cm Selon les pointures, la chaussure étant en position verticale
Chemises et linge de corps	25 cm	45 cm	10 cm pour 3 chemises
Couverts	Selon la quantité	30 cm	12 cm
Couvertures et draps	40 cm environ	50 cm	Selon le pliage
Disques (rangement horizontal ou vertical entre cloisons fixes ou mobiles)	35 cm	35 cm	35 cm
Écran de projection	15 cm	15 cm	1,60 m
Livres	En fonction de la quantité	15 cm minimum 25-30 cm maximum	19 cm minimum 35-40 cm maximum
Papiers familiaux dans des classeurs	En fonction de la quantité	27 cm	33 cm
Planche à repasser	35 cm mais vérifier les cotes du modèle choisi	16 cm	1,30 m
Plats (peuvent être rangés perpendiculairement, à côté des assiettes)	27 cm maximum	46 cm maximum	Huit éléments occupent une hauteur de 12 cm
Produits pharmaceutiques	Selon la quantité	12 à 15 cm	20 cm
Saladiers, soupières, saucières	Diverse selon les objets 30 cm maximum	30 cm maximum	20 cm maximum
Tasses, bols, verres	12 cm	12 cm	13 à 20 cm selon l'empilage ou l'accrochage
Téléviseur	En fonction des cotes de l'appareil plus 10 cm pour l'aération	En fonction des cotes de l'appareil plus 10 cm pour l'aération	En fonction des cotes de l'appareil plus 10 cm pour l'aération
VÊTEMENTS	VOIR PLANCHE SPECIALE		

2. Baffles

Vous devez les placer au mieux de leur rendement (*fig. 53*). S'ils peuvent se glisser dans la bibliothèque, c'est parfait; sinon, posez-les franchement sur le sol, car il est pratiquement impossible de les cacher sans risquer de tomber dans des solutions de mauvais goût.

Fig. 53. ÉCHELLE DES DISTANCES POUR UNE BONNE AUDITION STÉRÉOPHONIQUE.

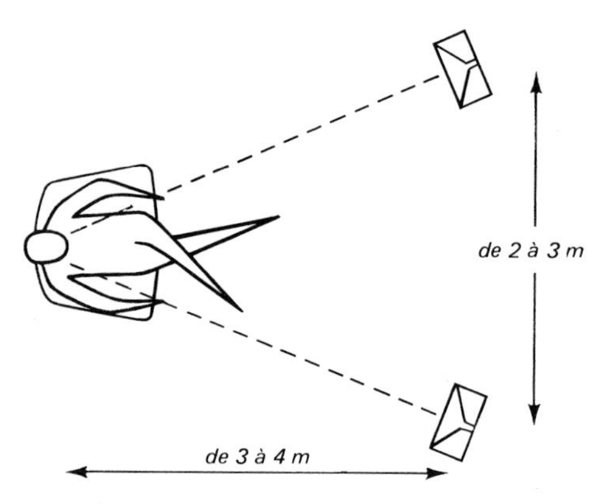

3. Disques, films, photos

Un rangement de disques (*fig. 54*) doit être fermé à cause de la poussière. Il se situe près du tourne-disque ou de la platine et, de préférence, loin des radiateurs et à l'abri des rayons du soleil. Il en est de même pour les bandes magnétiques, les films et les photos.

Fig. 54. RANGEMENT DES DISQUES : *il faut respecter la cote intérieure de 35 cm, car les coffrets sont plus volumineux que les disques simples.*

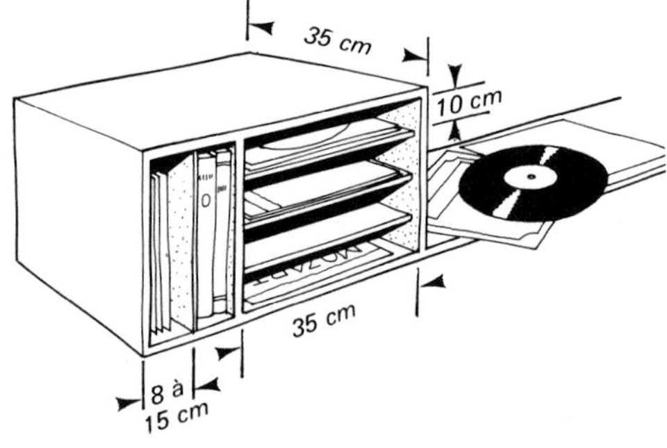

4. Le matériel photographique et cinématographique

Il n'y a pas d'emplacement préférentiel sinon la proximité du point où vous faites le plus généralement les projections. Vous aurez également intérêt à utiliser des tablettes et des petits tiroirs pour un meilleur classement.

5. L'écran de projection

Si vous ne pouvez le laisser prêt à l'emploi, enroulé sur place dans un caisson, un sous-plafond (*fig. 55* et *55 bis*) ou derrière un rideau, prévoyez son rangement dans une penderie ou dans un placard vertical, mais évitez de le mettre dans l'armoire à balais à cause de la poussière.

Fig. 55 et 55 bis. ÉCRAN INTÉGRÉ *à un plafond surbaissé* (ci-dessous, à gauche) OU DISSIMULÉ *par un bandeau de bois à peindre comme le plafond* (ci-dessous, à droite).

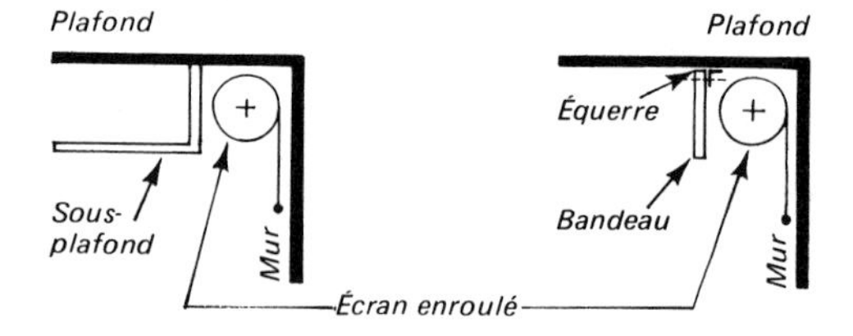

6. Téléviseur

Il peut être posé sur une tablette fixe, un meuble bas, une étagère ou un meuble roulant. Son emplacement est celui qui vous assurera une bonne vision, c'est-à-dire sur un support placé entre 35 cm et 75 cm du sol. Si vous voulez le dissimuler, ne songez pas à une fausse rangée de livres ou à un tableau escamotable. Ce sont de prétendues astuces démodées. S'il fait partie d'un équipement, prévoyez une porte ou un abattant, sans oublier que le volume du rangement doit être normalement aéré lorsque l'appareil fonctionne. Enfin, un téléviseur installé dans un meuble en épi peut être visible de plusieurs côtés. Il suffit de prévoir un plateau tournant tenant lieu de support (*fig. 56*).

Ce téléviseur pivote sur un support fixé au sol et au plafond. Il peut ainsi être orienté soit vers la table de repas (au premier plan), soit vers la zone de détente (au fond).

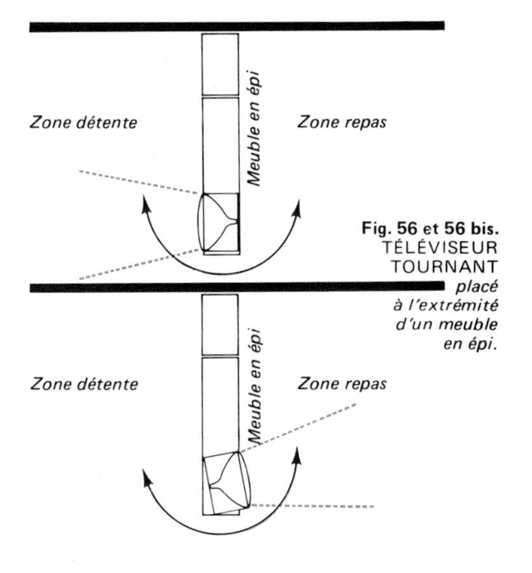

Fig. 56 et 56 bis. TÉLÉVISEUR TOURNANT *placé à l'extrémité d'un meuble en épi.*

le matériel sportif

Il est multiple, ses dimensions sont variées et ses formes diverses. Si vous vous en servez de façon permanente, il vaudra mieux le ranger près de la penderie de l'entrée. Un plafond surbaissé dans un couloir vous permettra de créer un volume de rangement pour tout ce dont vous ne vous servez qu'aux vacances : skis, matériel de camping, fusils de chasse, cannes de golf, valises, etc. (*fig. 57*). Vous utiliserez les rangements supérieurs des w.-c., ou un dessous d'escalier aménagé, pour les sacs à dos, les ballons, les cerfs-volants, etc. Les valises et les différents sacs de voyage peuvent également y avoir leur place.

Fig. 57. RANGEMENT INTÉGRÉ DANS UN PLAFOND SURBAISSÉ.

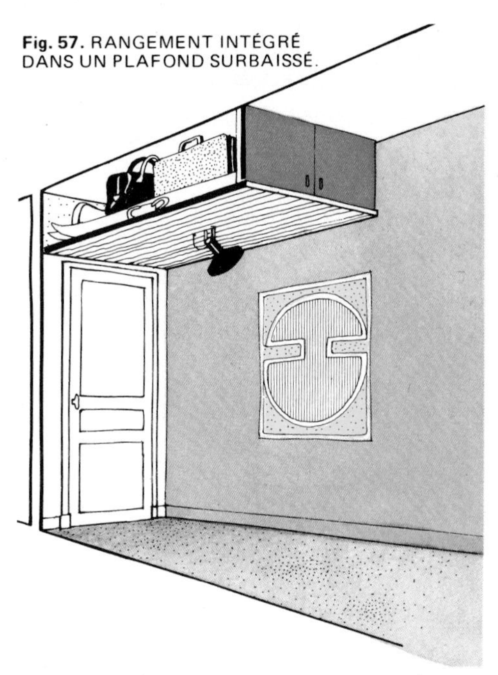

la machine à écrire

Pour pouvoir être utilisée sans fatigue, une machine à écrire doit être à 66-67 cm du sol. Son rangement nécessite une profondeur de 30 cm au minimum et se fera, de préférence, sous le plan de travail ou en partie basse du meuble servant de bureau.

la machine à coudre

Si la grandeur du placard destiné au rangement de la machine à coudre le permet, équipez-le intérieurement de tablettes et de petits tiroirs pour les multiples accessoires : ciseaux, bobines de fil, dés, etc. (*fig. 58*).

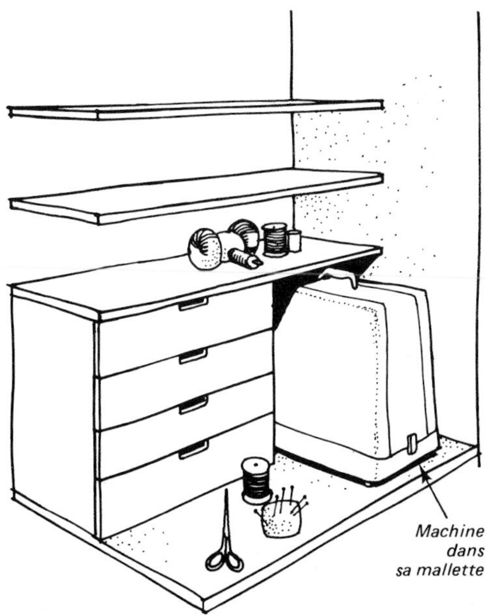

Fig. 58. RANGEMENT INTÉGRÉ POUR LA MACHINE A COUDRE.

la planche à repasser et ses accessoires

Repliées, une planche à repasser et sa jeannette peuvent prendre place dans un espace (1,20 m de long, 35 cm de large, entre 12 cm et 16 cm d'épaisseur) réservé dans un placard de la cuisine ou éventuellement de l'entrée si vous n'avez pas de buanderie.
Vous pouvez aussi équiper spécialement la face intérieure d'une porte de placard ou l'ébrasement d'une ancienne porte (*fig. 59*). Le fer. à repasser sera accroché à côté de la planche ou posé debout sur une tablette.

Fig. 59. RANGEMENT DERRIÈRE UNE PORTE POUR LES ACCESSOIRES DE REPASSAGE.

l'aspirateur, la cireuse, les produits d'entretien, l'escabeau

Il existe des placards à balais en vente dans le commerce, mais un recoin, un décrochement de mur dans la cuisine, l'entrée, ou le couloir peuvent rendre les mêmes services. Au sol, la surface nécessaire est, en principe, d'environ 50 cm de large sur 35 cm de profondeur (vérifiez toutefois les dimensions de vos appareils). L'intérieur de ce placard sera équipé de crochets pour suspendre les balais, les plumeaux, les torchons et d'une série de tablettes avec rebords placées sur la face intérieure de la porte où vous grouperez les produits d'entretien. Si vous possédez un aspirateur traîneau ou roulant, utilisez de préférence un placard de plain-pied avec le sol de l'appartement pour n'avoir pas à soulever l'appareil pour le sortir et le rentrer (*fig. 60*). Vous pouvez ranger l'escabeau dans le même placard que la planche à repasser ou dans l'armoire à balais. Si vous n'avez pas d'autre solution, vous l'accrocherez derrière la porte des w.-c.

Fig. 60. PLACARD A BALAIS DE PLAIN-PIED.

Armoire pour le matériel et les produits d'entretien. La fermeture est assurée par des volets qui se replient sur eux-mêmes.

la vaisselle et les couverts

Pour être facilement accessible, la vaisselle (*fig. 61* et *62*) doit être située entre 70 cm et 1,60 m, et disposée sur le plus grand nombre possible d'étagères à espacements réglables. Les couverts seront glissés dans les tiroirs situés à 80 cm du sol environ, et d'une hauteur utile de 7 à 10 cm (*fig. 63 B*).

les rangements types de la cuisine

Dans les rangements bas (*fig. 63 A*) [85 cm de haut], vous placerez les gros appareils de cuisson, la vaisselle, les accessoires lourds, l'huile, le vin, le pain, les planches à découper, les torchons, les produits et accessoires à vaisselle, la boîte à déchets, etc.

Dans les rangements hauts (*fig. 63 C*), vous grouperez la vaisselle, les petites casseroles, les petits accessoires pour la cuisine et la table. Au-dessus (*fig. 63 D*), prendront place les produits alimentaires et les conserves.

Essayez de subdiviser les éléments de rangement en utilisant les petits éléments adaptables tels que casiers à légumes (*fig. 64*) et à bouteilles (*fig. 65*), tringles pour suspendre tasses et casseroles.

Les combustibles utilisés pour la cuisson seront stockés près de la cuisine. Avec le gaz butane, vous pouvez loger les bouteilles dans un placard bas bien ventilé (*fig. 66*).

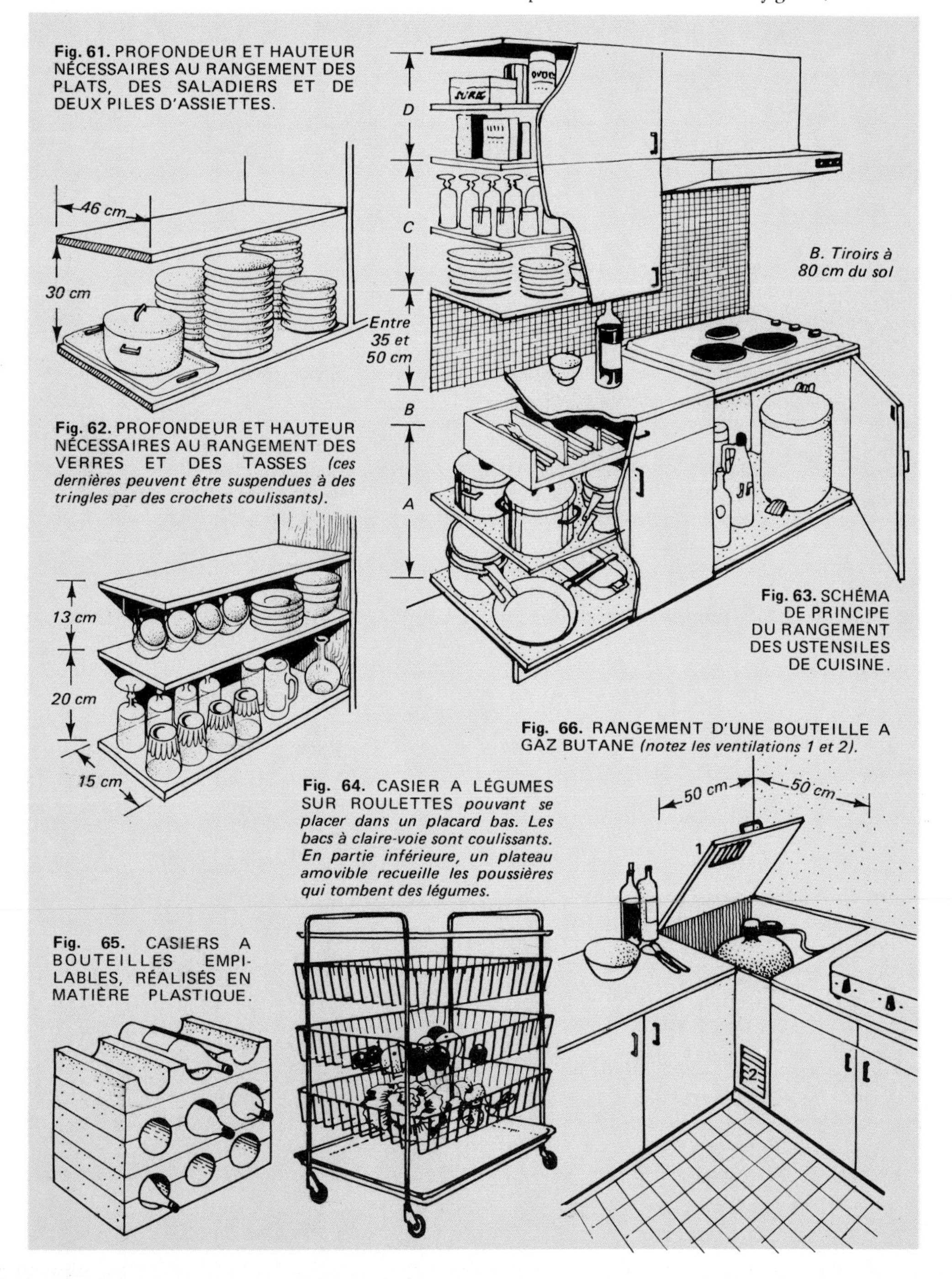

Fig. 61. PROFONDEUR ET HAUTEUR NÉCESSAIRES AU RANGEMENT DES PLATS, DES SALADIERS ET DE DEUX PILES D'ASSIETTES.

Fig. 62. PROFONDEUR ET HAUTEUR NÉCESSAIRES AU RANGEMENT DES VERRES ET DES TASSES *(ces dernières peuvent être suspendues à des tringles par des crochets coulissants).*

Fig. 63. SCHÉMA DE PRINCIPE DU RANGEMENT DES USTENSILES DE CUISINE.

Fig. 66. RANGEMENT D'UNE BOUTEILLE A GAZ BUTANE *(notez les ventilations 1 et 2).*

Fig. 64. CASIER A LÉGUMES SUR ROULETTES *pouvant se placer dans un placard bas. Les bacs à claire-voie sont coulissants. En partie inférieure, un plateau amovible recueille les poussières qui tombent des légumes.*

Fig. 65. CASIERS A BOUTEILLES EMPILABLES, RÉALISÉS EN MATIÈRE PLASTIQUE.

les produits et accessoires pharmaceutiques

La salle de bains est le meilleur emplacement pour les ranger. Vous adopterez l'armoire à pharmacie traditionnelle ou un placard plus profond, que vous diviserez en plaçant dans le fond des tablettes étroites (*fig. 67*). La partie basse de ce rangement pourra servir pour les plus grosses boîtes, paquets de coton, gaze, etc. Les produits dangereux seront mis sous clé.

Fig. 67. RANGEMENT DE PETITS FLACONS DANS UN PLACARD PROFOND.

les accessoires de toilette et similaires

Ce sont les réserves de savons, sels de bain, eau de Cologne, etc., ainsi que les objets utilisés quotidiennement : flacons, rasoirs, sèche-cheveux, brosses à dents, pèse-personne. La salle de bains s'impose pour le rangement de ces objets. Les réserves peuvent être groupées dans des rangements hauts ou bas; les objets quotidiens seront de préférence rangés à une hauteur moyenne (entre 80 cm et 1,40 m), sur une profondeur minimale de 15 cm, et, bien entendu, le plus près possible des points où vous les utiliserez. Vous pouvez aménager un placard dans une niche ou sous le lavabo. Il existe des lavabos destinés à être encastrés dans des meubles spéciaux (*fig. 68*), solution pratique qui offre un volume de rangement appréciable. Comme pour la cuisine, vous trouverez dans le commerce de multiples équipements prêts à être installés dans des placards, ainsi que tous les supports de verres, savons, tringles, barres, anneaux pour les serviettes et les gants utilisés quotidiennement.

les vêtements

On appelle *dressing-room* une pièce où sont rangés les vêtements et où l'on peut s'habiller. Elle est parfois prévue lors de la construction dans les appartements de luxe, mais il suffit, en fait, d'un espace de 1 mètre de large pour créer un petit dressing-room, en prenant soin d'équiper la penderie de portes coulissantes et en adoptant pour les vêtements un rangement de face (*fig. 69*). Si vous ne disposez pas d'une telle pièce, ni même d'une penderie intégrée, vous pouvez aménager une ancienne armoire ou un vieux placard pour le rangement de vos vêtements; vous trouverez en effet couramment dans le commerce les éléments nécessaires (*fig. 70*) : tringles, crémaillères, tablettes coupées à la demande, blocs-tiroirs, fermés ou à l'anglaise, prêts à peindre.
Enfin, une solution économique (*fig. 71*) consiste à installer, dans une alcôve ou dans un renfoncement, une ou deux housses en tissu plastique à fermeture à glissière posées sur pied, à côté desquelles quelques blocs-tiroirs peints extérieurement, vernis ou tapissés intérieurement (attention aux échardes), seront destinés au linge, aux lainages, aux petits objets. Vous n'oublierez

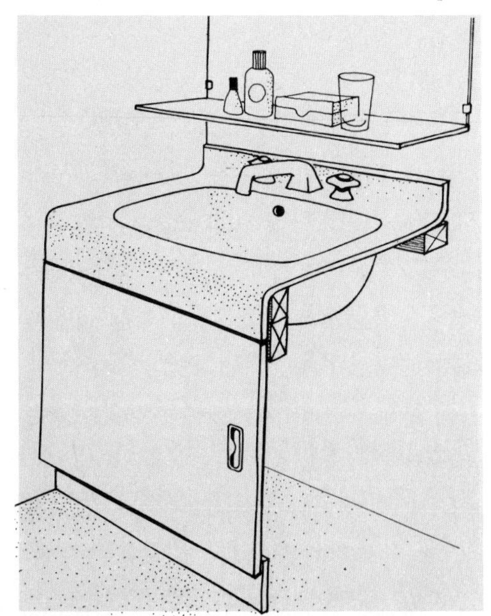

Fig. 68. LAVABO ENCASTRÉ *dans un plan en lamifié posé sur un placard bas, qui peut aussi être équipé de tiroirs pour faciliter le rangement.*

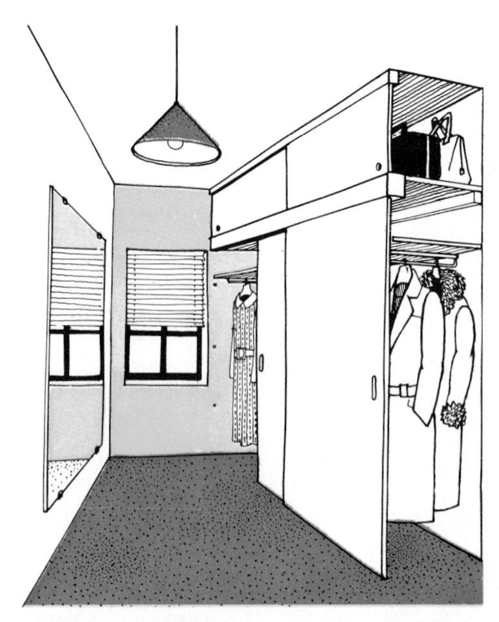

Fig. 69. PETIT DRESSING-ROOM : *les portes sont coulissantes, la glace, à gauche, agrandit les proportions de la pièce.*

Placard-penderie pour le rangement du linge et des vêtements dans une chambre. De petits tiroirs en plastique moulé contiennent le petit linge. Le placard n'allant pas jusqu'au plafond, un papier peint habille la partie supérieure du mur.

Les vêtements longs et les vêtements de longueur moyenne peuvent se juxtaposer dans cette penderie. Notez les supports de chaussures sous les vêtements longs. La peinture laquée a un effet décoratif en même temps qu'elle protège les parois intérieures.

pas un miroir au mur, et vous fermerez ce coin de rangement par une porte accordéon en bois ou en plastique, un store en tissu ou en paille, ou un simple paravent, en harmonie avec la pièce.

D'une façon générale, les rangements se font logiquement le plus près possible de l'endroit où ils sont utilisés : vêtements et linge de corps dans le dressing-room ou dans la chambre, linge de maison dans la chambre, la salle de bains ou un placard de couloir. Pour obtenir un rangement pratique, les penderies, placards ou armoires doivent être divisés et équipés de tringles, tiroirs et tablettes (*fig. 72*).

Les vêtements seront rangés, soit de face sur des tringles télescopiques, soit perpendiculairement sur des tringles fixes (*fig. 73*). La position des tringles peut vous permettre de superposer des vêtements courts (B sur la

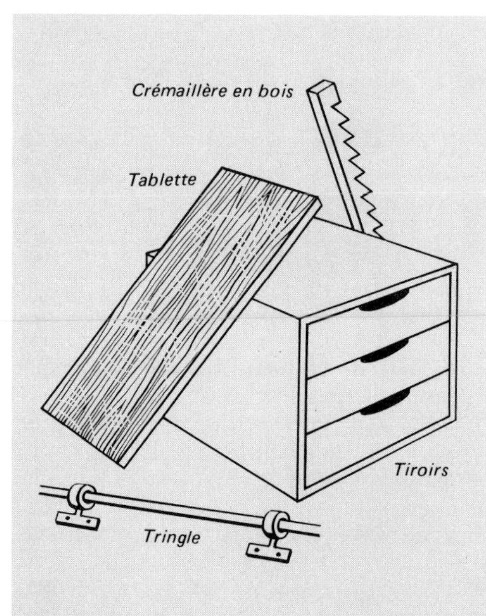

Fig. 70. QUELQUES ÉLÉMENTS STANDARDS *qui vous permettront de créer des rangements appropriés à vos besoins.*

Fig. 71. PETIT DRESSING-ROOM IMPROVISÉ DANS UNE ALCÔVE *en utilisant une housse en plastique montée sur pieds et un bloc-tiroir.*

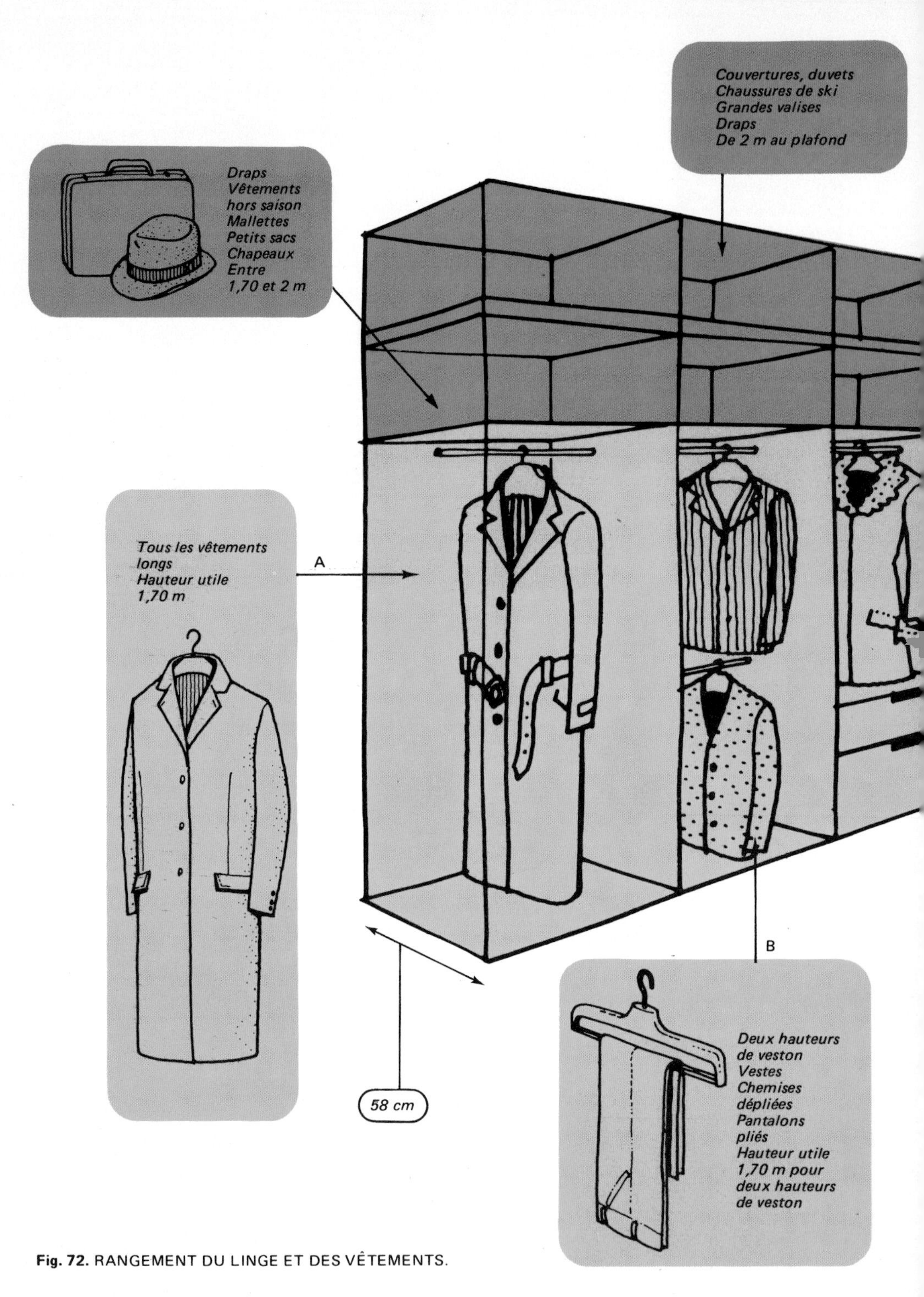

Fig. 72. RANGEMENT DU LINGE ET DES VÊTEMENTS.

fig. 72). Les tricots, qui supportent mal d'être placés sur des cintres, seront groupés dans des tiroirs de dimensions assez vastes, tandis que le linge de corps et les gants, mouchoirs, etc. prendront place dans des petits tiroirs, que ces tiroirs soient ceux d'un bloc de rangement ou d'un meuble indépendant, une commode par exemple. Ceintures et cravates peuvent être suspendues à de petites tringles installées sur la face intérieure des portes. Les tablettes accueilleront draps, serviettes, nappes.

Pensez aussi, lorsque vous repassez, à plier votre linge de manière à utiliser au mieux vos tiroirs ou les tablettes (*fig.* 74).

Vous pourrez ainsi, avec un peu d'attention, utiliser un étroit placard dont vous n'espériez pas faire usage.

Bien entendu, vous grouperez en partie haute de vos rangements tout ce dont vous ne vous servez pas quotidiennement : vêtements hors saison et couvertures rangés dans des cartons ou des housses en plastique avec des produits antimites, réserve de draps et de linge de maison, chaussures de ski, valises, etc.

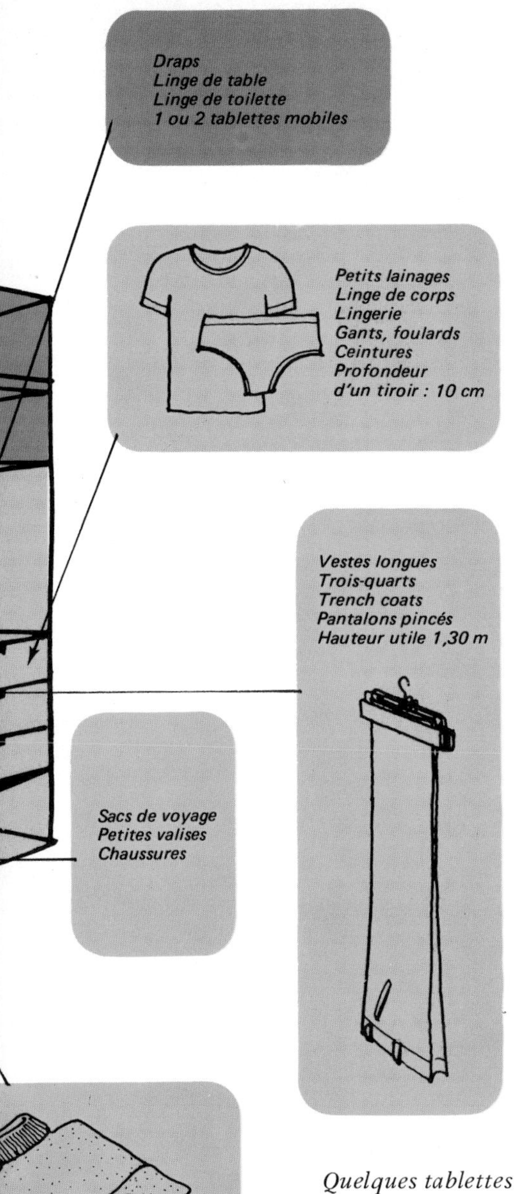

Fig. 73. DISPOSITION DES PORTE-MANTEAUX *pour un rangement de face, avec tringle télescopique...*

Minimum 12 cm pour 4 vêtements

58 cm

...ou perpendiculaire, avec tringle fixe.

58 cm

Longueur selon besoin

Fig. 74. PLIEZ VOTRE LINGE *suivant l'espace dont vous disposez.*

15 cm

Mauvais

14 cm

Bon

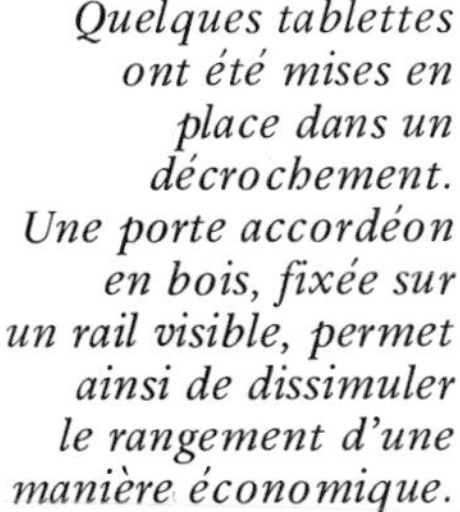

Quelques tablettes ont été mises en place dans un décrochement. Une porte accordéon en bois, fixée sur un rail visible, permet ainsi de dissimuler le rangement d'une manière économique.

les chaussures

Vous pouvez évidemment les ranger dans un placard à vêtements; mais, si la place vous le permet, il est préférable de les grouper dans un placard spécial aménagé dans un couloir, dans les w.-c. ou dans un débarras.

Vous veillerez à ce que l'endroit choisi soit normalement ventilé. Les chaussures doivent être rangées en partie basse. Il faut éviter de les poser sur une tablette, ce qui les empêcherait de sécher normalement. La

solution la plus simple et la plus pratique consiste à poser les chaussures sur des tringles chromées. La profondeur utile du placard ne peut être inférieure à 32 cm, et vous pourrez ranger en largeur quatre paires de chaussures sur 60 cm (*fig. 75*).
Dans le cas où vous ne disposez que de peu de place pour assurer ce rangement, 20 cm de profondeur vous suffisent derrière une porte ou le long d'un mur, car il existe des supports pour trois ou quatre paires qui sont vendus dans le commerce. Ils se fixent facilement, les chaussures sont enfilées parallèlement au mur et restent très accessibles.

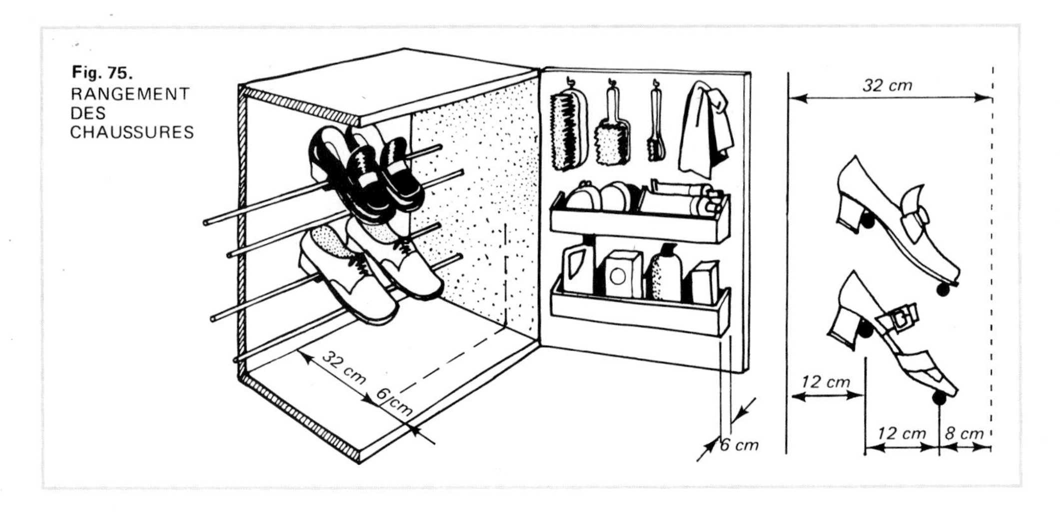

Fig. 75. RANGEMENT DES CHAUSSURES

les annexes : cellier, cave, garage

Le cellier (*fig. 76*) recevra les réserves d'épicerie familiale et les vins, qui peuvent aussi trouver place dans la cave.
Celle-ci et le garage pourront aussi servir au rangement des objets encombrants et peu utilisés tels que matériel sportif, malles, etc. (*fig. 77*). Dans la cave ou le garage, vos outils de bricolage seront à l'abri soit dans une vieille armoire repeinte et équipée de tablettes mobiles, soit dans un placard neuf en bois ou en métal dont la profondeur doit être au moins de 40 cm.
Vous pouvez acheter des éléments de rangement de type industriel faciles à monter.

Fig. 76. RANGEMENTS DANS UN CELLIER.

Fig. 77.
RANGEMENTS HAUTS DANS UN GARAGE.

quelques astuces de rangements complémentaires

Des recoins, des décrochements, des ébrasements peuvent faire l'objet d'aménagements qui augmenteront la capacité de rangement dont vous disposez (*fig. 78* à *84*). Mais n'oubliez pas que les portes d'un rangement sont souvent manipulées. Aussi soyez exigeant sur la qualité des ferrures, des compas, des fermetures, des poignées, et, si vous devez économiser, que ce soit plutôt sur l'intérieur d'un tiroir (qui peut fort bien être en bois à peindre) plutôt que sur les accessoires de quincaillerie. Pensez, en outre, qu'un éclairage intérieur est souvent utile et prévoyez alors un interrupteur à voyant.

Fig. 78. CAISSONS DE RANGEMENT *réservés dans un sol surélevé (objets de couture, jouets, revues).*

QUELQUES ASTUCES DE RANGEMENTS *(suite).*

Fig. 79. PLACARD PLAT *(10 cm) avec abattant sous des fenêtres en ébrasement pouvant recevoir papiers d'emballage, ficelles, cartables, etc.*

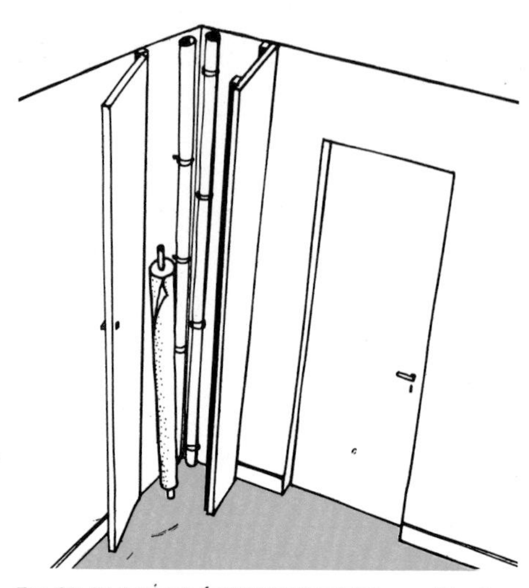

Fig. 80. PLACARD ÉTROIT ET HAUT *complétant l'habillage de tuyaux (écran de projection, toile cirée ou nappes roulées sur un bâton).*

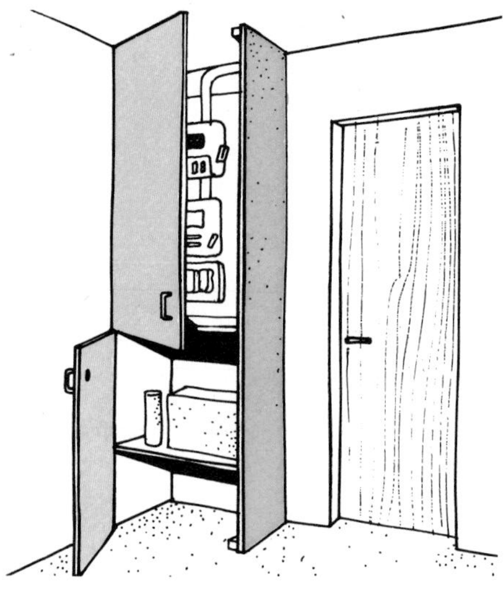

Fig. 81. PLACARD (DU SOL AU PLAFOND) *dissimulant le compteur électrique, en haut, et comportant une tablette en partie basse (brosses à vêtements, chausse-pied, annuaires).*

Fig. 82. PLATEAU *de 5 cm d'épaisseur et de 30 cm de large, coupant à 2 m du sol une cuisine-couloir : poteries, épices, confitures et conserves en pots offrant un aspect décoratif.*

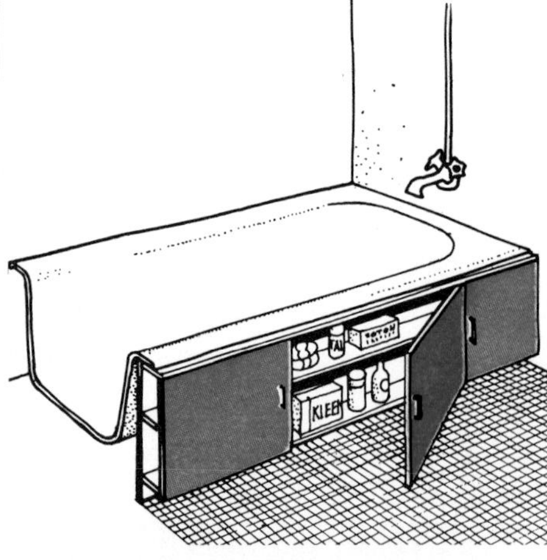

Fig. 83. PLACARD ÉTROIT ET PLAT *(7 cm) aménagé sur la face d'une baignoire (produits d'entretien pour la baignoire, éponges, savons, réserve de produits de beauté, etc.).*

Fig. 84. CONTREMARCHES ABATTANTES *dans un escalier aux marches scellées entre deux murs (bibelots inutilisés, boîtes de diapositives, jeux de cartes, etc.).*

les problèmes d'isolation

La protection contre le froid, la chaleur, le bruit, les odeurs, les poussières et la lumière est le point de départ du confort. Il faut y songer dès l'implantation, car les solutions adoptées pour assurer cette protection influeront sur toute l'organisation et même la décoration de la maison, puisque l'aspect des matériaux peut être ou non décoratif.

la protection contre le froid

le chauffage central

Vous disposez, pour résoudre ce délicat problème, de quatre sources principales d'énergie : charbon, mazout (fuel domestique), gaz (gaz de ville, gaz de Lacq, propane), électricité.

Charbon, mazout, gaz

a. *Fonctionnement.* Ces trois premières sources d'énergie peuvent alimenter un générateur de calories pour assurer le chauffage par circulation d'eau ou par air pulsé.

- Le chauffage par circulation d'eau, le plus répandu, s'effectue par un circuit de canalisations et de radiateurs. Vous trouverez sur le marché un très grand choix de radiateurs de dimensions variées et vous pourrez en discuter avec l'installateur en fonction de l'emplacement prévu.
- Le chauffage par air pulsé distribue un air chauffé, filtré et humidifié par un réseau de gaines (tôle, Fibrociment, *klégécel*) vers des bouches grillagées situées dans le sol des pièces ou en partie basse des murs.

Ce mode de chauffage est difficilement réalisable dans un appartement, puisque les gaines nécessaires sont assez volumineuses et doivent circuler sous le plancher. Par contre, dans une propriété, un pavillon ou toute maison disposant d'un sous-sol, une telle installation est possible.

Il existe maintenant sur le marché des chaudières polycombustibles. Elles sont conçues pour les trois sources d'énergie, ce qui représente un progrès considérable, mais sachez que, si vous possédez déjà une chaudière pour un combustible déterminé, il est parfois possible de l'adapter à une autre source d'énergie. Seul l'installateur est qualifié pour juger des possibilités et de la valeur budgétaire de l'opération.

Enfin, n'importe quelle chaudière, en plus de ses fonctions premières, peut assurer l'alimentation en eau chaude de la maison. Cette alimentation s'effectue par un réseau indépendant.

b. *Distribution.* Dans une maison, la chaudière doit être dans une pièce spéciale, bien ventilée et ouvrant directement sur l'extérieur (cellier, cave, garage, etc.). Dans un appartement, vous pouvez installer la chaudière dans une petite pièce attenante à la cuisine, ou dans la cuisine même, à condition de prévoir, outre les évacuations obligatoires, une ventilation normale. Le meilleur rendement est obtenu en plaçant les radiateurs près des ouvertures ou contre les murs les plus froids.

La distribution devra être organisée de manière que les canalisations (*fig. 85*) n'empruntent pas de trop longs parcours. Si vous ne pouvez les éviter, il faut calorifuger tuyaux et gaines pour limiter les déperditions de chaleur.

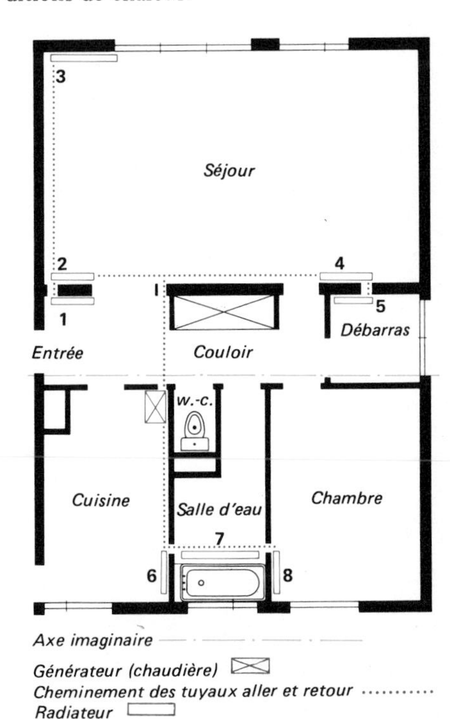

Fig. 85. SCHÉMA D'UNE INSTALLATION LOGIQUE DE CHAUFFAGE CENTRAL : *le cheminement des tuyaux est réduit au minimum, ce qui est facilité par la position de radiateurs jumelés de part et d'autre d'un mur.*

Les tuyauteries peuvent être dissimulées dans des coffrages, derrière des rideaux (*fig. 86* et *86 bis*), ou dans des placards.
Dans le chauffage par air pulsé, les bouches de chaleur ne présentent aucun volume, puisqu'elles se limitent à la présence de grilles très plates au ras du sol ou en partie basse des murs. Il est évident que l'implantation du mobilier est ici déterminante pour éviter de mal placer les meubles, les tapis et autres équipements.
c. *Stockage.* L'idéal est de pouvoir stocker le charbon près d'un accès extérieur, si possible sur un sol et entre des *bat-flanc* carrelés, assez près de la chaudière (*fig. 87*). Le

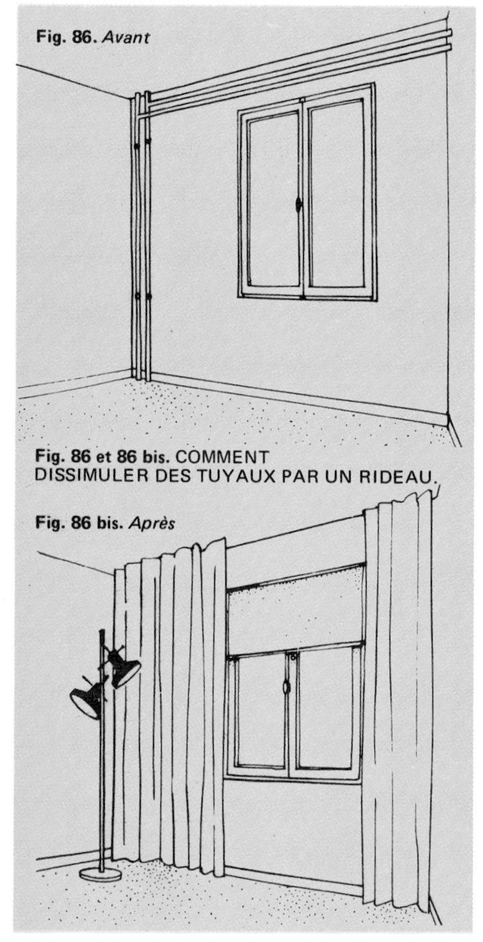

Fig. 86. *Avant*

Fig. 86 et 86 bis. COMMENT DISSIMULER DES TUYAUX PAR UN RIDEAU.

Fig. 86 bis. *Après*

Fig. 87. STOCKAGE DU CHARBON.

mazout, lui, nécessite une cuve spéciale. Le gaz de ville et le gaz de Lacq sont distribués directement. Le propane est stocké dans une cuve obligatoirement installée à l'extérieur de la maison et qui doit répondre à des normes de sécurité, obligatoirement respectées par le fournisseur.

Électricité

a. *Appareils à accumulation.* La mise en vigueur par l'É. D. F. des tarifs de nuit développe la fabrication des appareils de chauffage dits à accumulation (*fig. 88*). Ils sont constitués par l'imbrication d'éléments de terre cuite qui se rechargent de chaleur la nuit, au moyen de résistances noyées dans leur masse. A tout moment, l'appareil peut distribuer par convection ou ventilation la chaleur stockée; un *thermostat* assure le réglage. Le volume de ces appareils est assez important, mais leur aspect actuel très

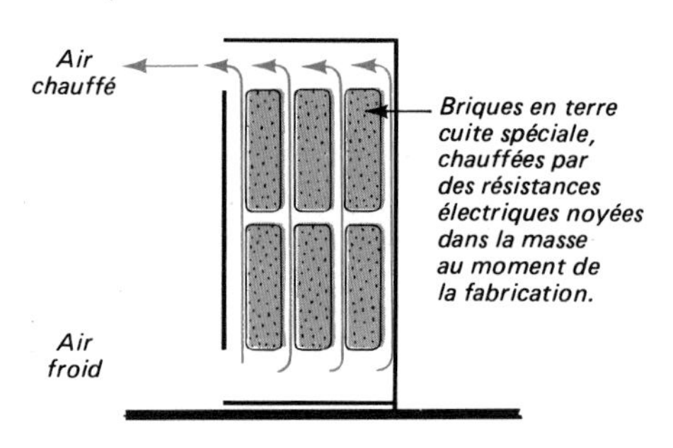

Fig. 88. SCHÉMA DE PRINCIPE DU CHAUFFAGE A ACCUMULATION.

dépouillé permet de les intégrer à n'importe quel décor. Pour bénéficier de ce mode de chauffage, vous devez faire une demande spéciale au centre de l'É. D. F. de votre lieu d'habitation et installer un « compteur horloge » qui met automatiquement en service le ou les appareils durant les heures creuses, de 22 heures à 6 heures du matin.
b. *Chauffage électrique en plafond et sol.* Il repose sur le principe de résistances électriques noyées dans le béton des dalles. Vous éviterez de tendre du tissu au plafond ou de sous-plafonner, car vous perdriez alors de la chaleur. Évitez également de recouvrir le revêtement de sol en place et ne percez le plafond et le sol que sous la surveillance de l'installateur pour éviter tout accident.
c. *Chauffage électrique intégré.* Tout chauffage électrique peut être « intégré ». L'air chaud, capté près des sources de courant, est distribué en plusieurs points de la pièce, grâce à des canalisations légères. Un thermostat permet de régler la température pièce par pièce. Ce chauffage est surtout valable dans des locaux neufs ou très remodelés. Consultez l'É. D. F. avant de l'envisager.

Le choix

Deux points sont à considérer pour le choix d'un chauffage :
1. Le lieu et le type de votre construction ou

de votre appartement. A la campagne, l'utilisation du charbon, du fuel, du gaz (propane) sont valables, car les ventilations nécessaires sont faciles à réaliser, et le stockage ne pose pas de problèmes.
Vous tiendrez compte aussi des possibilités locales d'approvisionnement. Si vous habitez la ville, et particulièrement un appartement, le stockage des combustibles est difficile, sinon impossible. Vous pourrez vous orienter soit vers le gaz, soit vers l'électricité. Mais faites attention, une chaudière à gaz nécessite une évacuation extérieure conforme aux règlements du G. D. F.
Cette évacuation peut se faire par un ancien conduit de cheminée parvenant au faîte de la toiture principale ou par un conduit neuf que vous ne pourrez installer qu'avec l'autorisation de votre syndic ou de votre propriétaire (installation difficile dans les étages inférieurs).
Le chauffage électrique ne demande aucune ventilation spéciale, mais il doit répondre aux normes de sécurité imposées par l'É. D. F.
2. L'utilisation de votre maison. La solution ne sera pas la même si vous y habitez toute l'année ou si vous n'y venez qu'aux vacances ou en week-end. Songez en outre aux manipulations de charbon et de cendres particulièrement fastidieuses.
Il est impossible de dire dans l'absolu quel est le moyen de chauffage central le plus économique. Outre l'usage et le budget qui dépendent de vous et que vous devez lui indiquer, votre installateur tiendra compte de la région et de ses températures minimales, et jugera de l'orientation géographique et du type de votre construction.

les appareils d'appoint et le chauffage des petites pièces

Une installation de chauffage central n'est rentable que si elle est prévue pour un minimum de deux pièces. Lorsqu'il s'agit de chauffer un studio, une chambre indépendante, l'un des appareils dits d'appoint que nous citons plus loin rendra les services souhaités.
Le charbon, le mazout, le gaz de ville, le gaz butane, le pétrole, l'alcool, l'électricité peuvent alimenter des appareils autonomes, fixes ou déplaçables. Certains de ces appareils ont besoin pour fonctionner d'une cheminée, afin d'assurer une bonne combustion et une évacuation des gaz nocifs (appareils à charbon, à mazout, au gaz de ville). Les autres sont plus souples d'emploi; mais, si vous les utilisez (appareils électriques mis à part), veillez à ventiler correctement les lieux et à ne pas les faire fonctionner durant le sommeil.
Évitez aussi de placer ces appareils trop près des zones des repas et de détente, car ils dégagent une chaleur directe intense.

l'isolation thermique et phonique

Tous les aménagements qui protègent du froid isolent en même temps des bruits extérieurs, bien que dans des proportions différentes. Nous vous donnons ci-dessous quelques-uns de ces moyens qui vous permettront d'accroître votre confort (le nombre d'astérisques donne la mesure de leur efficacité).
1. Pose de vitres épaisses ou de verres spéciaux (froid **, bruit ***). S'assurer de la solidité des fenêtres et les remplacer éventuellement. Soigner le masticage ou la pose des *parcloses*.
2. Pose de doubles fenêtres simples avec vitres ordinaires (froid ***, bruit **).
3. Pose de doubles fenêtres équipées de vitres épaisses ou de verres spéciaux (froid ***, bruit ****).
4. Pose de bourrelets en caoutchouc, en métal ou en plastique dans les *huisseries* des portes et fenêtres (froid **, bruit **).
5. Pose de volets intérieurs en bois (froid **, bruit *).
6. Installation d'une *portière* sur la porte d'entrée (froid *, bruit *).
7. Pose d'un matériau isolant sur les murs et le plafond : tissu sur molleton, liège, klégécel, moquette collée, etc. (froid **, bruit ***).
8. Doublage des murs et des plafonds (*fig. 89*) avec une couche intercalaire isolante : mousse de polyéther, laine de verre (froid **** bruit ****).
9. Surélévation des sols avec un plancher, soit en parquet verni ou peint, soit en latté épais, sur lequel sera collé un revêtement de sol. La couche intercalaire entre le sol primitif et le nouveau plancher sera en laine de

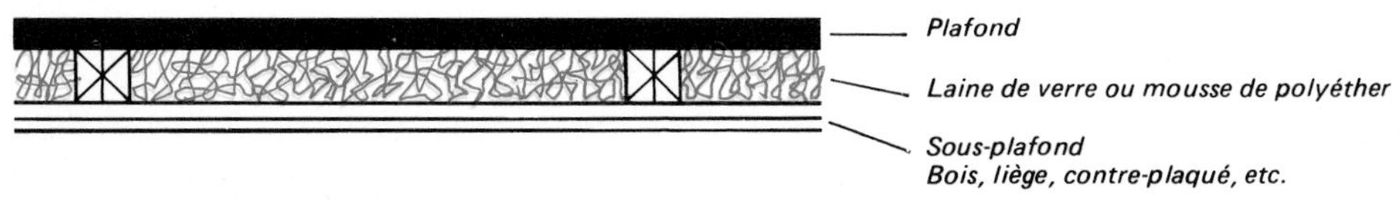

Fig. 89. ISOLATIONS THERMIQUE ET PHONIQUE D'UN PLAFOND.

verre ou en mousse de polyéther (*fig. 90*) [froid ***, bruit ***].
Une bibliothèque garnie de nombreux ouvrages est également un facteur important d'isolation phonique.
Il faut éviter d'employer certains matériaux comme revêtement s'il existe un problème d'isolation phonique; ce sont le métal, les carrelages, les surfaces lisses et les surfaces dures qui diffusent ou réfléchissent les sons.
Enfin, pour lutter contre la propagation du bruit par les canalisations, enfermez les tuyaux dans des coffrages bourrés de laine de verre ou de mousse de polyéther.

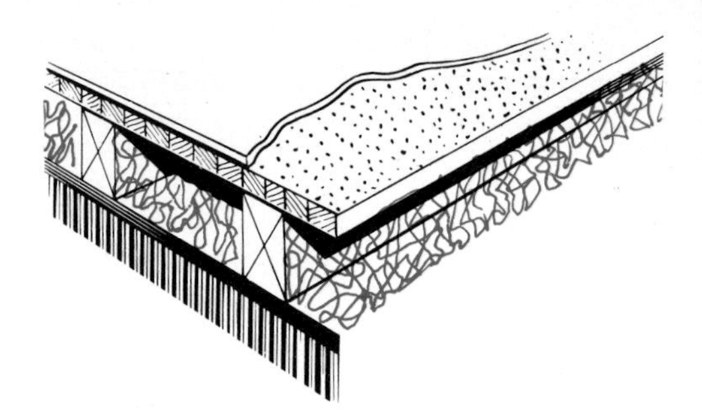

Fig. 90. ISOLATIONS THERMIQUE ET PHONIQUE D'UN SOL.

la protection contre l'humidité

Ce n'est qu'en déterminant les causes de l'humidité que vous pourrez appliquer le remède qui convient.

l'humidité du sol

1. Origine : mauvais drainage des eaux de pluie qui restent stagnantes.
Solution : assurez un écoulement normal de ces dernières par un caniveau avec puisard.
2. Origine : sol en contact direct avec la terre, ou à proximité d'une mare, d'un puits.
Solution : créez un vide sanitaire (15 à 25 cm suffisent) en surélevant le sol (plancher, dalle de béton) et en assurant une ventilation du volume d'air intercalaire.

l'humidité des murs

3. Origine : mauvais drainage des eaux de pluie ou fondations non isolées de la terre.
Deux solutions s'offrent à vous : ou bien vous assurez un écoulement normal des eaux comme nous vous l'avons indiqué plus haut ou bien vous faites appel à un spécialiste qui appliquera un traitement généralement très efficace bien qu'assez onéreux (*Knapen* ou *électro-osmose*).
4. Origine : les chéneaux sont défectueux ou bouchés, les toitures endommagées, les tuyauteries usagées suintent.
Solution : tous les ans au printemps, procédez aux vérifications et réparations.
5. Origine : les murs extérieurs sont poreux et s'imbibent d'eau de pluie lorsqu'elle est projetée par le vent.
Solution : procédez à une application d'enduit, de peinture ou d'un produit imperméable; habillez extérieurement le mur d'un matériau isolant; doublez les murs intérieurement en réservant un léger vide d'air (2 cm) et des grilles pour permettre la ventilation.

l'humidité des plafonds

6. Origine : eaux de ruissellement et de pluie, fuite de canalisations.
Solution : assurez les réparations nécessaires. Les plafonds peuvent être doublés en laissant un vide d'air ventilé. Pour un meilleur rendement, on peut toujours prévoir, entre le mur et le doublage, une couche de feutre asphalté.

Si l'humidité des murs et des plafonds est très légère, il est possible qu'une bonne ventilation des pièces améliore la situation. Vous pouvez aussi, avant de décorer les pièces en question, tendre les murs d'un papier spécial enduit de plomb ou d'étain.

la protection contre les odeurs

Les odeurs jouent un rôle très important, bien que trop souvent ignoré, dans la qualité d'une ambiance. Pour lutter efficacement contre les mauvaises odeurs, il faut conjuguer une aération efficace et une extraction vigoureuse des odeurs vers l'extérieur grâce aux aérateurs et aux hottes aspirantes. (Attention aux hottes sans évacuation, elles sont peu efficaces.) Vous pourrez les installer, suivant les cas, dans la cuisine, les w.-c., la salle d'eau. Il en existe un grand choix dans le commerce.

la protection contre la lumière extérieure

Elle peut être assurée :
1. Par des stores intégrés extérieurs assez délicats à poser soi-même (*fig. 91* et *92*).
Réalisés en bois, métal ou plastique, ils sont dépliables ou enroulables et, la plupart du temps, orientables. Les modèles enroulables, qui se manœuvrent de l'intérieur, nécessitent la pose d'un coffrage au-dessus de la fenêtre dont il faut tenir compte dans la décoration. Les modèles repliables conviennent à des fenêtres en retrait de la façade et présentant un *tableau*.
Pour des raisons d'esthétique extérieure, vous ne pouvez pas installer de tels stores sans avoir consulté au préalable votre syndic ou votre propriétaire.

2. Par des stores extérieurs semi-fixes. Vous en trouverez un vaste choix dans les grands magasins et les boutiques spécialisées. Ils sont en *bois filé*, paille de riz, jonc ou toile. Si vous choisissez des stores en toile, retenez une couleur en harmonie avec la tendance colorée que vous envisagez pour votre intérieur. Ces stores en toile peuvent être doubles-faces, ce qui permet d'avoir une double harmonie, l'une extérieure, l'autre intérieure.
3. Par des stores intérieurs. Il vous sera facile de les choisir dans un matériau et des couleurs qui s'harmonisent avec votre appartement, puisqu'il en existe de toutes sortes et de toutes couleurs.

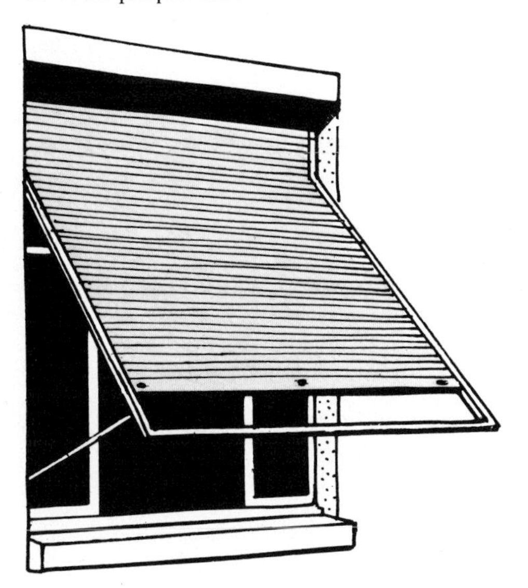

Fig. 91 et 92. DEUX TYPES DE VOLETS EXTÉRIEURS.

la climatisation

C'est une installation d'air (dit conditionné) qui maintient dans des pièces totalement closes (les baies vers l'extérieur ne s'ouvrent pas) une température constante, quelle que soit la température extérieure. Cette installation assure donc le chauffage, la réfrigération et l'humidification de l'air par un réseau de gaines.
Il est évident qu'une telle installation, simple dans son principe, est complexe par la multitude des éléments et des servitudes qui la caractérisent. Nous n'entrerons pas dans les détails, car la climatisation est peu utilisée pour des maisons particulières ou des appartements, surtout en France. Son coût élevé la limite aux immeubles de bureaux, aux grandes administrations, aux grands hôtels, dont l'équipement est spécial.
Les appareils propulsant l'air extérieur réfrigéré sur une grille spéciale et installés sur beaucoup de fenêtres dans le Bassin méditerranéen portent le nom de « climatiseurs ». On peut considérer qu'une telle appellation est quelque peu usurpée, mais l'usage de cet appareil est très agréable et suffisamment efficace. En outre, son prix est relativement accessible et sa mise en place ne pose pas de grands problèmes.

CHAPITRE III

LES BASES DE LA DÉCORATION

Vous voulez maintenant, dans le volume habitable que vous avez défini, créer une ambiance dans laquelle il fasse bon vivre aussi bien psychiquement que matériellement et qui reflète vos goûts, votre personnalité. Si vous ne modifiez qu'une pièce, ou si vous souhaitez simplement rajeunir votre cadre de vie, le problème reste le même. Face à l'énorme production qui vous est offerte, ce problème est celui du choix que vous allez faire, qu'il s'agisse de créer ou de modifier l'ensemble de ce qui vous entoure, de choisir le petit meuble dont vous avez besoin dans votre chambre ou le papier peint qui va changer l'aspect du couloir qui mène à la salle de bains. L'essentiel est que vous preniez conscience tout à la fois de vos goûts et de vos possibilités financières. Ce sont, en effet, ces deux sortes de considérations qui dicteront le choix du parti décoratif que vous prendrez finalement.

le choix d'une ambiance

l'ambiance de style

Vous aimez le passé, les meubles anciens, les formes ayant reçu la consécration des siècles. Il ne s'agit pas, bien entendu, de faire dans une maison une reconstitution comme on en trouve dans les musées, mais de recréer l'harmonie d'un style donné. Vous trouverez, dans le chapitre consacré aux styles, les indications qui vous permettront de choisir l'époque que vous souhaitez faire revivre chez vous et d'en reconnaître les caractéristiques.
Ce que vous devez savoir, c'est qu'un tel parti décoratif est toujours onéreux à réaliser, car un ensemble de meubles d'époque est rare et cher. Il se pose également, dans la plupart des cas, un problème d'adaptation aux dimensions de nos pièces actuelles (*fig. 1*) car les meubles anciens prenaient place dans des volumes beaucoup plus vastes que ceux dont nous disposons. Et ils ont effectivement besoin d'espace pour être mis en valeur. Il faut, dans une telle installation, garder le souci des proportions entre les meubles et le cadre dans lequel ils s'insèrent. Un très beau meuble perdra son charme, et l'harmonie de ses proportions risque d'être peu sensible s'il s'appuie sur un mur trop petit, s'il est mis dans une pièce au plafond trop bas ou encore si le recul est sim-

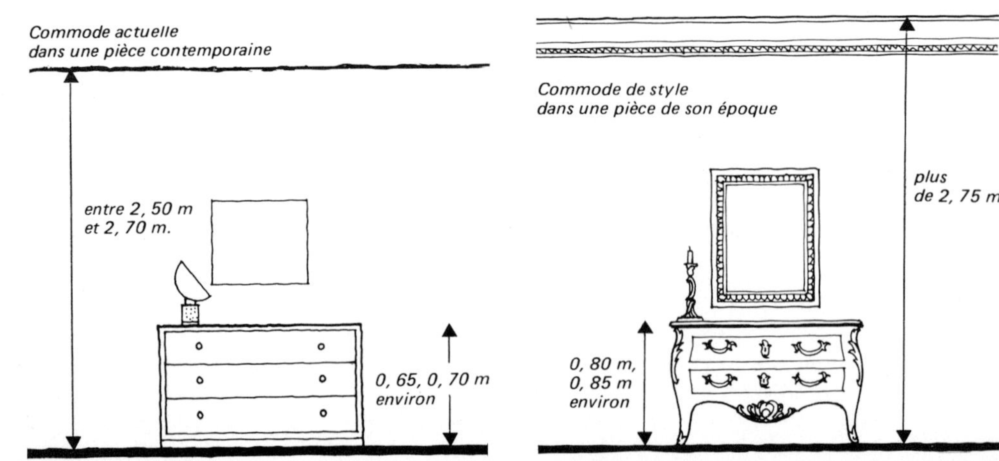

Fig. 1. LES PROPORTIONS : *il est très délicat d'intégrer un mobilier ancien dans un intérieur actuel, car les proportions des meubles et des pièces d'habitation ont changé simultanément.*

La salle commune de cette vieille maison de campagne accueille avec autant de charme un mobilier rustique traditionnel qu'un mobilier contemporain aux lignes pures.

plement insuffisant. Pour créer l'accord indispensable, retenez quelques principes :
1. Dans une maison ou un appartement ancien, vous garderez le sol tel qu'il est, ou vous le tendrez de moquette. Les moulures, les boiseries peuvent être conservées naturelles, ou peintes avec un *rechampi* éventuel (foncé sur clair, ou l'inverse). L'éclairage est assuré par des lustres centraux et des lampes à poser.
2. Dans un appartement ou une maison actuelle, les murs sont nus. Ne collez pas de petites moulures en bois ou en plastique pour faire comme si. Tendez plutôt ces murs de tissu ou de papier peint discret. Ce principe franc mettra mieux en valeur les meubles que vous aimez.
Ne suspendez pas de lustres trop importants : la plupart du temps, ils réduisent les proportions des pièces et limitent les possibilités d'implantation du mobilier. Luminaires et lampes à poser assureront toujours un éclairage agréable et apporteront une sensation de liberté et de souplesse mieux en accord avec notre mode de vie actuel.

le mélange des styles

S'il est relativement rare qu'on ait sinon le désir du moins la possibilité de réaliser une décoration de style dans tout un appartement, il est beaucoup plus fréquent de souhaiter conserver ou acheter quelques meubles anciens qui plaisent pour des raisons esthétiques ou sentimentales sans recréer tout un ensemble dans un style donné. Le dosage de l'ancien et du moderne se pose alors. Certaines formes anciennes s'accordent bien, à travers le temps, avec des créations actuelles, la difficulté restant bien sûr de trouver leurs vraies affinités. Les règles essentielles sont celles de l'harmonie, des proportions et d'une unité d'ensemble.
Pour qu'un tout soit harmonieux, évitez d'abord d'avoir trop de choses, ce qui donne vite une impression d'encombrement et même d'étouffement et laissez assez d'espace entre les différents meubles.
Les meubles anciens sont mieux appropriés aux proportions des pièces de leur époque qu'à celles de la plupart de nos maisons et appartements actuels. Il faut, par conséquent, compenser cette réduction des proportions par une plus grande simplicité de présentation. Pour éviter que leur hauteur et leur ampleur ne semblent envahissantes, placez ces meubles de manière qu'ils soient visibles de face et non de côté : des alcôves ou le fond de décrochement d'un mur sont de bons emplacements (*fig. 2*).
Veillez à ne pas encombrer une pièce de trop d'éléments disparates : elle prendrait vite l'aspect d'un bric-à-brac. Ne mettez pas deux gros meubles côte à côte ou un énorme buffet dans une pièce de 12 m^2. Tenez compte des matériaux : leurs textures et leurs couleurs jouent un rôle prépondérant. Mais vous pouvez oser des contrastes franchement affirmés : un petit bonheur-du-jour, découvert au hasard d'une visite aux Puces, sera bien mis en valeur dans un coin de repos meublé en plastique blanc, tandis que la chaise moulée en Plexiglas s'effacera discrètement devant le secrétaire Directoire de votre chambre (*fig. 3*). Les contrastes venant des meubles, vous aurez alors intérêt à choisir des revêtements assez neutres.
Sur les murs, des toiles, des gravures, des objets anciens apporteront la vie, tandis que les éclairages seront tamisés, avec quelques petits éclats pour mettre en valeur un ou plusieurs points du décor.

l'ambiance contemporaine

Le sens artistique des créateurs de meubles ne s'est pas affaibli à travers les siècles ; il s'est simplement modifié comme tous les autres aspects de la vie, et rien ne nous empêche de penser qu'un grand ébéniste du XVIe s. vivant à notre époque fabriquerait des meubles en acier.

Fig. 2. LES PROPORTIONS : *le volume d'une armoire ancienne s'adapte mal aux proportions d'un appartement contemporain. Lorsqu'on peut placer cette armoire dans une alcôve ou au fond d'un décrochement de mur, elle s'intègre mieux et est moins écrasante pour le décor de la pièce.*

Fig. 3. ACCORD DE STYLES : *discrétion d'une chaise en Plexiglas devant un secrétaire de style.*

Si vous considérez comme anachronique de vivre, à l'époque où l'homme va sur la Lune, dans un cadre qui était celui du temps des diligences, si vous aimez les formes que nous offre le design contemporain, vous choisirez de vivre dans un décor de notre époque.
Les meubles et les objets actuels vont alors vous permettre soit de modifier à bon compte l'atmosphère dans laquelle vous vivez déjà, soit de créer un décor complètement neuf, bien adapté à la vie actuelle.
Dans le premier cas, en simplifiant le décor des murs, en adoptant un revêtement de sol plus net, en apportant quelques lampes nouvelles et un rideau épais, vous allez métamorphoser une maison qui vous semblait endormie.
Si vous faites une transformation ou un aménagement complet, optez pour un matériau dominant qui se retrouvera dans tout votre mobilier (bois, plastique, métal). L'atmosphère sera soit colorée, autour de deux ou trois tons de base, soit neutre et douce avec des accents intenses de couleur (tableaux, tissus, sièges, coussins, etc.). Les éléments décoratifs secondaires pourront avoir toutes les provenances, toutes les origines, toutes les dimensions; ils seront les bienvenus et amèneront la note finale de fantaisie et de vie. Évitez toutefois de transformer votre appartement en magasin à la mode. Vous constaterez que la diversité offerte à votre choix, la multiplicité des meubles, des tissus, des revêtements, des luminaires, des éléments du décor permettent de créer des atmosphères très différentes suivant les goûts de chacun.

les éléments de construction dans la décoration

Quelle que soit l'ambiance que vous choisissiez, vous allez vous heurter à un certain nombre d'éléments constructifs que vous devrez intégrer au décor.

les escaliers

Il existe de nombreux types d'escaliers (*fig. 4*). Chacun d'eux, pour être pratique, répond à des règles de construction précises; en particulier, le rapport entre la hauteur et la profondeur des marches a une grande importance. Plus l'escalier est raide, plus il est fatigant à monter, mais moins il prend de place en se développant dans l'espace : ce sont deux considérations contradictoires qu'il faut peser soigneusement.
Si votre maison comporte un escalier ancien, n'en modifiez pas la structure principale, et surtout pas la rampe, qui lui confère son caractère. Vous ne parviendriez qu'à un

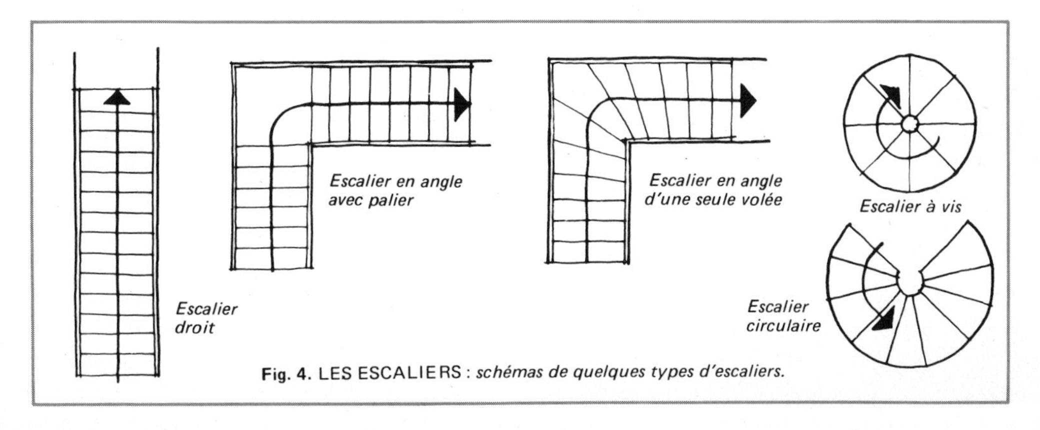

Fig. 4. LES ESCALIERS : *schémas de quelques types d'escaliers.*

Escalier entre deux cloisons. Les marches sont en pierre marbrière. Notez les retours latéraux des contremarches dans le même bois que la plinthe.

L'armature supportant le côté extérieur des marches de cet escalier est en tube métallique laqué, la main courante est du même bois que les marches.

Un côté de cet escalier prend appui sur le mur. Les marches et les contremarches sont en bois ciré, le limon et la main courante sont laqués dans le même ton.

résultat hybride. Songez plutôt à le repeindre dans une couleur vive, en harmonie avec la pièce (*fig. 5*). Même les marches peuvent être peintes. Vous pouvez aussi les tendre de la même moquette qui habille le sol de la pièce où il prend naissance. Si votre maison ne possède pas d'escalier et que vous ayez besoin d'en construire un, vous pouvez évidemment copier un modèle ancien, mais une telle construction est assez onéreuse. Vous pouvez aussi choisir un modèle contemporain dont la structure est plus simple et le prix plus abordable (*fig. 6* et 7). Il faut que vous décidiez si cet escalier doit

Fig. 5. LES ESCALIERS : *un vieil escalier, rajeuni en peignant la rampe et en recouvrant les marches de la même moquette que celle existant dans la pièce.*

Une version très contemporaine de l'escalier à vis. Chaque marche monobloc est en fonte chromée. Ce modèle est adaptable à toutes les hauteurs, car les marches se superposent autour d'un axe central. Notez les pastilles antidérapantes en caoutchouc. Il n'y a pas de main courante, car c'est le long de l'axe central que l'on prend appui en descendant ou en montant.

être traité comme l'élément primordial de la décoration, la sculpture curieuse qui accrochera les regards, ou seulement comme un moyen de communication fonctionnel, élégant mais discret. Méfiez-vous des escaliers aux formes tarabiscotées et formés de trop de matériaux. A la longue, ils attirent le regard au détriment de l'ambiance générale, qu'ils risquent ainsi de détruire.

Les escaliers préfabriqués

Il existe sur le marché des modèles divers d'escaliers préfabriqués. Certains sont droits, mais les plus nombreux sont des *escaliers à vis*, en métal, fonte ou bois dont les rayons et le nombre de marches sont très variés. Il existe également des escaliers repliables prêts à la pose, qui se développent au départ d'une trappe et permettent d'accéder sans peine à un grenier ou à un comble qu'on n'utilise pas tous les jours (*fig. 8*).

Fig. 6. LES ESCALIERS : *un escalier actuel, en béton avec limon central.*

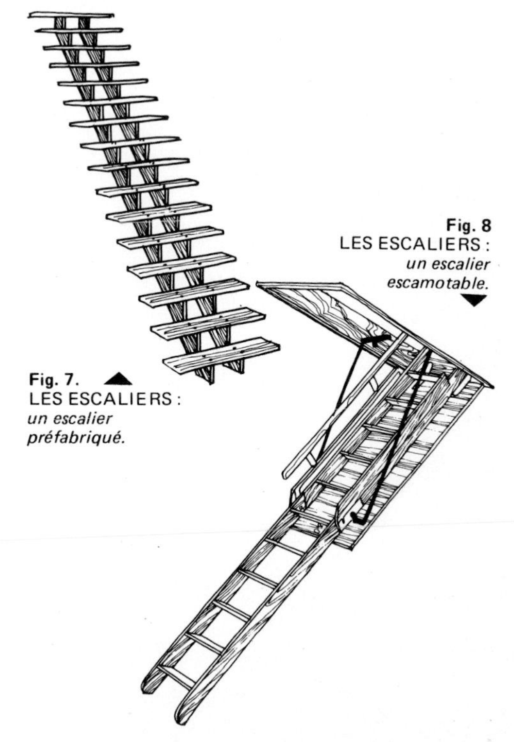

Fig. 7. ▲ LES ESCALIERS : *un escalier préfabriqué.*

Fig. 8 LES ESCALIERS : *un escalier escamotable.* ▼

Cheminée en tôle naturelle. Son aspect est dépouillé, élégant. Il n'y a aucune déperdition de chaleur grâce à la hotte et au tuyau de raccordement qui ne sont pas noyés dans la maçonnerie du mur, ce qui réduit considérablement les problèmes d'installation.

Un foyer rectangulaire et une réserve de bûches sont juxtaposés. Devant ces éléments, une épaisse banquette empêche les braises de tomber à terre. C'est une solution à retenir si l'on construit une cheminée dans une pièce où le sol est tendu de moquette ou d'un tout autre revêtement fragile.

les cheminées

Le charme d'un feu de bois est indéniable. Aussi, ne manquez pas de conserver les éléments existants, cheminée ou poterie non utilisée, si l'implantation du mobilier vous le permet. Vous aurez là un élément qui fera naître une ambiance de chaleureuse intimité.

Fig. 9. LES CHEMINÉES : *cette petite cheminée 1900 a été laquée d'un ton vif pour lui permettre de s'intégrer agréablement dans un décor plus actuel.*

Très simple petite cheminée dont le foyer est noyé dans un mur épais. Il est prolongé par une banquette en béton avec réserve de bûches attenante. Le charme réel de l'ensemble est dû à la simplicité des matériaux et à l'usage d'une couleur chaude, qui augmente la sensation d'intimité.

La cheminée ancienne

Si elle a du caractère et si les proportions de la pièce d'origine ne sont pas trop modifiées par les transformations que vous projetez, mieux vaut la conserver telle qu'elle existe. Pour lui redonner un peu de jeunesse sans en modifier la structure extérieure, reconstruisez le foyer en briques, grès ou fonte. Cette cheminée s'accordera alors aussi bien avec des meubles de style qu'avec un aménagement contemporain plus dépouillé.

Fig. 10. LES CHEMINÉES : *un exemple de ce qu'il ne faut pas faire : la multiplicité des matériaux et des formes très compliquées crée confusion et lourdeur.*

Les petites cheminées fin de siècle, en marbre, sont souvent tristes et banales. Pour leur redonner de la vie, vous les laquerez dans un ton vif en harmonie avec la pièce (*fig. 9*). Elles prendront ainsi une allure jeune aux moindres frais.

La cheminée actuelle

Vous pouvez la faire construire par un maçon qui doit connaître les bonnes règles de fonctionnement, ou en confier la construction à un spécialiste qui propose souvent des modèles sur catalogue.
Vous découvrirez alors les formes les plus insolites et les plus envahissantes. Ce ne sont pas forcément celles qui peuvent convenir au décor que vous avez choisi.
N'oubliez pas que l'élément primordial reste le feu. Les formes qui l'entourent ne doivent donc pas être excessives. Même si l'ambiance générale est construite autour de la cheminée, gardez le souci des proportions et de l'unité des matériaux.
La pierre, l'acier, le cuivre, le plâtre, le béton, la brique, la fonte sont à votre disposition. Mais n'en n'utilisez qu'un, deux au maximum, à la fois. De même, vous éviterez de mélanger plusieurs types de briques et d'alterner leurs appareillages (*fig. 10*) ; vous adopterez pour la hotte des formes simples, logiques et vous ne compliquerez pas le soubassement du foyer. Une fois de plus, la simplicité est payante, et il est préférable d'éviter des structures envahissantes, et dont on finit par se lasser.

les poutres

Tandis que les progrès techniques permettent de plus en plus à l'architecture de se libérer de la pesanteur et de construire, sans aucun point d'appui intérieur, des espaces de plus en plus vastes, les fabricants de poutres en plastique font des affaires, et les habitants des maisons anciennes sondent leur plafond

A l'extrême pointe d'un grenier, cet enchevêtrement de poutres ne permettait pas d'installer grand-chose, mais le grand plateau de bois laqué, fixé à cheval sur l'une des poutres, constitue une amusante table de jeu, entourée de poufs bas.

Les poutres de cette pièce étaient très sommaires. Laquées de couleur vive, elles prennent un attrait inattendu et apportent une note de gaieté que l'on retrouve dans quelques éléments du mobilier.

en espérant mettre au jour une poutraison éventuelle, vermoulue ou intacte.

Les poutres sont d'abord une structure utile avant d'être un décor. Elles s'accordent aussi bien à une reconstitution Louis XIII qu'à une ambiance contemporaine. Si vous mettez au jour des poutres, ou si elles sont déjà apparentes, vous bénéficiez évidemment d'un apport décoratif intéressant, mais qui ne doit pas pour autant devenir un esclavage. Il ne faut pas vouloir en tirer parti à tout prix.

Les poutres peuvent être décapées, vernies, peintes ou laquées. Il est préférable de traiter les entre-poutres dans un ton en opposition. Vous pouvez également les tendre de tissu ou de moquette, ce qui assure en plus une bonne isolation phonique.

Il faut éviter de placer des rampes lumineuses sous des verres dépolis à l'aplomb des poutres. Celles-ci perdraient ainsi leur caractère. Une pièce comportant une poutraison, quel que soit le style des meubles, gagne beaucoup à être éclairée par des lampes à poser et par des luminaires sur pied, plutôt que par un appareil suspendu.

Si vous désirez construire un escalier, faire passer une canalisation ou installer tout autre élément vertical, ne coupez pas de poutres sans prendre au préalable conseil auprès d'un architecte qui, seul, est à même de prévoir le sens de la découpe, et, le cas échéant, le besoin de renforts et de supports pour éviter des affaissements ultérieurs désastreux.

Si des canalisations d'eau ou de chauffage traversent une pièce, elles s'insèrent généralement dans un coffrage qui prend l'aspect d'une poutre transversale et qu'on ne peut pas supprimer. Un tel élément peut, tout comme une vraie poutre, servir de prétexte au surbaissement d'un plafond ou au morcellement coloré de celui-ci.

Il peut justifier l'installation d'une bibliothèque double-face (*fig. 11*), l'accrochage d'un store qui se déroule (*fig. 12*), la fixation d'un rail pour faire coulisser des écrans ou des portes accordéon, solution intéressante pour diviser une pièce et permettre de créer à la demande deux zones distinctes. L'espace ainsi modifié (voir chap. VI) reste vivant, et le volume général bien diversifié.

Fig. 11.
LES POUTRES :
une bibliothèque à l'aplomb d'une poutre transversale.

Fig. 12.
LES POUTRES :
accrochage sur une poutre transversale d'un store en paille de riz. Le plafond de la pièce située à l'arrière-plan est peint d'une couleur foncée différente de celle de la première pièce.

les piliers, les colonnes

Les poteaux porteurs sont parfois bien gênants, mais ils sont souvent indispensables, et, seul, l'architecte chargé de l'entretien peut vous dire s'il est possible de les supprimer.
Si vous ne pouvez enlever un pilier comme vous le souhaitez, vous pouvez faire d'un poteau a priori gênant un élément de la décoration. Le plus simple est de grouper sièges, plantes vertes et projecteurs autour du poteau (*fig. 13*), qui peut aussi permettre de limiter une zone d'activités ou être le

Fig. 13. LES PILIERS : *groupement de sièges, d'une table et d'un bac à plantes au pied d'un pilier.*

point de départ d'une cloison mobile. Cet élément structural deviendra ainsi le prétexte ou l'axe d'une décoration. Vous pouvez le peindre ou l'habiller, l'important est qu'il se détache toujours harmonieusement sur les murs de la pièce, quel que soit l'endroit d'où on le voit.

les radiateurs

L'aspect des radiateurs étant rarement satisfaisant sur le plan esthétique, la question se pose souvent de savoir s'il vaut mieux dissimuler un radiateur ou le laisser apparent. Tout dépend de l'emplacement où il se trouve et de son importance, mais, si vous le cachez, même très partiellement, sachez que vous aurez toujours une déperdition de chaleur, plus ou moins grande suivant la solution choisie.

Le radiateur dissimulé

Il peut s'intégrer à une bibliothèque ou à un autre équipement total (du sol au plafond) [*fig. 14*] ou partiel (sous une fenêtre, par exemple, ou en retrait dans une niche du mur). Vous dissimulerez alors la façade derrière un écran démontable en tôle laquée

Des lames d'acier obliques dans une armature métallique dissimulent un radiateur sans empêcher la diffusion de la chaleur.

(*fig. 15*), ou en bois que vous peindrez comme les murs. Ayez soin de laisser libre l'accès à la manette de commande, et pratiquez dans l'écran des fentes inférieures et supérieures (10 cm de large minimum),

Fig. 14. LES RADIATEURS : *un radiateur intégré à une bibliothèque située entre deux fenêtres.*

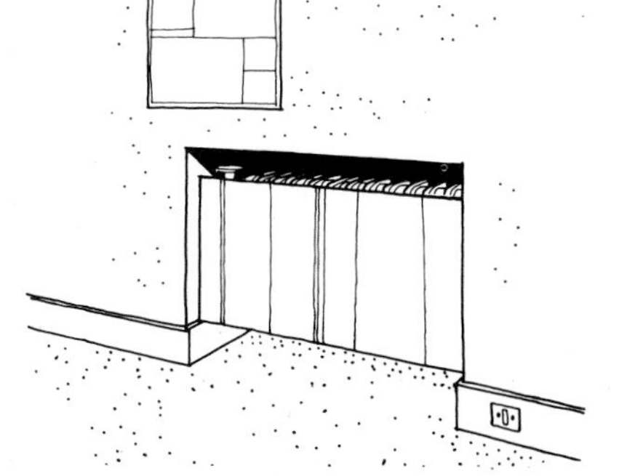

Fig. 15. LES RADIATEURS : *écran de tôle laquée dissimulant un radiateur dans une niche.*

afin que la convection de l'air soit normale. Vous pouvez aussi créer un écran .économique en plaçant devant le radiateur un meuble ne craignant pas la chaleur (en acier ou en glace) ou un canapé (*fig. 16*). L'important est de ne pas trop serrer cet élément

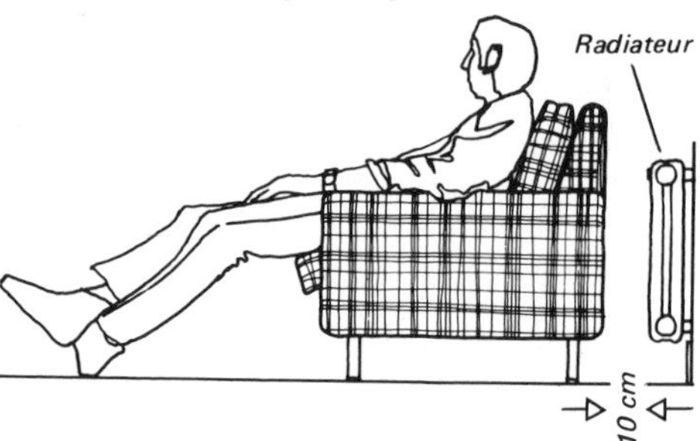

Fig. 16. LES RADIATEURS : *le siège, placé à 10 cm du radiateur, dissimule celui-ci.*

afin de laisser à l'air chauffé une possibilité de se répartir dans l'atmosphère et de ne pas incommoder les personnes assises.

Le radiateur apparent

Sous une fenêtre, vous pouvez le surmonter d'une tablette (*fig. 17*), ce qui est assez pratique pour arrêter les rideaux. Vous pouvez aussi le laisser totalement libre le long d'un mur, à la base d'un pilier ou devant la face d'une baignoire, sans qu'aucun panneau ou décor le cache à la vue. Le plus simple est alors de le peindre dans le ton général des murs. Mais vous pouvez aussi, en le laquant d'un ton vif ou en alternant deux ou trois tons sur sa surface, le transformer en objet insolite qui s'inscrira d'une manière amusante dans le décor de la pièce ou du mur.

Fig. 17. LES RADIATEURS : *ce radiateur n'a pas été dissimulé. Il a été surmonté simplement d'une tablette de protection.*

Ici, non seulement le radiateur n'a pas été dissimulé, mais, peint de bandes verticales de couleur, il fait partie de la composition décorative du mur et apporte beaucoup de gaieté.

le plafond en pente dans les pièces mansardées

Les pièces mansardées étaient jadis réservées aux chambres annexes et le sont encore parfois. Elles peuvent également, si on peut en réunir plusieurs, constituer de charmants petits appartements. Il faut essayer de décorer ces pièces dans une même gamme de couleurs et de matériaux et ne pas trop disperser les effets décoratifs.

Fig. 18. LES PLAFONDS : *dans une pièce mansardée, la pente du plafond et les ébrasements reçoivent le même revêtement que les murs de la pièce.*

Le mieux est de peindre du même ton, d'habiller du même matériau ou de tendre du même tissu la ou les pentes obliques, le plafond, ainsi que les ébrasements profonds qui encadrent souvent les fenêtres (*fig. 18*).
Les murs droits pourront être décorés différemment dans une harmonie complémentaire ou dans la même gamme.
En ce qui concerne l'ameublement, vous opterez pour des placards bas et des commodes en évitant les meubles trop hauts.
L'éclairage artificiel sera assuré par des petites lampes ou des luminaires suspendus, mais surtout pas par un lustre central.

les fenêtres

Les fenêtres sont des facteurs déterminants dans l'aménagement d'une habitation, car l'emplacement des meubles dépend de leur ouvrant et de leur hauteur.
Sous des fenêtres dont l'ouvrant se situe entre 70 et 80 cm du sol, vous pouvez installer le long du mur un canapé, un bureau, une tablette ou une commode. Si vous posez sur ces derniers meubles des objets transparents, des fleurs, une lampe,

La position et les formes de ces fenêtres ont permis d'installer un canapé confortable sous la plus grande ouverture et un grand caisson recevant les objets familiers sous la petite.

Fig. 19. LES FENÊTRES : *une petite commode trouvera sa place sous une fenêtre haute.*

La hauteur de cette petite fenêtre ouvrant sur la nature a permis la mise en place d'un lavabo encastré dans un plan en marbre allant de mur à mur.

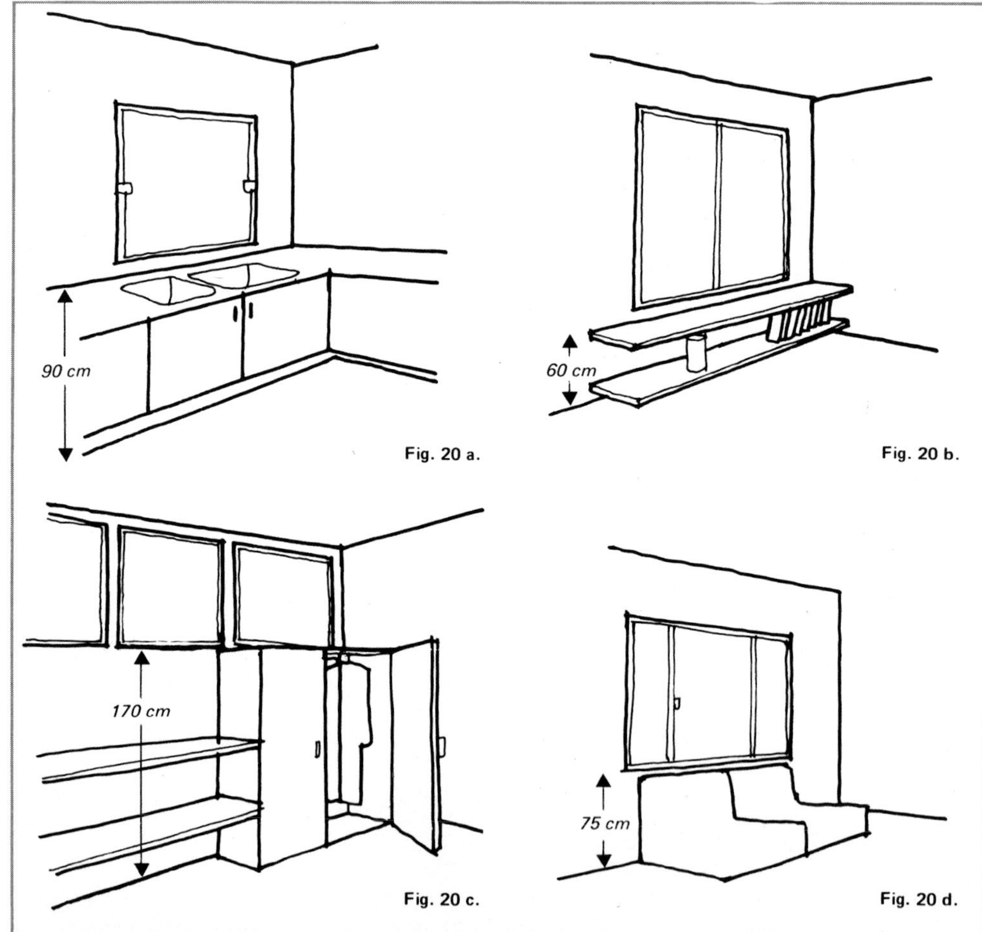

Fig. 20 a à d. LES FENÊTRES : *quatre utilisations possibles d'un dessous-de-fenêtre suivant la position et la hauteur de celle-ci :* **a.** *évier,* **b.** *tablette,* **c.** *rayonnage,* **d.** *sièges.*

Sous les deux étroites fenêtres horizontales de cette cuisine ont pris place une cuisinière, un bac-lavage et un plan de travail. Du fait que ces fenêtres sont basculantes, on a pu, en outre, installer une petite tablette pour poser les objets. Notez l'accrochage des louches, écumoires, etc., en sous-face de l'élément haut. C'est un astucieux rangement décoratif.

vous créerez à peu de frais un décor où la lumière apportera une note de douceur et de charme (*fig. 19*). Sous une fenêtre ouvrant à plus de 90 cm du sol, se situeront les plans de travail dans une cuisine (*fig. 20 a*), ou le lavabo dans une salle de bains. Suivant l'emplacement, la forme et les proportions des fenêtres, l'espace inférieur peut être utilisé de bien des manières (*fig. 20 b, c, d* et *e*). Une cloison peut être placée à cheval sur l'axe d'une fenêtre, ce qui permet d'éclairer et d'aérer deux pièces distinctes. Mais il faut penser à changer le sens de l'ouverture de la fenêtre (*fig. 21*).
Enfin, inversement, si une pièce comporte deux ou trois fenêtres toute hauteur, peut-

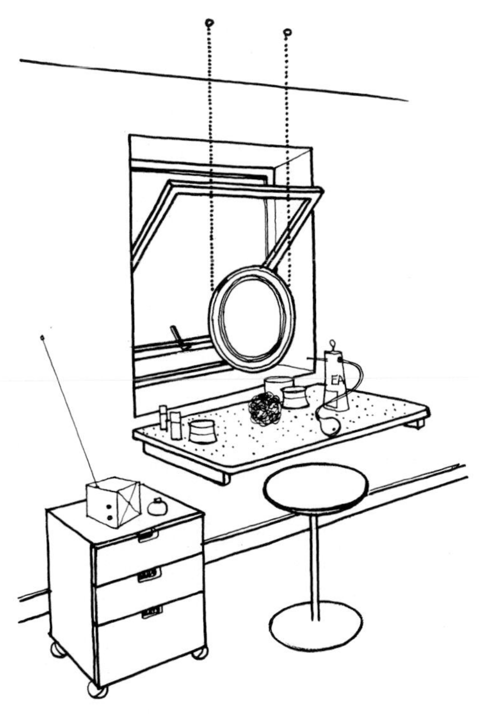

Fig. 20 e. LES FENÊTRES : *sous une fenêtre à châssis coulissant verticalement ou abattant, il est possible d'installer une coiffeuse pour profiter de la lumière.*

Fig. 21. LES FENÊTRES : *une cloison construite à cheval sur une fenêtre permet de séparer une pièce en deux parties.*

Fig. 22. LES FENÊTRES : *dans une pièce à plusieurs fenêtres, le canapé s'adosse à l'une d'elles qui se trouve ainsi pratiquement condamnée, mais l'implantation générale du mobilier devient, de ce fait, plus facile.*

être avez-vous intérêt à renoncer à utiliser l'une d'entre elles pour placer un meuble ce qui facilite l'implantation (*fig. 22*).
Vous laisserez cependant un espace d'environ 40 à 50 cm entre la fenêtre, dont l'ouverture est ainsi condamnée, et le meuble, et vous habillerez toutes les fenêtres de manière identique, afin de ne pas morceler inutilement le volume de la pièce.
Le matériau dans lequel est fabriquée l'huisserie de la fenêtre a une importance plus technique qu'esthétique, et les problèmes d'intégration au décor de la pièce ne se posent pratiquement pas. Toutefois, il est préférable de laquer, dans une couleur en harmonie avec la pièce, les huisseries anciennes ou traditionnelles, et de se contenter de vernir les huisseries en bois, surtout si l'on retrouve à l'intérieur de la pièce le même matériau sous forme d'habillage mural.
La finition anodisée des huisseries métalliques ne nécessite aucune peinture, et leur aspect net et élégant s'adapte à une décoration aussi bien traditionnelle que contemporaine. Vous trouverez chez des fabricants spécialisés une grande variété de fenêtres proposées sur catalogue.
Elles vous permettront de faire des économies si vous utilisez les huisseries telles qu'elles sont livrées.
Mais, si vous devez les modifier, il sera plus économique de faire fabriquer spécialement vos fenêtres par votre menuisier ou votre installateur. Le bois le plus utilisé est le chêne. Cependant il faudra que vous pensiez à l'enduire soigneusement si l'huisserie doit être peinte.

les portes

Nous avons vu leur importance dans l'implantation du mobilier (chapitre II). Nous allons voir comment résoudre les problèmes que posent les différents types de portes sur le plan décoratif.

L'ébrasement de cette porte condamnée est équipé de tablettes éclairées discrètement. Les épaisses moulures d'encadrement ont été conservées et laquées dans le ton des murs.

Les portes moulurées

Pour harmoniser des portes moulurées avec l'ensemble d'une pièce, vous avez le choix entre plusieurs solutions :

1. Peindre les portes dans le ton des murs, moulures comprises, de façon qu'elles restent discrètes et s'accordent aussi bien avec des meubles anciens qu'actuels.

2. Peindre les portes dans le ton des murs et rechampir les moulures d'une couleur en harmonie avec les autres couleurs de la pièce (ou inversement) : soit la couleur du sol (*fig. 23*), soit la couleur de certains sièges, par exemple. Cette solution convient mieux aux pièces symétriques où les portes sont réparties avec régularité.

C'est dans le choix des couleurs que vous trouverez l'accord avec le mobilier : couleurs foncées ou pastel, mais unies et éteintes pour une ambiance de style ; tons vifs laqués pour une ambiance contemporaine.

3. Choisir la première solution, mais en remplissant les divers panneaux de tissu ou de papier dans le ton des murs (*fig. 24*).

Si, parmi les portes moulurées ouvrant sur une même pièce, l'une est plus petite (hauteur ou largeur), il ne faut pas la décorer comme les autres, mais la laisser unie et discrète en la traitant comme le mur dans lequel elle s'intègre. L'idéal serait de la remplacer par une porte isoplane sans moulure, faisant corps avec le mur (*fig. 25*).

Les portes isoplanes

Avec les portes contemporaines, vous pouvez prendre plus de liberté dans le choix des revêtements et des coloris. Ces portes peuvent être en bois verni ou laqué, capitonnées de tissu, de plastique, de cuir.

Les moulures de cette porte à double battant ont été rechampies et prennent ainsi un air de jeunesse. Notez que l'un des tons est en harmonie avec la garniture des sièges.

Fig. 23. LES PORTES : *la porte est peinte dans le ton des murs et les moulures sont laquées dans le ton de la moquette.*

Fig. 24. LES PORTES : *les panneaux de la porte sont tapissés du même revêtement que les murs.*

Fig. 25. LES PORTES : *une porte différente des autres doit se confondre autant que possible avec le mur.*

Elles peuvent recevoir des agrandissements photographiques (*fig. 26*).
Le décor des portes planes comme celui des portes moulurées peut être très discret et intégré au mur, ou, au contraire, très fort et constituer alors un apport décoratif important. Tout dépend où se trouvent ces portes. A l'extrémité d'un couloir volontairement tapissé de tissu foncé, une porte laquée blanche peut apporter une impression de clarté et de gaieté. Par contre, dans un séjour où les murs sont gris clair, deux couleurs alternées sur les différentes portes donneront la dominante colorée de l'ambiance générale de la pièce (*fig. 27*).

La porte de la chambre des enfants, toujours pleine de traces d'encre et de confiture, peut être habillée de liège verni.
Elle deviendra ainsi un panneau où les enfants aimeront épingler dessins et affiches, et le problème d'entretien sera résolu.

Les portes coulissantes

En raison des manipulations fréquentes que présupposent de telles portes, une peinture laquée sur les deux faces facilitera l'entretien.
Si le rail de coulissement n'est pas dissimulé dans un coffrage ou derrière un bandeau, vous le laquerez comme la porte elle-même.

Fig. 26

Fig. 28

Fig. 27

Fig. 29

LES PORTES **Fig. 26.** : *utilisation d'un décor photographique sur des portes de couloir.* **Fig. 27.** : *harmonie colorée autour des tons des portes.* **Fig. 28.** : *sur une porte avec dormant, on peut utiliser une couleur différente pour chacune des parties de la porte.* **Fig. 29.** : *une porte en glace permet d'agrandir la perspective, surtout si le mur sur lequel elle s'appuie a reçu le même revêtement dans les deux pièces qu'elle sépare.*

Les portes à deux vantaux
Vous pouvez considérer la surface générale comme une porte normale ; mais si l'un des deux vantaux est plus étroit (et souvent fixe), il est possible de juxtaposer deux couleurs (*fig. 28*).

Les portes à oculus
Elles sont rarement belles, hélas ! Si vous ne pouvez pas boucher l'oculus parce qu'il éclaire une pièce voisine, peignez discrètement la porte dans le ton des murs et surtout ne placez pas de petits rideaux qui ne réussiraient qu'à mettre l'accent sur ce qui doit être oublié.

Les portes en glace transparente ou translucide
Elles permettent d'agrandir les perspectives d'une pièce sur l'autre, surtout si les murs contigus ont reçu un même revêtement dans les deux pièces (*fig. 29*).

Les portes accordéon
Qu'elles soient en bois, en plastique, en tissu, vous pouvez également les choisir très intégrées ou franchement opposées au ton des murs.
Vous pouvez demander à votre fournisseur que les deux faces soient chacune dans une couleur différente, mais en bonne harmonie.

les matériaux et les couleurs

Pour la clarté de notre exposé, nous sommes évidemment obligé de présenter séparément d'abord les problèmes afférents aux matériaux, puis ceux concernant les couleurs. Mais n'oubliez pas que, dans la réalité, ils restent étroitement liés. Matériaux et couleurs sont difficilement dissociables, car du choix d'un matériau peut souvent dépendre le choix d'une couleur et inversement. Efforcez-vous donc de les choisir parallèlement. Même si les matériaux retenus n'offrent qu'une gamme limitée de couleurs, vous pourrez toujours peindre un mur ou un plafond dans la teinte que vous aimez, si elle s'harmonise avec celle des matériaux. Inversement, certains matériaux imposent, par leur simple présence, une gamme de couleurs pour que l'ensemble soit harmonieux.

les matériaux

Que vous installiez un appartement ou que vous transformiez une pièce déjà aménagée, sachez que :
1. Les matériaux de revêtement ne doivent pas être trop nombreux, si vous ne voulez pas qu'ils se nuisent mutuellement. Même si votre revêtement de sol est sobre (moquette, revêtement collé, parquet), limitez-vous, pour les murs et le plafond, à deux matériaux au plus (peinture exclue), car les meubles, les rideaux, les objets vont surajouter sur ce fond la présence de nouvelles matières et il faut éviter à tout prix de créer un désordre fatigant pour les yeux, ce qui est contraire au bon équilibre d'une décoration réussie.
2. Les matériaux doivent mettre la pièce en valeur et ne pas l'écraser par un effet décoratif disproportionné. Par exemple, un grand dallage d'ardoise dans une petite pièce de 3 m × 3 m réduirait visuellement l'espace, alors qu'un carrelage à petits carreaux re-

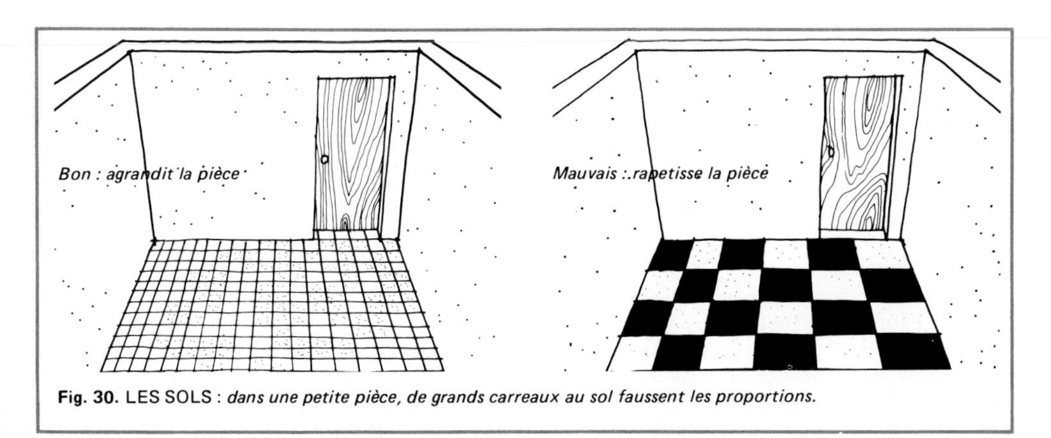

Fig. 30. LES SOLS : *dans une petite pièce, de grands carreaux au sol faussent les proportions.*

Fig. 31. LES MATÉRIAUX : *constituez-vous une gamme d'échantillons des matériaux que vous voulez utiliser dans une même pièce : revêtement des murs, tapis, voilage, tissu des sièges, peinture, pour voir s'ils s'harmonisent bien entre eux.*

donne à la pièce ses proportions (*fig. 30*). Les meubles doivent être mis en valeur par les matériaux de revêtement et non l'inverse. Vous pouvez prévoir plus facilement l'effet obtenu si la pièce est déjà meublée ou si vous connaissez bien le mobilier qui viendra ensuite. Sinon, organisez-vous de manière à avoir une gamme d'échantillons (*fig. 31*) que vous pourrez juxtaposer aux matériaux et aux couleurs des meubles.

3. Les matériaux de revêtement doivent être adaptés à vos besoins, à votre mode de vie, à l'usage de chaque pièce. Vous éviterez ainsi de placer dans la chambre des enfants un revêtement mural précieux, ou de recouvrir le sol de votre cabinet de toilette d'une moquette, fût-elle lavable !

L'entretien logique et facile est très important, et ce n'est pas un handicap au point de vue décoratif, car la gamme des matériaux disponibles est suffisante pour associer, dans les limites de votre budget, fonction et décoration.

4. Enfin, sachez que la mise en place d'un matériau au mur ne présente pas de difficultés qui ne trouvent de solution. Par contre, au sol, l'épaisseur et le poids du matériau choisi risquent de vous amener à faire des travaux imprévus et coûteux, pour assurer une unité de niveau entre les différentes pièces.

Le panorama des matériaux que voici doit vous permettre de déterminer un premier choix. En associant ce choix à celui d'une harmonie colorée, vous aurez déjà donné une direction générale à votre décoration.

MATÉRIAUX
ASPECT, COULEUR
USAGE
ASSOCIATION DÉCORATIVE
QUALITÉ, RÉSISTANCE, ENTRETIEN

Un ordre de grandeur du prix des matériaux vous est donné par le nombre de losanges suivant le mot prix : du moins cher (♦) au plus cher (♦ ♦ ♦ ♦).

L'ACIER

Tôles lisses ou embouties avec décor géométrique. Petites dalles et carreaux lisses ou avec décor géométrique. Certains éléments proposés sont laqués dans des tons vifs.

Revêtement des murs et des plafonds. En grande surface, convient aux ambiances très sophistiquées. Meilleure utilisation en petite quantité.

Murs, plafonds.

Mêmes accords que l'aluminium.

Entretien très délicat. Usure nulle. Réfléchit beaucoup les sons et la lumière.
Prix ♦ ♦ ♦ ♦

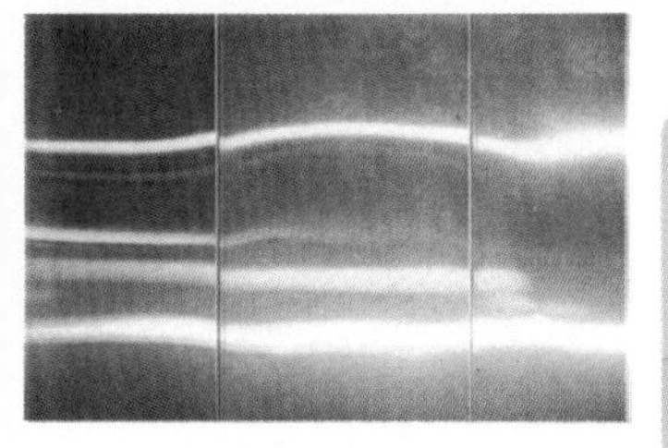

L'ALUMINIUM

1. L'aluminium naturel et anodisé.

Tôles lisses ou embouties avec décor géométrique.
Tôles contrecollées sur un latté.
Petites dalles et carreaux lisses ou avec décor géométrique.
Profilés divers : l'anodisage permet d'obtenir une gamme restreinte de couleurs très lumineuses.

Revêtement des murs et des plafonds. Effet très soigné. Assure une sensation de raffinement et de lumière. A employer en petites surfaces.

Murs, plafonds.

A éviter avec les métaux en général, inox entre autres.
S'accorde bien au bois, aux produits laineux, à la glace, au cuir. Très appréciable dans les pièces sombres.

Entretien facile. Usure nulle. Réfléchit beaucoup la lumière et les sons.
Prix ♦ ♦ ♦ ♦

2. L'aluminium papier et le papier de revêtement enduit d'aluminium.

En rouleaux, type papier alimentaire ton naturel. En rouleaux ou en feuilles pour le revêtement dans une gamme de coloris et de décors très étendue.

Revêtement des murs et des plafonds par collage. L'effet est à peu près le même que précédemment, mais plus décontracté. A employer en petite quantité.

Murs, plafonds.

Entretien facile. Usure réduite.
Prix ♦ ♦

LE BOIS

La gamme et les couleurs des bois sont étendues. Les tons vont du plus clair au plus foncé, dans une harmonie colorée chaude.

Dans tous les lieux d'aspect froid et triste, car il assure une chaleur et une intimité très grandes. Convient aussi bien aux atmosphères modestes que luxueuses.

Le bois s'accorde très bien avec l'acier et les matières plastiques. Le liège, l'osier, les tapis végétaux, le papier peint à petits motifs ne ressortent pas sur le bois.

Très bon isolant du bruit, du froid; dans certains cas, sensible à l'humidité. Très résistant. Usure très réduite. Il peut être ciré, verni, vitrifié, peint, laqué.

1. Bois massif. Il est débité en morceaux, en planches, en lamelles (ou frises).

Construction ou habillage des murs, des plafonds, revêtement des sols (parquets). La frise de pin et le pin lamellé sont assemblés par rainure et languette sur une structure préalablement fixée au mur ou au sol (tasseaux, lambourdes). Les parquets, dits en « mosaïque », sont directement collés sur la chape de ciment.

Toutes les pièces de la maison.

Murs, plafonds sols.

Au sol : usure moyenne, bon vieillissement, entretien normal. Un parquet peut être peint ou teinté, puis ciré, verni ou vitrifié.

Au mur : usure nulle, bon vieillissement, entretien réduit. Peut être utilisé en milieu humide, s'il est isolé de la paroi qu'il habille par une couche de laine de verre.

Prix ♦ ♦

2. Bois plaqué. Le bois est débité sous forme de fines feuilles qui sont soit collées les unes sur les autres (contre-plaqué simple et multiplis), soit collées sur des supports plus ou moins épais composés de lattes de bois massif (latté).

Construction ou habillage des murs, des cloisons, des plafonds sur une armature en bois ou en métal fixée au préalable. Inutilisable directement au sol, mais peut assurer une sous-face (bien soigner la fixation) à un matériau tendu ou collé.

Murs, plafonds.

Se pliant facilement suivant l'épaisseur, il est donc très pratique pour habiller des surfaces courbes. En grande surface plaquée, l'humidité peut le déformer et en décoller les divers plis.

Usure nulle. Bon vieillissement. Entretien très facile.
Peut être ciré, verni, peint, laqué.

Prix ♦ ♦

MATÉRIAUX
ASPECT, COULEUR
USAGE
ASSOCIATION DÉCORATIVE
QUALITÉ, RÉSISTANCE, ENTRETIEN

LE BOIS (suite)

3. Bois aggloméré. Des fibres ou des copeaux sont agglomérés par compression avec présence ou non de résine durcissante, de ciment, de plâtre, etc.

En général, ton brun clair, surface assez lisse et compacte.

Construction ou habillage des murs, cloisons ou plafonds. L'aggloméré peut être le support d'un revêtement ou d'une peinture. Peut être utilisé directement au sol. Rend les mêmes services que le contre-plaqué en tant que support.

Murs, plafonds.

S'il est conservé naturel, ses accords décoratifs sont semblables à ceux du bois massif ou plaqué. Soigner la pose afin de lui assurer l'aspect d'un matériau définitif.

Usure nulle. Entretien très réduit. Moins sensible à l'humidité que le bois massif ou plaqué.
Peut être verni, peint, laqué.
Prix ♦ ♦

4. Bois filé. Il se présente sous forme de très fines baguettes souples, qui sont en général réunies entre elles par un tissage de fils de coton ou synthétique.

Couleur des bois utilisés.

Uniquement pour l'habillage des murs, des cloisons, des plafonds; parfait pour créer des cloisons de séparation semi-transparentes.

Entretien très réduit. Un peu fragile s'il doit être trop souvent manipulé.
Prix ♦ ♦

Il existe, en bois, divers matériaux souples destinés uniquement à l'habillage des murs, des cloisons, des plafonds, qui sont constitués d'une très fine feuille de bois naturel collée sur un support de jersey, de plastique ou de papier. Ces matériaux de revêtement existent dans toutes les essences; ils sont souples et épousent les formes, même les plus anguleuses. Ils craignent un peu moins l'humidité que les bois massifs ou plaqués. Leurs usages et qualités sont identiques à ceux déjà évoqués.
Prix ♦ ♦

LE CAOUTCHOUC

naturel, teinté, sur semelles textiles, ou non.

En dalles, en rouleaux. Couleurs très limitées.

Revêtement des murs, sols, plafonds, sur une surface sèche et lisse. Conseillé dans les couloirs et chambres d'enfant.

Murs, sols, plafonds.

S'accorde avec tous les matériaux.

Usure très réduite. Entretien facile. Excellente isolation phonique. Bonne isolation thermique. Inconvénient : odeur persistante.
Prix ♦ ♦ ♦

LE CUIR

1. Peau brute

Gamme de couleurs dans une harmonie chaude, plus quelques couleurs plus intenses.

Revêtement des murs et des plafonds. Donne une ambiance de grand confort.

Murs, plafonds.

A éviter avec les matières plastiques. S'accorde bien avec l'acier, les tissus secs.

Entretien délicat. Usure nulle.
Prix ♦ ♦ ♦ ♦

2. Pavés montés sur support prêts à la pose.

Même gamme de couleurs que les peaux brutes.

Revêtement des murs, des plafonds, des sols.

Murs, plafonds, sols.

Entretien délicat, surtout au sol. Usure moyenne au sol, nulle au mur et au plafond.
Prix ♦ ♦ ♦ ♦

LE LIÈGE

1. Aggloméré en dalles.

Quelques dimensions et quelques couleurs naturelles, du café au lait au brun foncé.

Revêtement des murs et des plafonds sur une surface lisse par collage.
Revêtement des sols (en dalles vernissées).
Matériau très chaud et intime; toutes les pièces peuvent l'accueillir.

Murs, sols, plafonds.

A éviter avec le bois naturel, les produits céramiques, le linoléum.
Très bon accord avec les matières plastiques, l'acier, la glace, la peinture laquée.

Usure réduite. Entretien facile. Bon isolant du bruit et du froid. Imputrescible s'il est traité spécialement.
Prix ♦ ♦

2. En feuilles.

Plusieurs dimensions et coloris naturels.

Revêtement des murs et des plafonds uniquement.

Murs, plafonds.

Mêmes qualités que les dalles.
Prix ♦

Un ordre de grandeur du prix des matériaux vous est donné par le nombre de losanges suivant le mot prix : du moins cher (♦) au plus cher (♦ ♦ ♦ ♦).

LE LINOLÉUM

simple ou avec sous-couche feutre.

Existe en dalles ou en feuilles. Nombreux coloris unis et jaspés.

Revêtement des sols et des murs sur une surface lisse par collage. Matériau simple. Existe en des tons unis assez recherchés bien que peu commercialisés.
Attention à la pose, qui doit être parfaite.
Pièces recommandées : cuisines, salles d'eau, chambres d'enfant.

Murs, sols.

A éviter avec l'acier, le cuir, la soie, le liège.
Bon accord avec le bois, les matières plastiques, la laine.

Usure moyenne. Entretien facile. Léger isolant du bruit et du froid. Imperméable.
Prix selon qualité.

LES MATÉRIAUX CÉRAMIQUES

1. Terre cuite naturelle.

Plusieurs formes et dimensions de carreaux, d'épaisseurs diverses. Gamme de couleurs dans les tons ocre-jaune, ocre-rouge.

Revêtement des murs et du sol sur une forme lisse. Recommandée dans les salles d'eau, cuisines, séjours.

Murs, sols.

A éviter avec les autres produits céramiques, le liège, les tissus soyeux, les plastiques de même couleur.
S'accorde très bien avec l'acier, l'aluminium, les papiers peints.

Usure réduite. Bon vieillissement. Entretien normal.
Prix ♦ ♦ ♦

2. Terre cuite vernissée. Grès émaillé.

Plusieurs formes et dimensions de carreaux, épaisseurs diverses. Gamme de tons naturels et nombreux tons dus à l'émaillage.

Revêtement des murs et du sol sur une forme lisse. Recommandés dans les salles d'eau, cuisines.

Murs, sols.

S'accorde comme la terre cuite naturelle.

Au mur, usure nulle. Entretien facile. Au sol, usure rapide, entretien délicat (produits abrasifs dangereux). Imperméable.
Prix ♦ ♦ ♦

3. Grès cérame. C'est un composé d'argile et d'autres matières d'appoint, vitrifié par cuisson dans la masse à haute température.

Plusieurs formes et dimensions de carreaux, épaisseurs diverses. Gamme de tons assez étendue, mais pas de tons vifs. Aspect peu décoratif en moucheté.

Revêtement des murs et du sol sur une forme lisse.
Recommandé dans toutes les pièces à usage intensif : cuisines, salles d'eau, etc.

Murs, sols.

S'accorde avec tous les matériaux.Seule la couleur compte.

Usure nulle. Vieillissement nul. Entretien très facile. Imperméable.
Prix ♦ ♦

4. Brique naturelle ou de parement.

Gamme de dimensions réduite. Couleurs dans les tons ocre-jaune, ocre-rouge ; grain plus ou moins fin.

Construction ou doublage des murs. Peut être conservée naturelle. Effet décoratif certain.

Murs.

A éviter avec les autres produits céramiques. S'accorde bien au cuir, à la laine, à l'acier.

Protège bien du froid et du bruit. Ne vieillit pas. Ne s'use pas. Peut être laquée. Entretien nul.
Prix ♦ ♦

5. Émaux. C'est un mélange de sable siliceux et de divers oxydes, vitrifié dans la masse par cuisson à une haute température.

Plusieurs formes de petits carreaux, épaisseurs réduites.

Revêtement des murs sur une forme lisse. Recommandés dans les cuisines et les salles d'eau.

Murs.

S'accordent avec tous les matériaux, sauf ceux ayant une surface morcelée presque identique. La couleur compte beaucoup.

Usure réduite. Bon vieillissement. Entretien très facile. Totalement imperméable.
Prix ♦ ♦ ♦

MATÉRIAUX
ASPECT, COULEUR
USAGE
ASSOCIATION DÉCORATIVE
QUALITÉ, RÉSISTANCE, ENTRETIEN

LES MATÉRIAUX CÉRAMIQUES (suite)

6. Faïence. C'est un biscuit émaillé en surface par cuisson.

Plusieurs formes de carreaux. Gamme de couleurs très étendue. Nombreux tons vifs. Aspect peu décoratif en moucheté.

Uniquement revêtement mural sur une forme lisse.
Recommandée dans les cuisines et salles d'eau.

Murs.

A éviter avec les autres produits céramiques, les matières plastiques de même couleur et les matériaux ayant une surface morcelée presque identique.

Protège peu du froid et du bruit. Usure très réduite. Bon vieillissement. Entretien facile. Totalement imperméable.
Prix ♦ ♦

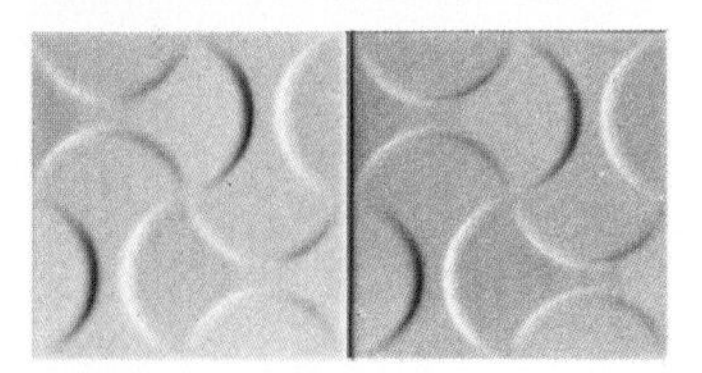

LES MATIÈRES PLASTIQUES ET PRODUITS DE SYNTHÈSE

1. Dalles thermoplastiques ; dalles de chlorure de polyvinyle rigides, souples, avec ou sans amiante.

Sont carrées ou rectangulaires. Aspect lisse. Existent dans de nombreux coloris unis ou jaspés.

Revêtement des sols et des murs sur une surface plane et rigide. Conseillées pour les cuisines, salles d'eau, chambres d'enfant.

A éviter avec le cuir, l'acier, la soie, les carrelages de terre cuite, de grès émaillé, de faïence.
S'accordent bien au bois, au papier peint.

Usure moyenne. Entretien facile. Légèrement sonores.
Prix ♦ ♦

2. Feuilles de chlorure de polyvinyle avec ou sans sous-couche feutre, jute, liège ou caoutchouc.

En rouleaux de grande largeur.

Même usage que les dalles.

S'accordent comme les dalles.

Mêmes qualités que les dalles.
Prix ♦ ♦

3. Lamifiés.

En feuilles de dimensions variables. Existent dans de nombreux coloris et de nombreux décors.

Revêtement des murs ou des cloisons sur un fond parfaitement lisse, ou, mieux, un latté posé sur une armature.
Pratiques dans les cuisines (sauf près d'une chaudière ou d'un four), les salles d'eau.

Murs.

Le décor ou la couleur permettent ou suppriment certaines associations.
Exemple : décor bois à éviter avec bois naturel.

Usure rapide au frottement. Entretien facile. Ne se tachent pas. Sensibles à la très grande chaleur (four).
Prix ♦ ♦

4. Panneaux moulés.

Couleurs et dimensions variées.

Revêtement des murs ou des cloisons sur un fond parfaitement lisse. Pratiques dans les cuisines, salles d'eau.

Murs.

A éviter avec les vrais carrelages et les revêtements métalliques.

Usure rapide au frottement. Entretien facile. Sensibles à la très grande chaleur (four).
Prix ♦ ♦

5. Revêtements plastiques souples sur tissu de jersey (Bufflon, Suwide, Cordoual, etc.) ou support adhésif.

En rouleaux de largeurs identiques aux tissus courants. Infinité de tons, de textures, d'aspects, de décors.

Revêtement des murs et des plafonds à appliquer sur une surface lisse et sèche. Conviennent aux endroits très utilisés : chambres d'enfant, couloirs.

Murs, plafonds.

S'accorde selon l'aspect avec tous les matériaux.

Usure réduite. Entretien très facile.
Prix ♦ ♦

6. Mousse de polyéther.

En feuilles et en rouleaux de différentes largeurs.

Se colle uniquement sur les murs, cloisons et plafonds. Aspect décoratif assez simpliste.

Murs, plafonds.

A déconseiller avec les matériaux luxueux.

Usure moyenne. Entretien facile. Très bonne isolation phonique.
Prix ♦

Un ordre de grandeur du prix des matériaux vous est donné par le nombre de losanges suivant le mot prix : du moins cher (♦) au plus cher (♦ ♦ ♦ ♦).

LA PAILLE ET LE JONC

1. La paille tressée.

Diverses variétés. Diverses textures. Divers coloris dans les tons ocre, jaunes, bruns.

Revêtement des sols, des murs ou des plafonds en petites surfaces juxtaposables.
Assure une ambiance très intime et calme.

Murs, sols, plafonds.

A éviter avec les autres produits de même type. S'accorde bien avec le bois laqué, la glace, l'acier.

Entretien facile. Usure rapide.
Prix ♦ ♦

2. La paille compressée sur support.

Aspect plus compact et coloration plus intense que la paille tressée.

Revêtement des murs et des plafonds. Même ambiance que précédemment.

Entretien facile. Usure réduite.
Prix ♦ ♦

3. Le papier japonais (paille tissée et encollée sur un fond de papier coloré ou brillant).

Revêtement des murs et des plafonds. Assure une ambiance élégante sans être guindée.

Murs, plafonds.

A éviter avec les autres produits de même type. S'accorde très bien avec la soie, l'acier, le bois naturel, le plastique, le cuir.

Entretien facile. Usure réduite.
Prix ♦ ♦

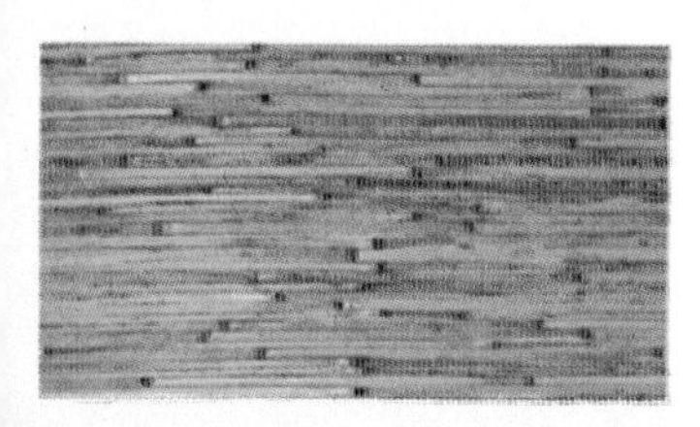

LE PLEXIGLAS, L'ALTUGLAS ET LE PERSPEX

En feuilles.
Transparents ou opaques, ces matériaux offrent des couleurs nombreuses et très pures.

Utilisables au mur et au plafond. Ils ne doivent pas être appliqués directement sur la surface à habiller, mais en laissant entre les deux un espace qui, s'il est suffisant, permet de dissimuler des lampes fluorescentes. Le Perspex est particulièrement diffusant et assure une lumière douce et très répartie.

Plafonds, murs.

S'accordent avec tous les matériaux, sauf les produits verriers à cause de la similitude d'aspect.

Entretien très délicat, ces matériaux étant électrostatiques. Usure nulle, mais risque de se rayer.
Prix ♦ ♦ ♦

LA PIERRE

Les pierres utilisables dans les aménagements intérieurs et la décoration sont multiples.
1. Le comblanchien, le travertin et les autres pierres calcaires à grain fin.

Leur aspect est plus ou moins compact et lisse. Leurs couleurs couvrent la gamme des gris pâles, beiges, roses, ocres. Elles se présentent en blocs pour la construction, ou en dalles pour l'habillage et le revêtement.

Habillage des murs et revêtement des sols, avec choix entre plusieurs appareillages possibles. La pose est assez délicate et doit se faire sur une forme en béton. A utiliser dans des lieux assez grands et de construction soignée. La pierre peut faire naître une sensation luxueuse et sophistiquée.

Murs, sols.

Lutte avec les produits céramiques et le liège, trop proches. Les tapis végétaux, les tissus de qualité médiocre, les papiers peints font pauvres à côté de la pierre.
S'accorde très bien avec l'acier et le cuir.
La pierre demande à être accompagnée de matériaux authentiques, mais d'une autre texture.

Très résistante à l'usure. Entretien délicat. Se tache facilement et en profondeur (graisse, encre, etc.).
Prix ♦ ♦ ♦

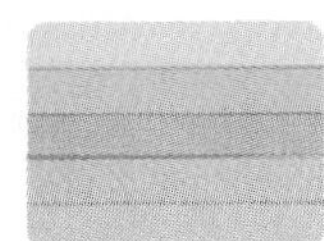

MATÉRIAUX
ASPECT, COULEUR
USAGE
ASSOCIATION DÉCORATIVE
QUALITÉ, RÉSISTANCE, ENTRETIEN

LA PIERRE (suite)

2. Le marbre, pierre calcaire à grain très fin.

Aspect plus ou moins lisse selon son degré de polissage. La gamme des couleurs est étendue : vert, rouge, noir, ocre, bleu. Se présente en blocs pour la construction, ou en dalles pour l'habillage et le revêtement.

Même usage que les pierres calcaires. Le marbre donne toujours un aspect luxueux.

Murs, sols.

A éviter avec tous les matériaux présentant une surface morcelée tels que bois, liège, papier peint à motifs, etc.
S'accorde très bien avec les peintures laquées, les produits laineux, le cuir, l'acier.

Les mêmes inconvénients que ci-dessus peuvent être réduits par une application de vernis spécial.
Au sol, le marbre est très légèrement glissant.
Prix ♦ ♦ ♦ ♦

3. L'ardoise, pierre argileuse.

Surface inégale, très vivante; tons foncés unis, verts, bleus et gris. Se présente sous différentes épaisseurs.

Habillage des murs et revêtement des sols, avec choix possible entre des appareillages divers.
L'aspect rustique convient à une ambiance simple, assez dépouillée, mais élégante. Limiter son emploi mural à une seule surface.

Murs, sols.

A éviter avec les autres pierres, la terre cuite, le liège, les produits céramiques. S'accorde très bien avec les matières plastiques, le béton, le bois clair.

Très résistante. Usure nulle. Fixe la poussière, mais se nettoie à grande eau. Ne craint pas les taches.

Prix ♦ ♦ ♦ ♦

4. Pierre reconstituée. Il s'agit de morceaux de pierre et, le plus souvent, de marbre noyé dans un mortier fin.

En dalles rectangulaires ou carrées de différentes couleurs, dans un mortier noir ou blanc selon les composants, et parfaitement planes et lisses.

Habillage des murs et revêtement des sols. Convient à toutes les ambiances.

Murs, sols.

A éviter avec les autres pierres, la terre cuite, tous les matériaux présentant une surface morcelée, le bois, le liège, le papier peint à motifs, etc. S'accorde très bien avec les peintures mates, les produits laineux, le cuir, l'acier, les matières plastiques blanches.

Très résistante. Usure moyenne. Craint moins les taches que les pierres entières. Très légèrement glissante.

Prix ♦ ♦ ♦

5. Galets sciés. Demi-galets noyés dans un mortier fin.

En dalles rectangulaires ou carrées; couleurs : gris, noir, vert foncé, dans un mortier blanc ou noir. Très décoratifs.

Habillage des murs en petite quantité et revêtement des sols.

Murs, sols.

A éviter avec les autres pierres; les mêmes caractéristiques que la pierre reconstituée.

Très résistants. Usure nulle. Ne craignent pas les taches, ne glissent pas.
Prix ♦ ♦ ♦

D'autres pierres sont utilisables en revêtement mural ou en revêtement de sol. Citons le grès, le granit, qui sont rustiques, d'aspect très résistant, et s'entretiennent bien. Certaines pierres, plus friables, ne peuvent être utilisées qu'en revêtement mural. Le fournisseur est à même de vous donner tous les renseignements utiles.

Un ordre de grandeur du prix des matériaux vous est donné par le nombre de losanges suivant le mot prix : du moins cher (♦) au plus cher (♦ ♦ ♦ ♦).

LES TAPIS

1. Tapis de laine, moquette.

Différentes largeurs, tissages plus ou moins épais, bouclés ou ras, sans ou avec sous-couche plastique ou latex.
Gamme de couleurs très étendue. Existe avec dessins.

Le tapis se tend, se colle sur un sol lisse avec ou sans thibaude. Se colle au mur et au plafond. Pièces recommandées : séjours, chambres, couloirs.

Murs, sols, plafonds.

Le tapis s'accorde avec tous les matériaux. Seule la couleur compte.

Protège bien du froid et du bruit. Très bon vieillissement. Usure moyenne. Entretien facile. Se détache bien.
Prix ♦ ♦ ♦

2. Tapis en poil animal, poil de vache, de chameau, etc.

Différentes largeurs, tissage plus ou moins épais, bouclé ou ras, avec ou sans sous-couche plastique ou latex. Gamme de couleurs plus réduite que la moquette de laine.

Même usage que la moquette.

Murs, sols, plafonds.

S'accorde comme la moquette.

Protège moyennement du froid et du bruit. Bon vieillissement. Usure plus rapide que la laine. Entretien facile. Se détache bien.
Prix ♦ ♦

3. Tapis tissé en coton.

Le plus souvent en petite largeur, bouclé ou ras, avec ou sans sous-couche plastique ou latex. Bonne gamme de coloris.

Même usage que la moquette.

Murs, sols, plafonds.

Mêmes qualités que le tapis en poil animal.
Prix ♦ ♦

4. Tapis tissé (cellulose, polyamide, acrylique).

Différentes largeurs, différents tissages, bouclés ou ras. Sans ou avec sous-couche plastique ou latex. Gamme de couleurs très étendue. Nombreux tons vifs.

Même usage que la moquette.

Murs, sols, plafonds.

S'accorde comme la moquette.

Protège bien du froid et du bruit. Bon vieillissement. Usure très réduite. Entretien facile. Craint les cendres de cigarette.
Prix ♦ ♦ ♦

5. Tapis tufté.

La plupart du temps à base de fibres synthétiques piquées dans une sous-couche en latex. Gamme de tons importante.

Se colle sur les sols lisses, au mur et au plafond. Pièce recommandée : chambre d'enfant.

Murs, sols, plafonds.

S'accorde comme la moquette.

Protège moyennement du froid et du bruit. Vieillissement normal, usure plus rapide que les tapis tissés. Entretien très facile.
Prix ♦ ♦

6. Tapis feutre et aiguilleté.

Composé de fibres synthétiques compressées. Gamme réduite de tons. Existe avec des dessins.

Se colle sur un sol lisse, au mur et au plafond. Pièces recommandées : chambres, séjours, couloirs.

Murs, sols, plafonds.

A éviter avec les revêtements muraux trop luxueux. Tissus soyeux ou laineux.
S'accorde très bien au papier peint.

Protège moyennement du froid et du bruit. Bon vieillissement. Usure très réduite. Entretien facile.
Prix ♦ ♦

7. Tapis tissé en fibre végétale, coco, jute, sisal.

Différentes largeurs. Sans ou avec sous-couche latex. Gamme de couleurs réduite.

Se tend ou se colle sur un sol lisse.
Se colle au mur et au plafond.
Convient à une atmosphère simple, décontractée. Pièces recommandées : séjours, couloirs.

Murs, sols, plafonds.

S'accorde avec tous les matériaux.

Protège peu du froid et du bruit. Vieillissement normal. Usure moyenne. Entretien délicat.
Prix ♦ ♦

1. *Revêtement de sol avec des dalles composées d'un support en aggloméré sur lequel est collé un revêtement plastique semi-rigide comportant une poudre d'aluminium donnant à l'ensemble son aspect métallique caractéristique.*

2. *La même moquette couvre le sol, les murs et le plafond. L'effet d'intimité est intéressant, car on débouche ensuite sur une pièce blanche et lumineuse.*

3. *La brique naturelle de cette cheminée assure une agréable chaleur visuelle. Notez l'opposition entre ce matériau et le bandeau de laiton poli qui surplombe le foyer. Il existe plusieurs couleurs de briques, ce qui permet d'obtenir, le cas échéant, des harmonies assez différentes.*

4. *Les carreaux de céramique du revêtement de sol ont été jointoyés au ciment clair, et leur appareillage alterné devient ainsi très décoratif.*

5. *Les deux matériaux dominants sont la pierre et la terre cuite. Le bois du meuble à rayonnages accentue la qualité rustique de cette alliance pourtant difficile.*

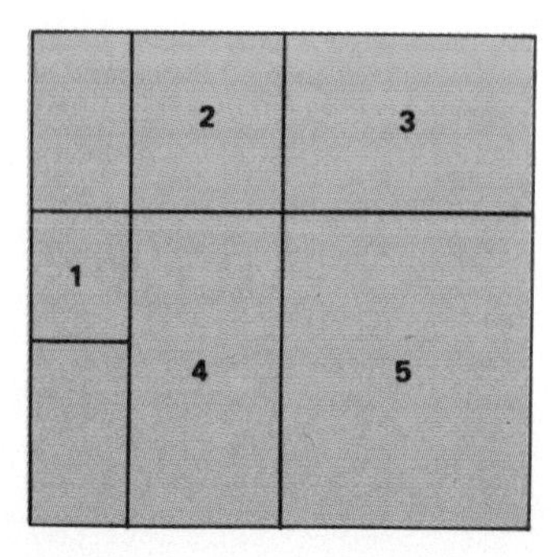

1 2
4 5 6

1. *Le papier liège donne une impression de chaleur et s'accorde aussi bien aux teintes douces qu'aux couleurs vives comme le rouge, dans lequel a été laqué cet étroit radiateur en acier.*

2. *Heureuse alliance de matériaux dans une salle d'eau : ardoise du sol, crépi très grossier des murs et lamifié lisse et brillant du bloc lavabo-baignoire. Le tout assure une sensation réelle de fraîcheur en accord avec le lieu.*

3. *Des carreaux en acier inox donnent leur unité à ce coin de lavage en prolongeant sur le mur le matériau de l'évier.*

4. *Pour ne pas morceler le volume de cette entrée, les murs, le sol et la banquette ont été couverts des mêmes carreaux brillants. L'effet d'agrandissement, dû à l'unité de matière et aux reflets des carreaux les uns dans les autres, est indéniable.*

5. *Pour retrouver le matériau de construction dans toute sa beauté naturelle, les joints des pierres ont été dégagés avec soin. L'opposition entre la légèreté des tablettes en glace et l'aspect rustique des pierres brutes est d'un effet décoratif généreux et franc.*

6. *Le sol et le devant de baignoire ont été traités de la même façon avec des carreaux de céramique émaillée, dont le dessin et la couleur deviennent l'élément dominant du décor. L'unité de revêtement donne une impression d'agrandissement. Notez la sobriété des autres coloris.*

les tissus

La gamme très étendue des textures, des couleurs et des prix doit vous permettre de trouver le tissu qui correspond le mieux au décor que vous désirez créer.
Il est difficile d'évaluer la résistance d'un tissu tendu (sur molleton de préférence); tout dépend des lieux, de la lumière, de la fréquentation de la pièce. Une soie sauvage risque de se décolorer, mais une toile de jute se détend et retient la poussière. Le plus sage est de bien expliquer à votre tapissier ou à votre fournisseur l'usage que vous voulez faire du tissu désiré et de vous laisser conseiller.
En règle générale, un tissu bien posé, normalement dépoussiéré et régulièrement nettoyé sur place avec des produits spéciaux ou par les soins d'une maison spécialisée, peut être considéré comme un matériau d'usure moyenne et aussi résistant qu'une peinture.

les papiers peints

Vous pouvez les coller sur les murs et au plafond. Leur gamme est très étendue, et vous obtiendrez à bon compte les effets les plus inattendus, de l'amusant à l'extrême raffinement. Les papiers peints sont plus ou moins résistants, tout dépend de leur finition : il existe des papiers mats, des papiers épongeables, des papiers lessivables. Tous les papiers peints peuvent être protégés avec un vernis transparent et non coloré, dit vernis à bateau. Ce procédé prolonge énormément la longévité du matériau et permet de décorer agréablement cuisines et salles de bains, sans craindre les taches dues aux éclaboussures. Il faut soigner le vernissage des joints et des angles. Le papier peint est un matériau de revêtement économique. Il permet un renouvellement fréquent sans trop de frais.

les matériaux sur supports souples, papier ou tissu

Les techniques actuelles de tissage et de *fixation micromisée* ont permis de mettre au point des procédés qui rendent possible d'appliquer un certain nombre de matériaux (tissu, liège, bois, par exemple) sur un support collable au mur ou au plafond.
Ce support est soit du papier fort, soit un tissu de toile ou de jersey synthétique, parfois doublé d'un molleton léger pouvant assurer une isolation phonique et thermique très valable.
Nous citerons cinq exemples de ce type de revêtements, parmi les plus courants :

Le papier japonais (paille tissée et collée à la main).
Le fond, coloré ou non, apparaît différent suivant que le tissage est plus ou moins serré. La gamme de couleurs est étendue, les accords décoratifs nombreux. Ils sont très réussis avec des matériaux à texture unie (marbre, bois précieux, acier, etc.). C'est un revêtement assez cher dont le vieillissement et l'usure sont très réduits.

Le papier liège
L'épaisseur de la matière, la coloration du fond peuvent en modifier l'aspect. Les caractéristiques générales sont celles du liège en plaques ou en feuilles; l'usure est cependant plus rapide au frottement. Le prix est inférieur à celui du liège en plaques.

Le papier floqué
Il s'agit d'une pulvérisation de fines particules de fibres synthétiques sur un support préalablement encollé. L'apparence est très belle, identique à celle du velours.
Les coloris sont très nombreux. Assez économique à l'achat, ce revêtement craint l'humidité et s'use très vite par frottement. Certaines entreprises appliquent directement sur des murs préparés à cet effet le procédé du flocage. Dans ce cas, la gamme des couleurs est encore plus étendue.

Les tissus naturels
Pratiquement tous les tissus peuvent être appliqués sur support souple et plus particulièrement les toiles, laines et soies, le lin et le jute. Ils permettent d'obtenir des revêtements de textures et d'aspects variés dans de nombreux coloris. Leurs caractéristiques décoratives sont assimilables à celles des tissus eux-mêmes. Ils ont le grand avantage d'éviter une pose par tension et un empoussiérage rapide. L'usure est très réduite, la gamme des prix étendue. Le revêtement de soie offre de très beaux coloris.

Les revêtements métalliques
Le papier d'aluminium peut être directement collé sur les murs et les plafonds; il est toutefois pratiquement impossible d'obtenir une surface unie. Mieux vaut donc le froisser volontairement. Il n'en est pas de même des revêtements enduits de colorant métallisé ou de poudre métallique, ou contrecollés de minuscules feuilles de métal. Les aspects, les couleurs obtenus par oxydation ou anodisation sont variés. Certains de ces revêtements sont imprimés de dessins ou patinés artificiellement sur une partie de leur surface. Très décoratifs, ils comptent beaucoup dans une pièce. Il est donc assez rare de pouvoir les employer en grande quantité. Ils s'associent bien avec les tissus de laine, le bois, etc.; mais vous éviterez surtout la présence du métal naturel en grande surface. Très bonne résistance à l'usure. Prix relativement élevé.

les produits verriers

Certains sont des matériaux de construction types, mais leurs qualités techniques et esthétiques permettent de les conserver tels quels dans la décoration des pièces où ils se trouvent. C'est le cas des dalles épaisses (teintées, sablées, transparentes), des verres spéciaux doubles, armés, profilés (translucides ou opaques), pouvant assurer des séparations, constituer des marches d'escalier, des sous-plafonds lumineux ou des cloisons lumineuses. C'est aussi le cas des pavés translucides qui s'intègrent à l'architecture des murs ou des plafonds tout en assurant l'éclairement des pièces sans fenêtres.

N'oublions pas enfin que les glaces argentées peuvent être utilisées pour la décoration et permettent des effets visuels intéressants (voir chapitre VI).

Les produits verriers sont beaux, mais un peu froids. Pour compenser cette froideur, vous leur opposerez des tissus épais, de la moquette, des bois, en évitant les matières plastiques, l'aluminium et l'acier en grande surface. L'entretien et l'usure sont nuls. Le prix correspond à celui d'un beau matériau de construction.

les couleurs : quelques principes généraux

D'importantes études ont été consacrées aux couleurs, primaires et secondaires, à leurs mélanges et à leur influence sur notre comportement. Mais ces études ont été faites dans l'absolu, et on ne peut en tirer de recettes infaillibles en matière de décoration : dans une maison, les effets de couleur se combinent avec les matériaux, la forme des objets et des meubles, l'influence de la lumière naturelle ou artificielle.

Les couleurs peuvent être schématiquement classées en deux catégories : les couleurs froides et les couleurs chaudes. Les couleurs froides de tonalité vive (violets, bleus, verts et jaune-vert) ont la particularité de calmer en égayant. Elles sont propices aux travaux demandant de l'attention ou de l'ordre.

Les couleurs chaudes de tonalité vive (jaunes, oranges, rouges) sont tout aussi gaies, mais elles incitent aux activités physiques. Un travail demandant peu de concentration et le jeu peuvent s'en accommoder parfaitement.

Les couleurs de tonalité éteinte (chaudes ou froides), si elles sont rehaussées de quelques taches vives, peuvent convenir à toutes les activités.

Ces distinctions ne donnent pourtant qu'une indication vague quant au choix à faire, et la théorie dite des couleurs complémentaires ne permet pas non plus de résultats absolument certains.

Par exemple : bien qu'un jaune et un violet soient des couleurs complémentaires, leur emploi dans une même pièce, surtout en grande quantité, risque fort de faire naître une certaine agressivité de mauvais goût.

Les quelques conseils que nous vous donnons

Pour obtenir une sensation de fraîcheur dans cette salle de bains méditerranéenne, les murs ont été traités dans un ton dominant froid. Le sol est très peu coloré et les appareils sanitaires sont blancs. Une autre couleur pourrait modifier cette sensation de fraîcheur.

Avec le mélange rouge et bleu, il faut restreindre l'intensité des tons complémentaires, qui doivent rester neutres.

Face de baignoire et mur très colorés assurent une ambiance décontractée dans cette petite salle d'eau sans fenêtre.

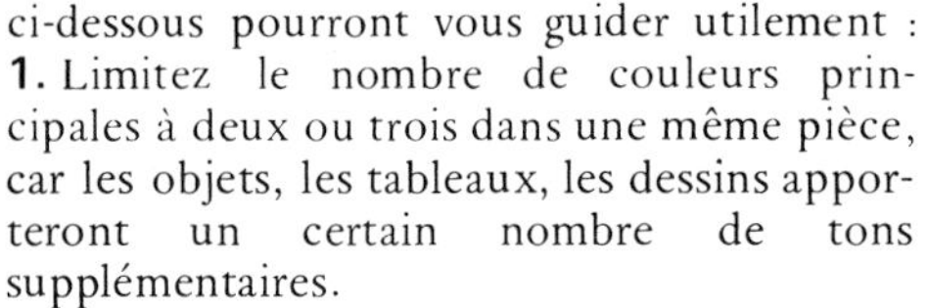

ci-dessous pourront vous guider utilement :
1. Limitez le nombre de couleurs principales à deux ou trois dans une même pièce, car les objets, les tableaux, les dessins apporteront un certain nombre de tons supplémentaires.
2. Les couleurs utilisées sur une grande surface peuvent, selon l'éclairage, donner une coloration aux surfaces voisines. C'est ainsi que, pour prendre un exemple, un revêtement de sol rouge, éclairé en lumière directe, peut colorer en rose les murs de la pièce où il est posé. De même, dans une salle de bains laquée en jaune, vous éviterez de choisir des appareils sanitaires gris qui paraîtraient sales et usagés. Ce sont deux exemples parmi beaucoup d'autres.
3. Il faut juxtaposer les couleurs avec précaution. Un rouge à côté d'un blanc sera éclatant ; mais il paraîtra triste à côté d'un brun. Un bleu pâle peut sembler gris à côté d'un bleu marine, et avoir un ton de dragée

Harmonie du vert vif et des bruns entre lesquels le blanc assure la liaison indispensable.

La couleur dominante est celle de la moquette. On la retrouve dans les coussins du canapé. Chaleur et unité sont ainsi assurées. En général, ce principe permet d'agrandir les lieux et évite les fautes de goût lorsque les meubles sont de diverses provenances.

s'il se trouve placé près d'un gris pâle.

4. Il est indispensable de faire une distinction très nette entre les couleurs mates (peintures, tissus, la plupart des papiers peints, bois, liège, etc.) et les couleurs brillantes (laque, acier, verre), qui sont autant des miroirs que des couleurs. Ainsi, dans une pièce peinte en blanc, un mur laqué bleu marine ne rétrécit pas les volumes, contrairement à ce que l'on pourrait croire, mais il colore l'atmosphère générale, tandis que les murs latéraux s'y reflètent, prolongeant ainsi les perspectives (*fig. 32*).

5. Le blanc, le noir, le gris foncé sont des supports excellents pour harmoniser couleurs et matériaux. Dans une pièce aux murs blancs et au sol gris anthracite, vous réaliserez facilement une ambiance agréable et qui mettra aussi bien en valeur le bois des meubles anciens que les coloris intenses des meubles actuels en plastique.

Pour comparer les couleurs, n'hésitez pas à demander des échantillons de tissu, de peinture, de papier peint, etc. Juxtaposez-les, mélangez-les en les substituant les uns aux autres, et confrontez tous ces échantillons colorés avec les meubles qui viennent dans la pièce. Vous aurez alors une idée assez précise de ce que vous allez obtenir, si vous tenez compte que les tons deviennent beaucoup plus foncés à l'œil lorsqu'ils sont utilisés en grande surface.

Nous vous donnons, à titre d'exemples, plusieurs harmonies colorées (voir *fig. 33* et *33 bis*), dans lesquelles vous pourrez puiser. Dans chacune d'elles, l'importance relative de chacun des tons peut changer; ce qui compte, c'est de conserver le principe du ton dominant et des tons secondaires.

Fig. 32. LES COULEURS : *la pièce se reflète dans un mur laqué bleu marine, agrandissant ainsi visuellement les perspectives.*

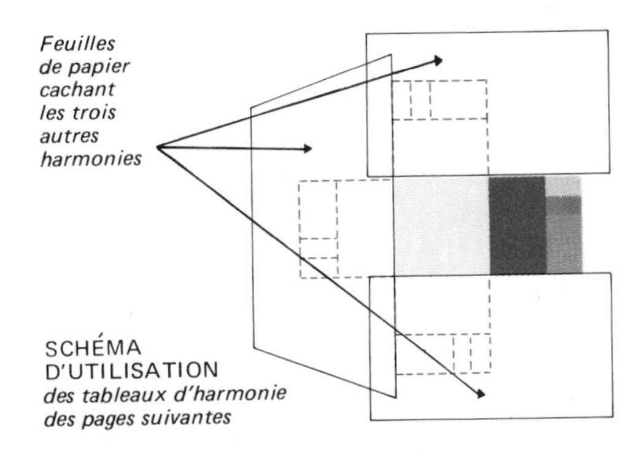

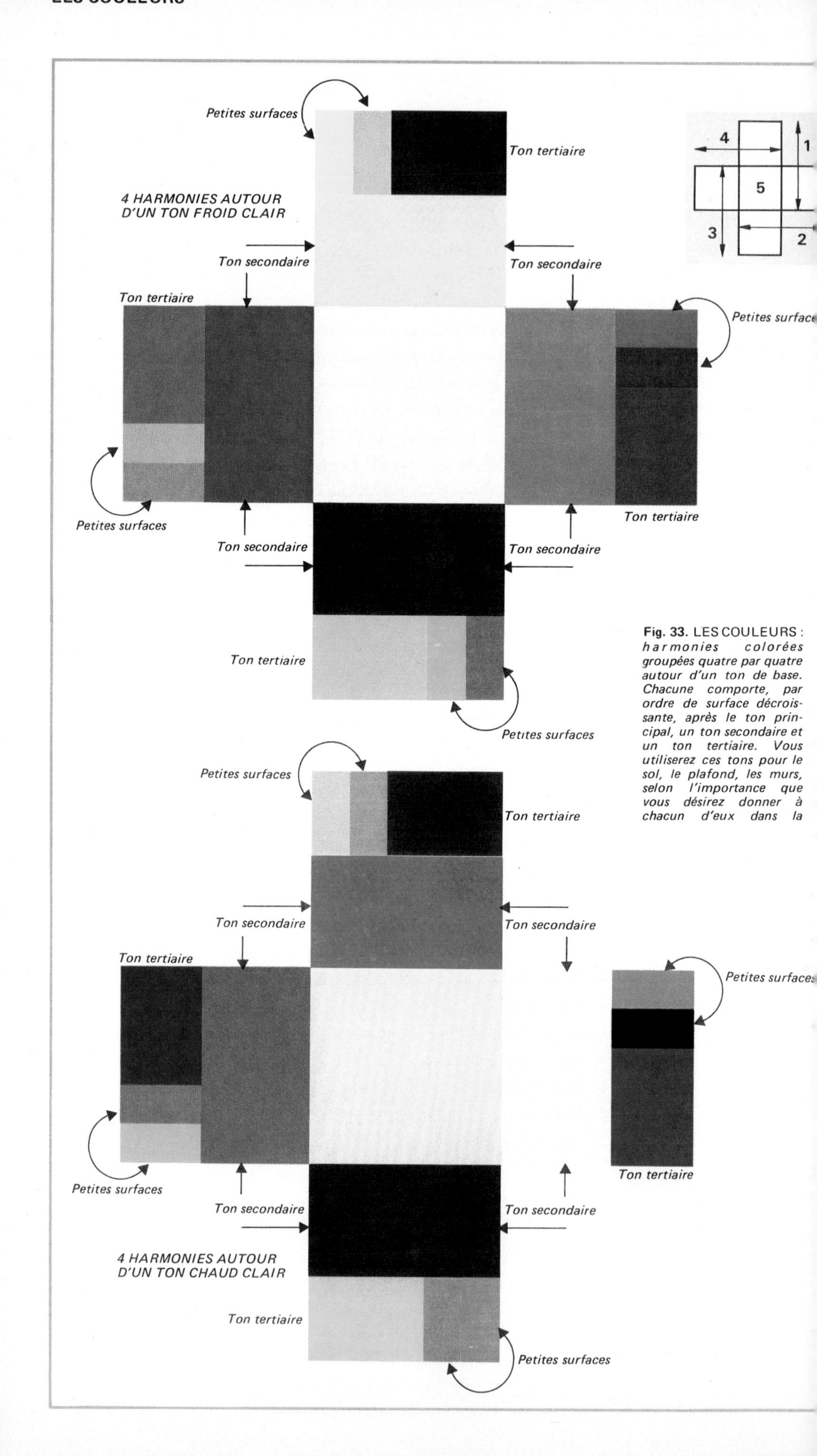

Fig. 33. LES COULEURS : *harmonies colorées groupées quatre par quatre autour d'un ton de base. Chacune comporte, par ordre de surface décroissante, après le ton principal, un ton secondaire et un ton tertiaire. Vous utiliserez ces tons pour le sol, le plafond, les murs, selon l'importance que vous désirez donner à chacun d'eux dans la*

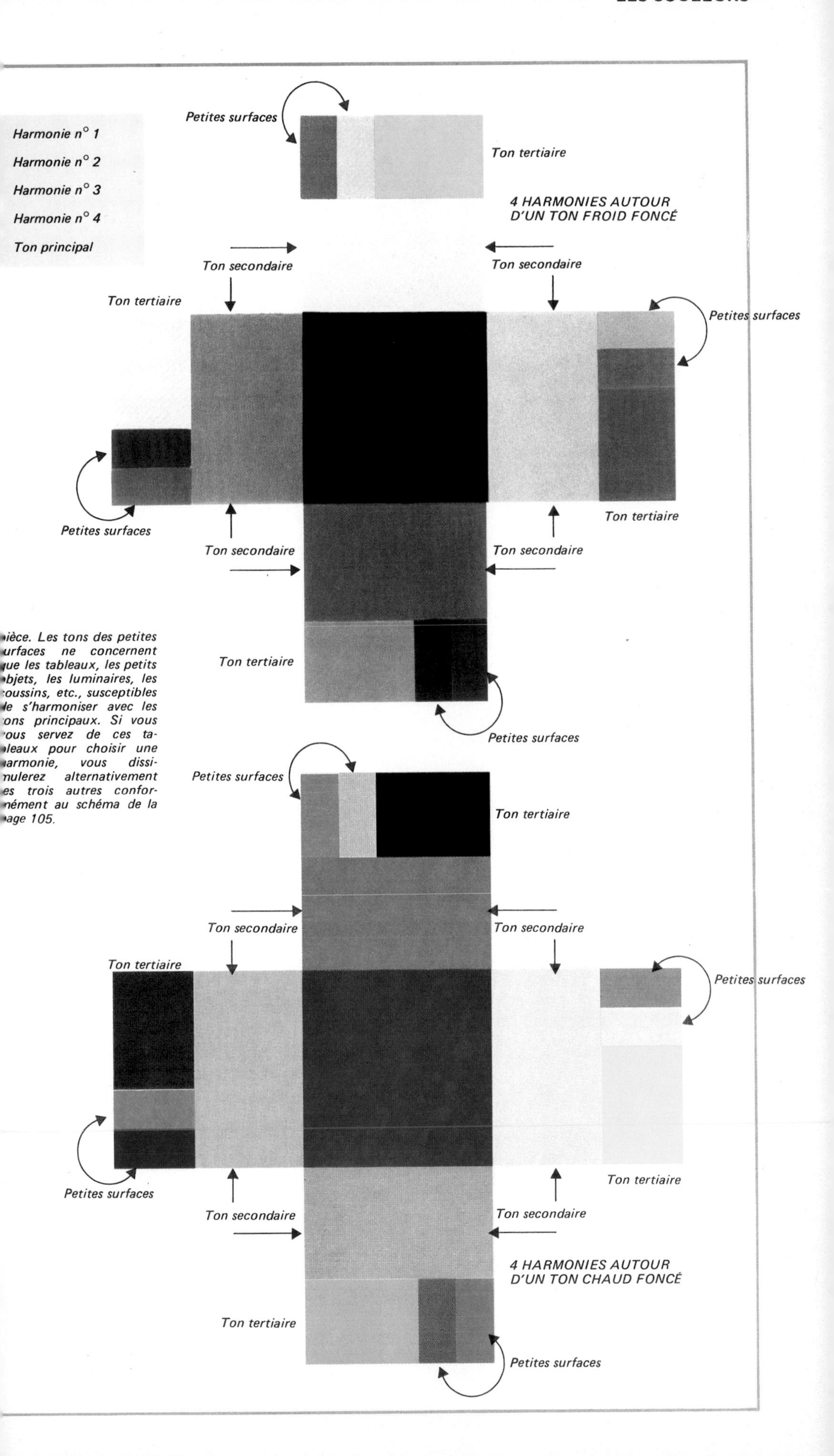

ièce. Les tons des petites urfaces ne concernent ue les tableaux, les petits bjets, les luminaires, les oussins, etc., susceptibles le s'harmoniser avec les ons principaux. Si vous ous servez de ces ta- leaux pour choisir une armonie, vous dissi- nulerez alternativement es trois autres confor- nément au schéma de la age 105.

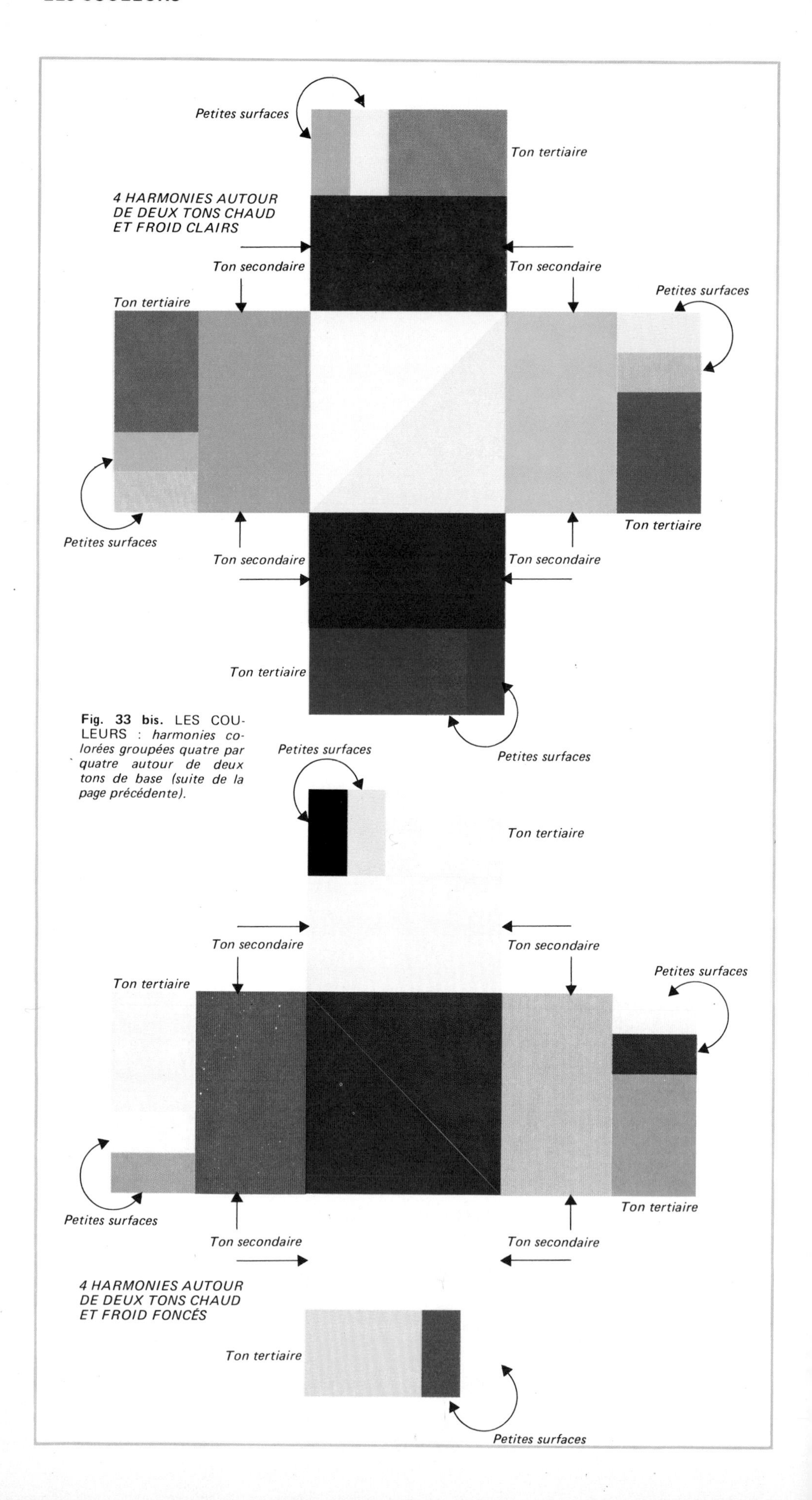

Fig. 33 bis. LES COULEURS : *harmonies colorées groupées quatre par quatre autour de deux tons de base (suite de la page précédente).*

1

1. *L'atmosphère est donnée par l'utilisation d'un bois blond au mur et au plafond. Cette unité du fond a permis d'alterner des couleurs pourtant délicates à réunir.*

2. *La couleur du dessus-de-lit éclate de gaieté dans cette atmosphère très sobre où les éléments décoratifs se détachent sur le blanc.*

3. *Atmosphère calme et reposante. C'est une gamme subtile de bruns et de blancs qu'égayent les tons vifs d'un coussin, de la bougie et des fleurs.*

4. *L'emploi d'un ton franc vif et du blanc permet de créer une ambiance gaie dans une cuisine-couloir.*

2

3

4

les murs

Ce sont les supports principaux des matériaux, des couleurs et de tous les éléments qui composent un décor. Qu'il s'agisse de rajeunir ou de moderniser un lieu d'habitation, d'installer une ou plusieurs pièces neuves, ce sont les murs qui posent le plus de problèmes. Vous choisirez les revêtements des murs, du sol et du plafond en fonction du mobilier. Les quatre murs d'une pièce peuvent être décorés de la même manière, mais vous pouvez aussi avoir un mur dans une couleur et les autres dans un ton différent, même avec un mobilier ancien. Pourtant, ne morcelez pas outre mesure la surface générale des murs, vous risqueriez un papillonnement visuel, une dispersion des effets, si ce n'est la cacophonie.

Si vous utilisez deux revêtements différents dans une même pièce, veillez à ce qu'ils se rencontrent dans un angle et non sur un même mur (*fig. 34*).

Nous allons examiner quelques problèmes que posent les murs.

1. Murs abîmés, vieux, humides. La remise en état étant très souvent onéreuse, vous pouvez alors les habiller sur toute la hauteur d'un revêtement collé sur un support fixé à une armature de tasseaux (*fig. 35*); les lambrisser de bois sur toute la hauteur également; ou les doubler avec des briques jointoyées au ciment que vous pourrez conserver naturelles ou peindre (le prix du mètre carré de brique posé est inférieur à celui d'un lambris en frise de pin).

2. Plinthes. La plinthe est un élément de protection du mur. Elle est donc inutile si le revêtement du mur est résistant ou facile à entretenir. L'absence de plinthe permet d'agrandir visuellement le mur en hauteur. Si la plinthe existe (il s'agit souvent de plinthes électriques), ou si vous êtes obligé de la poser par mesure de protection, vous la peindrez dans le ton dominant du mur qu'elle habille. Sachez, en outre, que les plinthes peuvent être choisies dans le même matériau que le sol (*fig. 36*), ou dans un des matériaux du mobilier.

3. Lambris et moulures. Des moulures conviennent parfaitement à un décor de style, mais peuvent aussi s'accorder à un mélange de meubles disparates ou à un mobilier et à des matériaux contemporains. Vous pouvez toujours opter pour la discrétion : ton clair, simple rechampi et revêtement mural de papier peint, de tissu ou de peinture mate; mais une ambiance contemporaine peut supporter une ou deux couleurs vives réparties entre les moulures et les panneaux. Les moulures du plafond seront traitées comme celles des murs.

4. Proportions d'un mur. Elles peuvent être modifiées par des artifices de couleurs, de matériaux (voir chapitre VI).

Fig. 34. LES MURS : *il faut raccorder deux revêtements différents suivant l'angle de deux murs, et non sur un même mur.*

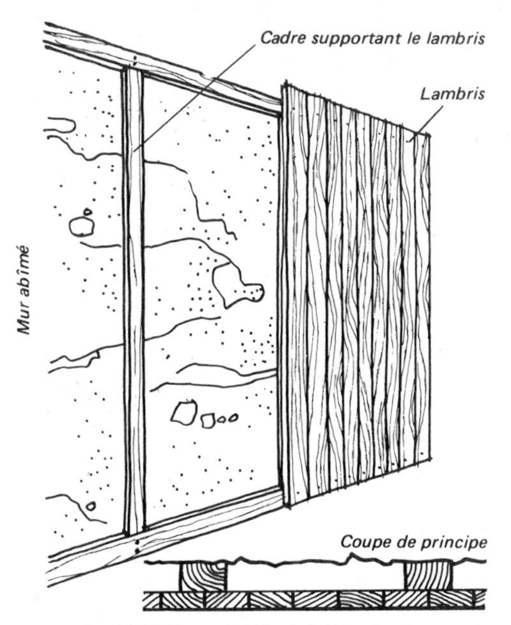

Fig. 35. LES MURS : *un habillage de frise de pin permet de dissimuler un mur très abîmé.*

Fig. 36. LES PLINTHES : *les plinthes sont peintes dans le ton dominant du mur ou traitées dans le même matériau que le sol.*

les sols

Ils se salissent et sont soumis à une usure journalière. Ils doivent, par conséquent, être solides et faciles à entretenir, ce qui ne les empêche pas d'être beaux, car le choix des revêtements de sol est considérable. Pensez que, sur le sol, se détachent la forme des sièges et des tables, le dessin ou la couleur des tapis et le socle des lampes. Sauf si la pièce est vraiment très grande ou si elle présente des différences de niveaux, vous éviterez de mélanger au sol plusieurs matériaux ou plusieurs couleurs pour ne pas donner une impression de morcellement.

Dans le souci d'affirmer l'unité de la décoration d'une pièce, les décorateurs ont eu l'idée de prolonger sur les murs le revêtement du sol. Il en résulte une sensation de grand confort (voir photo 2, page 98), même s'il s'agit d'un revêtement économique.

Les différences de niveaux

Les différences de niveaux dans une même pièce sont assez rares. Pourtant, si la pièce est assez vaste, cette disposition permet des solutions intéressantes : séparation de deux zones, repas et détente, par exemple (*fig. 37*), création d'une fosse qui, garnie de coussins, remplacera avantageusement plusieurs fauteuils, tout en assurant une ambiance jeune et décontractée (*fig. 38*).

Fig. 37. LES SOLS : *un plancher surélevé dans une salle de séjour permet d'isoler le coin des repas.*

Fig. 38. LES SOLS : *« fosse » de détente dans une salle de séjour créée grâce à une différence de niveaux.*

Si creuser le sol est toujours onéreux et souvent impossible, vous pouvez, par contre, plus facilement le surélever, à condition que la hauteur sous plafond soit suffisante. C'est ainsi que, dans une pièce de 2,60 m de haut, vous pouvez surélever une partie du sol de 45 cm (la hauteur de trois marches). La partie surélevée reposera sur une structure en bois avec remplissage en latté ou réalisée en maçonnerie traditionnelle.

les plafonds

Après avoir été décorés, enluminés, colorés, les plafonds, moulurés ou non, étaient blancs depuis une centaine d'années. Actuellement, le plafond retrouve sa place dans le décor.
Comme les murs et le sol, vous pouvez peindre les plafonds en couleur, les tapisser de papier, de tissu, les habiller de tout autre matériau léger. Les moulures, les corniches peuvent être également peintes ou laquées et contribuer ainsi à la création de l'ambiance décorative (*fig. 39*). Si cette solution ne vous plaît pas, et si vous décidez de supprimer les moulures, la première chose est de savoir si elles sont en stuc ou en pierre. Dans le premier cas, elles disparaîtront sans mal; dans le second, le travail est long, pénible et cher. Mieux vaut alors surbaisser le plafond; solution qui, bien évidemment, vaut aussi lorsque vous trouvez vos plafonds trop hauts. Vous pouvez surbaisser un plafond avec des plaques de staff accrochées au plafond par des tirants métalliques. L'autre méthode consiste à fixer sur un quadrillage de tasseaux soit un habillage en latté prêt à peindre ou à tapisser, soit un lambris en frise de bois que vous peindrez ou que vous garderez naturel. Entre ce faux plafond et le plafond d'origine, vous pouvez faire une distribution électrique sous tube susceptible d'alimenter des spots (*fig. 40*), des appareils suspendus ou tout autre moyen d'éclairage. Vous pouvez aussi créer un plafond lumineux en découpant des ouvertures dans le latté, en alternant des bandes de bois et des bandes de Plexiglas (*fig. 41*), ou en remplaçant franchement le latté par des plaques de Plexiglas dépoli. La lumière, diffusée par des tubes fluorescents placés entre les deux plafonds, sera douce et bien répartie.
Il est également possible de créer un faux plafond léger en tendant ou en drapant, sur des armatures visibles en bois verni ou peint, un tissu qui dissimule des rampes fluorescentes.
Sans surbaisser réellement le plafond, on peut obtenir le même effet visuel en plaçant verticalement des lames de bois ou de métal de 10 à 20 cm de largeur, espacées de 20 à 30 cm, et en peignant plafond d'origine et retombée d'un ton foncé (*fig. 42*).
Les plafonds acoustiques, composés de dalles rectangulaires ou carrées en bois aggloméré, matière synthétique compressée, métal laqué, ou même staff, sont accrochés à une armature en métal ou en bois posée au préalable. Ces plafonds sont très efficaces contre le bruit. S'ils vous paraissent un peu froids d'aspect, vous compenserez en revêtant les murs de bois, de liège ou d'un papier peint à dessins aux tons très chaleureux.

Fig. 39. LES PLAFONDS : *les moulures laquées d'un ton vif et les sièges actuels font bon ménage dans une ambiance résolument contemporaine.*

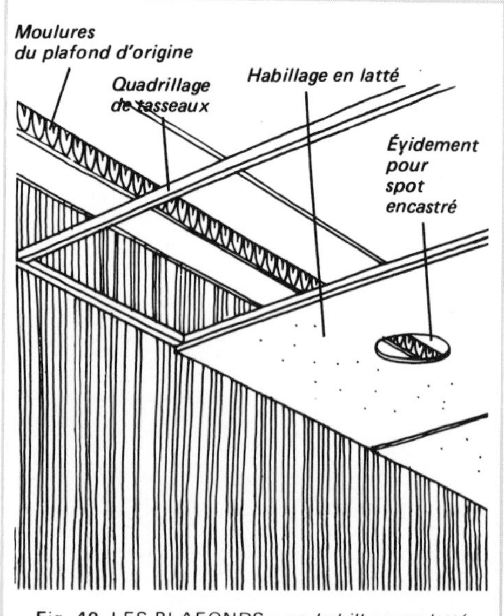

Fig. 40. LES PLAFONDS : *un habillage en latté, fixé sur un quadrillage de tasseaux, crée un plafond surbaissé qui dissimule l'ancien plafond.*

Le plafond, constitué d'une large ondulation de tissu blanc, diffuse une lumière très équilibrée dont la source est une alternance de tubes fluorescents.

Fig. 41. LES PLAFONDS : *ce plafond surbaissé comporte une alternance de bandes en bois et de bandes lumineuses en Plexiglas.*

Fig. 42. LES PLAFONDS : *le plafond peut être surbaissé visuellement par des lames de bois ou de métal, fixées perpendiculairement au plafond d'origine.*

Les différences de niveaux

Dans certaines pièces, il est possible de surbaisser une partie du plafond. Vous affirmerez alors franchement votre intention par une différence de niveaux très accusée (40 à 45 cm). En effet, les petites différences (10 à 15 cm) sont inutiles, car l'effet recherché (intimité ou agrandissement visuel des murs) n'est pas obtenu (*fig. 43*). La surface du plafond surbaissé doit être inférieure à la moitié de la surface totale de la pièce. Ainsi, dans une pièce de 28 m², vous pouvez, sans crainte, surbaisser 8 à 12 m² de plafond à 2,15 m environ, pour une hauteur principale de 2,55 m.

Ce principe est intéressant pour créer un coin de repas agréable ou pour surbaisser une alcôve paraissant trop étroite (*fig. 44*). Si une grande pièce où l'on vit ne peut être ainsi surbaissée dans sa totalité (car il en résulterait une sensation d'étouffement), il n'en est pas de même des petits couloirs ou des entrées, où l'on ne fait que passer. Totalement surbaissés de plafond, ces lieux semblent plus spacieux, et l'opposition avec les pièces voisines est très vivante.

Il est certes rare qu'une hauteur sous plafond atteigne 4 m. De telles dimensions appartiennent au passé. Mais si tel est votre cas, ne cherchez pas à surbaisser le plafond. Il sera beaucoup plus intéressant de créer une mezzanine accessible par un escalier droit, un escalier à vis ou une échelle de meunier. Cette mezzanine vous offrira un espace supplémentaire, où vous pourrez installer un coin de détente (lecture, musique), une zone de repos fermée, le soir, par une cloison dépliable ou par un épais rideau. Mais ce sont là des travaux coûteux, car il faut construire un plancher en bois ou couler une dalle de béton, et s'assurer avant de le faire de la solidité des murs latéraux.

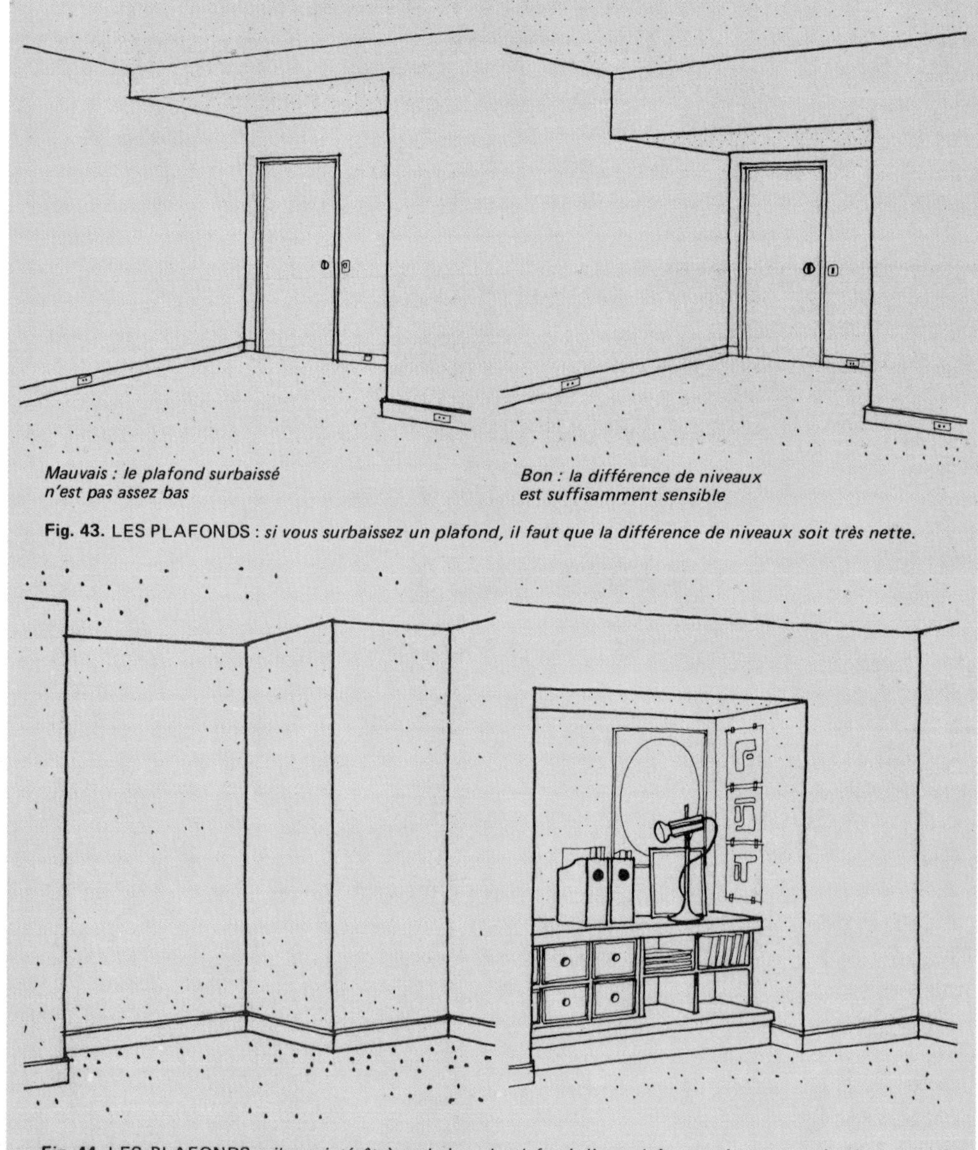

Mauvais : le plafond surbaissé n'est pas assez bas

Bon : la différence de niveaux est suffisamment sensible

Fig. 43. LES PLAFONDS : *si vous surbaissez un plafond, il faut que la différence de niveaux soit très nette.*

Fig. 44. LES PLAFONDS : *il y a intérêt à surbaisser le plafond d'une alcôve paraissant trop étroite pour lui donner de meilleures proportions.*

les meubles

Les meubles familiaux, ou ceux achetés chez le brocanteur, composent la base du mobilier dont on dispose généralement. Mais ils peuvent devenir insuffisants, compte tenu de l'évolution de votre vie familiale. Et, si vous déménagez, ils peuvent ne plus répondre à vos besoins, ne pas s'adapter aux lieux que vous allez habiter.
Si vous aimez tel de vos meubles pour une raison esthétique ou sentimentale, n'hésitez pas à le garder. Mais n'essayez pas de faire entrer une armoire normande dans une pièce de 9 m^2, ou une bibliothèque de 3 m de haut dans une pièce de 2,50 m de hauteur sous plafond. N'hésitez pas non plus à vous séparer de ces éléments disparates et bâtards que nous avons tous tendance à laisser s'accumuler. Dans tous les cas, faites le point de ce que vous gardez et de ce qui vous manque, compte tenu de l'implantation générale, et n'oubliez pas que le bon sens est déjà un point de départ très valable pour la décoration.
Vous avez ensuite le choix entre deux orientations possibles :
1. Continuer à acquérir de vieux meubles ou des copies de qualité, si vous aimez uniquement le passé. Si un meuble vous plaît, observez toutefois ses proportions, prenez ses dimensions et vérifiez si vos murs sont assez larges pour le recevoir et vos plafonds assez hauts. Calculez si le recul est suffisant pour ne pas gêner la circulation et pour que le meuble soit mis en valeur. Pensez aussi que la couleur du bois doit être en harmonie avec le décor de l'ensemble. Enfin, voyez si le meuble choisi répond totalement à ce que vous en attendez. En général, à volume égal, les meubles anciens ont une contenance moindre que les meubles actuels. Ils sont aussi moins équipés intérieurement. Les sièges sont plus raides, les luminaires moins adaptés à nos activités contemporaines.
2. Acheter un mobilier neuf adapté à vos besoins et aux dimensions de votre appartement et qui répondra exactement à des fonctions précises. Il y a de fortes chances pour que ce soit un mobilier contemporain. Votre seule préoccupation sera alors de juxtaposer harmonieusement ces nouveaux meubles avec le mobilier ancien que vous possédez déjà.

les différentes catégories de meubles contemporains

Nous avons déjà abordé la question en parlant de l'implantation (voir chapitre II). Nous distinguerons les grands meubles que l'on change peu de place, les meubles semi-mobiles et les meubles déplaçables.

Les grands meubles fixes

Ce sont les penderies, les placards divers, les éléments de cuisine, les bibliothèques avec bloc-secrétaire, les bars, etc. Ils peuvent être exécutés sur mesure, mais ils sont le plus souvent réalisés à partir d'éléments de base types en plusieurs dimensions standardisées (hauteur, largeur, profondeur).
Ils peuvent être très simples et économiques ou plus complexes. Leurs systèmes d'assemblage permettent des combinaisons diverses (*fig. 45*), à partir des éléments de base. Vous pouvez ainsi créer des ensembles que vous modifierez et compléterez petit à petit par la suite.
Le montage de ces meubles se fait par accrochage, empilage, emboîtage, vissage, etc. Les matériaux employés sont le bois,

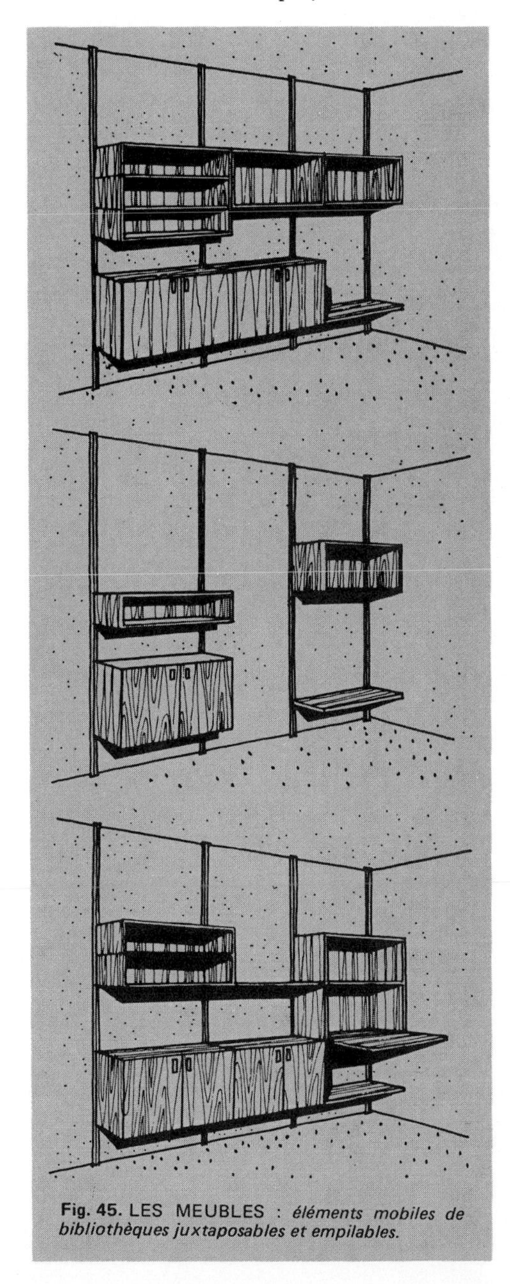

Fig. 45. LES MEUBLES : *éléments mobiles de bibliothèques juxtaposables et empilables.*

naturel ou laqué, le métal, les matières plastiques, la glace. L'armoire tend à disparaître du mobilier contemporain, car, à encombrement égal, sa contenance est moindre, et elle offre une moins grande souplesse d'utilisation qu'un rangement fait d'éléments juxtaposables.

Pour bien les choisir. Ces meubles doivent être dépouillés, ne comporter au maximum que deux matériaux et posséder des accessoires simples et nets.
Vérifiez le bon fonctionnement et la solidité des charnières et pivots des portes, des compas, des abattants, ainsi que la maniabilité des taquets, le coulissement silencieux et facile des tiroirs et des portes sur glissière. La qualité des placages ou de la peinture laquée se voit sur le chant des tablettes.

Les meubles semi-mobiles

Dans cette catégorie nous pouvons classer :
1. Les bahuts, les petits meubles, les commodes, les coiffeuses, les secrétaires, les blocs de rangement à placer au centre d'une pièce, les containers, les tables de repas, les bureaux, les lits. Ces meubles sont réalisés dans les mêmes matériaux que les meubles fixes et doivent présenter les mêmes qualités.

Pour bien les choisir. Après avoir vérifié la maniabilité des parties mobiles et la qualité de la quincaillerie, assurez-vous de la stabilité du meuble, et, s'il s'agit de tables, bureaux et coiffeuses, voyez si la hauteur vous convient.
2. Les chauffeuses, les fauteuils, les canapés-lits et les lits.

Pour bien les choisir. En les essayant,

Fig. 46. LES MEUBLES : *bonnes hauteurs pour s'asseoir à table.*

étendez vos jambes (*fig. 46*). Vérifiez si la hauteur du siège et, éventuellement, des accotoirs, est bonne. Prenez tous les renseignements sur la nature des matelas,

Quelques petits meubles mobiles caractéristiques de notre temps. Ils sont soit en bois, soit en plastique, et très pratiques pour ranger les multiples petits objets de la maison.

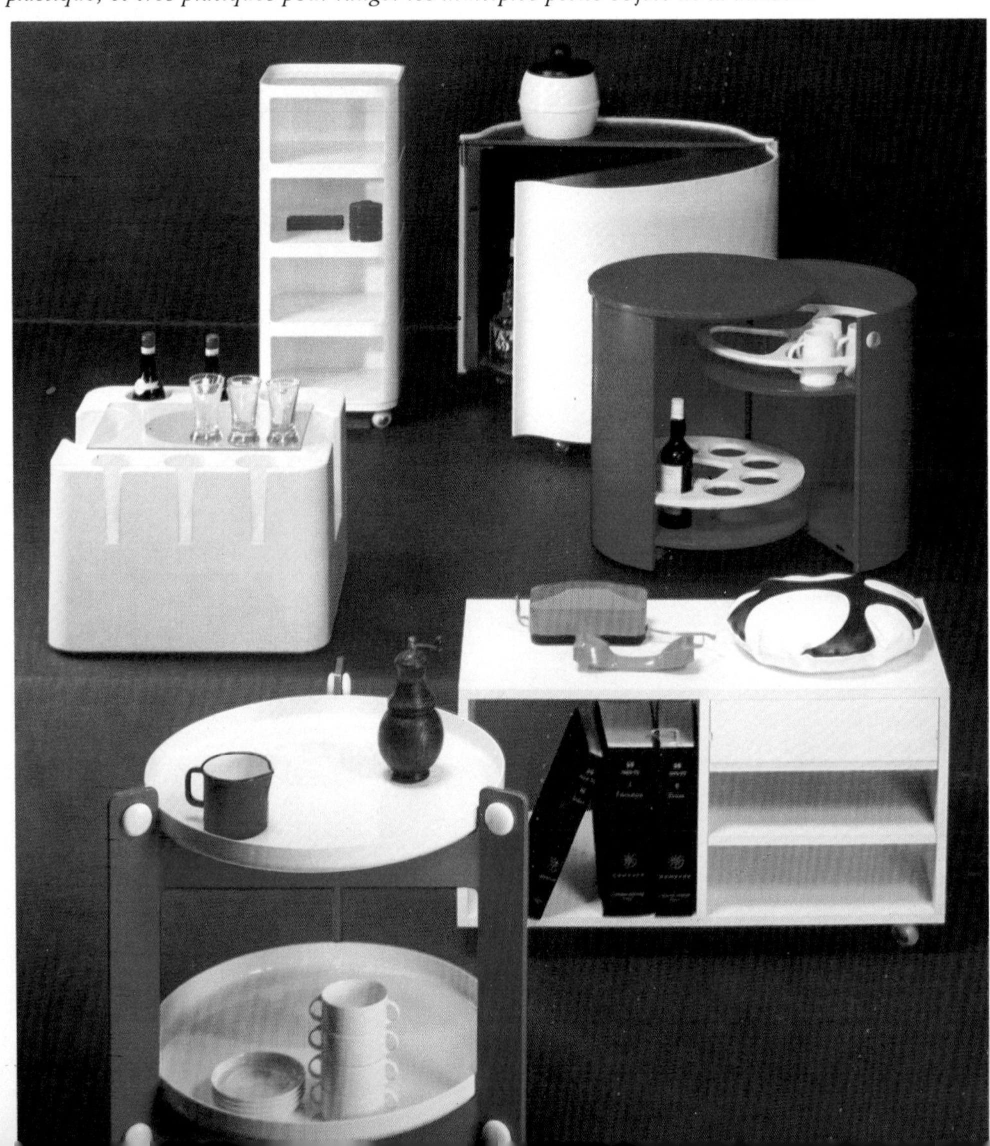

coussins, garnitures, etc. Informez-vous avec précision de la composition du tissu de revêtement choisi pour savoir comment le nettoyer.
Pour les canapés-lits, faites-vous bien expliquer les manipulations et voyez s'il est possible de laisser draps et couvertures repliés. Les parois latérales et le dos doivent être rembourrés avec soin et ne pas se composer d'un simple tissu de revêtement tendu sur le cadre.

Les meubles déplaçables

Nous groupons dans cette catégorie tous les meubles qu'on déplace facilement soit en les soulevant, soit en les roulant : chaises, tables, tables basses, bars roulants, petits blocs de rangement, bacs à plantes. Ils existent dans tous les matériaux traditionnels ou contemporains.

Pour bien les choisir. Vérifiez la solidité et la stabilité et observez avec soin le diamètre des roulettes (*fig. 47*). En effet, les roulettes trop petites roulent mal sur une moquette ou un tapis.

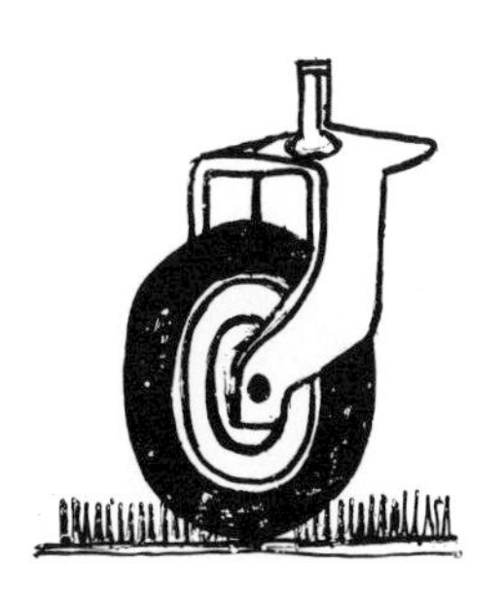

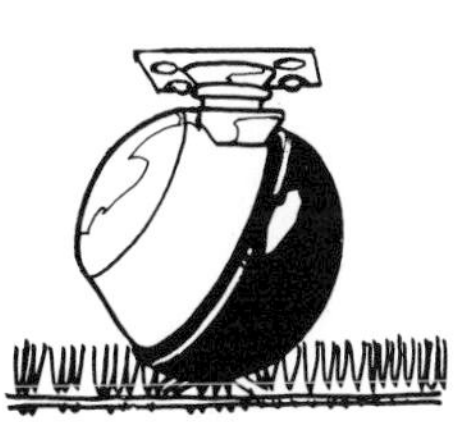

Fig. 47. LES MEUBLES : *les deux types de roulettes utilisées actuellement.*

l'harmonie entre les différents meubles contemporains

Il existe des gammes de meubles très étendues, tant en ce qui concerne les formes que les matériaux. En plus des grands classiques, parmi lesquels nous citerons la chaise longue et les fauteuils de Le Corbusier, les modèles de Marcel Breuer et de Mies van der Rohe, de Charles Eames, d'Eero Saarinen, de Charlotte Perriand, etc., le marché français et étranger propose des meubles nombreux où l'imagination, le respect des matières utilisées, la recherche de formes à la fois belles et fonctionnelles ont pu s'épanouir dans l'esprit de notre temps, temps de la rencontre du créateur, de l'industriel et, petit à petit, du public, temps de la forme et de la fonction réunies sans artifice. Chacun peut trouver ce qu'il désire dans le choix qu'offre le mobilier contemporain, que ce soit l'amateur de rigueur et de matières raffinées, ou celui qui recherche la fantaisie et l'imprévu.

Le grand siège actuel de Charles Eames s'intègre à cette ambiance raffinée et peu contemporaine. Notez l'opposition des volumes entre le siège et la table, et l'accord des lignes entre le siège et le paravent.

quelques règles demeurent valables dans tous les cas

1. Adoptez pour chaque zone de la maison une unité de matériaux : par exemple, le plastique pour le coin des repas, l'acier et le tissu pour la zone de détente. Pour assurer la liaison utile entre ces deux zones, quelques petits éléments en plastique (lampes, cendriers) viendront compléter l'aménagement de la zone de détente, tandis que l'appareil d'éclairage de la table de repas sera en acier. (Il en existe de nombreux modèles.)

Le canapé, la table basse et la cheminée modernes s'accordent bien avec le guéridon Napoléon III, la lampe et les bibelots.

Pour s'accorder au petit canapé et à la table basse, ce fauteuil ancien a été peint dans leur ton dominant. Il est ainsi bien intégré à l'ensemble et ne semble plus du tout démodé.

TABLEAU D'HARMONIE DE MATÉRIAUX

LISTE CODIFIÉE DES MATÉRIAUX PRINCIPAUX	MATÉRIAU DOMINANT	MATÉRIAU SECONDAIRE	MATÉRIAU DE COMPLÉMENT
A. Bois naturel	A	B ou C ou D	E ou F ou G
B. Bois laqué, métal laqué, plastique lamifié	B	C ou D	F ou G
C. Métal poli, métal chromé	C	A ou D	E ou G
D. Glace	D	B ou C	E ou F ou G
E. Cuir véritable ou imitation	E	A ou D	B
F. Paille, jonc, cannage, rotin	F	A ou C ou D	G
G. Tissu	G	A ou B ou C	D ou F

2. Dans un ensemble de meubles, il y a toujours un matériau qui domine visuellement. En partant de ce principe, vous trouverez ci-dessus un tableau d'harmonie avec la liste codifiée des matériaux principaux.

accords entre les différents styles

En fait, chaque meuble, ancien ou actuel, est caractérisé par les éléments suivants : les matériaux et la couleur, le dessin, les proportions. C'est en trouvant entre eux certaines affinités ou, au contraire, certaines oppositions franches que l'on peut construire une alliance réussie entre les meubles.

1. Les matériaux et la couleur. Un bois actuel et un bois ancien, bien que d'essence identique, n'offrent pas le même aspect. Il vaut mieux jumeler des matériaux riches entre eux et des matériaux modestes entre eux. Le bois de rose, la marqueterie, par exemple, s'associeront bien au laiton poli, à l'acier, à la glace épaisse, au marbre ; le chêne rustique et sobre s'accordera très bien au plastique et au bois laqué.

Un certain contraste est également valable pour les couleurs. Un siège tendu de tissu

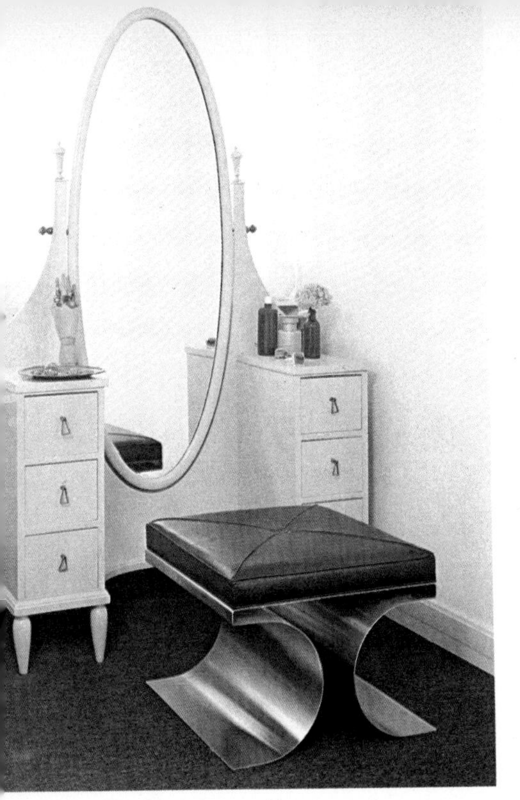

Devant une coiffeuse 1925, soigneusement repeinte avec une laque brillante, un siège bas en acier inoxydable : harmonie du jeu des courbes et heureuse alliance de dessins.

Une table moderne, très stricte, au piétement chromé et au plateau en lamifié, s'accorde par sa simplicité et ses proportions à quatre chaises rustiques paillées.

vieux rose s'accordera mieux à des couleurs très différentes, sable, brun, bleu marine, qu'à des couleurs trop proches, mais pas vraiment identiques.

2. Le dessin. Une identité dans l'aspect des lignes principales extérieures ou des lignes intérieures des modèles en présence est primordiale. Vous observerez donc la forme générale du meuble ancien, les formes de son piétement, de son moulurage et de ses ornements. Cela vous permettra de définir la tendance principale (droite, courbe souple ou courbe tendue), que vous retrouverez aisément dans certains meubles actuels.

3. Les proportions des meubles (bas, hauts, trapus, graciles, étroits ou larges) comptent beaucoup. Aussi, lorsque vous désirez réunir deux ou plusieurs meubles sur ce principe, vous devez opter soit pour une similitude profonde de leurs proportions (et non de leurs dimensions, c'est important), soit pour une opposition très marquée de celles-ci. Un meuble ancien très massif et cubique s'accordera avec un meuble actuel plus petit, mais de proportions identiques, c'est-à-dire également massif et cubique. Ce même meuble ancien peut être également associé, mais, cette fois, par contraste, à un élément actuel léger et horizontal. L'accord basé sur le jeu des proportions offre ainsi de multiples possibilités.

Vous pouvez donc choisir des formes et des matériaux très différents, mais dont les proportions et la qualité s'harmonisent.

Ainsi, l'accord d'un coffre rustique en chêne foncé et d'un siège coquille en plastique orangé sera plus dynamique et plus décoratif que si ce dernier était remplacé par un sage fauteuil garni de velours (*fig. 48*). Il s'agit d'un accord entre matériaux et couleurs.

Dans chacun de ces exemples, nous n'avons mis en parallèle que deux ou trois meubles. Vous pouvez néanmoins vous en inspirer pour des ensembles plus complexes.

Fig. 48.

Cette chaise longue contemporaine et cette commode Régence s'accordent bien entre elles grâce à la similitude des courbes de leurs piètements, alors que leurs volumes et leurs couleurs s'opposent.

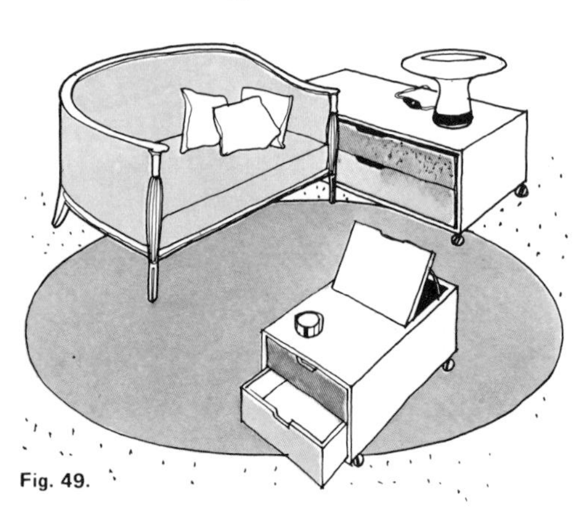

Fig. 49.

Fig. 50.

Mais sachez que, si vous choisissez de meubler toute une pièce en juxtaposant ancien et moderne, il faut qu'on sente une dominante très nette de l'un ou de l'autre. Une bonne proportion est d'un tiers de meubles anciens et deux tiers de meubles contemporains ou l'inverse.

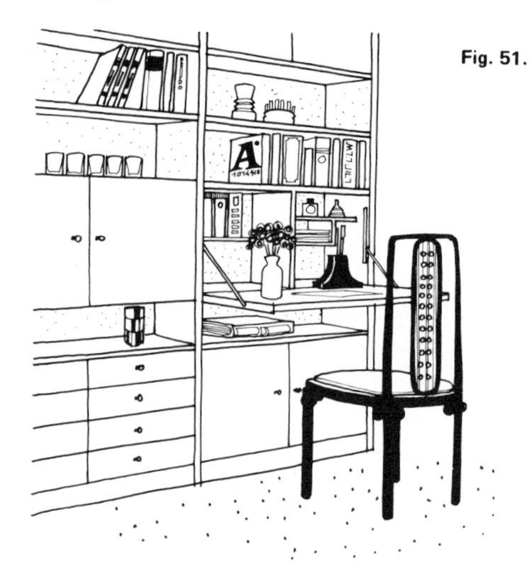

Fig. 51.

QUELQUES EXEMPLES D'ACCORD

- *Des chaises Napoléon III et une table ronde à piètement central en métal laqué blanc :* **accord de volumes.**
- *Une commode Régence et une chaise longue cannée à armature en bois courbé* (photo) *:* **accord de dessins.**
- *Un fauteuil Voltaire et une table en glace sur un piètement en acier poli :* **accord entre les matériaux.**
- *Une bibliothèque Louis-Philippe et un canapé en cuir naturel sur un socle laqué noir :* **accord de proportions.**
- *Une table de bridge Empire et des chaises moulées en plastique transparent :* **accord de proportions et entre les matériaux.**
- *Un canapé 1925 et des blocs containers dont les tiroirs sont en bois teinté* (fig. 49) *:* **accord de couleurs.**
- *Une table rectangulaire Louis XIII et des petits fauteuils en bois laqué rouge et siège paillé :* **accord de proportions.**
- *Un fauteuil régional en bois et paille, un bar roulant en contre-plaqué, laqué de couleur vive, et un luminaire en acier* (fig. 50) *:* **accord de lignes.**
- *Une chaise 1900 et un secrétaire à abattant intégré à un ensemble bibliothèque en lamifié blanc* (fig. 51) *:* **accord entre les matériaux.**
- *Une console Louis XVI peinte et un lit de repos en bois naturel aux dosserets cannés :* **accord de proportions.**

Ce beau meuble ancien et massif semble avoir été fabriqué en même temps que ces fauteuils contemporains en cuir naturel. C'est une alliance de volumes et de matériaux nobles. La couleur a son importance.

Les meubles en plastique s'inscrivent dans l'harmonie colorée du paysage et ne coupent pas la perspective. Notons aussi que leurs courbes sont souples et peu agressives, ce qui facilite encore leur intégration à l'ensemble.

le mobilier d'enfant

Même si l'enfant ne dispose que d'une place réduite, même s'il n'a qu'un lit et une chaise, il ne faut pas négliger son mobilier. Le mobilier d'enfant doit être pratique et simple, transformable si possible. Il ne doit pas être choisi en fonction de nos goûts d'adulte sur des critères romantiques et sentimentaux. Un enfant n'a que faire des petits volants et des couleurs à la guimauve. Son sens naturel de la beauté s'épanouira dans les couleurs franches, gaies, dans un mobilier où il pourra vivre et s'exprimer sans crainte d'abîmer ou de salir.
Vous pourrez choisir des éléments économiques, des coffres sur roulettes, un bureau solide, des sièges télescopiques stables (*fig. 52*), un lit aux formes simples et sans fioritures. Les meubles d'enfant sont généralement en bois laqué, bois naturel, plastique moulé ou lamifié. Les couleurs sont franches : bleu, rouge, jaune. Adoptez un seul matériau et deux de ces couleurs gaies, et, si vous aimez les demi-teintes subtiles, réservez-les pour le mobilier de votre chambre ou de votre séjour.

le mobilier extérieur : terrasse et jardin

Sa première qualité est d'être solide et de résister aux intempéries; la seconde, de s'entretenir facilement. Vous choisirez donc des modèles en bois laqué, en métal laqué, en rotin, en osier, en plastique moulé et vinyle gonflable (*fig. 53*), qui sont probablement les matériaux les mieux adaptés.
Le mobilier que vous installez sur votre terrasse ou votre balcon étant visible de l'intérieur de la maison, il est bon de le

Fig. 52. LES MEUBLES : *cette chaise s'adapte à la croissance d'un enfant.*

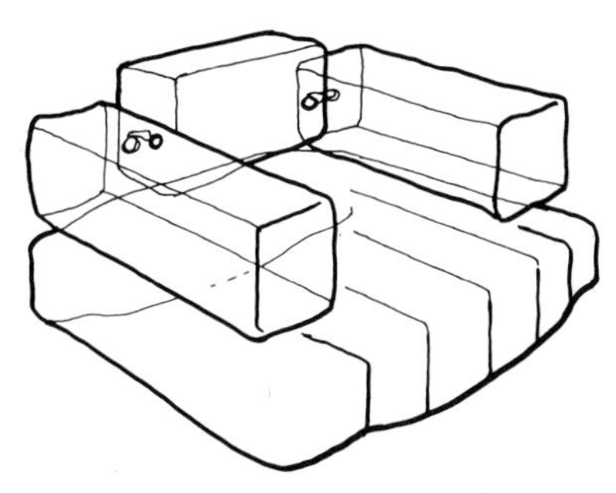

Fig. 53. LES MEUBLES : *fauteuil gonflable pour la terrasse.*

choisir en accord de formes et de couleurs avec les meubles du reste de l'habitation.
Le blanc, dans la plupart des cas, convient parfaitement. Il remplit les conditions désirées et sa luminosité s'accorde bien avec les fleurs, la verdure, le ciel.
Méfiez-vous des parasols fleuris et bariolés : ils morcellent inutilement la vue générale.
Mieux vaut choisir un ton uni qui sera identique à celui d'éventuels coussins.
Le tableau ci-contre pourra vous aider dans votre choix.

QUELQUES HARMONIES COLORÉES POUR L'EXTÉRIEUR

- *En bordure de mer :* **bleu marine, vert foncé, noir.**
- *A la campagne :* **jaune d'or, grenat, écru.**
- *A la montagne :* **orangé, turquoise, vert mousse.**
- *A la ville :* **jaune citron, violet, rose.**

les rideaux et les autres utilisations des tissus

Nous ne parlerons pas ici des tissus tendus, collés et drapés d'une manière définitive.
Ils font partie du décor fixe que nous avons déjà évoqué. Par contre, les rideaux, les portières, les dessus-de-lit, les housses, etc., sont mobiles, peuvent être déplacés, modifiés, transformés et, par là même, apporter dans la maison fantaisie et gaieté.

le décor des fenêtres dans une ambiance traditionnelle

Il influence très nettement l'ambiance décorative, et chaque style a un type de draperies qui lui est propre (voir le chapitre VIII pour les caractéristiques de chaque style). Vous pouvez évidemment reconstituer ces draperies, mais méfiez-vous alors de ne pas alourdir l'ensemble de la pièce. En fait, de tels décors de fenêtre nécessitent des hauteurs sous plafond généreuses, des stores et une passementerie fort chers. Vous opterez plutôt, si vous avez un intérieur traditionnel ou de style, pour un décor de fenêtre stylisé et mieux adapté aux proportions générales de la pièce.
Un décor de fenêtre (*fig. 54*) se compose de voilages, de doubles rideaux (ils ne sont pas indispensables), obstruant la fenêtre lorsqu'ils sont tirés, et de drapés fixes. Un décor de fenêtre transforme toujours les proportions de celle-ci. Ainsi, des doubles rideaux débordant largement de part et d'autre de l'huisserie élargiront une fenêtre trop étroite (*fig. 55*). Vous ferez l'inverse si la fenêtre est trop large, les tombées mordant alors sur la partie vitrée.
Lorsque la fenêtre est trop haute, vous éviterez les doubles rideaux à rayures verticales; mais en choisissant un tissu à rayures horizontales, vous obtiendrez un très bon résultat. Les stores intérieurs déroulables ont également l'avantage de créer une sensation d'élargissement. Vous opterez pour une ou deux couleurs déjà présentes dans la pièce et, si vos murs sont tendus de tissu, vous pourrez l'utiliser aussi pour confectionner le décor de la fenêtre. L'intimité de la pièce y gagnera.
Les voilages peuvent être confectionnés dans le tulle de coton, le tulle de Nylon, le voile Rhodia, le voile Tergal, etc. Ils seront droits, relevés ou à l'italienne (*fig. 56*). Différentes sortes de tringles sont à votre disposition pour faire coulisser les rideaux (*fig. 57*).
Si les fenêtres ne sont pas traditionnelles, si vous habitez dans un immeuble de construction récente, vous abandonnerez l'idée de reconstituer un décor stylisé, et vous préférerez plus de discrétion et de simplicité. La pointe de raffinement désirée viendra du choix du tissu, et, au besoin, un large galon pourra assurer la « touche » classique.
Choisissez des modèles simples et ne comportant pas plus de deux couleurs, dont l'une dans l'harmonie du tissu. Voici quelques harmonies : tissu bleu clair, galon blanc et bleu marine ; tissu rose, galon brun et gris; tissu jaune d'or, galon tabac et blanc ; tissu vert empire, galon ocre et bleu vif.

le décor des fenêtres dans une ambiance contemporaine

Vous n'êtes pas astreint à la même rigueur et vous pouvez abandonner la symétrie pour vous adapter le mieux possible à l'architecture intérieure de votre habitation.
Vous abandonnerez le principe du bandeau qui rapetisse la fenêtre. Si vous jugez la pièce trop basse, fixez les tringles au plafond. Le jeu des verticales créé par les plis permet de

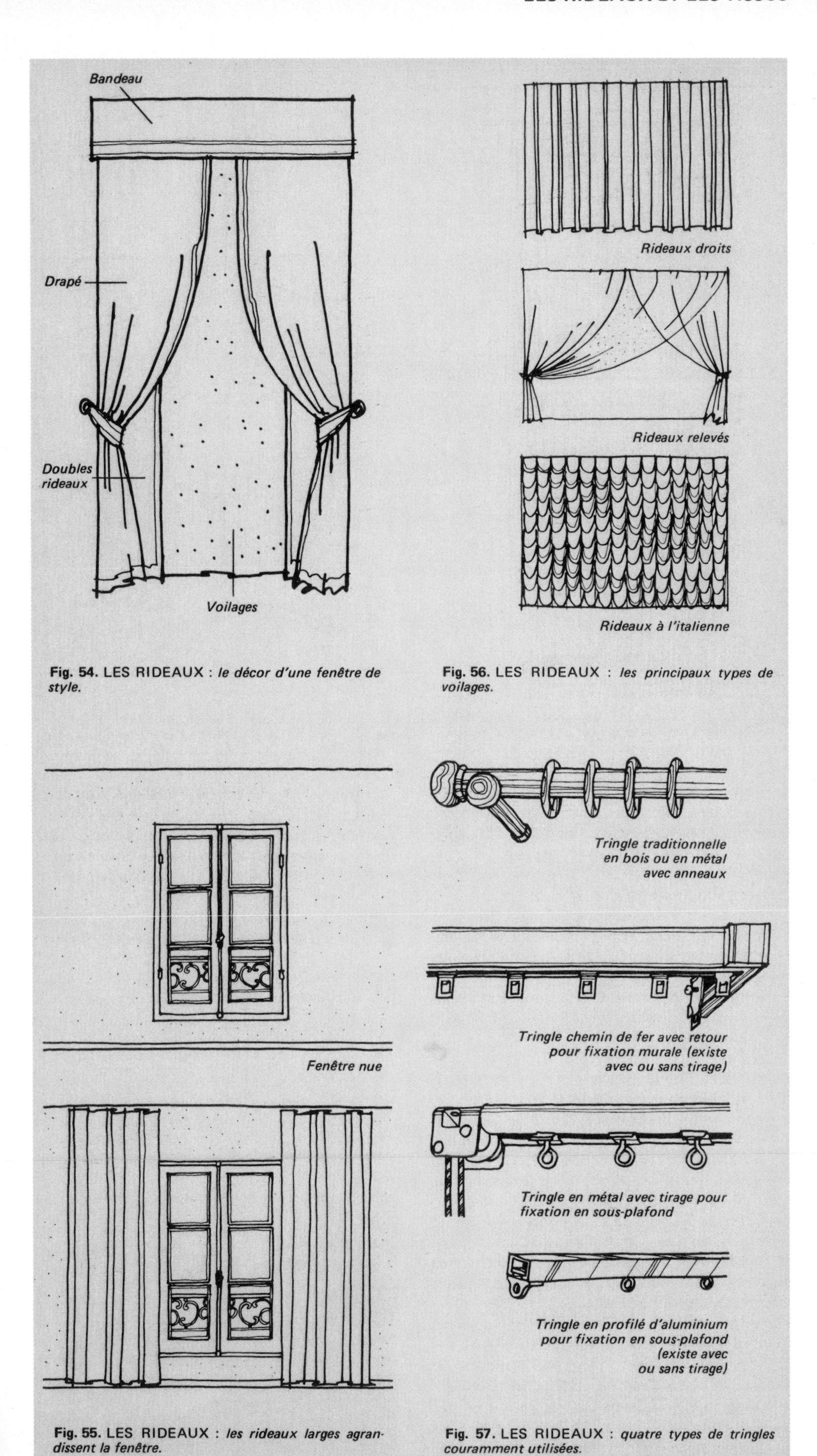

Fig. 54. LES RIDEAUX : *le décor d'une fenêtre de style.*

Fig. 56. LES RIDEAUX : *les principaux types de voilages.*

Fig. 55. LES RIDEAUX : *les rideaux larges agrandissent la fenêtre.*

Fig. 57. LES RIDEAUX : *quatre types de tringles couramment utilisées.*

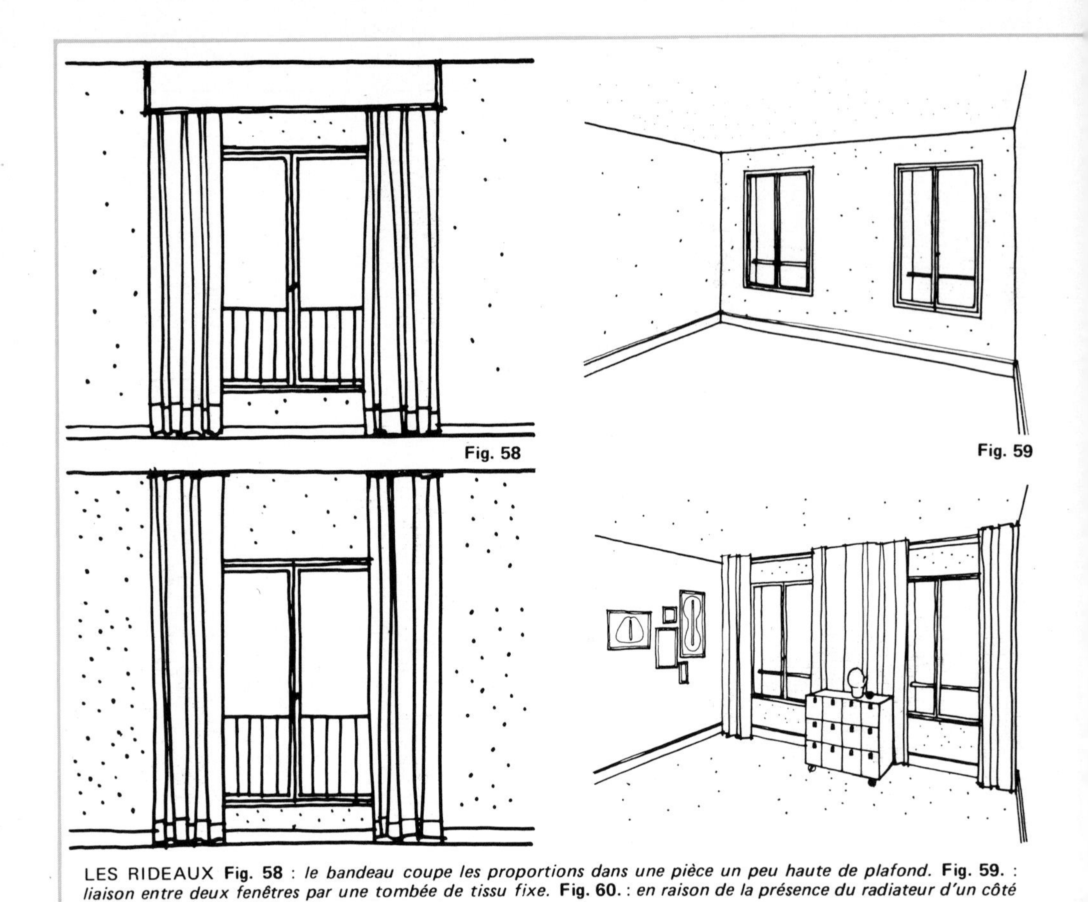

LES RIDEAUX **Fig. 58** : *le bandeau coupe les proportions dans une pièce un peu haute de plafond.* **Fig. 59.** : *liaison entre deux fenêtres par une tombée de tissu fixe.* **Fig. 60.** : *en raison de la présence du radiateur d'un côté*

bien rehausser visuellement les lieux (*fig. 58*). Lorsque deux fenêtres sont rapprochées, ne morcelez pas le mur en les habillant séparément ; réunissez-les, au contraire, avec le voilage ou les rideaux, ce qui agrandit considérablement un mur (*fig. 59*).

Si une fenêtre est décentrée par rapport à l'axe de la pièce, ou si un radiateur encombre un mur latéral, vous grouperez tous les rideaux d'un seul côté (*fig. 60*).

La longueur des rideaux dépend évidemment de la hauteur des fenêtres. Évitez les fausses longueurs, qui donnent une impression d'inachevé et de rafistolage. Tenez compte, par contre, de la présence d'un radiateur, d'un meuble ou d'une tablette (*fig. 61*).

Comme pour l'ambiance de style, le tissu sera dans l'harmonie de l'ensemble. Le choix des textures, dessins et coloris est vaste dans les toiles de fibres diverses, velours, tissus laineux ou à base de fibres synthétiques, qui sont très appropriés à la décoration actuelle et ont l'avantage d'être stables au nettoyage et à la lumière. Vous écarterez tous les tissus d'aspect trop somptueux, mal adaptés aux matériaux de notre temps.

Pour les voilages, qu'ils soient en matières naturelles ou synthétiques, n'hésitez pas à choisir des tissages inégaux, colorés, à mailles de grandeurs diverses. Ils ajoutent toujours une grande qualité à la lumière du jour et sont aussi moins monotones que les voilages unis, surtout devant de grandes surfaces vitrées. Les rideaux doublés (de satinette, en général) ont un meilleur tombant. Si ces rideaux doivent assurer l'obscurité en l'absence de volets, vous pouvez intercaler une satinette foncée entre le tissu de doublage et le tissu visible.

Les voilages protègent de la vue extérieure tout en laissant passer une lumière très diffuse.

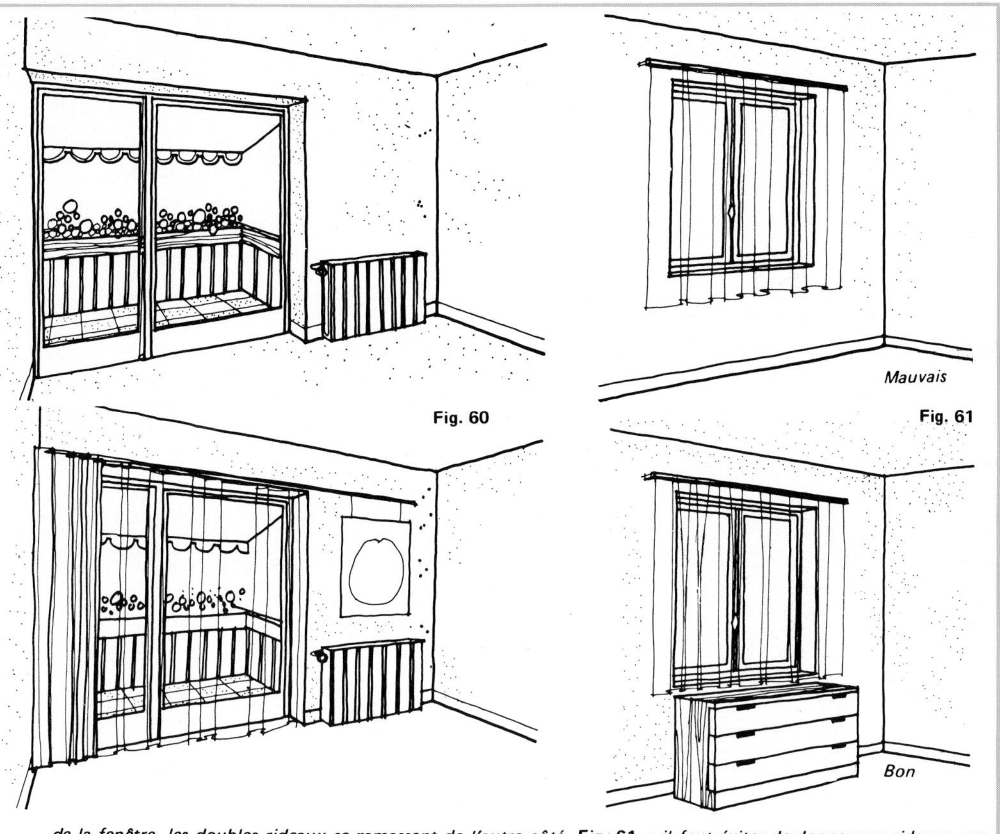

de la fenêtre, les doubles rideaux se ramassent de l'autre côté. **Fig. 61.** : *il faut éviter de donner aux rideaux une fausse longueur : ils doivent aller soit jusqu'au sol, soit à ras de la fenêtre, mais ne pas s'arrêter entre les deux.*

Mais les rideaux et voilages, issus d'une longue tradition, ne sont plus actuellement la seule manière d'habiller des fenêtres.
Il en est d'autres plus typiquement contemporaines, mais qui sont, par contre, un peu moins efficaces pour la protection contre le bruit extérieur. Nous en citerons quelques-unes parmi les plus répandues :

- Les panneaux de tissu non plissés qui coulissent sur des tringles traditionnelles

Trois largeurs de voilage coulissant l'une devant l'autre assurent l'habillage de la fenêtre dans cette chambre d'enfants et diffusent une lumière douce et calmante.

Fig. 62. LES RIDEAUX : *quelques décors de fenêtres contemporains.*

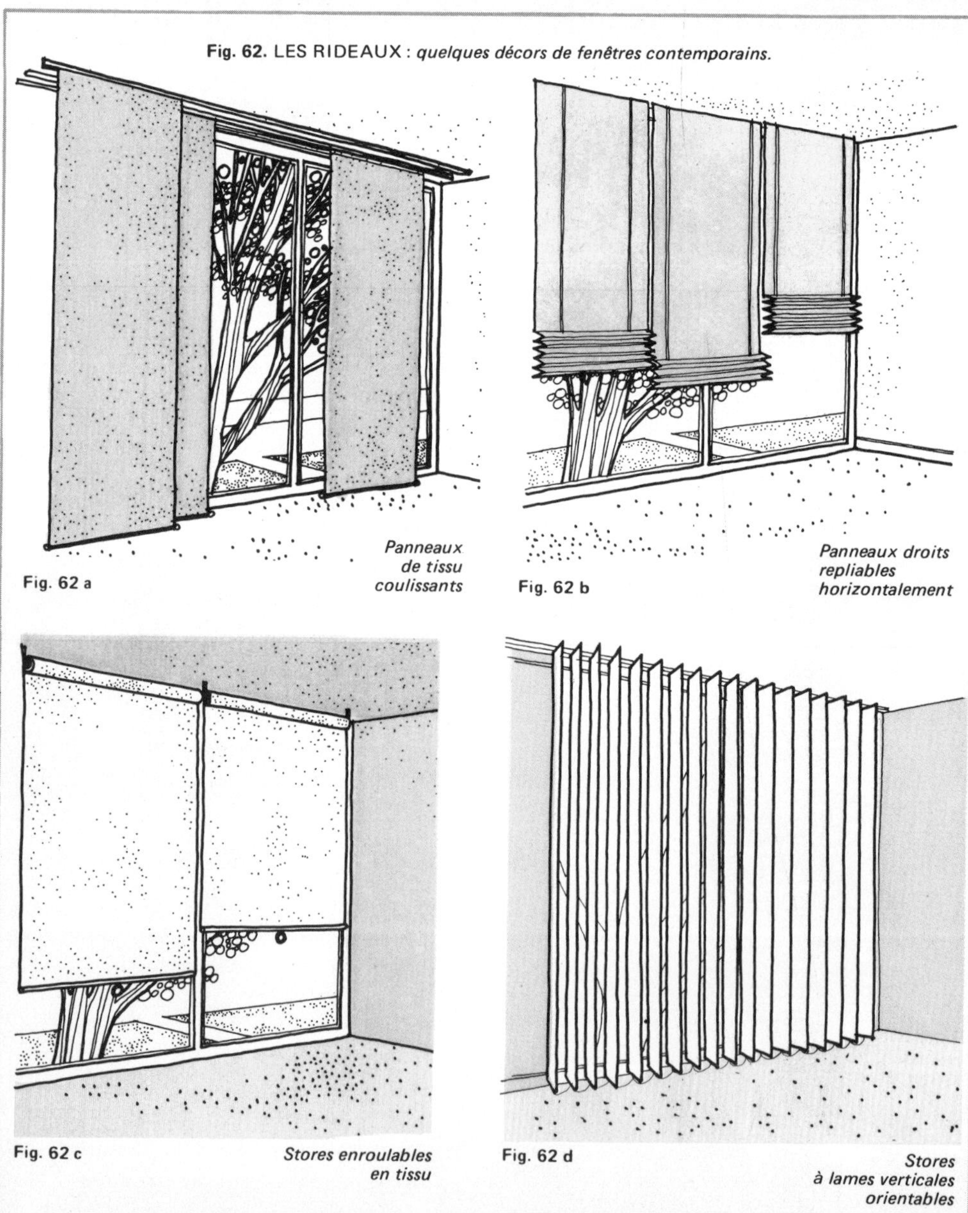

Fig. 62 a — *Panneaux de tissu coulissants*

Fig. 62 b — *Panneaux droits repliables horizontalement*

Fig. 62 c — *Stores enroulables en tissu*

Fig. 62 d — *Stores à lames verticales orientables*

(*fig. 62 a*). Le tissu peut être naturel ou synthétique avec empesage ou non.

- Les panneaux de tissu se repliant horizontalement sur eux-mêmes (*fig. 62 b*), selon le principe du store à l'italienne.
- Les stores déroulables ou stores flamands, où le tissu choisi est enroulé sur un axe à enroulage manuel ou automatique (*fig. 62 c*), ne sont à retenir que pour des fenêtres coulissantes.

Ces principes d'habillage éliminent souvent les voilages et les doubles rideaux lourds et

3

1. *Devant cette large baie fermée par des fenêtres coulissantes, le voilage aux mailles très aérées est limité à sa base par une longue tablette en lamifié blanc.*

2. *Pour doser la lumière du jour, on a adopté ici des petits stores en toile (type chemin de fer) se déroulant devant les fenêtres.*

3. *Les stores en toile à bandes verticales permettent de doser la lumière.*

4. *Une fenêtre équipée de stores à lames horizontales semble plus large. La lumière qu'elle diffuse est très subtile.*

encombrants. C'est pourquoi nous pouvons y ajouter :
- Les stores à lamelles verticales orientables, en tissu plastifié (*fig. 62 d*).
- Les stores à lamelles horizontales orientables en métal anodisé ou laqué.
- Tous les stores en paille.

les dessus - de - lit

Si vous avez un mobilier de style ou un mobilier rustique formant un ensemble résolument traditionnel, vous adopterez le principe habituel du dessus-de-lit à volant plissé (*fig. 63*) ; mais, si l'ambiance est plus composite, moins définie, vous écarterez les volants, les bouillonnés et autres finitions un peu démodées. Vous retiendrez alors soit le jeté-de-lit bordé ou non d'une frange, d'un galon, qui adoucit le décor et convient très bien aux lits bas, soit le dessus-de-lit à volant plat (*fig. 64*), qui accuse mieux le volume général du lit et peut, suivant le dépouillement du décor, comporter ou non des passepoils, des galons, des surpiquages.

les portières

En principe, les portières protègent du bruit, de l'air, mais elles sont rarement esthétiques. Sur ce plan, elles ne se justifient que si l'entrée est habillée du même tissu. Sinon, mieux vaut abandonner ce décor démodé et assurer l'isolation phonique et thermique avec des bourrelets spéciaux placés sur le pourtour de l'huisserie, puisque c'est par là que passent le froid et le bruit. Dans ce cas, la porte sera peinte comme les murs.

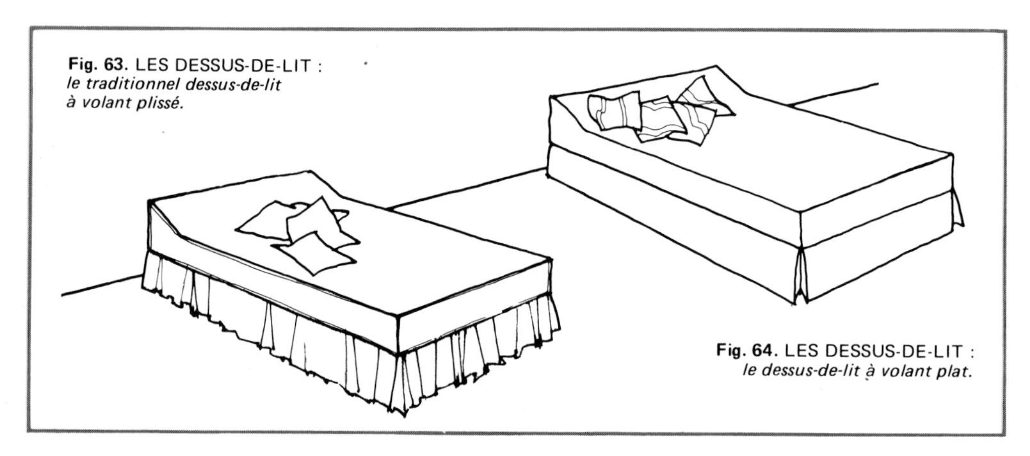

Fig. 63. LES DESSUS-DE-LIT : *le traditionnel dessus-de-lit à volant plissé.*

Fig. 64. LES DESSUS-DE-LIT : *le dessus-de-lit à volant plat.*

l'éclairage

L'éclairage n'est pas uniquement utilitaire. Il peut mettre en valeur ou animer un décor, fût-il modeste. C'est donc sous ces deux aspects qu'il faut considérer le problème. L'Association française de l'éclairage et les grands fabricants de lampes ont édité des dépliants qu'ils adressent gracieusement aux usagers. Ces dépliants donnent les indications de puissances lumineuses conseillées pour chaque pièce ou chaque travail. Tous ces renseignements sont fort sérieux et précieux, mais il faut savoir les adapter à l'environnement précis (revêtements sombres ou clairs, réfléchissants ou absorbants) et, surtout, à nos propres réactions à la lumière. Certaines personnes ne se reposent et ne se détendent que dans des ambiances générales peu lumineuses, où des lampes apportent à l'endroit désiré la lumière indispensable; d'autres sont attristées par la pénombre et s'épanouissent dans une lumière généreuse. Il faut donc permettre ces deux types d'éclairage et la possibilité de les utiliser ensemble ou séparément en prévoyant un éclairage général ou d'ambiance et un éclairage localisé ou ponctuel. L'un et l'autre peuvent être assurés avec des lampes fluorescentes et des lampes incandescentes. Les lampes fluorescentes ont conquis la faveur du public pour les économies qu'elles permettent : une lampe fluorescente utilise environ deux fois moins d'énergie électrique pour une même quantité de lumière diffusée. Autre avantage, ces lampes ne chauffent pas et elles peuvent être dissimulées dans des coffrages fermés. Elles se présentent en général sous forme de tubes de dimensions variées pouvant aller jusqu'à 2 m. Les plus commercialisés sont de 0,60 m et 1,20 m. Ces tubes existent maintenant avec éclairage instantané.

La gamme des tons proposés est grande. Elle va de la lumière froide à une lumière chaude proche de celle des lampes incandescentes. Toutefois, la lumière fluorescente est crue, uniforme et, par là même, un peu triste. Il faut donc employer les lampes fluorescentes avec précaution, n'utiliser leur flux lumineux que passant au travers d'écrans diffusants (plastique opaque, verre, etc.), ou distribué de part et d'autre d'un bandeau ou d'un coffrage qui dissimule le tube. Vous éviterez toujours que ce dernier soit nu, car sa lumière est peu flatteuse, aussi bien pour le teint que pour les matériaux composant le décor. En mélangeant la lumière fluorescente et la lumière incandescente, le résultat obtenu sera plus harmonieux. Voici quelques idées de base pour réussir l'éclairage de chacune des pièces de la maison (*fig. 65*) parmi lesquelles vous pouvez choisir.

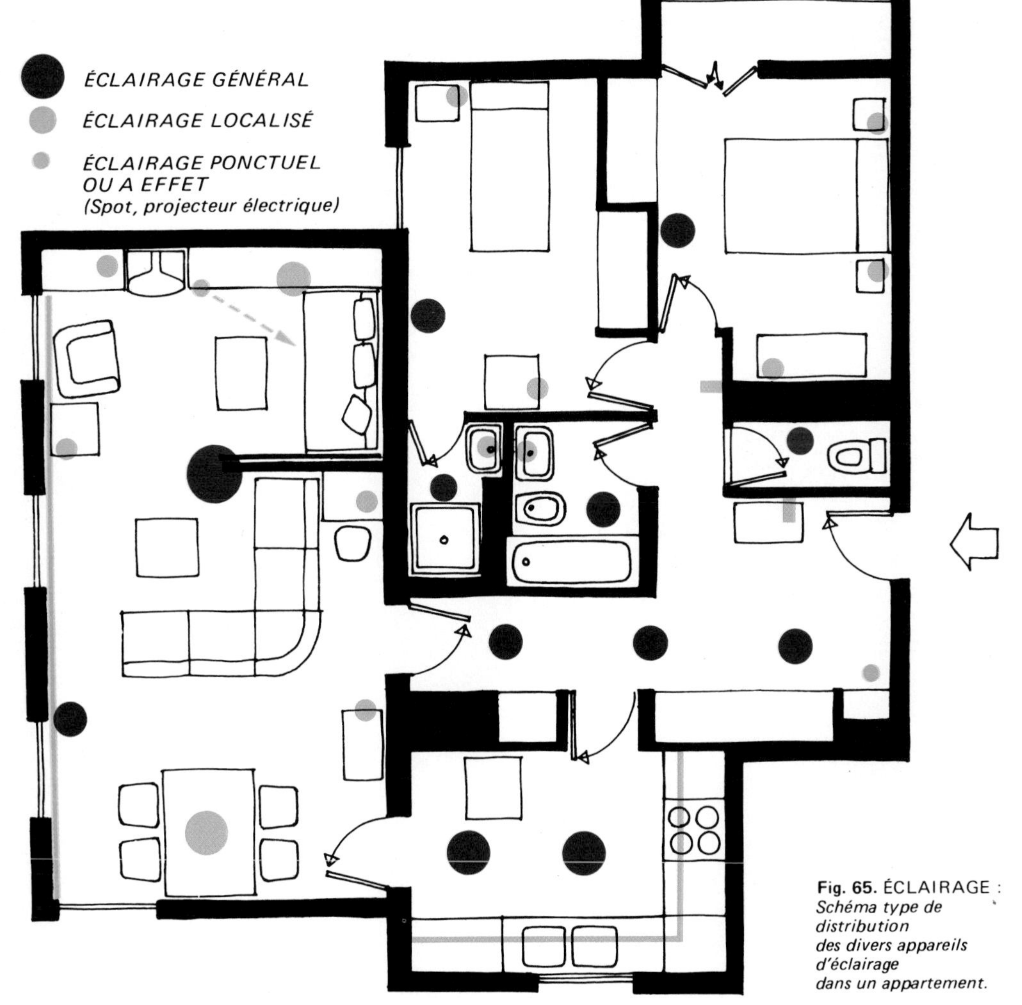

Fig. 65. ÉCLAIRAGE : *Schéma type de distribution des divers appareils d'éclairage dans un appartement.*

l'entrée

Pour une entrée de dimensions moyennes, prévoir entre 100 et 200 W. Il n'est pas utile de mélanger les deux types d'éclairage ; vous utiliserez au choix :

1. Un éclairage d'ambiance

- Plafond lumineux (tubes fluorescents derrière un Plexiglas opaque). Conseillé pour un décor de bois, de tissu aux tons chauds.
- Luminaire (incandescence) diffusant, dont la lampe incandescente est entourée de verre opalisé, de plastique ou de carton plié, style lampion (*fig. 66*). Conseillé pour un décor clair ou à base de papier peint.

2. Un éclairage localisé

- Spots muraux orientables dirigeant des faisceaux lumineux incandescents dans des directions différentes. Conseillé pour un décor sombre, si l'on veut créer un peu de

Fig. 66. ÉCLAIRAGE : *une grosse sphère lumineuse éclaire bien une entrée.*

Fig. 67. ÉCLAIRAGE : *deux spots muraux orientables donnent un bon éclairage indirect dans une entrée.*

mystère. L'appoint d'un meuble blanc est alors à conseiller (*fig. 67*).

- Des spots incandescents, fixes, en plafond. Conseillé si l'on veut attirer l'attention sur un revêtement de sol particulièrement intéressant par sa couleur ou son aspect. Ces solutions sont plus décoratives que des appliques, assez banales et manquant de vie.

la salle de séjour

1. Éclairage d'ambiance

(Pour un séjour de 25 m², prévoir entre 300 et 500 W.)

- Deux ou trois grandes lampes (incandescentes) sur pied, disséminées dans la pièce. Conseillé pour une ambiance très colorée.
- Des rampes fluorescentes dissimulées dans des coffrages (*fig. 68*), des prolongements de

Dans cette salle de séjour, pas d'éclairage général, mais des lampes bien réparties pour donner de la lumière là où besoin est. ▼

L'éclairage est à la fois agréable et fonctionnel : ainsi éclairée, la table est accueillante, et la lampe n'éblouit pas.

Fig. 68. ÉCLAIRAGE : *schéma de principe d'un éclairage indirect dissimulé par une boîte à rideaux. La tringle est fixée au plafond. Des tubes fluorescents, disposés entre 5 et 8 cm en avant de la tringle, éclairent le rideau en lumière frisante. Un bandeau en bois à peindre, de 10 à 15 cm de haut, est fixé perpendiculairement au plafond, à 5 cm environ des tubes pour dissimuler le tout.*

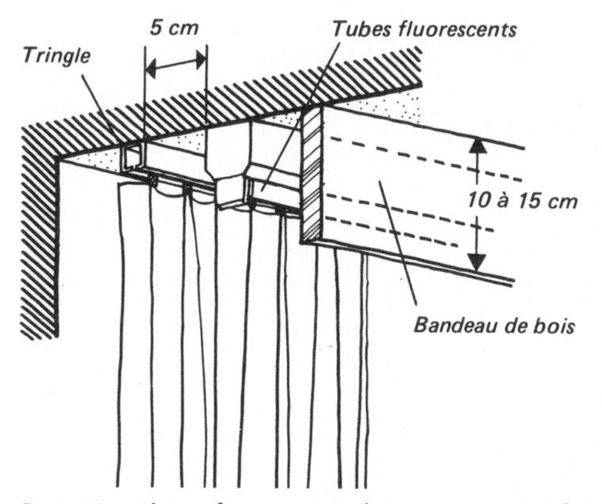

Le soir, deux lampes, qui ne sont que des éclairages ponctuels, créent une ambiance intime et calme.

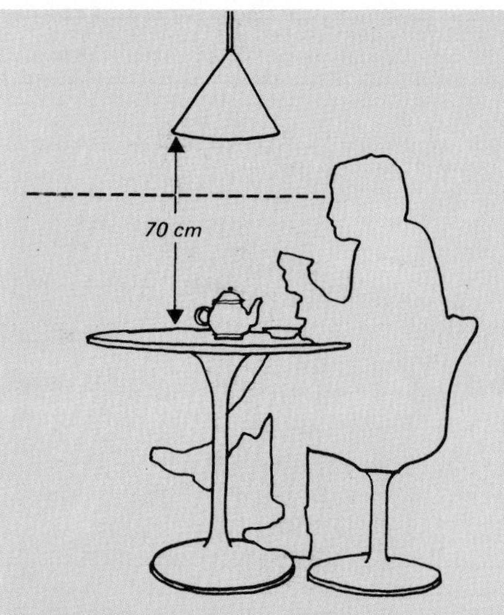

Fig. 69. ÉCLAIRAGE : *le luminaire peut se placer à 70 cm au-dessus d'une table.*

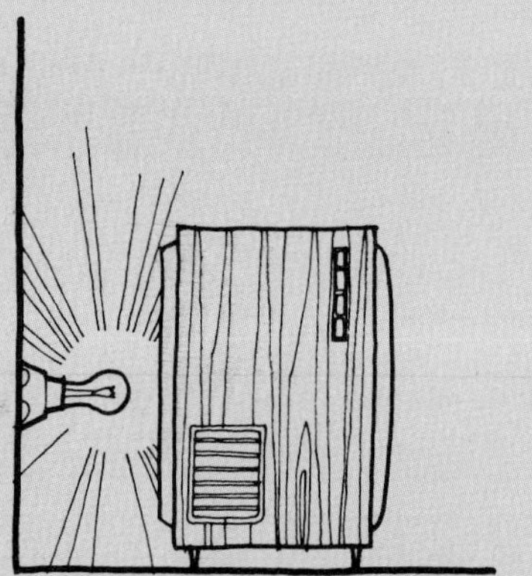

Fig. 70. ÉCLAIRAGE : *pour pouvoir placer une petite lampe entre le mur et l'arrière du téléviseur, il faut disposer d'environ 12 cm.*

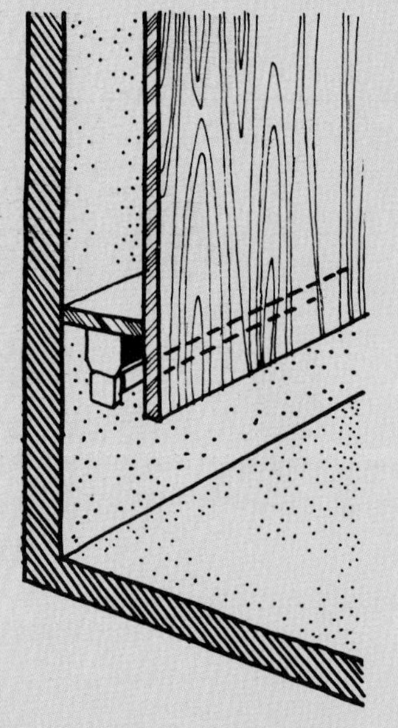

Fig. 71. ÉCLAIRAGE : *habillage mural permettant de dissimuler un éclairage au sol.*

sous-plafonds, en tête des rideaux, etc. Conseillé si les plafonds sont complètement plans et peu colorés.

2. Éclairage ponctuel

(Pour un séjour de 25 m², prévoir entre 200 et 300 W.)

La table de repas.

● Appareil fixé au plafond (incandescence) descendant entre 0,65 et 0,70 m au-dessus de la table (*fig. 69*). Conseillé si le centre de la table n'est pas déplacé lorsqu'on pose les rallonges.

● Spots (incandescents) fixés au plafond. Conseillé également si le centre de la table n'est pas déplacé lorsqu'on pose les rallonges et si la table est très grande. Les modèles sur rotules permettent une orientation parfaite du flux lumineux.

● Luminaire potence (incandescence), dont le bras est télescopique ou orientable. Conseillé si le centre de la table risque d'être déplacé. (Pour une table de six personnes, prévoir de 75 à 100 W.)

Le coin de détente.

Répartir plusieurs lampes (incandescentes) sur pied et des lampes à poser.

Par exemple : un luminaire sur pied comportant deux spots orientables pour la lecture ; une lampe suspendue descendant très bas au-dessus d'une grande table basse pour éclairer par réverbération ; une petite lampe opalisée posée sur un meuble ou parmi les étagères à livres, ou près du tourne-disque ; un éclairage dissimulé derrière le poste de télévision (*fig. 70*). Enfin, n'oubliez pas, le cas échéant, d'éclairer le secrétaire.

Il s'agit là d'un exemple type mais le nombre et la répartition des points lumineux est, bien évidemment, fonction du nombre de sièges, des activités, des loisirs et de la tonalité plus ou moins intense de l'ensemble.

la chambre d'adulte

1. Éclairage d'ambiance

(Pour une chambre de 15 m², prévoir 150 W environ.)

● Des rampes lumineuses dissimulées dans la boîte à rideaux ou au ras du sol, derrière un habillage de mur en avancée (*fig. 71*). Conseillé si les revêtements de sol et de mur sont doux de couleur et assez luxueux, car l'effet décoratif est assez généreux.

● Une grosse lampe incandescente posée sur une commode, une coiffeuse ou un appareil suspendu au-dessus des meubles. Conseillé dans une pièce lambrissée ou habillée de papier peint à grands dessins. L'intimité obtenue est très agréable.

2. Éclairage d'appoint

● Petites lampes incandescentes posées sur les chevets de part et d'autre du lit, ou petits spots orientables plus pratiques. (Pour chaque spot, prévoir entre 40 et 60 W et pour éclairer la penderie, environ 75 W.)

Le luminaire sur pied assure l'éclairage général de cette chambre, tandis que chaque chevet dispose d'un éclairage indépendant permettant à chacun de lire plus ou moins tard.

la chambre d'enfant

1. Éclairage d'ambiance
(Prévoir 75 W pour une chambre de 12 m^2.)
● Une rampe en bois laqué dissimulant des tubes fluorescents. Conseillé sur des murs étroits pour agrandir visuellement la pièce.
● Un gros lampion de papier (incandescent) descendant du plafond dans le coin le plus dégagé, hors d'atteinte des mains de l'enfant. Conseillé si le décor est simple, coloré, ou si le plafond est abîmé.

2. Éclairage d'appoint
(Prévoir environ entre 60 et 80 W.)
● Au chevet du lit (comme pour la chambre d'adulte).
● Une lampe articulée (incandescente) au-dessus de la tablette ou du bureau dont la commande est indépendante.

la salle de bains

(Prévoir environ 160 W pour 9 m^2.)

1. Éclairage d'ambiance
● Un plafond lumineux constitué de tubes fluorescents derrière des plaques de Plexiglas opaque (*fig. 72*). Conseillé dans une pièce aveugle.
● Un spot fixe (incandescence) dirigeant son faisceau lumineux vers le plafond. Conseillé si le plafond est blanc et les murs assez colorés.
● Un hublot opalisé avec lampe incandescente. Uniquement pour un plafond pas trop haut (2,30 m environ) et en bon état.

2. Éclairage d'appoint
(Au-dessus du lavabo.)
● Des lampes incandescentes dans des diffuseurs opalisés, placés verticalement de part et d'autre du miroir. Ne jamais les placer au-dessus (attention aux ombres portées sur le visage).
● Ou un miroir lumineux (incandescence), les rampes étant alors cachées dans une gorge diffusante.
● Ou une série de petites lampes de 15 W

Fig. 72. ÉCLAIRAGE : *coupole en Plexiglas opaque dissimulant des tubes fluorescents dans une salle de bains.*

Fig. 73. ÉCLAIRAGE : *miroir « style maquillage de théâtre », au-dessus d'une coiffeuse.*

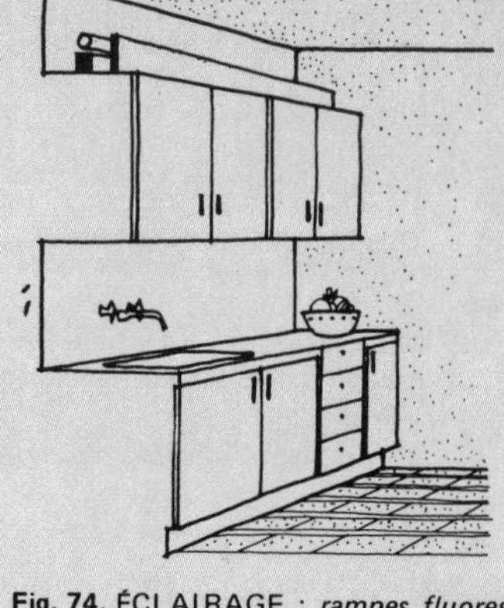

Fig. 74. ÉCLAIRAGE : *rampes fluorescentes au-dessus des éléments hauts de la cuisine.*

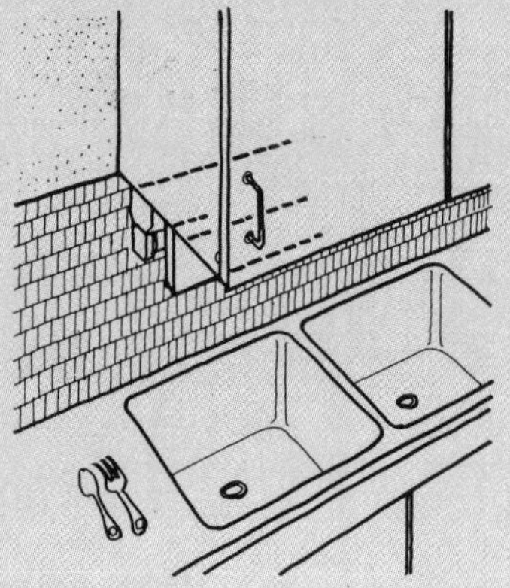

Fig. 75. ÉCLAIRAGE : *éclairage dissimulé sous les éléments hauts de la cuisine.*

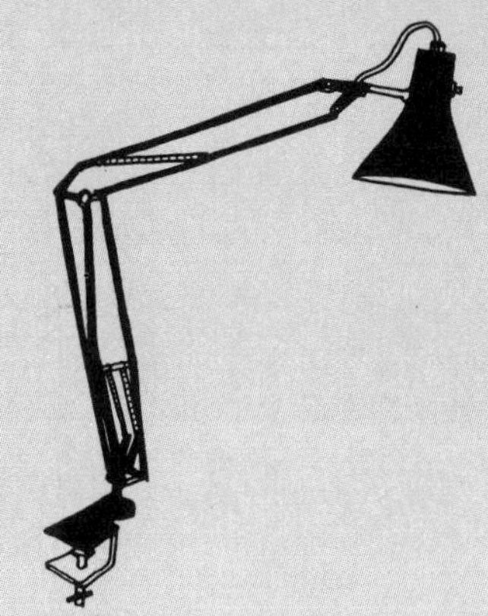

Fig. 76. ÉCLAIRAGE : *lampe orientable articulée pouvant être pincée sur un plateau ou une étagère.*

Fig. 77. ÉCLAIRAGE : *un spot d'éclairage entre deux bacs de plantes vertes.*

Fig. 78. ÉCLAIRAGE : *petit spot éclairant un tableau.*

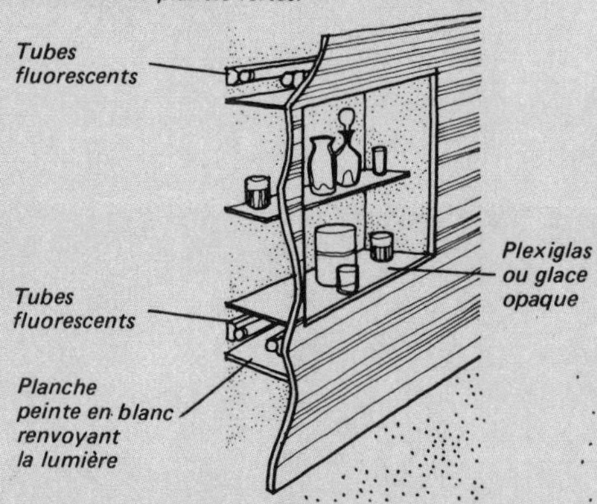

Fig. 79. ÉCLAIRAGE : *aménagement d'une niche lumineuse.*

Fig. 80. ÉCLAIRAGE : *n'importe quelle lampe ne va pas sur n'importe quelle table. Attention aux proportions.*

(incandescence), donnant chacune une lumière faible (style table maquillage de théâtre) entourant totalement le miroir (*fig. 73*).

la cuisine

1. Éclairage d'ambiance
(Prévoir environ 200 W pour une cuisine de 12 m².)
• Un plafonnier opalisé (incandescence). Conseillé si la cuisine n'est pas trop haute.
• Des rampes fluorescentes fixées sur les éléments hauts (*fig. 74*). Conseillé si le plafond est lisse et peu coloré.
• Une applique (incandescence) fixe formant spot, fixée à un mur ou à une tige partant du plafond et dirigeant le faisceau lumineux au plafond ou sur un mur. Conseillé si la cuisine est étroite.

2. Éclairage d'appoint
(Prévoir 40 W par mètre linéaire.)
• Des petites lampes incandescentes placées sous les éléments hauts dans une niche ou dissimulées par un bandeau de bois ou de métal (*fig. 75*). Conseillé vivement, car en plus de l'utilité pour le travail, cet éclairage est très flatteur pour tous les ingrédients utilisés en cuisine et pour les appareils.

le w.-c.

Un seul éclairage. (Prévoir 75 W.)
• Spot fixé (incandescence) sur un mur et dirigé au plafond.
• Gros globe opalisé (incandescence) fixé au plafond.
• Rampe fluorescente murale dissimulée par un bandeau de bois naturel ou peint.

Nous n'avons traité que les pièces principales d'une maison; mais toutes ces indications n'étant que des exemples, vous pouvez vous en inspirer, les améliorer et les modifier en fonction des lieux à éclairer. Toutefois, sachez bien que tous les lieux de travail (repassage, couture, bricolage, etc.) sont efficacement éclairés avec une lampe orientable type lampe de bureau. Les modèles proposés dans le commerce offrent des éléments de fixation (murale, pince, pied), permettant de les adapter partout (*fig. 76*).

les effets d'éclairage

Lorsque l'éclairage d'une pièce est assuré du point de vue fonctionnel, vous pouvez améliorer l'ambiance lumineuse par quelques effets mettant en valeur tel ou tel point du décor. Pour cela, vous disposez de petits spots ou de petits projecteurs incandescents.
1. Placés au sol près des plantes vertes (*fig. 77*), ils créent une ambiance mystérieuse par les ombres projetées au plafond.
2. Accrochés à la paroi d'une bibliothèque, ils peuvent éclairer un objet précis, toile ou gravure par exemple (*fig. 78*).
3. Fixés au plafond ou intégrés à un sous-plafond, ils mettent l'accent sur une table, un tapis, un gros bouquet.
Vous pouvez aussi utiliser des rampes fluorescentes pour éclairer une niche (*fig. 79*) sur une ou plusieurs faces, ou pour détacher visuellement un meuble du mur où il est fixé. Les effets obtenus avec l'éclairage ponctuel sont infinis et s'adaptent à toutes les ambiances. Une bonne utilisation de la lumière peut permettre de modifier les perspectives et, même, les volumes d'une pièce (voir chapitre VI).
Vous pouvez également acheter des variateurs de tension. Ce sont de petits appareils branchés sur une prise de courant ordinaire et sur lesquels le luminaire vient se brancher lui-même. Grâce à une molette ou à un bouton intégré au variateur, il est possible de doser l'intensité de la lumière diffusée par la ou les ampoules, et d'aller ainsi de l'effet le plus discret à l'éclairage le plus fort.

les appareils d'éclairage

La production très vaste des luminaires doit permettre à chacun de trouver celui qui lui convient. La plupart ont pour base des formes géométriques donnant des appareils très dépouillés qui s'adaptent aussi bien à des meubles anciens ou rustiques qu'à un mobilier contemporain. Voici toutefois quelques conseils:
1. Si votre décor est déjà très coloré, choisissez de préférence des appareils entièrement transparents ou comportant des parties laquées de ton neutre.
2. Ne placez pas une très grosse lampe sur un petit meuble (*fig. 80*) ou près d'un petit siège, il y aurait disproportion.
3. Alternez dans une même pièce les appareils posés et les appareils suspendus.
4. Si l'appareil est alimenté par un fil souple

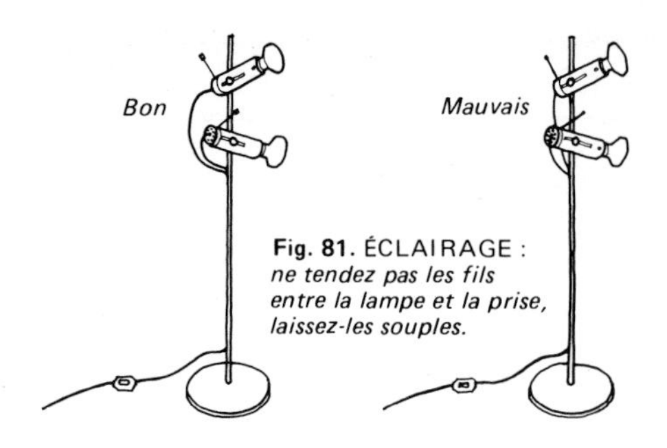

Fig. 81. ÉCLAIRAGE : *ne tendez pas les fils entre la lampe et la prise, laissez-les souples.*

faisant une boucle, respectez la courbe de celle-ci, ne tendez pas trop le fil (*fig. 81*).

5. Ne transformez pas tous les objets en lampes. Ce n'est pas leur destination, et, si vous les aimez vraiment, ne ridiculisez pas leurs formes avec un abat-jour, fût-il juponné. L'électrification d'une lampe à alcool est un non-sens. Mieux vaut la garder comme un bel objet et poser à côté une petite boule lumineuse électrique. L'effet créé par l'opposition sera bien plus personnel et décoratif.

6. Pour l'éclairage extérieur fixe, choisissez des appareils étanches et solides.
Une petite terrasse, un balcon sont toujours jolis à la lumière d'un lampion de papier.
Il suffit de prévoir un piton pour accrocher l'appareil à l'extérieur. Le fil du lampion, branché à une prise intérieure (*fig. 82*), comportera alors une boucle qui enserrera le piton. Vous rentrerez l'appareil avant de tirer les rideaux.

7. Si, dans certains cas, vous complétez l'éclairage électrique par la lumière douce et vacillante des bougies, vous pourrez alors utiliser de beaux bougeoirs anciens ou actuels. Ils apporteront sur la table une note de raffinement réel, très apprécié.

Fig. 82. ÉCLAIRAGE : *un balcon-loggia éclairé d'un gros lampion de papier.*

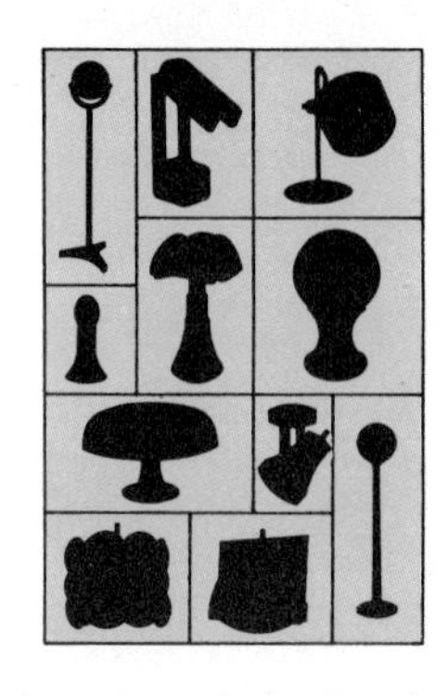

Luminaire sur pied. La boule de Plexiglas fumé renfermant le spot est orientable dans tous les sens. Créateur-éditeur : Raak. Diffusion : Électrorama et magasins de décoration.

Lampe de chevet ou d'appoint (à basse tension) avec deux intensités d'éclairage et diffuseur orientable. Diffusion : Électrorama et nombreux magasins.

Lampe de bureau en tôle laquée; le réflecteur est inclinable. Créateur : Joe Colombo. Éditeur : Arteluce. Diffusion : Formes nouvelles.

Petite lampe pour ampoule à réflecteur argenté. Créateur : E. Fermigier. Éditeur : Disderot. Diffusion : Meubles et Fonction.

Lampe à poser réglable en hauteur. Partie diffusante en plastique moulé. Colonne en acier. Socle laqué. Créateur : Gae Aulenti. Éditeur : Martinelli Luce. Diffusion : Formes nouvelles.

Luminaire en verre opalisé cerclé de métal. Créateur : G. Celada. Éditeur : Verre et Lumière. Diffusion : Meubles et Fonction, et magasins de design.

Lampe à poser en plastique moulé. Création italienne. Éditeur : Artemide. Diffusion : Mobilier international et magasins de design.

Petit projecteur orientable sur un étrier à fixer au mur ou au plafond. Créateur : E. Fermigier. Éditeur : Disderot. Diffusion : Meubles et Fonction, et grands magasins.

Luminaire à suspendre, très économique, composé de petites plaques de matière plastique. Diffusion : grands magasins.

Luminaire à suspendre, entièrement en Plexiglas moulé. Créateur-éditeur : Arvey Guzzini. Diffusion : Électrorama.

Lampadaire en acier et verre opalisé télescopique. Créateurs : Anna Fasolis et Enzo Mari. Éditeur : Artemide. Diffusion : Mobilier international.

CHAPITRE IV

COMMENT CRÉER UNE AMBIANCE

Les peintures sont terminées, la maison est installée. Il ne vous reste plus qu'à lui donner du caractère en accrochant sur les murs et en disposant sur les meubles les objets que vous aimez. Ils reflètent vos goûts et meublent ce qui, sans eux, ne serait qu'un vide terne et déprimant.
Pour décorer notre univers journalier, nous choisirons de préférence ce qui plaît à notre œil, séduit notre imagination. Ainsi, sous-verre, toile de maître, dessin d'enfant, souvenirs de vacances, galets ou branche morte apportent, chacun à leur manière, une vie et un charme insoupçonnés. La notion de valeur marchande n'entre pas en jeu ; préférez-lui le plaisir que l'on prend à regarder les choses, leur pouvoir d'évasion et de rêve. Vous échapperez aux conventions en répartissant les objets, les tableaux d'une façon inattendue, qui évite la symétrie ou le déjà vu. Vous redécouvrirez les objets familiers et serez peu à peu attiré par de nouveaux éléments décoratifs que vous négligiez peut-être auparavant. En effet, il en est des maisons comme de la nature. Parfois nous devenons soudain sensibles à un paysage que nous connaissions, mais que nous trouvions jusqu'alors banal et sans intérêt. Il a suffi de cette lumière dorée ou de la couleur des blés pour provoquer un déclic et séduire notre regard. Une pièce, ou votre maison tout entière, même confortable, bien organisée, bien équipée, peut soudain vous sembler un peu morne et austère.
Vous allez découvrir qu'il peut suffire de placer avec moins de conformisme les divers éléments décoratifs que vous possédez pour rajeunir votre cadre de vie. Un peu plus de fantaisie, un peu d'audace, et vous réveillerez ce qui somnolait. N'hésitez donc pas, car il ne s'agit pas de démolir ou d'abîmer, mais de rendre plus vivant ce qui existe. Et pourquoi ne pas envisager de faire régulièrement quelques achats « décoratifs » complémentaires ou de remplacement, tout comme l'on change un vêtement usé ou défraîchi dont on a assez ?
Cette liberté vous permettra de mettre en valeur les fleurs, les plantes, les objets qui ornent votre maison et en font le charme. Mais l'ambiance que vous créerez dépendra d'abord de la répartition des matériaux et des couleurs, et de l'implantation du mobilier.

Cette salle de séjour est très simplement décorée, sans effet tapageur. La réussite naît justement de la simplicité, du libre mélange des livres, des objets qui se répartissent sur les étagères réglables des deux bibliothèques.

Sur ce papier très décoré, les éléments décoratifs sont dépouillés. La petite gravure est mise en valeur grâce à la large marge blanche.

Le projecteur met l'accent sur ces deux pistolets anciens qui se détachent bien sur un papier peint discret.

les éléments fixes

les murs

Les murs qui supportent un grand nombre d'éléments décoratifs doivent former avec ceux-ci un tout harmonieux. Avant de disposer ces éléments, il faut donc savoir si l'accord sera heureux. Sur un papier peint à grands ramages colorés, vous éviterez de placer des aquarelles délicates, et, sur une *toile de Jouy*, vous n'accrocherez pas des assiettes en faïence décorée. Car certains revêtements muraux forment déjà un décor par eux-mêmes; mieux vaut les laisser tels quels ou ne leur opposer que des surfaces ou des volumes unis et simples. Pour vous guider, nous avons répertorié quelques éléments susceptibles d'être accrochés, accompagnés des fonds qui leur conviennent.

Quelques principes de base. Voici d'abord les trois surfaces types :
A. Surface unie ou ne comportant qu'un dessin discret ou une trame légère (*fig. 1 A*); **B.** Surface très décorée ou comportant une trame très marquée (*fig. 1 B*); **C.** Surface possédant un relief accusé (*fig. 1 C*). Puis un tableau d'orientation très simple :

ÉLÉMENTS	SURFACE RECOMMANDÉE	REMARQUES
Dessins, gravures, eaux-fortes, fusain, sanguines, etc. présentant une ou deux couleurs sur un fond uni avec une marge claire ou foncée.	A et B	Ils sont mis en valeur si le cadre est réduit à une simple baguette ou mieux, sans cadre, s'ils sont simplement placés entre deux vitres ou deux plaques de plastique à bords vifs. Il vaut mieux choisir une marge claire si le fond est soutenu, et une marge foncée si le fond est clair.
Aquarelles, pastels, impressions diverses mais colorées (marines, oiseaux, fleurs, etc.), comportant une marge blanche.	A	La même présentation que ci-dessus est possible, mais vous pouvez lui préférer des cadres en bois naturel, dorés ou argentés. Il vaut mieux que le motif soit en opposition de tons avec le mur.
Affiches, posters, photos, tapisseries et reproductions de toute nature ne comportant aucune marge.	A et C	Les coller sur un panneau à bords vifs.
Peinture traditionnelle figurative, ancienne ou contemporaine.	A et C	Sur les surfaces A, le cadre doit être plus mouluré que sur les surfaces C.
Peinture contemporaine (reproductions ou originaux) : tachisme, abstraction, op'art, etc.	B et C	Ils supportent de n'être pas encadrés. S'ils le sont, utilisez des encadrements d'acier ou de cuivre, ou une baguette plate laquée. Bien détacher (3 à 5 cm) le sujet de la surface murale.
Objets en bois naturel, ou fer forgé de petites dimensions (masques, objets folkloriques, objets ruraux, cuillers, ustensiles divers, armes, moules à gâteaux, à beurre). Objets en bois ou en métal, ou en plastique, peints ou enluminés (laqués avec un décor repeint) : pendules, enseignes, objets contemporains, calendriers, etc.	A et C	Un mur uni clair de couleur chaude (bois clair, liège) ou un mur uni foncé de couleur froide les mettent en valeur.
Accessoires de costume, anciens ou folkloriques (casaques, gilets, bottes, instruments de chasse, etc.), le plus souvent sous vitrine.	C	Se détachent bien sur le béton, la pierre, la brique.
Objets en étain ou en argent (plats, assiettes, plaques, etc.).	B	La surface murale doit être d'une teinte très froide ou très chaude (bois).
Objets en faïence ou en porcelaine unie.	A et B	Un mur foncé leur convient.
Objets en faïence décorée.	A	Parce que les couleurs de ces objets sont en général assez franches, le fond peut être doux et peu coloré.
Miroirs.	B et C	Le matériau du cadre doit aussi déterminer le choix entre les surfaces B et C.
Collections de petits objets (médailles, papillons, etc.).	A	Très belles sur le tissu, le bois naturel.
Branches mortes, grands objets en bois, en métal, en plastique (sculptures, objets divers), etc.	C	Le ton de la surface murale doit s'opposer à la couleur de l'objet.

◀ **Fig. 1.** MISE EN PLACE DES ÉLÉMENTS DÉCORATIFS : *trois objets placés devant des fonds de murs différents : la statuette très travaillée se détache sur un tissu discret* (A)*; le luminaire très pur ne surcharge pas le papier peint très décoré* (B)*; le cadre massif et le dessin abstrait s'accordent avec le mur en briques* (C).

la disposition des éléments décoratifs

Vous n'êtes pas obligé de décorer tous les murs d'une même pièce de manière identique. Vous choisirez simplement un principe décoratif bien adapté à la surface dont vous disposez. C'est ainsi, par exemple, que dans une pièce contemporaine, éclairée par une baie vitrée, le décor se répartira sur trois murs : l'un sera décoré de petits tableaux, tandis que l'autre accueillera un objet volumineux et que le troisième recevra un jeu de bandes colorées de papier peint. Méfiez-vous pourtant d'une trop grande disparité entre les éléments utilisés.

D'une manière générale, les hauteurs d'accrochage doivent varier en fonction de l'emplacement des meubles les plus proches. Même dans les musées, on n'accroche plus les tableaux très haut. Il est en effet préférable de les avoir au niveau des yeux ou même en dessous (*fig. 2*). Cette disposition permet, en outre, de créer une atmosphère moins guindée, plus chaleureuse, et d'agrandir les perspectives.

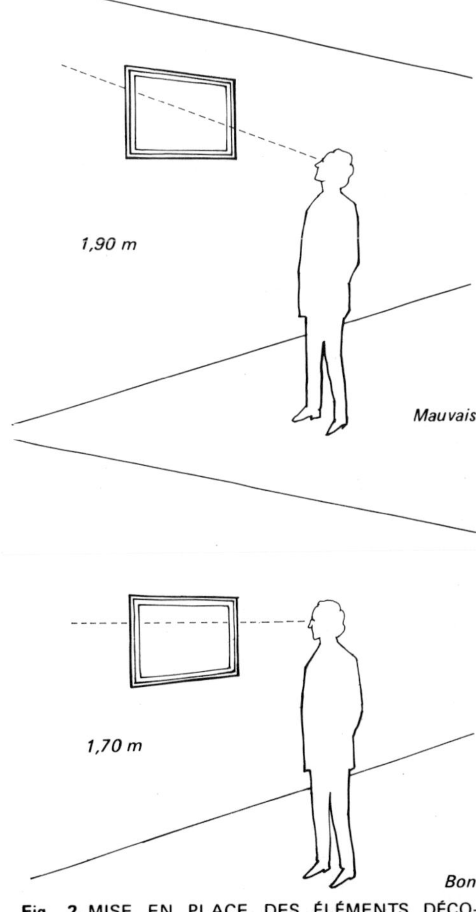

Fig. 2. MISE EN PLACE DES ÉLÉMENTS DÉCORATIFS : *il est plus agréable de découvrir les éléments décoratifs au niveau des yeux.*

Disposition symétrique ou asymétrique

Si une cheminée constitue le centre attractif d'une pièce, vous l'encadrerez d'éléments décoratifs symétriques (*fig. 3*), sans craindre une certaine fantaisie dans la juxtaposition des objets.

Vous pourrez ainsi disposer de chaque côté de la cheminée des motifs dissemblables, mais en veillant toutefois à éviter tout déséquilibre fâcheux.

Si le mur n'est pas coupé par un ou plusieurs éléments architecturaux, vous pouvez placer les objets avec plus de fantaisie, en vous inspirant des conseils qui vont suivre.

Même si vous possédez un intérieur de style, rien ne vous empêche d'orner ses murs de lithographies ou de tableaux contemporains. L'effet obtenu est très décoratif. Toutefois, si les murs sont lambrissés, vous choisirez les éléments décoratifs en tenant compte de la largeur des panneaux susceptibles de les recevoir (*fig. 4*).

Fig. 3. MISE EN PLACE DES ÉLÉMENTS DÉCORATIFS : *dans ce décor de style, la disposition des deux grandes toiles est symétrique; celle des petites ne l'est pas, ce qui évite la monotonie.*

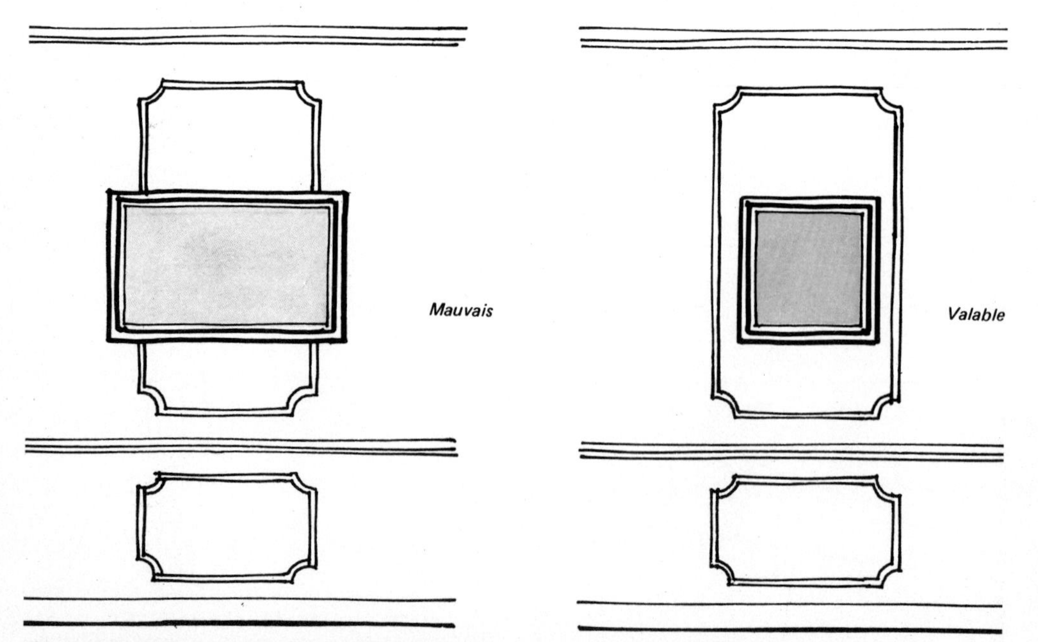

Fig. 4. MISE EN PLACE DES ÉLÉMENTS DÉCORATIFS : *elle doit être adaptée aux proportions du* panneautage.

A droite : *Deux toiles contemporaines sont disposées symétriquement au-dessus d'une petite commode régionale en pin.* A gauche : *La toile abstraite et la commode ancienne s'accordent bien. Notez la disposition très libre des objets et la discrétion de l'encadrement de la toile.*

L'élément décoratif unique

Si aucun meuble ne s'appuie sur le mur à décorer, l'accrochage dépendra de la masse des meubles les plus proches, de la lumière et, surtout, des différents points de vue à partir desquels vous considérerez l'élément en vous déplaçant dans la pièce. Lorsqu'un meuble s'appuie sur le mur, vous avez le choix entre un accrochage axé et un accrochage décalé (*fig.* 5). Dans le premier cas, les objets posés sur le meuble seront variés, mais peu volumineux et placés sans symétrie ; dans le second cas, vous centrerez la composition sur une verticale (bouquet, bougeoir, etc.), qui rétablit un équilibre visuel. Vous appliquerez ce même principe au-dessus d'un lit, d'une cheminée. Mais, dans ce cas, pour le disposer isolément, il faut que l'élément décoratif soit de haute taille. C'est pourquoi une petite gravure, un médaillon, un miroir de taille réduite ne conviennent pas, car ils passeraient inaperçus.

Fig. 5. MISE EN PLACE DES ÉLÉMENTS DÉCORATIFS : *la même toile au-dessus du même meuble dans deux dispositions différentes, l'une axée, l'autre non.*

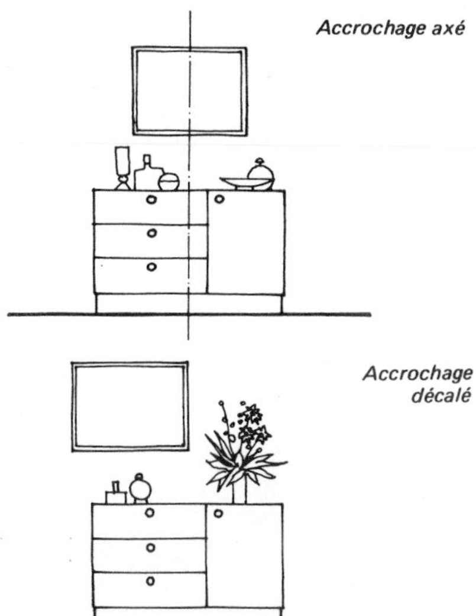

Jeu de verticales entre tableau et sculptures, de part et d'autre de l'axe du meuble bas.

La disposition de plusieurs éléments identiques

Au lieu de les éparpiller au hasard, groupez-les horizontalement ou verticalement sur une ou plusieurs rangées (*fig. 6*). En général, ces dispositions sont très harmonieuses. Elles conviennent surtout aux murs de dimensions moyennes et peuvent se concevoir près d'une table de repas, d'un canapé, d'un secrétaire ou au-dessus d'une commode. Si des éléments décoratifs identiques occupent une surface très importante, vous choisirez une autre disposition, car, dans ce cas, leur alignement deviendrait systématique et ennuyeux. Vous pourrez alors les répartir sur deux murs en isolant par exemple un des éléments, et en groupant les autres auprès d'objets différents, dans une disposition plus libre (*fig. 7*).

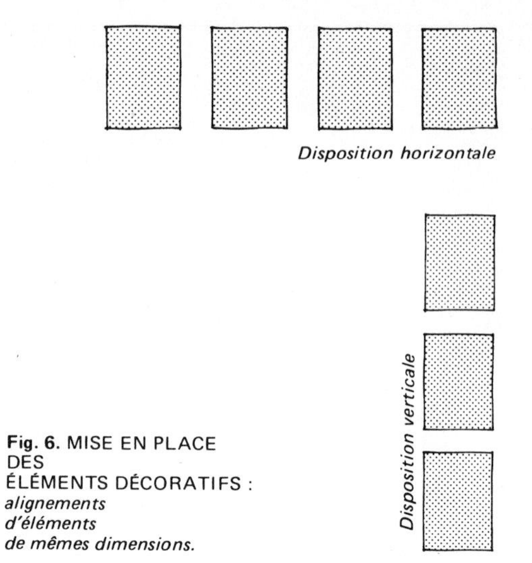

Fig. 6. MISE EN PLACE DES ÉLÉMENTS DÉCORATIFS : *alignements d'éléments de mêmes dimensions.*

Fig. 7. MISE EN PLACE DES ÉLÉMENTS DÉCORATIFS : *si les quatre grandes affiches (de mêmes dimensions) avaient été alignées sur le mur de gauche* (A), *l'effet décoratif aurait été monotone. En disposant trois éléments assez librement et en plaçant le quatrième sur le mur perpendiculaire* (B), *l'effet obtenu est plus vivant.*

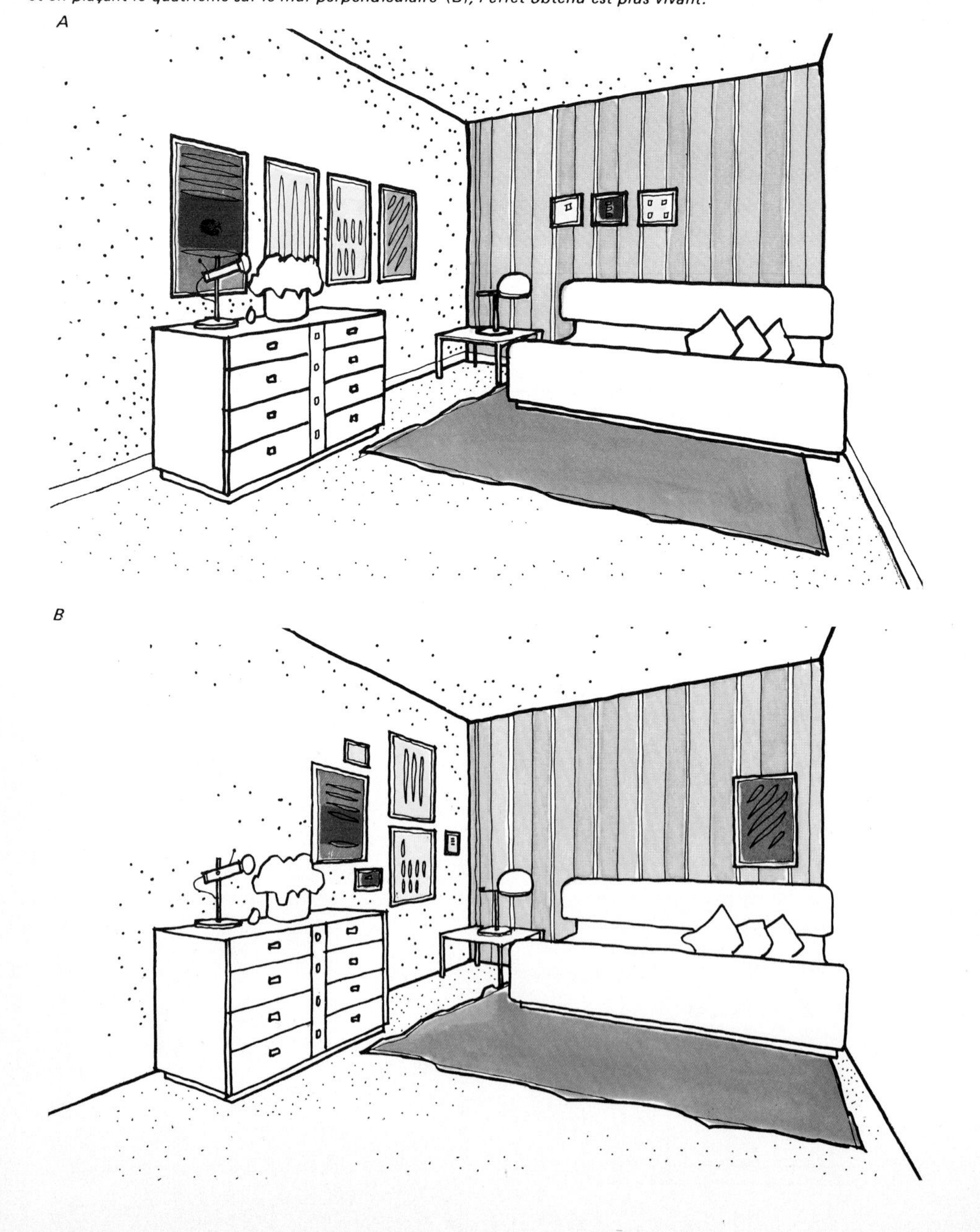

La disposition de plusieurs éléments disparates

Le mélange de tels éléments est très à la mode et risque de le rester longtemps, puisqu'il permet d'animer un mur. Le regard est attiré par tous les objets, toutes les expressions graphiques ou taches colorées, les contrastes qui se mettent en valeur mutuellement (*fig. 8*). Vous juxtaposerez ainsi, par exemple, des dessins sous verre, un petit miroir très mouluré, une vieille peinture dans son cadre doré, une affiche d'exposition, etc.

Ces groupements inattendus créeront un effet décoratif certain. Selon le nombre d'éléments à accrocher, vous envisagerez de telles dispositions aussi bien sur des murs vides que sur des murs sur lesquels s'appuient des meubles.

◀ *Deux gravures très discrètes sont superposées au-dessus d'un meuble d'appui. L'obélisque en cristal accentue la verticalité déjà affirmée par les fibres du bois.*

Fig. 8. MISE EN PLACE DES ÉLÉMENTS DÉCORATIFS : *disposition très libre d'œuvres dans des cadres divers.*

Une disposition libre et pourtant très équilibrée. C'est un bon exemple d'un mélange de styles réussi entre les toiles de différentes factures, le meuble ancien, le porte-parapluies moderne et un vieux chaudron en cuivre. L'accord des couleurs est évident. ▼

Disposition en ligne d'éléments graphiques divers, tous discrètement encadrés. La lampe et les objets font partie intégrante de la composition bien équilibrée.

Disposition sur une ou deux lignes

Si vous groupez les éléments côte à côte, vous prendrez soin de les aligner suivant leurs bords supérieurs ou inférieurs (*fig. 9 A*), ou suivant l'un de leurs côtés (*fig. 9 B*).

L'alignement peut se faire sur deux lignes. Vous alignerez alors soit horizontalement les bords inférieurs de la rangée du haut et les bords supérieurs de la rangée du bas (*fig. 9 C*), soit verticalement les bords droits de la rangée de gauche et les bords gauches de la rangée de droite. L'alignement sera horizontal au-dessus d'un bureau, d'une commode, d'une tablette, d'un canapé ou dans un couloir. Il sera vertical sur un pilier, entre deux portes, dans une entrée étroite, etc. L'essentiel est de s'adapter aux proportions du support.

Fig. 9. MISE EN PLACE DES ÉLÉMENTS DÉCORATIFS : *différents alignements d'éléments de dimensions diverses suivant les bords inférieurs* (A), *latéraux* (B), *supérieurs ou inférieurs* (C).

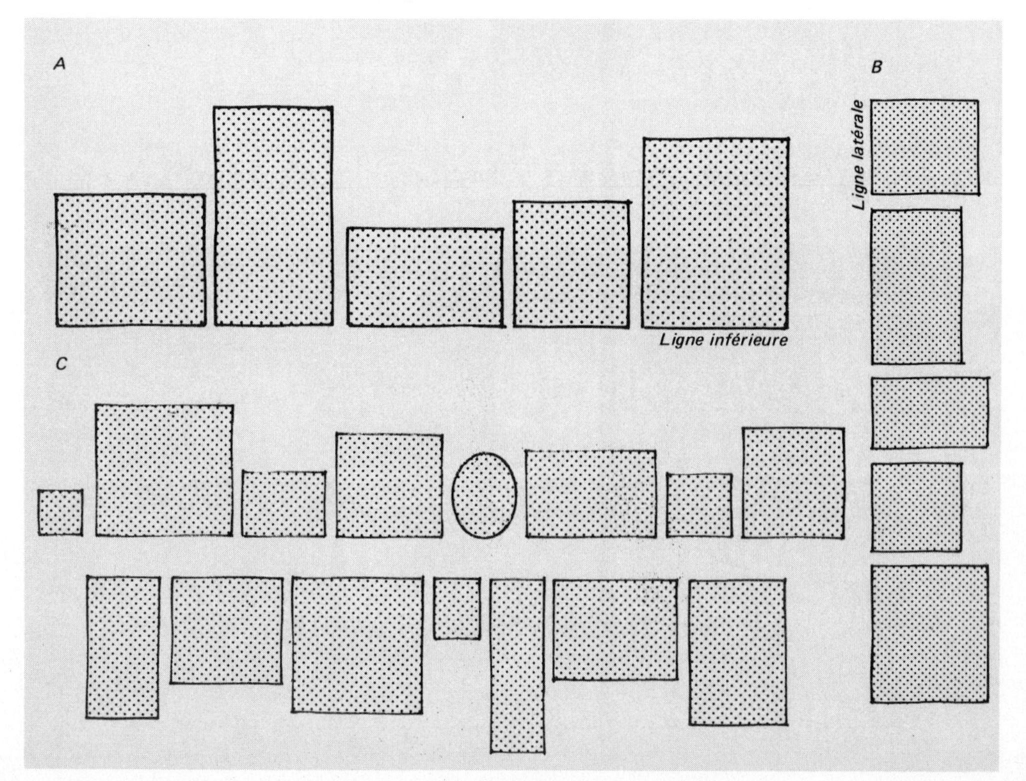

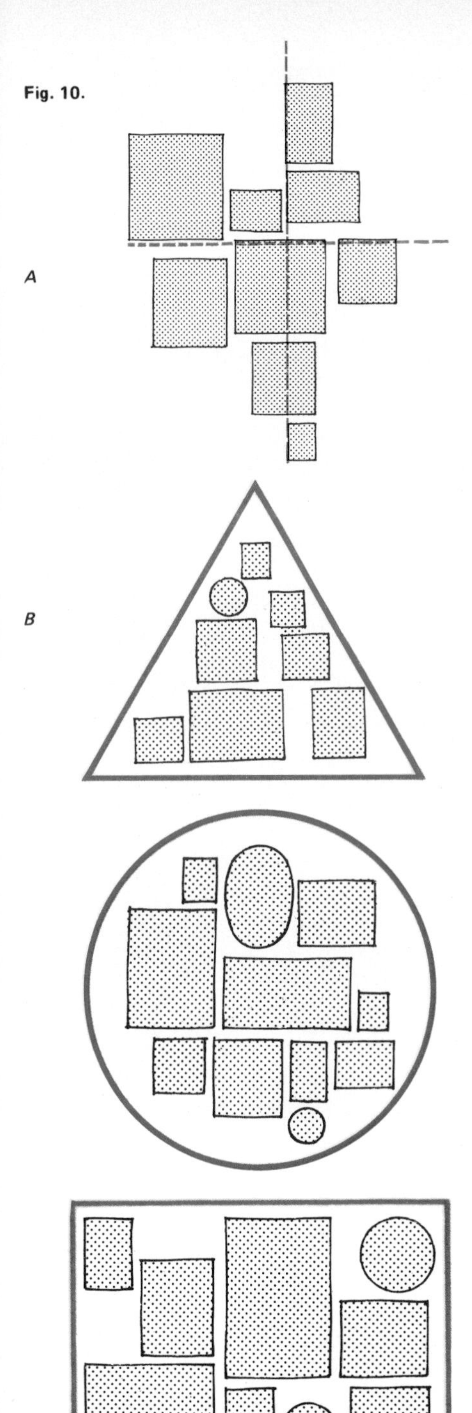

1

Fig. 10. MISE EN PLACE DES ÉLÉMENTS DÉCORATIFS : *groupements dynamiques d'éléments de dimensions diverses, qui ont l'air disposés librement. En fait, ils sont alignés en fonction de deux axes perpendiculaires — en pointillé* (A) *— ou à l'intérieur de formes géométriques simples* (B) *: triangle, cercle ou rectangle*

1. *Toutes les gravures sont encadrées de la même manière et se répartissent assez librement sur un panneau vertical tendu de tissu. Le bouquet apporte une note vivante et gaie.*

2. *Dans une chambre de jeune garçon, le panneau de bois limite l'accrochage d'objets divers qui reflètent les goûts et les préoccupations de l'étudiant qui y vit.*

2

Disposition éclatée

Les objets, les tableaux sont alors juxtaposés très librement. Toutefois, il faut organiser ce « désordre apparent » afin qu'il reste séduisant (*fig. 10 A*). Dans ce but, vous ferez se recouper quelques alignements et vous leur donnerez une forme géométrique discrète mais réelle. Vous les disposerez en adoptant le cercle, l'ovale allongé, le triangle, le carré ou le rectangle (*fig. 10 B*). N'oubliez pas qu'intervient dans votre composition la masse des meubles et des luminaires les plus proches. Il faut que le regard, par sa mobilité, transmette à notre esprit une vision globale du décor qui reste harmonieuse.

Ces différentes options concernent tout ce qui peut être accroché à un mur, mais certains objets offrent des formes plus inégales et moins rectilignes. On peut les disposer en rangées s'ils ne sont pas trop nombreux et si leur volume est compact et assez géométrique (*fig. 11*). S'ils sont au contraire très ouvragés, mieux vaut adopter une disposition éclatée qui permette d'imbriquer les formes les unes dans les autres et d'imposer ainsi à la composition décorative une unité et un rythme nettement affirmés.

Bien que d'origine très différente, ces objets, dont certains sont sans prétention et d'autres, plus précieux, s'accordent bien entre eux. L'accrochage est très libre, mais limité, à droite, par la verticale discrète des balanciers et, à gauche, par celle plus affirmée du panneau décoratif.

Fig. 11. MISE EN PLACE DES ÉLÉMENTS DÉCORATIFS : *groupement éclaté de petits objets s'imbriquant les uns dans les autres.*

Un groupement « éclaté » de petits objets précieux autour de l'applique en fer forgé qui forme le noyau de cette composition.

Certains objets ne peuvent pas être accrochés. Vous les présenterez soit sur des étagères, en glace transparente ou en Plexiglas, fixées à un mur, soit dans des boîtes totalement transparentes. Au travers de ces supports discrets la lumière passera sans créer d'ombre risquant d'alourdir la forme de ces objets. Pour les très petits éléments vous pouvez imaginer des supports tendus de tissu où ils seront accrochés, ou des cadres spéciaux qui seront fixés au mur. N'oubliez pas que c'est le support ou l'encadrement qui mettent en valeur une œuvre d'art et non l'inverse. Un encadrement mal approprié peut transformer l'aspect et, par là même, changer le pouvoir décoratif d'une œuvre (*fig. 12*). Certaines peintures, sans valeur esthétique réelle, peuvent être drôles et décoratives lorsqu'un cadre baroque les ceinture. Par contre, un beau dessin ou sa reproduction peuvent ne nécessiter qu'un cache blanc et une mince baguette laquée noire. Parmi la grande variété des moulures, en bois naturel, laquées, dorées, argentées, vous trouverez sûrement celle qui soulignera la beauté de vos œuvres d'art. Les cadres possèdent une valeur décorative qu'apprécient beaucoup d'amateurs. Aussi n'hésitez pas à choisir des cadres beaux ou curieux, pour des œuvres simples et modestes, sans redouter un effet original. Ainsi la plus grande liberté vous est laissée lorsque vous choisirez vos cadres dans les ventes, chez le brocanteur, l'antiquaire ou l'encadreur.

Si ce parti pris vous semble trop arbitraire ou prétentieux, vous pouvez bien sûr présenter plus simplement vos dessins ou photos en les plaçant entre deux glaces ou deux vitres que

Fig. 12. LES ENCADREMENTS : *des encadrements différents peuvent modifier le pouvoir décoratif d'une même œuvre.*

Cette très belle collection de pierres est présentée dans des boîtes totalement en Plexiglas. On peut réaliser la même disposition avec des minéraux plus modestes.

Un cadre de bois a été fixé latéralement pour recevoir un médaillier. Il se détache sur le mur de fond tandis que les médailles ont été accrochées librement.

vous joindrez ensuite par de petites pinces spéciales. Enfin, lorsque vous décorerez un mur avec des affiches, des photos, vous pourrez les fixer sur des panneaux en aggloméré (*fig. 13*). Leur présentation, tout en étant économique, semblera moins éphémère et ils seront mieux protégés.

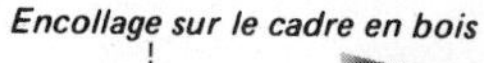

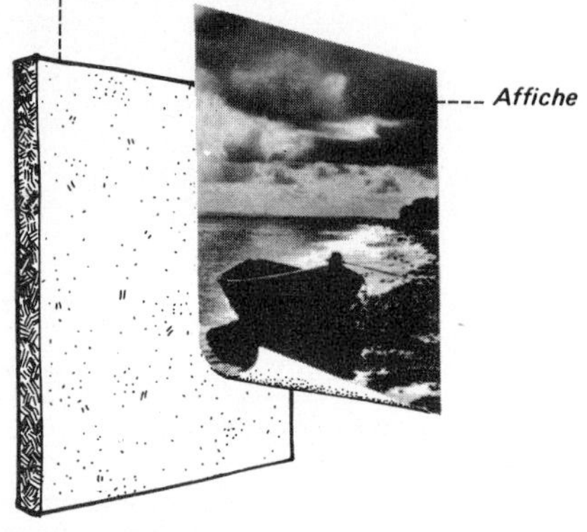

Fig. 13. LES ENCADREMENTS : *une simple affiche aura plus de relief si elle est collée sur un cadre en bois.*

le mur en tant qu'élément décoratif

Si un papier peint, ou un tissu à grands motifs, couvre entièrement votre mur, vous devez éviter de l'employer de nouveau sur un autre mur. Vous pouvez aussi décorer vous-même votre mur en y peignant des bandes ou de grandes formes colorées. Vous les découperez plus aisément dans du papier de couleur ou rayé, ou dans du plastique adhésif. Mais attention, ne choisissez ce procédé que si vous vous sentez un talent suffisant pour réussir. Avec un décor très marqué, il est superflu d'accrocher sur le mur des objets ou des tableaux.

Le rideau-store en toile imprimée constitue à lui seul le décor de cette étroite cuisine.

les sols

utilisation des différents revêtements

Le matériau de revêtement est parfois décoré. C'est le cas des moquettes ou de certains carrelages à motifs. Mais il vous est facile de composer vous-même un dessin en alternant des carreaux ou des bandes de moquette de différentes couleurs. Ces effets d'optique très simples transforment, par exemple, les perspectives d'une pièce ou d'un couloir trop longs (*fig. 14*).
Cependant, ne perdez pas de vue que des objets et des meubles recouvrent en partie les sols. Le décor choisi doit donc correspondre le mieux possible à leur implantation, puisque décor et mobilier se mettent mutuellement en valeur.
Pour décorer un sol, vous pouvez, en outre, disposer de toute la gamme des peaux de bêtes et des tapis. Ces derniers existent en matières naturelles : laine, coton, fibres végétales, et dans une grande variété de fibres synthétiques. Selon leur aspect plus ou moins épais et moelleux, plus ou moins ras,

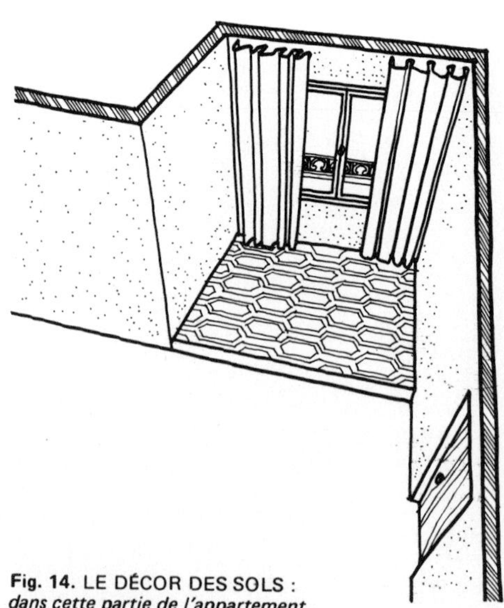

Fig. 14. LE DÉCOR DES SOLS : *dans cette partie de l'appartement en décrochement, le sol a été surélevé de 15 cm, puis tendu d'une moquette à dessin d'un grand effet décoratif et dont le jeu de lignes assure une légère sensation d'élargissement.*

Un tapis à longues mèches en laine ajoute beaucoup à l'intimité d'un coin de repos. Ici, il reste visible à travers le plateau de verre de la table, dont le piétement est bien mis en valeur.

les tapis s'adaptent mieux à un lieu qu'à un autre. Réservez les tapis à longues mèches aux zones de détente et à la chambre, les tapis d'épaisseur moyenne à l'entrée et aux circulations. Les tapis très ras sont parfaitement adaptés aux chambres d'enfants, à la salle de bains, et à la zone des repas.

Il faut toujours qu'un tapis délimite une zone ou une circulation (*fig. 15*). Mais n'oubliez pas que ses proportions influent sur celles de la pièce. Une zone de détente paraîtra petite et étriquée si le tapis ne déborde pas jusque sous les sièges qui la meublent (*fig. 16*). Mieux vaut choisir moins cher et plus grand que l'inverse.

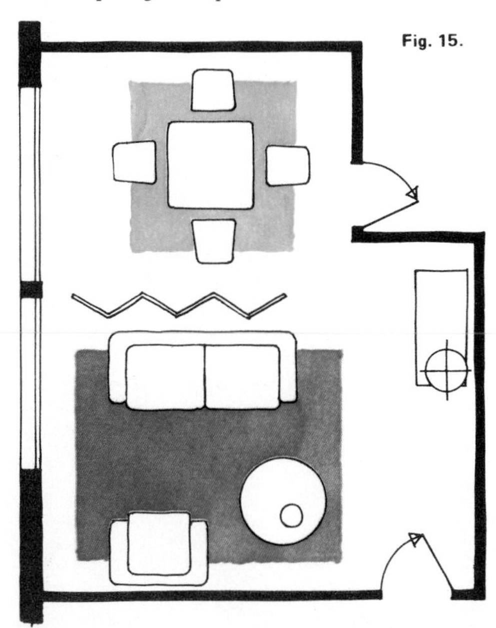

Fig. 15.

Fig. 15. LE DÉCOR DES SOLS : *les tapis permettent de bien localiser les diverses zones de l'appartement.*

Fig. 16. LE DÉCOR DES SOLS : *un tapis trop petit fait paraître plus étriqué un ensemble de meubles.*

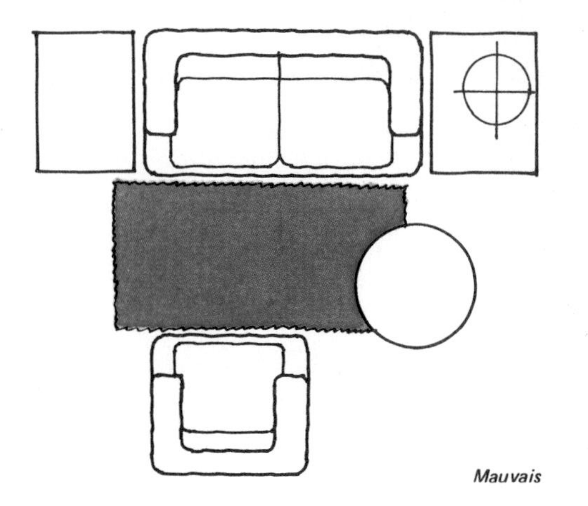

Mauvais

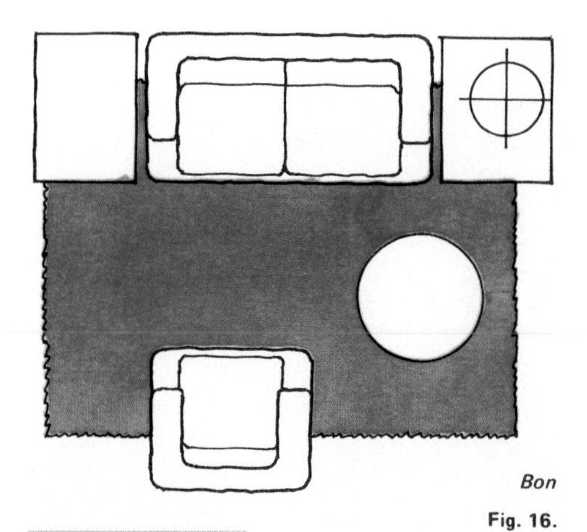

Bon

Fig. 16.

les couleurs

La couleur d'un sol est importante ; vous la choisirez en harmonie avec la teinte de base de la pièce. Vous pouvez poser un tapis foncé sur un sol clair ou inversement, mais évitez les intensités identiques de tons : rouge moyen sur gris moyen, par exemple.

1

le dessin des tapis

Ce qui compte le plus dans l'harmonie d'ensemble d'une pièce, ce n'est pas tellement la grandeur des dessins du tapis, mais les oppositions entre les tons employés.

Lorsque les couleurs d'un tapis sont trop contrastées, trop violentes, il peut desservir les meubles qui sont posés dessus. Si ces derniers sont transparents (glace, Plexiglas), vous pouvez vous permettre cette audace, à la seule condition que vous placiez ce tapis sur un sol uni, ne comportant pas de dessin. Dans tous les autres cas, vous choisirez des dessins géométriques dans des harmonies de camaïeu ou basés sur deux ou trois tons au maximum.

Les tapis orientaux, parures traditionnelles des sols dans des décors classiques ou de style, ainsi que les tapis plus rustiques d'artisanat populaire, s'harmonisent aussi avec le mobilier contemporain (plastique, glace, acier). Leurs colorations et leurs dessins n'étant pas agressifs, ils ne désavantagent pas l'ensemble.

2

3

4

1. *Dans cette zone de détente, le canapé et les deux chauffeuses sont assez différents d'aspect. Le tapis, de teinte foncée, assure la liaison entre ces éléments.*

2. *Sur le sol en terre cuite d'une petite terrasse, le tapis en coco (peu fragile) crée, sans autre artifice, une zone de petit déjeuner sympathique.*

3. *Ces deux sièges se faisant face, de part et d'autre de la cheminée, seraient un peu perdus sans le tapis tissé posé sur le dallage.*

4. *Le tapis aux motifs géométriques affirmés est l'élément décoratif dominant qui contraste avec la discrétion et l'extrême rigueur du mobilier.*

5. *Sous une table ronde, un tapis de même forme limite la zone des repas. Il présente un dessin également constitué de ronds. Les motifs sont très accentués mais dans une seule gamme de couleurs allant d'un bleu foncé presque noir jusqu'au bleu clair en passant par le violet. Cette gamme s'accorde bien au dallage gris bleuté.*

5

les plafonds

A l'heure actuelle, les plafonds sont généralement peints dans un ton uni et le plus souvent neutre.

Mais il fut une époque où ils étaient richement décorés, et vous pouvez fort bien poser du papier peint au plafond ou coller des affiches, photos, etc. Vous obtiendrez ainsi des effets inattendus, que vous accentuerez en dirigeant vers le plafond la lumière d'un spot. Vous rendrez ainsi plus vivantes des pièces un peu ternes comme une entrée ou un couloir. Vous pourrez aussi, par la création d'un plafond « amusant », souligner le côté décontracté, jeune et vivant d'une salle de jeux ou d'une chambre d'enfants. Si vous conservez un plafond mouluré (voir chapitre III), vous pourrez intégrer les moulures et autres pâtisseries à la décoration générale en les laquant d'un ton vif en harmonie avec le reste de la pièce.

Si vous avez sur vos murs de grandes surfaces colorées, celles-ci peuvent se prolonger au plafond, ce qui affirme l'unité décorative et peut apporter à une pièce trop morne un mélange de dynamisme et d'intimité, que l'éclairage par spots accentuera encore. C'est aussi une façon de transformer visuellement une pièce (voir chapitres III et VI).

les éléments mobiles

les objets

le choix

Une maison ne peut rester vide d'objets, elle paraîtrait inhabitée et sans âme. Nous vous donnerons plus loin quelques idées concernant le choix des objets les mieux appropriés à tel lieu ou à tel meuble. Mais, lorsqu'une chose vous plaît, que ce soit une modeste boîte d'allumettes ou un objet précieux, n'hésitez pas à l'acheter, vous lui trouverez toujours une place. Ne vous croyez pas obligé de vous limiter à des objets de valeur. Ce préjugé, qui risque de stériliser tout ce qui peut donner de la vie à votre maison, se trouve souvent être responsable de ces intérieurs trop guindés, figés dans un décor impersonnel et standard, sans espoir de changement, c'est-à-dire, finalement, sans vie réelle.

l'emplacement

Sur certains meubles il est préférable de ne poser qu'un ou deux objets, sur d'autres vous pouvez en grouper plusieurs. Enfin, il en est qui sont plus beaux sans rien. Cette alternance évite la sensation de désordre que vous pourriez redouter si toutes les surfaces disponibles recevaient des objets.

la disposition des objets

Un des secrets de la décoration est de rendre évidents et naturels l'aspect et la disposition des choses. Ainsi, sur les tables et les

meubles bas, vous placerez des objets plats, faits pour être vus de haut.

Il serait fastidieux d'en dresser une liste qui serait de toute manière limitative. Citons au hasard les boîtes plates, les boîtes à musique, en argent, en métal blanc, à bonbons, à bijoux, les boîtes d'allumettes, de cigares, les petits objets, les cuillers, les montres, les outils anciens, les assiettes et les plats, les cendriers, les animaux en porcelaine, en métal, en bois, etc.

Sur les bahuts, les commodes, les secrétaires, les tablettes (de 70 cm à 1,30 m de hauteur), vous placerez des objets plus hauts : lampes, carafes, verreries, petites sculptures, poupées, boîtes contenant papillons et pierres rares. Enfin, sur les meubles hauts et les tablettes situées à plus de 1,30 m trouveront place maquettes, poupées, animaux, bocaux, pendules, enseignes, plaques métal-

▲
Dans une ambiance très simple où les matériaux sont rustiques et modestes, les objets, les lampes, les fruits, les coussins, les livres donnent une chaleur sympathique sur fond de briques et de bois.

Peu de choses coûteuses, une grande liberté dans la disposition, la présence de quelques objets délicats, il n'en faut pas plus pour créer une atmosphère agréable de bien-être et de calme dans ce séjour ouvrant largement sur un jardin. ▶

◀ *Une amusante collection de chapeaux de paille décore non sans esprit les murs d'une petite pièce dans une maison de campagne. L'harmonie colorée entre les blancs et les différents tons de beige est assez subtile.*

Les meubles bas répartis dans ce séjour sont très simples. Les objets sont multiples, mais ils sont groupés librement bien que sans désordre. L'harmonie colorée murs-divan-coussins donne de l'unité à l'ensemble.
▼

liques, gravures, dessins, petits tableaux non accrochés mais posés. Vous alignerez ces objets, sinon ceux qui se trouveraient à l'arrière se verraient mal.
Évitez toutefois de surcharger les meubles hauts, ce qui risquerait de rapetisser la pièce et de donner une impression de désordre.
Les objets ne doivent pas recouvrir toute la surface d'un meuble ou d'une tablette. Groupez-les d'un côté du meuble et laissez vide environ un tiers de la surface du meuble ou de la tablette. Les objets de petite taille peuvent être réunis sur un plateau en métal, en bois, en matière laquée (*fig. 17*) ou sur une glace, ce qui délimite l'espace avec précision et évite toute dispersion inesthétique. C'est aussi une solution pour constituer un bar visible, où les bouteilles sont juxtaposées en un bloc serré.
Parmi tous les objets qui participent au décor de votre maison, certains sont utilitaires et d'un usage quotidien. Vous les choisirez avec encore plus de soin. En effet, bien que les industriels aient commencé à comprendre les vertus du design, trop de ces petits objets utiles sont encore laids et mal adaptés à leur fonction. Quel que soit le décor de votre maison, ces objets indispensables auront des formes pures et rationnelles, et ce sont les autres bibelots, purement décoratifs, qui apporteront la note plus personnelle que vous recherchez.

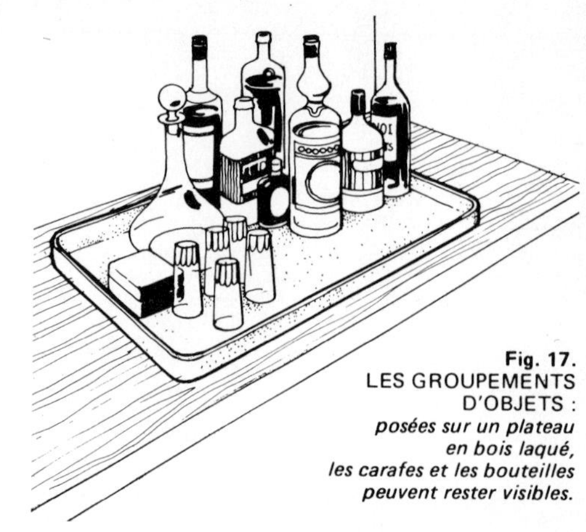

Fig. 17. LES GROUPEMENTS D'OBJETS : *posées sur un plateau en bois laqué, les carafes et les bouteilles peuvent rester visibles.*

les collections

Lorsque les objets sélectionnés sont simples, amusants, peu nombreux et peu fragiles, vous pouvez les disposer sur des étagères. Mais, s'il s'agit d'une collection précieuse, vous avez le choix entre cette présentation et une mise en valeur plus spectaculaire. Vous pouvez alors réserver à leur exposition des rayonnages fermés par des glaces, une niche dans un mur ou une cloison, parfois même un meuble spécial. Dans ce cas, étudiez attentivement l'éclairage et la présentation : les objets groupés et alignés se détacheront sur un fond qui les mettra en valeur. En isolant une très belle pièce du reste de la collection et en la plaçant en évidence sur un autre meuble ou dans une niche écartée, vous créerez un lien entre les diverses parties de la pièce. Mais ce n'est pas parce que vous possédez une collection, fût-elle de prix, que vous devez reconstituer l'ambiance de son pays d'origine. Il est parfaitement inutile, par exemple, de se croire obligé de décorer de paravents chinois plus ou moins vrais la pièce où se trouve une belle collection de porcelaines de Chine. Des bois aux tons chauds, des sièges aux lignes simples et des luminaires en acier la mettront mieux en valeur. D'ailleurs, les grands musées internationaux ont bien compris les avantages d'une telle présentation et préfèrent créer autour de leurs pièces rares une atmosphère dépouillée plutôt qu'une reconstitution confuse et superflue qui, en fait, détourne l'attention des objets précieux au lieu de les mettre en valeur.

les coussins

intérêt décoratif

Ils sont, par excellence, les éléments mobiles d'un décor. Quelques gestes suffisent à les sortir d'un placard, et l'ambiance d'un coin de repos, d'une chambre s'en trouve profondément modifiée. On les trouve dans le commerce ; on peut aussi les faire soi-même.
Dans l'un ou l'autre cas, toutes les formes,

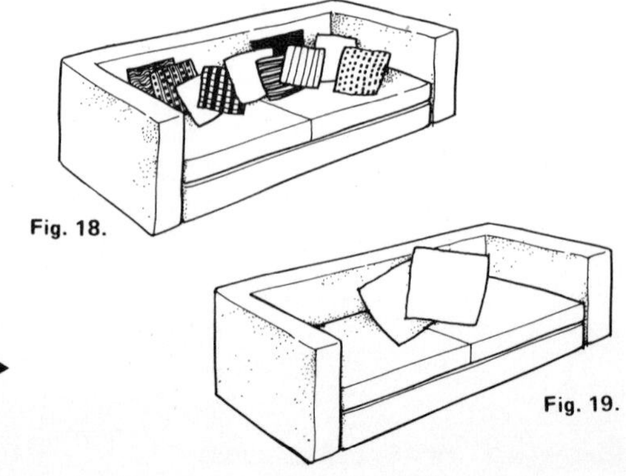

Fig. 18 et 19. LES COUSSINS : *les coussins peuvent se faire dans toutes les formes, tous les tissus, toutes les couleurs. Par leurs proportions et leur disposition, ils modifient la valeur décorative du canapé sur lequel ils sont posés.* ▶

1

Les coussins sont, certes, un important élément de confort, mais ils constituent aussi un élément décoratif dont il faut absolument tenir compte. Vous vous efforcerez donc de les choisir en harmonie entre eux et avec le support : **1.** *Des dessins géométriques aux couleurs assez vives ont été choisis pour animer un canapé très strict.* **2.** *Une gamme plus sourde met en valeur le cuir d'un canapé confortable.* **3.** *Sur un canapé d'un ton très doux et discret, des coussins de velours imprimé, comportant de petits motifs dans les tons orangés, apportent la note de confort et de gaieté indispensable.*

toutes les dimensions, tous les tissus, toutes les garnitures sont possibles. Les coussins peuvent être jetés sur un lit, un canapé, un fauteuil, mais aussi posés sur un tapis épais. Ils ajoutent une note d'intimité et permettent de caler les reins ou le coude de ceux qui s'assoient par terre. Il est préférable de choisir un assortiment de coussins de petite taille (35 à 45 cm de côté) [*fig. 18*] plutôt que d'utiliser seulement deux ou trois éléments trop volumineux (*fig. 19*).
Ainsi quinze ou vingt petits coussins vous permettent de transformer à peu de frais un simple lit sans dosseret en canapé moelleux.

2

couleurs et tissus

L'apport coloré des coussins est aussi important que celui du sol ou des sièges. Il ne faut donc pas négliger le choix de leurs couleurs, lors de la recherche d'harmonies colorées. Toutefois, vous pouvez vous permettre certaines audaces, puisque, en cas d'erreur, il ne sera pas très coûteux de supprimer ou de remplacer les coussins qui ne conviennent pas. Si le fond sur lequel ils sont posés est dans un ton doux ou soutenu mais neutre (gris, beige, ocre, noir, brun foncé, etc.), vous choisirez leur couleur dans la gamme du revêtement de sol ou d'un des murs, ou des doubles rideaux, ou encore dans celle de l'élément décoratif le plus marquant (toile, objets, plantes vertes, etc.). Par contre, si le fond est très coloré, vif, des couleurs douces et calmes, relevées par un ou deux coussins très vifs, de teinte opposée à celle du fond général, conviendront mieux. Dans les deux cas, les coussins seront soit

3

uniformément dans le même ton (rouge foncé, par exemple, ou bleu clair), soit dans une même gamme (plusieurs roses ou plusieurs gris, etc.). Les coussins peuvent vous permettre de donner libre cours à votre fantaisie.
Pensez aux tissus à fleurs, à dessins, à ramages et n'excluez pas un coussin bariolé; il peut égayer un fauteuil un peu triste ou animer un groupe de coussins unis. En ce qui concerne les coussins, la qualité du tissu est moins importante que la couleur. Beaucoup de mélanges sont possibles. Vous pouvez placer des coussins de soie ou de satin sur un fond de même matière ou tendu de laine, de lin ou d'un tissu sec (reps par exemple). L'inverse est à éviter. Sur du velours, en principe, la soie et le satin ne conviennent pas. Sur du cuir, du plastique, la liberté reste totale.

Fig. 20. LES COUSSINS : *coussin en mousse dans sa housse amovible. Ce type de housse, d'un entretien aisé, permet en outre de rajeunir facilement l'aspect d'un siège.*

les coussins sièges

Ces coussins, découpés dans de la mousse de polyéther ou de latex, seront recouverts d'une housse qu'il est utile de doter d'une fermeture à glissière pour faciliter leur nettoyage (*fig. 20*). Les possibilités offertes sont nombreuses : leurs épaisseurs diverses et leur découpe facile permettent d'assembler des blocs égaux et réguliers qui peuvent constituer la garniture complète d'une banquette ou de tout autre support rigide destiné à servir de siège.

Vous pouvez disposer ces coussins sur le sol, seuls ou superposés. Ils deviennent alors des sièges d'appoint fort appréciables (*fig. 21*). Le choix de leur coloris et de leur tissu est moins étendu que celui des petits coussins. Il faut les accorder aux sièges existants en adoptant la même qualité de tissu et la même couleur, ou une couleur s'harmonisant avec le ton général de la pièce. Évitez, pour ces éléments plus importants, les dispersions de couleurs et de dessins.

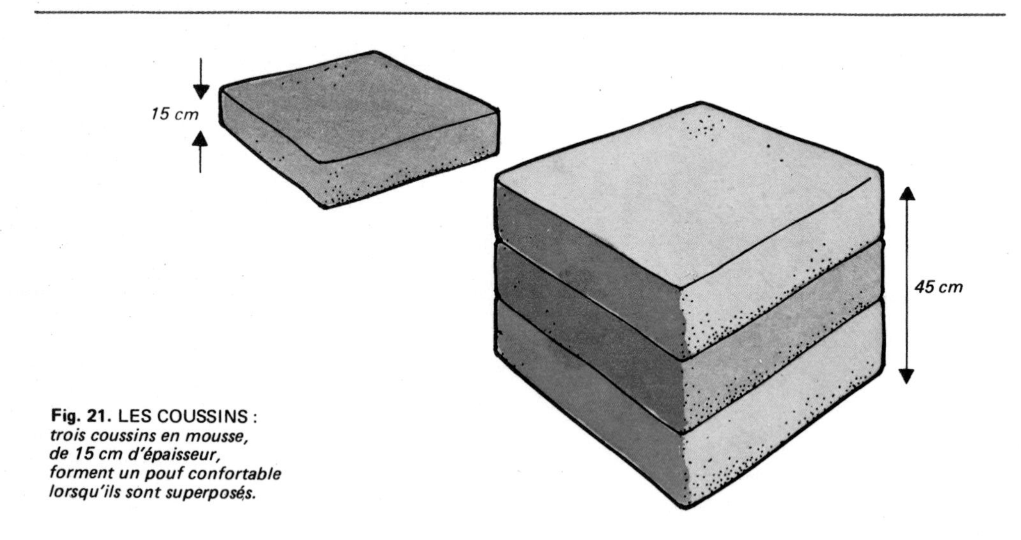

Fig. 21. LES COUSSINS : *trois coussins en mousse, de 15 cm d'épaisseur, forment un pouf confortable lorsqu'ils sont superposés.*

les fleurs

Chacun est sensible à la douceur, au charme des fleurs, à la note de chaleur qu'elles apportent.
Il est donc tout à fait normal qu'elles s'inscrivent dans notre décor quotidien. Différentes selon les saisons, elles apportent dans nos maisons le reflet du cycle de la nature. Quelle importance donner aux bouquets ? Comment les composer? Où les placer ? Nous nous posons fréquemment ces ques-

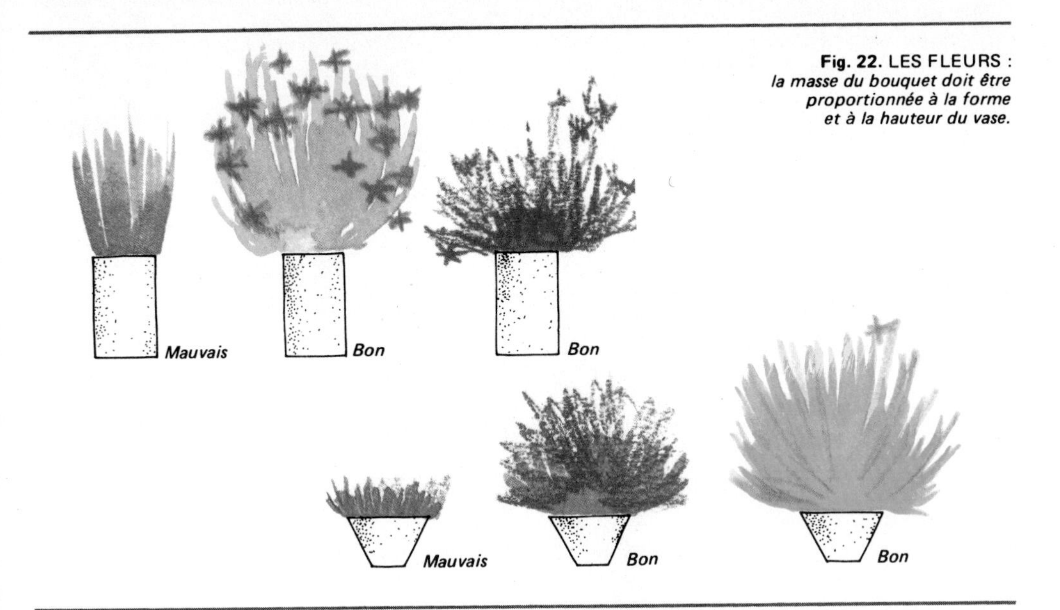

Fig. 22. LES FLEURS : *la masse du bouquet doit être proportionnée à la forme et à la hauteur du vase.*

tions. Porté à son sommet par les artistes floraux japonais et conçu dans un esprit de perfection, l'art du bouquet nécessite alors des connaissances précises. Il existe d'ailleurs également en France des cours d'art floral réservés aux adultes. Sans prétendre faire de chaque élève un maître, au sens japonais du terme, ils permettent d'acquérir des notions essentielles pour composer un bouquet selon les règles de l'art. Mais, sans pousser aussi loin la recherche, le goût de chacun peut lui permettre de faire d'harmonieux bouquets en observant quelques conseils de bon sens.

le vase

Pour obtenir un bon équilibre, le volume des fleurs doit être au moins égal au volume du vase et, de préférence, supérieur (*fig. 22*).

le bouquet de fleurs fraîches

1. Coupez toutes les fleurs du bouquet à des longueurs différentes afin de créer un volume, une profondeur (*fig. 23*).

2. La symétrie est à déconseiller, surtout pour des bouquets très hauts. Lorsque vous disposez une masse de fleurs à longues tiges, vous pouvez équilibrer le bouquet avec des fleurs plus courtes, des feuillages, des éléments d'appoint (branches) [*fig. 24 A*]. Par contre, un bouquet bas peut supporter une disposition symétrique (*fig. 24 B*).

3. Les mélanges de fleurs sont souvent très jolis, mais difficiles à réaliser. Les fleurs doivent être très différentes d'aspect et de volume. Par exemple, vous préférerez, à un mélange de roses et d'œillets, une composition de tulipes et de fines graminées.
De toute façon, le mélange de deux variétés de fleurs ne vous posera pas de difficultés insurmontables. Par contre, si vous étendez

Fig. 23. LES FLEURS : *pour obtenir un bouquet agréable avec des fleurs de même espèce, il faut que leurs tiges aient des longueurs différentes, afin que la hauteur du bouquet ne soit pas uniforme.*

Fig. 24. LES FLEURS : *un bouquet haut peut être asymétrique* (A)*; il vaut mieux qu'un bouquet bas soit régulier* (B).

Sur cette table moderne en glace, de forme très dépouillée, une sculpture ancienne, un minéral et un vase en argent avec son bouquet aux teintes vives forment un ensemble très raffiné.

ce principe à de nombreuses espèces, il vous faudra procéder avec plus de subtilité. Pour réaliser de tels bouquets, inspirez-vous des reproductions des peintures flamandes. Vous constaterez que leur composition est un art qu'il ne faut pas hésiter à simplifier.

4. Les fleurs peuvent être présentées isolément ou sous forme de bouquets très serrés. Une rose, une marguerite et son feuillage sont charmants dans un verre délicat ou une flûte en cristal (*fig. 25 A*).
Des anémones, des œillets, des pois de senteur coupés très court et serrés les uns contre les autres seront bien mis en valeur dans une coupe, un petit bol ou un vase plat (*fig. 25 B*). Vous pourrez récupérer ainsi les fleurs encore fraîches d'un grand bouquet dont certains éléments sont fanés.

5. Les bouquets aérés sont très jolis. Ne les garnissez pas avec excès d'asparagus et autres feuillages. N'entourez pas les vases de rubans roses ou bleus. Les fleurs n'ont pas besoin d'artifices pour être belles. Enfin, ne plongez pas les feuillages dans l'eau, ils pourriraient.

6. Pour réussir facilement vos bouquets, équipez-vous d'un sécateur, de petits ciseaux, de fins tuteurs de bambou, de fil de fer, de fil de Nylon (afin de grouper plusieurs fleurs) et de ruban adhésif pour recoller une tige brisée. N'oubliez pas les pique-fleurs, ils sont souvent indispensables. Vous les trouverez dans le commerce, mais un morceau de grillage bouchonné peut

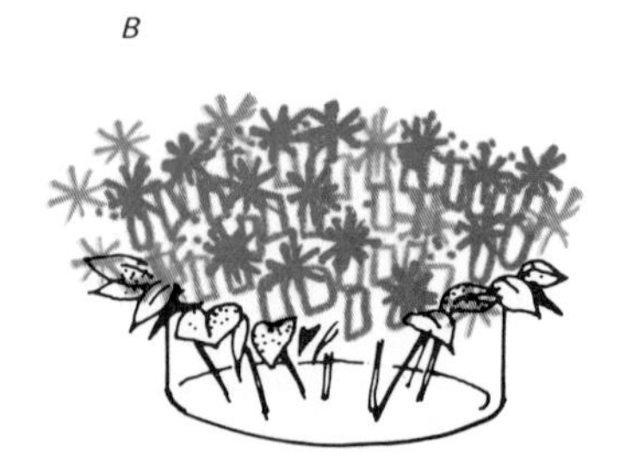

Fig. 25. LES FLEURS : *la simplicité d'une fleur unique ou d'une boule serrée de petites fleurs des champs n'est pas sans charme.*

rendre les mêmes services, ainsi que de gros cailloux (*fig. 26*), des billes, de la pâte à modeler. Si le vase utilisé est trop grand, si les fleurs s'écartent trop, vous pouvez les placer dans un récipient plus petit que vous glisserez dans le vase avant de commencer à disposer votre bouquet.

le bouquet de fleurs séchées

On trouve facilement des fleurs séchées vendues à la pièce ou en bouquets, mais vous pouvez aussi bien faire sécher celles que vous cueillerez au cours de promenades à la campagne.

Ces fleurs sont, en général, sans prétention. Aussi pouvez-vous les mélanger assez librement, mais il n'est pas utile de leur adjoindre des ornements d'un goût douteux tels que les plumets teintés et les joncs vernis. Les petits bouquets sont d'ailleurs plus jolis que les compositions démesurées, que l'on n'ose plus modifier une fois en place et qui deviennent vite poussiéreuses et ennuyeuses.

Un grand bouquet de fleurs sèches, de branchages et de graminées s'harmonise bien avec des matériaux simples : terre cuite du vase et de la statuette, bois ciré de la table. L'ensemble est rustique et chaud.

Fig. 26. LES FLEURS : *pour maintenir les tiges au fond du vase, vous pouvez utiliser certains palliatifs. Ici, des cailloux et un morceau de grillage.*

Les couleurs éclatantes de la table et du bouquet étaient utiles pour égayer ce chevet que le tableau rendait austère.

l'emplacement des bouquets

Vous pouvez les poser sur les meubles, mais évitez d'en mettre partout. Dans une chambre, un seul bouquet suffit ; dans un séjour traditionnel d'environ 30 m^2, deux bouquets suffisent.
La grandeur du bouquet détermine en partie son emplacement. Les petits bouquets, les boules de fleurs seront mis en valeur sur les meubles bas ; les compositions plus grandes peuvent être placées sur tous les autres meubles, mais rarement au-dessus de 1,30 m. En effet, passée cette hauteur limite, les bouquets perdent tout leur attrait, car on n'en voit plus que les tiges. Il ne faut pas mésestimer le pouvoir décoratif d'un bouquet. Vous n'hésiterez pas à l'isoler dans son vase sur un meuble. Mais il vous permettra aussi d'équilibrer une composition (*fig. 27*) à laquelle il donnera son caractère.

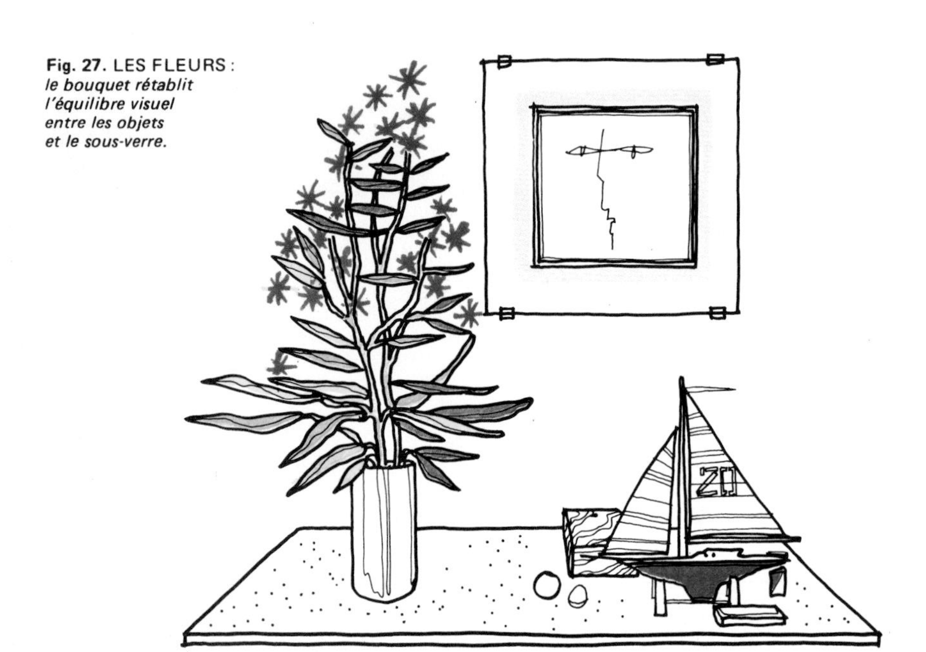

Fig. 27. LES FLEURS : *le bouquet rétablit l'équilibre visuel entre les objets et le sous-verre.*

Le bouquet fait entrer dans cette cuisine la couleur de la lande qui entoure la maison. ▼

Trois objets simples et quelques éléments floraux créent une composition subtile. ▼

les fruits et les légumes

Au XVIIe s., on a beaucoup utilisé les fruits et les légumes pour créer des compositions décoratives. Sans prétendre rivaliser avec les maîtres anciens, méditez leur leçon et ne limitez pas l'utilisation des fruits et des légumes à la cuisine et à la table de repas. Vous pouvez redécouvrir l'appoint décoratif de leurs formes et de leurs couleurs : avez-vous pensé que quelques oranges dans une coupe en verre sur ce meuble blanc, ou des poivrons, des aubergines et un céleri groupés dans une corbeille en osier posée sur la table roulante, pouvaient apporter bien plus de gaieté et de vie que des objets coûteux mais mornes ?

Outre les fruits ou les légumes de même nature, vous pouvez vous permettre des juxtapositions curieuses et colorées : gros choux-fleurs et radis roses ; oignons et petits citrons verts ; noix et mandarines, etc.

Vous choisirez avec soin les récipients. De quelque nature qu'ils soient, leurs proportions doivent correspondre à la quantité de fruits qu'ils contiennent. Pour qu'ils soient mis en valeur, vous les placerez sur des meubles de 70 cm à 1 m de haut.

Vous pouvez utiliser des légumes pour composer une coupe décorative qui donnera une note de couleurs vives.

les plantes vertes

Dans votre maison les plantes vertes représentent la nature. Leur apport décoratif est indéniable, aussi devez-vous tenir compte, dans l'aménagement général d'une pièce, de l'emplacement qu'il faudra leur réserver pour qu'elles puissent se développer au mieux.

Comme tous les êtres vivants, les plantes ont besoin de lumière naturelle, de chaleur, même s'il y a peu de plantes vertes qui supportent le grand soleil. Quelques variétés peuvent toutefois vivre dans la pénombre. Vous choisirez donc la plante après vous être informé qu'elle ne dépérira pas à l'endroit où vous désirez la placer. Cette précaution vous évitera des regrets. Pensez aussi à utiliser un humidificateur.

Les bons emplacements décoratifs dépendent du nombre de plantes, du volume de leur feuillage et de leur hauteur. Certaines plantes qui s'épanouissent largement peuvent rester isolées ; par contre, des plantes verticales et peu feuillues risquent fort de paraître trop rigides si on ne les groupe pas avec d'autres plus touffues. Du point de vue décoratif, la hauteur des plantes et l'épaisseur de leur feuillage jouent un grand rôle. Qu'elles soient hautes ou basses, vous pouvez soit les laisser isolées, soit les grouper. Nous allons examiner les emplacements qui conviennent à chaque cas.

Quelques conseils pour vos plantes d'appartement

1. Ne les mettez jamais sur un radiateur ni dans les courants d'air.

2. Arrosez-les, mais ne les noyez pas.

3. Les plantes ont toutes besoin de lumière, mais certaines ne supportent pas d'être exposées directement au soleil.

4. Les plantes n'aiment pas être changées de place. Trouvez le coin où elles se plaisent et laissez-les s'y épanouir sans les déplacer.

plantes basses

Isolées

Vous les placerez comme vous le feriez d'un bouquet en choisissant un cache-pot très simple et peu coloré ; vous pouvez même ne pas masquer le pot de terre. Vous éviterez en tout cas de l'envelopper de papier d'aluminium « pour faire joli », ou de le parer d'un ruban. La plante seule importe.

Alignées

Vous alignerez vos plantes lorsque leur feuillage sera assez touffu et se mêlera largement.

Ces rangées de plantes basses peuvent par exemple :

- Former un écran de verdure si vous les placez entre un canapé bas et un meuble d'appui. Dans ce cas, posez les bacs ou la jardinière dans un caisson surélevé (*fig. 28*).
- S'insérer dans la partie inférieure d'une bibliothèque en épi (*fig. 29*).
- Garnir une jardinière ou un bac le long d'une fenêtre (*fig. 30*).

Fig. 28. LES PLANTES : *plantes basses alignées entre un petit canapé et un meuble de rangement.*

Fig. 29. LES PLANTES : *plantes basses alignées dans des jardinières situées sous les tablettes inférieures d'une bibliothèque en épi.*

Fig. 30. LES PLANTES : *plantes basses alignées dans une jardinière placée sous une fenêtre.*

Dans ce décor très sobre, ce sont les plantes et les fleurs qui donnent vie et chaleur.

Groupées

La disposition de plantes en massifs permet d'obtenir des effets différents. A un bac lourd et peu maniable, vous préférerez des bacs de petites dimensions, juxtaposables et sur roulettes, donc faciles à déplacer. Vous avez le choix entre des bacs en plastique moulé, en métal, en bois à peindre ou en lamifié (*fig. 31*). Si votre bac n'est pas en plastique, il doit être doublé intérieurement en zinc lorsque les plantes sont en pleine terre. Cette dernière formule est excellente, car les plantes ont plus d'espace, ce qui leur permet de se développer librement.

A

B

C

D

E

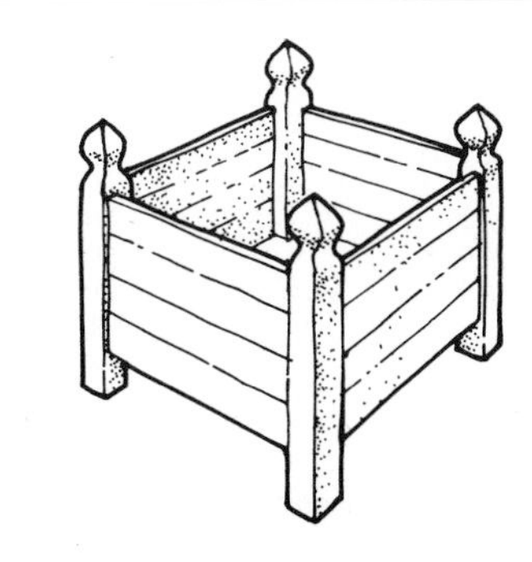

Fig. 31. LES PLANTES : *quelques exemples de bacs à plantes : en plastique* (A à D) *et en bois verni* (E).

A l'extrémité de ce canapé, un bac en aluminium est garni de gros cailloux et de plantes vertes dans une composition très libre qui apporte une note non dénuée de poésie.

Un massif de plantes vertes doit être composé à la manière d'un bouquet. Lorsque les plantes présentent des hauteurs diverses, l'asymétrie est préférable et plus harmonieuse.

Parmi les très nombreuses manières de placer ces massifs, nous en citerons quelques-unes :
- dans le prolongement (*fig. 32*) ou de part et d'autre (*fig. 35*) d'un canapé ;
- dans l'entrée, près du miroir et de la tablette de téléphone (*fig. 33*) ;
- au pied d'un escalier (*fig. 34*) ;
- entre deux fenêtres (*fig. 36*).

Fig. 32. LES PLANTES : *plantes basses dans un bac près d'un canapé.*

Fig. 33. LES PLANTES : *des plantes basses dans une petite jardinière décorent une entrée.*

Fig. 34. LES PLANTES : *des plantes basses décorent un angle mort sous un escalier.*

Fig. 35. LES PLANTES : *des plantes basses dans des bacs carrés encadrent un canapé.*

Fig. 36. LES PLANTES : *plantes basses et hautes dans une jardinière circulaire placée entre deux fenêtres.*

plantes hautes

Isolées

Vous pouvez les dépoter (le vendeur vous indiquera à quelle saison) et les mettre en pleine terre dans un bac (de préférence à roulettes). Les plantes hautes deviennent des éléments décoratifs à l'égal des grands objets, des lampadaires, des sculptures. Vous leur donnerez des emplacements similaires. Nous en citerons quelques-uns, sans que,

Fig. 37. LES PLANTES : *des plantes hautes isolées encadrent une porte d'entrée.*

En tête de cette baignoire, les plantes vertes dans un bac assurent une ambiance végétale en bonne harmonie avec le lieu et profitent de l'humidité ambiante.

bien entendu, ces exemples soient limitatifs :
- dans une entrée ;
- de part et d'autre d'une porte (*fig. 37*) ou d'un beau meuble ;

Implantations possibles de plantes groupées :
- à la base d'un escalier ;
- au pied d'un pilier dans le séjour ;
- pour délimiter une zone.

Fig. 38. LES PLANTES : *une plante haute isolée pare avec beaucoup de charme un départ d'escalier.*

- près de la zone de repos ;
- dans un angle du coin des repas ;
- entre deux fenêtres très rapprochées ;
- au pied d'un escalier (*fig. 38*).

Groupées

Un ensemble de plantes vertes en pots ou en pleine terre, bien qu'il paraisse indépendant de la décoration d'un appartement, doit être installé en fonction de son architecture et de l'implantation du mobilier.
Si vous voulez créer un tel massif, il vous faudra tenir compte de sa taille et de la surface qu'il occupe. N'oubliez pas non plus de le mettre en valeur par des éclairages appropriés.

quelques idées et conseils

- Pour grouper des plantes, ne mélangez que celles qui ont des feuillages très différents.
- Dans un bac, lorsqu'une ou deux plantes très hautes semblent un peu raides, isolées, quelques éléments plus courts et touffus placés à leur pied forment éléments de liaison (*fig. 39*).
- Il n'est pas très heureux de grouper plantes vertes et fleurs en pots.
- Si vous avez une porte-fenêtre vitrée jusqu'au sol, ouvrant sur une loggia, vous agrandirez les perspectives de la pièce en plaçant des plantes de part et d'autre de la

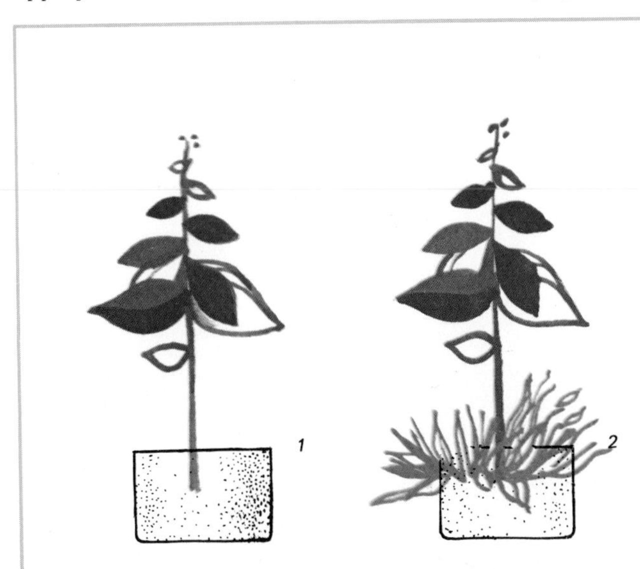

Fig. 39. LES PLANTES : *lorsque les plantes isolées se dressent sans harmonie (1), quelques plantes basses à leur pied recréent un lien décoratif (2).*

vitre, sinon toute l'année au moins durant la belle saison (*fig. 40*).

● Pour fabriquer un bac à plantes, n'utilisez pas un vieux chaudron. Si vos plantes ne sont pas mises en pleine terre dans un bac spécial, vous pourrez, à moindre frais, dissimuler leurs pots derrière un écran. Pour cela, disposez directement sur le sol soit un paravent de bois filé dont la taille ne dépassera pas la hauteur des premières feuilles (*fig. 41 A*), soit un enchevêtrement de quelques branches bien lisses et peintes en blanc (*fig. 41 B*), soit un accordéon de carton blanc très épais que vous confectionnerez vous-même (chaque charnière étant assurée par un ruban adhésif entoilé) [*fig. 41 C*].

● Lorsqu'une plante isolée peu fournie, un bac peu garni ne vous semblent pas assez décoratifs, vous pouvez compléter la composition par des branches mortes, de grandes fleurs séchées, des plantes grasses, etc.

Ces éléments peuvent d'ailleurs à eux seuls constituer un décor. Mais ne les surchargez pas trop d'accessoires du genre fleurs en papier, boules colorées, etc.

Fig. 40. LES PLANTES : *des plantes disposées sur la loggia font pendant à celles de la pièce et agrandissent les perspectives.*

Fig. 41. LES PLANTES : *quelques manières de cacher les pots disgracieux : le bois filé* (A)*; la composition de branches enchevêtrées* (B)*; le petit paravent de carton* (C).

les animaux

Il ne s'agit pas des compagnons en liberté comme le chien et le chat, mais surtout de poissons et d'oiseaux qui donnent dans la maison une note de vie et de gaieté.

les poissons

L'aquarium

Lorsqu'un aquarium est volumineux, il produit un très bel effet ornemental, mais soulève des problèmes techniques (solidité, étanchéité) difficiles à résoudre et dont la solution est toujours onéreuse.

Les aquariums courants seront simples et sans ornement. Vous pouvez les considérer comme de grands objets que vous poserez sur un meuble ou une tablette et pas forcément au centre. La bonne hauteur se situe entre 90 cm et 1,30 m.

Si des coquillages tapissent le fond de l'eau, vous augmenterez l'effet décoratif en disposant sur le support de l'aquarium quelques coquillages dispersés (*fig. 42*), mais n'en mettez pas trop.

Quelques bons emplacements

● Sur un meuble ou un équipement en épi : les poissons seront visibles de deux ou trois côtés à la fois.

Fig. 42. LES AQUARIUMS : *les coquillages posés près de l'aquarium accentuent le décor aquatique. Toutefois, il ne faut pas qu'ils soient trop gros car ils doivent mettre l'aquarium en valeur et non pas l'écraser.*

- Dans l'ébrasement d'une fenêtre condamnée : la transparence apportera beaucoup de charme au décor aquatique.
- Derrière une ouverture pratiquée dans une cloison lorsque la pièce mitoyenne le permet. Bien éclairé, l'aquarium donnera une impression de fond sous-marin (*fig. 43*).
- Devant un miroir découpé à ses dimensions : vous doublerez ainsi le nombre des poissons.

Deux conseils :

- N'abusez pas de coquillages et de plantes aquatiques à l'intérieur de votre aquarium. Évitez aussi les ornements tels que les ponts de porcelaine et autres *ludions* d'un goût parfois douteux.
- Si certains poissons ne font pas bon ménage, vous pouvez juxtaposer deux ou trois aquariums de taille et de forme différentes, que vous grouperez les uns près des autres à des hauteurs diverses, sur des socles en bois peint par exemple. Un petit luminaire placé entre eux transformera et enrichira ce décor inhabituel (*fig. 44*). Mais n'envisagez cette solution que si le support (meuble ou tablette) est assez vaste et dégagé pour supporter un tel décor.

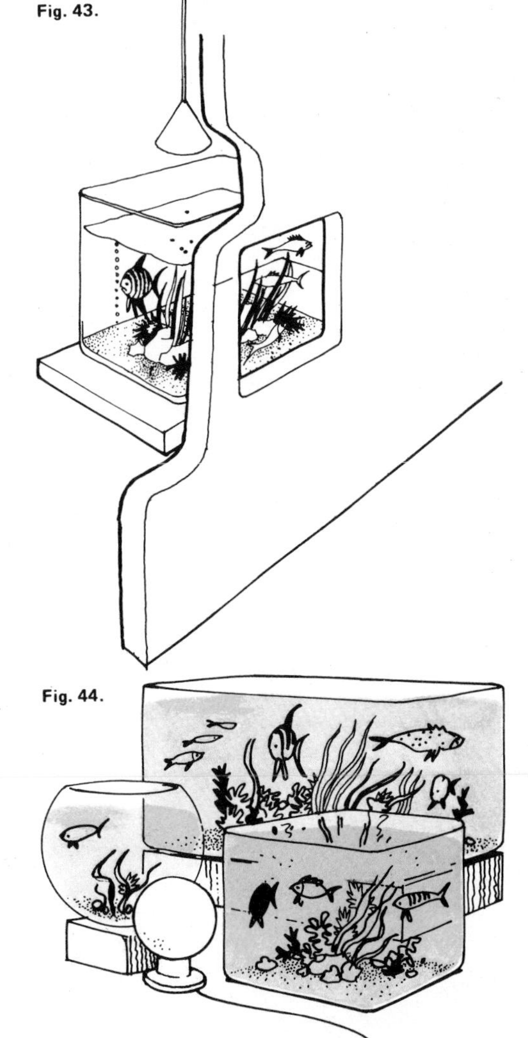

Fig. 43. LES AQUARIUMS : *le hublot a été découpé dans une cloison pour y installer un aquarium.*

Fig. 44. LES AQUARIUMS : *trois aquariums de formes et de dimensions différentes et une petite lampe créent un jeu de lumière et de transparence.*

les oiseaux

Où les installer ?

S'il est difficile d'envisager l'installation d'un très grand aquarium, celle d'une volière ne pose pas autant de problèmes. Vous pouvez retenir tous les emplacements cités dans le chapitre II pour faire office de rangement complémentaire. Nous retrouvons là les ébrasements des portes condamnées, les dessous d'escaliers, les débarras inutilisables, etc., auxquels viennent s'ajouter les niches,

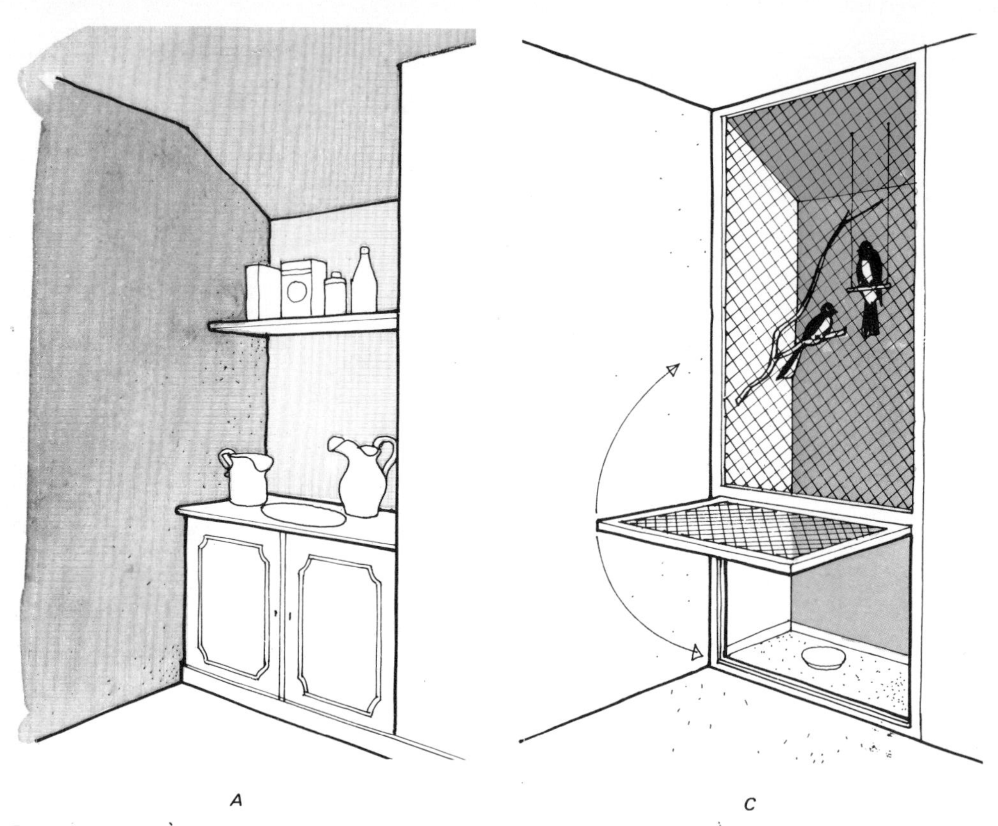

Fig. 45. LES VOLIÈRES : *le renfoncement à pan coupé qui recevait un vieux meuble de toilette* (A) *a été aménagé en volière* (B). *La partie inférieure se soulève pour permettre l'accès et le nettoyage* (C).

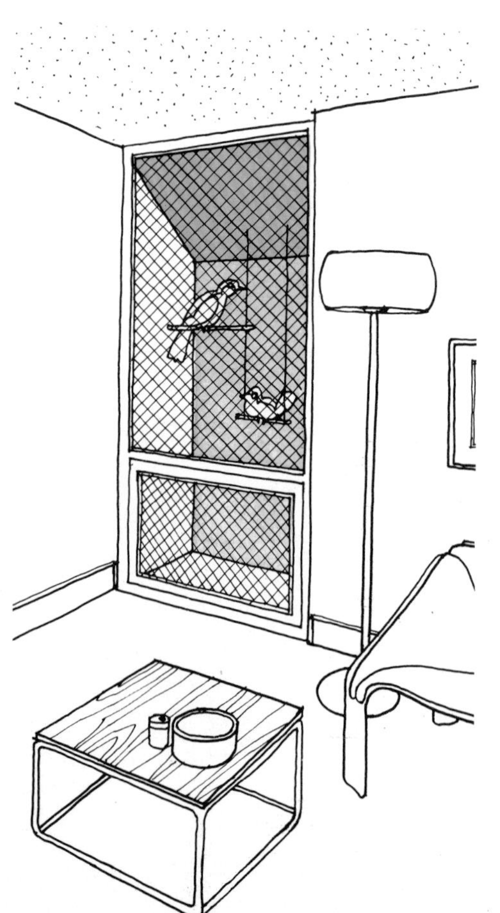

les fenêtres profondes et condamnées, les angles aigus de certaines pièces (*fig. 45*).

La volière

Vous réaliserez la paroi d'isolation en grillage fin, tendu sur un cadre fabriqué aux dimensions maximales de l'ouverture. Elle comportera un passage étroit permettant d'avoir accès à l'intérieur de la volière pour nourrir et soigner les oiseaux et assurer le nettoyage. Ce cadre est facile à construire et peu onéreux même si votre menuisier s'en charge. Lorsque les parois murales d'une volière prolongent directement les murs d'une pièce, vous éviterez de créer des ruptures qui rapetisseraient celle-ci. Vous conserverez partout la même couleur et le même matériau, que vous protégerez si cela est nécessaire. En fait, l'idéal serait de prolonger le même décor mural de part et d'autre du grillage de séparation.
Les murs en pierre, en brique, ou revêtus de métal ou de plastique lavable ne posent pas de problème.
Dans les autres cas, protégez le revêtement du mur avec des plaques de glace ou de Plexiglas transparent, qui ne risquent pas de rompre l'harmonie décorative de la pièce (*fig. 46*).
La paroi du fond peut éventuellement être différente. Elle sera revêtue d'un matériau résistant, laqué d'une couleur mettant en valeur le plumage des oiseaux.
Vous choisirez des perchoirs, des branches et des accessoires discrets sans fioritures douteuses ni couleurs agressives.

Le sol d'une volière se salit vite. Si son revêtement ne peut être lavé quotidiennement, vous le recouvrirez d'un ou plusieurs bacs en zinc aux dimensions exactes de sa surface (*fig.* 47). Votre plombier peut fabriquer ces bacs d'après le « patron » que vous lui fournirez.
Vous pouvez aménager une grande volière au centre d'une pièce. Dans ce cas, vous devrez construire une structure en métal ou en bois que vous habillerez de grillage fin. Une telle volière est très séduisante, très vivante, mais demande de la place et n'est possible que dans des pièces aux proportions généreuses. Mais cette disposition peut permettre de créer un écran vivant entre deux zones de votre séjour.

Les petites cages

Votre collection d'oiseaux est peut-être plus modeste. En ce cas, même une petite cage portable pourra constituer un élément de décor sympathique.
Tous les emplacements que nous avons proposés pour les aquariums sont valables. Prenez garde au grand soleil, certains oiseaux ne le supportent pas.
Ne juxtaposez pas sur le même meuble une cage et un aquarium ; leur voisinage est le plus souvent assez peu esthétique, pour ne pas dire assez laid.

L'osier, la paille, le jonc, tels sont les matériaux de ce coin de détente très décontracté. Les petits meubles blancs encadrent les plantes vertes dont les pots sont dissimulés avec fantaisie. La grande cage s'harmonise avec l'ambiance végétale.

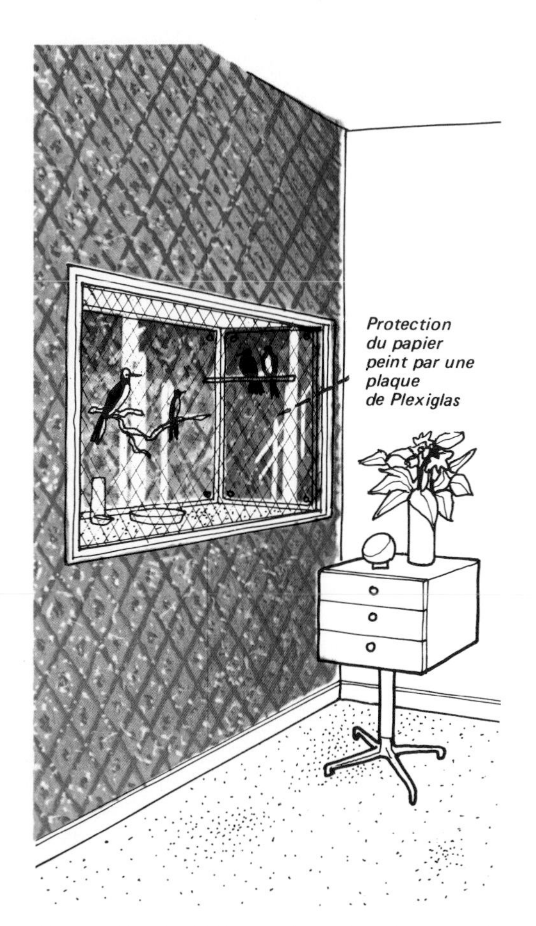

Fig. 46. LES VOLIÈRES : *la niche-volière tapissée comme la pièce a été doublée de plaques de protection en Plexiglas transparent.*

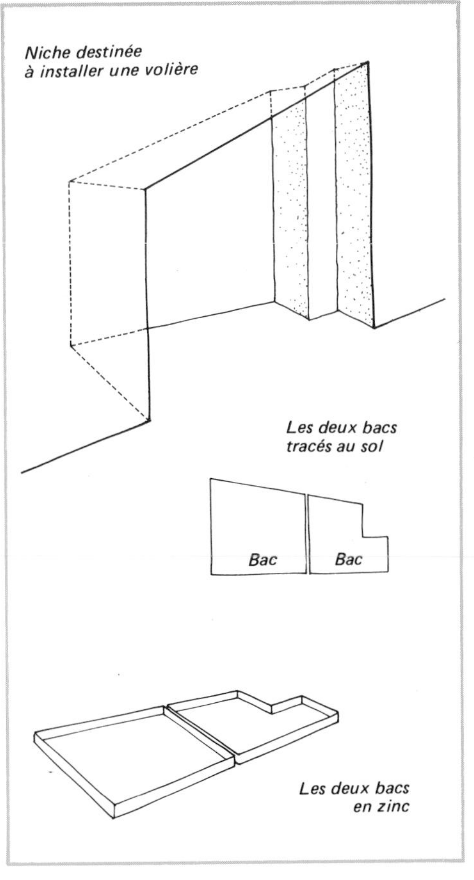

Fig. 47. LES VOLIÈRES : *comment découper des bacs en zinc aux dimensions d'une niche qu'on veut transformer en volière.*

quelques exemples d'ambiances types

En achevant ce tour d'horizon des éléments décoratifs, vous constaterez qu'il vous offre de multiples possibilités. Il convient donc de faire un choix. Nous allons essayer d'illustrer l'importance de ce choix en présentant deux versions différentes pour un même séjour, une même chambre de parents, une même chambre d'enfants ainsi qu'une même entrée. Dans chacun des exemples, une solution vous plaira certainement plus que l'autre. C'est la preuve de votre goût, de votre personnalité. Vous verrez ainsi combien les objets peuvent changer une ambiance alors que l'implantation et le mobilier restent les mêmes.

la salle de séjour

D'une surface d'environ 30 m² (*fig. 48*), elle comprend un coin des repas, meublé d'une table rectangulaire à deux allonges et mesurant 0,85 m x 1,30 m (1), entourée de quatre chaises (2) tendues de tissu. Le sol est recouvert d'un tapis de 1,60 m x 1,60 m. Tournés vers ce coin des repas, sont juxtaposés deux meubles de 1,20 m comportant portes et tiroirs (3) et destinés au rangement de la vaisselle, des accessoires et des couverts.

Le coin de détente, installé près des fenêtres ouvrant sur une loggia, se compose d'un canapé (4), de deux chauffeuses (5), de deux tables basses (6) groupés sur un tapis de 2 m x 2,60 m.
En face de ce coin de repos, sur le mur A

Fig. 48.

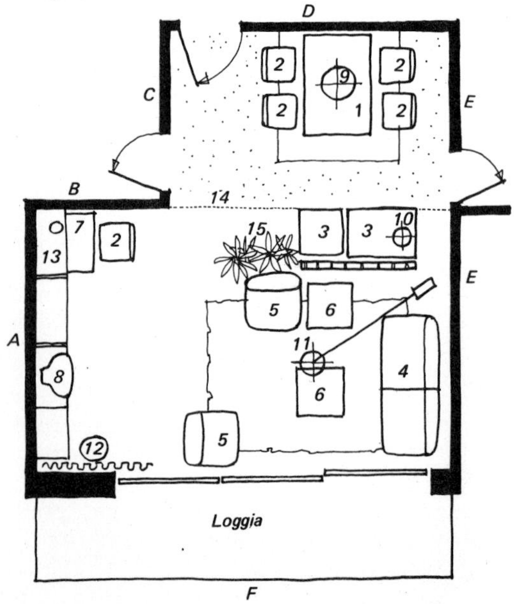

s'appuie un bloc de rangement pour les livres, comportant des rayonnages dans lesquels s'intègre une tablette à abattant formant secrétaire (7). Une chaise (2) est placée devant ce dernier. Sur l'un des rayonnages, dans l'axe du canapé, se trouve un téléviseur (8).

Le plafond de la zone des repas (en pointillé sur le dessin) est surbaissé à 2,10 m. Les portes-fenêtres de la face F sont en *sipo* verni.

Au-dessus de la table des repas, un luminaire suspendu au plafond (9) assure l'éclairage général de cette zone. Une petite lampe (10) est posée sur un des meubles hauts.

Un luminaire potence (11) éclaire la zone de repos. Un autre (12) sur pied, devant les rideaux, diffuse une lumière générale. Une petite lampe orientable (13) éclaire le secrétaire.

Un écran léger sépare la zone de repos et la zone des repas (14). Dans les deux exemples (*fig. 49 a* et *b*), nous avons volontairement conservé le même mobilier, les mêmes matériaux et les mêmes coloris de base.

Seuls diffèrent totalement les éléments décoratifs.
Vous constaterez combien ils influent sur l'atmosphère générale.

Les plantes vertes placées au centre (15) ne se justifient que dans le premier exemple. Dans le second, elles sont remplacées par une grande cage à oiseaux.
Les rideaux, non visibles sur le dessin, sont en toile écrue, les voilages, blancs.

Première version (*fig. 49 a*)

• Zone des repas. Le mur du fond, le plafond et le retour en soffite ont été décorés de papier peint à rayures qu'il est très facile de poser soi-même. Ses couleurs s'harmonisent avec le ton du canapé et d'un fauteuil, afin de respecter l'unité de la pièce. Au sol de ce coin des repas, le tapis en *sisal* écru reste neutre et ne charge pas le décor déjà très marqué de cette zone.

Le mur E (parallèle à la table), également très dépouillé, n'est décoré que par une pendule électrique à chiffres tournants. Un petit bouquet de fleurs blanches disposées dans un vase en verre est posé sur la table. Le mur C (non visible sur le dessin) reste nu, sans aucun élément décoratif.
Les deux meubles de rangement (3) sont

ornés d'une corbeille en osier garnie de différentes sortes de fruits.

• Zone de repos. Le mur E, au-dessus du canapé, s'agrémente d'une amusante collection de cuillers, de fourchettes et de plats en bois. La disposition de cette collection, d'un graphisme sans prétention, reste très libre et prête à accueillir les futures acquisitions. Le tapis à longues mèches est en laine blanche. Sur le canapé, deux coussins assez discrets s'inscrivent dans la gamme de tons éteints de la pièce.

Sur les tables basses, les objets familiers se côtoient. Un seul petit bouquet de fleurs, car les plantes vertes, placées au centre dans un bac roulant, assurent une présence végétale suffisante. Il vaut mieux que leurs feuillages soient assez grands, car de petites feuilles alourdiraient inutilement l'effet déjà très fouillé du décor mural au-dessus du canapé.

Au premier plan, sur le pan de mur B, proche du coin de travail, de petits cadres égaux disposés verticalement entourent des photos d'animaux. Ces verticales correspondent à celles du coin des repas.

Détail de l'équipement du mur A (non visible sur le dessin) :
Des livres et de petits objets curieux ou amusants, achetés au hasard des promenades, garnissent la bibliothèque. Quelques photos sont simplement posées soit entre des livres, soit devant les ouvrages aux couvertures défraîchies.

Deuxième version (*fig. 49 b*)

• Zone des repas. Le mur du fond et le mur E reçoivent une série de gravures en noir sur blanc, dont les cadres en bois verni ont tous la même dimension.

Au sol, la couleur assez intense du tapis de

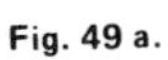

Fig. 49 a.

Fig. 49 b.

laine rase renforce la tonalité générale de la pièce. Le mur C (non visible sur le dessin) est nu. Sur la table, une boule d'œillets s'épanouit dans une coupelle en acier. Des boîtes en argent et en bois peuvent être posées sur les deux meubles de rangement.

• Zone de repos. Sur le mur E, une série de peintures et de sous-verres : une grande toile moderne, un portrait fin de siècle dans son cadre rococo trouvé chez un brocanteur, deux lithographies contemporaines et une sanguine (reproduction d'un dessin de Michel-Ange).

Le tapis est de même matière et de même couleur que celui du coin des repas. Répartis sur le canapé et les fauteuils, des coussins jettent leur note de couleurs vives. Les tables basses reçoivent les objets familiers.

A l'alignement de la cloison légère, derrière un des fauteuils, une grande cage en osier reçoit deux oiseaux. Elle pend du plafond et est soutenue par une corde de Nylon blanc accrochée à un piton en acier.

Au premier plan, sur le pan de mur B, un amusant support à perruques en faïence repose sur une console désuète peinte. Quelques montres à gousset accrochées à la cloison complètent l'ambiance décontractée de cette zone de travail.

la chambre

C'est une pièce de 3,20 m x 4,50 m (*fig. 50*). Le lit de 140 (1) est encadré par deux blocs-penderies (2) dont les portes-panneaux sont en noyer verni. Ces deux blocs créent ainsi une alcôve comportant latéralement deux niches prises sur le volume du placard et formant chevet. Cette chambre ouvre sur un balcon par une porte coulissante. Un voilage léger habille toute la paroi C (mur et fenêtre). Il n'y a pas de doubles rideaux, car l'obscurité est obtenue grâce à des volets extérieurs.

Devant le panneau fixe de cette baie se trouvent une petite table de style régional au piétement tourné (3) et un tabouret garni de tissu, au piétement en acier poli.

Afin de compléter le volume de rangement offert par les penderies, un petit meuble à tiroirs (4) s'appuie sur le mur B.

Une moquette synthétique en grande largeur recouvre le sol. Les murs B, D et la retombée du mur C sont tendus d'un papier japonais au très fin tissage. Le plafond est blanc.

Une lampe (6) posée sur le meuble régional et un petit luminaire suspendu (7) au-dessus de la zone située près de la porte d'entrée assurent l'éclairage général. Deux lampes spots éclairent les chevets.

Voici deux nouveaux exemples où, en utilisant ces mêmes éléments de base, la modification de certains détails transformera l'ambiance.

Première version (*fig. 51 a*)

L'alcôve seule a été habillée d'un papier peint coloré. Plusieurs peaux de chèvre recouvrent le sol. Les coussins sont dans une harmonie très douce. Sur le mur D (non

Fig. 50.

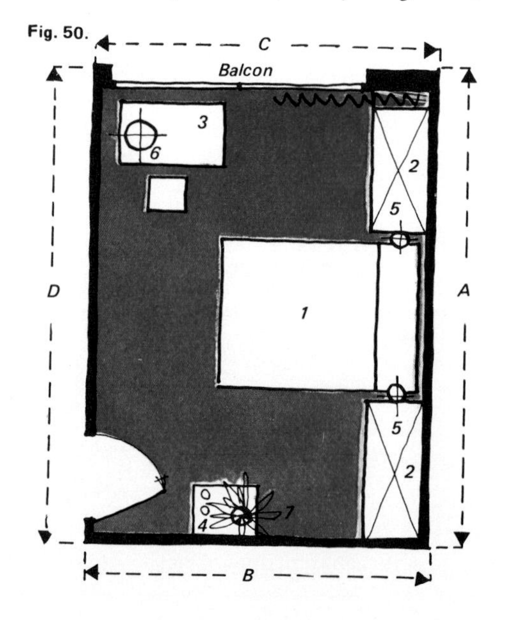

Fig. 51 a.

Fig. 51 b.

visible), cinq gravures sont alignées régulièrement.
Sur le petit meuble (4), sont placés un bouquet de feuillages et des objets, et sur le petit meuble régional se trouvent un miroir et des flacons.

Deuxième version (*fig. 51 b*)
L'atmosphère est très différente, plus stricte et un peu conventionnelle. Les peaux de chèvre ont été remplacées par un vaste tapis aux tons dégradés.
L'alcôve est tendue de soie grise et un tableau au cadre moderne décore l'axe du lit.
Sur le côté des penderies, des médaillons s'alignent verticalement au-dessus des petits spots.
Sur le meuble (4), un aquarium remplace les feuillages et, sur le meuble régional, un bouquet de fleurs égaie une coupe en acier.
Les coussins du lit sont plus vifs. Sur le mur D (non visible), des boîtes renfermant une collection de papillons sont disposées librement.

la chambre de deux jeunes enfants

Elle mesure 13,50 m^2 sans compter une penderie-rangement (1) dont la surface correspond à celle d'un ancien placard d'accès difficile (*fig. 52*). Les portes de la penderie sont en aggloméré prêt à être peint ou recouvert. Un linoléum a été posé sur le sol.
Un revêtement plastique lavable tapisse les murs. Le plafond est peint en vert pâle. L'ameublement se compose de deux lits (2) superposés en bois laqué, d'une planche servant de bureau (3) en lamifié blanc posée sur deux tréteaux en bois blanc verni. Les deux sièges de travail (4) sont laqués en rouge, ils ont une hauteur réglable. La petite fenêtre est habillée d'un store à lamelles horizontales et d'un double rideau (6) en toile de jute.
Au plafond, un luminaire composé de deux spots orientables et laqués blancs assure l'éclairage général.

Fig. 52.

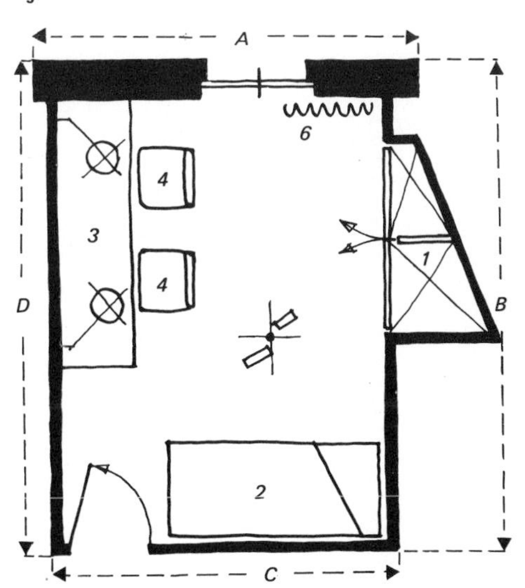

Au-dessus du plan de travail, chaque enfant dispose d'une lampe articulée blanche.
Une petite lampe encastrée, avec interrupteur, éclaire chaque chevet et permet à chaque enfant de lire sans gêner l'autre.
Comme précédemment, nous allons, tout en conservant ces éléments de base, vous présenter deux options décoratives très différentes.

Première version (*fig. 53 a*)
L'intérêt est centré sur les portes de la penderie où, sans difficulté, l'on a collé en guise de décor-photo l'agrandissement d'un dessin extrait d'un album pour enfants. Sachez que plusieurs laboratoires réalisent à des prix abordables ces agrandissements en tous formats. Le décor-photo suffit à créer une ambiance que les jeunes apprécient et qu'on peut facilement changer. Les portes supérieures du rangement sont laquées

Fig. 53 a.

Fig. 53 b.

blanches. Sur le mur D (non visible sur le dessin) les enfants collent leurs dessins et des affichettes sur un panneau de liège. Ils dessinent sur un tableau noir que supporte un chevalet. Un tapis de jonc tressé recouvre le sol. Les coussins sont vifs et colorés.

Deuxième version (*fig. 53 b*)
Une moitié du placard est peinte sur toute sa hauteur en « ardoisine », ce qui permet aux enfants de dessiner à leur guise, l'autre moitié est laquée blanc brillant (entretien facilité). Les éléments vivants sont apportés par une grande fleur de papier qui se déplie (style lampion) et un grand baromètre à la porte d'entrée. Au sol, le tapis blanc est en fibre synthétique se lavant à l'éponge. Les coussins des lits sont de tons pastel.

l'entrée

Elle est le centre fonctionnel de l'appartement (*fig. 54*). A gauche, au fond du renfoncement, un dégagement dessert les chambres, la salle d'eau et les w.-c. Face à la porte d'entrée s'ouvre une double porte sur la salle de séjour. On utilise comme vestiaire le second renfoncement, symétrique au dégagement menant aux sanitaires. Il est fermé par des portes accordéon en bois verni (1) identique à celui de la porte d'entrée.

Le mur prolongeant le vestiaire sur lequel s'appuie le meuble (2) est peint en blanc satiné. Les autres murs ont reçu une peinture grossièrement *pochée* d'aspect très rustique.

Le plafond est peint de la même couleur, mais ici non pochée.

Au sol, un revêtement de tapis-brosse (en grisé) se juxtapose à la moquette de la salle de séjour. Cette astuce permet de créer une liaison décorative, souvent difficile à obtenir entre ces deux pièces. L'ameublement de cette entrée est très réduit. Un petit meuble (2) en plastique moulé, comportant quatre tiroirs, supporte le téléphone. Entre ce meuble et la porte du vestiaire, on a placé un porte-parapluies en plastique moulé (3).

L'éclairage est diffusé par un plafonnier en Plexiglas équipé intérieurement par un mélange de tubes fluorescents et de lampes incandescentes (4).

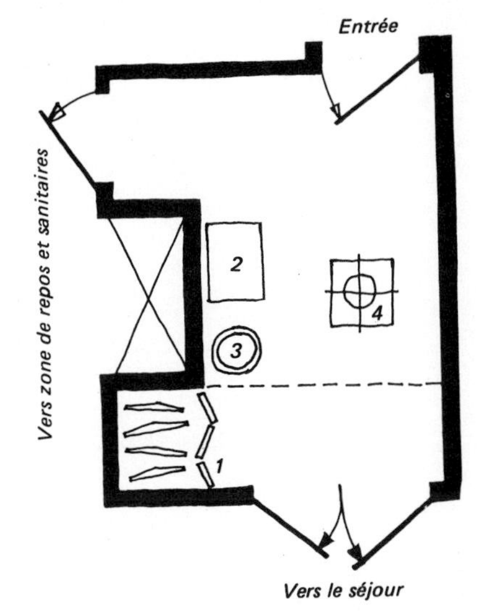

Fig. 54 .

Première version (*fig. 55 a*)
Des masses et des surfaces plus ou moins colorées composent cet ensemble décoratif. Au-dessus du petit meuble, une pendule au cadre très mouluré et coloré surmonte un grand miroir circulaire dans un cadre carré en bois laqué. Près du miroir, un calendrier éphéméride, composé de bandes colorées (mensuelles), se lit grâce à un petit curseur cernant chaque chiffre. Près de l'entrée, un laurier reçoit la lumière du séjour.

Fig. 55 a.

Pour compléter le décor, on a réparti sur les murs quelques affiches touristiques collées sur des panneaux de latté. Leurs bords supérieurs s'alignent sur celui du miroir.

Deuxième version (*fig. 55 b*)
Le décor se compose d'éléments plus sobres. Pour équilibrer ce décor différent, on a modifié les perspectives grâce à deux bandes de glace argentée formant deux miroirs qui agrandissent les perspectives.
Dans l'un se reflète un grand poisson en papier placé au-dessus du petit meuble et, dans l'autre, un luminaire sur pied qui donne un effet d'éclairage amusant vers la partie menant aux chambres.
Une longue jardinière remplie de plantes vertes longe le mur faisant face au petit meuble.

Fig. 55 b.

Ces quelques exemples que nous venons de vous présenter vont peut-être vous donner envie de transformer tout ou partie de votre habitation. Nous espérons vous y aider.
Ne changer le décor de sa maison qu'à l'occasion des communions et des mariages est un peu attristant. Dans le plus modeste budget, l'achat annuel de quelques rouleaux de papier peint, d'une affiche ou d'un coussin coloré et gai peut trouver sa place. Il n'en faut parfois pas plus pour se sentir « chez soi et autre part ».

Une maison où le décor, c'est-à-dire les objets, les fleurs, les lumières changent n'est jamais une maison triste. C'est une maison heureuse, douillette, une maison qui vit et où l'on peut se sentir chez soi et en vacances.

CHAPITRE V

LES RÉSIDENCES SECONDAIRES

On les appelait autrefois des maisons de campagne, et elles étaient le fait d'une classe sociale privilégiée. On les nomme aujourd'hui, en empruntant le vocabulaire de l'administration fiscale, des résidences secondaires. Les statistiques indiquent qu'en France une personne sur trente-deux a une résidence secondaire. C'est le taux le plus élevé d'Europe et il est deux fois plus fort que celui des États-Unis. Bien sûr, tout le monde ne possède quand même pas une seconde maison. Mais tous ceux qui vivent, que ce soit en permanence ou plus ou moins sporadiquement à la campagne (ou à la mer, ou à la montagne), trouveront dans ce chapitre des conseils et des idées dont ils pourront tirer parti. Car la vie urbaine, qui se déroule le plus souvent en appartement, ne pose pas les mêmes problèmes que la vie qu'on mène au contact de la nature. Or, c'est précisément de cette nature que les citadins veulent se rapprocher, à tel point que les résidences secondaires apparaissent comme une nécessité vitale à la majorité d'entre eux, et que villas, fermettes, chalets ou granges aménagées sont devenus un antidote indispensable à l'agitation, au bruit et à la pollution des grandes villes.

◀ *D'une grande simplicité de volume, ce chalet s'inscrit parfaitement dans la nature environnante, puisque le bois (sapin teinté) en est le matériau principal. Tous les murs sont doublés de laine de verre pour assurer une bonne isolation thermique (voir les chambres en p. 206).*

Cette ancienne et grande maison a été entièrement restaurée; pourtant elle doit son caractère au respect que les propriétaires ont porté à ses ouvertures inégales et à ses décrochements divers. En fait, les parties abîmées ont été réparées avec soin dans la tradition artisanale, et toutes les huisseries ont été refaites sur les modèles primitifs. ▼

Cet ancien moulin situé en Ile-de-France a été restauré avec soin. Les murs sont restés intacts. La texture inégale et la coloration des matériaux entrent, pour une large part, dans la qualité de l'ensemble. Seule innovation discrète : la porte d'entrée principale à deux vantaux, voûtée en plein cintre, a été vitrée sur toute la hauteur. ▼

le choix

Le choix d'une résidence secondaire dépend d'un certain nombre de considérations. En premier lieu, bien entendu, c'est une question de budget. Mais il faut également tenir compte de la distance et des facilités de communication, du nombre de personnes qui seront appelées à utiliser la maison, du genre de vie que l'on souhaite y mener. Accueillerez-vous beaucoup d'enfants, beaucoup d'amis ou vivrez-vous en solitaire ? Souhaitez-vous changer d'air chaque week-end ou vous contenterez-vous des grandes vacances? Appréciez-vous les charmes de la pleine campagne et êtes-vous prêt à en accepter les inconvénients? Ou avez-vous besoin au contraire de vous trouver à proximité d'un médecin, d'un pharmacien, d'un bureau de poste et de commerces d'alimentation? Êtes-vous fanatique d'un sport (natation, ski, voile, pêche...) ou cherchez-vous seulement le calme et la beauté d'un paysage champêtre?

Toutes ces questions, et bien d'autres, détermineront votre décision. Elles l'orienteront vers telle ou telle région et fixeront approximativement l'emplacement et les dimensions de votre habitation. Il vous restera ensuite à choisir entre trois solutions : transformer une maison ancienne, faire construire votre maison, acheter une maison préfabriquée.

Les maisons anciennes présentent un certain nombre d'avantages. Quel que soit leur âge, elles sont en général bien intégrées au paysage et possèdent un certain charme naturel; les traditions locales dont elles sont le fruit garantissent également qu'elles sont adaptées au climat. En outre, elles épargnent à leurs acquéreurs les tracas administratifs et les travaux ingrats d'une construction neuve. Les aménagements qu'elles exigent sont bien souvent passionnants à concevoir et à exécuter.

Faire construire sa maison présente également un certain nombre d'agréments. On peut choisir à son gré un emplacement, décider soi-même des dimensions de l'ensemble et de la distribution des pièces, prévoir, dès la conception du plan, le confort dont on souhaite disposer. Une maison neuve offre moins de risques de surprises coûteuses qu'une maison ancienne. Mais, elle exige une surveillance des travaux, difficile du fait de l'éloignement de la résidence principale.

les travaux extérieurs

la maison que vous achetez

Qu'il s'agisse d'une maison du XVIIIe s. ou d'une maison construite il y a une cinquantaine d'années, elle répond aux exigences de la tradition locale pour ce qui est des matériaux utilisés, du plan, des formes architecturales, de l'orientation, etc. C'est également, le plus souvent, une maison rurale : elle a donc été conçue non seulement comme une habitation, mais comme un outil de travail et elle abrite, selon les cas, cellier, fenil, pressoir, grange ou même bergerie.

Enfin, son plan obéit (du moins dans les maisons modestes) à certaines règles précises. Les ouvertures sont peu nombreuses, étroites et rarement orientées vers le soleil : c'est qu'elles ne devaient laisser pénétrer ni le froid ni la chaleur. Au rez-de-chaussée, l'espace intérieur est occupé par deux pièces : la salle commune qui sert à la fois de cuisine et de salle à manger, et qui comporte souvent de petites dépendances (arrière-cuisine, souillarde), et une seule chambre, dite parfois « belle chambre ». Dans cette grande salle, le corps de cheminée est important, solide, maçonné avec soin. L'étage, quand il existe, est peu aménagé et sert essentiellement de grenier. Le toit est vaste, étudié en fonction du climat et rarement pourvu d'ouvertures.

Transformer une maison rurale ancienne en maison de vacances exige, en général, un certain nombre de travaux : réparations, aménagements et, parfois même, agrandissements.

Quel que soit le problème que vous ayez à résoudre, efforcez-vous toujours de respecter le style local en vous inspirant, au besoin, des maisons du voisinage. Soyez aussi attentif aux proportions (volumes et surfaces), aux formes (ouvertures, toits, *poteries* de cheminée) qu'aux lignes horizontales ou verticales de l'ensemble, ou qu'au choix des matériaux, et à leur mise en œuvre, caractéristique du style.

Pour habiter une ancienne bergerie, des travaux sont indispensables. Ici, le percement des fenêtres semble avoir été fait en même temps que la maison. La beauté naît du dépouillement et de la qualité sauvegardée du matériau qu'aucun élément anachronique n'altère.

les murs

Ils sont le plus souvent bâtis avec des matériaux locaux (grès, silex, pierre calcaire, cailloux roulés, selon les régions) et des matériaux d'un emploi plus général (briques et torchis en particulier). Lorsqu'une remise en état s'impose, il est bien entendu préférable de faire appel à ces mêmes matériaux, quitte à tricher un peu sur leurs joints et à les remplacer par du ciment teinté.
Évitez la solution de facilité qui consiste à crépir ou à enduire un mur défectueux : cela l'empêche de respirer et ses défauts risquent de s'accroître sans que vous vous en aperceviez.
Mais les matériaux traditionnels sont parfois rares et onéreux. Dans ce cas, vous vous contenterez de réparer le plus soigneusement possible les parties abîmées, sans vous soucier d'authenticité, et de peindre en totalité les murs de la maison, après les avoir enduits de ciment lisse ou de plâtre. Choisissez une teinte en harmonie avec l'architecture locale et le paysage environnant : les ocres, la terre de Sienne sont d'un emploi assez étendu. Le blanc est parfois la meilleure solution, mais il ne convient pas partout, surtout lorsque c'est un blanc pur. Le blanc cassé est d'un emploi plus facile. De toute façon, évitez les couleurs trop vives ou insolites : pas de bleu de nuit, de rouge vif, d'orange ou de vert Nil, etc.
Dans de nombreuses régions (Normandie, Alsace, Landes, par exemple), le bois est d'un emploi courant en façade. Si quelques pans vous manquent, vous pourrez généralement vous les procurer facilement par l'intermédiaire d'un maçon qui les aura récupérés en démolissant une grange ou un bâtiment de ferme du voisinage.

les portes et fenêtres

Les ouvertures d'une maison ancienne nous paraissent presque toujours insuffisantes. Le goût de la lumière et du soleil est, en effet, caractéristique de notre époque. Autrefois, au contraire, la maison était bien plus qu'aujourd'hui synonyme de refuge et devait protéger ses habitants de l'environnement extérieur.
En vous installant dans une maison ancienne, vous désirerez, la plupart du temps, soit percer de nouvelles fenêtres et de nouvelles portes, soit agrandir celles qui existent déjà. C'est une opération très délicate car elle remet en cause ce qu'il y a de plus significatif dans la physionomie de la construction. Avant toute chose, vous étudierez avec soin les proportions des ouvertures des maisons du voisinage identiques à la vôtre. Il

est important de déterminer le rapport qui existe entre la hauteur et la largeur de chaque type d'ouverture, et chaque région possède ses caractéristiques. Il en est ainsi des portes principales, des portes latérales ou secondaires, des fenêtres (rez-de-chaussée et étage), des lucarnes, etc. Lorsqu'on perce une fenêtre nouvelle, il faut lui donner les proportions et les dimensions des fenêtres voisines, ou adopter des proportions franchement différentes. Dans ce cas, l'intégration est assurée par la grandeur des vitres ou des volets. Il est peu recommandé, par contre, d'élargir et de rehausser tout à la fois une fenêtre existante, car elle paraîtrait alors monstrueuse et mal intégrée à l'ensemble architectural. Mieux vaut développer sa largeur ou, dans certains cas précis, sa hauteur, en conservant l'autre dimension intacte.
Vous éviterez également les erreurs suivantes :

- Ouvrir une baie, une fenêtre, une porte dans l'axe d'un pignon qui n'en comportait pas (*fig. 1*). Si beaucoup de murs pignons sont aveugles, c'est qu'ils sont orientés de façon à protéger la maison des intempéries du côté le plus exposé aux vents, pluies, neige, grêle. De plus, comme il n'a pas été prévu, en les construisant, qu'on puisse jamais y percer d'ouverture, on risque, en transgressant cette règle tacite, de nuire à la solidité ou à la cohésion de la maison.

- Maçonner une nouvelle ouverture avec un épais linteau de ciment (*fig. 2*). Si l'on ne peut retrouver le type de pierre ou de poutre qui sert habituellement de linteau dans les anciennes constructions, le ciment doit se faire le plus discret possible.

- Percer des ouvertures symétriques dans une façade qui ne l'est pas (*fig. 3*). La symétrie ne se justifie, en effet, que si elle est appliquée à l'ensemble de la maison; autrement, elle est très désagréable à l'œil. D'ailleurs, les anciennes maisons paysannes ou rurales étaient généralement asymétriques, du moins jusqu'au milieu du XIXe s.

- Juxtaposer portes et fenêtres (*fig. 4*). C'est une solution bâtarde et disgracieuse. La porte-fenêtre est préférable.

- Poser des huisseries à trop petits croisillons sur les grandes portes-fenêtres que l'on apprécie aujourd'hui. La dimension des croisillons doit être proportionnelle à celle de l'ouverture.

- Utiliser pour le linteau et l'encadrement des éléments de récupération trop richement sculptés. Ils ne sont pas en accord avec l'ensemble de la construction et l'effet théâtral que l'on obtient est en contradiction avec le style très simple de la plupart des maisons rurales, même très anciennes.

Une remise ouverte prolongeait le corps d'habitation au niveau de l'accès supérieur, par le chemin de droite sur la photo, au-dessus du passage ouvert au rez-de-chaussée. On l'a transformée en salle de jeu entièrement vitrée en laissant la poutraison apparente. L'intégration est totale et les proportions générales sont respectées.

Une longue baie vitrée fermée d'une glace fixe éclaire la salle de séjour de cette maison normande ainsi restaurée sans toucher à la poutraison ni nuire aux proportions générales. ▶

Fig. 1. LES OUVERTURES DANS UN MUR PIGNON : *la porte et la fenêtre ronde, percées dans l'axe du pignon, diminuent l'effet de solidité et de force d'une maison traditionnelle.*

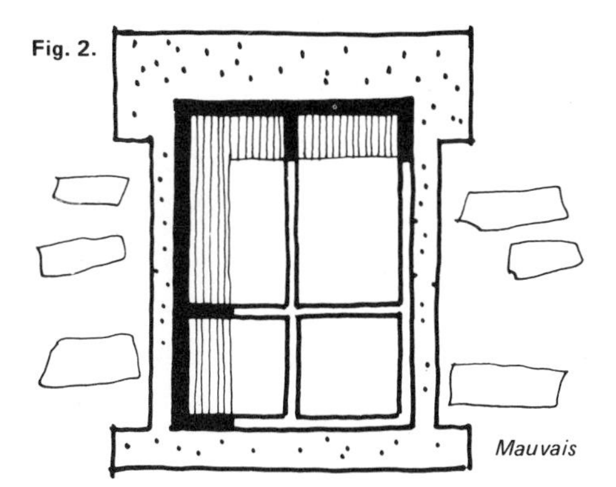

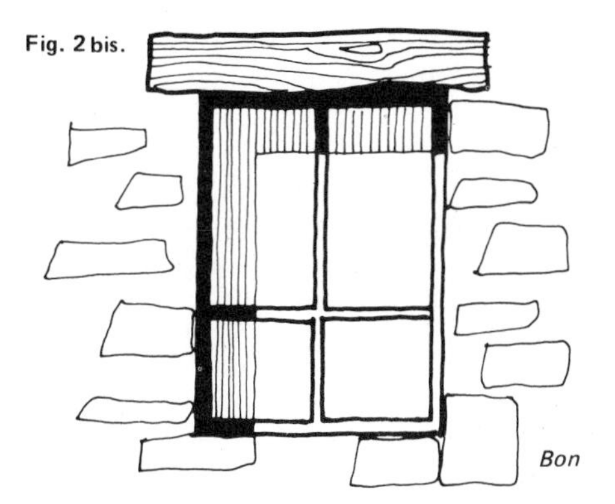

Fig. 2 et 2 bis. LES ENCADREMENTS DE FENÊTRES : *une fenêtre surmontée d'un bandeau et cernée d'un encadrement en béton* (2) *est trop massive. Il est préférable d'employer pour l'encadrement de l'huisserie le même matériau que pour le reste du mur, avec une poutre en bois plus rustique formant un linteau* (2 bis).

Fig. 3 et 3 bis. LES OUVERTURES EN FAÇADE ET LA SYMÉTRIE : *cette maison est constituée par la juxtaposition de plusieurs corps de bâtiment construits à des époques différentes. Ils remplissaient alors des fonctions utilitaires bien définies qui ont dicté leur distribution. L'ensemble a du caractère, mais, pour le conserver, évitez de percer des ouvertures symétriques* (fig. 3 bis) *dans cet ensemble essentiellement asymétrique. La façade serait alors déséquilibrée. Notez enfin la grosse erreur que constitue, dans la figure 3 bis, la position de la fenêtre A, à cheval sur la ligne d'intersection des deux corps de bâtiment.*

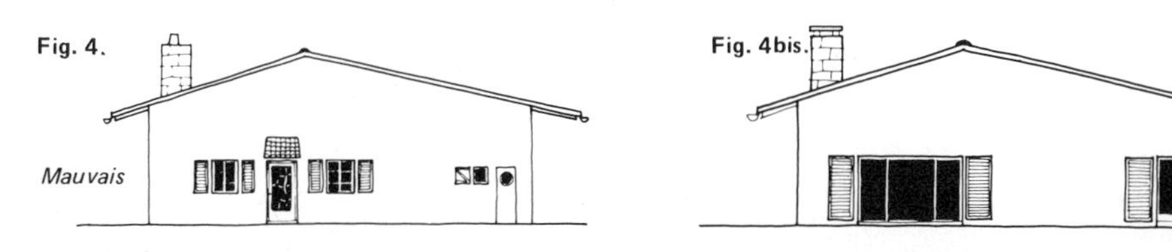

Fig. 4 et 4 bis. LES OUVERTURES DIVERSES EN FAÇADE : *il n'est pas très heureux de percer, dans une façade dépouillée, une série de petites fenêtres, de petites portes et d'agrémenter le tout avec des grilles, des jardinières et des auvents. En morcelant ainsi la surface murale, on en réduit les proportions au lieu de l'embellir* (fig. 4). *Il est préférable de percer deux portes-fenêtres qui assurent la luminosité intérieure désirée* (fig. 4 bis).

Une ancienne ouverture pour l'aération de la grange transformée devient une petite baie fermée par un panneau fixe en glace claire, devant lequel ont été disposés quelques objets. La pierre formant le linteau est très belle.

• Ouvrir des œils-de-bœuf, lorsque ce type d'ouverture est étranger à l'architecture de la maison.

• Utiliser des pavés de verre pour une baie, une fenêtre ou une porte vitrée en façade. C'est un matériau trop moderne. Il jurera avec tous les éléments plus anciens (*fig. 5*).

• Ouvrir de grandes fenêtres dans la pente du toit qui surmonte la façade; c'est une opération délicate. En effet, si ces fenêtres sont trop grandes, elles paraîtront écraser la maison et réduire ses proportions, ce qui en changerait complètement l'aspect. Si vous avez besoin de donner beaucoup de lumière à des pièces aménagées dans un grenier, ouvrez les baies ou les fenêtres sur le versant opposé du toit. Le mieux, pour éclairer un grenier, est d'ouvrir de simples verrières dans la pente du toit (*fig. 6*). Comme elles ne font pas saillie, elles nuisent moins à l'apparence de la maison que de véritables fenêtres. Elles sont en outre moins coûteuses.

Vous pouvez par contre, sans risque de vous tromper, appliquer ces quelques conseils très simples :

• Utiliser des poutres, neuves ou de récupération, pour former le linteau d'une porte ou d'une fenêtre. Le bois, naturel, verni ou peint, s'accorde avec tous les types de maçonneries.

• Créer d'étroites ouvertures horizontales ou verticales qui apporteront de la lumière à l'intérieur, sans nuire à la façade sur laquelle elles auront été ouvertes (voir plus loin les travaux intérieurs).

• Fermer un hangar, une remise, une petite grange annexe par une grande glace, sur toute la hauteur de l'ouverture existante. C'est le moyen d'ajouter à la maison une grande pièce ensoleillée sans toucher à son architecture.
Si votre maison et les maisons de la région n'ont pas de volets extérieurs, renoncez-y et contentez-vous de volets intérieurs.
D'une façon générale, inspirez-vous de ce qui se pratique dans la région pour des maisons de la même époque que la vôtre. Vous éviterez, en tout cas, les volets métalliques et

La simplicité et la bonne répartition des ouvertures s'accordent aux proportions de cette petite maison. Le bois des volets et des huisseries est également bien associé à la pierre naturelle des murs et à la tuile romaine de la toiture.

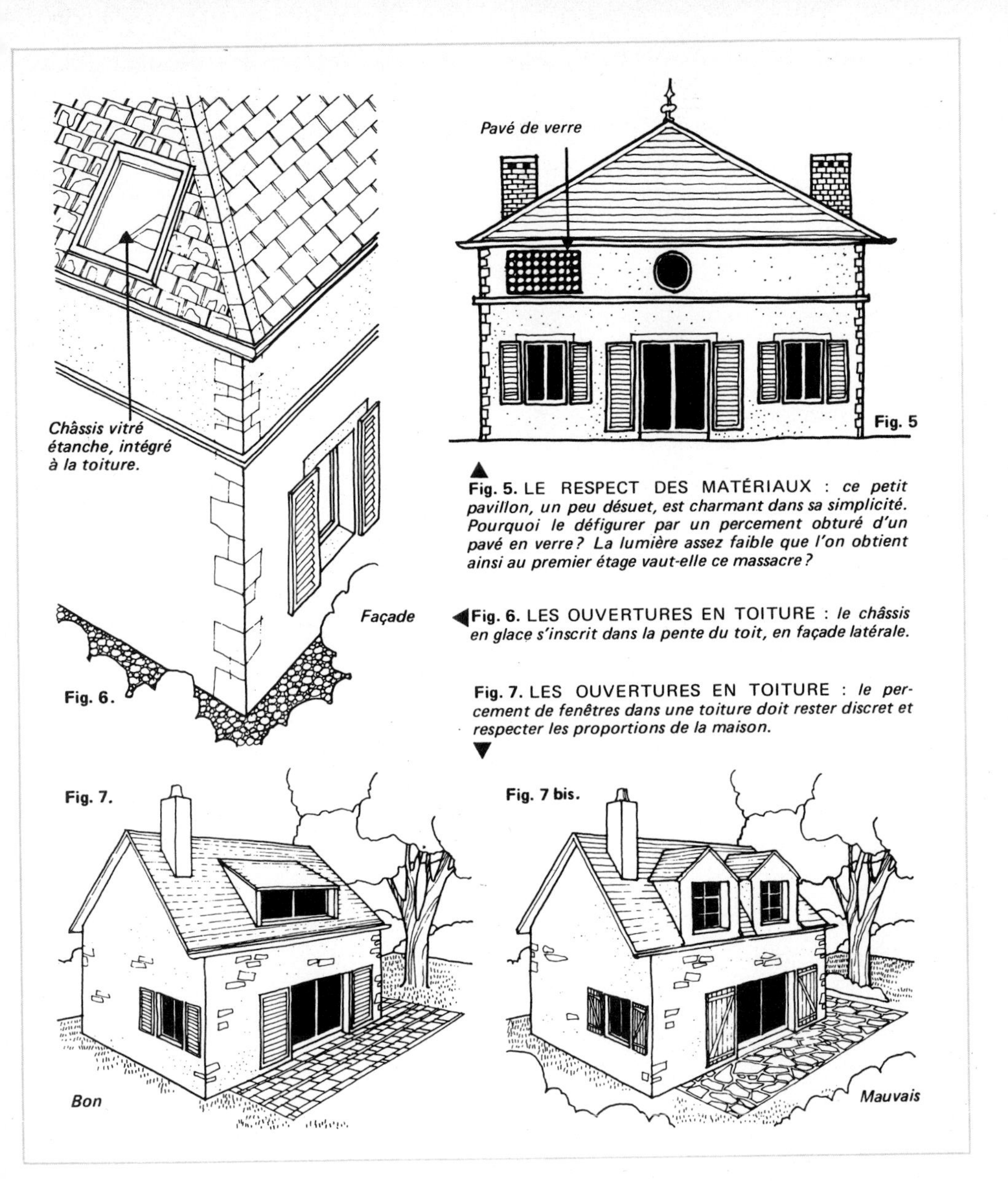

▲ **Fig. 5.** LE RESPECT DES MATÉRIAUX : *ce petit pavillon, un peu désuet, est charmant dans sa simplicité. Pourquoi le défigurer par un percement obturé d'un pavé en verre? La lumière assez faible que l'on obtient ainsi au premier étage vaut-elle ce massacre?*

◀ **Fig. 6.** LES OUVERTURES EN TOITURE : *le châssis en glace s'inscrit dans la pente du toit, en façade latérale.*

Fig. 7. LES OUVERTURES EN TOITURE : *le percement de fenêtres dans une toiture doit rester discret et respecter les proportions de la maison.* ▼

les stores enroulables, aussi bien en bois qu'en plastique. Leur apparence est trop franchement moderne pour une construction qui a plus de cinquante ans d'âge.
Par contre, vous pouvez utiliser les stores de toile pour protéger les pièces trop ensoleillées.
Les couleurs des volets de bois plein ou à lamelles sont généralement fixées par la tradition locale. Mieux vaut ne pas trop s'en écarter. Rien n'est plus voyant qu'une tache de couleur heurtée sur la façade d'une maison ancienne patinée par les ans.

les toits

Leur pente, leur forme, le matériau qui les habille sont déterminés par une longue tradition régionale, qui est, elle-même, la conséquence des conditions climatiques. En Périgord, par exemple, les toits ont d'habitude quatre versants à pente forte et sont recouverts de tuiles plates. En Savoie, ils n'ont que deux versants inégaux, de pente moyenne au sud et forte au nord; ils sont habillés d'une double couche de planches de mélèze. Dans les Pyrénées, les deux versants, aux pentes presque verticales et couvertes de dalles de schiste, sont encadrés par les murs pignons qui dépassent la crête du toit.
Vouloir modifier l'une ou l'autre de ces caractéristiques conduit le plus souvent à des déconvenues. Il est même préférable de les adopter telles quelles si l'on doit faire construire des annexes : garages, remises, abris.
Toutefois, il n'est pas toujours aisé de se procurer un matériau de couverture identique au matériau d'origine. Les vieilles ardoises et les vieilles tuiles sont rares, coûteuses et difficiles à poser. Si vous avez à faire réparer le toit d'une vieille maison et sauf s'il s'agit d'une maison vraiment ancienne, n'hésitez pas à employer des tuiles ou des ardoises modernes (façon ancienne), en vous assurant simplement qu'elles ont à peu près les mêmes avantages que celles qu'elles doivent remplacer. L'entrepreneur

auquel vous vous adresserez doit vous donner à ce sujet une garantie totale.
Percer une fenêtre dans un toit est toujours une opération délicate. Mais c'est bien souvent indispensable pour utiliser la place perdue que représentent les vastes greniers d'autrefois. Si vous avez à le faire, n'oubliez pas que plus les formes d'ouverture seront simples, moins elles risqueront de nuire à l'harmonie générale (*fig.* 7) et plus vous éviterez les raccords entre la fenêtre et la toiture. Or, ces raccords constituent toujours autant de points faibles, particulièrement en ce qui concerne les infiltrations de pluie.
Les cheminées posent, elles aussi, de délicats problèmes de raccord qu'il faut traiter avec soin. Efforcez-vous de conserver la cheminée d'origine car elle donne du caractère à la toiture.

les clôtures

Contrairement à ce qui se passe dans beaucoup d'autres pays, les Français aiment ceinturer leurs maisons d'un rempart qui les protège, paraît-il, des intrus et des voleurs... Cela reste à prouver, mais ne change rien à l'affaire.
Beaucoup de maisons isolées étaient autrefois entourées, ou du moins séparées du chemin ou de la route la plus proche, par un mur de pierres, de briques formant clôture. Le matériau était souvent identique à celui de l'habitation.
Dans tous les cas, il se confondait avec l'environnement. Réparer ou construire un tel mur est devenu aujourd'hui assez onéreux. C'est, cependant, la meilleure solution pour tous ceux qui sont soucieux à la fois d'isolement et d'harmonie.
Si vous renoncez à construire un tel mur, vous trouverez un choix assez vaste de matériaux pour réaliser une clôture : bois verni, bois à laquer, roseaux, bambou et différents végétaux tressés et montés sur des cadres. Le châtaignier est aussi très apprécié; son entretien se réduit à un huilage, une fois tous les deux ans; on le trouve sous forme de panneaux rigides composés de pieux reliés les uns aux autres selon des écartements variables. Tous ces matériaux peuvent être fixés directement sur le sol ou, mieux encore, sur un muret bas de maçonnerie.
Le grillage, tendu entre des piquets de bois ou de fer, n'est pas à dédaigner. En le doublant avec des arbustes ou certaines plantes fleuries, on est sûr de ne pas commettre de faute de goût, quel que soit le style de la maison.
Par contre, il faut absolument proscrire les barrières de Fibrociment ou de plastique ondulé, dont le caractère industriel ne s'accorde avec aucun paysage naturel.

la maison que vous faites construire

Elle peut s'inspirer du passé tout en utilisant des matériaux et des techniques modernes. Elle peut aussi refléter les tendances les plus audacieuses de l'architecture contemporaine. L'essentiel est qu'elle soit profondément intégrée au paysage qui l'entoure.

le style régional traditionnel

Contrairement à ce que l'on croit, il n'est pas une garantie de réussite. En effet, il ne suffit pas d'utiliser des matériaux traditionnels et d'imiter vaguement les lignes et les formes des maisons rurales anciennes pour obtenir un résultat satisfaisant. Tout, en ce domaine, est affaire de proportions, de respect des détails, de nuances. Rien n'est plus facile, hélas! que de dénaturer l'architecture du passé en croyant la copier : c'est le cas, par exemple, de ces soi-disant fermettes conçues dans le style de l'Ile-de-France, mais auxquelles on attribue généreusement un second étage; ou bien de ces mas provençaux que l'on perce de vastes baies vitrées; ou encore de ces maisons bretonnes que l'on munit de grandes portes-fenêtres. La forme d'une fenêtre, la pente d'un toit, un auvent ou une lucarne mal placés, un perron trop surélevé, un arc de cintre trop appuyé peuvent donner à la plus coûteuse copie d'ancien l'apparence d'un faux de mauvais goût.

Le style régional traditionnel est cependant celui qui conviendra le mieux aux constructions proches d'un bourg, d'un village ou d'un hameau, lorsque les maisons sont déjà nombreuses dans le voisinage. Si c'est votre cas, étudiez soigneusement les caractéristiques de l'architecture locale avant d'accepter les plans d'un architecte; n'oubliez pas que les différences peuvent être sensibles dans une même province; par exemple, les maisons de la Bretagne côtière ont de petites et rares fenêtres et des portes basses; celles de la Bretagne intérieure, des fenêtres plus larges et des portes plus hautes. Vous porterez une attention toute particulière sur les points suivants :

Au bord d'un lac suisse, cette maison récente s'intègre tellement bien au paysage qu'elle semble avoir toujours existé. Dans un souci de respect du site, l'arbre qui longe le pignon de droite a été préservé et traverse la toiture débordante.

- Pente et proportions de la toiture ; hauteur des pignons par rapport au faîtage.
- Volume d'ensemble de la maison : cube, parallélépipède allongé, parallélépipèdes juxtaposés en L, etc.
- Nombre, disposition et orientation des ouvertures (fenêtres, portes, lucarnes, œils-de-bœuf, verrières, etc.).
- Aménagement de l'entrée principale : perron, terrasse, auvent, etc.
- Importance et forme des cheminées.
- Couleurs employées, non seulement celles des matériaux de construction, mais également celles du bois des portes, des huisseries, des volets, des ferrures et, éventuellement, celles des enduits et des crépis.
- Type des clôtures.
- Style de l'ornementation lorsqu'elle existe (pilastres, colonnes, colonnettes, moulures, sculptures).

Problème courant et important à résoudre, l'installation d'un garage est souvent assez difficile lorsqu'on ne veut pas défigurer une maison de style traditionnel par une lourde porte pleine ou par un rideau à lamelles. La meilleure solution est de l'aménager dans une construction annexe soit tout à fait séparée de l'habitation, soit discrètement juxtaposée.
Si ce n'est pas possible, vous pouvez essayer de l'installer en sous-sol, mais prévoyez alors une rampe d'accès aussi discrète que possible et ayez soin, en tout cas, de la situer hors de la façade principale.

le style contemporain

Il répond parfaitement à notre conception des vacances. La maison n'est plus considérée comme un refuge contre les intempéries, mais comme le moyen de s'intégrer à l'environnement naturel. Son harmonie avec le paysage est le critère essentiel de sa beauté. Elle est, en outre, étudiée pour donner le plus grand confort possible à ses habitants en fonction du type de vacances qu'ils apprécient. Dans la mesure où elle ne risque pas de jurer avec des constructions voisines, elle peut être préférée, car elle est profondément adaptée à notre conception de la vie au grand air et du respect de la nature.

les matériaux

L'évolution de l'architecture moderne est liée à la découverte des nouveaux matériaux. Les matériaux traditionnels demeurent, bien entendu, très employés et ils sont un facteur important d'une bonne intégration à l'environnement. Mais on les utilise désormais surtout pour leurs qualités esthétiques. En outre, nombre d'entre eux ont fait l'objet d'importantes améliorations techniques.

Le béton. C'est le matériau clé des constructions contemporaines. Sa longévité est aujourd'hui démontrée. Il convient à toutes les régions et particulièrement aux côtes, car le sable et le sel ne l'attaquent pas. En outre, une maison en béton se réchauffe assez vite. La cohésion de ce matériau permet une remarquable utilisation de l'espace intérieur; les piliers de soutien et les gros murs porteurs peuvent être sinon supprimés totalement (ce qui est pourtant parfois possible), du moins réduits à fort peu de chose. On obtient alors, à l'intérieur, de vastes espaces libres de toute entrave, et le percement de grandes ouvertures, baies vitrées, portes-fenêtres, verrières coulissantes ne pose aucun problème.
Il faut savoir, cependant, qu'une maison en béton se refroidit aussi vite qu'elle se réchauffe et qu'il est, par conséquent, prudent de doubler les murs les plus exposés d'un isolant thermique et de veiller à la protection des canalisations d'eau.

En principe, les fers dont on se sert pour armer intérieurement le béton ne doivent pas dépasser à l'extérieur. Lorsqu'ils ne peuvent être complètement noyés dans la masse, les parties apparentes seront très soigneusement traitées contre la rouille. Cette dernière, en effet, n'attaque pas seulement les terminaisons exposées aux intempéries, mais peut se communiquer au fer tout entier et mettre en péril la cohésion du matériau lui-même.

Le verre. La technique du verre a fait des progrès considérables. Armé ou non, on l'emploie maintenant en grandes surfaces. Monté sur une armature légère, il fait même parfois office de façade dans certaines maisons de vacances de conception très moderne. On l'utilise comme pare-vent sur des terrasses ou, sous forme de dalles, pour habiller un toit plat.

Les plastiques. Ils servent essentiellement sous forme de panneaux préfabriqués pour les murs, les cloisons, les revêtements de toit. Ils sont d'une excellente étanchéité, mais les plus courants sont de médiocres isolants phoniques et thermiques, et vieillissent assez mal. En outre, ils s'accordent assez malaisément avec les matériaux traditionnels. Ils sont très employés dans de nombreux types de maisons préfabriquées (murs, couvertures et sols).

La pierre. Elle est utilisée essentiellement aujourd'hui comme revêtement extérieur, pour ses qualités décoratives. On choisit, de préférence, une pierre d'extraction locale, dont les constructions anciennes de la région ont fait usage et qui convient donc parfaitement aux conditions climatiques. En particulier, il est prudent d'écarter les pierres poreuses ou friables dans les régions humides

Vue extérieure de la maison belge, élégante et sobre, dans laquelle s'insère la chambre de la page 211 (photo 4). Les larges baies aux huisseries en bois laqué font une séparation très discrète entre la pelouse et l'intérieur de la maison. C'est un bon exemple d'intégration au site.

Alliance heureuse de la pierre, du bois, du béton pour cette maison de campagne. Les volumes sont très marqués, la porte-fenêtre en retrait se ferme grâce à un volet plein dont le montage est apparent.

Les structures de ce chalet de montagne sont inspirées du passé, les matériaux sont traditionnels. Par contre, les larges fenêtres orientées vers le paysage sont actuelles, mais bien adaptées à l'aspect général.

ou dans celles qui sont exposées aux vents de sable.
Si l'on n'apprécie pas le béton, la pierre peut, bien entendu, le remplacer. N'oubliez pas, surtout s'il s'agit d'une habitation de week-end, qu'une maison en pierres est toujours assez longue à chauffer.
Solide, étanche et isolante, la pierre est un excellent matériau qui ne nécessite pas des fondations plus importantes que le béton. Elle n'offre toutefois pas non plus la même souplesse et exige des piliers et des murs porteurs plus importants.

La brique. C'est un excellent matériau traditionnel qui présente l'avantage, lorsque la région est froide, de se chauffer vite et de conserver longtemps la chaleur. Son seul inconvénient est d'être assez poreuse à l'humidité. On remédie à ce défaut soit à l'aide de vernis spéciaux, soit encore en la doublant intérieurement.
La brique est peu recommandée en montagne, où elle risque de se fendre sous l'action du gel ou des différences de température. Mais elle convient bien au bord de la mer et à la campagne. Actuellement, on la peint souvent, surtout en blanc. La peinture augmente son étanchéité.

Le bois. C'est sans doute le plus ancien des matériaux de construction et sa solidité a été mise à l'épreuve sous tous les climats.
Il vieillit parfaitement et convient aussi bien au bord de la mer qu'à la montagne
Traité avec des produits appropriés, il est en partie imputrescible et à l'abri des insectes et des champignons; il peut être également ignifugé. Le bois peut donc être employé pour la charpente de toiture comme pour la structure ou le revêtement d'une maison. Toutefois, selon les bois, il est prudent de vernir régulièrement les parties apparentes, surtout au bord de la mer. Une maison en bois « respire bien ». Elle n'est ni étouffante ni glacée. Elle se réchauffe vite et son isolation phonique est excellente.

La tuile. Ses caractéristiques varient selon les régions. Plate en Bourgogne et en Normandie, elle est dite « flamande » dans le Nord et « romaine » en Provence et dans le Languedoc. Utilisée exclusivement en toiture, c'est un bon isolant, dont la pose est malheureusement assez onéreuse. Il faut faire très attention qu'elle convienne à la pente du toit et soit fixée avec beaucoup de soin.

L'ardoise. C'est un matériau particulièrement étanche. On l'utilise pour les toitures dans les régions pluvieuses et elle peut convenir à des toits à très fortes pentes. On peut s'en servir également pour revêtir un mur très exposé à la pluie ou des sols.

Le zinc. Assez peu esthétique, il n'est guère utilisé que pour le toit de bâtiments annexes, dans la mesure où ils sont peu visibles. Il est parfaitement étanche à l'humidité, mais n'isole ni du froid ni de la chaleur, ni du bruit. Il convient aux toitures à très faible pente. Peu coûteux par lui-même, il nécessite souvent un doublage thermique assez onéreux.

Les produits bitumés. Comme le zinc, leur apparence manque d'élégance. On les utilise pour les toitures de garages, d'abris, de constructions provisoires.

les maisons préfabriquées

Rappelons que la préfabrication consiste à réaliser en usine des éléments standardisés, qui sont ensuite assemblés sur le lieu où doit s'élever la construction. De nombreuses entreprises se sont spécialisées dans les maisons préfabriquées et offrent des modèles variés, répertoriés dans des catalogues très détaillés.

Les principaux avantages qu'offre la préfabrication sont une bonne mise en œuvre des matériaux, un montage rapide et des prix souvent avantageux.

Si vous envisagez cette solution, un certain nombre de points retiendront votre attention sur le plan technique : ce sont les possibilités de réaliser, d'une part, les branchements nécessaires pour l'eau, le gaz, l'électricité et, d'autre part, les raccordements au tout-à-l'égout ou à une fosse septique. Calculez bien les frais annexes qui en découlent.

Certaines maisons préfabriquées nécessitent même soit des points d'arrimage, soit d'être posées sur une dalle de béton. Pensez à vous renseigner et tenez-en compte dans le calcul de votre budget.

Les modèles présentés sont multiples. Certains, très sobres, peuvent s'intégrer à des paysages variés. D'autres, plus tarabiscotés, ne sont pas de très bon goût.

Choisissez, de préférence, des maisons très simples et dépouillées; écartez les modèles dont les façades présentent des accessoires, des fioritures, de soi-disant effets de matériaux variés. Ce ne sont pas des critères de qualité. Vous regarderez surtout si le plan permet à l'intérieur des circulations logiques, si les surfaces des différentes pièces correspondent à vos besoins et si les volumes de rangement sont suffisants (voir chapitre II).

Si la maison est petite, évitez les modèles comportant trop de portes.

Il existe des maisons préfabriquées pour les trois régions types (campagne, mer, mon-

Vaste maison constituée de blocs juxtaposables préfabriqués. La sobriété des éléments de base, la franchise dans la répartition des ouvertures et des parties pleines donnent une qualité architecturale certaine et offrent des possibilités d'agrandissement, au fur et à mesure des besoins et des disponibilités, tout en conservant un ensemble très harmonieux.

Voici une agréable petite maison préfabriquée entièrement en bois pour la campagne. Pour l'installer comme ici sur un terrain vallonné, il a fallu construire un mur de soutènement (à gauche), mais, bien entendu, elle peut être montée beaucoup plus aisément sur un terrain plat. On notera la fermeture des baies par des volets roulants en bois.

tagne), mais il semble que ce sont les chalets de montagne qui sont les plus réussis, les mieux adaptés à leur destination et les plus satisfaisants sur le plan esthétique. Vous constaterez que le bois y est le plus souvent utilisé. C'est une double assurance de confort et de beauté.

Enfin, sachez qu'il apparaît sur le marché un certain nombre de maisons monoblocs à base de résines synthétiques dont le volume est moulé. Leur conception permet souvent de juxtaposer plusieurs blocs au fur et à mesure des besoins. L'agencement intérieur est, en général, très élaboré et s'apparente à celui d'une caravane. Dans le domaine des maisons préfabriquées, il s'agit certainement là d'une formule d'avenir qui rendra vite caducs les panneautages, les toitures et les autres éléments issus de la construction traditionnelle.

Cette maison est composée de deux coques fabriquées en usine et assemblées sur place par simple boulonnage. La surface utile est de 31 m². La maison peut être achetée avec ou sans installations intérieures, et celles-ci se présentent sous quatre versions différentes entre lesquelles l'acheteur peut choisir en fonction de ses besoins de confort.

l'implantation

Qu'il s'agisse d'une maison ancienne ou d'une maison que vous venez de faire construire, l'aménagement d'une résidence secondaire s'inspire des mêmes principes : c'est essentiellement une question de confort en vacances. Tout, en effet, doit contribuer à la détente, aux loisirs, au repos et aux activités de chacun. Vous devez pouvoir tirer, du temps, souvent trop bref, que vous passez à la mer, à la montagne ou à la campagne le plus grand profit physique et psychique.
Vous devez pouvoir vivre dans le cadre naturel que vous avez choisi sans contrainte et sans effort. Vous devez enfin jouir le plus largement possible des beautés du paysage environnant et de celles du décor intérieur.

les cloisons des maisons anciennes

Le volume intérieur d'une maison ancienne a presque toujours été morcelé au cours des ans. C'est qu'autrefois elle ne comportait, au rez-de-chaussée, qu'une ou deux grandes pièces (la « salle » et la « belle chambre »), qui ont semblé bien froides au fur et à mesure que l'on devenait plus frileux ; il faut se souvenir, en effet, qu'il y a un peu plus d'un siècle on considérait que la température idéale d'une chambre à coucher ne devait pas dépasser 14 à 15 °C. Lorsqu'on aménage une maison ancienne, le mieux est donc d'abattre toutes les cloisons rapportées. Elles sont d'ailleurs, le plus souvent, de qualité médiocre. On dégagera ainsi une vaste surface que l'on pourra remodeler à son gré. Cela permettra souvent de mettre en valeur une cheminée qui était devenue trop grande par rapport à la cuisine ou à la salle à manger morcelée. Cette opération est, en outre, l'occasion d'assainir les lieux, car les cloisons anciennes sont, pour la plupart, sources d'humidité.
Vous procéderez ensuite à la répartition des pièces du rez-de-chaussée, selon les principes évoqués plus haut, en faisant faire des cloisons en plâtre. Vous pouvez aussi utiliser des panneaux de fibres agglomérées de 5 à 10 cm d'épaisseur, qui se mettent en place plus aisément, évitent l'attente du séchage et comportent, en outre, des alvéoles qui permettent de passer les tubes d'alimentation électrique. Vous pouvez aussi utiliser la brique pleine, jointoyée au ciment et peinte pour créer des cloisons. Ce matériau met bien en valeur les meubles régionaux.

la distribution des pièces

Elle s'organise autour de la **salle de séjour**, à la fois lieu de rencontre et de détente. Essayez de lui donner la plus grande surface possible, quitte à y incorporer la salle à manger. Dans ce cas, vous aménagerez le coin des repas dans la partie la plus proche de la cuisine et, à l'opposé, autour d'une cheminée par exemple, un petit salon confortable propice à la causerie et aux longues veillées.
Dans la mesure du possible, la salle de séjour doit être orientée vers le paysage le plus dégagé et tourner le dos à la route ou au chemin d'accès.
Veillez à ce que cette pièce comporte au moins une sortie sur l'extérieur. S'il s'agit d'une porte donnant directement du jardin sur la salle de séjour, vous pouvez l'isoler à l'aide d'un grand paravent.
Vous pouvez réunir en une seule pièce la cuisine et la salle à manger, surtout si vos menus de vacances sont simples et n'exigent pas de plats mijotés ou de préparations compliquées. Mais il faut alors prévoir soigneusement l'évacuation des odeurs par une bonne ventilation. La partie cuisine pourra être un peu isolée par une cloison à mi-hauteur, une cloison semi-transparente, ou encore, un comptoir, de façon à masquer son désordre éventuel.

Les chambres peuvent être beaucoup plus petites que celles de votre habitation principale. Si la maison n'a pas d'étage, essayez

Des murs blancs, un sol en terre cuite, des poutres apparentes et du mobilier régional, il n'en faut pas plus pour donner à ce séjour-cuisine une simplicité rustique qui n'est pas sans charme. Côté séjour, le meuble en épi formant plan de travail a été équipé de deux portes récupérées sur un vieux bahut démantelé. Fleurs et objets familiers complètent le décor.

de donner à chaque chambre un accès indépendant sur le jardin (*fig. 8*). C'est un gage de tranquillité, bien précieux en vacances. Si la maison possède un ou deux étages, vous y aménagerez toutes les chambres de façon à réserver le rez-de-chaussée aux activités collectives. L'accès à l'étage peut se faire à la fois par un escalier intérieur et par un escalier extérieur : cette double issue est parfois très utile, lorsque des générations différentes cohabitent sous le même toit.

La salle d'eau commune, installée près de votre chambre, doit être complétée par un lavabo, même s'il est uniquement pourvu d'eau froide, dans chacune des autres chambres.
Une maison de vacances est aussi, bien souvent, une maison d'amis. Ils apprécieront de pouvoir faire une toilette, même sommaire, en respectant votre intimité. Vous-

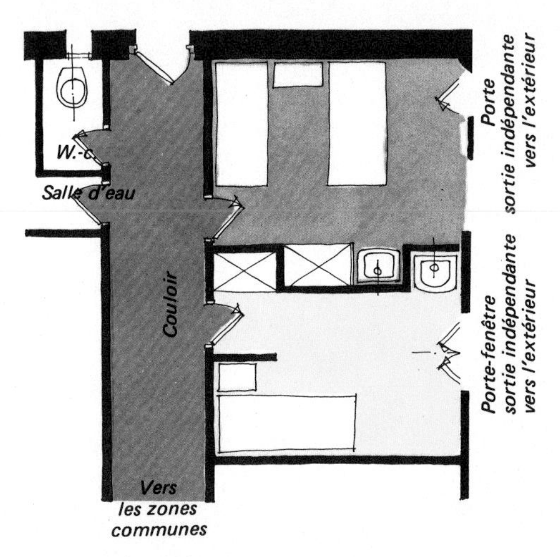

Fig. 8. LA LIAISON CHAMBRES-EXTÉRIEUR : *chacune de ces deux chambres a une sortie indépendante sur l'extérieur. Notez aussi les lavabos d'appoint.*

Dans une vieille maison, on a remplacé le remplissage de torchis entre les colombages par des glaces fixes assurant ainsi un très bon éclairage de la pièce et un contact direct avec la nature.

même y gagnerez une certaine tranquillité. Ces lavabos pourront être installés dans des placards ou masqués par un rideau ou un paravent.

Les installations sanitaires seront aménagées avec le plus grand soin. Prévoyez, si possible, au moins deux w.-c. C'est une dépense que vous ne regretterez pas si vous accueillez des hôtes nombreux. Choisissez un matériel de bonne qualité (tuyauterie et appareils), car l'alternance des périodes d'utilisation et de non-utilisation entraîne une usure importante. Les canalisations en plastique peuvent être conseillées, car elles évitent les vidanges hivernales; mais leurs raccords avec la robinetterie sont parfois vulnérables.

Les pièces annexes (garages, salles de jeu, ateliers de bricolage, etc.) peuvent être groupées dans une construction séparée de la maison; c'est, bien entendu, la meilleure solution. Si elle se révèle impossible, veillez à ce que ces pièces se trouvent loin des chambres. Un bon emplacement est, par exemple, du côté de la cuisine. La salle de jeux, l'atelier de bricolage peuvent aussi être aménagés au grenier. Mais, dans ce cas, prévoyez un accès facile et une isolation phonique entre les étages, car les parquets des greniers sont souvent très bruyants.

les fenêtres

Lorsque vous faites construire votre maison, les fenêtres font partie intégrante du projet de l'architecte et, même, caractérisent pour une bonne part son architecture. Mais lorsqu'il s'agit d'une maison ancienne, il est souvent indispensable, comme nous l'avons vu plus haut, de percer de nouvelles ouvertures pour éclairer une pièce aveugle.

Attention, cependant, à ne pas chercher à donner à une maison ancienne autant de lumière qu'à une maison contemporaine. Elle doit conserver son intimité, parfois même son mystère où la pénombre a sa part. Il ne faut pas oublier qu'elle est tout entière conçue pour des ouvertures de dimensions restreintes et que, en les agrandissant ou en en perçant de nouvelles, vous risquez de remettre en cause son équilibre et de faire pénétrer le froid ou le chaud en même temps que la lumière. C'est le cas dans les vieilles maisons méridionales conçues pour protéger leurs habitants du grand soleil.

Pour éviter ces différents inconvénients, tout en obtenant un meilleur éclairement, il faut faire appel à des ouvertures d'un style moins conventionnel que les fenêtres habituelles. Les exemples que nous vous donnons ci-dessous présentent l'avantage d'amener la lumière à l'endroit précis où elle est souhaitée et d'ouvrir des perspectives imprévues sur le paysage environnant.

Ouvertures étroites et en longueur. Elles assurent une excellente lumière frisante, à la fois efficace et décorative. Elles peuvent être pratiquées :

- au-dessus de l'évier de la cuisine ;
- au-dessus d'un établi ou d'une table à couture ;
- à l'extrémité de la table de salle à manger;

Dans un coin de repas rustique, les deux petites fenêtres réunies sous un même linteau de bois ne donnent pas une vive lumière, mais assurent à l'ensemble une vue sur la vigne extérieure. La qualité du jointoiement en ciment des pierres d'origine, particulièrement soigné, compte beaucoup dans l'ambiance générale.

- le long d'une baignoire (*fig. 9 a*), à condition, bien entendu, qu'elle ne donne pas sur un chemin passant;
- à la tête d'un lit (*fig. 9 b*).

Toutes ces ouvertures sur l'extérieur offrent une vue panoramique généralement pleine de charme.

Ouvertures étroites et hautes. Elles évoquent les antiques meurtrières et conviennent particulièrement aux endroits où l'on circule, tels que l'extrémité d'un couloir (*fig. 10*), le mur d'une entrée, une cage d'escalier (*fig. 11*).
Elles peuvent aussi être pratiquées près d'un

Fig. 9 a. LES FENÊTRES : *une longue bande vitrée le long de la baignoire permet d'admirer le paysage en prenant son bain. Mais veillez à ce qu'elle ne donne pas sur un passage trop fréquenté.*

Fig. 9 b. LES FENÊTRES : *une longue fenêtre dont la partie centrale est basculante a été installée à la tête du lit. Elle est obturée le soir par un store en toile, mais permet une vue agréable dans la journée.*

Dans la salle de bains d'une maison de campagne, les proportions de la petite fenêtre en hauteur s'accordent avec les verticales des arbres. La robinetterie du lavabo encastré dans une surface de marbre est désaxée pour permettre l'ouverture de la fenêtre. On notera l'ambiance chaude et intime que donne le bois, qui assure, en outre, l'harmonie avec la nature.

lavabo, dans une chambre, dans une salle d'eau ou près d'une cheminée (*fig. 12*).
Ces deux types d'ouvertures nécessitent des huisseries spéciales qu'il vous faudra faire fabriquer sur place. Bien entendu, vous pouvez également faire percer des fenêtres dans le style de l'architecture locale traditionnelle. Dans ce cas, il vous sera sans doute possible d'utiliser des huisseries de récupération, en provenance soit de votre propre maison, soit d'entreprises de démolition. Si vous ne trouvez pas ce qui vous convient, vous pouvez également consulter avec profit le catalogue des fabrications de série. Tenez

Fig. 10. LES FENÊTRES : *une étroite ouverture verticale convient très bien pour éclairer et aérer un couloir ou un dégagement qu'elle rend ainsi plus gai, vivant et proche de la nature.*

Fig. 11. LES FENÊTRES : *une fenêtre verticale, placée dans l'angle du palier, donne une bonne lumière, permet de jeter un regard sur le paysage lorsqu'on monte et anime le volume général.*

Fig. 12. LES FENÊTRES : *une ouverture verticale étroite, fermée par une glace fixe, donne une lumière naturelle très vivante. Si elle est placée près d'une cheminée, par exemple, elle permet de voir la nature lorsque l'on se réunit autour du feu et de profiter du paysage. L'opposition ainsi accentuée entre l'intérieur et l'extérieur est amusante et d'un raffinement subtil, bien que facile à réaliser.*

compte de la proportion des carreaux par rapport à celle de la fenêtre.
Avant de percer ces ouvertures, n'oubliez pas leur importance en façade. Ne les juxtaposez pas à des fenêtres très anciennes ou trop marquées par le style régional.

les portes

On les prévoit nombreuses dans les maisons contemporaines, de façon à laisser à chacun une grande liberté d'accès. Dans les maisons anciennes, par contre, il est souvent nécessaire de percer une ou plusieurs portes supplémentaires. Elles n'ont pas besoin, dans ce cas, d'être très larges : 70 à 80 cm en général. Vous imiterez le plus fidèlement possible les modèles locaux traditionnels. Évitez les excès de ferrures et de cloutage, qui donnent aisément l'impression d'un décor de théâtre.
Pour les portes intérieures des maisons anciennes vous pouvez également faire appel à la récupération. Mais les *portes isoplanes* de série conviennent aussi parfaitement. Elles sont préférables aux portes surchargées de moulures rapportées, qui ont toujours l'air d'être des faux. En règle générale, du reste, méfiez-vous des baguettes, des lambris et des plinthes dits « de style » : ils ne trompent pas les vrais amateurs et n'ont, en fait, rien de rustique.

les sols

Un vaste choix s'offre à vous pour les revêtements de sol d'une maison de campagne, depuis les matériaux plus ou moins traditionnels (grès cérame, terre cuite, ardoise, dalles de pierre et même parquet) jusqu'aux matières plastiques. Celles-ci conviennent bien pour la cuisine, les salles d'eau et les sanitaires. Pour le séjour et l'entrée, des matériaux plus décoratifs, souvent pris dans la région, sont souhaitables. Dans les chambres, des moquettes lavables et peu coûteuses sont les bienvenues.
Les sols des maisons anciennes ont presque toujours besoin d'être refaits. Si votre budget ne vous permet pas de refaire complètement les sols, vous pouvez vous contenter de boucher les trous et d'aplanir les inégalités. Ensuite, vous peindrez toute la surface du matériau ancien avec une peinture spéciale pour cet usage, très résistante et facile à appliquer. Quelques tapis peuvent masquer les endroits les plus défectueux.
Si vous avez la chance de posséder un beau carrelage ancien (des tomettes provençales par exemple), ne le peignez pas, même s'il est poussiéreux. Il existe, en effet, des vernis qui suppriment la porosité des vieilles terres cuites et avivent leurs couleurs. Les vernis ne doivent être posés que lorsque les joints ont été refaits.
Attention ! ne posez jamais un revêtement sur un sol ancien avant d'avoir rendu celui-ci tout à fait lisse, au besoin à l'aide d'une mince chape de ciment : le matériau nouveau finirait par se décoller, et les inégalités du sol provoqueraient une usure rapide.
Dans certains cas, et si le matériau que vous avez choisi est résistant au gel, vous pouvez utiliser le même revêtement pour la salle de séjour ou les chambres et pour la terrasse de la maison ou un balcon (*fig. 13*). Les portes ouvertes, vous aurez l'illusion d'un espace considérablement agrandi.

Fig. 13. LA LIAISON INTÉRIEUR-EXTÉRIEUR : *les carreaux de marbre aggloméré constituant le sol de ce séjour se poursuivent à l'extérieur et agrandissent les perspectives de la pièce.*

Par contre, si, une fois les cloisons abattues, la salle de séjour comporte une sensible différence de niveaux avec une ou plusieurs marches, n'hésitez pas à employer des matériaux différents : ils souligneront le volume de la pièce et contribueront à créer plusieurs zones bien définies.

les plafonds

Dans les maisons anciennes, les fausses poutres sont à proscrire : elles nuisent au charme d'époque de la construction. Lorsque vous avez la chance d'en posséder d'authentiques, et si elles sont encore en bon état, il est préférable de conserver le bois naturel et de peindre les entre-poutres en blanc. Si les poutres sont de mauvaise qualité, elles peuvent être passées à la chaux ou à la peinture vinylique et, dans ce cas, les entre-poutres seront d'une couleur foncée.

les rangements

Ils ne sont pas tout à fait du même ordre que dans une habitation principale. Vous n'avez pas besoin d'autant de place pour les vêtements, le linge, la vaisselle, les livres, les papiers, etc. Par contre, il faut prévoir un certain stockage des produits alimentaires et de la place pour les accessoires et les vêtements de sport, les outils de jardinage, les réserves de produits d'entretien, d'essence, de butane, etc. Réfléchissez soigneusement à vos besoins en sachant que les armoires ou les éléments de rangement traditionnels sont souvent peu adaptés à la vie de vacances. L'idéal est de pouvoir faire aménager une petite pièce attenante à la cuisine pour tout ce qui concerne l'alimentation et l'entretien, et de disposer d'un grand placard dans l'entrée ou le garage pour les accessoires de loisirs.

la décoration

La décoration d'une résidence secondaire doit avant tout s'accorder à la nature environnante. Mais cette harmonie, pour sonner juste, doit également rester discrète, spontanée. Il ne s'agit pas de rappeler qu'on est au bord de la mer à l'aide de coquillages, d'ancres ou de maquettes de navire; ni de souligner les traditions de l'artisanat local avec des chaudrons de cuivre ou des plats d'étain. Il faut s'efforcer plutôt de trouver, entre les couleurs et les matériaux du décor intérieur, une parenté, un accord véritables avec les couleurs et les formes du paysage. Il suffit parfois de peu de chose : quelques sièges de paille tressée, des tapis de laine ou de coton, une tenture de toile, un papier japonais. Le tout est de comprendre qu'un décor se fait par petites touches nuancées et non, comme au théâtre, avec une débauche de meubles et d'objets folkloriques.

à la campagne

les matériaux

Pour mieux intégrer une maison au site qui l'entoure, vous pouvez utiliser pour certains murs intérieurs l'un des matériaux employés pour l'extérieur : pierre, ardoise, brique, bois, etc.

les couleurs

Évitez les couleurs trop intenses surtout dans les grandes pièces ouvrant sur l'extérieur. Mieux vaut réserver vos audaces dans ce domaine aux chambres d'enfants ou à des pièces peu éclairées et de petites dimensions (salles d'eau, w.-c.). Vous pouvez aussi faire appel aux couleurs vives pour de petites surfaces.

La lumière de la campagne est, en général, très douce, et, par conséquent, le blanc et les tons soutenus et nuancés ont beaucoup de charme et mettent en valeur les grands bouquets champêtres ou les corbeilles de fruits. Une gamme de blancs, de bruns, d'ocres, rehaussés de touches de rouge, est un gage presque certain de réussite. Vous pouvez aussi sans risque d'échec choisir vos harmonies dans les tableaux proposés dans le chapitre III.

Enfin, évitez les verts vifs qui sont rarement accordés à ceux de la nature qui vous environne.

les éléments du décor

Par la fenêtre, vous découvrirez la campagne, les arbres, les fleurs. Ne collez donc pas sur

Cette ferme belge est meublée de façon actuelle. Tous les éléments sont chaleureux. Les chaises cannées, le bahut suspendu, la table à pied central (un morceau de colonne en pierre) s'harmonisent avec le marbre et le bois.

Une heureuse utilisation d'un matériau traditionnel et de beaux meubles régionaux dans une maison contemporaine largement ouverte sur la nature environnante.

les murs des papiers peints à motifs floraux. Si vous utilisez ce revêtement sympathique et bon marché qu'est le papier peint (attention toutefois à l'humidité des murs), la gamme proposée actuellement par les fabricants est suffisamment étendue pour vous offrir des motifs adaptés à l'ambiance campagnarde. Vous trouverez ainsi des écossais, des rayures dans le style toile à matelas, des imitations de tissages rustiques, des motifs géométriques, des papiers à fond argenté, etc. Les imitations de toile de Jouy conservent tout leur charme, surtout pour les chambres ; elles sont toutefois un peu démodées, et c'est une solution de facilité que vous pouvez éviter si vous voulez affirmer votre personnalité.

Pour tapisser les murs, vous disposez également de nombreux tissus : toile de jute, toile de lin, cotonnade (attention aux fleurettes désuètes et un peu tristes). Ne choisissez pas des tissus fragiles à la lumière et à l'humidité (satins, velours de laine). Certains tissages à base de fibres synthétiques sont plus chers à l'achat, mais particulièrement résistants. Enfin, il est fort agréable d'avoir les fenêtres habillées dans le même tissu que les murs de la pièce.

A la campagne, le paysage, même par temps de pluie, n'est jamais agressif, les voilages ne sont donc pas indispensables. Si vous désirez tout de même en poser, vous pourrez choisir un voilage aux mailles très aérées ; il en existe dans toutes les matières synthétiques actuelles.

Réservez le voile style « plein jour » pour la ville, où le vis-à-vis nécessite souvent un véritable écran pour protéger l'intimité d'un appartement.

les meubles

Pour meubler une maison de campagne vide, il est amusant de fouiner chez les brocanteurs ou les antiquaires, et de courir les ventes et adjudications des petites villes de la région. On y trouve souvent des meubles sympathiques, mais il faut savoir modérer les excès régionalistes. L'abus de tables épaisses, de meubles vermoulus et de bassinoires en cuivre risque de transformer votre maison en un musée régional, joli peut-être, mais un peu triste et conventionnel. Si vous aimez beaucoup les vieux meubles, achetez-en quelques-uns que vous opposerez à des créations actuelles. Ils n'en auront que plus de charme. Dans le cas où la maison dont vous disposez est déjà entièrement meublée à l'ancienne, vous donnerez une nouvelle jeunesse à vos meubles en accentuant le caractère contemporain des revêtements muraux. Vous pourrez aussi recouvrir un vieux siège dé-

1. *Dans cet appartement situé au milieu des arbres, de larges baies vitrées laissent entrer la lumière et permettent de profiter de la campagne environnante. Le séjour a été traité dans une gamme de tons calme et douce très nuancée, dans les blanc, beige, ocre et brun.*
2. *La simplicité du mobilier, la sobriété des matériaux, bois, toile, paille, s'inscrivent parfaitement dans ce séjour d'une maison de campagne allemande. Architecture et décor sont indissolubles. A retenir : la table des repas agréablement située au niveau des fenêtres s'ouvrant sur le jardin.*

1

2

fraîchi avec un tissu très moderne, à grands carreaux ou à grosses rayures, par exemple. Sachez qu'il existe, dans les créations contemporaines, des meubles en bois naturel ou laqué, des chaises paillées, des fauteuils en cuir, en rotin, etc., dont le dessin est très pur et directement inspiré de la tradition. Ce type de mobilier peut vous convenir parfaitement si vous ne tenez pas à la trop grande nouveauté, si la maison est ancienne, ou si les pièces que vous devez meubler sont lambrissées de boiseries délicates.
Enfin, pour compléter un ameublement existant, ou pour meubler totalement une maison de campagne, vous disposez en outre d'un grand choix de meubles en métal, en plastique, etc.
Évitez tout de même de trop nombreux mélanges de styles et de matériaux et, plus encore qu'à la ville, efforcez-vous d'obtenir une certaine unité. C'est primordial.

les objets, les lampes

Nous l'avons déjà dit, l'abus d'objets rustiques n'est pas recommandé. Les plus beaux seront groupés comme il est indiqué dans le chapitre IV. Vous pouvez les compléter par des objets actuels et par des cendriers en plastique ou en faïence aux couleurs vives.
De petites gravures délicates pourront voisiner avec des toiles ou des lithographies abstraites. Dans une maison de campagne, les objets les plus humbles ne sont pas déplacés s'ils ont des formes belles. Il ne faut pas trop compliquer les dispositions : vous pouvez poser à même le sol de grosses bonbonnes, des poteries, de grands paniers, des pierres, des branchages. Le charme naîtra vite.
Évitez l'éclairage fluorescent et multipliez les lampes dont la lumière est chaude et peu éblouissante, propice au calme.

Ce coffre de campagne s'accorde bien avec les sièges contemporains. L'unité vient de la sobriété des formes et de l'unité de coloration de l'ensemble. Les fenêtres, à volets intérieurs, s'ouvrent sur le jardin. Le sol est constitué de galets noyés dans du ciment.

La gamme très douce des couleurs, dont la dominante est donnée par le bois, assure à l'intérieur de cette maison italienne une sensation de calme, de douceur et de fraîcheur en opposition avec la chaleur extérieure. Le carrelage brillant contribue à la fraîcheur visuelle et réelle. A retenir : les volets paravents coulissant sur un rail, qui permettent de doser la lumière.

Vous disposerez certainement de fleurs des champs, fraîches ou sèches. Évitez donc les fleurs trop sophistiquées. Les plantes vertes peuvent être nombreuses et quelques oiseaux dans une cage apporteront beaucoup de charme à la décoration.

à la montagne

A la montagne, les chalets et les maisons anciennes se font rares. De plus, ce sont des constructions où les travaux indispensables sont souvent nombreux et coûteux, car le confort initial y était autrefois très sommaire. C'est pour cette raison que beaucoup de personnes préfèrent les constructions neuves.

Qu'elle soit ancienne, restaurée ou neuve, dans la plupart des cas, cette maison accueille, pendant les vacances, outre votre famille, des parents et des amis pour des week-ends de neige. Elle doit donc offrir un confort réel pour une surface généralement assez restreinte. Très communautaire, une maison à la montagne peut sans inconvénient ne comporter que des chambres-cellules et des dortoirs pour les jeunes, équipés de lavabos, complétés par une ou deux douches et, le cas échéant, par une salle d'eau pour les adultes. La salle de séjour, axée autour de la cheminée, sera la plus vaste possible. Il faut prévoir une cuisine avec un accès direct sur l'extérieur. Le bar passe-plat, la cuisine-séjour-salle à manger ou toute solution du même type est très appréciable. Elle facilite le service des petits déjeuners copieux, pris avant le départ vers les pentes. En plus des remises, celliers, greniers et autres pièces annexes, toujours très utiles, vous réserverez une pièce chauffée accessible de l'extérieur et communiquant avec la salle de séjour. Cette pièce cimentée doit comporter un écoulement pour en faciliter le

Dans ce chalet, la cuisine et le séjour communiquent largement. Une grande partie des équipements est traitée comme le sous-plafond, en pin massif et en frise de pin. Le bloc-épi formant bar permet à trois personnes de prendre de rapides repas.

lavage à grande eau. Elle sera équipée de rateliers pour les skis et les piolets, et de placards sommaires pour les chaussures, les sacs et les anoraks. N'oubliez pas des tabourets ou des bancs.

les matériaux

A la montagne, la présence du bois semble indispensable, mais elle n'a pas besoin d'être totale, et l'alliance de ce matériau traditionnel avec le béton, la pierre, l'ardoise donne des résultats très heureux.
Les céramiques vernissées, tous les produits brillants, lisses, réfléchissants (glaces des ouvertures mises à part), trop proches de l'aspect pur et rigoureux de la montagne, sont à éviter si possible. Sachez que vous pourrez compenser une certaine austérité de matériaux par la présence de peaux, de tapis, de tissus épais et moelleux.

les couleurs

A la montagne, vous pouvez utiliser des couleurs intenses et vives, à dominante chaude.
Dans le séjour, les sièges étant nombreux, vous pourrez choisir leurs tissus dans une harmonie de tons dégradés, les coussins apportant une note vive de tonalité opposée. Ainsi, le noir en petite quantité, le gris foncé seront très bien accueillis. Par contre, évitez les blancs, les gris et les beiges, qui paraissent

Dans ce chalet préfabriqué (voir photo p. 180), la place était comptée; c'est pourquoi les architectes ont eu l'idée de créer six chambres-cellules fermées par des panneaux coulissants (blancs). Elles s'ouvrent sur le séjour. Les cellules supérieures sont accessibles par des échelles verticales où les enfants adorent grimper. Le sol est constitué d'une dalle de béton dans laquelle sont noyées des pierres du pays. Il est facile à entretenir.

En montagne, cette cuisine très vivante s'inscrit dans un espace réduit, qui a cependant permis d'implanter un bloc central surmonté d'une hotte en tôle noire. La qualité des matériaux (bois, terre cuite vernissée, brique), le raffinement des couleurs, la liberté dans la disposition des objets confèrent à cette pièce une atmosphère à la fois décontractée et vivante.

facilement sales par rapport à la neige souvent visible à l'extérieur.
Si les chambres sont petites, vous choisirez pour chacune d'elles une couleur dominante (chambre rouge, jaune, bleue, etc.).
Enfin, n'hésitez pas, d'une manière générale, à acheter des accessoires colorés.

les éléments du décor

Si vous employez du papier peint, choisissez soit un motif très petit, soit au contraire un motif très grand. L'environnement naturel supporte mal la demi-mesure.
Vous disposez aussi de tous les tissus que nous avons énumérés pour la maison de campagne. Le caractère rustique doit être plus accentué que dans les autres régions. Vous écarterez donc les tissus soyeux ou lisses. Vous pouvez choisir, pour monter vos rideaux, des tringles et des anneaux en bois. Les voilages ne sont pas indispensables, mais de légers stores déroulables, en toile fine, double face si possible, sont agréables devant les fenêtres des chambres pour assurer l'obscurité et l'intimité nécessaires.

les meubles

Ils peuvent être achetés dans les ventes et chez les antiquaires de la région, mais, ces meubles prenant beaucoup de place pour un volume utile très moyen, cette solution n'est raisonnable que si la maison est vaste et les pièces, nombreuses. Si la place est comptée, vous avez surtout besoin de meubles de rangement intégrés, de leur compléments semi-fixes et du mobilier de repas, de détente et de repos complémentaire.
Mis à part quelques huches, petits bahuts et

sièges, vous constaterez rapidement que c'est dans la production contemporaine que se trouvent les vraies solutions. En évitant également un trop grand mélange de matériaux, vous pouvez faire votre choix parmi le bois, le plastique, l'osier, le rotin. L'acier inoxydable est le seul matériau un peu froid pour un tel paysage. Si vous le choisissez quand même, vous pourrez en compenser la froideur en utilisant par ailleurs des tissus moelleux et souples aux tons chauds.
Les sièges actuels, tout en mousse et entièrement tendus de tissu, sont parfaits autour du coin de feu. Pour les zones des repas, pensez aux tables à abattants, aux chaises repliables et empilables, faciles à nettoyer et de lignes douces et souples. C'est d'ailleurs la souplesse des formes qui doit guider votre choix pour le mobilier du séjour. Les lits superposés sont parfaits pour les chambres que vous équiperez, en outre, de penderies individuelles.

les objets, les lampes

Une maison à la montagne est, nous venons de le dire, un mélange vivant de rusticité et de modernisme. Par conséquent, les objets de toute provenance y sont à leur place. Il faut penser toutefois que, si les murs sont en pierre ou en bois, un trop grand nombre d'objets risque de fatiguer le regard. Donc, à part quelques zones très décorées, vous aurez la sagesse de laisser les matériaux nus et les couleurs du décor apporter l'ambiance désirée.
Évitez les éclairages trop violents, mais ne négligez pas de multiplier les points lumineux. Assurez un bon éclairement à la zone des repas qui, à la montagne, est toujours vivante et largement utilisée. Le coin de feu recevra plusieurs lampes offrant une lumière tamisée et commandées par des allumages indépendants.

au bord de la mer

Si différents que puissent être les climats, une maison au bord de la mer cherche le plus souvent à s'ouvrir très largement vers la plage et le large. C'est que, de la Manche à la Méditerranée, les activités déployées en vacances sont toujours tournées vers la mer : natation, pêche, voile, ski nautique, etc. Ces activités provoquent, en général, de nombreuses allées et venues, accompagnées d'accessoires plus ou moins encombrants selon l'âge et le nombre des habitants de la maison. Il est donc indispensable que l'habi-

Une maison construite dans un pays ensoleillé doit être protégée de la chaleur. Celle-ci, au bord de la mer, répond à cette exigence. En effet, entre la toiture et le volume habitable, un vide ouvert permet à la brise marine de disperser la chaleur accumulée sous les tuiles romaines pourtant nécessaires à l'architecture qui s'inscrit dans la tradition et s'intègre au paysage.

A l'intérieur de la maison de la page ci-contre, la décoration est très simple : sol dallé, murs en torchis blanchi; le bois des huisseries et des volets compense sans excès ce dépouillement volontaire. Pour profiter au mieux du paysage, de la lumière, le mobilier est léger et discret : sièges et tables en rotin, matériau très résistant pouvant être aussi bien utilisé à l'extérieur qu'à l'intérieur.

tation proprement dite soit isolée et qu'un local, même sommaire, soit réservé à ce relais entre l'extérieur et l'intérieur pour éviter, dans les pièces principales, les maillots de bain dégoulinants et le sable.
Semi-fermé ou clos et chauffé suivant les climats, ce local comportera des placards, des rayonnages, un emplacement pour les chaises longues, les matelas, etc. Si une douche peut y être aménagée, c'est parfait (elle peut être extérieure en Méditerranée); sinon un lavabo ou un simple tuyau feront l'affaire. Il est prudent d'éviter l'installation d'une prise de courant, et la commande de l'éclairage se fera de l'intérieur de la maison, car les baigneurs arrivent souvent encore pieds nus et mouillés.

les matériaux

Au bord de la mer, il est préférable d'utiliser des matériaux qui se lavent bien, car l'air marin dépose à certains moments, sur toutes les surfaces, une humidité salée qui colle légèrement et fixe la poussière. L'usage de la terre cuite, du grès émaillé, du grès cérame, du marbre, du bois laqué, du béton est recommandé. N'hésitez pas à conserver des murs bruts de construction; vous les repeindrez régulièrement avec une grosse brosse en choisissant une peinture vinylique. Méfiez-vous des revêtements métalliques non traités, ils s'oxydent très vite. Les panneautages doivent comporter des joints suffisants pour permettre le jeu inévitable du bois. La moquette dans les chambres n'est pas conseillée; vous compenserez son absence par des tapis d'appoint plus faciles à entretenir.

les couleurs

Une assez grande liberté est permise au bord de la mer, mais il faut la limiter aux sièges, aux tissus, à certains petits panneaux muraux. Évitez les grandes surfaces aux tons agressifs : pas d'excès de jaune ou d'orangé. Les murs blancs sont parfaits aussi bien en Bretagne qu'en Méditerranée. Autour de ce blanc, vous pouvez construire des harmonies brunes, roses, vertes, bleues. Le bleu marine (ce n'est pas par hasard) est toujours très beau.

les éléments du décor

Les papiers peints, les tentures murales à fleurs ou à motifs maritimes ne conviennent pas du tout. Choisissez, pour ceux des murs qui ne restent pas nus comme nous le suggérons plus haut, un revêtement à motifs géométriques assez linéaires.
Les doubles rideaux sont inutiles, équipez vos fenêtres de stores enroulables ou de modèles à lames horizontales ou verticales : ils possèdent l'avantage de doser à volonté la lumière parfois violente du bord de mer.

les meubles

Vous pouvez ici également mélanger des meubles de provenances diverses. Les meubles contemporains sont cependant les mieux adaptés à la vie du bord de la mer. Le style cabine de bateau n'est pas indispensable : il paraît aisément factice. Mais si vous trouvez un vieux coffre, quelques meubles authentiques évoquant la vie maritime, vous pouvez les mettre en valeur. Vous compléterez le mobilier avec des meubles en plastique moulé, en rotin, en bois laqué. Évitez le mobilier métallique qui rouille et pensez aux hamacs ainsi qu'aux coussins, aux banquettes tendues de toile cirée.
Le temps change vite dans certaines régions : achetez de préférence des meubles légers si vous devez les faire passer rapidement de la terrasse à la salle de séjour ou des meubles faciles à sécher s'ils doivent rester toujours dehors.

les objets, les lampes

N'utilisez les éléments locaux (filets, coquillages, flotteurs) qu'avec modération, sinon vous risqueriez vite de transformer votre maison en cabaret. Choisissez des objets actuels, de grands panneaux muraux colorés. Les petites gravures délicates, les papillons en boîte ne sont pas à l'échelle du site. Si vous avez déjà quelques éléments de petites dimensions, réservez-les aux chambres. Pour le séjour, vous pouvez adopter un décor de posters, d'affiches, de larges graphismes abstraits, faciles à renouveler. L'éclairage demande autant de soin que celui d'un appartement en ville, mais vous vous dispenserez des éclairages à effet. Ils paraîtraient ridicules face à la beauté d'un coucher de soleil sur la mer.

En conclusion de ce chapitre, nous voudrions souligner qu'une maison dans la nature, qu'elle soit destinée aux vacances, aux week-ends, ou même qu'on y vive toute l'année, doit être plus libre, plus généreuse qu'un appartement en ville. Les dimensions, la surface sont importantes mais non déterminantes.
Ce qui compte, c'est la bonne liaison des pièces entre elles, un confort adapté à la région, le décor n'étant qu'un complément naturel qui ne doit pas prendre un aspect sophistiqué et guindé. Ce serait contraire à l'esprit des vacances et à la détente que l'on ressent en regardant la nature environnante. Les exemples précédents prouvent, pensons-nous, que chaque région, chaque type de maison peut devenir, avec un certain bon sens, le lieu privilégié où vous vous retrouverez heureux et vous-même, loin des tracas et des conventions de la ville.

Un mobilier contemporain aux lignes très pures et aux couleurs dans les blancs et les beiges, sur un sol dallé de marbre, crée, dans un climat chaud, une maison fraîche et harmonieuse, propice à la détente.

3

1. *Pour mettre en valeur l'ogive en pierre et ne pas alourdir le décor volontairement dépouillé de l'intérieur, la porte d'entrée a été choisie en Sécurit avec une discrète poignée-verrou.*

2. *Le charme de cette maison résulte d'un profond respect des volumes et des matériaux primitifs. Notez l'accord, avec l'ensemble, de la nouvelle main courante en métal laqué et des sièges en rotin.*

3. *Ce petit séjour s'ouvre sur une terrasse. Le lampion situé dans l'angle accentue la verticalité de la porte-fenêtre et donne une impression d'élargissement.*

4. *Dans une maison contemporaine, les grandes baies vitrées mettent en contact avec la nature et diffusent une lumière généreuse. C'est le cas de cette chambre dans une maison construite en Belgique.*

4

CHAPITRE VI

COMMENT GAGNER DE LA PLACE

La plupart des gens manquent d'espace et veulent tirer le meilleur parti de celui dont ils disposent. Le but de ce chapitre est de vous aider à résoudre ce genre de problèmes. Des astuces peuvent, en effet, vous amener à remédier à la sensation pénible que provoquent de mauvaises proportions sans toucher au volume général. Une implantation appropriée des éléments dont vous disposez et le choix de meubles spécialement étudiés pour cela vous feront gagner réellement de la place. Enfin, nous vous suggérons des aménagements de certains locaux annexes qui vous rendront la vie plus agréable.

transformer l'espace visuellement

Il n'est pas toujours possible de donner aux différentes pièces d'une habitation les dimensions que l'on désire. Telle salle de séjour, telle entrée, telle chambre peuvent paraître trop étroites, trop larges ou trop hautes sans que l'on puisse envisager, pour une raison quelconque, d'élever de nouvelles cloisons, d'abattre un mur ou d'abaisser le plafond. Beaucoup, dès lors, se résignent à vivre dans une maison dont les proportions ne les satisfont qu'à moitié.
En fait, même lorsque vous êtes obligé de renoncer à transformer réellement la surface ou le volume d'une pièce, il vous reste toujours la possibilité d'en provoquer l'illusion. Des oppositions de couleurs, des jeux de motifs ou d'éclairage, des matériaux ou des objets habilement choisis permettent de tricher avec l'espace et de donner l'impression qu'il a été modifié. Certes, vous n'aurez pas gagné de place, vous n'aurez pas vraiment raccourci, prolongé ou élargi ce couloir, ce salon, cette chambre d'enfant, mais vous aurez créé un effet de trompe-l'œil capable, dans bien des cas, de donner le change au regard le plus averti.

les moyens

Les moyens que l'on utilise pour parvenir à ce résultat sont généralement peu onéreux. Leur efficacité tient essentiellement à un certain nombre de connaissances techniques fort simples sur la manière d'employer les matériaux les plus courants de la décoration, peinture, papier peint, éclairage, miroirs, etc. Au fond, il s'agit surtout de connaître de façon pratique comment l'on peut, avec des éléments décoratifs identiques ou très voisins, souligner le déséquilibre des proportions d'une pièce ou le corriger.

la couleur

Que la couleur soit apportée par du papier peint, un tissu ou de la peinture, sachez que, d'une façon générale :

- les tons froids paraissent éloigner les murs d'une pièce, et donc l'agrandir ;
- les tons chauds, au contraire, semblent plutôt rapprocher les murs et créent une impression d'intimité ;
- les tons brillants et foncés font office de miroirs, et donnent, de ce fait, une illusion d'espace ;
- les tons chauds et foncés rétrécissent une pièce, surtout s'il s'agit de peintures, papiers ou tissus mats. On peut accentuer cette impression par des oppositions de tons.

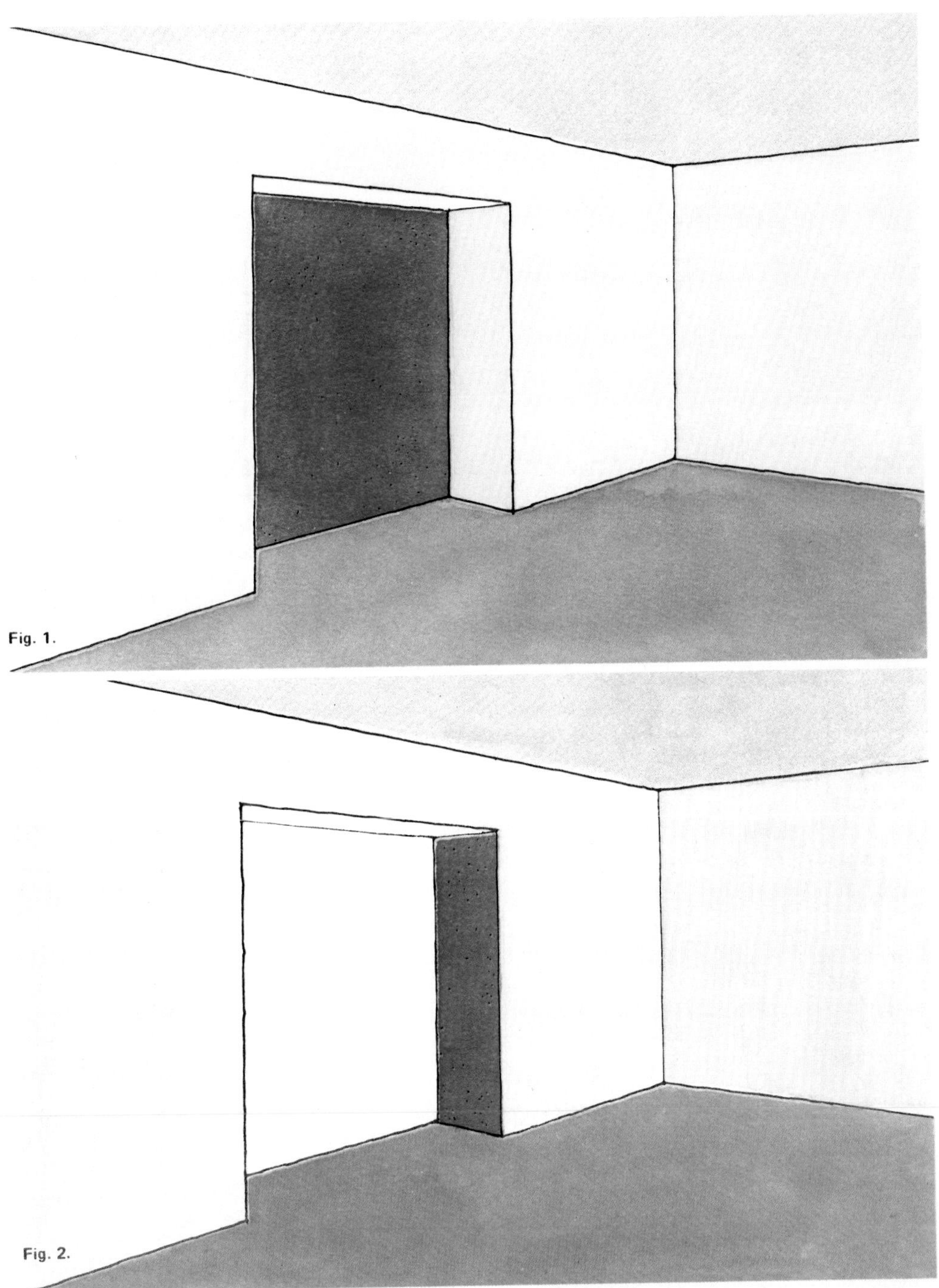

Fig. 1.

Fig. 2.

Dans une alcôve, un décrochement, l'emploi d'un ton intense permet d'obtenir des effets décoratifs très intéressants, mais qui varient suivant l'emplacement où on l'applique.

Dans la *figure 1*, en peignant uniquement le fond de l'alcôve, on ne l'agrandit pas, mais on donne la sensation que la pièce où l'on se trouve se poursuit au-delà.

Dans la *figure 2*, le fait de peindre les côtés de l'alcôve n'approfondit pas, mais rehausse visuellement, solution appréciable si cette alcôve se trouve dans un séjour vaste et lumineux.

Fig. 3.

Par contre, le fait de ne peindre que la bande de sous-plafond (*fig. 3*) surbaisse le plafond, faisant naître une sensation d'intimité. Enfin, si vous peignez le fond, les côtés et le sous-plafond, vous agrandirez totalement l'alcôve, sans pour autant nuire aux proportions générales de la pièce. C'est une formule que l'on retiendra si l'on prévoit de placer à cet endroit un meuble assez grand qui touche presque les côtés (*fig. 4* et *4 bis*).

les papiers peints et les tissus à motifs

Ils permettent les uns et les autres de modifier très aisément les proportions d'une pièce, mais ils doivent, de ce fait, être utilisés avec une extrême précaution.
Pour agrandir, choisissez un papier à petits motifs répétés, mais ne l'employez pas au plafond. Un plafond à motifs, quelles que soient les dimensions et les formes de ceux-ci, crée presque toujours, au contraire, une impression de resserrement.
Pour diminuer les dimensions d'une pièce ou la rendre plus intime, préférez les grands motifs. Mais attention : l'effet est très accusé et peut donner une sensation d'étouffement. Ainsi, les plafonds à grands motifs doivent être réservés aux pièces de circulation.

les rayures

Les rayures, posées verticalement, réduisent la largeur des murs et rehaussent le plafond. Lorsqu'elles sont, au contraire, horizontales, elles réduisent la hauteur des murs et, placées sur deux murs se faisant face, elles allongent les perspectives. Placées sur un plafond et quel que soit leur sens, elles l'abaissent considérablement.
Si elles habillent complètement une pièce (murs et plafond), le volume de cette pièce paraîtra très nettement diminué ; on risque même de provoquer une atmosphère étouffante et une certaine fatigue visuelle.

l'éclairage

Les effets d'éclairage peuvent, à eux seuls, agrandir ou diminuer une pièce. Pour donner l'impression d'un espace ou d'un volume plus vaste, on utilisera de grandes surfaces diffusantes dans le genre des panneaux de Plexiglas ou de verre opaque. Pour obtenir une sensation de resserrement et d'intimité, on se servira au contraire de lampes opalisées, de lampes à abat-jour opaque ou de spots réglables.

les miroirs

Leur utilisation contribue toujours à accroître ou à élargir la perspective. Les miroirs peuvent même donner l'illusion qu'une pièce tout entière a doublé de proportions. Pour obtenir ce résultat, il faut couvrir complètement la surface d'un mur (en hauteur et en largeur), en prenant garde d'aller jusqu'aux angles formés avec le plafond et les autres murs.
Mais on peut se contenter de provoquer une sensation d'espace en fixant un grand miroir à l'une des extrémités du plus petit axe d'une pièce.
Veillez à ne pas placer un miroir (surtout s'il revêt entièrement un mur) face à un courant habituel de circulation. L'effet produit serait gênant, voire fatigant, et s'exercerait au détriment de l'allongement de la perspective.

Les meilleurs emplacements pour un grand miroir sont parallèles au sens général de la circulation.

les agrandissements photographiques

Comme des miroirs, ils allongent infailliblement la perspective, et les meilleurs résultats sont obtenus en leur consacrant la surface entière d'un mur, du sol au plafond et d'un mur à l'autre. Par contre, à l'inverse des miroirs, les meilleurs emplacements se situent à l'extrémité d'un axe de circulation ou de vision quotidienne.
Les agrandissements photographiques se présentent sous forme de lés de papier, comme le papier peint. Ils se collent aisément sur toutes les surfaces lisses et propres (bois, plâtre). Les raccords ne posent aucun problème; une surface de recouvrement est en effet prévue au tirage, et il n'est pas nécessaire d'émarger, ni même de poser les lés bord à bord.
Ces agrandissements photographiques sont effectués sur demande par la plupart des studios photographiques qui proposent un choix de documents classés par sujets et par catégories, mais qui peuvent aussi agrandir l'une de vos photos si le cliché est net.
Pour éviter des erreurs d'appréciation au moment du choix, voici quelques conseils.

Photos de paysages. Lorsque vous les choisissez sur catalogue, évitez la présence de personnages, de fils électriques, d'antennes

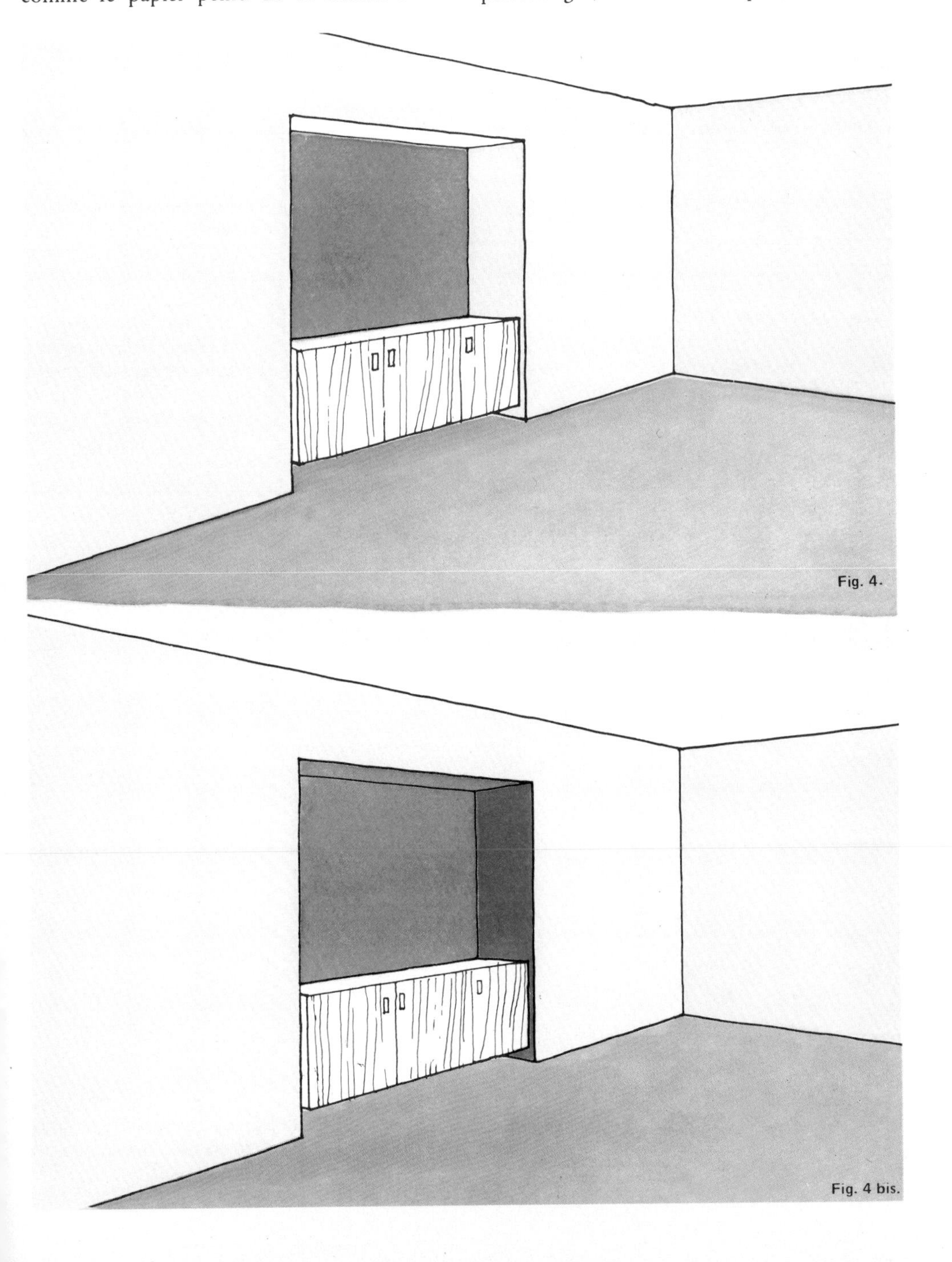

Fig. 4.

Fig. 4 bis.

de télévision. A l'agrandissement, l'effet risquerait d'être désastreux. Veillez, d'autre part, à ce que la ligne d'horizon du cliché corresponde approximativement à la vôtre lorsque le document sera agrandi (entre 1,55 m et 1,70 m du sol).
Choisissez de préférence des paysages calmes présentant de larges perspectives. Une photo de plaine avec un grand morceau de ciel simple et vide agrandit plus une pièce qu'une photo de forêt ou une photo de mer vue à travers des pins parasols. Un décor photographique doit être beau sans complication ni ornementation inutile. N'oubliez pas que ce qui peut vous séduire sur un album ou dans un magasin, ce qui peut vous plaire dans un lieu public où l'on ne passe que quelques instants serait peut-être insupportable chez vous à longueur de journée. Dans le même ordre d'idée, évitez également les fausses fenêtres avec un paysage à l'arrière-plan éclairé par des rampes dissimulées. C'est plus un décor de cabaret ou de magasin que d'intérieur d'habitation.

Photos de dessins, de gravures, de peintures. Sur de grandes surfaces, elles peuvent apporter des perspectives inattendues et raffinées. Vous pouvez choisir, sur un livre, une œuvre d'art qui vous plaît et la faire reproduire et agrandir ; l'utilisation privée d'une telle reproduction ne fait l'objet d'aucun droit. Ne soyez pas surpris du « grain » du tirage ; il paraît souvent assez important, mais il sera imperceptible à plus de deux mètres lorsque l'agrandissement aura été collé.
Si vous portez votre choix sur la couleur (beaucoup plus chère que le noir et le blanc), préférez les teintes douces et méfiez-vous des grands à-plats colorés, assez fatigants à la longue. N'oubliez pas que les pigments se décolorent vite et évitez d'exposer directement au soleil de tels agrandissements.

les écrans

Ils servent à réduire le volume initial d'une pièce pour créer des zones d'utilisations différentes. Ce morcellement peut être plus ou moins accusé selon l'opacité et les dimensions des écrans que l'on emploie.

Les écrans opaques. Cette expression désigne des panneaux droits (bois naturel, bois laqué, métal), ainsi que des cloisons accordéon (tissu plastifié, plastique dur, bois, métal) à enroulement ou à déplacement latéral.
Ces types d'écran coulissent en général sur un rail fixé au plafond ; on peut aussi fixer le rail d'un mur à l'autre à la hauteur désirée pour éviter d'arrêter complètement la vue. Autant que possible, il faut éviter les rails au sol, car ils se salissent vite.
On trouve également des écrans opaques qui s'enroulent en partie haute, comme des stores. Ils se fabriquent en bois, en plastique ou en tissu naturel ou synthétique.

Les écrans semi-transparents. Ils peuvent coulisser ou se dérouler comme les précédents et, dans ce cas, ils ne se distinguent que par leurs matériaux, qui laissent filtrer une partie de la lumière (bois filé, tissu, papier, par exemple). Mais on utilise également des rideaux fixes, que l'on peut fabriquer avec des perles de bois, des perles de verre, des chaînettes chromées ou non, etc.

Les paravents. Ils forment des écrans d'une grande souplesse, puisqu'on peut les déplacer et leur donner les dimensions que l'on veut. En outre, une fois repliés, on peut les escamoter et les ranger aisément. Enfin, tous les matériaux leur conviennent.
En général, il est préférable d'intégrer un paravent au décor d'ensemble de la pièce et de le tendre, par exemple, du même tissu ou du même papier que les murs. Mais on peut aussi le traiter comme un élément à part. C'est ce qu'on peut faire avec des paravents d'Extrême-Orient. On peut choisir entre paravents opaques et paravents semi-transparents. Les premiers peuvent être en bois naturel ou laqué, en métal, en matière plastique, en contre-plaqué peint, ou bien habillés de tissu, de papier, d'un agrandissement photographique... Les seconds sont en lamelles de bois, en rotin, en tissu, en Plexiglas teinté, etc.

Les claustra. Ce sont de véritables cloisons de séparation ; ils ne sont pas mobiles, mais on les construit de façon qu'ils laissent passer en partie la lumière, soit qu'ils n'aillent pas jusqu'au plafond, soit qu'ils comportent des jours assez importants. On peut construire des claustra en toutes sortes de matériaux, bois, métal, matière plastique, et même verre opaque et terre cuite.

les résultats

agrandir

C'est la préoccupation majeure de notre temps, où il semble bien que l'espace devienne un luxe, surtout dans les villes. Les exemples suivants vous donneront quelques idées qui, sans toucher au volume réel d'une pièce, vous donneront l'impression très nette qu'il s'est considérablement agrandi.

Dans cette chambre, pourvue d'une large baie vitrée, de grands voilages passant derrière une tablette équipée de tiroirs assurent une répartition équilibrée de la lumière du jour. Pourtant, la pièce demeure un peu petite. C'est pourquoi, à la perpendiculaire de la fenêtre, on a placé un vaste miroir : il renvoie l'image de la baie vitrée, augmente sensiblement la luminosité et paraît multiplier le volume de la chambre.

1. *Cette petite salle de séjour, organisée autour d'une cheminée basse, se compose essentiellement d'une « fosse de conversation », dont la banquette est munie de coussins, ce qui permet de s'installer au niveau du foyer. La pièce est séparée de la chambre voisine par un panneau coulissant habillé de tissu ; le rail est directement intégré au plafond.*
2. *Lorsqu'un canapé occupe le centre d'une pièce, il paraît parfois un peu perdu. On peut remédier à cette impression désagréable en déroulant derrière son dossier un store presque transparent de bois filé qui suggérera un plan d'appui sans nuire à la perspective de la pièce ni diminuer son volume. Cet écran peut en outre servir de support à quelques éléments décoratifs : ici, une branche et un luminaire.*
3. *Cette salle de séjour est divisée en deux zones par deux bibliothèques doubles-faces. Entre ces bibliothèques, un store à lames de toile verticales, repliable, permet d'assurer l'indépendance de chacune des zones, si besoin est, sans rompre l'équilibre général de la pièce.*
4. *Cette séparation légère est formée de chaînettes fixées au plafond et descendant jusqu'au sol, d'un mur à l'autre. Pour passer, on l'écarte simplement de la main, comme on le fait pour le store de la porte d'entrée d'une boutique.*
5. *Selon la place que l'on occupe dans une pièce, des claustra coupent plus ou moins nettement la perspective. Vus de face, par exemple, ils peuvent paraître faire office de plan d'appui plutôt que d'écran. C'est le cas ici pour ces claustra en bois laqué.*

1	2	
3	4	5

▲ *Les petits appartements ne comportent pas toujours d'entrée. Pour y remédier sans diminuer le volume de la pièce principale, on peut, comme ici, créer une petite zone d'accueil séparée à l'aide d'une légère cloison en paille de riz, que l'on fera coulisser selon les besoins.*

▼ *Dans un grenier, on cherche toujours à donner aux perspectives le maximum d'ampleur. C'est pourquoi, lorsqu'on veut diviser la pièce en plusieurs zones, on utilise de préférence des écrans mobiles. Ici, la chambre est séparée de la partie réservée au séjour par un cadre en bois ciré, tendu de rabane, coulissant sur un rail au plafond.*

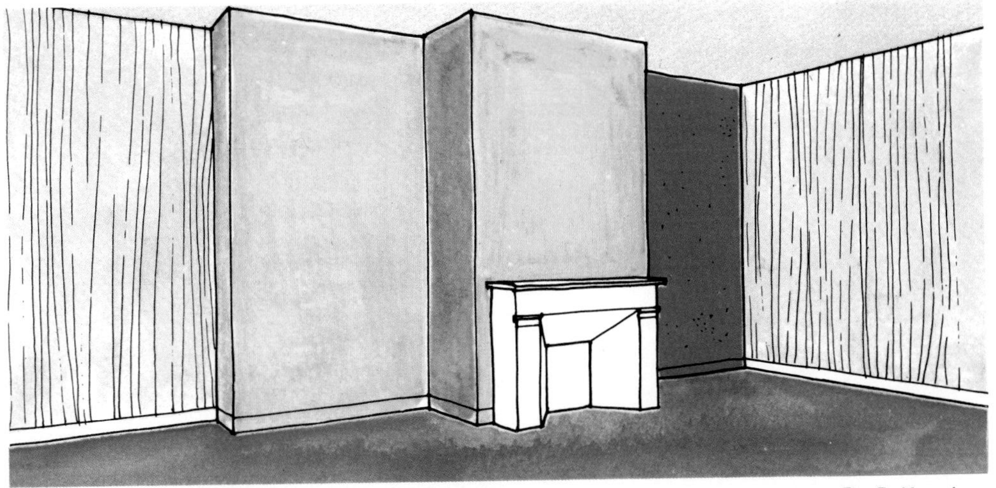

Fig. 5. *Mauvais*

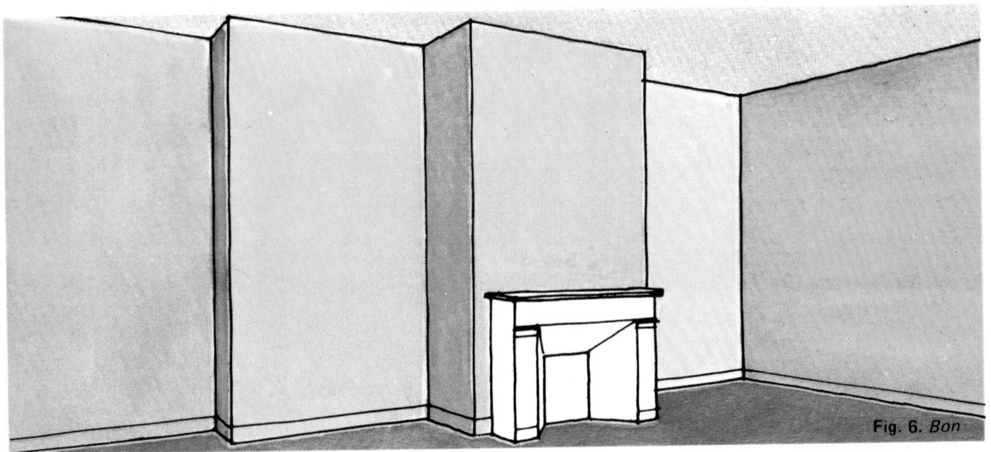

Fig. 6. *Bon*

Dans beaucoup de petits appartements, les murs présentent de nombreux décrochements, qui, s'ils permettent de placer facilement des meubles ou d'installer des placards, morcellent désagréablement le volume de la pièce. On a envie de « pousser les murs ». Dans ce cas, il faut éviter de poser des revêtements différents sur les murs d'une même pièce, ce qui réduit les perspectives (*fig. 5*). Utilisez au contraire pour tous les murs, retours et décrochements une peinture ou un papier peint uni de même ton (*fig. 6*). A la rigueur, vous pouvez aussi employer un papier à très petits motifs.

Si vous voulez, avec du papier peint à motifs, agrandir une petite pièce aux décrochements nombreux (*fig.* 7), évitez les carreaux, les gros semis de bouquets, les animaux, les objets importants. Choisissez des papiers dans des tonalités douces, de préférence en camaïeu, et réservez un panneau ou deux à un papier uni dans le même ton. Dans notre exemple (*fig. 8*), l'effet recherché est obtenu en limitant l'emploi d'un papier peint à rayures aux panneaux A et B ; les murs C, D et E sont tendus d'un papier uni.

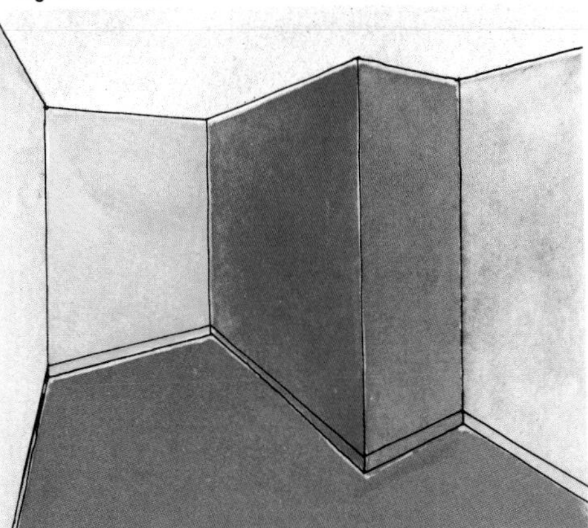

Fig. 7 *Mauvais*

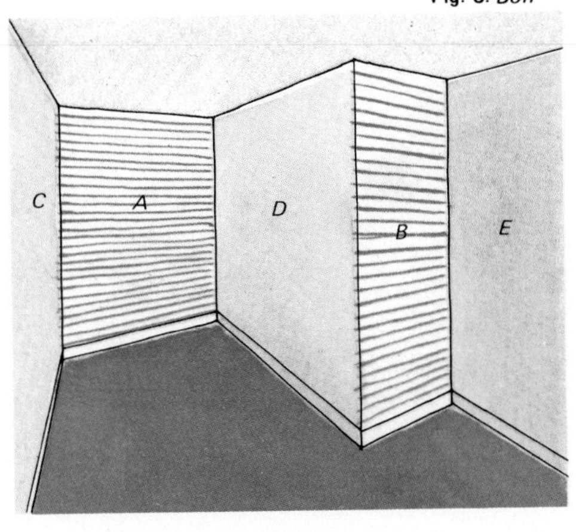

Fig. 8. *Bon*

Les pièces d'un appartement sont le plus souvent décorées séparément, même lorsqu'elles sont mitoyennes (*fig. 9*). Mais, pour agrandir nettement la perspective d'ensemble, il est bon, au contraire, de prolonger le revêtement d'un mur d'une pièce à la pièce contiguë. Ainsi, dans la *figure 10*, la rayure horizontale se poursuit de la pièce A à la pièce B. Lorsque la porte de communication est ouverte, l'impression d'agrandissement est évidente. Elle peut, du reste, être accentuée à l'aide d'un revêtement de sol identique dans les deux pièces.

Dans un décrochement, on a placé un beau miroir encadré (*fig. 11*), dans lequel se reflète une partie du mur perpendiculaire, tendu de papier rayé. L'effet décoratif est heureux, mais l'impression d'agrandissement est limitée. Pour créer de nouvelles perspectives et

Fig. 9.

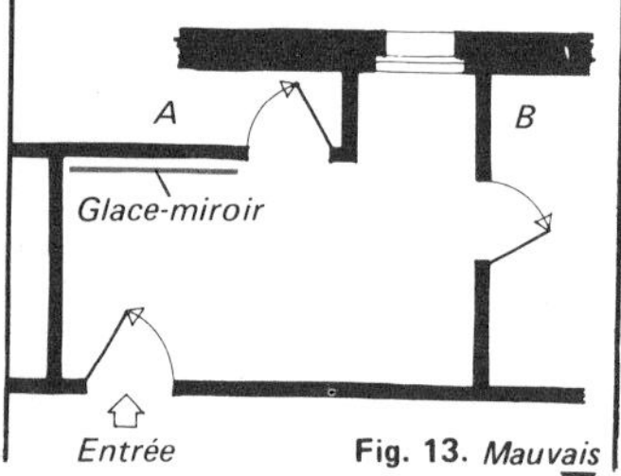

Fig. 13. *Mauvais*

Fig. 11.

Fig. 14 *Mauvais*

Fig. 10.

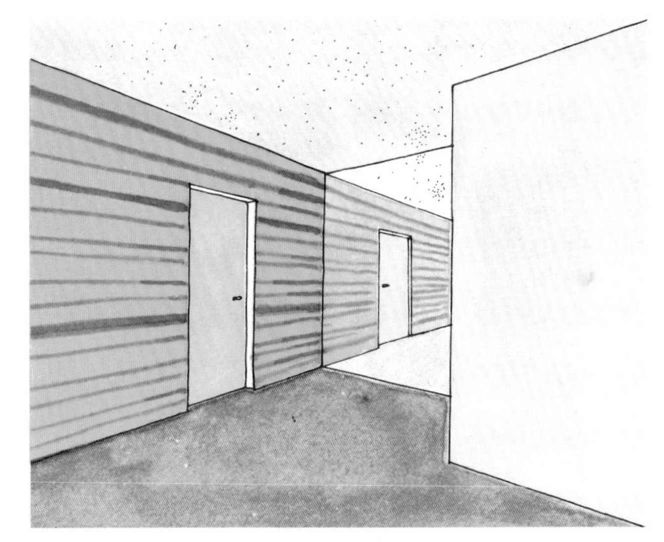

Fig. 12.

doubler les proportions de la pièce, il est préférable de placer un grand miroir (au besoin en plusieurs parties) du sol au plafond et de mur à mur (*fig. 12*). Pour agrandir une entrée de petites ou de moyennes dimensions (*fig. 13* à *16*), on peut utiliser un miroir de grande surface. Encore faut-il savoir choisir le bon emplacement. En le mettant sur le mur A, face à la porte d'entrée, le résultat sera décevant (*fig. 13* et *14*), car trop de murs s'y reflètent et, de plus, la personne qui entre se trouve placée trop près du miroir pour être sensible à une illusion de profondeur. Par contre, si le miroir est placé sur le mur B, on aura, en entrant, l'impression de voir, au fond de la pièce, un petit renfoncement percé d'une large fenêtre (*fig. 15* et *16*). En outre, la luminosité naturelle sera fortement accrue, ce qui n'est pas à négliger.

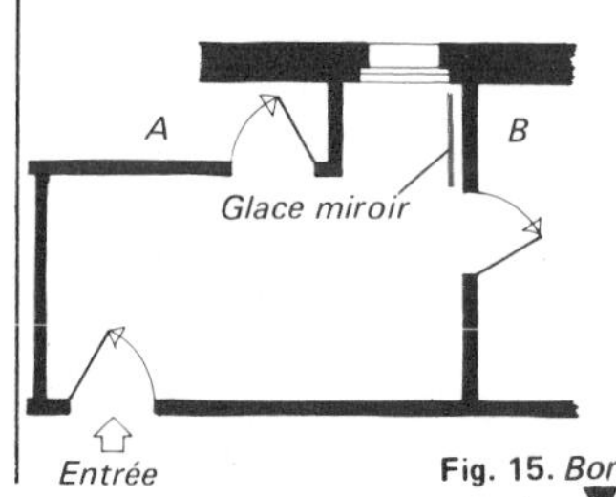

Fig. 15. *Bon*

Fig. 16. *Bon*

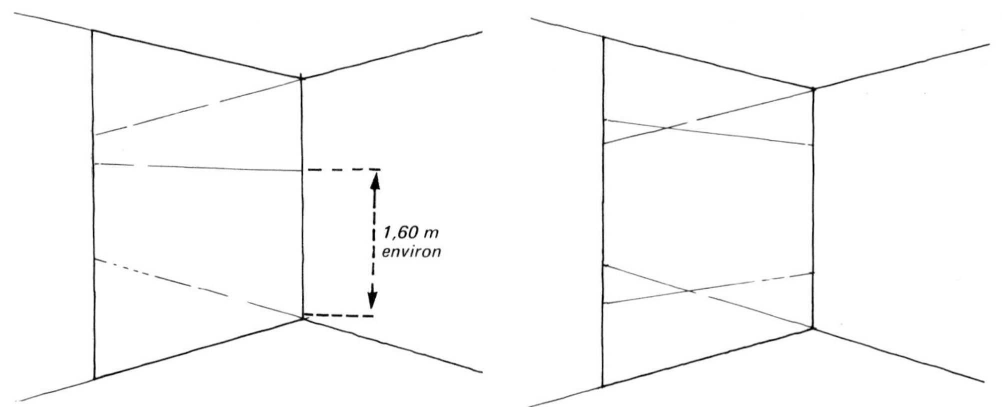

Fig. 17 A. *Mauvais*

Fig. 17 B. *Bon*

Il est parfois difficile de trouver ou de faire transporter un miroir suffisamment grand pour couvrir tout un mur. Il faut donc faire poser un miroir en plusieurs parties. Ce n'est pas gênant, à condition que le joint ne se trouve pas à la hauteur des yeux (entre 1,50 et 1,60 m environ), comme dans la *figure 17 A*. Mieux vaut qu'il y ait deux joints plutôt qu'un seul, le premier en partie haute et le second en partie basse (*fig. 17 B*). Mais il faudra veiller à la planimétrie de l'ensemble.

Pour qu'un miroir reflète sans cassure les murs, le plafond, les lignes et les moulures d'une pièce et qu'il prolonge effectivement la perspective, il faut qu'il fasse un angle de 90° avec le mur voisin. Dans la *figure 18*, l'angle de 90° a été respecté, et les lignes de couleur se prolongent rigoureusement dans le miroir. La pose a donc été très bien faite.

Dans la *figure 19*, l'angle de pose est inférieur à 90°, et les lignes se cassent. L'effet serait tout aussi désagréable – mais inverse – si l'angle de pose avait été supérieur à 90°.

Lorsque, pour créer une impression de profondeur et d'espace, on utilise un agrandissement de paysage comportant un horizon

Fig. 20.

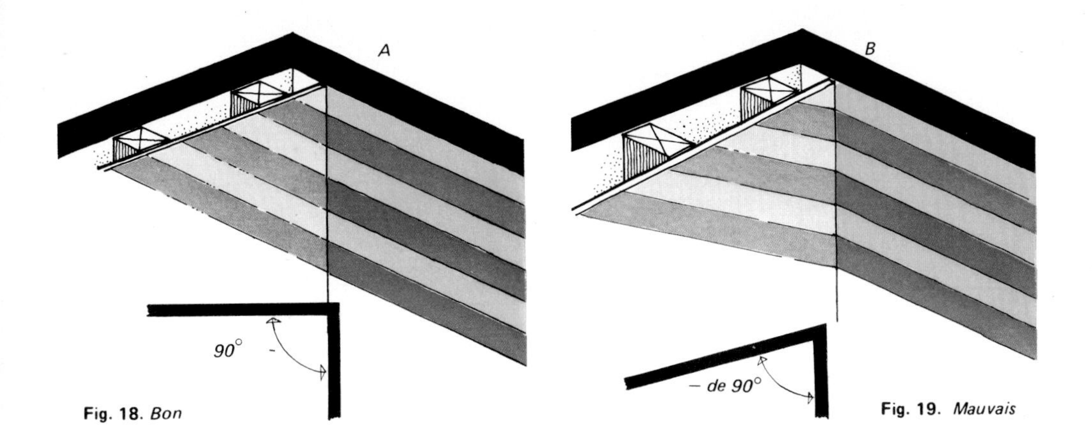

Fig. 18. *Bon*

Fig. 19. *Mauvais*

bien net, il faut surveiller la pose de façon que la ligne d'horizon se situe bien au niveau de votre regard (*fig. 20*). Au-dessus ou en dessous, l'effet serait très désagréable et fatigant pour la vue.

Pour donner de la profondeur à un couloir et créer une atmosphère originale, les murs ont été tapissés de tissus très foncés, et l'on a choisi l'agrandissement en noir et blanc d'un petit chemin qui serpente à travers la campagne jusqu'à l'horizon. On a pris soin de repérer la hauteur de l'horizon (*fig. 21*) et de prévoir que la largeur du chemin, à la base de la photo, corresponde à la largeur du couloir. En recouvrant le sol d'un revêtement dans un ton proche de celui de la photo, on accentuera l'effet de perspective. Dans un cas semblable, pensez à l'éclairage, ici deux petits spots orientables.

Les studios spécialisés dans ce genre d'agrandissement sont à même de résoudre les divers problèmes de raccords de perspectives, de hauteur d'horizon, etc. En allant choisir le document à agrandir, pensez à vous munir d'un relevé sommaire des lieux et des diverses dimensions (largeur, hauteur).

Fig. 21.

Fig. 22.

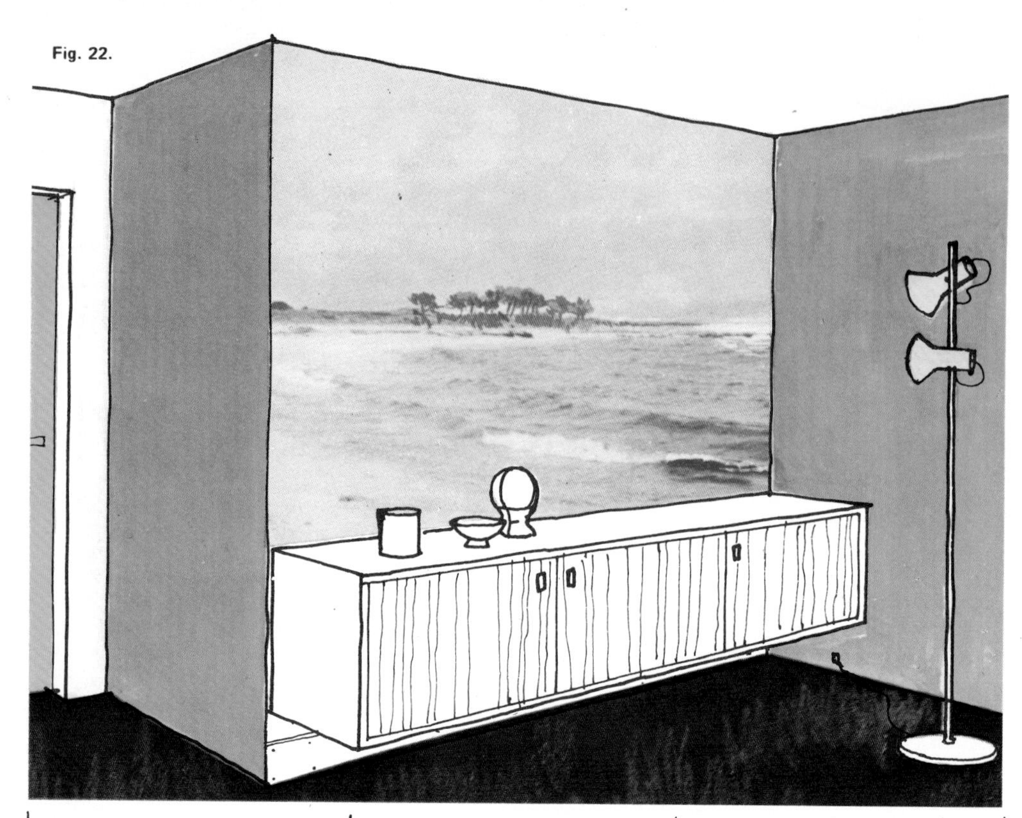

Pour donner de la profondeur à ce mur (*fig. 22*), sur lequel s'appuie un long meuble suspendu en lamifié blanc (il est fixé sur des cornières), on a choisi l'agrandissement d'une photo prise au bord de la mer. Le tirage a été demandé peu contrasté afin que le sable du premier plan reste assez blanc et prolonge discrètement le plateau du meuble. Après avoir repéré avec soin la hauteur de l'horizon, on a pensé à prolonger la photo sous le meuble jusqu'au sol (on peut prévoir une plinthe en Plexiglas transparent). Si ce petit détail semble superflu, ce n'est qu'une apparence, car il contribue largement à donner à l'ensemble son unité. De plus, il allège la masse du meuble.

Cette petite entrée était éclairée par un gros lampion japonais qui lui assurait une lumière douce, accueillante, unie (*fig. 23*), ne modifiant pas les volumes. Pour agrandir la pièce, on a supprimé le lampion et transformé le mur du fond en une vaste paroi lumineuse qui donne une sensation de lumière du jour et prolonge les perspectives (*fig. 24*). Pour poser une paroi de ce genre, il faut construire un cadre en bois, du type huisserie de fenêtre, allant d'un mur à l'autre et du sol au plafond. Ce cadre comportera une ou deux traverses (une sur le schéma de la *fig. 25*). Derrière le cadre, dans une feuillure spéciale, on place ensuite des feuilles de Plexiglas, de verre dépoli ou de Perspex. Le Rhodoïd opaque ne peut être utilisé que si les panneaux du cadre ne sont pas trop grands. Entre l'écran et le mur, on laisse un espace de 15 cm environ, que l'on équipe de tubes fluorescents « lumière du

Fig. 23.

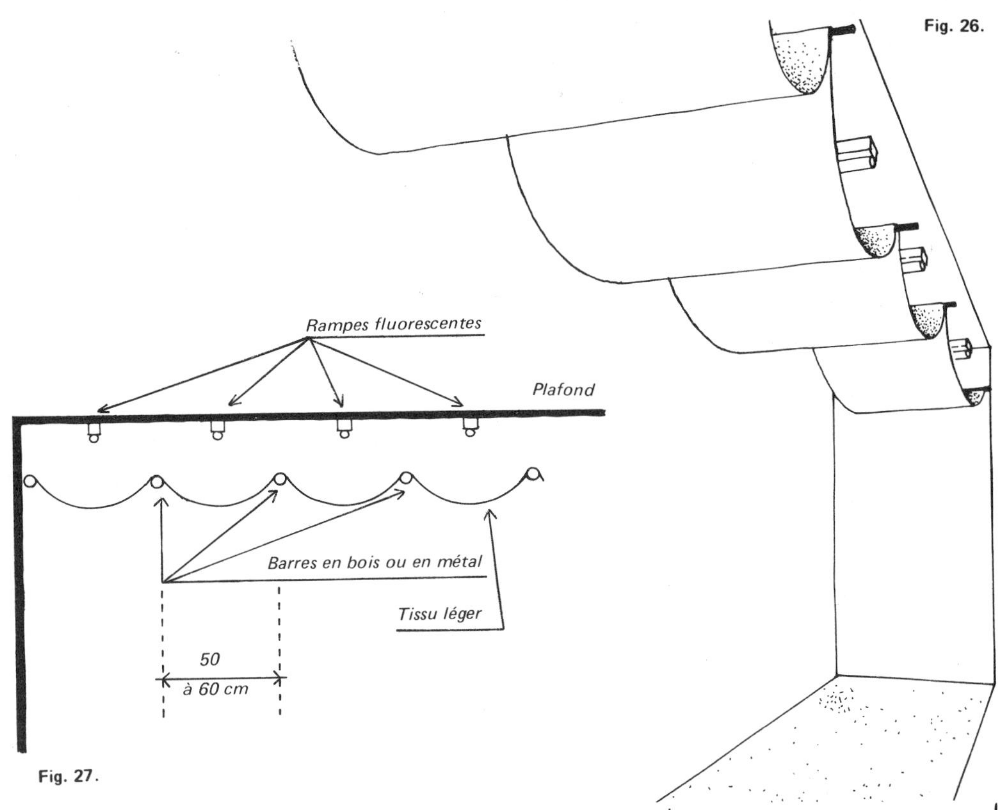

Fig. 26.

Fig. 27.

jour », en haut, en bas, de côté et à l'arrière des traverses.

Un plafond lumineux est très souvent décoratif et il agrandit le volume d'une pièce. Un bon exemple est offert par l'entrée que nous présentons en page 113 (*fig. 26*). Vous pouvez le réaliser en procédant de la manière suivante (*fig. 27*) :

- Fixez latéralement, tout le long du couloir, à 2,35 m du sol, des barres en bois ou en métal espacées de 50 à 60 cm.
- Répartissez-les et fixez, entre ces barres, des rampes fluorescentes.
- Confectionnez, dans un tissu léger et transparent, une bande un peu moins large que le plafond du couloir (5 cm en moins), que vous poserez à cheval sur les barres en creusant à votre gré à chaque intervalle. Veillez à ce que votre installation électrique soit en parfait état, pour éviter les risques de court-circuit. Il est préférable d'ignifuger le tissu, en le faisant tremper dans une solution spéciale.

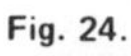

Fig. 24.

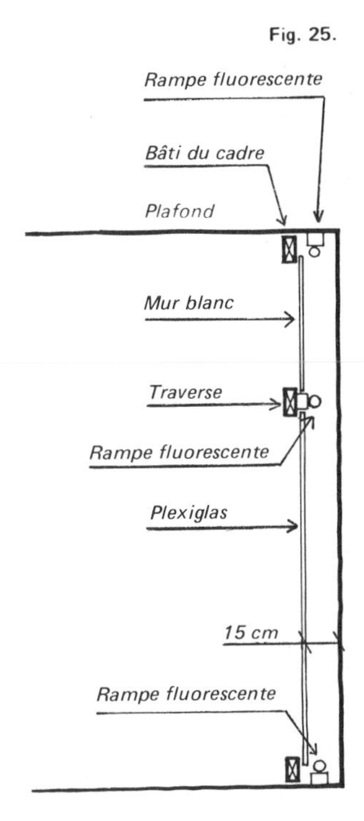

Fig. 25.

Fig. 28.

rehausser

Il arrive que l'on ait, soit dans une pièce mansardée, soit dans un couloir ou une entrée, un sentiment d'étouffement, de manque d'air, comme si le plafond trop bas « vous tombait sur la tête ». Quelques astuces très simples vous permettront de remédier à cette sensation désagréable.

Fig. 29.

Pour faire paraître une pièce (*fig. 28*) plus haute qu'elle ne l'est en réalité, il suffit de peindre le plafond dans une tonalité foncée en employant une peinture laquée très brillante (*fig. 29*). Les murs, qui recevront de préférence une peinture mate ou un revêtement (papier, tissu) très clair, viendront s'y refléter presque comme dans un miroir. On peut même accentuer cet effet en habillant l'un des murs différemment des autres.

Les grands placards qui vont du sol au plafond sont bien utiles, mais ils risquent de faire paraître la pièce moins haute. Pour combattre cette impression, on peint souvent les portes dans des tons différents (*fig. 30*), mais le résultat risque de n'être pas très convaincant. En fait, pour accentuer les verticales, il faut employer des tons assez contrastés et ne pas hésiter à peindre l'une des portes et la petite partie supérieure qui la prolonge dans une tonalité assez foncée (*fig. 31*).

Un petit escalier en maçonnerie, conduisant à une pièce à mi-étage, est indispensable, et plus économique qu'un escalier en bois. Mais il alourdit considérablement l'angle de la pièce dans lequel il a été construit d'autant plus que les couleurs qui l'entourent ont été mal réparties et que le plafond est assez bas (*fig. 32*). Pour remédier à cet inconvénient, il faut peindre les parois de l'escalier dans la même tonalité que les murs. Cela met en valeur les surfaces des marches, des contremarches et de la porte d'accès à l'étage, qui, peintes dans une seule couleur très claire, semblent se dérouler du sol au plafond comme un ruban (*fig. 33*).
Il existe des peintures polyvalentes (comme le V 33) qui peuvent s'appliquer aussi bien aux sols qu'aux murs.

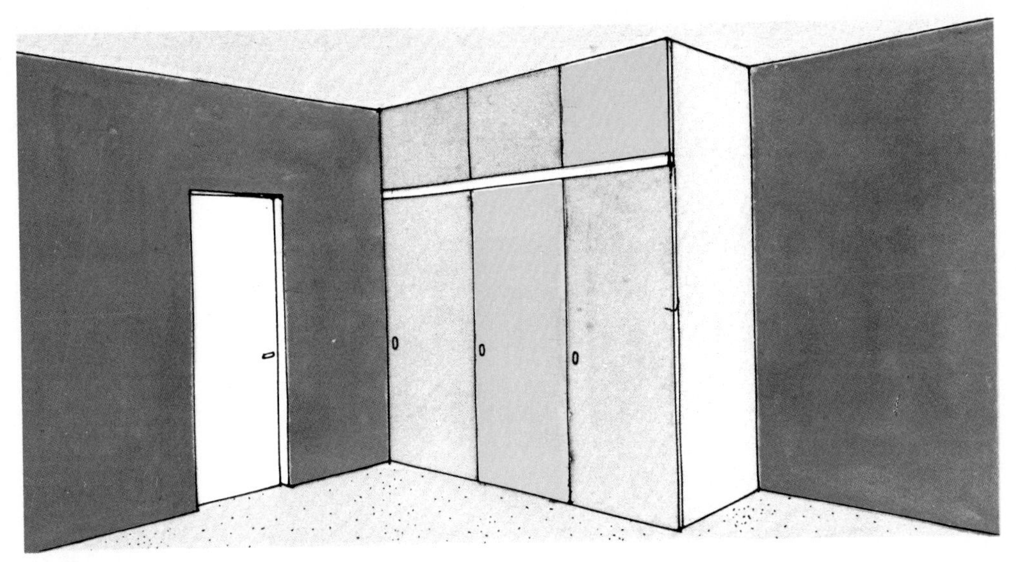

Fig. 30.

Fig. 31.

Fig. 32.

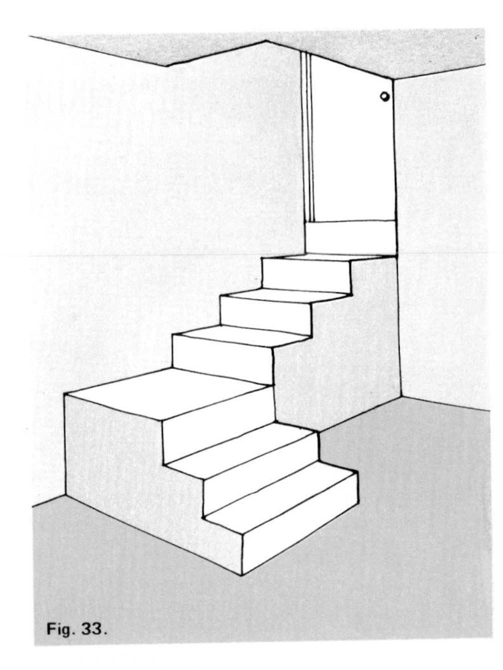

Fig. 33.

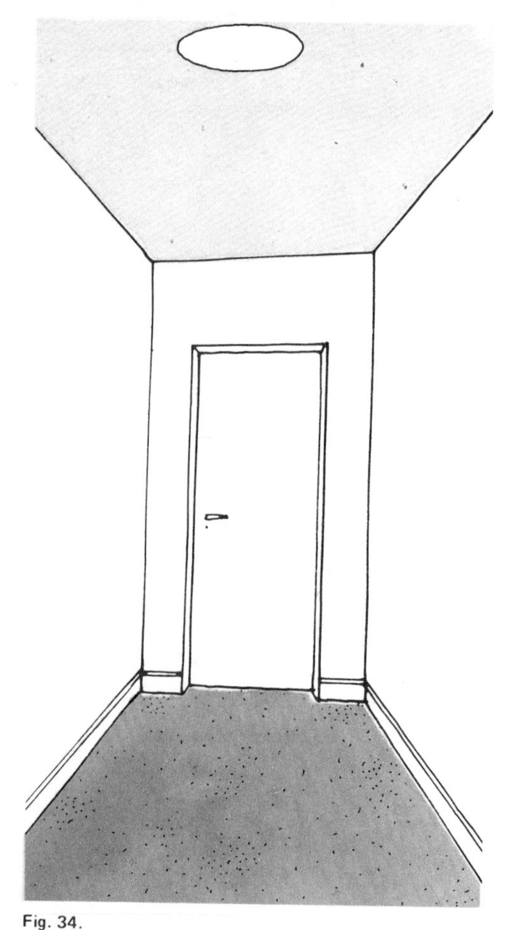

Fig. 34.

Fig. 35.

Fig. 36.

Fig. 37.

Lorsqu'un plafond paraît très bas (*fig. 34*), on est assuré de le rehausser en habillant les murs de papier peint ou de tissu à rayures verticales (*fig. 35*). Il est même possible de se contenter de n'habiller qu'un seul mur, les autres étant peints dans une tonalité unie. Pour obtenir l'effet maximal, il faut choisir des contrastes de couleurs très marqués.

Lorsqu'une entrée, un coin de salle de séjour ou même un dégagement paraissent bas de plafond, il vous faudra choisir un luminaire offrant une verticale très accusée. La boule lumineuse sur pied de la *figure 36* n'est pas suffisante ; elle est trop mince et trop courte. Par contre, le grand lampion de la *figure 37* semble rehausser la pièce. Ce type de luminaire existe en papier, en tissu et en verre...

Fig. 38.

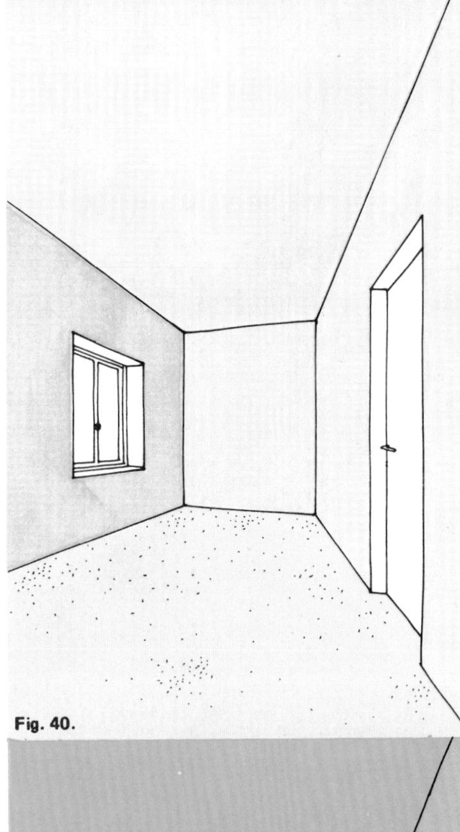

Fig. 40.

élargir

Dans certains cas, pour des couloirs par exemple, vous souhaiteriez écarter deux murs se faisant face, ou tout au moins en donner l'impression. Là encore, utilisez les couleurs, les rayures et aussi les agrandissements photographiques pour faire « entrer de l'air » dans un espace restreint.

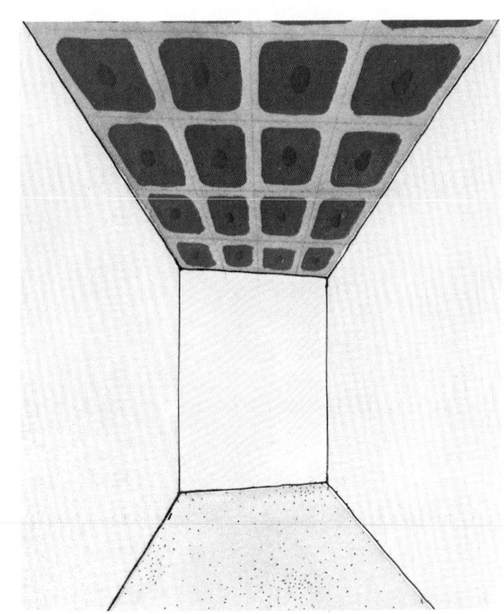

Fig. 39.

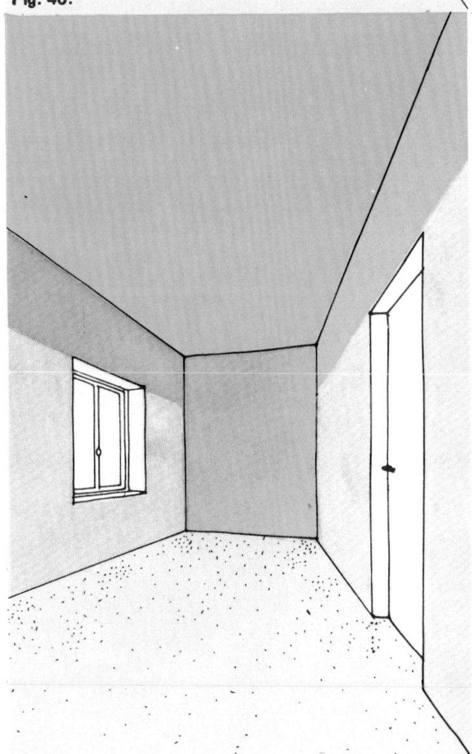

Fig. 41.

Les couloirs paraissent souvent très étroits (*fig. 38*). C'est une impression qu'il est facile de combattre en tapissant le plafond avec un papier très coloré à larges motifs (*fig. 39*). On accentuera encore considérablement l'élargissement si l'on s'attache à choisir un revêtement de sol dans la même tonalité que le fond du papier et si l'on peint les murs d'un ton très clair.

Pour élargir cette pièce trop étroite (*fig. 40*), on a peint le plafond dans une tonalité à la fois soutenue et mate, que l'on a employée également pour la surface entière d'un mur (ici le mur du fond) et pour des bandes de retombée de 40 à 50 cm sur les parties supérieures des murs latéraux. Grâce à ce procédé, la largeur réelle de la pièce paraît prolongée de chaque côté (*fig. 41*).

Fig. 42.

Des rayures horizontales provoquent toujours une impression d'élargissement, surtout si elles sont fortement contrastées (*fig. 42*). On peut se contenter d'en revêtir un seul mur, les autres restant unis, mais dans une tonalité identique.

Un agrandissement photographique de ciel léger, avec quelques nuages, est tout indiqué pour recouvrir un plafond (*fig. 43*). Il donnera une impression d'élargissement, surtout s'il est dans des tonalités douces, peu contrastées. Avec une reproduction en noir et blanc, on peut choisir, pour le sol et les murs, les coloris que l'on veut. Avec de la couleur, on préférera des tons neutres et foncés.

Fig. 43.

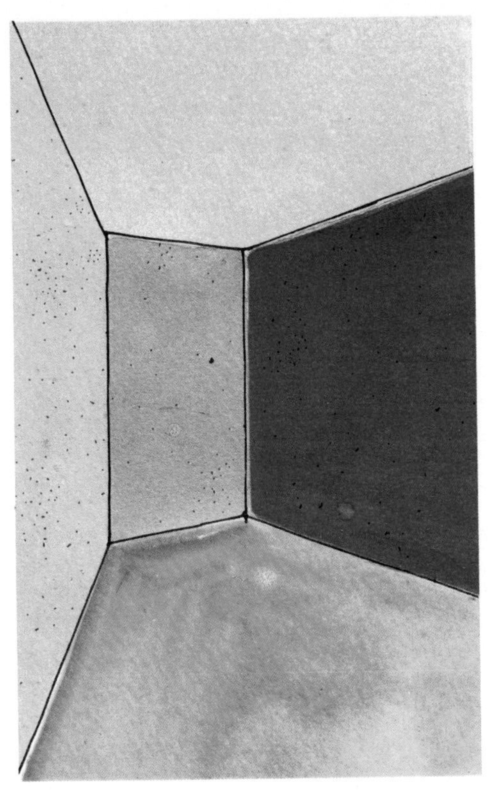

Fig. 44.

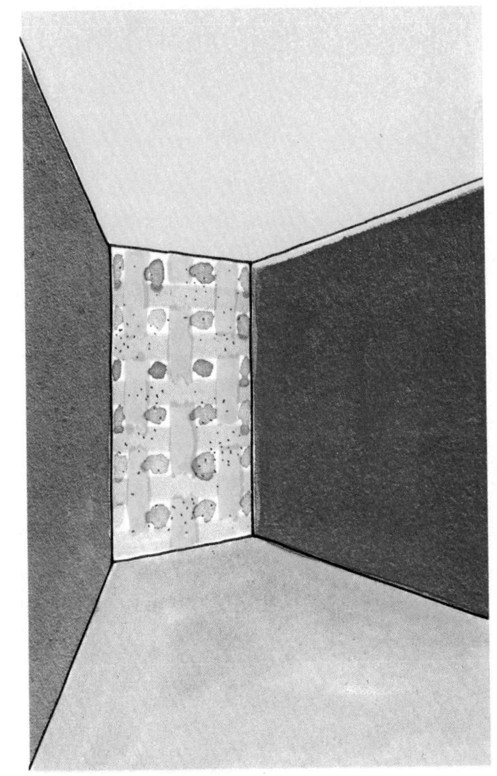

Fig. 45.

Fig. 46.

Fig. 47.

changer les proportions

Il est souvent agréable, dans une habitation, de posséder une pièce plus intime que les autres ou de créer dans une salle de séjour une zone de refuge aux proportions plus réduites. On peut trouver aussi que telle entrée (ou tel couloir) paraît trop grande et souhaiter lui donner des dimensions plus harmonieuses. Pour y parvenir, il n'est pas besoin de faire des travaux coûteux.

Réduire les proportions. Le plafond et les murs peints dans la même tonalité foncée diminuent apparemment le volume d'une pièce (*fig. 44*). Si l'on craint une réduction trop accentuée, on peut peindre l'un des murs dans un ton plus clair, ou l'habiller de papier peint ou de tissu (*fig. 45*). Si l'on désire en outre réduire les proportions d'un mur (*fig. 46*), on a intérêt à le morceler au maximum.
Les revêtements à très grands motifs peuvent jouer ce rôle — surtout si on les choisit dans des tonalités foncées (*fig. 47*).

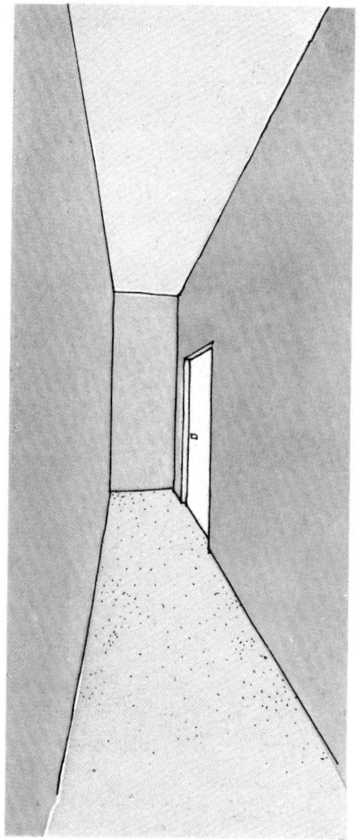

Fig. 48.

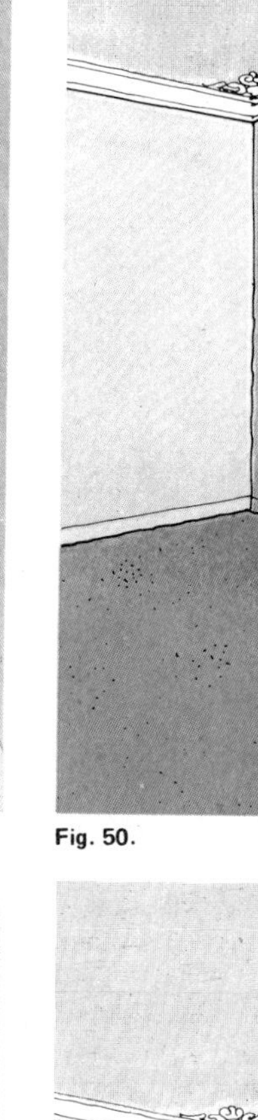

Fig. 50.

Fig. 49.

Fig. 51.

Dans un couloir long et haut (*fig. 48*) auquel on veut donner de meilleures proportions, le plus simple est de peindre le plafond dans une tonalité foncée. Il paraîtra sensiblement plus bas (*fig. 49*). Dans une grande pièce (*fig. 50*), salon, salle de séjour, salle à manger par exemple, on peut donner l'illusion que le plafond est moins élevé qu'il ne l'est en réalité en choisissant pour le sol un revêtement très foncé et en peignant dans la partie située au-dessus des fenêtres et jusqu'aux moulures une bande de même tonalité. On accentuera l'effet en garnissant les fenêtres de rideaux clairs (*fig. 51*), fixés derrière un bandeau de bois qui peut être peint de la couleur des autres murs.

Fig. 52.

Fig. 53.

Pour abaisser un plafond. Les appartements anciens nous paraissent souvent bien hauts de plafond. C'est parfois un charme, mais on peut aussi se sentir un peu dépaysé par des proportions qui ne sont plus tout à fait adaptées au goût et au mobilier d'aujourd'hui. Il faut par conséquent : d'une part trouver des idées pour modifier visuellement les hauteurs et recréer un cadre proportionné aux éléments de mobilier actuel ; d'autre part éviter de neutraliser l'effet ainsi obtenu par des ajouts qui risqueraient de modifier les nouvelles proportions : rideaux, lustres, tuyauteries apparentes, etc.

Fig. 54.

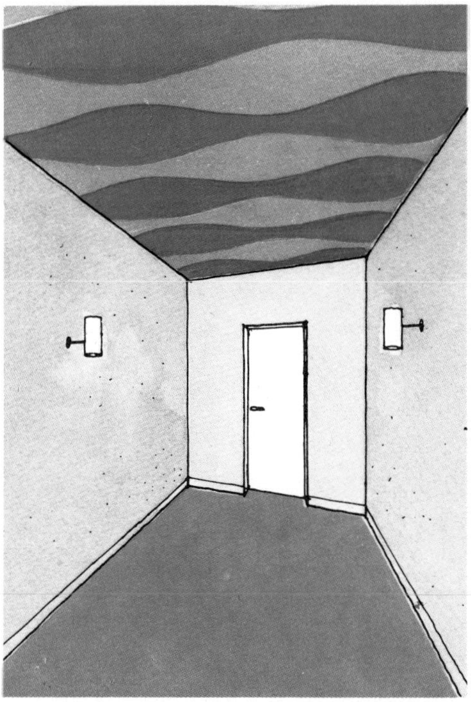

Fig. 55.

On peut faire oublier la hauteur disproportionnée d'un plafond (*fig. 52*) en attirant l'attention sur un élément particulier du décor. Ainsi, dans cette pièce (*fig. 53*) où le plafond a été peint dans la même tonalité que le revêtement du sol, on a donné aux deux portes un accent très coloré qui accroche le regard. Un plafond très coloré semble toujours plus bas. On peut accentuer encore cet effet en l'habillant d'un papier peint (ou d'un tissu) à larges motifs dans des tonalités foncées (*fig. 54, 55*). Choisissez de préférence des papiers peints dont les motifs aient des formes souples et évitez les dessins anguleux qui peuvent être fatigants, à la longue.

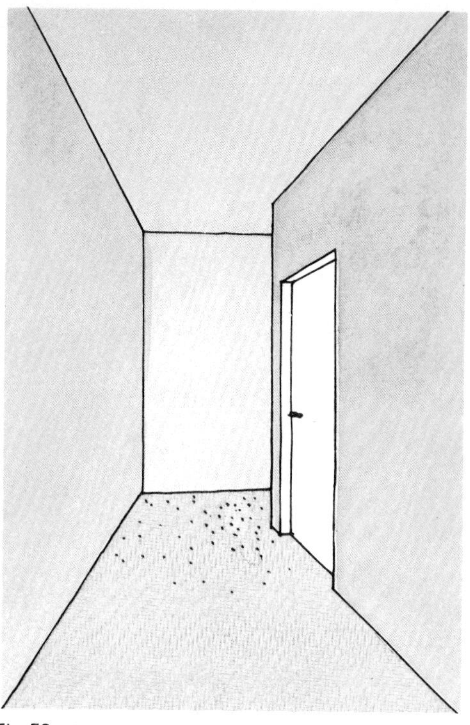

Fig. 56.

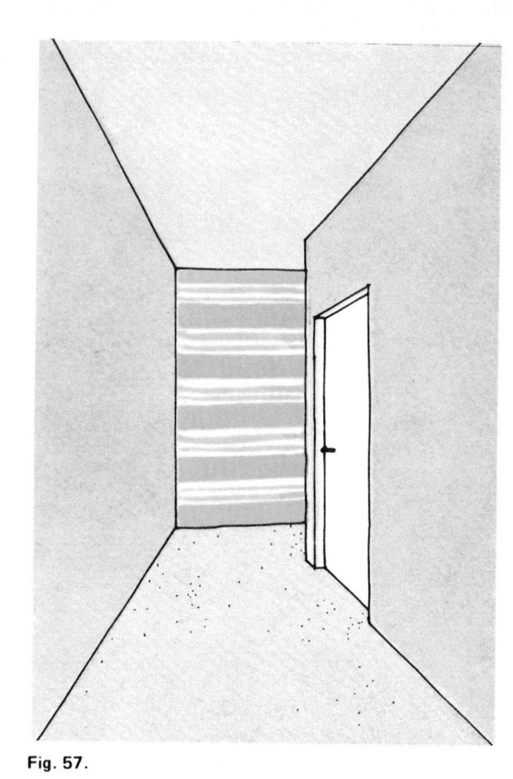

Fig. 57.

On peut également faire paraître un plafond plus bas en modifiant visuellement les proportions d'une pièce. En recouvrant, par exemple, le mur du fond de ce couloir (*fig. 56*) d'un papier à rayures horizontales, les murs latéraux vont paraître plus écartés et, par conséquent, la hauteur du plafond sera moins sensible (*fig. 57*). On peut retenir également cette solution pour un dégagement en angle.

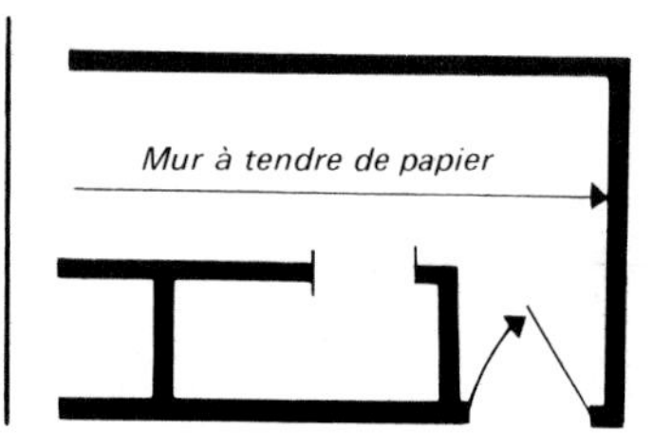

« Rapprocher » deux murs. C'est souvent un moyen de donner à une pièce dont les dimensions ne sont pas extrêmement harmonieuses plus d'intimité et de chaleur. On utilisera ces procédés en particulier pour une chambre ou un petit salon.

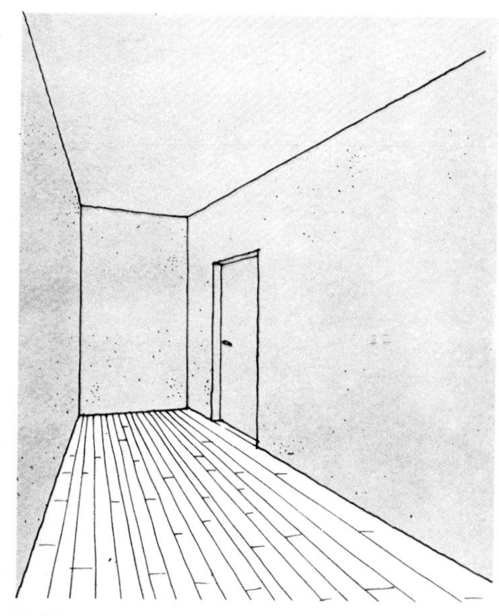

Fig. 58.

Fig. 59.

Dans cette pièce (*fig. 58*), deux murs se faisant face ont été peints dans une tonalité très foncée, les autres murs et le plafond, dans une tonalité plus claire (*fig. 59*). L'impression de rétrécissement est sensible.

Fig. 60.

Fig. 61.

Fig. 62.

Diviser une pièce. Les salles de séjour servent aujourd'hui à la fois de salle à manger, de salon, de bureau. On voudrait y trouver aussi un coin pour lire, un coin pour faire de la couture, un coin pour les enfants... C'est dire comme il est important de chercher à bien définir et délimiter leurs différentes zones.

Il existe sur le marché un grand nombre de cloisons extensibles composées d'une armature métallique sur laquelle est fixé un revêtement de tissu plastique (*fig. 60*). Ces cloisons peuvent se faire dans toutes les dimensions. Mais la plupart des fabricants proposent également quelques modèles standards, beaucoup moins chers. Renseignez-vous auprès de votre fournisseur. Les couleurs proposées sont peu nombreuses et parfois agressives. Le mieux est de choisir un blanc, un noir ou un ton havane, imitation cuir. Notez d'ailleurs que les deux faces peuvent être de couleurs différentes. Une fermeture à clef est prévue sur presque tous les modèles. Le coulissement se fait sur un rail fixé en partie haute.

Voici une cloison composée de panneaux de bois naturel à double face (*fig. 61*). Ces panneaux sont reliés les uns aux autres sur toute leur hauteur par des charnières en ruban plastique souple. Cette particularité accentue le fonctionnement très silencieux, déjà assuré par les galets de Nylon qui coulissent dans le rail placé en partie haute. Le sol est totalement dégagé. Ce type de cloison existe dans plusieurs essences de bois et dans toutes les dimensions que vous pouvez désirer (hauteur et largeur). La fermeture à clef peut être obtenue sur demande.

Pour diviser une pièce, limiter des zones, isoler un coin pour le repos, on peut utiliser ce type de panneaux coulissants en bois naturel ou laqué (latté ou aggloméré) [*fig. 62*].

Ces cloisons ne sont jamais complètement terminées lors de leur fabrication, car c'est la dimension de l'ouverture qui conditionne la largeur des deux ou trois panneaux qui les composent. Par contre, on trouve dans les quincailleries spécialisées tous les accessoires nécessaires au coulissement, rails spéciaux, galets sur roues caoutchoutées, guides en plastique (au sol), ainsi que des poignées à encastrer dans les panneaux. Lorsqu'on ne désire pas une isolation phonique complète, il n'est pas nécessaire de fixer au plafond le bâti dans lequel est noyé le rail. Cela permet d'éviter d'éventuelles difficultés de raccordements. On peut ainsi diviser une pièce sans en détruire les proportions, puisqu'on voit le plafond se poursuivre au-delà de la cloison.

Dans un petit studio, toutes les activités quotidiennes se situent dans la même pièce. L'aménagement aura donc pour principal objectif de délimiter les différentes zones, et en particulier de séparer et de dissimuler la cuisine. Ces portes-volets qui se replient en libérant l'accès aux appareils et aux placards sont, à cet égard, une solution pratique et décorative.

Exemple type d'une utilisation maximum de l'espace, ce cabinet de toilette a été installé dans un placard. Le lavabo est encastré dans un caisson en lamifié et le bidet est pivotant. Les trois faces intérieures du placard sont habillées de miroirs et un soin tout particulier a été apporté au choix de la couleur.

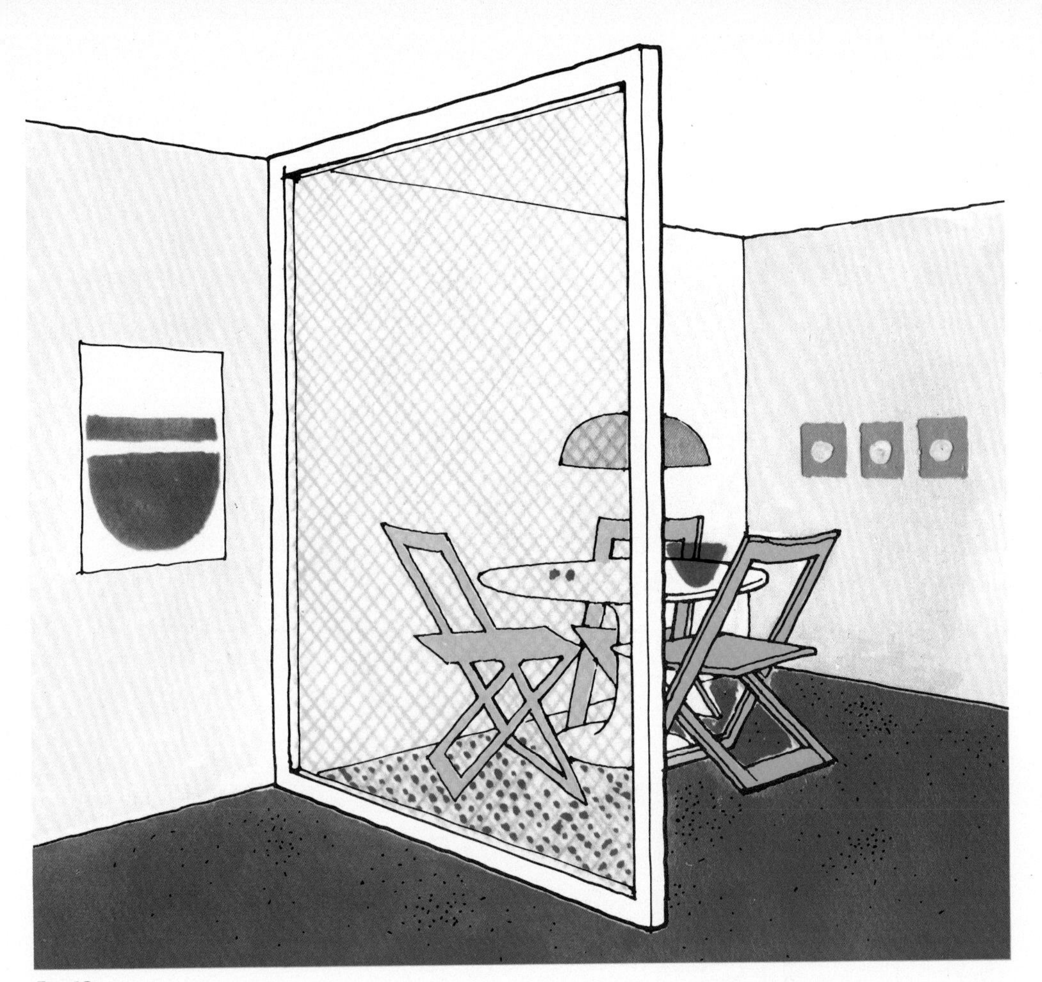

Fig. 63.

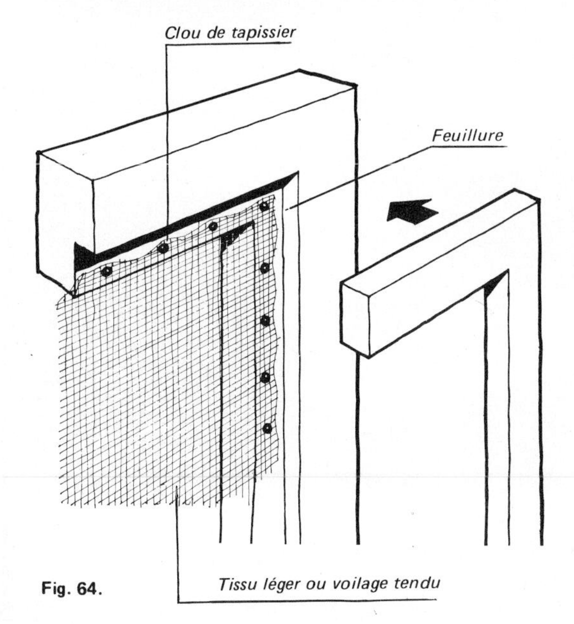

Fig. 64.

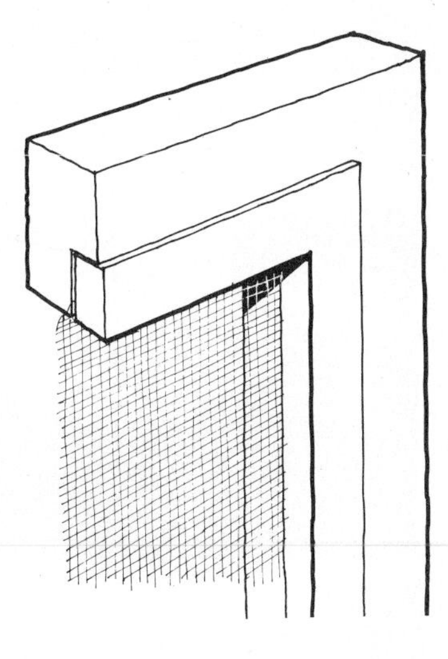

Fig. 65.

Un fin grillage métallique (celui des garde-manger), un tissu léger, un filet de pêche à petites mailles peuvent se transformer en cloison-écran (*fig. 63*). En général, la souplesse de ces matériaux interdit de les utiliser tels quels, car ils risquent de s'effilocher ou de se plisser à l'usage. Il faut donc prévoir l'installation d'un cadre que l'on pourra fabriquer dans un bois à bon marché qu'on laquera ensuite.
Ce cadre, qui sera posé du sol au plafond, devra comporter une feuillure au fond de laquelle sera fixé avec des clous de tapissier le matériau choisi (*fig. 64*). Pour assurer une parfaite finition à l'ensemble, on comblera ensuite la feuillure avec une petite baguette (*fig. 65*).

Fig. 66.

Fig. 67.

Les stores à lamelles ont été initialement conçus pour l'équipement des fenêtres. Mais ils présentent également de nombreux avantages lorsqu'on les utilise pour diviser une grande pièce : en particulier, ils permettent, grâce à un réglage souple et facile, de modifier à volonté l'opacité de la cloison (*fig. 66*). En outre, ils peuvent être remontés aisément jusqu'au plafond et redonner ainsi à la pièce ses véritables dimensions. Les paravents formés de volets ou de persiennes (*fig. 67*) sont souvent d'agréables éléments de décoration. On peut les assembler soi-même en les reliant avec des charnières. Malheureusement, ils sont lourds et difficiles à déplacer. C'est pourquoi certains fabricants proposent des modèles de ce genre, plus légers que les véritables volets. En général, ils sont vendus prêts à peindre, mais souvent une couche de vernis suffit à leur finition. Veillez à ce que leurs charnières permettent de faire pivoter chaque feuillet dans les deux sens et, si vous cons-

Fig. 68.

Fig. 69.

truisez vous-même un paravent de ce genre, vous demanderez à votre quincaillier des charnières « paravent ».
Les paravents dits « de café », formés d'étroites lamelles de pin verni (*fig. 68*) retrouvent aujourd'hui la faveur des décorateurs. Ils sont légers et repliables et peuvent s'adapter à toutes les courbes souhaitées. Tout en divisant une pièce, ils peuvent aussi aider à mettre en valeur un petit meuble. Ils existent en plusieurs hauteurs (entre 1,60 et 2 m) et sont vendus dans la plupart des grands magasins. Un conseil : ne laquez pas ces paravents, car, étant donné que vous les manipulez souvent, la peinture s'écaillerait vite.
Les paravents formés de panneaux de latté ou d'aggloméré présentent l'avantage de se prêter à tous les habillages : tissu, papier peint, peinture, paille, etc. On peut tendre sur un paravent le même revêtement que celui qui est sur les murs de la pièce (*fig. 69*). On obtiendra ainsi une grande unité décorative et l'on pourra

Fig. 70.

diviser une salle de séjour sans nuire à son décor.
Des claustra (*fig. 70*) conviennent généralement mieux à une maison de campagne ou à une villa de bord de mer qu'à un appartement en ville. Ils sont ici formés d'éléments cylindriques en terre cuite, jointoyés avec du ciment ou du plâtre. Pour que les claustra prennent toute leur valeur décorative, les murs seront habillés très sobrement. Vous pouvez envisager de construire des claustra avec de nombreux matériaux tels que le bois ou le métal. Préférez des modèles simples aux modèles tarabiscotés. Méfiez-vous des arabesques et des volutes, qui ne s'accordent qu'avec peu de meubles et dont la présence dans une maison devient vite obsédante : de toute façon, l'ameublement doit être sobre, voire rustique.

transformer réellement l'espace

Toute installation répond au besoin d'utiliser le plus rationnellement possible l'espace disponible. La distribution des pièces, leur aménagement, leur division en différentes zones d'activité, le choix de meubles adaptés aux dimensions et aux proportions de l'habitation doivent contribuer à cette organisation d'ensemble sans laquelle il n'est pas de véritable confort. Mais on peut encore aller plus loin en cherchant à tirer parti des moindres caractéristiques d'un appartement ou d'une maison, en profitant de transformations décoratives pour perfectionner un équipement fonctionnel ou gagner de la place. Un plafond surbaissé, par exemple, donne non seulement plus d'intimité à une pièce, mais permet l'installation de vastes éléments de rangement. On remarquera du reste que le beau et le pratique vont presque toujours de pair en matière de décoration, et qu'une habitation aménagée avec goût est en général une habitation confortable et fonctionnelle. Aussi, les idées que nous allons vous donner pour mieux utiliser l'espace dont vous pourrez disposer tiennent compte de l'aspect esthétique.

dans une chambre

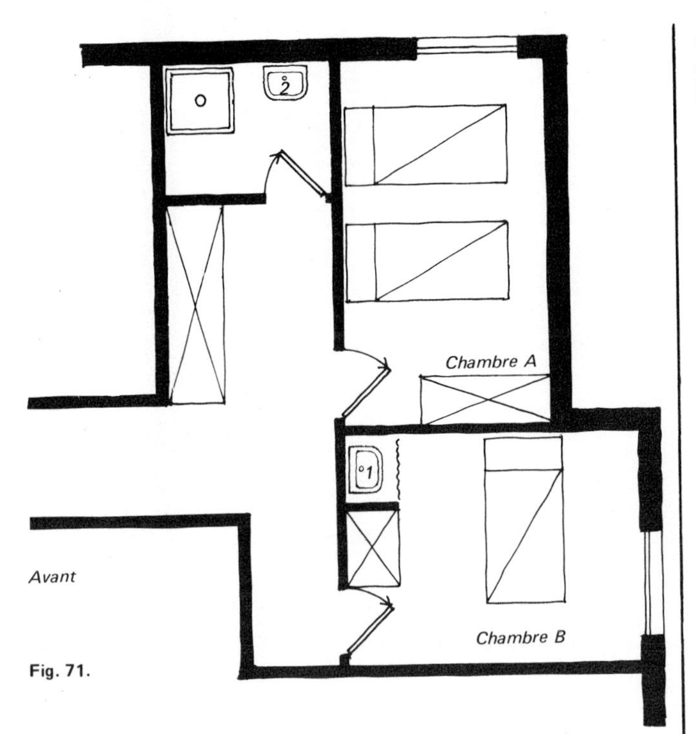

Fig. 71.

Ce sont surtout les chambres d'enfants qui posent des problèmes d'aménagement. Au fur et à mesure qu'ils grandissent, les enfants ont en effet besoin de plus de place pour leurs affaires, de plus de tranquillité pour leurs études, de plus d'intimité également.

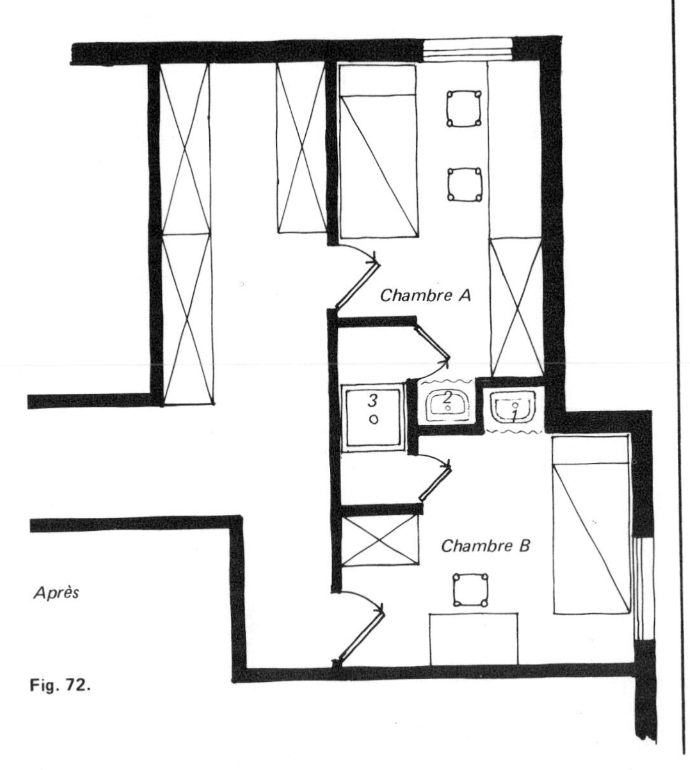

Fig. 72.

Ces deux chambres d'enfants sont situées à l'extrémité d'un couloir dans une maison de campagne (*fig.* 71). La chambre A est destinée aux deux garçons; elle est meublée de deux lits de 80 cm de large et d'un bloc placard-penderie. La chambre B, réservée à la jeune fille, comporte un lit, un placard et un lavabo privé (1). Dans le fond du dégagement est installée une petite salle de douches avec un lavabo (2). Une grande penderie commune fait face à la chambre des garçons.

A l'usage, ces aménagements ne sont pas satisfaisants, en particulier en ce qui concerne l'utilisation de la salle de douches. Parallèlement, on constate un manque général de rangement dans la maison. Pour remédier à ces inconvénients, des travaux assez importants ont été entrepris (*fig.* 72). Vous pourrez vous en inspirer pour résoudre des problèmes similaires :

- Le local douche-lavabo a été supprimé.
- Une modification des cloisons a permis de placer une douche (3) commune aux deux chambres, douche accessible par des portes étroites (60 cm) qui sont verrouillables de l'intérieur.
- A l'aplomb de cette douche, de part et d'autre de la cloison en décrochement, deux lavabos ont pu être installés : celui de la chambre A est récupéré dans le local de douche initial, celui de la chambre B n'est que déplacé.
- Les deux blocs de rangement de chacune des chambres ont été déplacés, mais non modifiés.
- La porte d'entrée de la chambre A ayant été changée de place et la surface utilisable se trouvant ainsi réduite, on a remplacé les deux lits juxta-

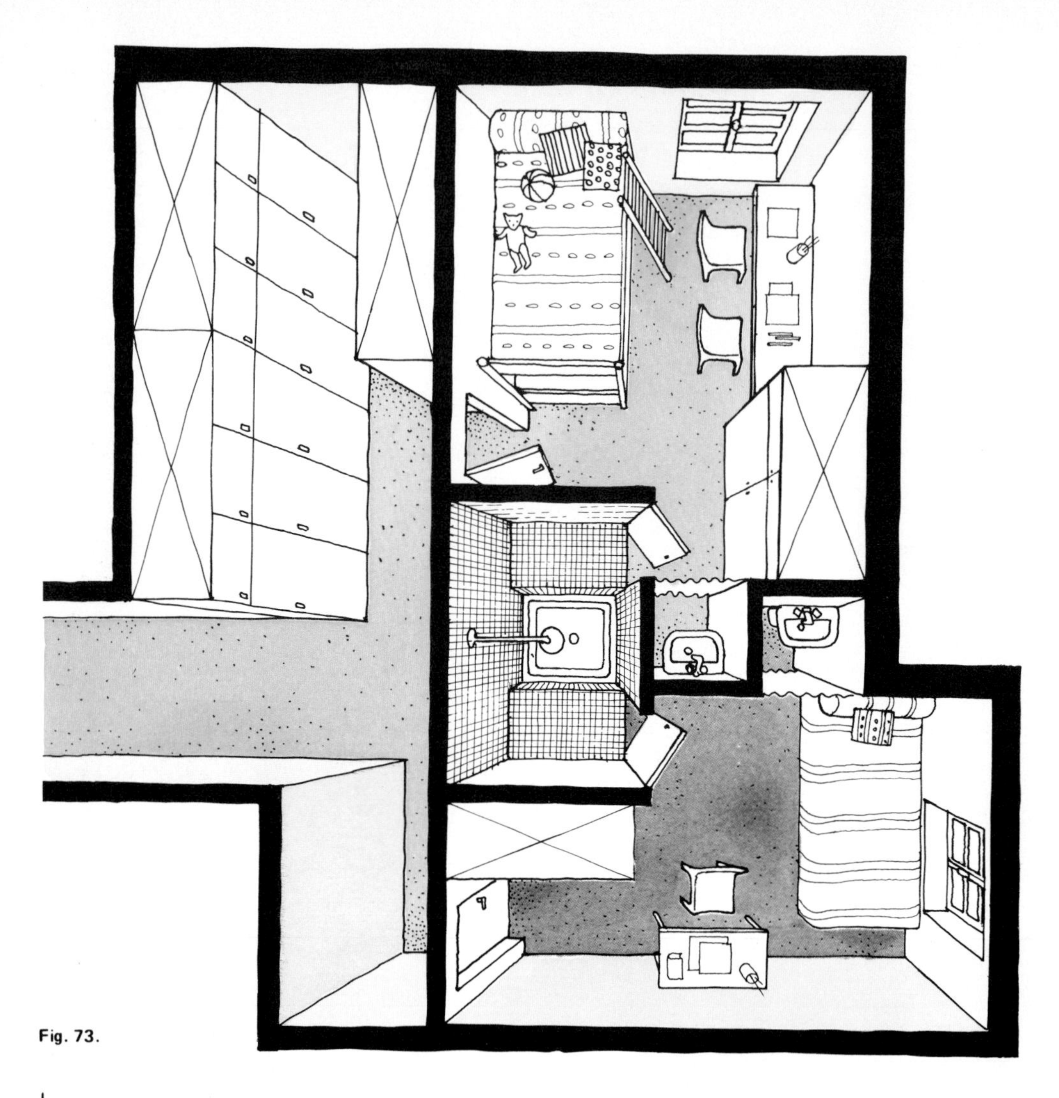

Fig. 73.

posés. par des lits superposés. Dans le couloir, le dégagement libéré de la salle de douches a permis de construire de nouveaux placards.

Ainsi, en améliorant le confort et le bon fonctionnement de ces deux chambres, il a été facile de récupérer 3,50 m de placard (*fig. 73*) sur une profondeur de 60 cm. Notez l'alignement des deux lavabos et de la douche, qui se raccordent ainsi sans problème à l'écoulement de l'ancien lavabo.

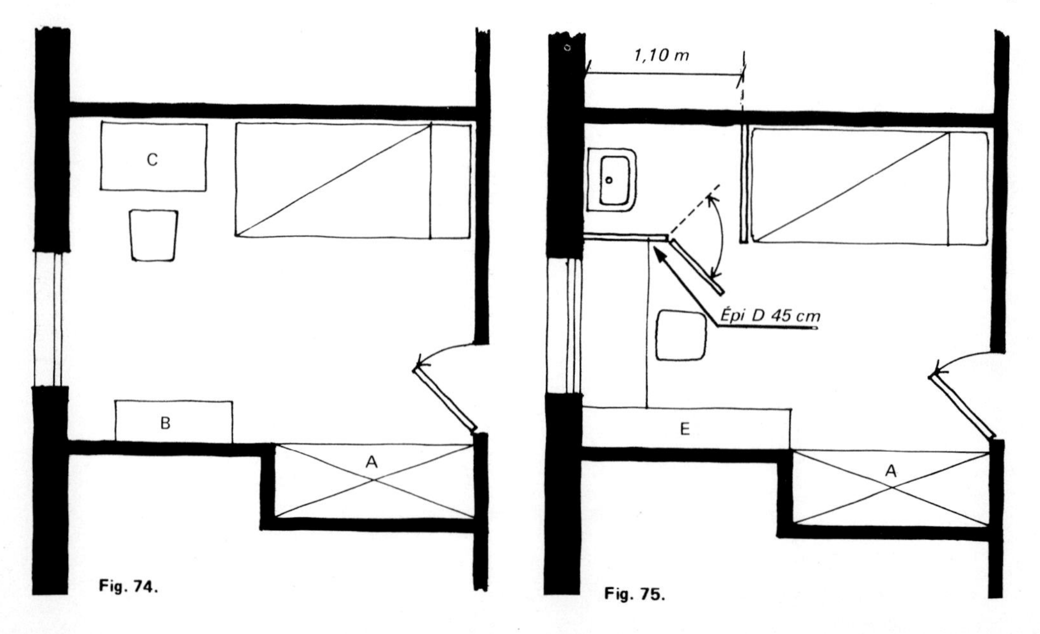

Fig. 74.

Fig. 75.

Fig. 76.

Fig. 77.

Cette chambre d'enfant mesure 3 m x 3,50 m, avec 2,50 m de hauteur sous plafond (*fig. 74* et *76*). Elle comporte un placard A, un lit, deux petits meubles formant bibliothèque B et un bureau avec sa chaise C. Jusqu'à l'âge de six ans, cet aménagement a été très satisfaisant. Mais l'enfant a grandi et il faut maintenant augmenter les éléments de rangement et créer un petit cabinet de toilette individuel pour libérer quelque peu l'unique salle de bains familiale (*fig. 75* et 77).

Dans le prolongement du lit, la longueur de mur disponible (1,10 m) permet l'installation d'un cabinet de toilette. Un cloisonnement standard en bois à peindre forme la séparation d'avec la chambre et permet l'installation d'un volume de rangement sur

toute la longueur en partie haute. Le lit se trouve ainsi placé dans une sorte d'alcôve (photo ci-contre). L'isolement du cabinet de toilette est assuré par un petit panneau fixe de 50 cm en épi D et par une porte battante de 60 cm, du type saloon, pour laquelle on s'est servi d'un simple volet. Le lavabo a été monté sur des consoles coulissantes à crémaillère, de façon à pouvoir le régler au fur et à mesure de la croissance de l'enfant ; les raccordements de tuyauterie et de vidange sont en plastique souple (en bas, à gauche). Pour le travail, le bureau a été supprimé et remplacé par une tablette fixée sous la fenêtre entre le panneau D du cabinet de toilette et une bibliothèque murale à crémaillère E, qui a été montée du sol au plafond (ci-dessous à droite). Il n'a donc pas été nécessaire de modifier le placard A.
Le mur contre lequel s'appuie le lit a été habillé de liège naturel, sur lequel l'enfant peut punaiser dessins, affichettes, photos, etc.

Dans de petits volumes, les lits superposés permettent de gagner de la place au sol. Ce type de mobilier doit être solide, stable et ne pas présenter d'angles vifs.

1. *Cette chambre destinée à deux enfants était étroite, mais le plafond présentait un décrochement, ce qui a permis de superposer deux lits. Celui du haut dispose du dégagement et d'une tablette de rangement. Notez les petites niches-chevets et les fentes d'éclairage qui ont été installées à la tête de chacun des deux lits.*

2. *Dans un chalet de sports d'hiver, où l'on est souvent nombreux, il faut utiliser toutes les ressources de l'espace disponible. Ici, trois lits de sapin verni ont été superposés. Des tablettes prolongent chacun d'eux. Elles permettent aux utilisateurs de poser leurs affaires.*

3. *Des lits superposés n'ont pas besoin d'être très hauts s'ils sont destinés à de jeunes enfants. Ils sont ici en bois laqué et ne dépassent pas 1,30 m. Des tiroirs, destinés au rangement des vêtements, coulissent sous le lit inférieur.*

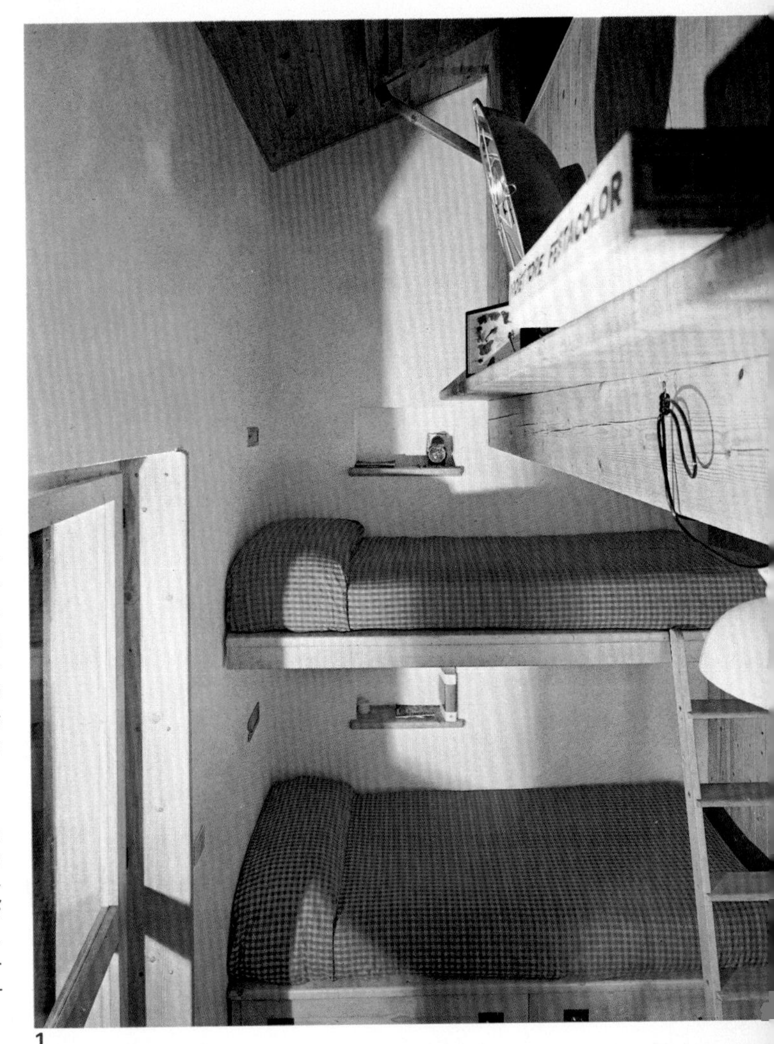

1

2

3

dans une salle de séjour

C'est sans doute la pièce de la maison où, du fait des nombreuses activités qu'elle abrite, on souhaite gagner le plus de place. Nous avons vu comment il est possible de donner l'impression qu'elle est plus grande, comment vous pouvez la diviser en zones différentes pour mieux l'organiser. Mais vous pouvez également parfois, sans grandes transformations, augmenter l'espace et accroître réellement ses possibilités d'utilisation.

Nous avons rappelé au chapitre II qu'il fallait se placer à une certaine distance d'un téléviseur pour bénéficier d'une bonne image et éviter une certaine fatigue visuelle. Malgré tous les soins que l'on peut apporter à l'implantation du mobilier, certaines pièces sont trop petites pour permettre de respecter ces distances minimales. C'est le cas de ce coin de repos d'une salle de séjour de petites dimensions (*fig. 78*). Le canapé à deux places ne peut être déplacé et la distance A entre les téléspectateurs et l'écran du téléviseur est trop faible. Mais derrière la cloison sur laquelle s'appuie le téléviseur se trouve un placard dont les deux portes s'ouvrent sur l'entrée. On a donc eu l'idée de la solution suivante : le téléviseur a été installé dans le placard après le percement dans la cloison d'une sorte de fenêtre-écran, qui est un évidement rectangulaire, assez grand pour qu'on puisse accéder aux boutons de commandes (*fig. 79*).

La distance B convient, la masse du téléviseur n'encombre plus la pièce et, pour compenser le volume de rangement perdu dans le placard, on place sous la fenêtre-écran une tablette basse en bois naturel ou laqué, selon l'harmonie décorative de la salle de séjour (*fig. 80*).

La surface de la fenêtre-écran doit être considérée comme un élément de la composition générale de la cloison, et l'accrochage des tableaux ou des objets décoratifs devra en tenir compte. Notez que, de l'entrée (*fig. 81*), en ouvrant le placard, on accède sans difficulté aux lampes du téléviseur.

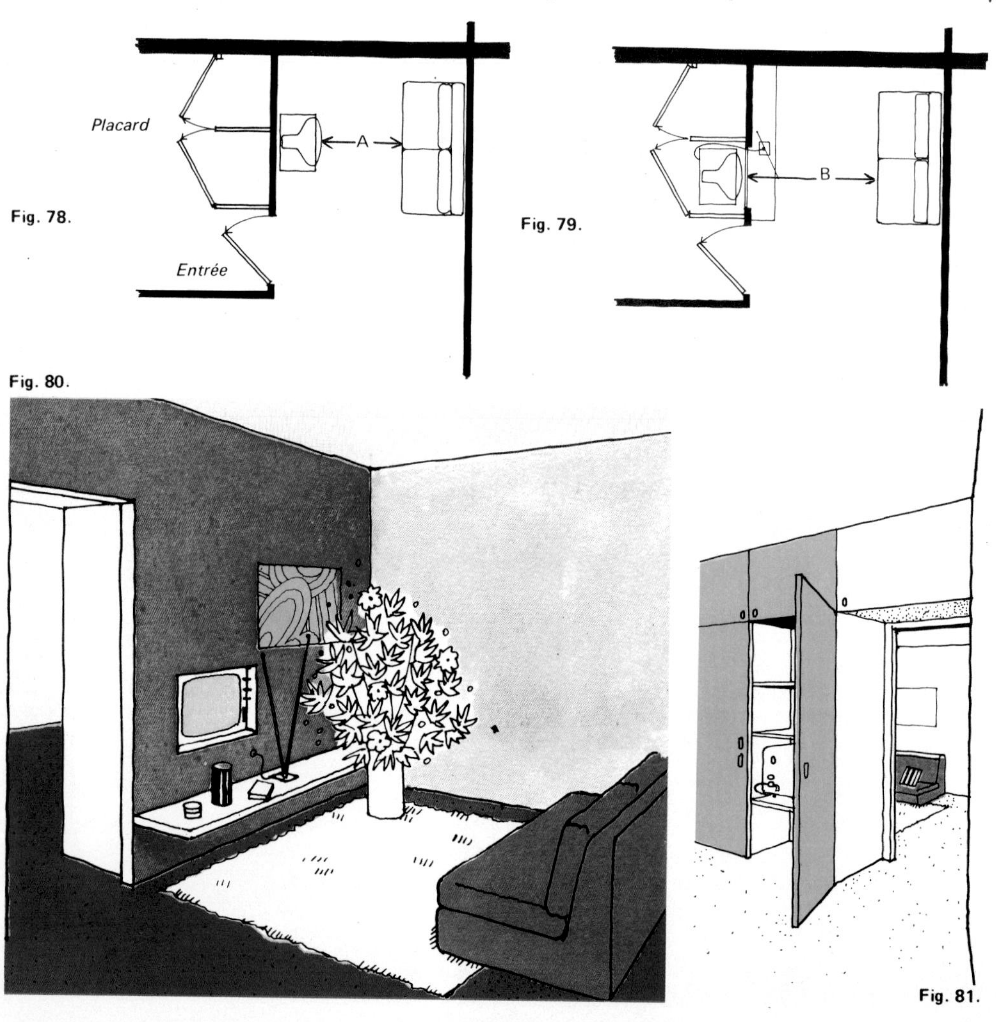

Fig. 78.

Fig. 79.

Fig. 80.

Fig. 81.

Fig. 82.

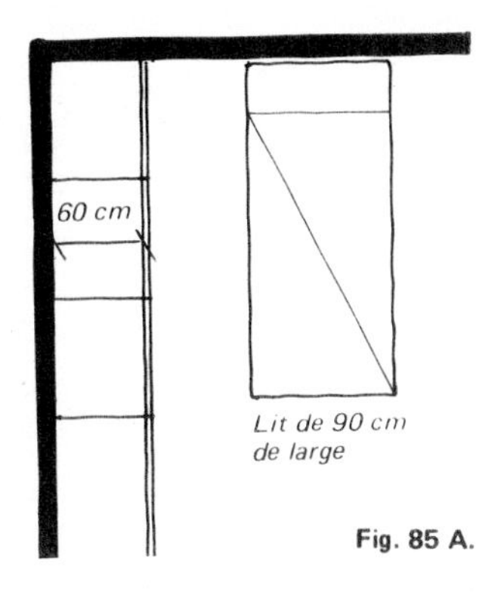

Fig. 85 A.

Fig. 83.

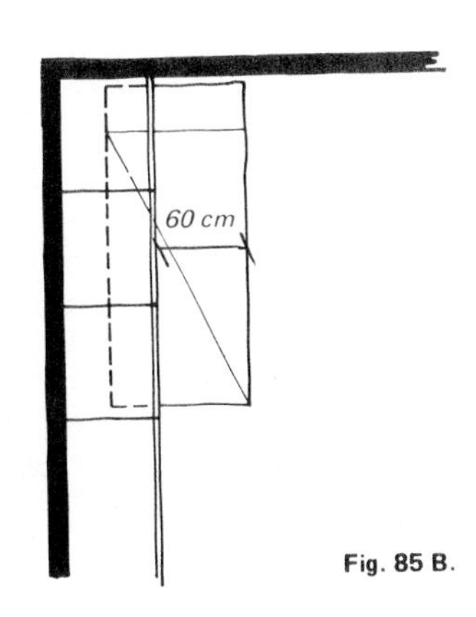

Fig. 85 B.

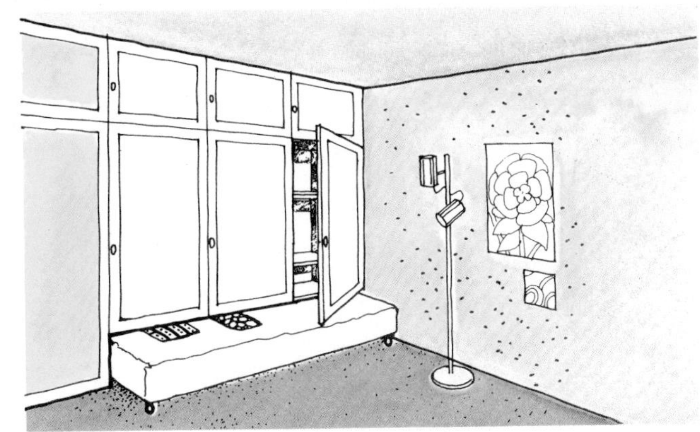

Fig. 84.

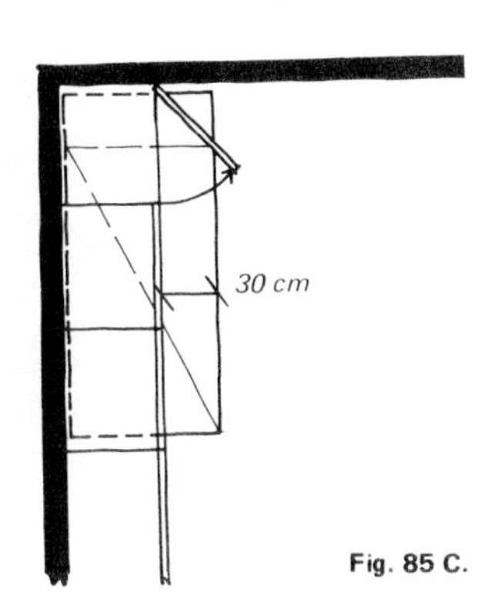

Fig. 85 C.

Dans une salle de séjour, un lit d'une personne de 90 cm de large est souvent utilisé comme banquette. C'est une solution peu satisfaisante, car la profondeur du lit est trop grande pour assurer un confort réel quand on est assis. A ce désagrément vient s'ajouter une impression d'encombrement inutile. C'était le cas dans cette salle de séjour (*fig. 82*). Mais le fond de la pièce étant équipé d'un grand placard à plusieurs portes, quelques petits travaux de menuiserie ont permis d'y porter remède. Les trois portes de ce placard ont été coupées à leur base, et la traverse posée au sol a été remontée, dégageant ainsi une niche de 40 cm de haut. Le piétement fixe du lit a été remplacé par des pieds « tonneaux » roulants, de façon que le tout ne dépasse pas une hauteur de 35 cm. Il est possible, par conséquent, de glisser sans peine ce lit dans la niche. En le poussant en partie (30 cm environ), on constitue une banquette normale (*fig. 83* et *85 B*); on peut également le pousser tout au fond pour accéder aux portes (*fig. 84* et *85 C*). Le soir on retrouve facilement la surface complète du lit en le tirant (*fig. 85 A*).

Pour empêcher le lit de glisser lorsqu'il sert de banquette, on pourra prévoir deux petites cales pour bloquer les roulettes avant. Bien entendu, le sol doit de préférence être recouvert de moquette ou d'un revêtement plastique. Sur un parquet nu, le fonctionnement risquerait d'être bruyant.

Fig. 86.

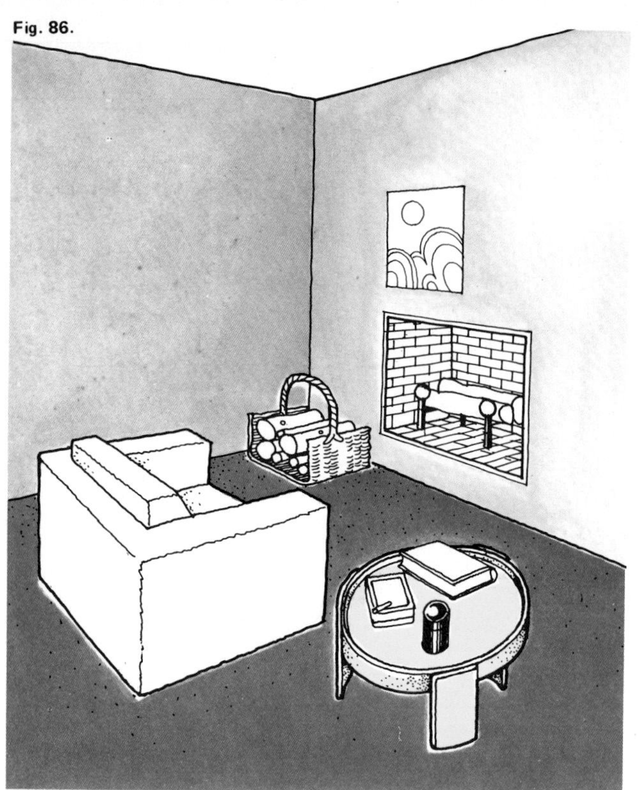

Dans la salle de séjour, face au foyer de la cheminée, la réserve de bois fait souvent perdre une place précieuse à l'endroit le plus agréable de la pièce (*fig. 86*). Il est souvent possible de creuser dans le manteau de la cheminée une niche où les bûches pourront facilement être entreposées, quitte à reconstruire le rang de briques qui les sépare de l'âtre. L'emplacement libéré par le panier de bois pourra ainsi être occupé par un siège supplémentaire (*fig. 87*).

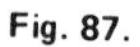

Fig. 87.

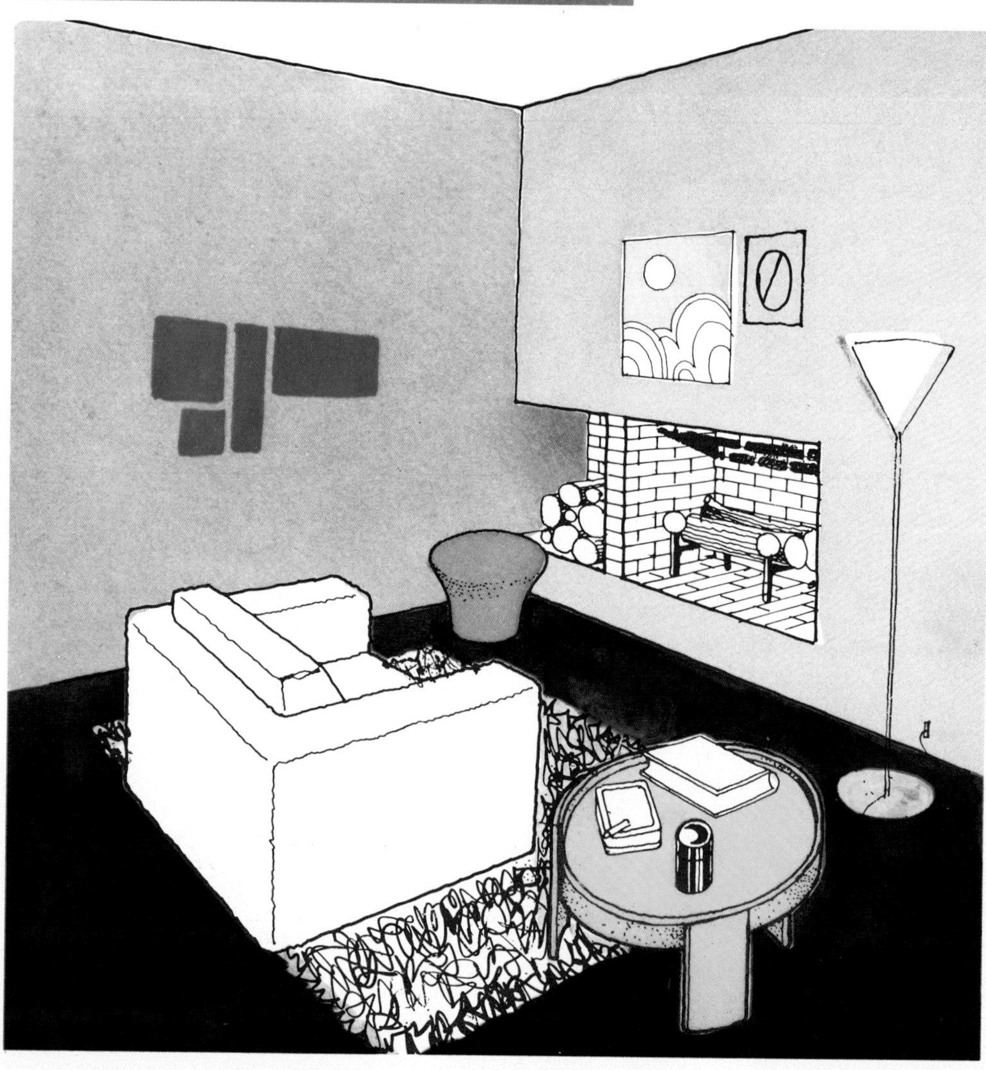

dans une cuisine

Pièce fonctionnelle entre toutes, on y souffre plus qu'ailleurs du manque d'espace et de rangement. L'équipement fonctionnel d'aujourd'hui apporte à cet égard bien des solutions. Mais on peut également chercher à tirer parti des particularités qu'offrent la forme, les dimensions et même la situation de la cuisine dans l'appartement.

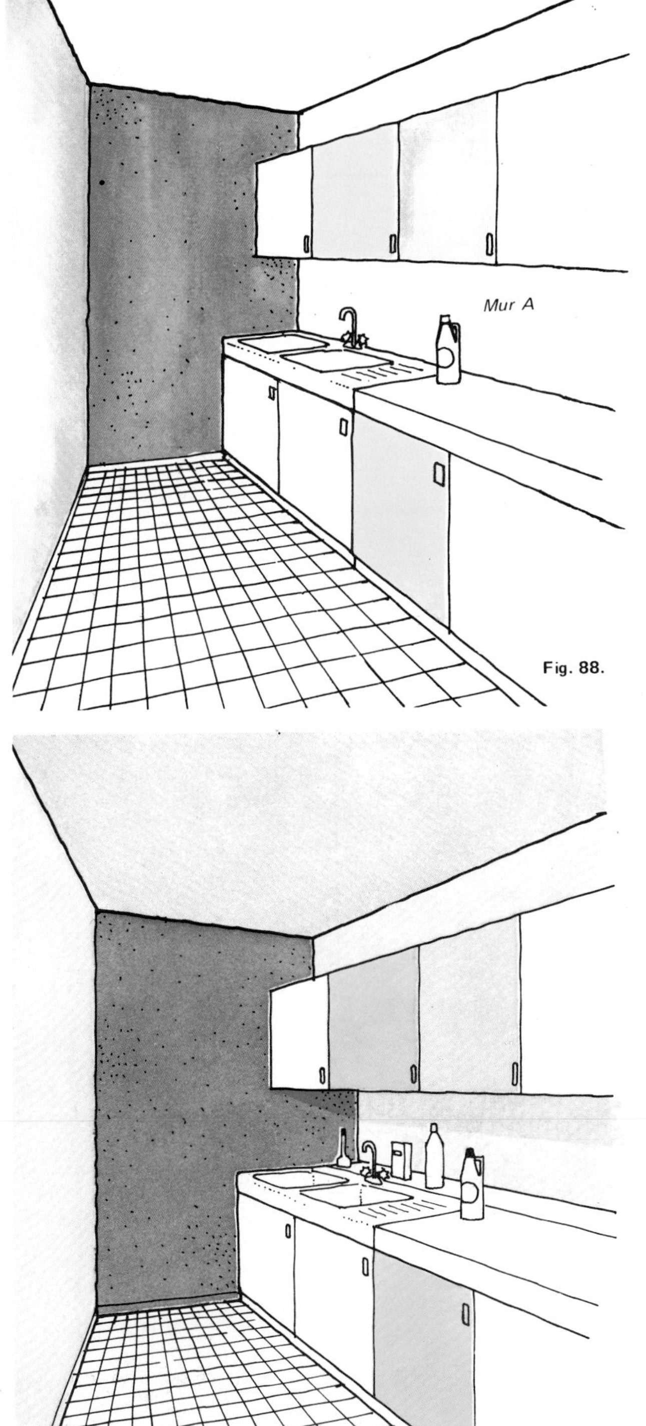

Fig. 88.

Fig. 90.

Fig. 89.

Lorsqu'on habite une vieille maison, certains murs sont très épais, et il est souvent possible de les creuser sur une faible profondeur sans affecter la solidité de la construction. Toutefois, avant d'entreprendre des travaux de ce genre, il est indispensable de consulter un architecte. C'est une solution de cet ordre qui a été appliquée pour élargir la cuisine-couloir de la *figure 88*. L'évier en grès émaillé blanc à deux bacs et le plan de travail qui le prolonge touchent le mur A. Ils sont distants de 50 cm des éléments de rangement supérieurs.
C'est sur cette bande de 50 cm et sur toute la longueur de la cuisine qu'une niche de 20 cm de profondeur a été dégagée (*fig. 89*). La partie inférieure a été revêtue d'une tablette de Formica qui permet de poser aisément de nombreux ustensiles (*fig. 90*).

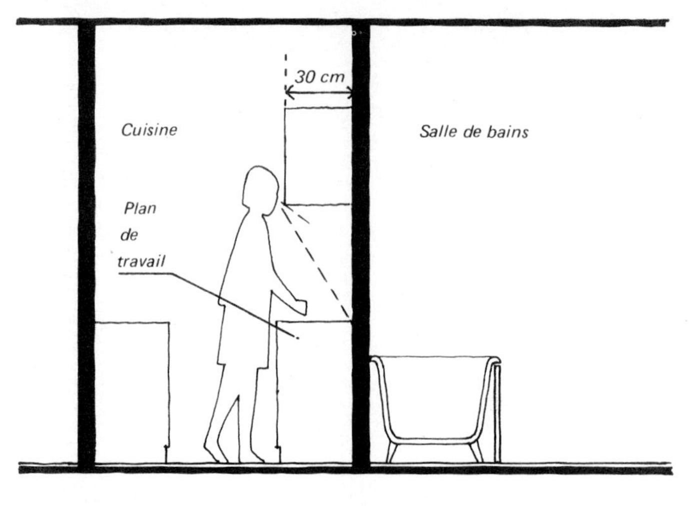

Fig. 91.

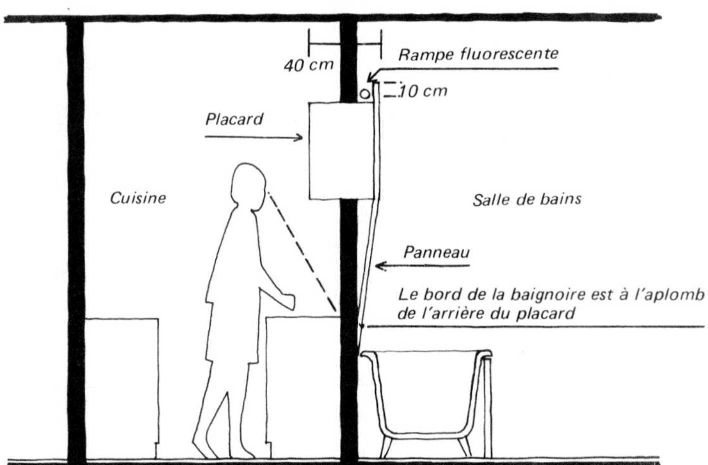

Fig. 92.

La cuisine de la *figure 91* est très étroite et mitoyenne avec la salle de bains. Le plan de travail (30 cm de profondeur) est surplombé par un bloc de placards de même profondeur. La maîtresse de maison n'est donc pas très à l'aise pour travailler, puisque sa tête est gênée par le placard et qu'elle voit mal ce qu'elle fait. L'étroitesse de la pièce ne permet pas d'élargir le plan de travail. C'est pourquoi on a percé la cloison entre les deux pièces pour loger un élément de placard plus profond qui déborde sur la salle de bains, mais dont le fond ne dépasse pas l'aplomb arrière du fond de la baignoire (*fig. 92*). Du côté de la cuisine, le placard n'est plus gênant. Du côté de la salle de bains, on l'a prolongé par un panneau qui vient en biais jusqu'à l'angle de la baignoire pour ne pas heurter la vue (*fig. 93*). Le panneau est plus haut que le placard d'une dizaine de centimètres. Derrière cette petite corniche, on a fixé les tubes fluorescents d'un éclairage indirect.

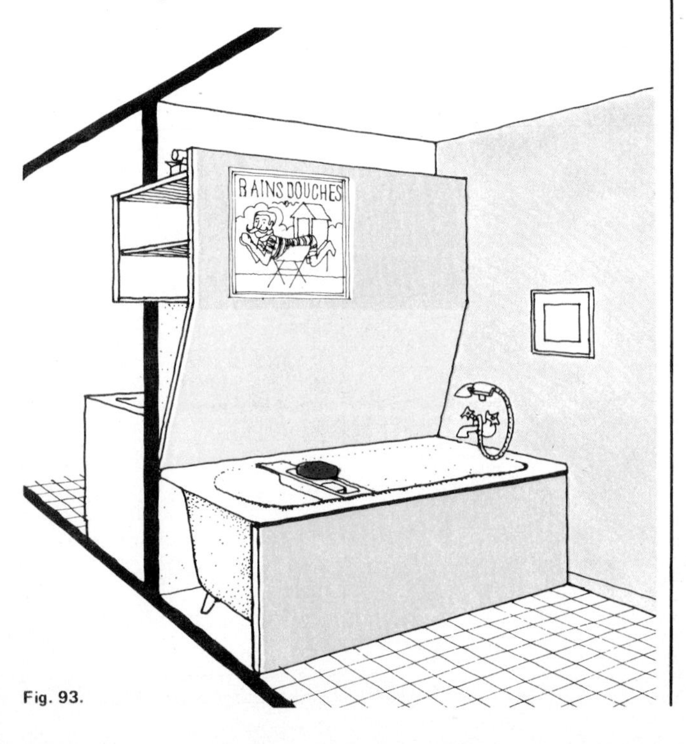

Fig. 93.

dans une salle de bains

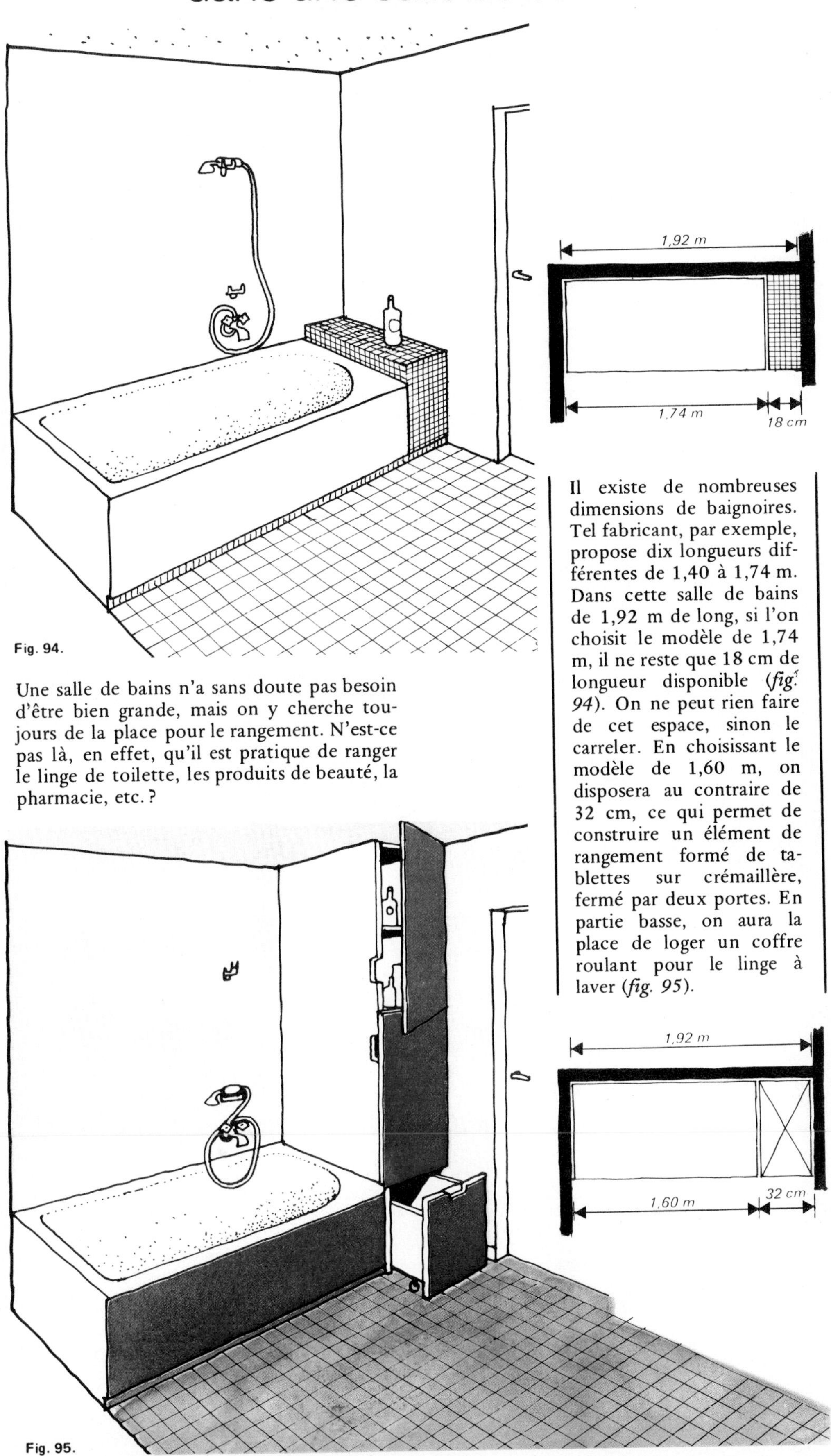

Fig. 94.

Une salle de bains n'a sans doute pas besoin d'être bien grande, mais on y cherche toujours de la place pour le rangement. N'est-ce pas là, en effet, qu'il est pratique de ranger le linge de toilette, les produits de beauté, la pharmacie, etc. ?

Il existe de nombreuses dimensions de baignoires. Tel fabricant, par exemple, propose dix longueurs différentes de 1,40 à 1,74 m. Dans cette salle de bains de 1,92 m de long, si l'on choisit le modèle de 1,74 m, il ne reste que 18 cm de longueur disponible (*fig. 94*). On ne peut rien faire de cet espace, sinon le carreler. En choisissant le modèle de 1,60 m, on disposera au contraire de 32 cm, ce qui permet de construire un élément de rangement formé de tablettes sur crémaillère, fermé par deux portes. En partie basse, on aura la place de loger un coffre roulant pour le linge à laver (*fig. 95*).

Fig. 95.

des meubles pour gagner de la place

Le souci d'offrir au public des meubles fonctionnels, parfaitement adaptés aux conditions d'habitation d'aujourd'hui, est partagé par la plupart des fabricants. Nombre d'entre eux se sont attachés plus particulièrement à trouver des solutions ingénieuses et pratiques pour utiliser toute la place disponible dans les appartements modernes, souvent bien étroits. Il existe donc à cet égard un très grand choix. Néanmoins, il est bon de savoir se limiter sous peine de transformer sa maison en véritable machinerie de théâtre ou en magasin de gadgets. Dans ce domaine, le juste milieu est particulièrement important.

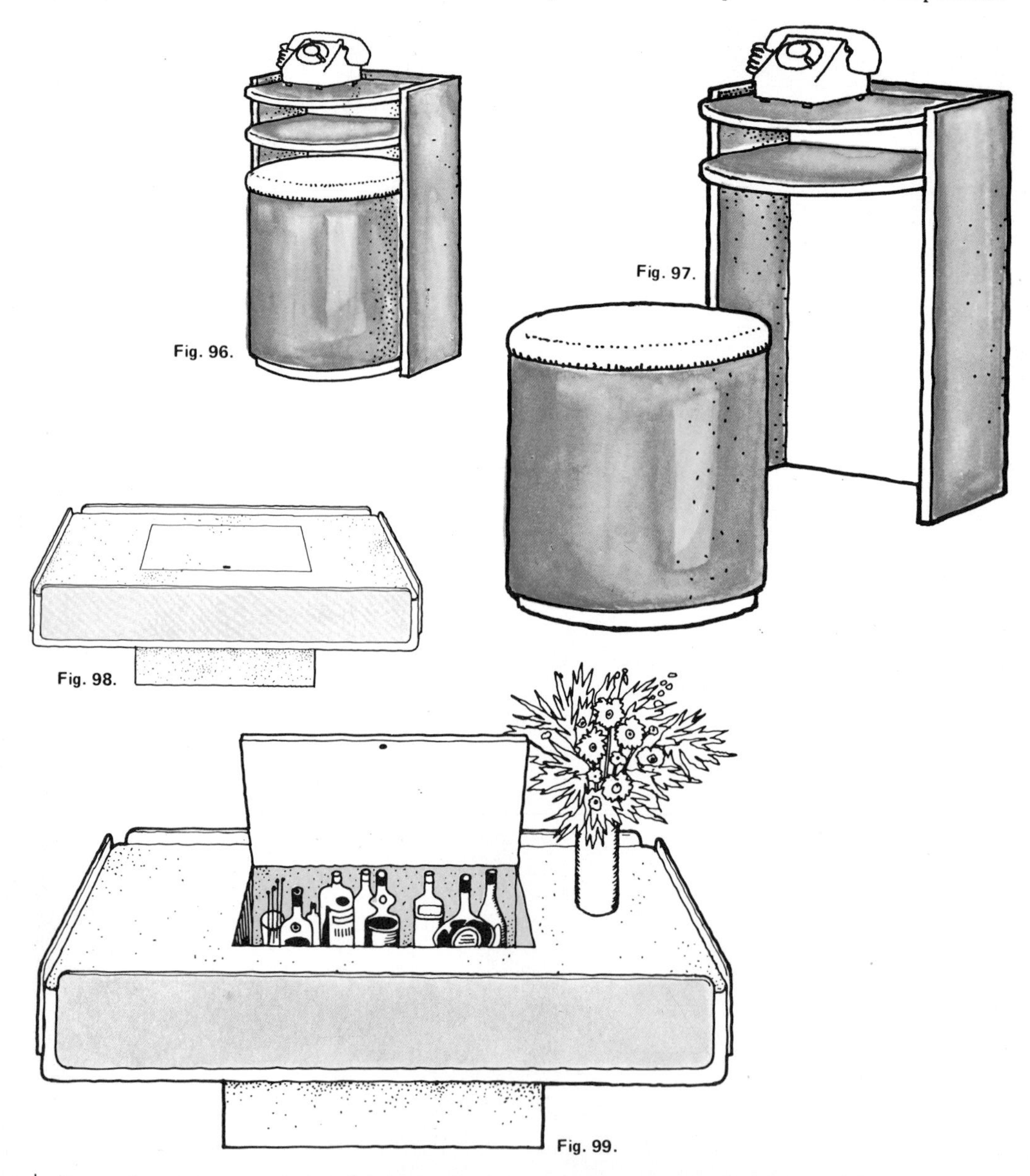

Fig. 96.

Fig. 97.

Fig. 98.

Fig. 99.

Ce petit meuble (*fig. 96* et *97*) est destiné à ne pas encombrer une entrée avec la classique table du téléphone. Le pouf roulant se glisse aisément sous un meuble sans déborder. Son siège étant amovible et creux, on peut ranger des annuaires à l'intérieur (Roche et Bobois).

Cette grande table basse (*fig. 98*) est en aluminium et bois laqué. Son socle permet le rangement d'un bar accessible par un couvercle en partie centrale (*fig. 99*). Les panneaux latéraux forment des faces de tiroirs qui coulissent sous le plateau ceinturant

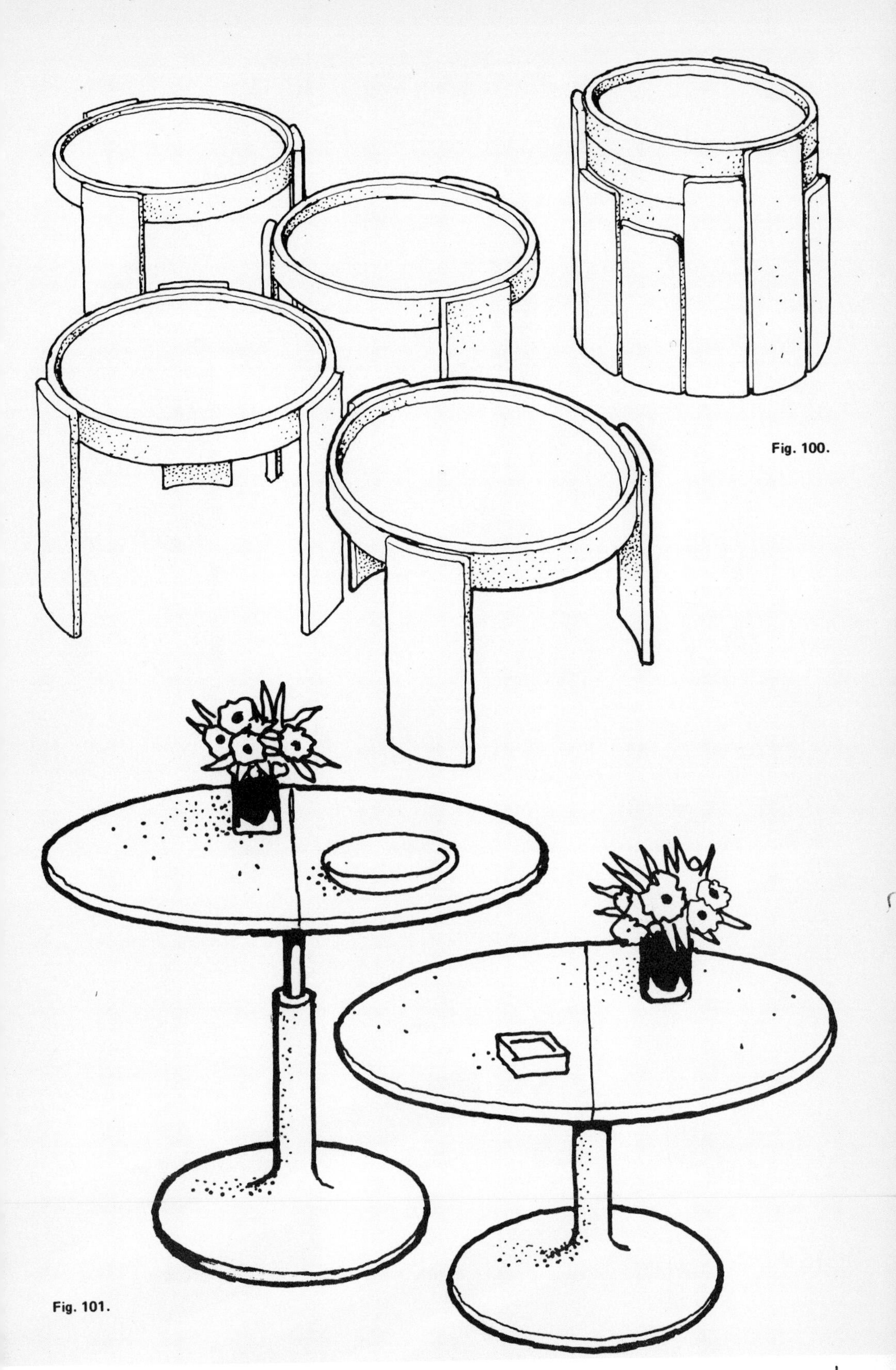

Fig. 100.

Fig. 101.

le bar. (Modèle de la collection Gavina chez Knoll International France.)
Ces tables gigognes (Cassina, chez Formes nouvelles) permettent de disposer rapidement de plusieurs tables basses pour les verres et les cendriers. Elles sont faciles à ranger (*fig. 100*).
En changeant la hauteur d'une table on multiplie ses usages. Celle-ci (*fig. 101*) se compose d'un plateau en lamifié posé sur un axe télescopique. Le piétement est en métal laqué (Table Renz chez Meubles et Fonction). Elle est table basse ou de repas.

1

1. *Ce grenier lambrissé a été équipé de placards qui épousent sa forme et ses décrochements. Cette installation offre de très nombreuses possibilités de rangement sans nuire au volume ni à la perspective de la pièce.*

2. *Des rayonnages muraux peuvent s'adapter à la forme d'un plafond. C'est un moyen de ne pas perdre de place, quelles que soient les irrégularités d'une pièce. La répartition inégale des tablettes crée un rythme assez*

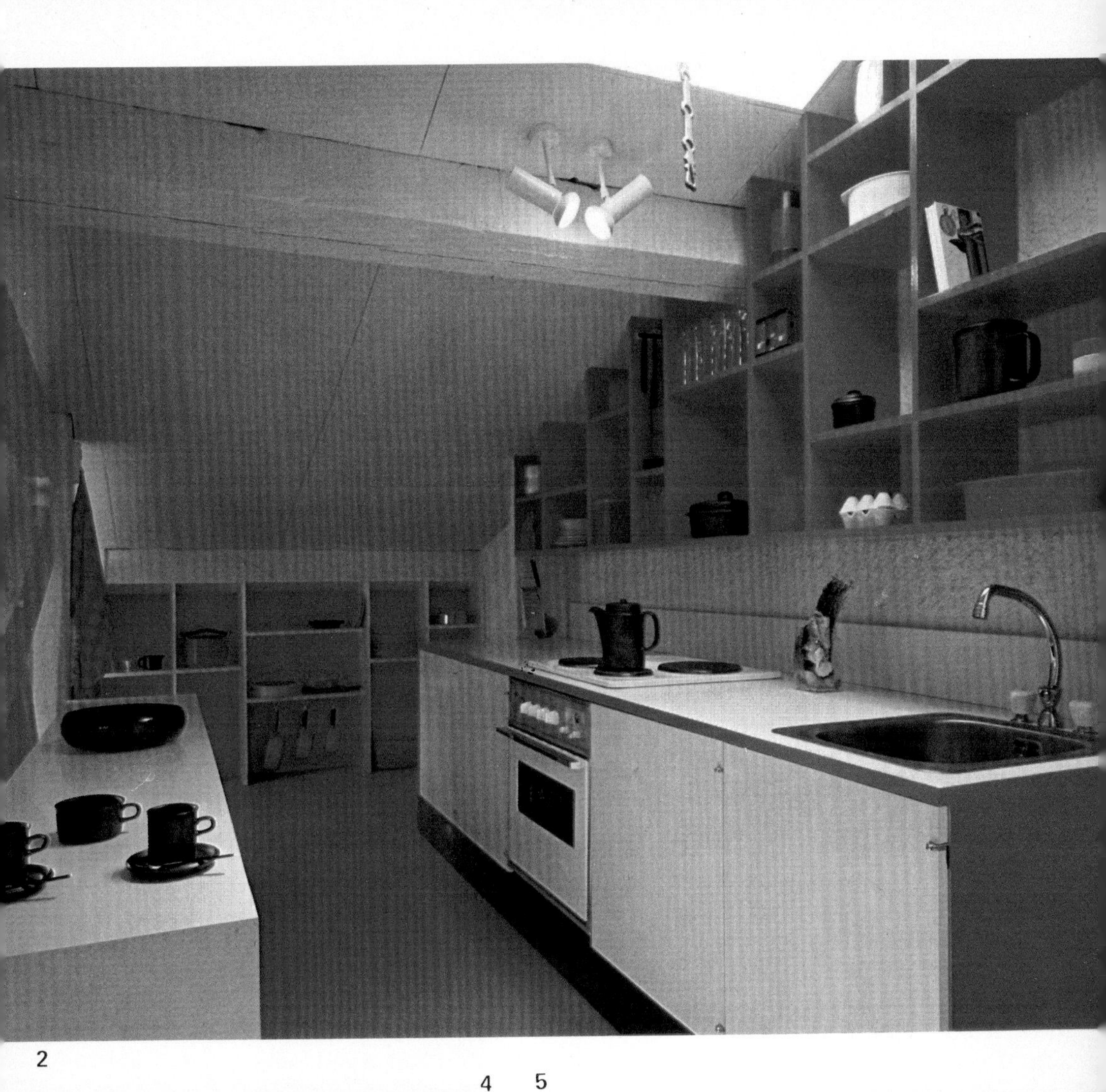

2

4

5

décoratif. Certains casiers pourraient, sans aucun problème, être fermés par une porte.
3 et 4. *Ces éléments, combinables et empilables, comportent des éléments d'angle assurant une parfaite accessibilité.*

5. *Lorsqu'un radiateur est installé au fond d'une niche, on peut le dissimuler par un panneau. L'important est de réserver, en partie haute et en partie basse, une fente de 10 cm pour la convection de l'air.*

1

2

3

1. *Voici un exemple de meuble à fonctions multiples, précieux pour l'aménagement des petites pièces. En effet, la table des repas se glisse sous le caisson de droite qui se juxtapose alors à celui de gauche. Les portes sont pivotantes et les pieds, munis de roulettes, permettent des déplacements faciles.*
2 et 3. *Deux exemples de portemanteaux simples, peu encombrants et facilement accessibles aux petits comme aux grands.*

4

5

4 et 5. *Derrière ce grand panneau en noyer se dissimule un lit pour deux personnes. La manœuvre est facilitée par un système compensateur. L'intérieur du coffrage est pratique et comporte une tablette formant dosseret et munie d'un éclairage. De part et d'autre du lit se trouvent des casiers pourvus de tablettes de chevet qui se rabattent. Les trois portes du bloc de droite ferment un placard-penderie. (Meubles E. F. A.)*

Fig. 102.

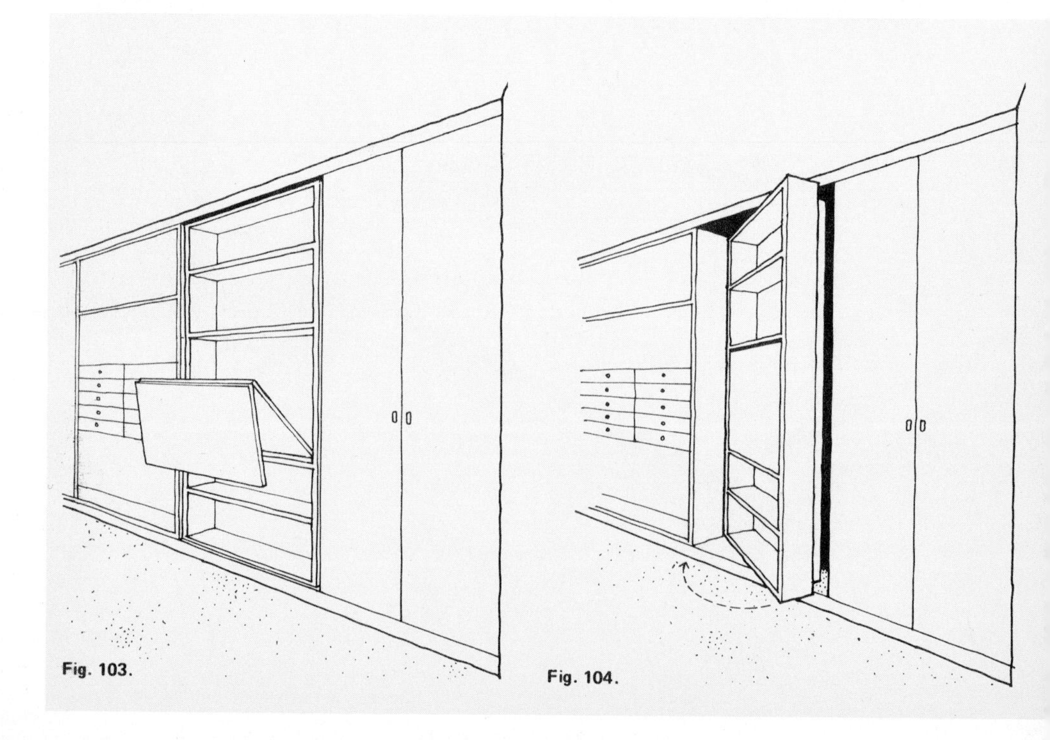

Fig. 103.

Fig. 104.

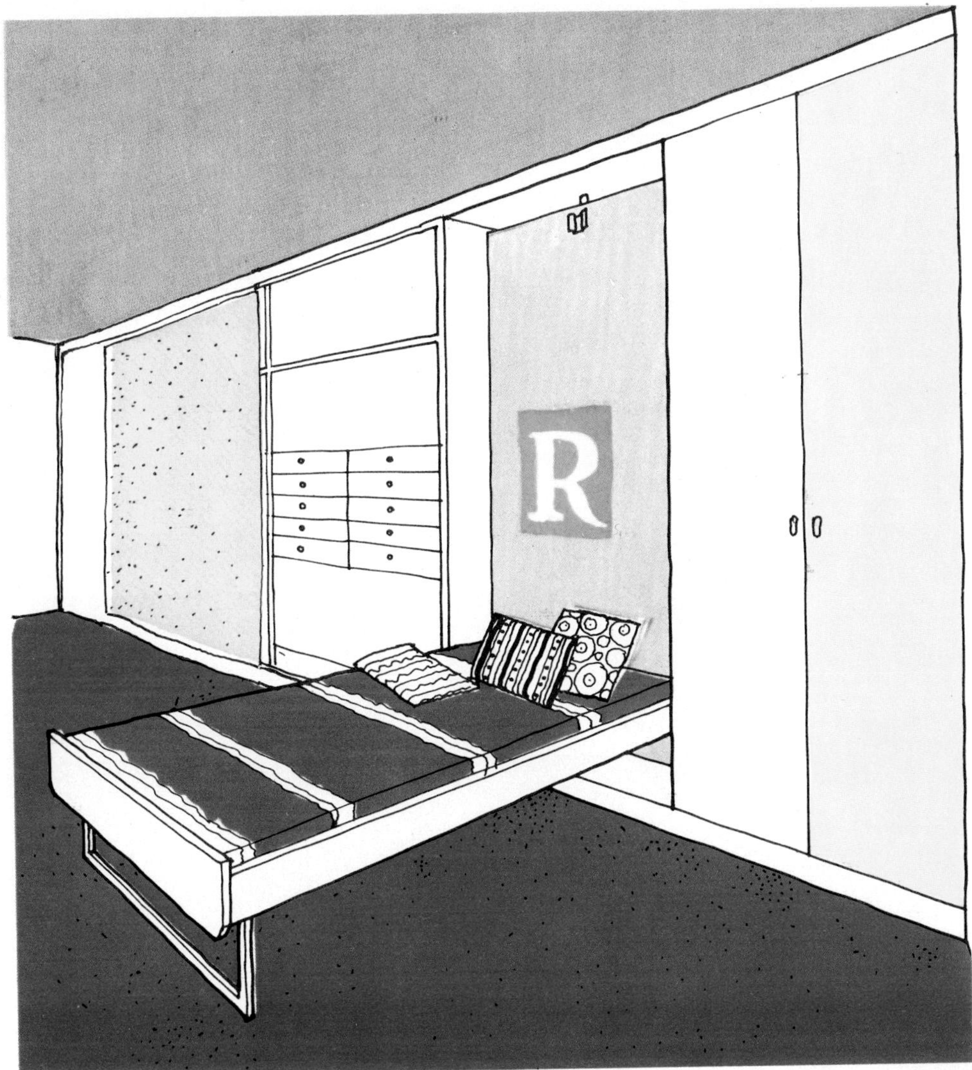

Fig. 106.

Type de meuble à plusieurs combinaisons (Interlubke chez Roche et Bobois et dépositaires). On peut obtenir, par exemple, les utilisations suivantes :

- La table pliable en deux possède un piétement escamotable ; elle se déploie aisément et peut accueillir ainsi quatre ou cinq couverts (*fig. 102* et *103*).
- Le coin des repas peut se transformer en coin de repos. Le bloc pivote en souplesse (*fig. 104*) et, sur l'autre face, on trouve un lit d'une personne replié verticalement ; la profondeur totale du meuble est de 46 cm environ. Les pieds se déplient lorsque l'on fait basculer le lit (*fig. 105* et *106*).

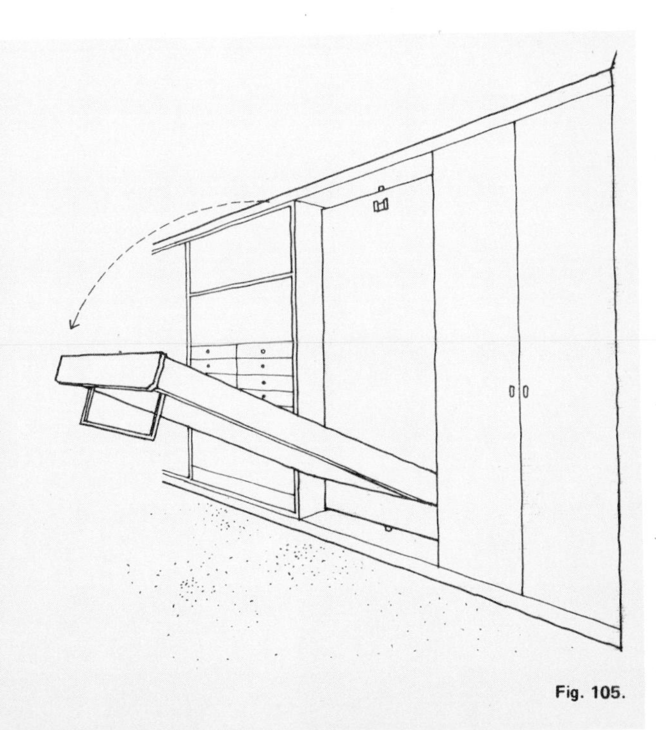

Fig. 105.

Fig. 108.

Voici une version dépouillée et ingénieuse des classiques tables demi-lune. Entièrement repliée (*fig. 107*), elle ne dépasse pas 15 cm d'épaisseur. Si l'on désire utiliser ce meuble contre un mur, on déplie la moitié du plateau et du piètement support (*fig. 108*). Enfin, lorsque la table est utilisée totalement, on déplie entièrement les deux parties du plateau autour de la bande centrale (*fig. 109*) [Steiner].

Les plateaux sont difficiles à ranger, ils prennent de la place et sont souvent peu accessibles. En les glissant

Les quatre blocs de cette bibliothèque-bar sont équipés de charnières. Ils peuvent se replier les uns sur les autres et permettent ainsi d'adapter ce meuble de rangement à la place dont on dispose.

dans des courroies surpiquées (*fig. 110*), le problème est résolu et le rangement devient également un élément décoratif de la cuisine.
Pourquoi encombrer la salle de séjour de plus de chaises que celles dont on a besoin journellement ? Il est bien plus pratique de sortir d'un placard, où elles sont rangées, des chaises pliantes (on peut également les accrocher sur le mur d'un débarras). La chaise « Plia » (*fig. 111*) transparente et légère s'accorde avec tous les types de mobilier (Mobilier international).

1

1. *L'habillage d'un mur de cuisine à l'aide d'un panneau d'Isorel perforé muni de crochets permet de suspendre des accessoires courants que l'on a ainsi toujours sous la main. Ce rangement apparent peut devenir un élément de décoration.*

2. *Cet élément de rangement situé en partie haute regroupe boîtes et flacons, et permet de rassembler les denrées alimentaires et les épices sans perdre de place.*

3 et 4. *Deux exemples montrant l'utilisation de l'angle d'une cuisine sans perdre de place. Les portes dissimulent des plateaux circulaires qui pivotent et permettent ainsi d'accéder aux objets placés dans le fond du meuble.*

5. *Un étroit compartiment basculant pour le pain et un casier coulissant pour les légumes s'incorporent aux éléments de rangement bas d'une cuisine.*

2 3 4 5 6 7 8

6. *C'est sans doute dans une cuisine que les possibilités de rangement sont les plus appréciées. Elles permettent en effet de travailler à l'aise même lorsque la pièce est étroite. Ce « plan de travail » escamotable est très stable et particulièrement pratique pour le petit déjeuner, le repas d'un bébé et l'épluchage des légumes.*

7. *Une tablette coulissante forme plan de travail et peut, elle aussi, être utilisée pour le petit déjeuner, le repas de bébé, ou l'épluchage des légumes. Mais la porte située sous la tablette dissimule un siège monté sur roulettes qui, se rangeant ainsi très facilement, ne tient aucune place lorsqu'on ne s'en sert pas.*

8. *La boîte à déchets en inox s'ouvre automatiquement en même temps que la porte. C'est un équipement que vous pouvez facilement réaliser vous-même.*

l'utilisation des locaux annexes

Il est un moyen bien simple d'être plus à l'aise dans votre maison, c'est d'utiliser au mieux toutes les surfaces dont vous disposez. Dans un appartement citadin, il y a évidemment assez peu de place non utilisée. Mais si vous avez la chance d'avoir votre maison, votre pavillon, avez-vous pensé à aménager un grenier, un sous-sol ou un garage en fonction de tel besoin, de telle activité ?
Enfin, il existe des espaces bien agréables à utiliser : ce sont les espaces extérieurs, balcons, loggias ou terrasses. Ils seront source de joie si vous savez en tirer parti, que ce soit en ville ou à la campagne.

les sous-sols

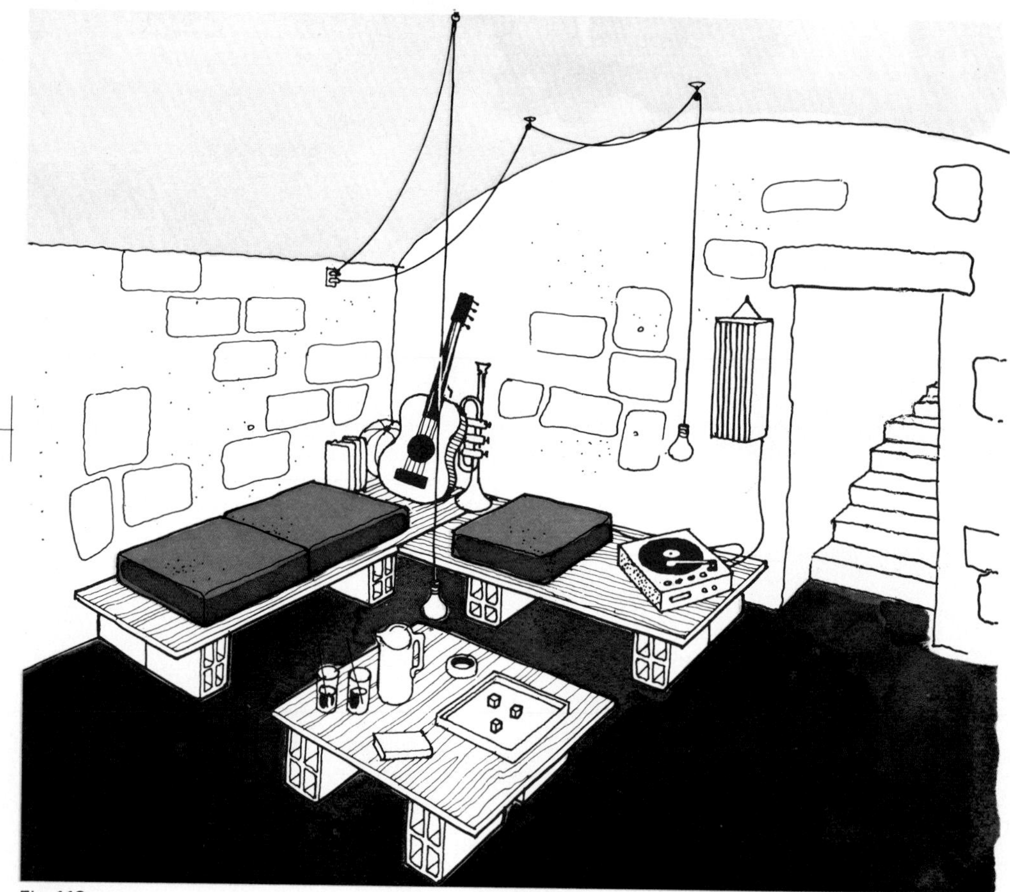

Fig. 112.

Si vous avez la chance de disposer en sous-sol d'un espace libre mal utilisé, vous pouvez y créer un coin pour les jeunes (*fig. 112*). Ils pourront ainsi se détendre et faire tout le bruit qu'ils voudront sans vous gêner. Les murs seront soit grattés, soit peints en blanc. Si le sol est en terre battue, il suffit de l'aplanir et de le recouvrir de gravier (il est peu recommandé de cimenter entièrement le sol d'une cave, ce qui risquerait de provoquer la condensation de l'humidité).
Dans notre exemple, des briques creuses posées sur chant forment la base des banquettes et de la table basse, réalisées dans des panneaux de latté peints. Quelques coussins en mousse apportent le confort nécessaire.
Des ampoules réflecteurs pendent au bout de longs fils souples branchés sur l'unique prise de courant. Cet aménagement nécessite peu de moyens, les matériaux sont simples, mais utilisés avec une grande franchise. Veillez néanmoins à ce qu'il y ait une ventilation suffisante.

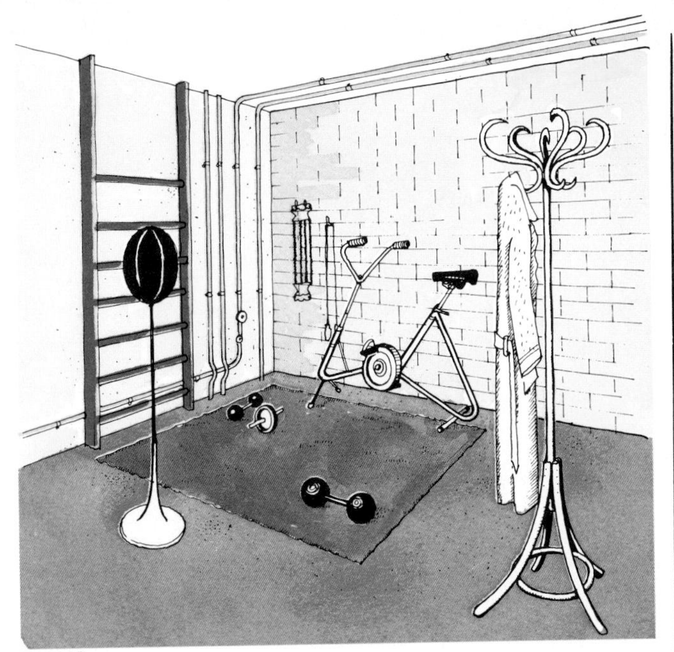

Fig. 113.

Si votre garage est assez grand, vous pouvez y installer un petit coin de gymnastique (*fig. 113*). N'hésitez pas à employer la couleur sur le sol en ciment, grâce à une peinture vitrifiante (type V 33) dont la gamme de coloris est importante, sur les murs avec une peinture vinylique et sur les tuyauteries avec une peinture glycérophtalique brillante (demander une qualité résistant bien à la chaleur). Un tapis de caoutchouc sera posé sur le sol. Un simple paravent en bois peut isoler, si on le désire, ce petit coin de sport du reste du garage. N'oubliez pas un portemanteau pour accrocher vos affaires.

les pièces aveugles

Fig. 114.

Fig. 115.

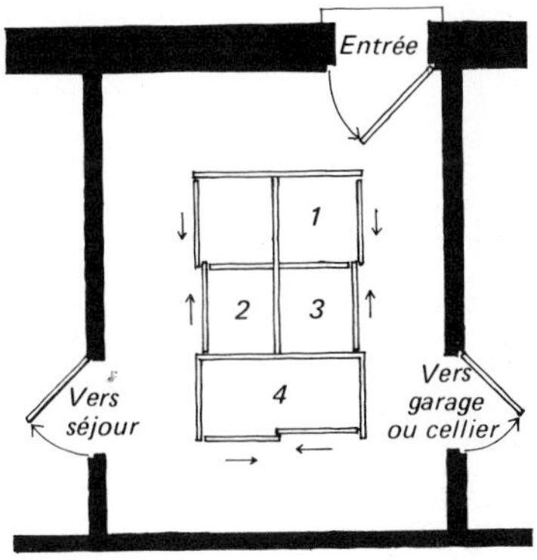

Entrée
1
2
3
4
Vers séjour
Vers garage ou cellier

Prévue parfois dans les appartements neufs de grand standing, impossible dans la plupart des appartements citadins, la pièce uniquement réservée au rangement est parfois réalisable dans les maisons campagnardes où la place n'est pas mesurée. Vous pouvez utiliser des éléments de rangement en bois à peindre ne nécessitant ni raccord ni finition, et que vous disposerez en T au centre de la pièce. Vous éliminerez ainsi les problèmes d'ajustage sur les murs. Cette disposition justifie en outre une localisation précise des objets à ranger. C'est ainsi que nous avons ici (*fig. 114, 115*), la répartition suivante : le bloc 1, situé près de l'entrée, reçoit imperméables, bottes, fusils (sur un râtelier), accessoires de chasse et de sport. Dans le bloc 2, plus central, seront rangés les réserves, la vaisselle, le linge de cuisine. Le bloc 3 sera utilisé pour les vêtements d'intérieur. Quant au bloc 4, il sera réservé aux vêtements et chaussures, et au linge de maison.

les greniers

Fig. 116.

Un grenier peut permettre à un cinéaste amateur d'installer, à peu de frais et de façon permanente, une salle de projections (*fig. 116*) sans qu'il soit nécessaire de bouleverser la salle de séjour à chaque fois qu'on veut voir un film. L'écran sera déroulé ou tendu sur le mur-pignon, le projecteur restera dans un placard équipé de tablettes réglables. Ce placard s'ouvrira sur l'arrière et, si possible, latéralement pour la mise en place du film et les réglages. Une ouverture, doublée d'un morceau de glace claire permet aux rayons lumineux d'atteindre l'écran. Le bruit des projecteurs étant gênant, vous doublerez l'intérieur du placard avec du liège ou des plaques en matériaux acoustiques comme ceux employés pour les faux plafonds.

les balcons et loggias

Ils prolongent souvent la salle de séjour ou la chambre et doivent être aménagés avec soin pour s'harmoniser avec la décoration de ces pièces.

Dans la plupart des cas, on désire installer sur cette surface en plein air des plantes, des fleurs, des sièges et parfois, lorsque l'espace est suffisant, un petit coin pour des repas rapides. Néanmoins, il faut veiller à ne pas surcharger un tel espace extérieur par trop de meubles et de plantes. Les meubles, peu nombreux, seront simples, lavables, et dans une couleur en harmonie avec l'intérieur de l'appartement.

Évitez les statues, les jets d'eau et les animaux de porcelaine, qui attirent inutilement l'attention. Laissez la vue se reposer sur les plantes, les fleurs, le ciel.

Il est agréable d'installer sur un balcon une chaise longue, un matelas articulé pour y lire ou s'y reposer (*fig. 117*), ou même d'y prendre un léger repas (*fig. 118*). C'est ce que permet un plateau de lamifié uni replié le long du balcon et qui, relevé, s'appuie sur une équerre pivotante. Il suffit de 70 cm × 70 cm pour recevoir trois couverts. Les sièges seront des chaises pliantes ou des tabourets empilables.

Fig. 117.

Fig. 118.

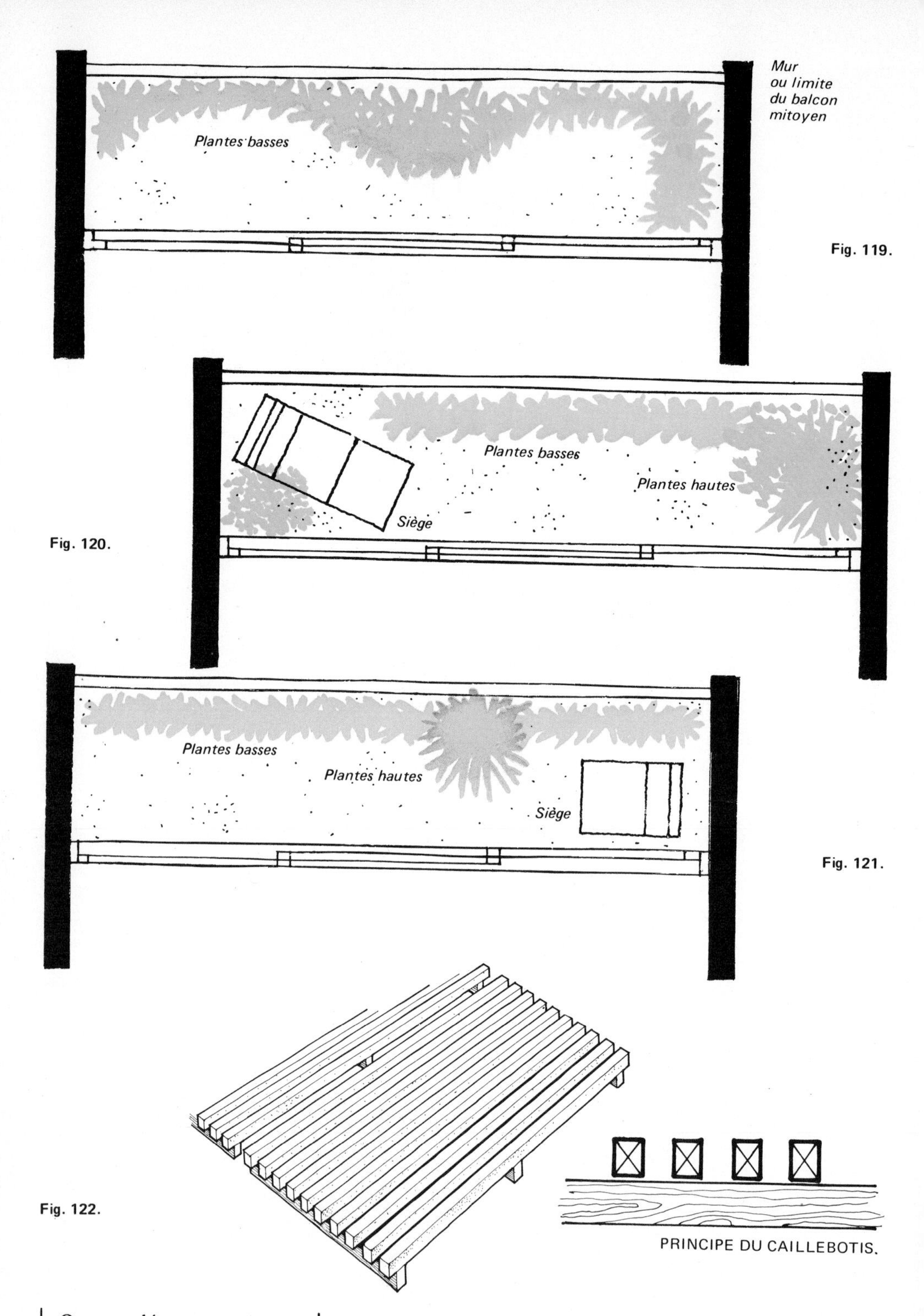

Fig. 119.

Fig. 120.

Fig. 121.

Fig. 122.

On peut décorer une loggia ou un balcon uniquement avec des plantes basses qui seront alignées dans des bacs simples et dépouillés (bois peint ou Fibrociment peint) le long du garde-corps. Il est possible, toujours avec des plantes basses, de créer une surface plus souple en alignant la masse des plantes sur une certaine longueur et en créant un retour latéral sur le mur, ou le long de la séparation du balcon voisin (*fig. 119*). Il est également possible de faire un mélange de plantes basses et hautes (*fig. 120, 121*), qui permettront une composition plus rythmée. Si la loggia n'est pas limitée par un mur, le groupement de plantes hautes à une extrémité peut séparer du balcon voisin. Évitez toutefois de grouper des plantes hautes de chaque côté du balcon, pour ne pas rétrécir la surface.

Au lieu de plantes basses vous pouvez mettre des fleurs. Dans l'un et l'autre cas, ne multipliez pas trop les variétés afin de conserver une unité décorative à l'ensemble.

Fig. 123.

Fig. 124.

Essayez de choisir la couleur des fleurs en harmonie avec l'intérieur de la pièce. Les dalles en béton formant le sol d'un balcon sont généralement peu esthétiques et difficiles à entretenir. Vous pouvez améliorer leur aspect, mais en veillant à ne pas créer une trop forte surcharge qui pourrait être dangereuse. Il est possible de carreler le sol, après avoir pris l'avis d'un architecte, de le peindre dans un ton clair avec une peinture vitrifiante (du type V 33), de le recouvrir de gravier blanc en pensant à ne pas obstruer l'écoulement de l'eau, de faire fabriquer par votre menuisier un caillebotis (*fig. 122*) identique à celui des bateaux, mais constitué de plusieurs morceaux de bois. Pour qu'il résiste aux intempéries, vous choisirez un bois dur et imputrescible du type acajou.

Lorsque le garde-corps n'est pas ajouré, il crée visuellement un écran lui aussi peu esthétique. Vous pouvez alors le carreler ou, plus économiquement, le peindre d'un ton clair, qui aura l'avantage de réfléchir la lumière dans la pièce attenante.

Rien ne vous empêche ensuite de faire grimper, le long de la face intérieure du garde-corps ainsi amélioré, du lierre, de la vigne vierge. Les lattis croisés ne sont pas à conseiller sur un balcon ou une loggia traditionnels. Ils morcellent trop la surface. Si vous possédez un vrai jardin avec un mur plus lointain que le garde-corps, vous aurez tout le loisir d'utiliser ce procédé et les fausses perspectives qu'il permet.

Vous pouvez aussi dérouler un rideau de bambous fendus, que vous garderez naturel ou que vous peindrez.

Si vous voulez créer une séparation avec les balcons voisins, vous pouvez utiliser des plantes vertes assez touffues (*fig. 123*). Vous pouvez aussi choisir du roseau fendu (*fig. 124*) ou même un simple écran de toile (*fig. 125*) dont vous soignerez tout particulièrement la pose tant du point de vue de la solidité que de l'esthétique.

Devant la salle de séjour, vous souhaiteriez aménager une terrasse alors qu'un arbre ou un massif d'arbustes occupent une partie de l'emplacement prévu. Ne les supprimez pas, mais laissez dans le dallage une partie ouverte permettant aux plantations de continuer à se développer (*fig. 126*).

Autour de ce coin de verdure, vous pouvez installer deux banquettes faites de planches en bois laqué reposant sur deux murets en pierre ou en brique. Les murets peuvent avoir 27 cm de haut, les planches 4 cm. Vous poserez sur ces planches des coussins de 5 cm d'épaisseur. Vous aurez ainsi créé un coin de détente extérieur où les plantes vous protégeront du soleil et vous mettront éventuellement à l'abri du vent.

Fig. 125.

Fig. 126.

Fig. 127.

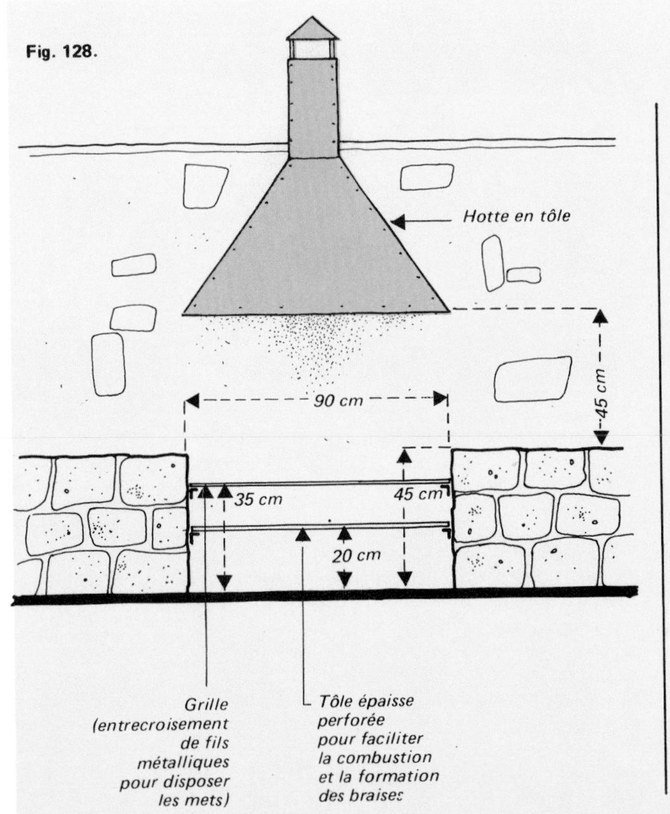

Fig. 128.

LES DIMENSIONS DU BARBECUE-CHEMINÉE EXTÉRIEUR.

Un barbecue peut non seulement servir à faire cuire de sympathiques repas (*fig. 127*), mais à créer, en outre, une sorte de coin de feu extérieur pour les soirs beaux mais frais. Il suffit de surmonter le barbecue, qui s'insère ici entre deux bancs de pierre, d'une hotte en tôle laquée noire qui permet d'entretenir le feu (*fig. 128*).

Bien entendu, vous choisirez l'emplacement de votre barbecue de manière à ne pas incommoder les voisins et vous tiendrez compte, par conséquent, des vents dominants. Dans les grandes villes, une telle installation n'est en principe pas autorisée, et ne peut se faire que par une tolérance des habitants des autres appartements.

1. *Vous pouvez utiliser une pièce en sous-sol pour créer une salle de jeux en vous inspirant de l'aménagement que nous présentons : pour faire de ce sous-sol une salle de ping-pong, les murs ont été blanchis à la chaux, l'éclairage est assuré par quatre lampes en tôle laquée, alimentées par des fils souples afin d'éliminer les baguettes. On a accroché aux murs des reproductions de tableaux, dessins, gravures, etc. Veillez, dans ce cas, à ce que la distance entre table et murs soit suffisante et protégez ces reproductions avec des feuilles de matière plastique et non avec du verre.*

2. *Installé dans une maison familiale, ce grenier est une grande pièce à vivre, aménagée pour un jeune couple. Tout est simple, décontracté, vivant et très économique : tapis de coco, rangement apparent, meubles en contre-plaqué laqué. La brique brute peinte en blanc fait chanter les couleurs. L'équipement de la cuisine en position centrale est assez restreint, mais il est pratique et ne dépare pas l'ensemble.*

3 et 4. *C'est un appartement complet qui a été aménagé dans les combles, et vous pourrez vous inspirer de cet exemple si vous avez à installer un jeune ménage et si vous consentez à vider votre grenier. L'implantation du mobilier est telle que les différentes zones d'activité ne s'enchevêtrent pas sans qu'il ait été nécessaire de faire des travaux, puisqu'il n'y a pas de cloisons de séparation. Rien n'arrêtant la vue, on a une impression d'espace et de liberté dans un volume restreint.*

1	3
2	4

CHAPITRE VII

LES MATÉRIAUX ET LES TECHNIQUES

Les techniques industrielles en progrès constant font naître, chaque jour, de nouveaux matériaux aux aspects et aux formes les plus variés. Souples, flexibles, rigides ou durs, opaques, transparents ou translucides, monochromes ou multicolores, ils envahissent notre univers de tous les jours et transforment le cadre de notre vie.

Ils nous apportent dans tous les domaines, et plus particulièrement dans celui de la décoration, une richesse, une diversité, un confort qui n'ont pas de précédent dans l'histoire.

Souvent peu coûteux, ils mettent à la portée de tous de prodigieuses possibilités d'aménagement, d'ameublement, de décoration. Venant s'ajouter aux matériaux traditionnels avec lesquels ils peuvent aussi s'accorder, ils offrent un choix immense à qui veut embellir sa maison.

Devant une telle prolifération on se trouve vite désorienté. Car les matériaux sont maintenant si nombreux qu'il est difficile, même à un amateur averti, de les connaître tous. Les professionnels eux-mêmes ne connaissent, la plupart du temps, que ce qui relève de leur spécialité, alors que l'audace des décorateurs, jointe au progrès de la technique, a fait entrer dans la maison des matériaux réservés jusque-là à d'autres usages.

Le présent chapitre a été conçu pour vous aider à y voir clair dans cette jungle de nouveautés et de matériaux anciens. Vous y trouverez les caractéristiques essentielles des matériaux actuellement utilisés en décoration afin que vous puissiez choisir en toute connaissance de cause. Ainsi, vous n'hésiterez pas à employer un matériau qui vous semble séduisant mais que vous connaissez mal. Et si vous y renoncez, ce sera au moins en sachant pourquoi.

Nous vous indiquons également quand et comment employer tel ou tel matériau. Vous pourrez ainsi apprendre à mieux vous servir de matériaux que vous connaissez, à leur découvrir de nouvelles utilisations et à ne pas rejeter certains matériaux nouveaux dont vous ne soupçonnez peut-être pas l'existence ou les applications à la décoration.

Si vous voulez entreprendre vous-même des travaux d'installation ou de transformation dans votre maison, il est important que vous sachiez sous quelle forme se présentent les matériaux de votre choix, quels sont leurs défauts et leurs qualités et de quelle manière il faut les travailler.

Si, au contraire, vous désirez confier le travail à un décorateur, il n'est pas moins nécessaire que vous puissiez exprimer des désirs réalisables, que vous sachiez lire un devis et en discuter. En voyant quelles sont les caractéristiques essentielles des matériaux et les principes de leur mise en œuvre, vous allez vous familiariser avec le langage des professionnels. Vous pourrez donc mieux les comprendre et leur expliquer plus clairement ce que vous voulez. Ainsi, vous ne leur demanderez pas de placer un chevron là où on ne peut tenir qu'un tasseau.

Les indications de dimensions vous seront très précieuses, car elles pèseront sur vos décisions. Vous saurez, par exemple, que la réalisation d'une table en Formica de 5 m x 2,50 m vous posera des problèmes puisque les panneaux standards de ce matériau sont de 3,05 m x 1,22 m.

Les soixante-dix matériaux que nous vous proposons ont été groupés en quatorze rubriques correspondant aux matériaux de base.

Le tableau général qui figure à la page suivante va vous servir de guide à travers ces rubriques. Il vous donne, en effet, trois indications : d'une part, la correspondance entre le matériau envisagé et le matériau de base ; d'autre part, à quels emplois il est destiné ; enfin, s'il peut normalement être travaillé par un bricoleur moyen.

Supposons que vous envisagiez de mettre du Dalflex en plafond. Vous cherchez le mot Dalflex dans la colonne de gauche, sous le titre « Matériaux dérivés ». Vous voyez aussitôt que les renseignements concernant le Dalflex se trouvent dans la rubrique des matières plastiques, mais vous voyez aussi que ce matériau ne convient pas pour les plafonds.

Si, au contraire, vous voulez mettre du liège en plafond, vous constatez que ce matériau convient effectivement à cet usage et que vous trouverez toutes indications à son sujet dans la rubrique du bois.

Nous espérons ainsi vous faciliter la consultation de ce chapitre qui vous apporte quantité de conseils pratiques pour la mise en œuvre et l'utilisation des matériaux de décoration.

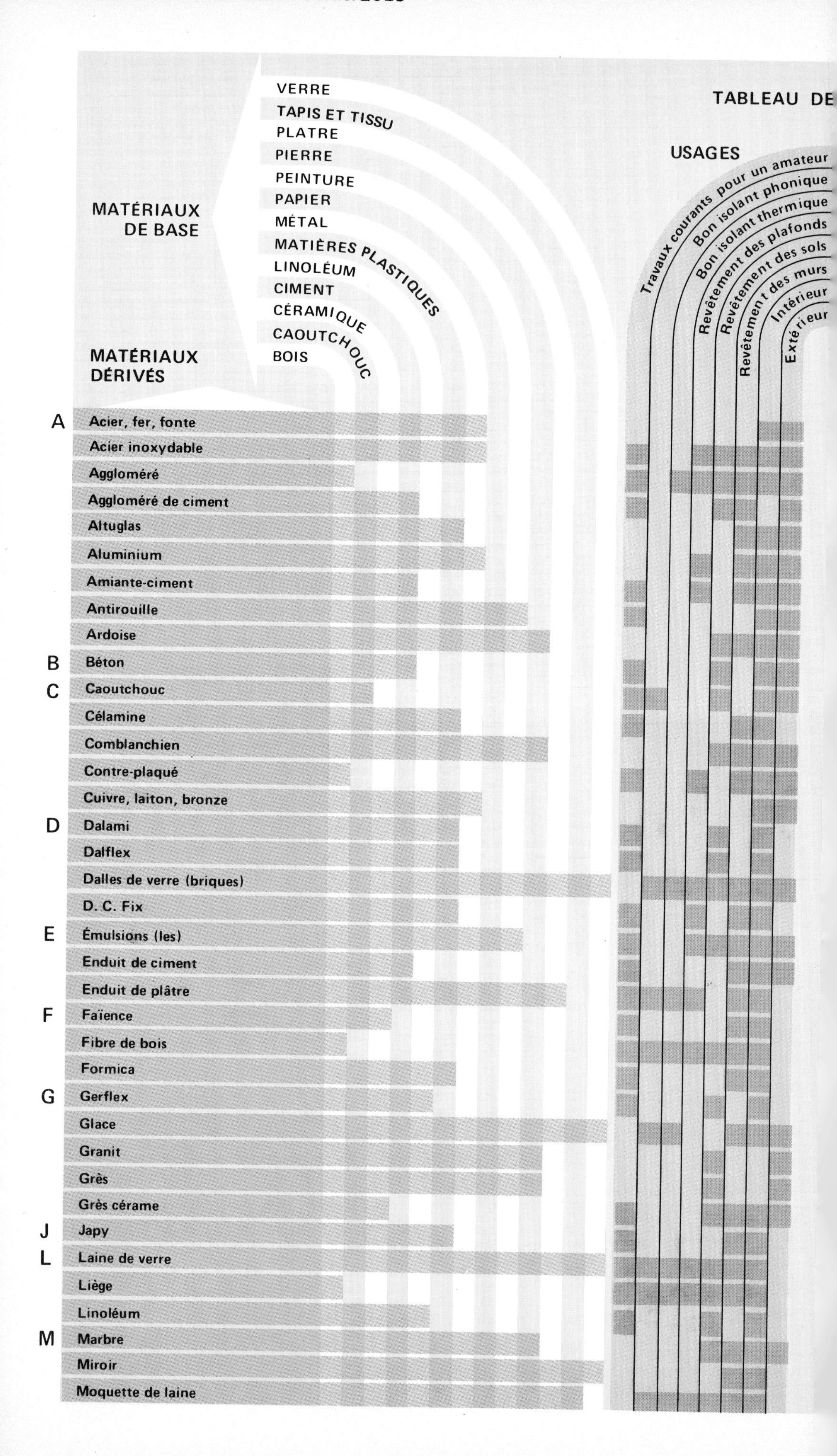
TABLEAU DE
MATÉRIAUX DE BASE
VERRE
TAPIS ET TISSU
PLATRE
PIERRE
PEINTURE
PAPIER
MÉTAL
MATIÈRES PLASTIQUES
LINOLÉUM
CIMENT
CÉRAMIQUE
CAOUTCHOUC
BOIS
MATÉRIAUX DÉRIVÉS
USAGES
Travaux courants pour un amateur
Bon isolant phonique
Bon isolant thermique
Revêtement des plafonds
Revêtement des sols
Revêtement des murs
Intérieur
Extérieur
A
Acier, fer, fonte
Acier inoxydable
Aggloméré
Aggloméré de ciment
Altuglas
Aluminium
Amiante-ciment
Antirouille
Ardoise
B
Béton
C
Caoutchouc
Célamine
Comblanchien
Contre-plaqué
Cuivre, laiton, bronze
D
Dalami
Dalflex
Dalles de verre (briques)
D. C. Fix
E
Émulsions (les)
Enduit de ciment
Enduit de plâtre
F
Faïence
Fibre de bois
Formica
G
Gerflex
Glace
Granit
Grès
Grès cérame
J
Japy
L
Laine de verre
Liège
Linoléum
M
Marbre
Miroir
Moquette de laine

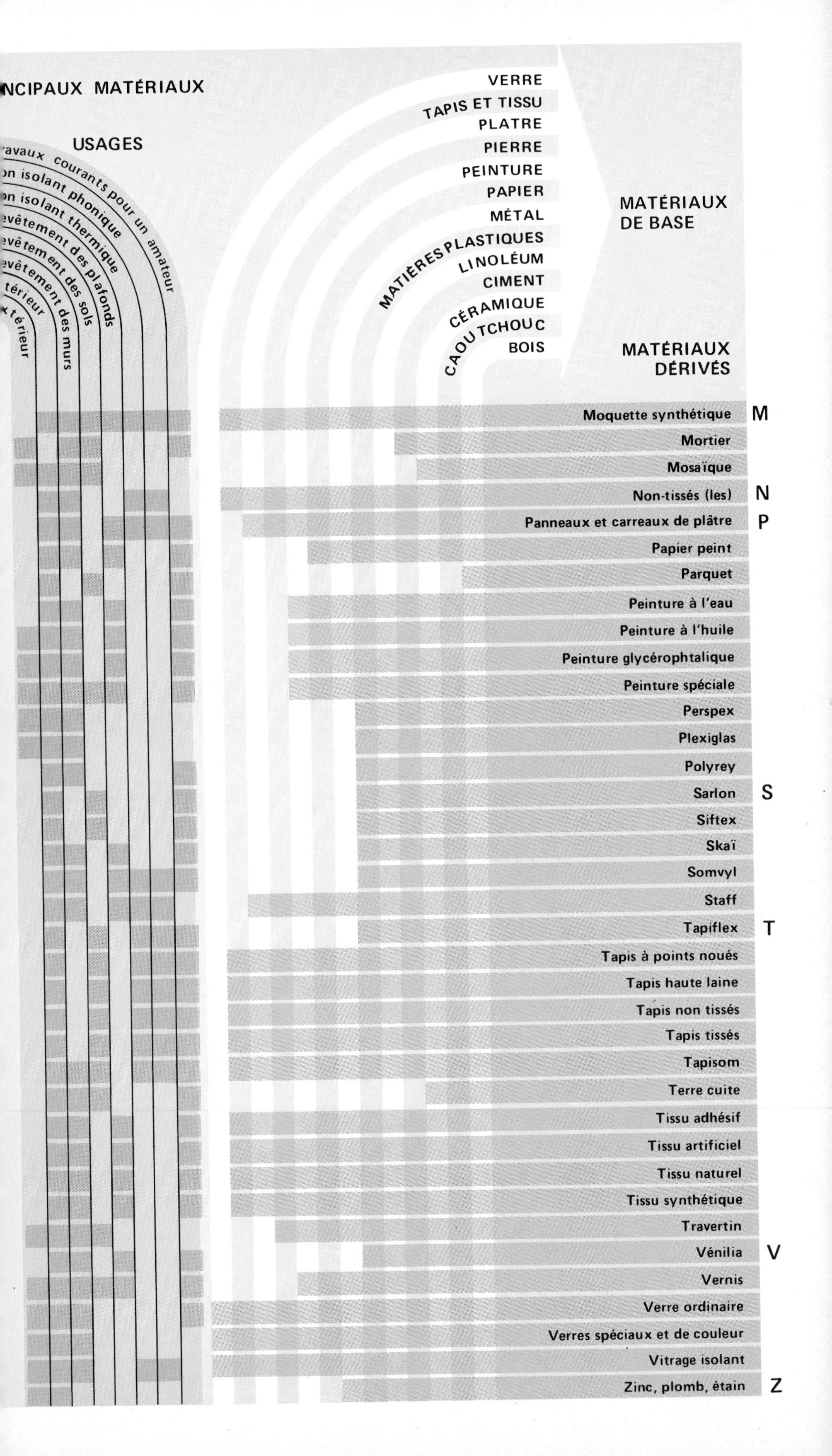
NCIPAUX MATÉRIAUX
USAGES
ravaux courants pour un amateur
on isolant phonique
on isolant thermique
evêtement des plafonds
evêtement des sols
evêtement des murs
térieur
xtérieur
VERRE
TAPIS ET TISSU
PLATRE
PIERRE
PEINTURE
PAPIER
MÉTAL
MATIÈRES PLASTIQUES
LINOLÉUM
CIMENT
CÉRAMIQUE
CAOUTCHOUC
BOIS
MATÉRIAUX DE BASE
MATÉRIAUX DÉRIVÉS
Moquette synthétique
M
Mortier
Mosaïque
Non-tissés (les)
N
Panneaux et carreaux de plâtre
P
Papier peint
Parquet
Peinture à l'eau
Peinture à l'huile
Peinture glycérophtalique
Peinture spéciale
Perspex
Plexiglas
Polyrey
Sarlon
S
Siftex
Skaï
Somvyl
Staff
Tapiflex
T
Tapis à points noués
Tapis haute laine
Tapis non tissés
Tapis tissés
Tapisom
Terre cuite
Tissu adhésif
Tissu artificiel
Tissu naturel
Tissu synthétique
Travertin
Vénilia
V
Vernis
Verre ordinaire
Verres spéciaux et de couleur
Vitrage isolant
Zinc, plomb, étain
Z

LE BOIS ET SES DÉRIVÉS

le bois massif

Le bois est un matériau vivant et qui, par conséquent, est sujet à des variations de structure et de volume. Chacun sait que, lorsque le bois sèche, son volume diminue et qu'inversement il gonfle et absorbe l'eau en milieu humide : on dit que le bois « travaille ». Cette variation peut avoir une orientation prédominante, généralement dans le sens perpendiculaire au *fil du bois*. Il est donc déconseillé d'employer le bois massif pour de grandes surfaces, car les déformations dues au travail du bois risqueraient d'être trop importantes pour ne pas nuire à l'esthétique de l'ouvrage.

les différentes pièces de bois

Le bois est débité en partant du tronc pour donner ce que les professionnels appellent des « pièces ». A partir de ces pièces, et en fonction de leur nature et du sens des fibres, on débite des éléments de différentes sections, qui prennent des dénominations commerciales dont voici les principales :

La planche, qui sert souvent d'unité pour évaluer les volumes à débiter, a des dimensions standards : 35 cm de large sur 27 cm d'épaisseur. Pour une section plus petite, on emploie le terme « planchette » ou « frise ». Sa longueur est très variable : 2 m, 4 m, 9 m. Les planches de faible épaisseur sont appelées « feuillets », tandis que les plus épaisses (11 cm) sont des « plateaux ». Il existe également des dénominations qui varient en fonction de l'essence du bois : par exemple, une planche de chêne s'appelle un « entrevous » et, si elle est en sapin, elle est dite « lorraine ».

Le madrier, pièce de bois de forte section (10,5 cm x 22,5 cm), est utilisé principalement pour la charpente des toits et les solives des planchers.

Le bastaing, petit madrier, a des dimensions variant autour de 6,5 cm x 16,5 cm.

Le chevron, élément principal de toutes les ossatures en bois, peut avoir une section carrée ou rectangulaire variant de 4 cm x 4 cm à 6 cm x 8 cm.

Le tasseau, le liteau et **la volige** sont, en ordre décroissant, les dénominations que l'on a coutume de donner aux lattes de bois dont les dimensions varient en fonction du travail à exécuter. (Exemple : tasseau de 2,5 cm x 2,5 cm, volige de 1,5 cm x 1 cm.) C'est à partir de ces dimensions standards que vous calculerez les dimensions de ce que vous voulez construire. S'il s'agit de revêtir une paroi ou un sol à l'aide de bois massif, il faut constituer un assemblage de plusieurs pièces pour obtenir la surface désirée.

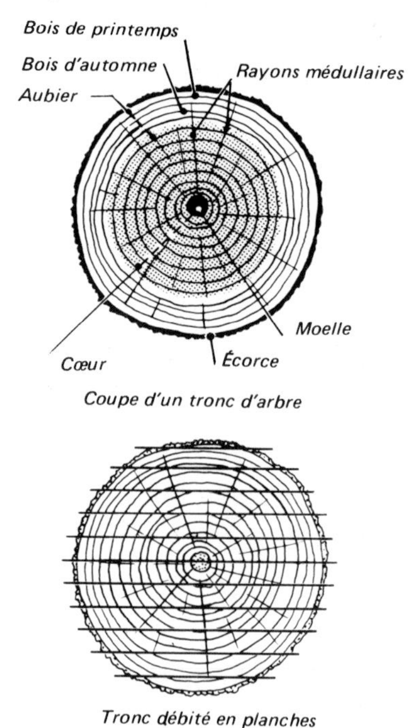

Coupe d'un tronc d'arbre

Tronc débité en planches

Après séchage, le bois a travaillé

Dans cette planche, provenant de débit sur dosses, le cœur a subi un retrait moins important que l'aubier ; la planche n'est pas restée plane, elle a « gauchi ».

les différents parquets

C'est la méthode employée pour construire un parquet, qui peut être réalisé de deux manières différentes :

Le parquet traditionnel. Il est constitué de lames ou frises assemblées les unes aux autres par rainure et languette. Chaque lame a une largeur de 5 cm x 10,5 cm et une épaisseur normalisée tenant compte de l'essence du bois utilisé, principalement le chêne (épaisseur de 26, 30 ou 35 mm) et le pin (épaisseur de 17 à 27 mm). Les longueurs, très variables, se situent habituellement entre 50 cm et 2 m.
Par ailleurs, pour chaque fabrication, les lames de parquet sont réparties en classes ou « choix », que vous distinguerez soit par une lettre, soit par une couleur. Ces différentes classes tiennent compte de l'aspect (densité des nœuds, légers défauts, etc.) et du fil du bois (fil parallèle aux rives, fil de biais, etc.).

DIFFÉRENTS TYPES DE PARQUET TRADITIONNEL.

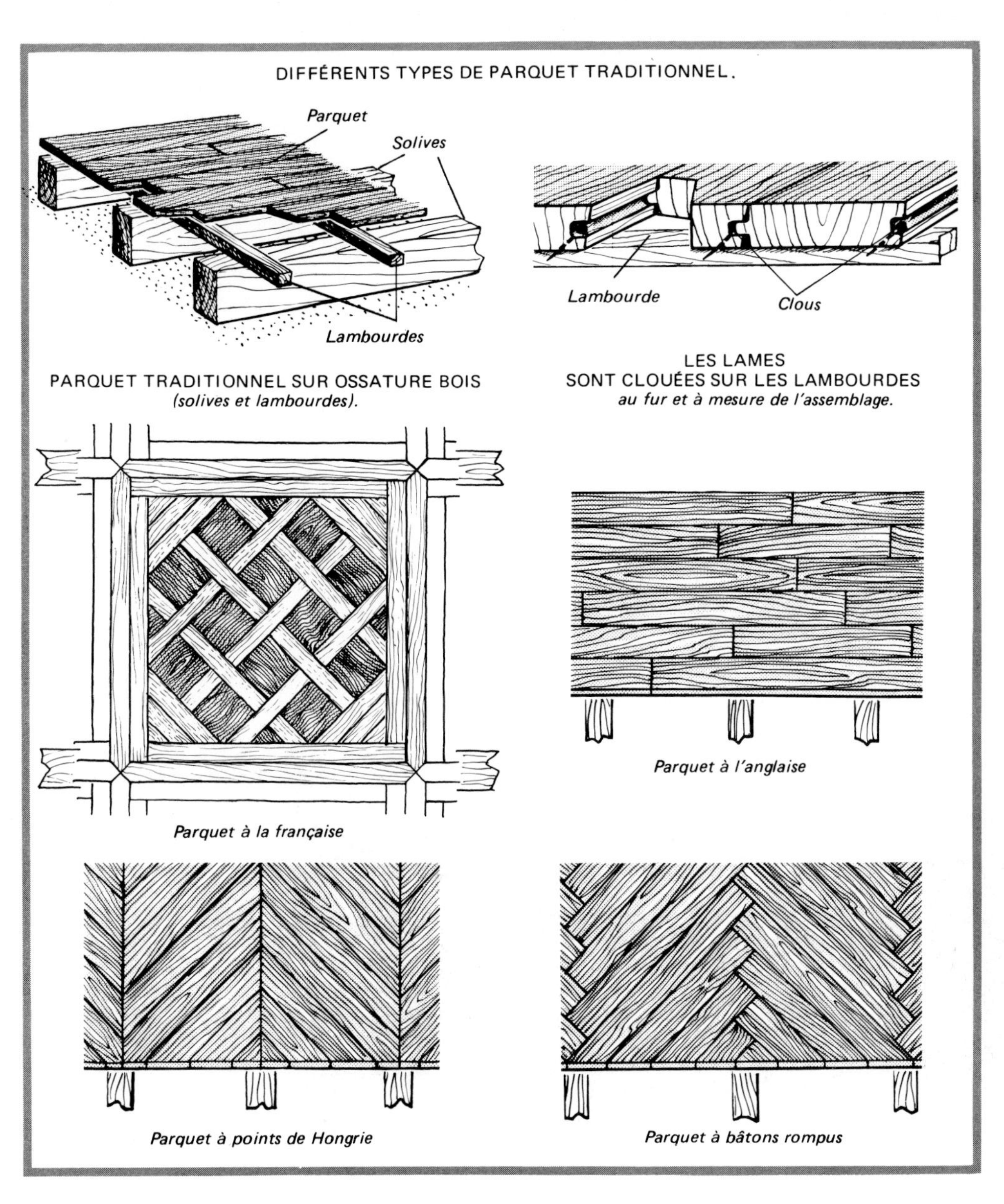

PARQUET TRADITIONNEL SUR OSSATURE BOIS
(solives et lambourdes).

LES LAMES
SONT CLOUÉES SUR LES LAMBOURDES
au fur et à mesure de l'assemblage.

Parquet à la française

Parquet à l'anglaise

Parquet à points de Hongrie

Parquet à bâtons rompus

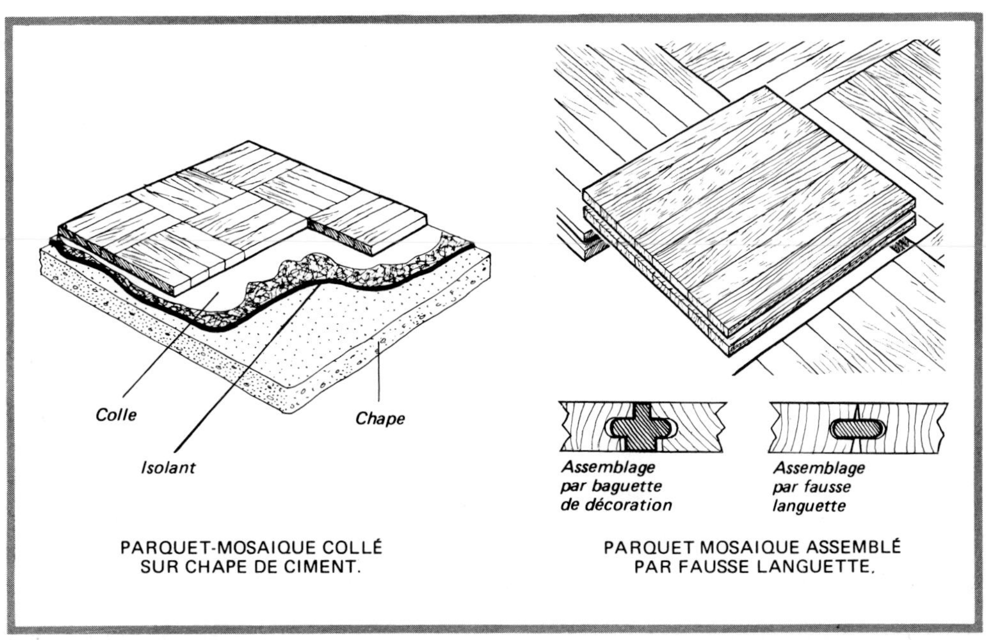

PARQUET-MOSAIQUE COLLÉ
SUR CHAPE DE CIMENT.

PARQUET MOSAIQUE ASSEMBLÉ
PAR FAUSSE LANGUETTE.

Le parquet de chêne, sans nœud, au fil sensiblement droit, est de « premier choix », tandis que le parquet de pin, aux nœuds apparents et répétés, est de « quatrième choix ». Ce dernier est, évidemment, moins onéreux.
La pose est obtenue par clouage sur les *lambourdes* ou sur les *solives* constituant l'armature du plancher.
En outre, des dispositions diverses peuvent être adoptées, afin d'obtenir des dessins ou des motifs particuliers :

- Le parquet à l'anglaise. Les lames, clouées perpendiculairement aux lambourdes, sont parallèles entre elles. L'extrémité de chaque lame est décalée par rapport à la précédente pour qu'il n'y ait jamais deux coupes vis-à-vis.

- Le parquet à bâtons rompus. Les lames sont clouées en biais (45°) sur les lambourdes et ce alternativement dans un sens, puis dans l'autre.

- Le parquet à points de Hongrie. Les lames sont clouées comme précédemment, mais l'extrémité de chacune d'elles est également coupée à 45°, afin que l'angle formé par deux lames soit de 90°.

- Le parquet à la française. Les lames sont *assemblées à tenon et mortaise* pour former des cadres, à l'intérieur desquels d'autres frises sont disposées pour créer des dessins variés.

Le parquet-mosaïque. Il est constitué de lamelles de bois de 6 à 8 mm d'épaisseur jointes et disposées de manière à créer des motifs géométriques. Toutes les lamelles sont assemblées entre elles soit par collage, soit par *rainure et languette*, pour former des carreaux d'environ 30 cm de côté. Chaque carreau est ensuite revêtu d'un contre-parement en fibres, liège, bitume, etc., qui facilite la pose.
La pose d'un parquet-mosaïque est plus rapide que celle d'un parquet traditionnel.
En effet, les carreaux sont collés ou scellés soit à la colle, soit au ciment sur une chape de béton préalablement dressée et lissée.
Ils peuvent également être fixés en interposant un isolant (comme la laine de verre, le feutre, etc.). C'est ce qu'on appelle un « parquet flottant ».

Qu'ils soient traditionnels ou mosaïques, les parquets reçoivent, après la pose, un ponçage mécanique qui leur assure une surface lisse et uniforme.
Les bois qu'on utilise pour faire des parquets sont en général traités pour résister efficacement à l'attaque des insectes parasites.
L'entretien courant nécessite des produits à base de cire ou d'encaustique, ou un vitrificateur qui permet de recouvrir la surface du parquet d'un film qui assure une protection de longue durée.

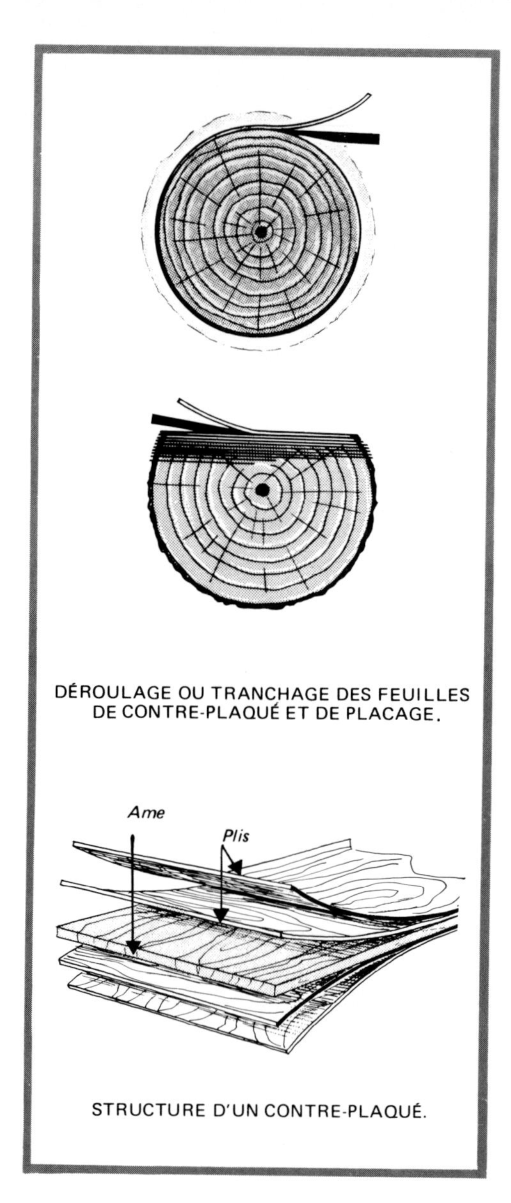

DÉROULAGE OU TRANCHAGE DES FEUILLES DE CONTRE-PLAQUÉ ET DE PLACAGE.

STRUCTURE D'UN CONTRE-PLAQUÉ.

le contre-plaqué

Nous avons vu que, si le bois possède de multiples avantages, ses dimensions subissent des variations dues aux agents atmosphériques. Pour pallier cet inconvénient, une solution s'imposait : fragmenter l'épaisseur de la pièce de bois en couches minces et la reconstituer en inversant et en croisant le fil du bois pour neutraliser le retrait.
De cette technique est née l'industrie du contre-plaqué. Les panneaux de contre-plaqué sont constitués de minces feuilles de bois désignées sous le nom de « plis », obtenues par déroulage et collées entre elles de telle sorte que les plis en contact n'aient jamais leurs fils parallèles.
Le nombre de plis est toujours impair pour constituer une structure symétrique de

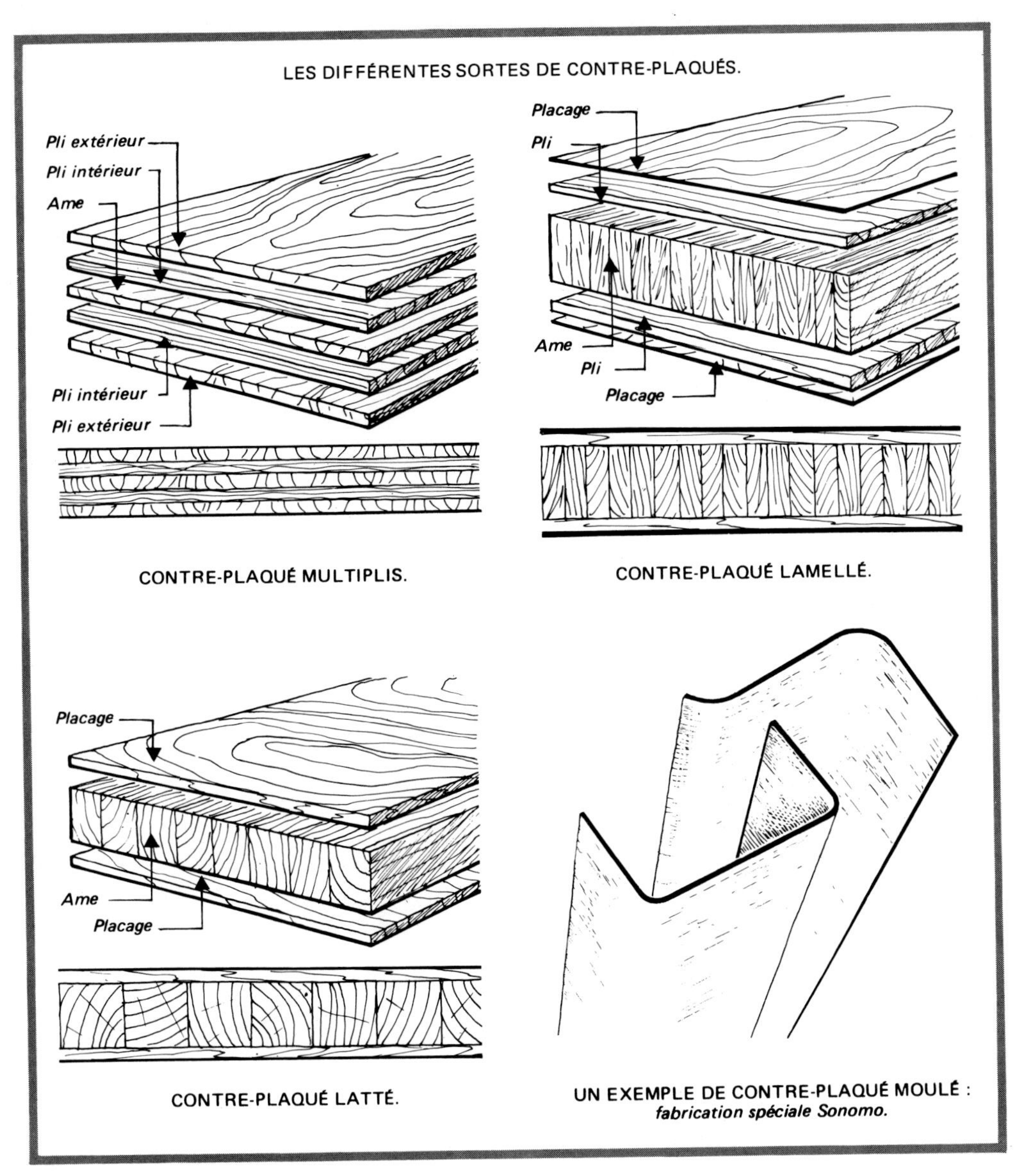

LES DIFFÉRENTES SORTES DE CONTRE-PLAQUÉS.

CONTRE-PLAQUÉ MULTIPLIS.

CONTRE-PLAQUÉ LAMELLÉ.

CONTRE-PLAQUÉ LATTÉ.

UN EXEMPLE DE CONTRE-PLAQUÉ MOULÉ : *fabrication spéciale Sonomo.*

chaque côté du pli central, appelé âme lorsqu'il a plus de 5 mm d'épaisseur.

les différentes sortes de contre-plaqués

Suivant le mode de fabrication et le nombre de plis mis en œuvre, le contre-plaqué prend différentes appellations :

Les panneaux multiplis. Ils sont constitués par un nombre de feuilles impair (3, 5, 7..., 15, 17, etc.), d'une épaisseur variant de 1 à 3 mm environ. Pour obtenir des panneaux plus épais, il suffit d'augmenter le nombre de plis et non de faire varier l'épaisseur des plis, qui doivent rester minces.

Les panneaux lattés. A l'opposé du multiplis, le latté est un panneau comportant une âme de forte épaisseur constituée de lattes de bois de section carrée ou rectangulaire. Les deux faces du panneau sont recouvertes de deux ou trois plis minces comparables à ceux du contre-plaqué multiplis.

Les panneaux lamellés. C'est un latté de luxe. L'âme du panneau est constituée de fines lamelles de 6 à 8 mm d'épaisseur placées sur *chant* et assemblées par collage les unes aux autres. Les deux faces du panneau sont ensuite recouvertes de minces plis de placage d'une essence plus riche et d'une finition plus soignée que le latté.

Les panneaux de contre-plaqué existent dans une gamme très étendue de dimensions. Ils sont désignés par trois nombres représentant successivement la longueur, la largeur puis l'épaisseur. Exemple : 244 x 122 x 20.

EXTÉRIEUR
C.T.B. X
45

LABEL *garantissant le contre-plaqué pour un emploi extérieur. Le numéro sert à identifier le fabricant du panneau.*

Les deux premiers nombres sont exprimés en centimètres; le troisième, correspondant à l'épaisseur, est en millimètres.
Viennent ensuite les indications de qualité. Par exemple : extérieur C.T.B.X., label garantissant le collage et la durabilité du bois pour un emploi extérieur pendant de longues années.
Enfin, le fabricant peut également indiquer l'essence de bois utilisée. Les plus courantes sont : l'okoumé, le peuplier, l'acajou, le pin, le bouleau et le hêtre.

les fabrications spéciales

Toujours en employant la même méthode de fabrication, d'autres panneaux destinés à des usages plus spéciaux viennent enrichir la gamme des contre-plaqués. Il s'agit entre autres :

Des panneaux alvéolés, destinés à la fabrication des portes planes, dans lesquels l'âme est un complexe de bois, de fibres, voire de carton. Elle est ensuite recouverte par deux plis d'une essence plus riche.

Des panneaux incombustibles, dont l'âme en bois est remplacée par de l'amiante.

Des panneaux métalliques, dont une ou deux faces sont recouvertes d'une feuille de métal (acier inoxydable, aluminium, plomb).

Des panneaux armés, dans lesquels un grillage est interposé sous le pli de parement, créant ainsi une armature métallique intérieure résistant aux attaques des rongeurs.

Des panneaux moulés, pour lesquels une mise en œuvre spéciale permet d'obtenir des profils cintrés de formes diverses, destinés à la fabrication de meubles, coffrages, gaines.

Parce qu'il est léger, solide et résistant, le contre-plaqué a trouvé de nombreux emplois dans les constructions récentes. De plus, son aspect décoratif (pour certaines essences) et sa rapidité de mise en œuvre en font un matériau de revêtement mural très apprécié en décoration intérieure.
Des panneaux « *haute sélection* », qui utilisent des placages d'ébénisterie, ou des panneaux *imprimés*, qui sont obtenus d'après reproduction photographique d'un vrai bois, sont spécialement destinés aux revêtements muraux. Ils ont des dimensions variant entre 2 m et 2,50 m de haut pour une largeur de 1 m à 1,20 m environ. Leur épaisseur ne dépasse guère 4 à 5 mm.

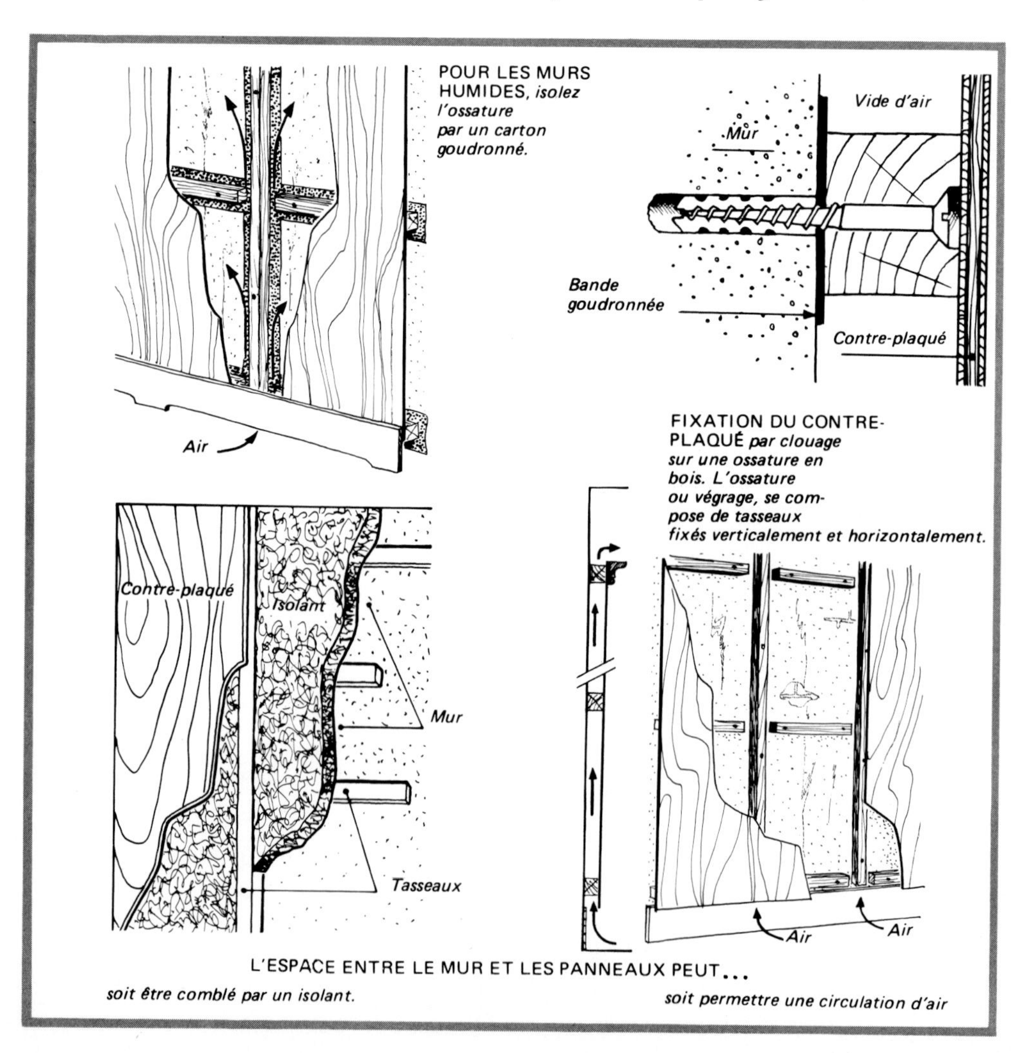

L'ESPACE ENTRE LE MUR ET LES PANNEAUX PEUT...
soit être comblé par un isolant. *soit permettre une circulation d'air*

la mise en œuvre

La mise en œuvre de ces panneaux se fait avec un outillage simple qui diffère suivant le mode de fixation, à savoir :

Fixation par collage. Le collage des panneaux se fait directement sur le mur à l'aide d'une colle Néoprène ou d'une colle à base de caoutchouc. Ce mode de fixation permet d'obtenir une surface nette sans trace de clous, sous certaines conditions : le support doit être plan, exempt de traces d'humidité et très propre ; la nature du support doit être compatible avec la colle employée (se conformer aux strictes précisions du fabricant). Bien souvent, il y a lieu de prévoir un précollage des surfaces à réunir. Pour cela, diluez une certaine quantité de colle avec 30 % de son solvant et appliquez-la au rouleau, sur le support, puis au dos du panneau. Travaillez par bandes successives espacées d'environ 30 cm. Laissez sécher complètement pour que les solvants et les diluants contenus dans la colle s'évaporent. Après quoi, encollez à nouveau le panneau et le support avec la colle non diluée et laissez sécher. Présentez ensuite le panneau à son emplacement exact et martelez toute la surface en interposant une cale de bois tendre entre le panneau et le marteau, afin que l'adhérence soit complète.

Fixation par clouage ou vissage. Dans ce cas, une ossature en bois est interposée entre le panneau et le mur. Cette ossature, appelée également *végrage,* sert de support aux panneaux de contre-plaqué ; l'espace entre le mur et les panneaux peut soit permettre une circulation d'air, soit être comblé par un isolant. Ce végrage se compose de tasseaux de section variable (40 mm x 15 mm ou 50 mm x 25 mm), fixés au mur verticalement et espacés d'environ 40 à 50 cm, distance correspondant à un sous-multiple de la largeur totale du panneau.
Des traverses horizontales viennent ensuite renforcer ce quadrillage-support, que vous fixerez soit à l'aide de clous à béton (si le mur le permet), soit avec des vis et des chevilles. Si le mur est humide, il est nécessaire de protéger le bois par un traitement fongicide et de disposer entre les tasseaux et le mur une bande de carton goudronné ou un papier bitumeux. Par ailleurs, il est conseillé d'interrompre par endroits ce réseau de tasseaux, afin que l'air puisse circuler librement entre le sol et le plafond.
Placez ensuite les panneaux de contre-plaqué sur l'ossature en les clouant ou en les vissant sur les tasseaux. Les joints entre panneaux seront traités suivant le type de décoration recherchée (joint simple, joint à biseau, couvre-joint, etc.).
Tous les panneaux de contre-plaqué traditionnels peuvent recevoir toutes les finitions souhaitées. Après ponçage, il est possible de les peindre, de les tapisser ou de les vernir

FIXATION DE PANNEAUX DE CONTRE-PLAQUÉ PAR COLLAGE.

comme il est coutume de le faire pour le bois. En revanche, les panneaux « haute sélection », spécialement étudiés pour les décorations murales, ont un aspect fini qui ne nécessite aucun traitement décoratif.

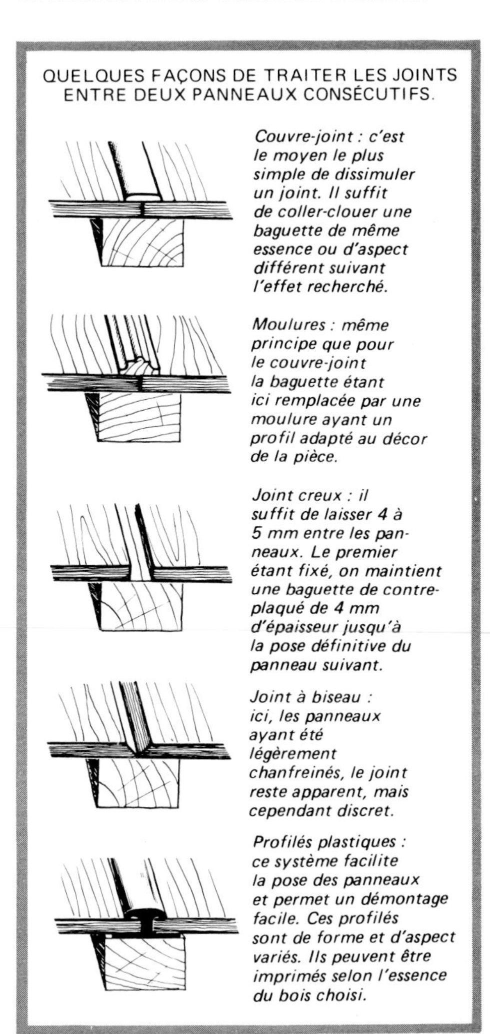

QUELQUES FAÇONS DE TRAITER LES JOINTS ENTRE DEUX PANNEAUX CONSÉCUTIFS.

les agglomérés

Le cycle de croissance des arbres ne pouvant être accéléré, le bois de débit devint rapidement un matériau ne suffisant plus aux demandes toujours croissantes des différentes industries. De cette nécessité sont nés les panneaux d'agglomérés permettant d'utiliser plus complètement les déchets (branches, chutes, etc.) du bois sur pied. Les progrès considérables accomplis par les techniques modernes ont permis, dès 1950, de réaliser industriellement des panneaux d'agglomérés qui se différencient par leur mode de fabrication.

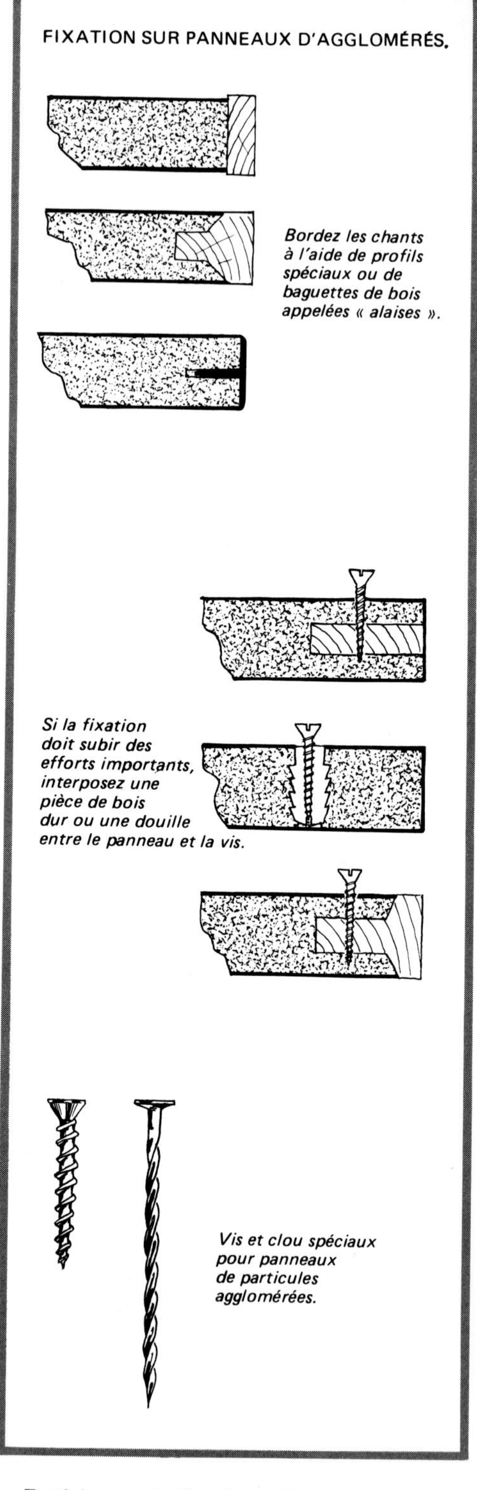

les panneaux de particules

les différentes sortes d'agglomérés

Ce sont des panneaux constitués de copeaux de bois ou de particules de lin spécialement élaborés, qui sont agglomérés au moyen de résines synthétiques lors d'un pressage à haute température. L'ensemble donne un panneau rigide doté d'une grande stabilité dimensionnelle et dont l'absence de fil autorise la découpe sans tenir compte d'un sens.
Selon le mode de fabrication des panneaux, on distingue :

Les panneaux pressés à plat, qui peuvent être à une couche, à trois couches ou multicouches (plus de trois couches). Les fragments constituants sont de fines particules d'aspect granuleux ou, au contraire, de grands copeaux décoratifs disposés parallèlement aux faces.

Les panneaux extrudés, qui ont les particules disposées perpendiculairement aux faces et sont en général recouverts d'un placage ébénisterie. Dans cette catégorie, les panneaux de forte épaisseur (30 mm, 50 mm et plus) comportent des évidements tubulaires intérieurs qui allègent leur poids d'origine.
Les panneaux de particules se présentent dans une gamme de dimensions très étendue, allant du rectangle de 244 cm x 120 cm à celui de 510 cm x 185 cm, avec des épaisseurs variant de 5 à 50 mm, ce qui permet à l'utilisateur de trouver toujours la mesure convenable.
Comme pour le contre-plaqué, les indications de qualité, ou le label définissant une utilisation particulière, sont mentionnées. Citons :

C.T.B.P. : label garantissant une qualité de panneau dont les deux faces sont recouvertes d'un placage ébénisterie destiné à la fabrication des meubles.

Extérieur : indication désignant un panneau dont la fabrication a exigé des résines spéciales particulièrement résistantes en milieu humide.

les fabrications spéciales

Différentes modifications de structure ou de présentation sont toujours possibles. Le panneau de particules peut servir de support à de nombreuses fabrications destinées à des

LES DIFFÉRENTES SORTES D'AGGLOMÉRÉS.

Homogènes.
Ces panneaux, de bois ou de lin, sont également dits « une couche ». Les particules sont parallèles aux surfaces.

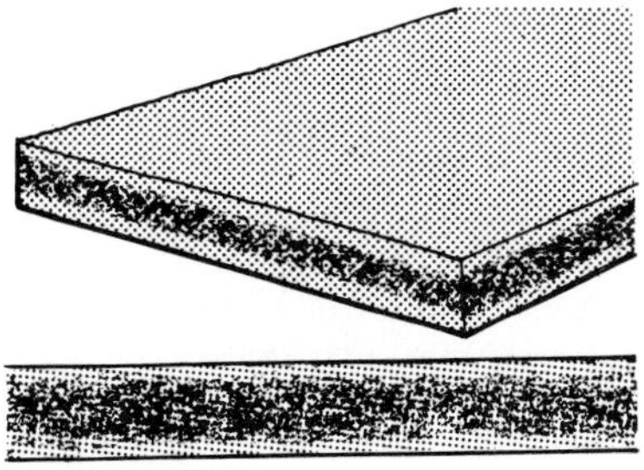

Multicouches.
Les particules sont de plus en plus fines, de façon continue, lorsqu'on va de l'intérieur vers les surfaces des panneaux.

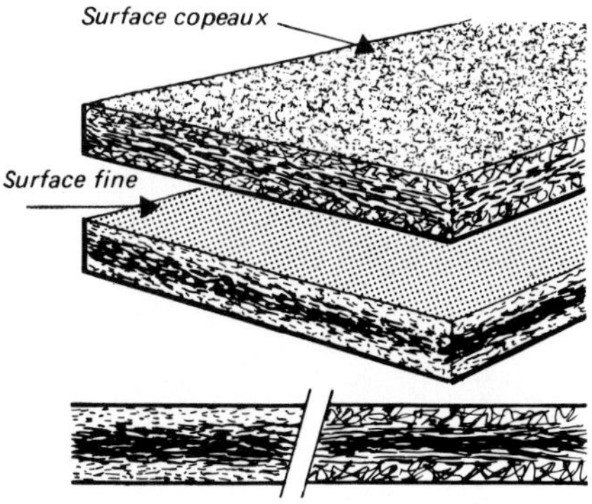

Surface copeaux

Surface fine

Trois couches.
Les couches de surface peuvent être constituées de particules fines ou de grands copeaux décoratifs.

Extrudés

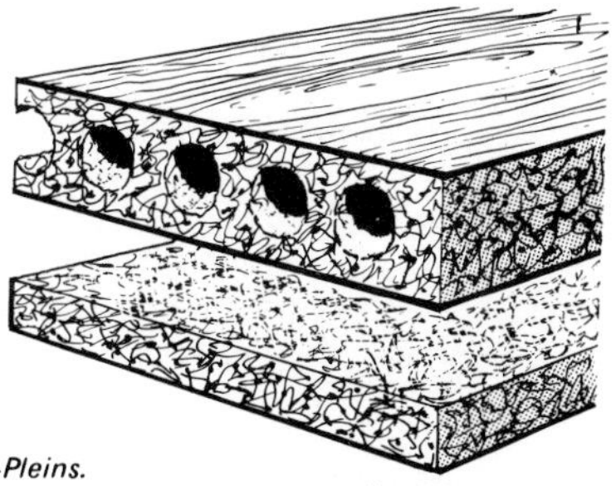

Pleins.
Les particules sont perpendiculaires aux surfaces. Les panneaux de 30 mm d'épaisseur et plus comportent des évidements.

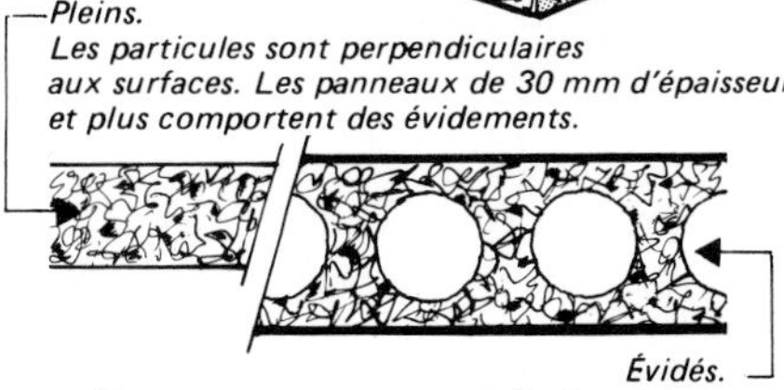

Évidés.
Tous ces panneaux sortent d'usine plaqués sur leurs deux faces. Ils ne représentent qu'une faible partie de la production française.

Dimensions courantes

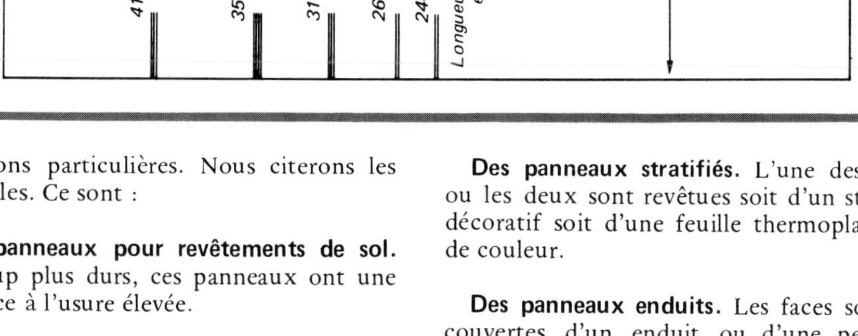

180 à 185
170 à 175
150 à 155
135
120 à 125
Largeurs courantes en cm

510
410 à 420
350 à 360
310 à 320
265 à 275
244 à 250
Longueurs courantes en cm

utilisations particulières. Nous citerons les principales. Ce sont :

Des panneaux pour revêtements de sol. Beaucoup plus durs, ces panneaux ont une résistance à l'usure élevée.

Des panneaux traités. Des produits fongicides et ignifuges sont incorporés lors de la fabrication, ce qui leur donne une résistance appréciable aux insectes nuisibles et un bon comportement au feu.

Des panneaux stratifiés. L'une des faces ou les deux sont revêtues soit d'un stratifié décoratif soit d'une feuille thermoplastique de couleur.

Des panneaux enduits. Les faces sont recouvertes d'un enduit ou d'une peinture d'apprêt. Ce procédé permet d'utiliser facilement ces panneaux comme revêtement mural sans avoir de préparation à exécuter avant de peindre ou de poser du papier peint.

l'utilisation et la mise en œuvre

Étant donné ses qualités et son prix de revient intéressant, le panneau de particules trouve de nombreux emplois dans la maison (cloisons, plafonds, sols, etc.). Cependant, dans sa version classique, on peut déplorer qu'il ne soit pas plus décoratif. Il convient donc de l'utiliser pour des réalisations non apparentes ou de prévoir une finition (peinture, papier peint, tapisserie, etc.) pour dissimuler son aspect d'origine.
En revanche, les fabrications spéciales dont les faces sont revêtues d'un placage de bois ou d'un stratifié sont couramment employées pour la réalisation de cloisons intérieures ou pour l'exécution de meubles.
Les panneaux de particules se travaillent avec les outils traditionnels du menuisier.
Toutefois, le fort pourcentage de résines synthétiques qu'ils contiennent a tendance à émousser plus rapidement le fil des outils coupants.
Si vous voulez utiliser des panneaux de particules pour réaliser un meuble d'appoint ou un agencement intérieur (vitrines, étagères, etc.), il vous faudra respecter quelques précautions pour obtenir des résultats satisfaisants.
Voici les plus importantes :

1. Si la plupart des *assemblages* (à *feuillure,* à *rainure,* à *embrèvement,* etc.) utilisés pour le bois conviennent à la mise en œuvre des panneaux de particules, vous veillerez néanmoins à ne jamais les exécuter trop près des bords ou des extrémités des panneaux, car leur résistance en serait amoindrie.

2. Vous éviterez, de même, d'employer des clous, et vous préférerez les fixations par vis. Utilisez des vis spéciales, filetées jusqu'à la tête et aussi longues que possible. Si la fixation doit subir des efforts très importants (montants de bibliothèque, charnières de porte, etc.), interposez entre la vis et le panneau soit une pièce de bois massif dur, soit une douille en Nylon collée, qui recevra la vis.

3. Pour les finitions, bordez les chants de chaque panneau soit à l'aide de bandes de placage souple, soit à l'aide de profilés spéciaux.
Si vous prévoyez une finition en peinture ou en collant une feuille de placage ou de stratifié, effectuez ce travail sur les deux faces pour que le panneau soit équilibré et ne gauchisse pas au séchage.

les panneaux de fibres

Ce sont des panneaux constitués de fibres de bois obtenues mécaniquement et qui sont agglomérées avec une colle thermodurcissable.

les différentes sortes et leur utilisation

En partant de cette matière première et suivant le procédé de fabrication, les panneaux se classent en deux groupes principaux :

Les panneaux durs. Ils sont fabriqués sous très haute pression.
Plus la pression est forte, plus les panneaux sont durs. Ils se présentent avec une ou deux faces lisses d'un aspect très fini.
Leur épaisseur varie de 2,4 mm à 8 mm, et certaines fabrications sont poncées à 1/10 de millimètre près. Ces panneaux sont très

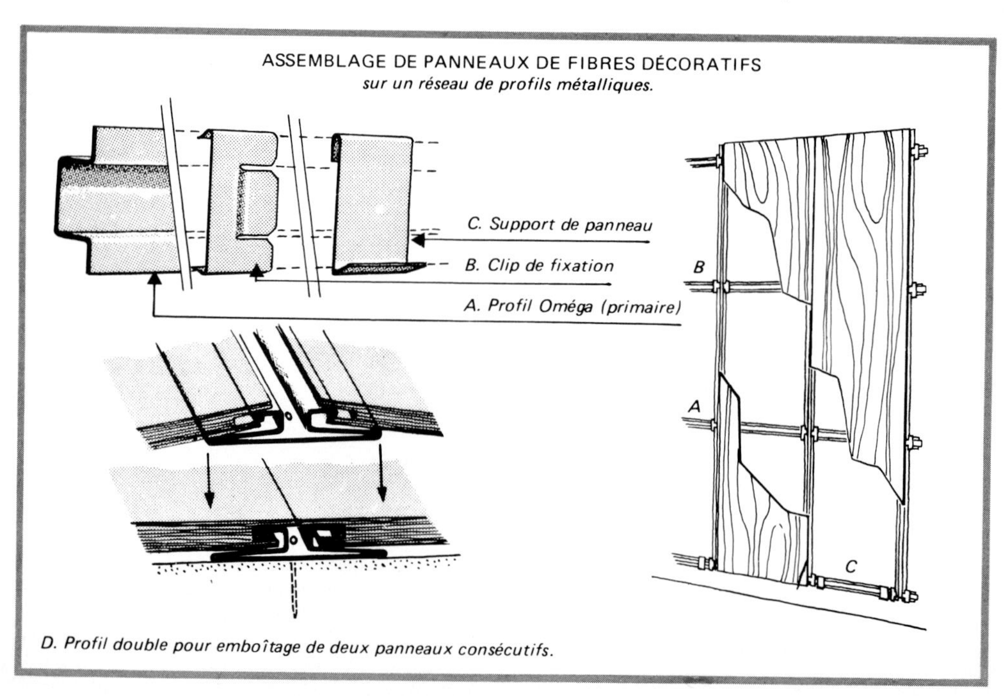

ASSEMBLAGE DE PANNEAUX DE FIBRES DÉCORATIFS
sur un réseau de profils métalliques.

D. Profil double pour emboîtage de deux panneaux consécutifs.

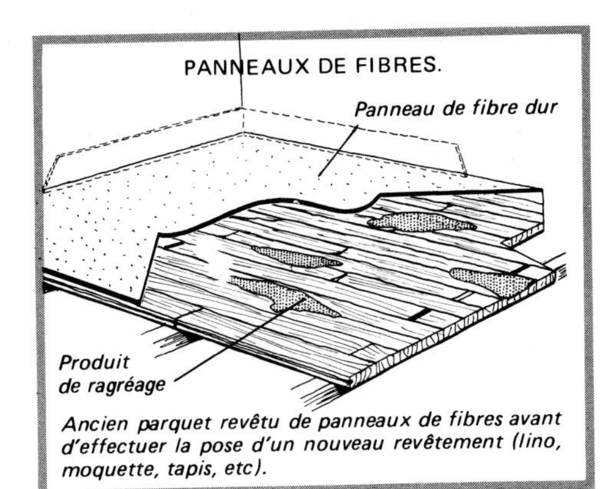

Ancien parquet revêtu de panneaux de fibres avant d'effectuer la pose d'un nouveau revêtement (lino, moquette, tapis, etc).

solides, mais ils restent cependant souples, ce qui permet de les cintrer pour leur donner des formes arrondies. Leurs utilisations sont multiples; ils permettent notamment d'exécuter des placards, des rayonnages, des meubles de cuisine, etc., avec une finition des plus soignées, car leurs surfaces ne nécessitent ni ponçage ni enduit avant d'être peintes ou laquées. Certaines fabrications émaillées ou stratifiées sont destinées à être utilisées comme revêtement mural, même dans une pièce humide comme une salle de bains.

Les panneaux de fibres se scient, se collent, se clouent, etc., avec les outils traditionnels du menuisier.

Il est fréquent de revêtir les murs ou le sol d'un local à l'aide de ces panneaux durs, afin de dissimuler l'état vétuste des murs ou les inégalités d'un ancien parquet. La grande dimension des panneaux (2,75 m × 1,25 m) autorise un travail rapide, et l'ensemble n'est pas très onéreux. Toutefois, quelques précautions importantes ne doivent pas être négligées. S'il s'agit de panneaux souples, de faible épaisseur (2 à 3 mm), il n'est pas conseillé de les poser tels quels, surtout pour de grandes surfaces. Il est préférable de les coller sur un support (panneau de particules, par exemple), qui leur donnera de la rigidité, ou d'employer des panneaux plus épais (6 à 8 mm), qui ont une meilleure tenue. De toute façon, prenez soin d'amener les panneaux à la température ambiante en les laissant séjourner plusieurs jours dans le local où ils doivent être utilisés.

S'il s'agit de panneaux de moins de 6 mm d'épaisseur, humidifiez l'envers quarante-huit heures avant la pose. Empilez-les bien à plat, face humide contre face humide; chargez le dernier panneau pour éviter toute déformation. Cette opération assure une bonne tension des panneaux après la pose.

D'autres fabricants proposent des panneaux de fibres à face décorative. Le parement est recouvert d'un décor stratifié ou d'une impression décorative imitant les différentes essences de bois. D'une présentation plus luxueuse, ces panneaux comportent, sur chaque rive, une rainure permettant de les réunir les uns aux autres.

L'assemblage se fait sur une ossature en bois à l'aide de *clips* métalliques ou sur un réseau de profils métalliques préalablement vissé au mur. Ce dernier procédé autorise le démontage des panneaux, qui peuvent ainsi être récupérés et posés dans une autre pièce.

Les panneaux isolants. Ils sont obtenus par faible compression des fibres de bois préalablement feutrées.

La structure de ces panneaux, poreuse et de faible densité, contribue à leur donner des propriétés isolantes non négligeables.

Ils sont suffisamment rigides pour être travaillés avec des outils classiques.

Comme pour de nombreux matériaux de ce genre, une gamme très étendue de dimensions est disponible. Leur épaisseur varie de 10 à 30 mm.

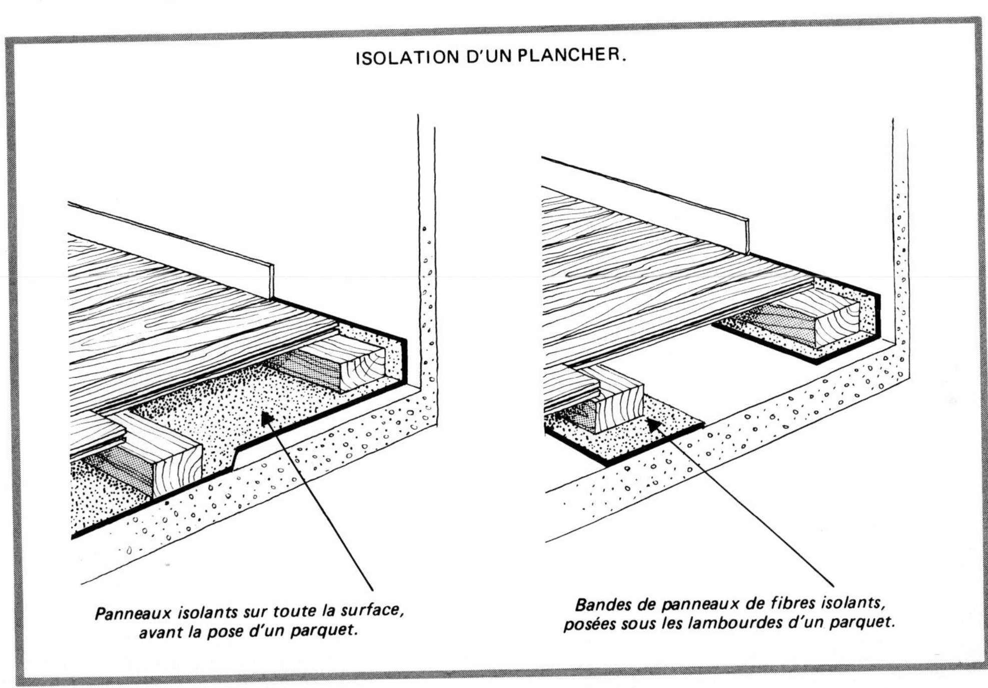

Panneaux isolants sur toute la surface, avant la pose d'un parquet.

Bandes de panneaux de fibres isolants, posées sous les lambourdes d'un parquet.

Les panneaux isolants peuvent être employés comme revêtement mural, mais leur aspect décoratif n'est pas recherché. On leur préfère une utilisation en sous-couche, où ils apportent une solution économique aux problèmes de correction acoustique et d'isolation thermique. Par exemple : sous-couche des parquets et des planchers, doublage intérieur des cloisons avant la pose d'un revêtement décoratif, isolation des toitures et des plafonds. C'est un matériau exclusivement réservé à une utilisation intérieure.
Contrairement aux panneaux durs, les panneaux isolants ne doivent jamais être humidifiés avant la pose. Il suffit de les climatiser en les laissant séjourner quarante-huit heures à l'avance dans le local où ils doivent être posés.
Ces panneaux se clouent, se vissent ou se collent sur tous supports sains. Il est conseillé d'employer des clous à tête d'homme, enfoncés en biais alternativement d'un côté et de l'autre sans trop les espacer (10 à 12 cm). Pour la fixation de ces panneaux, il convient d'utiliser des vis avec rondelles « cuvettes », afin que les têtes ne s'enfoncent pas trop profondément dans le panneau.
Les opérations de collage s'effectuent avec une colle-contact genre Néoprène, mais en prévoyant toujours un précollage des surfaces à réunir.
D'autres fabrications proposent des panneaux de petites dimensions sous forme de dalles rectangulaires ou carrées (60 cm x 120 cm, 30 cm x 30 cm), destinées au revêtement des plafonds. Ces dalles de fibres de bois ou de fibres végétales existent en plusieurs présentations, lisses, perforées, rainurées, etc., pour permettre différentes techniques de pose : collage, agrafage ou emboîtage suspendu à une ossature métallique.

le liège

Le liège est l'écorce d'un chêne d'une variété spéciale appelé chêne-liège, qui refait son écorce lorsqu'elle lui a été enlevée. La récolte se fait tous les six à huit ans, quand l'épaisseur du liège (20 à 25 mm) est suffisante. La forme du tronc donne des plaques de liège brut, plus ou moins courbées et d'aspect irrégulier, qui nécessitent une transformation pour permettre une utilisation rationnelle.
A cet effet, le liège est broyé en granulés, débarrassé de ses impuretés, puis expansé à la vapeur surchauffée. Sous l'action de la chaleur, les résines naturelles contenues dans le liège agglomèrent les granulés, donnant ainsi (sans l'adjonction d'aucun produit) un matériau naturel et compact, appelé « liège aggloméré expansé pur ».

les différentes sortes de liège

Sa présentation commerciale varie en fonction de l'utilisation à laquelle le liège est destiné. Vous trouverez le liège principalement :

En panneaux de 1 m x 0,50 m dans des épaisseurs variant de 2 à 15 mm.

En carreaux ou en plaquettes rectangulaires, avec des dimensions variant de 50 cm x 50 cm à 30 cm x 10 cm, dans des épaisseurs atteignant jusqu'à 15 mm.

En coquilles, destinées à enrober les tubes et les tuyauteries de dimensions courantes.

En briques, dimensions standards : 6 x 11 x 22 cm.

En granulés ou **en poudre** pour constituer un matelas isolant, léger et efficace.

les fabrications spéciales

Quelques fabrications spéciales sont intéressantes à noter, car elles modifient considérablement l'idée que l'on se fait habituellement de ce matériau. A savoir :

Le Corkskin est un liège naturel extra-mince contrecollé sur papier. Il se présente en rouleaux de 76 cm de large, et se colle au mur comme un papier peint.

L'Isolgrès se présente en dalles de liège de 50 cm x 50 cm, ayant 8 mm d'épaisseur, sur lesquelles sont collés des petits carreaux de mosaïque. L'ensemble est posé au sol pour former un carrelage qui assure une agréable souplesse à l'utilisateur.

Le Caroliège, appelé également parquet de liège, se présente sous forme de dalles de 30 cm x 30 cm, d'une épaisseur de 5 mm. Ces dalles sont revêtues d'un film plastique qui assure la protection du revêtement et permet des utilisations en milieu humide (dessus d'évier, sol de salle de bains, etc.).

l'utilisation et la mise en œuvre

Le liège est un très bon isolant thermique et phonique, mais il a également un aspect « chaud » parfois extrêmement décoratif qui autorise une certaine variété d'emploi.
Suivant le mode de fabrication, il est possible d'obtenir un aggloméré à gros grains ou à grains très fins, dont la surface est ensuite poncée, ou bien de choisir un liège naturel avec son écorce. Par ailleurs, sa teinte naturelle (havane clair) peut être foncée, par une cuisson superficielle en four-étuve, jusqu'au brun. Il s'utilise comme revêtement mural et comme revêtement de sol.

Le liège est un matériau très facile à travailler. Il peut se scier, se clouer et se coller. Pour la pose d'un revêtement de sol, les fabricants conseillent la pose à double encollage. Les plaques ou carreaux de liège peuvent être posés sur tous les sols, à condition que ceux-ci soient parfaitement plats et unis, secs et dépoussiérés. Si vous êtes en présence :

- d'un sol en ciment, la surface doit être parfaitement lissée, sans aspérités ni différences de niveau ;

- d'un plancher de bois, vous le recouvrirez de panneaux durs de contre-plaqué ou de fibres cloués tous les 20 cm environ. Si le parquet n'est pas uni, avant de clouer les panneaux, passez un produit de lissage ou étendez un produit de ragréage pour réaliser la planimétrie nécessaire ;

- d'un ancien carrelage, veillez à sceller les carreaux boiteux et à combler les emplacements des carreaux manquants.

Après quoi, vous nettoierez le sol et étendrez sur toute la surface un ciment de ragréage pour niveler l'ensemble. Si le carrelage est trop vétuste, il est préférable de l'enlever et de compenser son épaisseur par une chape de ciment lissé.

Quand toutes ces conditions sont respectées, la pose peut être effectuée en employant une colle-contact du type Néoprène. S'il s'agit d'un sol chauffant, utilisez une colle-contact à base de résine thermodurcissable.

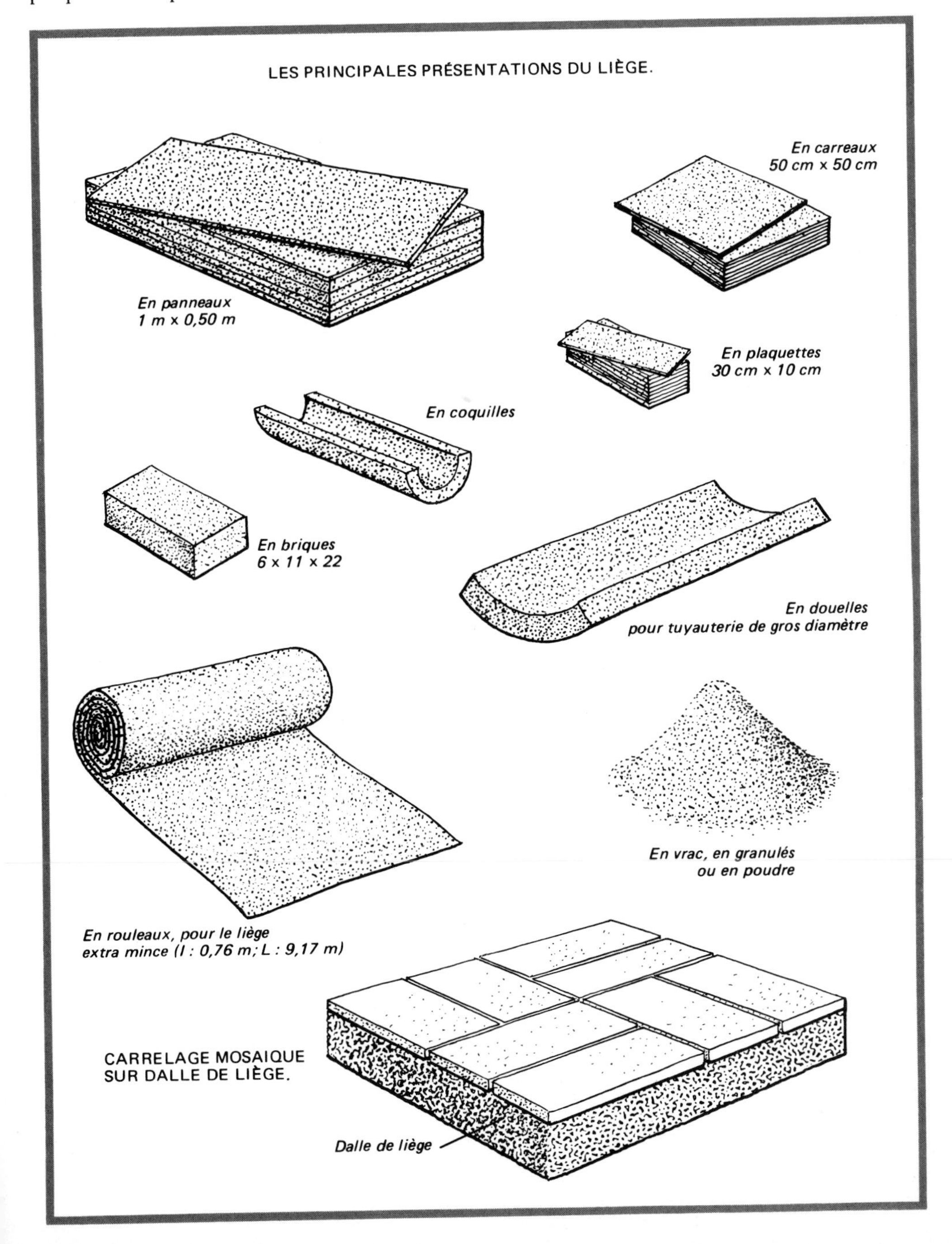

LE CAOUTCHOUC

la fabrication

Le caoutchouc est obtenu à partir du latex que contient l'écorce de certains arbres, notamment l'hévéa. Le caoutchouc est un *élastomère,* c'est-à-dire une matière présentant une haute élasticité.
Il est rarement utilisé à l'état pur, mais plutôt mélangé à d'autres éléments capables d'améliorer ses qualités. Par exemple, l'incorporation du soufre autorise sa vulcanisation, procédé qui le rend insensible aux variations de température.
Les progrès réalisés ces dernières années par la pétrochimie ont permis d'obtenir, en partant des dérivés du pétrole, des élastomères de synthèse qui remplacent le latex naturel dans la fabrication des *caoutchoucs synthétiques.* Ces caoutchoucs synthétiques prennent des noms différents suivant le procédé d'élaboration. Ils entrent dans la composition de nombreux produits tels que les vernis aux silicones, les peintures acryliques, les colles au Néoprène, les caoutchoucs butyles servant à la fabrication des chambres à air et des joints d'étanchéité, etc.

les utilisations

Qu'il soit naturel ou synthétique, le caoutchouc est un excellent isolant thermique et phonique, et possède une remarquable résistance à l'usure. Jointes à son élasticité, ces qualités permettent d'utiliser le caoutchouc en revêtement de sol soit en sous-couche, soit en couche apparente. Il donne en effet une grande souplesse à la marche et une bonne isolation aux bruits d'impact.
Pour les besoins de l'habitat, le caoutchouc est commercialisé, le plus souvent, en rouleaux de 1 à 1,20 m de large ou en carreaux de 20 à 25 cm de côté. Son épaisseur est variable de 3 à 30 mm, selon qu'il s'agit de caoutchouc compact ou de caoutchouc alvéolé, ou encore de caoutchouc mousse du type Bulgomme.
Comme la plupart des revêtements de sol, il est préférable de le coller, pour qu'il dure le plus longtemps possible.

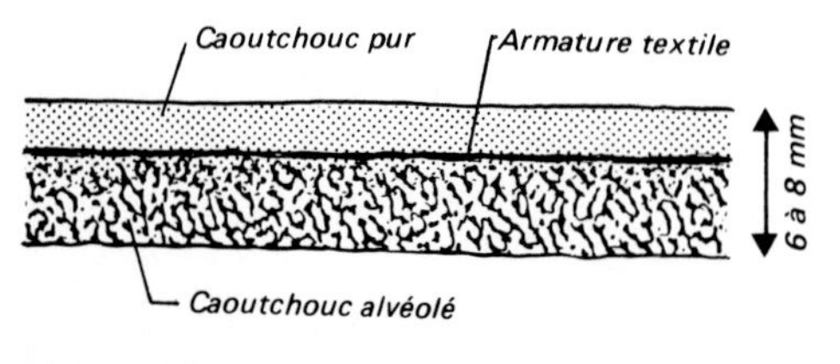

CAOUTCHOUC DE TYPE BULGOMME.

l'entretien

L'entretien normal d'un sol recouvert de caoutchouc ne demande que très peu de soins. Soyez toutefois prudent dans l'emploi des détergents (lessive, savon noir, etc.) et évitez l'utilisation de solvants ou d'essences, selon les indications du fabricant du revêtement de sol.

LES PRODUITS CÉRAMIQUES

les différentes sortes de produits céramiques

Les produits céramiques prennent une part importante dans le domaine de l'architecture et de la décoration, car, suivant leur mode de fabrication, ils ont des propriétés variées, bien différentes les unes des autres.
A la base de tous les procédés de fabrication, il y a l'argile, qui, mélangée à l'eau, donne une pâte dont la propriété est de durcir à la chaleur. En faisant varier les différents composants de la pâte, la quantité d'eau et le degré de chaleur, on modifie les caractéristiques du matériau, qui devient plus ou moins dur, plus ou moins poreux, etc.

les terres cuites

Composé d'argiles légèrement calcaires, le mélange est cuit à une température relativement basse (800 à 1000 °C). La terre cuite ainsi obtenue est un matériau ordinaire, peu dur et poreux, qui résiste mal aux chocs. Elle est utilisée pour le gros œuvre sous forme de briques (pleines ou creuses), de tuiles, de *boisseaux* de cheminée et autres éléments comme les *hourdis* de planchers et de toitures. La terre cuite est un bon isolant. Ses teintes variées — dont les couleurs chaudes vont du beige clair au brun-rouge — sont un atout majeur pour réaliser des revêtements de sols ou de murs très décoratifs. On utilise, pour ces revêtements, des carreaux ou des dalles de terre cuite, aux formes et aux dimensions multiples (carré, hexagone, trèfle, losange...) qui permettent d'exécuter un carrelage aux dessins réguliers. Toutefois, il ne faut pas perdre de vue que ce genre de revêtement se tache facilement et qu'il n'a pas une grande résistance à l'usure. Il est prudent de le protéger par un vernissage ou un encausticage permanent. De plus, les carreaux de terre cuite étant poreux, ils craignent le gel. Leur utilisation à l'extérieur n'est donc pas à envisager.

les terres cuites vernissées

Ce sont des terres cuites de même composition que les précédentes, mais dont la surface est recouverte d'un vernis ou d'un léger émaillage qui les protège contre l'humidité. Les carreaux de terre cuite vernissée sont ainsi d'entretien plus facile, mais leur teinte naturelle est parfois modifiée par le vernissage.

les terres cuites réfractaires

Par une addition de quartz au mélange de base, on obtient un produit résistant aux agents chimiques et aux températures élevées. Les terres cuites réfractaires servent à la fabrication de briques spéciales destinées aux revêtements intérieurs des foyers de cuisinières, fours ou barbecues.

La brique.

La brique d'argile est l'un des plus anciens matériaux de construction connus. Servit-elle à édifier la tour de Babel il y a 12 000 ans? La question reste posée, mais la brique servit en tout cas pour construire Babylone 3 000 ans avant Jésus-Christ, puis les ouvrages colossaux des Romains, la Grande Muraille de Chine et certaines cathédrales (Lübeck, Albi). Bien utilisée, elle défie les siècles et les intempéries. De nos jours, la fabrication en est entièrement mécanisée : traitement de la pâte (autrefois, les ouvriers piétinaient l'argile humide), façonnage, séchage (il durait jadis près de deux ans) et cuisson. Les fours modernes peuvent traiter jusqu'à trois millions de briques à la fois, à une température de 900 à 1000 °C, 1250 °C pour les briques vernissées. Parfois, la présence de sel dans l'atmosphère de cuisson confère aux produits une légère glaçure. La brique bien cuite est lisse d'aspect et rend un son clair; la brique mal cuite est friable et rend un son sourd.

QUELQUES TYPES DE BRIQUES.

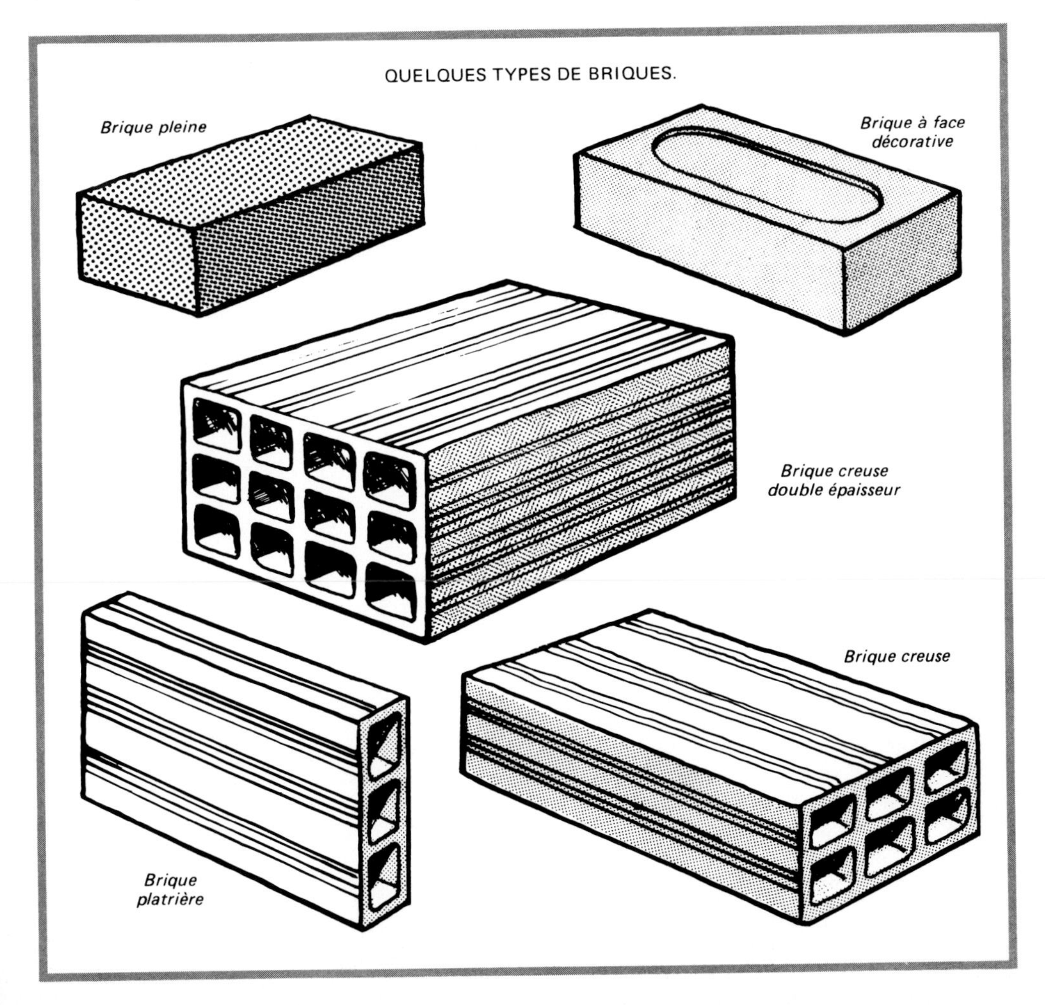

les faïences

Les faïences sont des terres cuites recouvertes en surface d'un émail qui les rend imperméables aux liquides. La fabrication s'effectue en deux stades : d'abord établissement et cuisson de l'objet, appelé alors « biscuit de faïence », puis émaillage et nouvelle cuisson pour durcir le décor.
Suivant la composition de la pâte et la nature de l'émaillage, on obtient des faïences différentes. Elles servent à l'exécution de poteries culinaires, de vaisselle plus ou moins décorée, d'appareils sanitaires ou de carreaux de revêtement.
Si par émaillage la faïence est rendue imperméable, elle reste toutefois fragile et sensible aux brusques changements de température. C'est pourquoi les carreaux de faïence, qui offrent un choix de couleurs et de motifs variés, ne sont utilisés qu'en revêtement mural. Faciles à entretenir, ils ne sont pas attaqués par les acides et ne se rayent que difficilement. Ils sont couramment employés pour protéger les murs des locaux humides (salles de bains, cuisines, etc.) ou pour créer une note décorative sur une table ou sur un plan de travail. En principe, ils résistent à la chaleur, veillez cependant à ne pas les exposer à une température trop élevée qui ferait fissurer l'émail et enlèverait au carreau ses qualités d'étanchéité.
Les carreaux de faïence sont en général de forme carrée (150 mm x 150 mm ou 108 mm x 108 mm) ou rectangulaire (100 mm x 150 mm), et d'une épaisseur assez faible, de 4 à 6 mm. Vous pourrez constater que, parmi les nombreuses fabrications présentées sur le marché, il existe parfois une énorme différence de prix de vente. Cela provient du mode de fabrication des carreaux qui peuvent être soit émaillés en continu sur une chaîne automatique (carreaux unis, jaspés...), soit émaillés, puis décorés à la main un par un pour reproduire un motif donné. Ce dernier procédé (encore utilisé de nos jours et dans la plus pure tradition artisanale) est évidemment d'un coût plus élevé.

les grès

Ils sont composés d'une pâte argileuse, additionnée de minéraux riches en *feldspath*. Ce mélange est cuit à une température voisine de 1300 °C, température à laquelle les fondants, ainsi que le feldspath, provoquent la vitrification de la pâte. C'est ce phénomène qui assure au grès son imperméabilité, sa bonne résistance aux chocs et aux agents chimiques et sa très grande dureté (il raye le verre).
Ces qualités permettent de l'employer dans l'équipement ménager (plats de cuisson, vases, etc.), mais aussi dans l'équipement des habitations : tuyaux d'écoulement d'appareils sanitaires ou revêtements de sols et de murs. Les grès se présentent sous différentes formes.

• **Carreaux de grès ordinaire ou grès cérame.** Étant donné sa dureté, un carrelage de grès cérame est pratiquement inusable.
Sa non-porosité le rend insensible aux taches, et, comme il n'absorbe pas l'eau, il ne craint pas le gel. Il peut donc être utilisé à l'extérieur pour recouvrir une loggia, une terrasse ou même une piscine.
Employé surtout pour les sols, il peut revêtir les murs avec la même endurance; son entretien est pratiquement nul.

• **Carreaux de grès émaillé.** De même composition que le grès cérame, les carreaux de grès émaillé présentent une surface émaillée comme s'il s'agissait d'un carreau de faïence. L'apport d'oxydes métalliques permet d'obtenir des nuances variées qui n'existent pas dans le grès cérame naturel. La surface émaillée est parfois trop lisse et trop brillante pour un emploi en revêtement de sol. On préfère, dans ce cas, une utilisation murale, d'autant plus qu'il existe une très grande variété de couleurs et de motifs sur le marché.

• **Carreaux de demi-grès.** La conception de base est la même que pour le grès cérame, mais la cuisson s'effectue à une température plus basse (1100 °C), ce qui n'assure qu'une vitrification partielle de la pâte. Le produit obtenu est légèrement moins dur qu'un grès cérame et il est parfois légèrement poreux, c'est la raison pour laquelle il est préférable de ne pas l'utiliser comme revêtement extérieur.

Les dimensions des carreaux de grès sont très variables. Suivant le type de revêtement à exécuter (sol ou mur), on peut disposer de petits éléments de 1 à 2 cm de côté, de carreaux ayant sensiblement les cotes d'un carreau de faïence, ou de dalles carrées ou rectangulaires d'une surface plus imposante.

les mosaïques

Le terme « mosaïque » définit non pas un produit, mais un assemblage d'éléments de petites dimensions formant une fresque ou reproduisant un dessin. Par extension, on désigne par ce terme les carrelages réalisés à l'aide de petits éléments de 1 à 5 cm de côté. Suivant la forme de ces éléments, l'assemblage peut être :

• **une mosaïque simple,** constituée à l'aide de ronds, de carrés ou de rectangles formant des rangées symétriques et répétitives sur toute la surface ;

- **une « mosaïque de hasard »**, réalisée à l'aide de fragments de formes et de couleurs variées, disposés sans tenir compte d'un motif précis.

En général, les revêtements mosaïques conviennent à la plupart des réalisations intérieures et extérieures, car ils sont constitués à l'aide de carreaux de grès cérame, de pâte de verre ou de fragments de marbre, matériaux qui supportent tous parfaitement les différences de température. Les mosaïques en pâte de verre sont notamment très appréciées pour leurs qualités décoratives et leurs très nombreux coloris. Composés en majeure partie de verre opacifié, ces petits carreaux sont presque toujours translucides, parfois même transparents.
Afin de faciliter la pose de ces revêtements, certains fabricants proposent les mosaïques en plaques préassemblées d'environ 30 cm de côté (8 ou 9 plaques couvrent 1 m^2). Les différents éléments sont collés soit sur une feuille de papier, soit sur un filet de Nylon, suivant un motif ou une composition de couleurs choisis à l'avance pour être ensuite scellés aux murs ou sur le sol comme un carrelage classique.

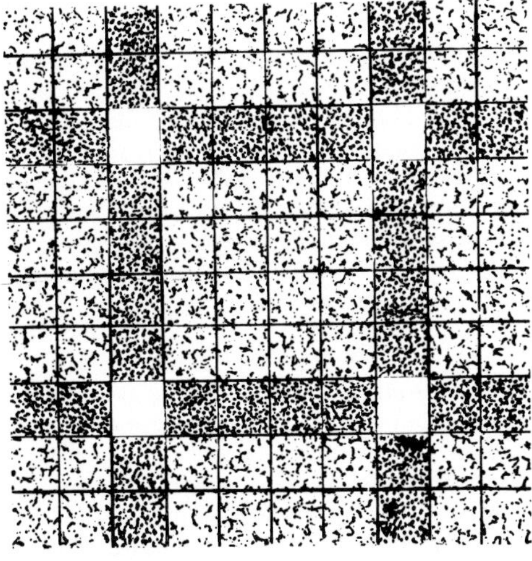

la mise en œuvre des produits céramiques

Les produits céramiques destinés aux revêtements des surfaces forment un assemblage désigné par le terme classique de « carrelage ».

Il faut tout de suite distinguer deux utilisations distinctes : le carrelage des sols, le carrelage des murs. L'un et l'autre proviennent d'un assemblage de carreaux ou d'éléments similaires, mais les matériaux et les produits utilisés sont parfois très différents, et il faut savoir les reconnaître.

le carrelage des sols

L'assemblage s'exécute traditionnellement à l'aide de mortier et de ciment. Chaque carreau est scellé au support ainsi qu'au carreau suivant. Un carrelage de sol doit être résistant et parfaitement plan. Cette planéité est obtenue en exécutant au préalable un support rigide sous toute la surface à carreler : une chape de béton parfaitement dressée est, en général, la meilleure solution. Ensuite, les carreaux sont disposés un à un sur le sol et scellés à l'aide d'un mortier de pose. Utilisez un *cordeau* pour obtenir une surface parfaitement plane et laissez bien, entre chaque carreau, l'écartement nécessaire aux joints, cet écartement étant fonction de la surface des carreaux.
Tous les carreaux étant scellés, il faut ensuite combler les joints par un ciment liquide qui assurera l'étanchéité entre chaque carreau et nettoyer la surface du carrelage pour enlever l'excédent du ciment avant qu'il ne durcisse. Pour réussir un bon carrelage, il faut, sans doute, de la patience, de l'ordre et de la méthode, et, si vous n'avez pas l'habitude, il vaut mieux faire appel à un spécialiste, car il est difficile à un amateur de réussir du premier coup.

DEUX TYPES D'ASSEMBLAGE DE MOSAIQUE :

Ci-contre : *Mosaïque simple.*

Ci-dessus : *Mosaïque de hasard.*

QUELQUES EXEMPLES DE FORMES DE DALLAGES.

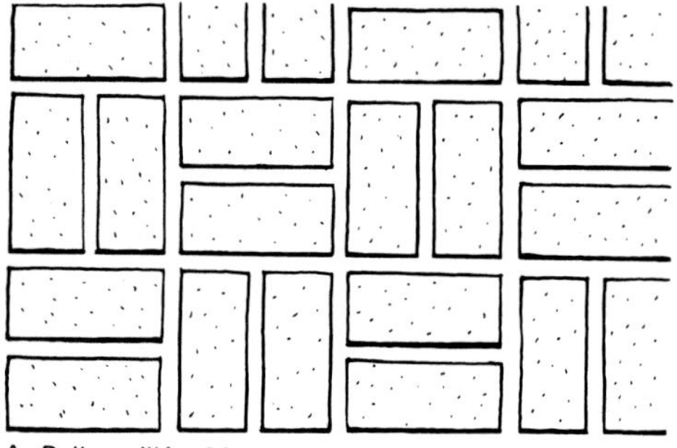

A. *Dalles taillées 20 x 10*

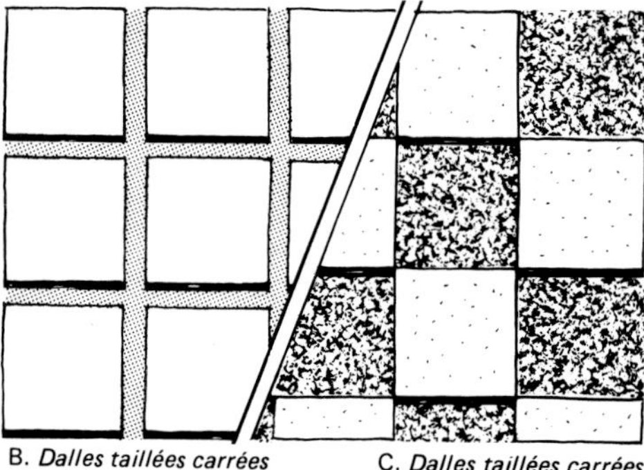

B. *Dalles taillées carrées avec joints en ciment coloré*

C. *Dalles taillées carrées avec plaques gazonnées*

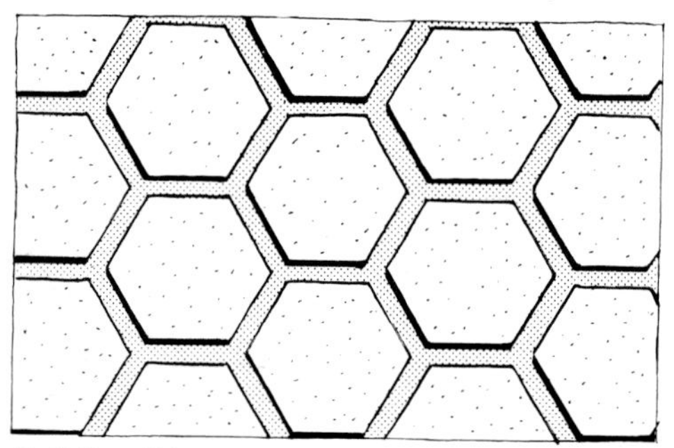

D. *Dalles taillées en hexagone avec joints en ciment coloré*

E a. *Opus romain irrégulier*

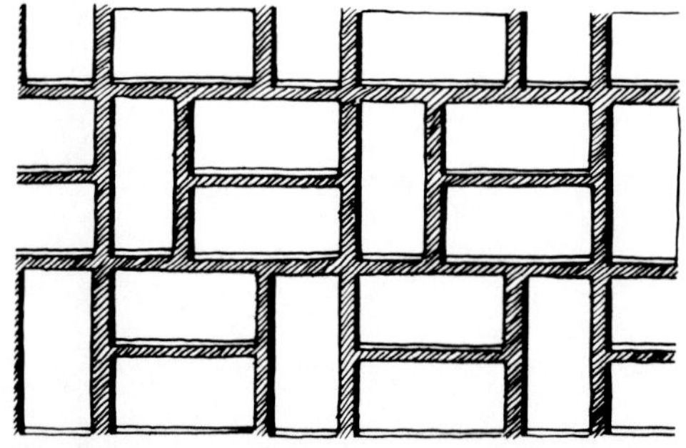

E b.*Opus romain classique*

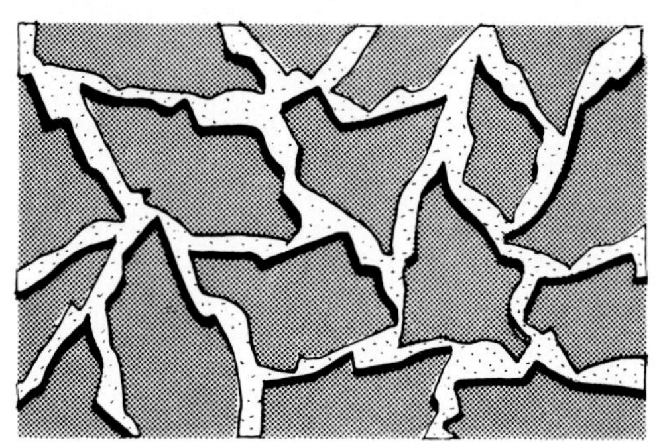

F. *Opus incertum*

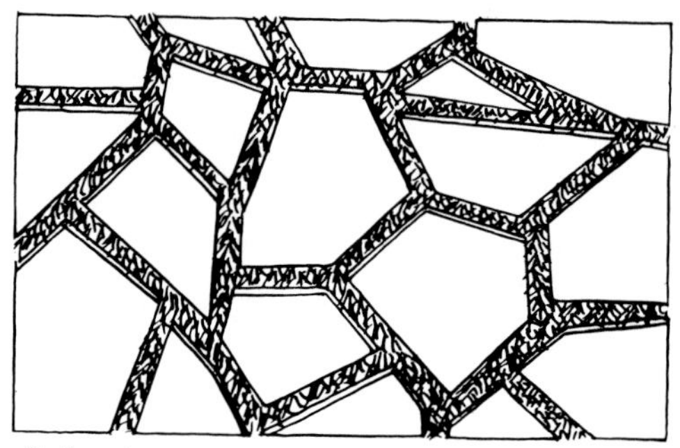

G. *Opus incertum rive sciée*

le carrelage des murs

Le procédé, sans être tout à fait différent, n'exige pas les mêmes impératifs de solidité. Le carrelage doit cependant être plan et étanche, mais les carreaux utilisés sont moins volumineux et moins difficiles à sceller. Il s'agit en général de carreaux de faïence ou de mosaïque pouvant être scellés avec un ciment-colle ou une colle spéciale, procédé plus souple d'utilisation et mieux adapté aux travaux d'amateur.

Comme pour le carrelage d'un sol, la pose s'effectue sur un support plan et lisse, mais il n'est pas impératif de réaliser un enduit au mortier.

On peut poser ce carrelage sur un mur de plâtre ou sur une cloison en briques dont la surface a été préalablement enduite et lissée comme pour recevoir de la peinture ou du papier peint. (Il peut tenir également sur une cloison en aggloméré de bois ou même sur le plateau d'une table, pourvu que les matériaux servant de supports ne soient pas trop sensibles aux variations atmosphériques.)

Sur un support plan, vous pouvez poser vous-même un carrelage en utilisant un mastic adhésif ou une colle spéciale, ce qui ne demande pas de connaissances techniques particulières.

Prévoyez simplement un ordre de travail bien déterminé et commencez, si possible, par une petite surface, afin de vous faire la main.

Voici une façon logique de conduire cette opération que vous trouverez illustrée en page 298 :

- Relevez les dimensions de la surface à

carreler ainsi que celle de tous les objets qui s'y trouvent (ce sont tous les éléments fixés au mur tels que lavabos, évier, etc.).

- Dessinez sur un papier, à échelle réduite, la position des lieux, puis, sur un autre papier transparent, le quadrillage représentant le carrelage terminé.
- Superposez les deux plans pour étudier la disposition la plus logique et comptez le nombre de carreaux utiles.
- En vous aidant du plan, tracez alors sur le mur une ligne horizontale et une ligne verticale correspondant à la première rangée de carreaux horizontaux et à la première rangée de carreaux verticaux. Utilisez un fil à plomb et un niveau pour que ces deux lignes soient rigoureusement perpendiculaires.
- Le long de la ligne horizontale, fixez momentanément au mur une règle en bois qui servira de guide à la première rangée de carreaux.
- Ensuite, préparez vos carreaux, empilez-les en respectant l'ordre qu'ils doivent occuper, puis encollez le mur.
- Étalez la colle à l'aide d'une spatule crantée, égalisez l'épaisseur du film de colle pour qu'il soit partout identique (2 à 3 mm).
- Mettez en place la première rangée de carreaux horizontaux, puis la première rangée gauche de carreaux verticaux. Travaillez avec soin, prenez le temps de vérifier la position de chaque carreau, la colle ne sèche pas instantanément.
- Continuez en plaçant alternativement une rangée horizontale et une rangée verticale jusqu'à ce que toute la surface soit carrelée.

COUPE SUR UN SOL CARRELÉ.

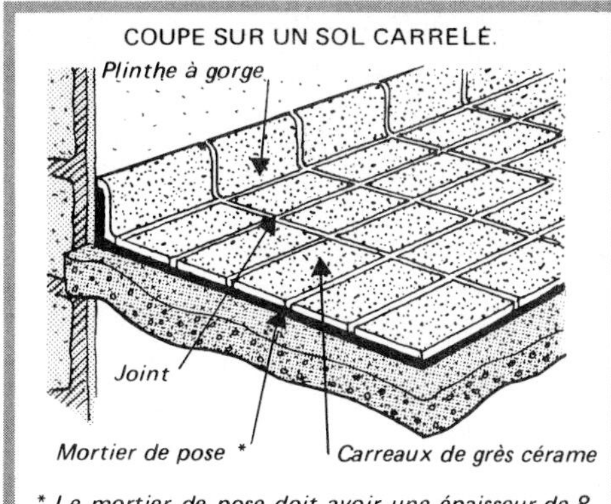

** Le mortier de pose doit avoir une épaisseur de 8 à 10 mm; la chape de béton entre 30 et 50 mm convient à la plupart des réalisations. Le mortier de pose adhère difficilement sur certains bétons; il est conseillé alors de recouvrir la chape à carreler d'une mince couche de sable fin additionné de ciment (90 % de sable, 10 % de ciment) afin de faciliter l'ancrage.*

RÉALISATION D'UN CARRELAGE DE SOL.

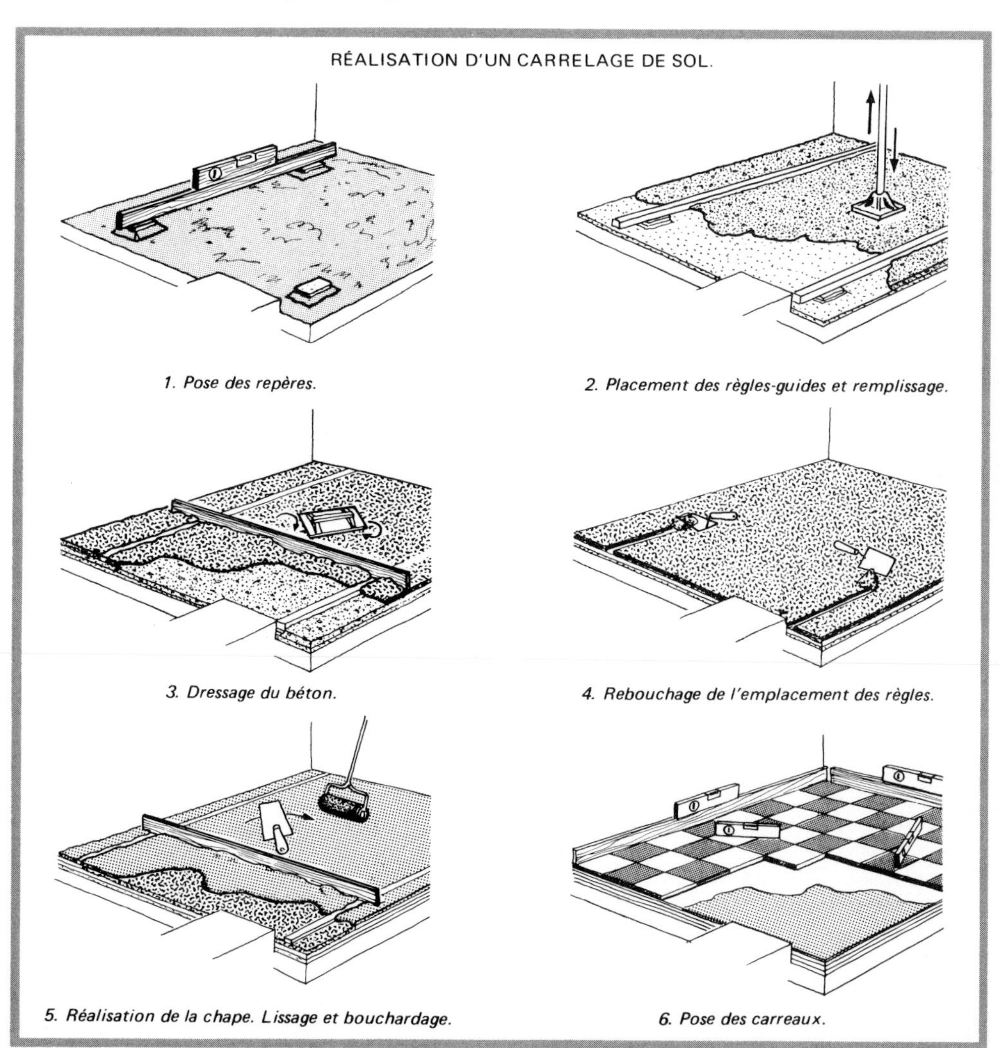

1. Pose des repères.

2. Placement des règles-guides et remplissage.

3. Dressage du béton.

4. Rebouchage de l'emplacement des règles.

5. Réalisation de la chape. Lissage et bouchardage.

6. Pose des carreaux.

nettoyage et entretien

Après leur mise en œuvre, les produits céramiques demandent un nettoyage soigné pour éliminer toutes traces de ciment ou d'autres produits qui s'imprégneraient définitivement dans le matériau.
La pose terminée, il convient de nettoyer la surface du carrelage après la « prise » du mortier et son séchage complet.
Lavez le carrelage avec une éponge légèrement essorée, passez une serpillière humide, puis étalez de la sciure de bois sur toute la surface encore humide et frottez à l'aide d'un balai ou d'un bouchon de papier.
Enlevez la sciure souillée et recommencez l'opération plusieurs fois si c'est nécessaire.
Employez exclusivement de la sciure de bois blanc, toute autre essence risquerait de tacher le carrelage.
Condamnez l'accès du local nouvellement carrelé pendant deux ou trois jours, jusqu'à séchage complet des joints de ciment. Si quelques taches persistent, vous pouvez les éliminer en utilisant de l'acide chlorhydrique dilué (acide muriatique).
Opérez avec précaution en évitant de déposer de l'acide sur les joints des carreaux, puis lavez à l'eau claire et rincez abondamment.
Prévoyez ensuite, pour un entretien courant, un lessivage classique à base de lessive Saint-Marc ou de savon noir.
Certains revêtements particulièrement poreux (tomettes en terre cuite) absorbent facilement les poussières et les taches grasses; il convient donc de protéger leur surface contre les agents extérieurs. Pour ce faire, nous vous conseillons, après les avoir décapés, de les entretenir avec une cire ou une encaustique à base de silicones qui recouvrira toute la surface d'une couche imperméable et protectrice.

Un truc pour les tomettes anciennes...

Décapez l'ensemble du carrelage en utilisant une solution forte de lessive Saint-Marc (100 à 150 g par litre d'eau chaude). Laissez imprégner, puis rincez abondamment à l'eau tiède. Laissez sécher. Badigeonnez avec du fuel domestique (20 litres de fuel pour environ 50 m^2). Laissez reposer pendant vingt-quatre heures, puis balayez l'excédent de fuel en bouchonnant le sol avec des tampons de vieux journaux. Aérez pour obtenir un séchage complet et la disparition des odeurs. Cirez ou encaustiquez régulièrement. Ce procédé nourrit et patine la terre cuite tout en lui laissant ses chaudes teintes d'origine.

CARRELAGE D'UN MUR.

Délimitez la surface à carreler avec des règles en bois et un fil à plomb, étalez la colle à la spatule et mettez les carreaux en place, comme indiqué sur le dessin.

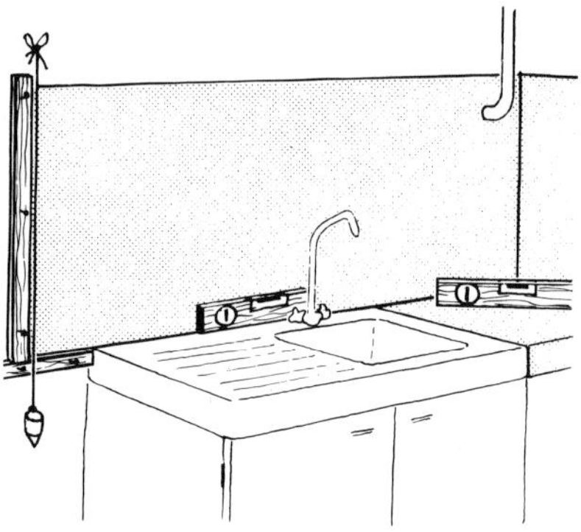

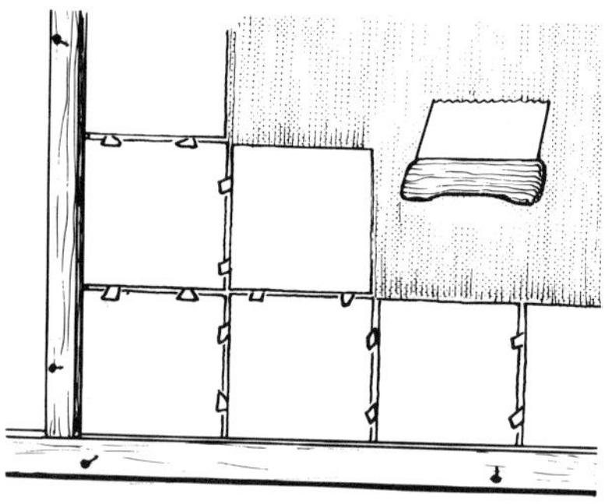

Pour laisser le passage d'un tuyau, tracez le carreau,

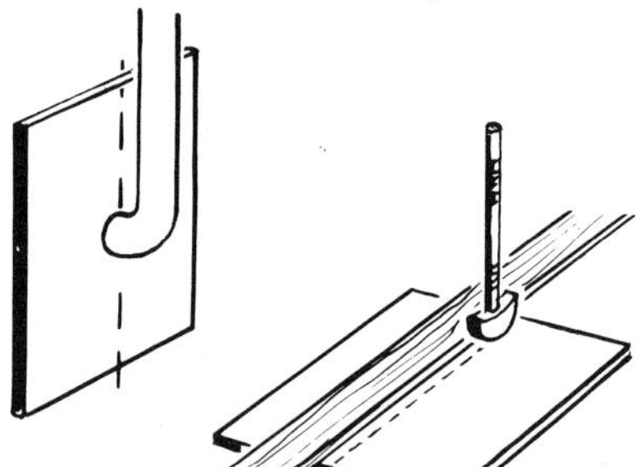

coupez-le

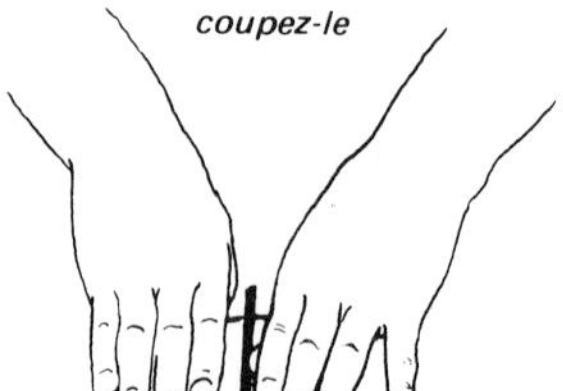

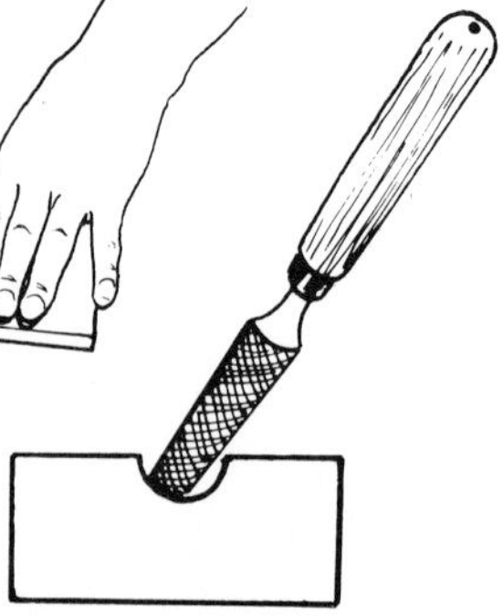

et arrondissez chacune des deux parties au diamètre du tuyau.

LES PRODUITS A BASE DE CIMENT

Les ciments et les chaux font partie des liants hydrauliques, c'est-à-dire des produits qui ont la propriété de durcir au contact de l'eau. Ils ne s'emploient jamais seuls (ou très rarement), mais convenablement mélangés à d'autres ingrédients pour former un matériau dur et résistant nommé, suivant les cas, mortier ou béton.

le mortier

Le mortier est un mélange de ciment (ou de chaux) et de sable, gâché avec une certaine quantité d'eau.
Suivant la composition du liant, il est appelé mortier de chaux ou mortier de ciment, ou bien encore mortier bâtard si la chaux et le ciment entrent en parties égales dans le mélange.

Le dosage des différents éléments varie selon les travaux à effectuer. Une consistance moyenne demande environ un volume de liant pour trois volumes de sable, la quantité d'eau de gâchage représentant sensiblement la moitié du volume du liant.
Un mortier bien gâché se présente sous la forme d'une pâte onctueuse et plastique. Tout excès d'eau doit être évité, car il rend le mortier trop fluide et diminue sensiblement sa résistance.
D'une manière générale, le mortier est utilisé pour confectionner les joints des assemblages de briques, de pierres, de carreaux, etc. Il convient également pour recouvrir une surface et lui donner un meilleur aspect décoratif : ce sont les mortiers pour enduire les murs ou recouvrir et niveler les sols.

le béton

la composition

Le béton est un mélange de ciment et d'agrégats, gâché avec une certaine quantité d'eau, les agrégats étant eux-mêmes un mélange de sable, de gravillons, voire de pierres concassées. C'est, en fait, un mortier

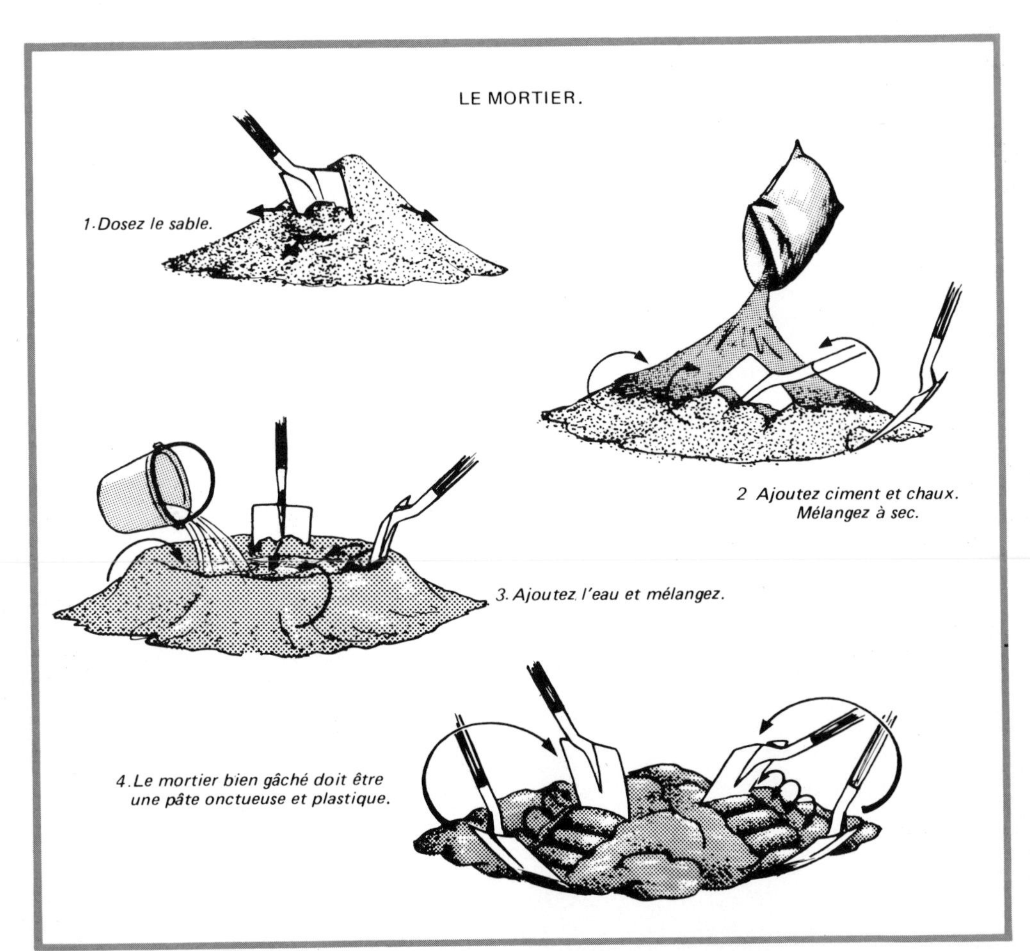

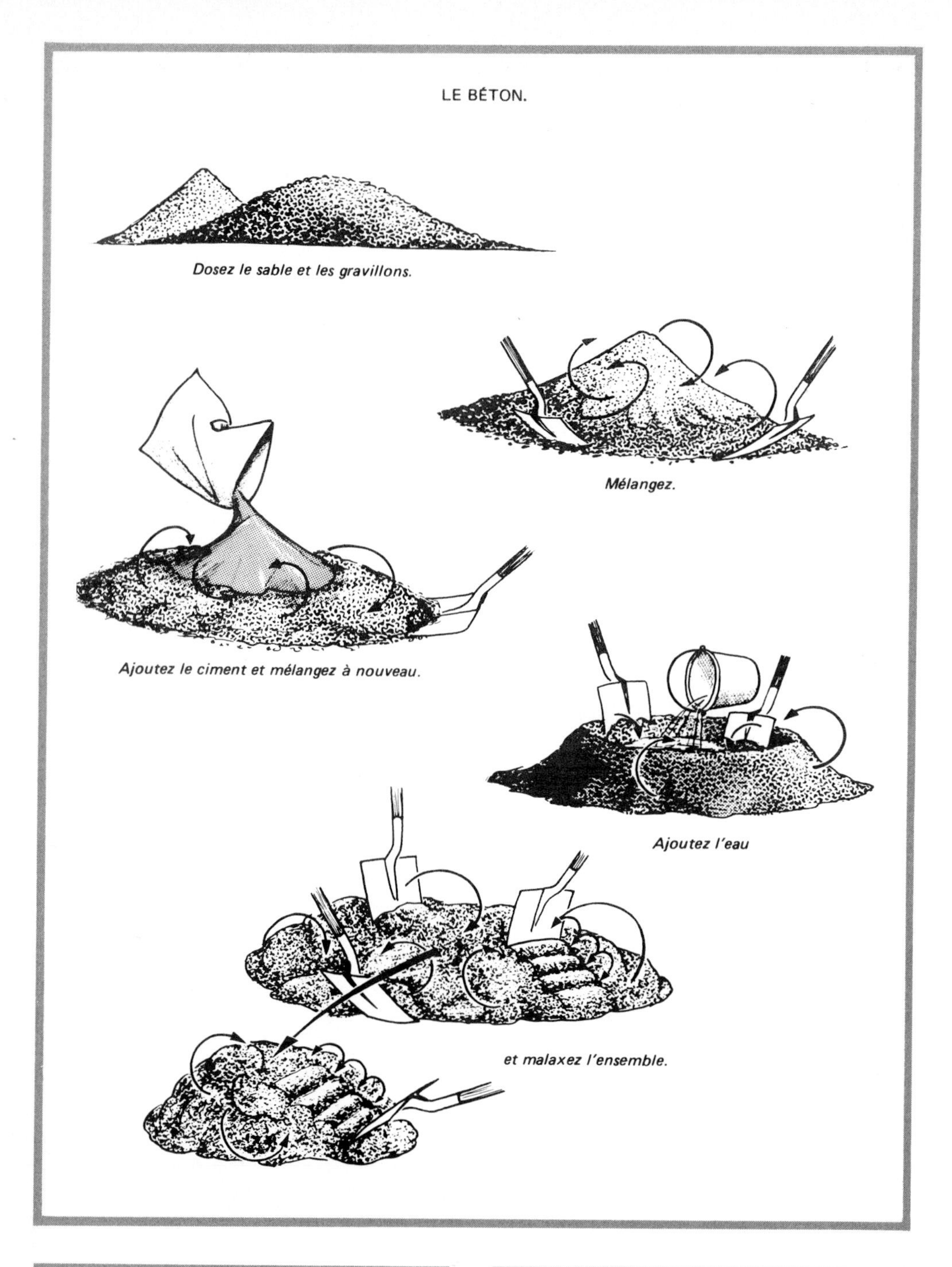

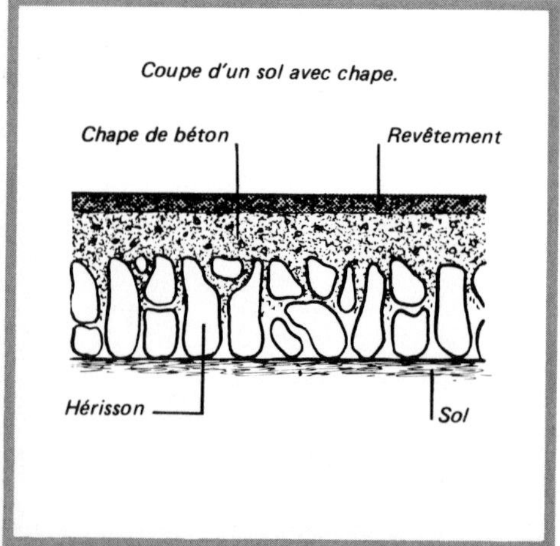

Coupe d'un sol avec chape.

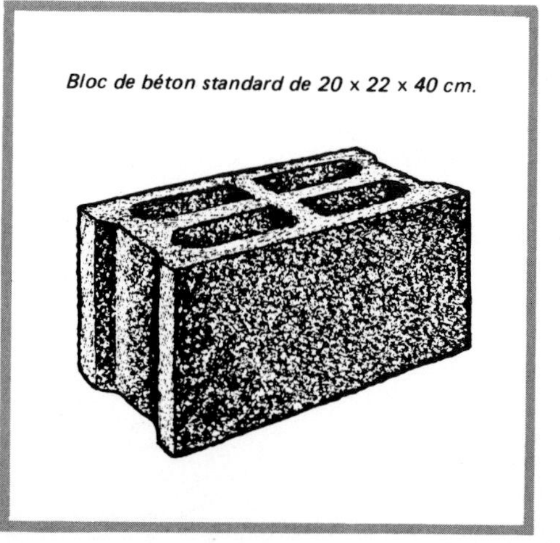
Bloc de béton standard de 20 x 22 x 40 cm.

de ciment auquel sont ajoutés des graviers plus ou moins gros.
Le béton est un matériau de construction très résistant, dont les usages sont innombrables. On peut modifier ses propriétés en faisant varier ses composants, pour qu'il puisse répondre à des besoins divers.
Le dosage doit être calculé pour chaque cas particulier, étant donné que même la mise en œuvre peut varier : il peut s'agir d'un béton simple, ou armé de tiges métalliques ; le mélange peut être coulé sur place ou moulé à l'avance. Sachez pourtant qu'une chape de béton devant recevoir un carrelage de sol comporte environ un volume de liant pour deux volumes de sable et trois de graviers.
D'une manière générale, le béton est utilisé pour les travaux de gros œuvre ainsi que pour certaines réalisations plus modestes comme les piquets de clôture, les dalles de jardin et autres accessoires de la construction.

présentations commerciales

En plus de leur mise en œuvre classique, bétons et mortiers se présentent également sous forme de produits préfabriqués ou agglomérés destinés à la construction ou à des revêtements décoratifs.

• **Les blocs de béton,** sorte de parpaings moulés de dimensions standards, servent principalement à la construction des murs et des fondations. Ils peuvent être pleins ou creux, d'épaisseur simple ou double, suivant l'isolation qu'ils doivent apporter à la construction. Certaines fabrications imitent le ton de la pierre naturelle et peuvent être utilisées en revêtement décoratif, sans qu'il soit nécessaire de les recouvrir d'un enduit ou d'un crépi.
Il existe un très grand choix dans les dimensions, notamment pour les épaisseurs, qui varient de 5 à 35 cm. Exemples : bloc standard plein de 5 x 20 x 40 cm ; bloc standard creux de 20 x 30 x 50 cm.

• **Les carreaux de ciment** sont, en fait, des carreaux ou des dalles composés d'un béton ou d'un mortier de ciment, parfois agrémentés d'un matériau décoratif.
Ce sont, par exemple, les dalles de béton vibré, de couleur grise ou du ton de la pierre, destinées au revêtement des terrasses ou aux allées de jardins. Carrées, rectangulaires ou polygonales, elles ont de 3 à 4 cm d'épaisseur et sont susceptibles de supporter des charges importantes comme celles de lourds véhicules. Les dalles de béton vibré peuvent même être armées d'un treillage métallique qui renforce leur tenue mécanique, pour des cas de trafic intense.
Certains accessoires de jardin (bordures, bancs, clôtures, marches d'escalier, etc.) sont fabriqués suivant le même procédé.
D'autres modèles de dalles sont composés de plusieurs couches superposées : ce sont, par exemple, les carreaux Granito, qui comportent une couche de base en béton, et une couche supérieure, au mortier de ciment, additionnée parfois de pigments colorés ou de granulats fins pour modifier l'aspect classique du ciment.

• **Les carreaux de mosaïque de marbre** sont également préfabriqués : une première couche de béton ou de mortier reçoit une couche d'usure constituée essentiellement d'éclats de marbre ou de brèches de marbre enrobés de ciment blanc. La face décorative est ensuite soigneusement polie.

• **Les carreaux et dalles de ciment composés** ont des formes traditionnelles, dont le plus grand côté varie de 15 à 40 cm environ. Leur épaisseur doit toujours être suffisante (2 à 4 cm) pour compenser une certaine friabilité qui se manifeste dans les faibles épaisseurs.

Les produits à base de ciment ont des qualités de robustesse incontestables, mais, en dehors de certains cas particuliers, ils sont assez peu esthétiques pour être négligés lorsqu'on recherche des effets décoratifs. D'autre part, ce sont des produits qui transmettent les bruits et qui ne sont pas insensibles aux agents chimiques : ils absorbent les produits gras et sont attaqués par les acides.

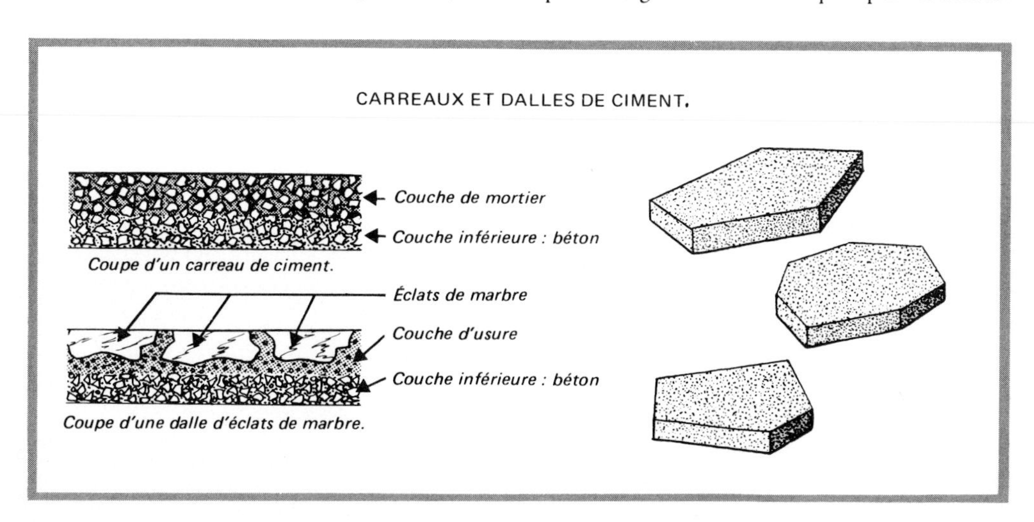

l'amiante-ciment

L'amiante-ciment est un matériau de synthèse composé de ciment et de fibres d'amiante. Le mélange de ciment, d'amiante et d'eau est transformé en feuilles très minces successivement superposées, puis compressées, afin de donner naissance à une plaque, à un carreau ou à toute autre forme. L'ensemble est ensuite stocké pendant le séchage et le durcissement.
L'amiante-ciment a des qualités durables, dont l'une des plus remarquables est sa résistance aux intempéries : imperméable, imputrescible et ininflammable, ce matériau convient particulièrement bien pour réaliser des revêtements extérieurs.
Comme de nombreux produits à base de ciment, l'amiante-ciment brut, de couleur grise, n'est pas un matériau particulièrement esthétique. Aussi, les fabricants ont-ils été amenés à améliorer cet aspect extérieur, sans détruire les qualités de base du matériau, et à créer ainsi des produits spéciaux tels que le Granitelo ou l'Isofibro, fabriqués en incorporant au ciment des pigments colorés qui permettent d'obtenir des plaques de différentes teintes.
Certaines plaques reçoivent également des traitements de surface : le Glasal, fortement comprimé, est ensuite poncé et recouvert d'une peinture « émail » spéciale. L'Everiglas reçoit en surface une matière plastique de couleur vive.
D'autres fabrications utilisent la malléabilité de la plaque d'amiante-ciment avant séchage pour donner à sa surface des reliefs ou même des motifs imitant les boiseries de style. Ce sont, par exemple, les lambris Elo, destinés à être peints, teintés ou *cérusés*. Ils ont l'apparence du bois et non plus celle du ciment.

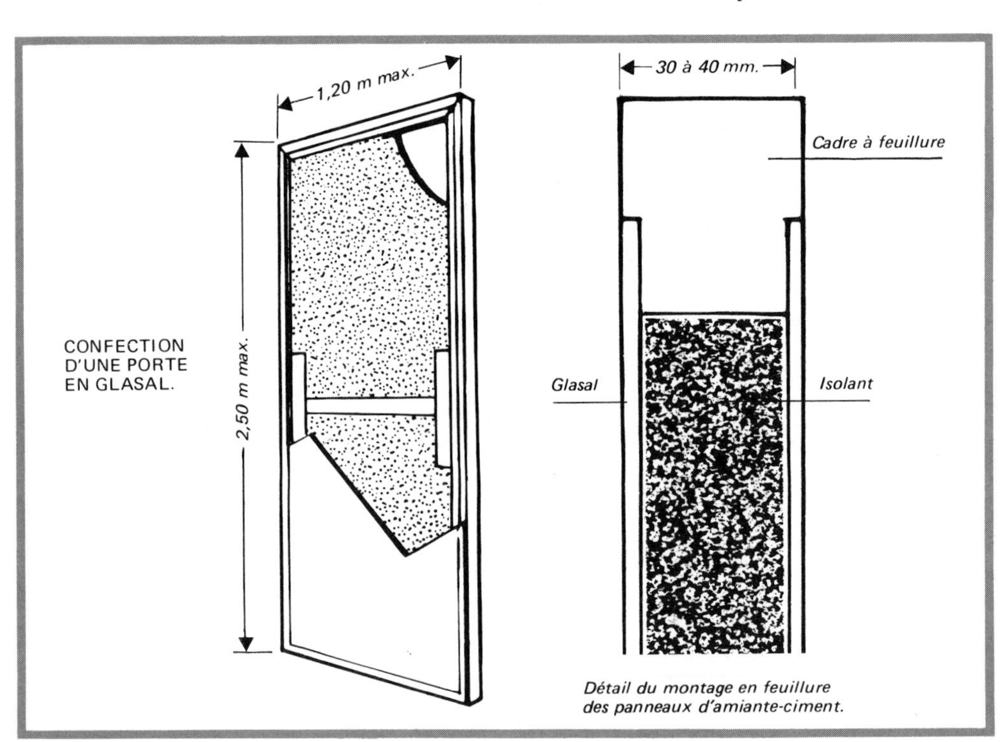

CONFECTION D'UNE PORTE EN GLASAL.

Détail du montage en feuillure des panneaux d'amiante-ciment.

présentations et dimensions

L'amiante-ciment est un matériau très largement répandu. Il se présente sous des aspects divers répondant chacun à des usages particuliers.
Vous trouverez l'amiante-ciment principalement sous forme :

- **de produits moulés :** tuyaux, gaines de ventilation, accessoires de jardin (bassins, bacs à fleurs, sièges, etc.);

- **d'éléments de toitures :** *lanternes* de cheminées, gouttières, « ardoises » en Fibrociment de 400 mm × 400 mm ou 200 mm × 400 mm, et d'une épaisseur de 4 à 5 mm ; un procédé d'émaillage ou de coloration dans la masse permet de traiter le toit pour qu'il soit en harmonie avec ceux de la région ;

- **de plaques planes ou ondulées :** surtout utilisées pour les couvertures et les doublages de cloisons ou de plafonds, elles existent en de nombreuses dimensions allant de 0,90 à 3,20 m pour la longueur, de 0,80 à 1,60 m pour la largeur, et de 4 à 5 mm pour l'épaisseur ;

- **de plaques pour revêtements décoratifs :** plaques rectangulaires de 0,60 m × 1,20 m ou 1,20 m × 2,50 m dont une face ou même les deux sont teintées ou présentent un motif décoratif (quadrillage, rainurage, perforation, imitation de toile de jute, etc.).

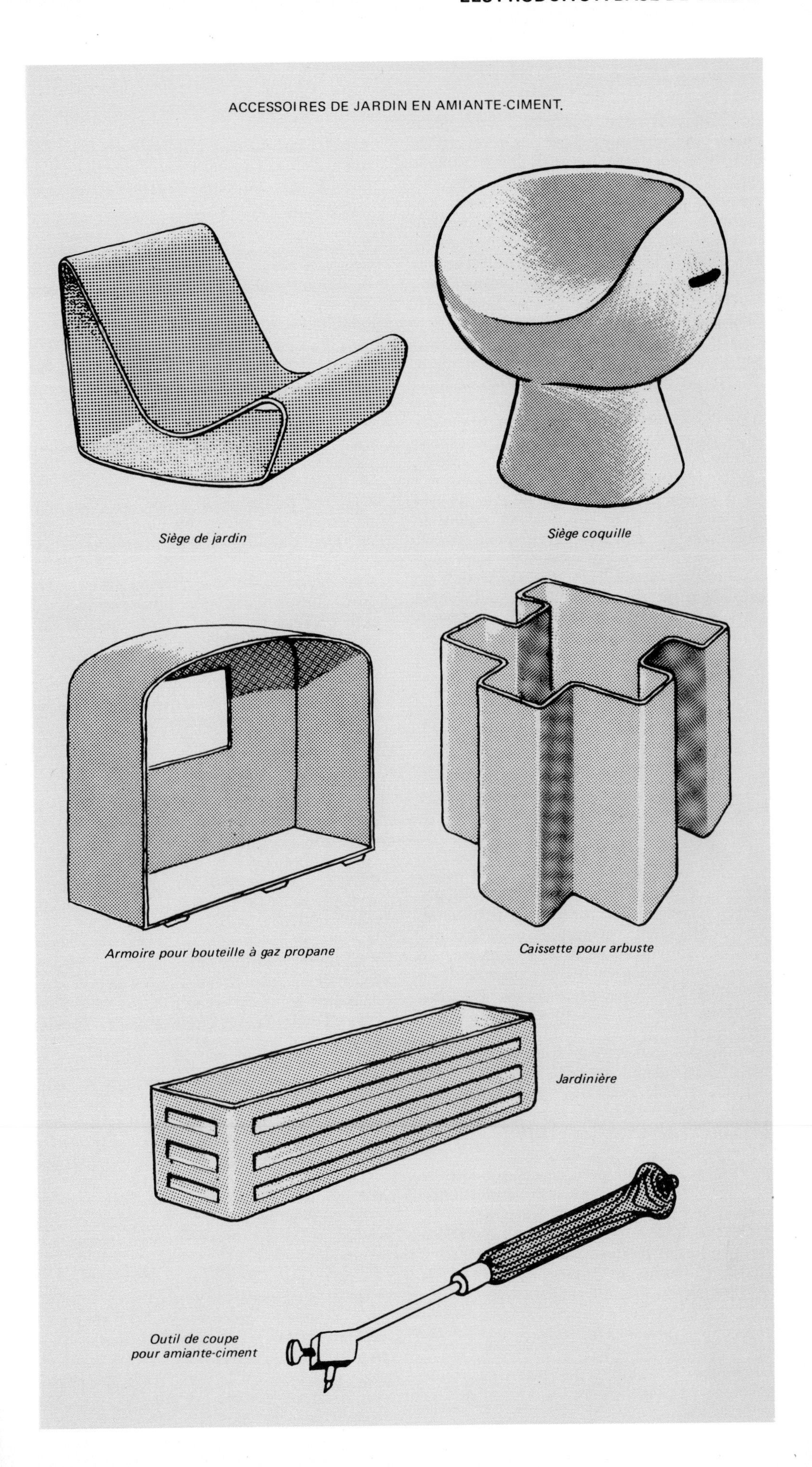
ACCESSOIRES DE JARDIN EN AMIANTE-CIMENT.
Siège de jardin
Siège coquille
Armoire pour bouteille à gaz propane
Caissette pour arbuste
Jardinière
Outil de coupe
pour amiante-ciment

la mise en œuvre

Les plaques d'amiante-ciment à faces décoratives sont utilisées pour les revêtements intérieurs ou extérieurs. Elles se travaillent avec des outils classiques. La coupe des plaques peut s'effectuer avec une scie sauteuse ou une scie égoïne à denture moyenne, ou bien avec une griffe de coupe en acier spécial. La finition des arêtes vives et l'élimination des bavures se fait avec une râpe plate ou une planchette sur laquelle est fixée une bande de papier abrasif.
La pose peut s'effectuer soit par collage, soit par fixation (clous ou vis), et ce à même le mur ou sur un quadrillage de lattes de bois. Si les plaques sont clouées ou vissées, il est conseillé de percer, à l'aide d'un foret, des avant-trous dont le diamètre doit correspondre à celui des vis ou des clous utilisés, afin de ne pas faire éclater le matériau.
La pose par collage à même le mur ne sera effectuée que si le support est enduit de plâtre ou de ciment parfaitement *dressé*, plan et sec. S'il en est autrement, la pose se fera sur un quadrillage de lattes de bois préalablement fixé et isolé du mur, comme s'il s'agissait d'un revêtement en contreplaqué ou en panneaux de fibres.

les enduits de ciment

Les enduits sont des revêtements de parois destinés à protéger le support et à l'embellir. Cette protection est nécessaire pour combattre les agents atmosphériques (vieillissement, humidité, etc.); elle apporte, en outre, un changement d'aspect extérieur, en dissimulant le support de base (briques, parpaings, béton...) si celui-ci n'est pas très esthétique.
Le rôle des enduits est donc de protéger, mais également de décorer, et cette deuxième fonction, très importante, explique peut-être la grande diversité des produits existants et les nombreuses façons de les utiliser.
A la base de la plupart de ces produits se trouve le mortier de ciment ou le mortier de chaux, auxquels sont additionnés des liants plastifiés, hydrofuges, ou des pigments, ou des poudres de pierres naturelles.
L'aspect obtenu en surface dépend de la consistance du produit et de la façon dont il a été mis en œuvre.
Les enduits peuvent être :

- **projetés** à l'aide d'un balai ou d'une machine : ce sont les crépis, dont la surface reste rugueuse ;

- **talochés** : la surface est frottée à l'aide d'une taloche en bois pour faire ressortir le grain contenu dans l'agrégat du mortier ;

- **lissés,** en utilisant une règle en bois, puis une truelle plate pour lisser le mortier encore humide afin de faire disparaître toutes les aspérités de surface ;

- **travaillés** à l'aide d'instruments les plus divers (rouleau, couteau, éponge, etc.) afin de donner à la surface un relief ou un dessin du même aspect qu'un enduit gratté, brossé, spatulé...

Avant d'exécuter un enduit décoratif, il faut s'assurer que le mur est en état et, au besoin, s'il est nu ou dégradé, le revêtir d'un enduit protecteur au mortier de ciment. Pour un mur vétuste, il faut prendre quelques précautions :

- Mettez le matériau à nu, enlevez complètement l'ancien enduit en piquant le mur à l'aide d'un burin ou d'un marteau.

- Nettoyez toute la surface en utilisant une grosse brosse métallique, puis tendez un grillage à mailles fines, que vous fixerez de place en place avec des clous galvanisés.

- Préparez le mortier, gâchez-le assez liquide, puis mouillez abondamment la surface du mur et projetez le mortier.

- Faites des « jetées » successives en projetant le mortier, à la truelle, au travers du grillage. Le mortier fluide doit pénétrer dans toutes les anfractuosités du mur. Cette opération s'appelle le *gobetage.*

- Laissez sécher et durcir une demi-journée afin que la surface rugueuse serve de couche d'accrochage.

- Délimitez ensuite l'aplomb du mur et fixez, de chaque côté, des règles de bois pour délimiter le niveau et l'épaisseur (1 à 2 cm environ) de la deuxième couche, appelée *renformis.*

- Préparez un mortier consistant et remplissez toute la surface jusqu'au niveau indiqué par les règles de guidage. Égalisez, puis talochez la surface pour faire ressortir le grain du mortier. Laissez sécher une journée.

- Appliquez ensuite une troisième couche, celle de l'enduit de finition, qui peut être un enduit décoratif : supermortier blanc, par exemple.

- Décalez les règles de guidage de 5 à 8 mm, et, comme précédemment, appliquez l'enduit, et lissez la surface à la truelle. Vous pouvez également faire varier l'aspect extérieur en travaillant la surface avec un peigne ou un grattoir pour lui donner un aspect décoratif.

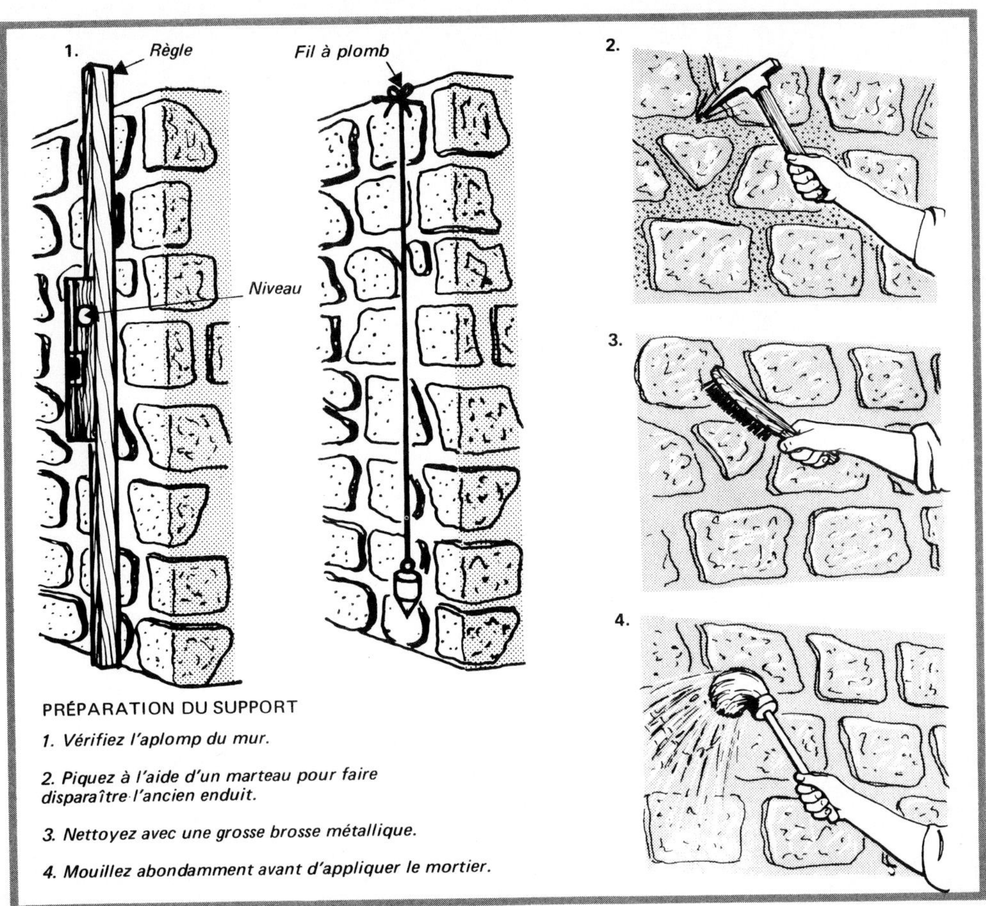

PRÉPARATION DU SUPPORT

1. Vérifiez l'aplomp du mur.

2. Piquez à l'aide d'un marteau pour faire disparaître l'ancien enduit.

3. Nettoyez avec une grosse brosse métallique.

4. Mouillez abondamment avant d'appliquer le mortier.

REVÊTEMENT D'UN MUR AVEC UN ENDUIT DE CIMENT.

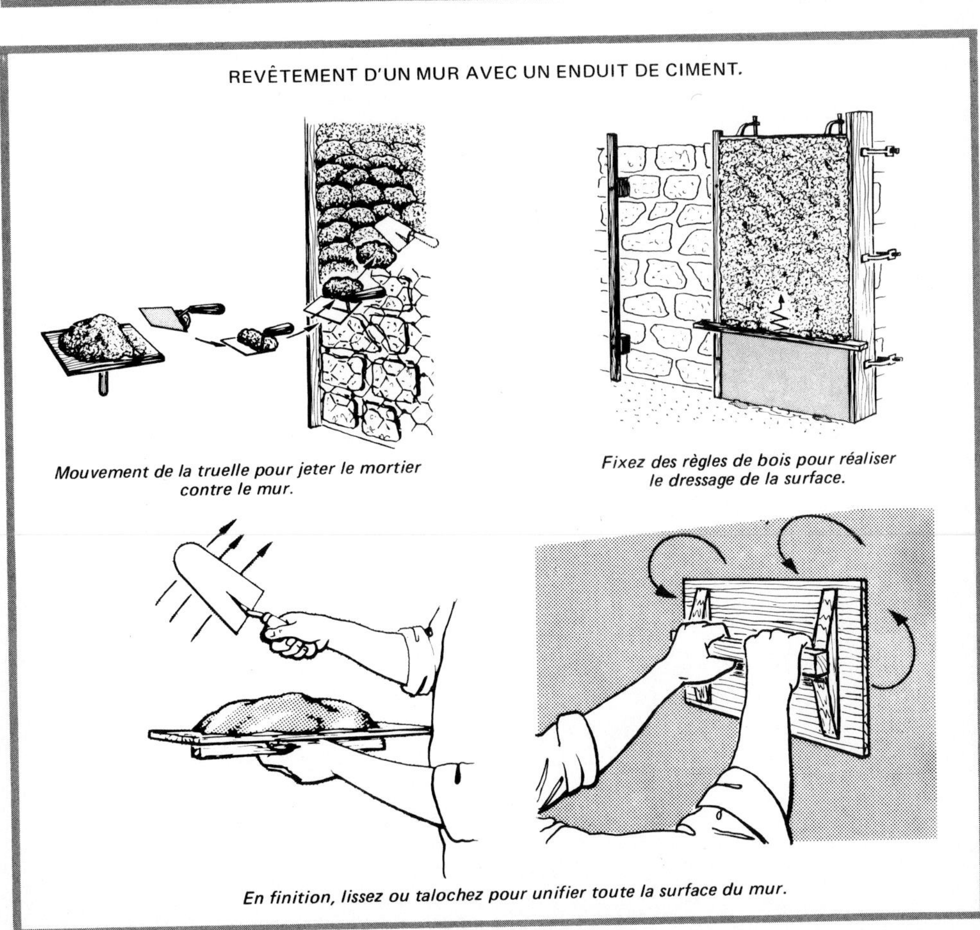

Mouvement de la truelle pour jeter le mortier contre le mur.

Fixez des règles de bois pour réaliser le dressage de la surface.

En finition, lissez ou talochez pour unifier toute la surface du mur.

LE LINOLÉUM

Le linoléum est un revêtement de sol qui a plus de cent ans d'existence et qui reste toujours valable.

la fabrication

Il est constitué par une toile de jute enduite d'huile de lin et de poudre de liège, agglomérées avec de la résine. Il est très facile de le teinter en ajoutant des pigments ou d'incruster sa surface au moment de la fabrication. Cela explique qu'il puisse présenter des motifs et des couleurs multiples.
Il est vendu en rouleaux d'environ 2 m de large, dans des épaisseurs variant de 2 à 6 mm. Il est surtout employé dans des locaux humides ou dans des lieux de passage, car il est imperméable et résiste bien aux taches et à l'usure.

les différentes sortes

Il existe, outre le linoléum uni :
- **Le linoléum incrusté,** d'aspect jaspé ou granité, qu'on obtient en provoquant dans la pâte des différences d'épaisseur, ce qui donne des marbrures de surface qui ne s'effacent pas à l'usure. Ce revêtement étant moins épais que le linoléum classique (2 à 4 mm seulement), il est protégé et renforcé par une peinture spéciale appliquée en sous-face, côté toile.
- **Le linoléum liège** dans lequel le liège est incorporé sous forme de granulé. Le revêtement obtenu est très souple et résistant, mais d'aspect rugueux.

La qualité de la pose du linoléum est un des garants de sa longévité. Pour résister longtemps à l'usure, il doit être collé sur une surface parfaitement plane.
S'il s'agit d'un sol en ciment, il faut que la chape soit parfaitement lissée et dépoussiérée pour pouvoir recevoir la colle adaptée à ce genre de fabrication.
Sur un parquet ou un carrelage, il est conseillé de remplacer les lames ou les carreaux défectueux et de niveler l'ensemble à l'aide d'un enduit de sol. Après quoi, on pose le linoléum en intercalant des feuilles de feutre asphalté en sous-couche. Le feutre asphalté et le linoléum sont ensuite collés.

l'entretien

L'entretien du linoléum est des plus simples : nettoyage à l'eau savonneuse, rinçage à l'eau claire ; il peut être ensuite légèrement ciré ou encaustiqué.
Vous éviterez d'employer des produits comme l'eau de Javel ou les lessives corrosives, qui attaqueraient ses couleurs.

à noter

- Ne confondez pas linoléum et Balatum ; ce dernier est un revêtement beaucoup moins coûteux et plus cassant, car sa texture n'est pas constituée par une toile de jute, mais seulement par un carton bitumé.
- Presque tous les types de linoléum fabriqués aux États-Unis comportent actuellement une couche superficielle d'une composition à base de nitrocellulose, qui leur confère une grande résistance à l'usure, aux marques et aux nettoyants, ainsi qu'un beau poli lustré.

POSE DE LINOLEUM SUR PARQUET.

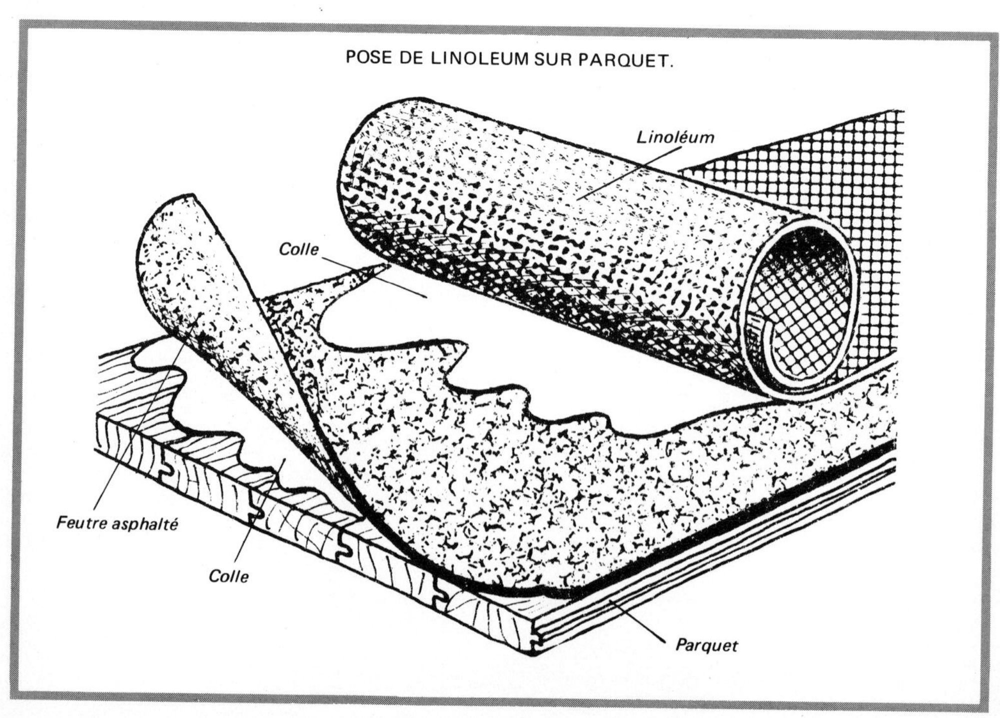

LES MATIÈRES PLASTIQUES

Moulables, malléables et ductiles, les matières plastiques sont des produits artificiels qui peuvent être d'origine animale (comme la galalithe) ou végétale (comme le Celluloïd et la Cellophane), ou être réalisées à partir de résines artificielles.
Les diverses matières plastiques à base de résines (vinyles, polyvinyles, acryliques, polystyrènes, polyéthylènes, etc.) sont connues et vendues dans le public sous des dénominations commerciales variées, un produit de même composition chimique étant parfois proposé sous plusieurs marques, selon l'utilisation industrielle à laquelle il est destiné.
Les matières plastiques sont donc fort nombreuses et très diversifiées, puisqu'elles font appel à des matières premières très variées et à des procédés de fabrication différents, qui s'améliorent sans cesse. Pour des utilisateurs non spécialisés et le plus souvent dépourvus de connaissances techniques, il est donc bien difficile de ne pas confondre certains termes qui, pourtant, sont indispensables pour désigner les diverses catégories de plastique.

les différents types

Les matières plastiques, constituées par des résines et des adjuvants, se répartissent en deux grandes catégories.

les matières plastiques thermoplastiques

Ce sont les matières plastiques qui se ramollissent sous l'effet de la chaleur. On peut alors les travailler et leur donner une forme, qu'elles conserveront après refroidissement, car elles deviennent dures à la température ambiante.
Si l'on recommence l'opération, il est encore possible de modifier leur forme et elles reprennent de nouveau leur consistance première après refroidissement.
C'est le cas des panneaux transparents de Plexiglas.

les matières plastiques thermo durcissables

Elles sont chauffées pour être mises dans la forme qui, après durcissement provoqué lors du refroidissement, sera définitive.
Elles sont alors indéformables par la chaleur et, si la température est trop élevée, elles sont détruites, mais ne se ramollissent pas. C'est le cas du Formica.
Dans chacune de ces catégories se situent les différents produits classés sous un terme générique, qui est, en principe, le nom de la matière de base ou de la résine synthétique qui a servi à élaborer le produit.
Les classifications sont nombreuses, chaque matière plastique ayant des propriétés particulières, quelquefois même opposées. Cette diversité explique, en partie, le rôle important que tient l'industrie des matières plastiques dans notre vie contemporaine.
Il est, en effet, presque toujours possible, en partant d'une résine de base, de fabriquer une matière correspondant aux critères imposés par la nécessité ou l'imagination.

la fabrication

Les techniques de fabrication sont aussi diverses que les produits et font appel à des procédés relativement récents.

- Pour certains objets ou ustensiles, la forme définitive résulte du moulage. La matière plastique, que la chaleur rend liquide ou visqueuse, est comprimée ou injectée dans un moule qui a pratiquement les dimensions de l'objet désiré (on tient compte du retrait dû au refroidissement de l'objet après son moulage). L'ensemble durcit en refroidissant et peut être démoulé. Ce procédé est très souvent employé pour la fabrication des sièges et autres objets rigides (voir en page suivante le schéma du moulage par injection). Il est rapide, et permet une reproduction fidèle du modèle, mais la machine et les outillages nécessaires sont coûteux.
- Pour les revêtements souples ou semi-rigides, on procède principalement par enduction (voir page suivante) : on effectue, sur un support, qui peut être du papier, du tissu, du feutre, un dépôt de matière plastique sous forme de film ou de feuille. D'autres revêtements souples sont tissés ; il s'agit alors d'obtenir, par fusion et filage, un fil de matière plastique et de procéder au tissage. C'est le cas du Nylon et du Tergal.

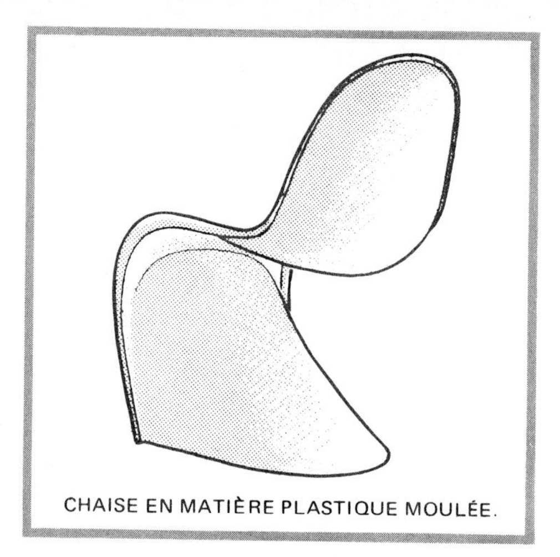
CHAISE EN MATIÈRE PLASTIQUE MOULÉE.

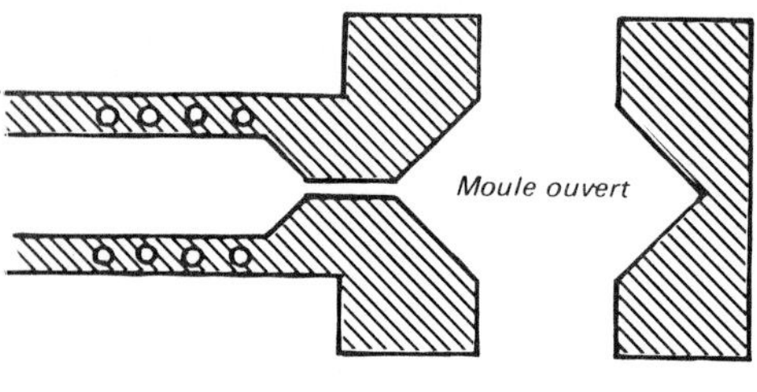

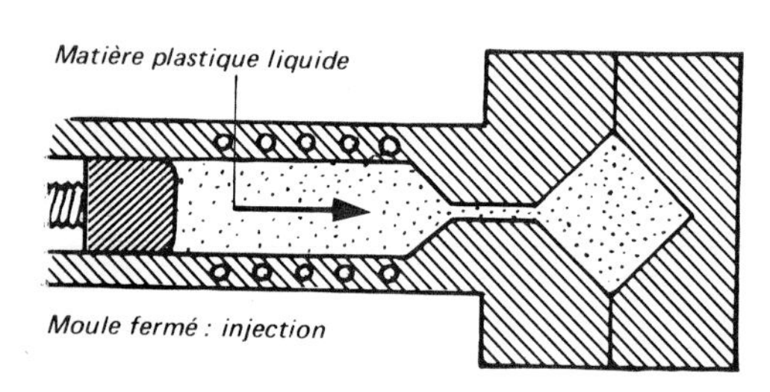

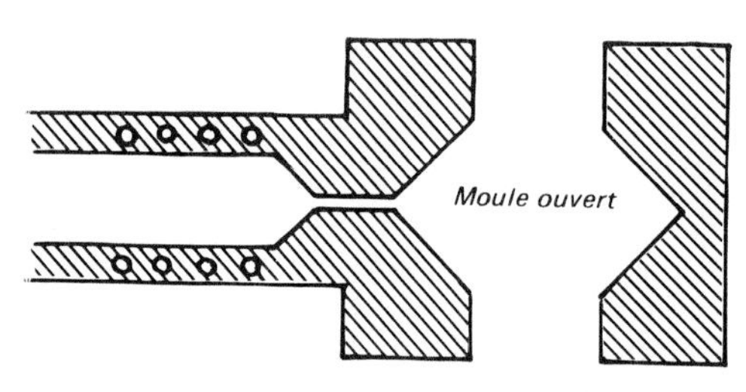

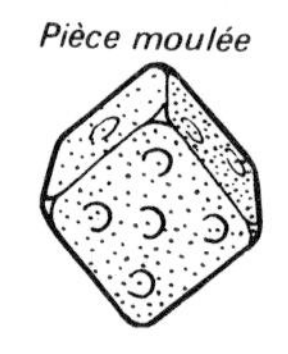

PRINCIPE DU MOULAGE PAR INJECTION.

l'utilisation

Les matières plastiques prennent une importance sans cesse croissante dans deux domaines principaux de la décoration : le mobilier et les matériaux de revêtement.

Une énumération complète de toutes les fabrications serait interminable ; notons simplement les plus répandues qui s'appliquent principalement aux objets d'ameublement et aux revêtements des sols et des murs.

Les meubles et de nombreux accessoires, fabriqués actuellement en matières plastiques, sont en général obtenus par mise en forme de feuilles ou par moulage proprement dit.

On utilise des matières plastiques thermodurcissables comme les polyesters, qui ont une très grande résistance aux chocs et peuvent être aisément teintés en cours de fabrication.

D'autres fabrications utilisent des matières thermoplastiques à base de résines polyvinyliques. Plus fragiles, car elles craignent la chaleur, elles trouvent néanmoins leurs principales applications dans l'équipement technique des cuisines et des salles de bains. Ce sont, par exemple, les tuyaux en chlorure de polyvinyle, qui assurent l'écoulement des appareils sanitaires, les bacs à glace de réfrigérateur, les cuvettes, pots et récipients divers. En général, les objets rigides sont en polystyrène, les objets souples en polyéthylène, matière qui, au toucher, rappelle la bougie.

Plus nombreux encore sont les revêtements qui bénéficient des qualités de légèreté, d'imperméabilité et d'isolation propres à la plupart des matières plastiques. Ils peuvent être classés suivant leur aspect en deux catégories : les revêtements souples et les revêtements rigides.

les revêtements souples

• **Les peintures synthétiques,** dont les liants à base de résines vinyliques ou alkydes, ou de silicones forment un film de surface résistant à la plupart des agents atmosphériques et chimiques.

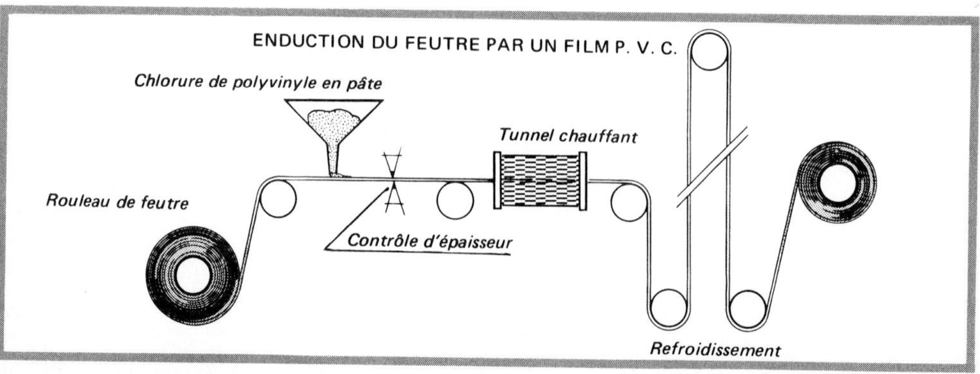

ENDUCTION DU FEUTRE PAR UN FILM P. V. C.

● **Les polyvinyliques en feuilles** : matière thermoplastique à base de chlorure de polyvinyle additionnée de colorants. Produit de faible épaisseur (1 à 2 mm), il se présente en rouleaux de 1 à 1,5 m de large ou en dalles carrées de 30 cm de côté.
C'est un revêtement de sol dont la pose s'effectue par collage sur tous les supports plans et lisses (exemples : Munisol, Gerflex). Peuvent être également classés dans cette catégorie les revêtements muraux en « mousse » : c'est le cas du Somvyl, exclusivement constitué d'une mousse de chlorure de polyvinyle expansé, de 2 à 3 mm d'épaisseur. Les innombrables bulles d'air que renferment les alvéoles de ce matériau lui donnent deux qualités appréciables : de la souplesse et un pouvoir d'absorption phonique intéressant.

● **Les polyvinyliques enduits** : matière plastique à base de chlorure de polyvinyle recouvrant un support souple. Ce support peut être : du papier, comme pour les revêtements de mur Vénilia, d.c.fix; du tissu, comme pour la toile de coton plastifiée, Delta, Skaï; du feutre armé d'une toile de jute (ce sont les revêtements de sol du genre du Dalami ou du Tapiflex); du liège, également renforcé d'un support en jute, comme le Sarlon.
Tous ces revêtements sont, en général, présentés en rouleaux de 0,90 m à 2 m de large, dans des épaisseurs variant de quelques dixièmes de millimètre à 3 mm. La pose murale s'effectue comme celle d'un papier peint classique. Les revêtements doublés de feutre ou de liège sont, eux, posés au sol, où il est recommandé de les coller, bien qu'une pose sans colle ni clou puisse être envisagée pour les petites surfaces (10 à 15 m^2).

● **Les textiloplastiques.** Revêtements 100% synthétiques, ils sont constitués par trois couches successives : en surface, des fibres aiguilletées (Nylon, polyester, polyamide), puis une couche de résines acryliques, et enfin une semelle en mousse synthétique. Leur épaisseur est de 6 à 8 mm, et leur apparence, celle d'un tapis ou d'une moquette.
Les textiloplastiques se présentent en rouleaux de 2 m de large ou en dalles carrées de 50 cm de côté. Citons le Tapisom, le Siftex. Ce sont des revêtements de sol à coller; toutefois la semelle en mousse étant un matériau légèrement poisseux, il est possible, après avoir collé les joints, de poser simplement le revêtement sur le sol, à condition que ce dernier soit propre et plan.

Les noms scientifiques des matières plastiques sont parfois abrégés et apparaissent sous forme d'initiales. Exemples : P. V. C. : Polyvinyle chloruré ou chlorure de polyvinyle. P. V. A. : polyvinyle acétate ou acétate de polyvinyle.

les revêtements rigides

● **Les carreaux et dalles thermoplastiques,** principalement utilisés comme revêtement de sol, sont des mélanges de produits minéraux liés par des résines synthétiques. Ce sont, par exemple : les carreaux Dalflex, constitués d'un mélange de fibres d'amiante et de résines vinyliques, les dalles Dalami, également à base d'amiante et de résines asphaltiques.
Ces matériaux se présentent sous forme de dalles carrées de 30 cm de côté, dans des épaisseurs variant de 10 à 30 mm. La pose se fait à l'aide d'un adhésif spécial à base de bitume, qui nécessite l'intervention d'un spécialiste.
D'autres fabrications utilisent un mélange à base de mortier de ciment et de résines polyvinyliques, ce qui permet d'obtenir un matériau souple et antidérapant (Plastidal).
Vous trouverez également des revêtements de mur sous forme de carreaux en polystyrène (Japy). Ils ont sensiblement les dimensions des carreaux de faïence (10 cm x 10 cm, 15 cm x 15 cm), pour une épaisseur de 1 à 2 mm. La pose s'effectue par collage à l'aide d'un adhésif spécial. Parfaitement imperméables et résistant bien à l'humidité, ils sont cependant d'un emploi limité, car ils craignent la chaleur.

● **Les panneaux stratifiés** sont des revêtements à surface décorative. Ils sont composés d'une superposition de plusieurs feuilles de papier spécialement traitées et imprégnées de résines synthétiques thermodurcissables (mélamine). L'ensemble est ensuite chauffé et soumis à de très fortes pressions qui fusionnent le tout en une masse homogène.
Ils sont d'un emploi courant dans la fabrication des meubles et pour les différents aménagements intérieurs, car ils ont une bonne stabilité dimensionnelle et une parfaite résistance à la plupart des agents destructeurs.
Ils existent principalement sous forme de panneaux rectangulaires. Parmi ces différentes sortes de panneaux, vous trouverez principalement :
● soit des panneaux de faible épaisseur (0,5 à 1,5 mm), décorés sur une seule face et destinés à être collés sur un support;
● soit des panneaux de 3 à 6 mm d'épaisseur, décorés sur les deux faces et destinés à être utilisés seuls, sans support;
● soit des panneaux de fibres, de bois ou d'agglomérés dont les faces sont recouvertes, en fabrication, d'un stratifié décoratif.
A ces différentes fabrications correspondent des différences d'aspect en surface : les stratifiés peuvent être brillants, mats, satinés, unis, ils peuvent imiter le bois, etc. Les dimensions standards varient de 0,75 m x 2 m à 1,22 m x 3,05 m, dimensions normalisées et équivalentes pour de nombreuses fabrications de panneaux.

Le lamifié.
Le lamifié est un stratifié décoratif. Ce terme, déposé par les fabricants français, ne peut être utilisé que pour désigner des stratifiés décoratifs d'une épaisseur nominale de 1,5 mm et répondant à une norme de fabrication précise. Exemples : Formica, Polyrey, Célamine.

COUPE D'UN PANNEAU DE LAMIFIÉ.

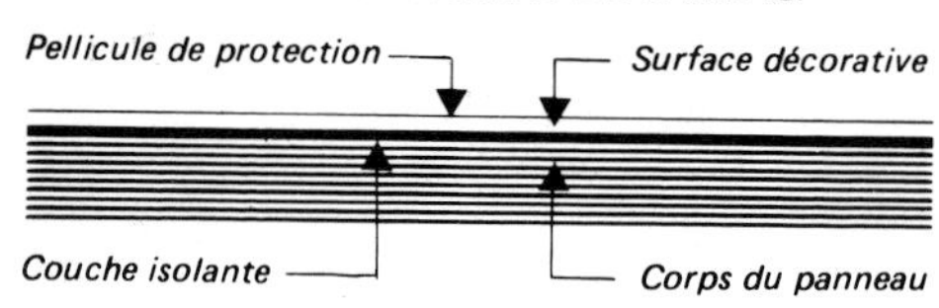

● **Les plaques transparentes** sont constituées par une matière plastique aux remarquables qualités optiques et dont l'excellente transparence est comparable à celle du verre, dont elles n'ont pas la fragilité. Cette matière plastique thermoplastique à base de polyméthacrylate de méthyle est désignée par des termes différents qui correspondent à des marques déposées. Exemples : Altuglas, pour les fabrications françaises ; Perspex, pour les fabrications britanniques ; Plexiglas, pour les fabrications américaines.

De plus, ses possibilités de coloration, et sa bonne résistance aux agents chimiques et atmosphériques font de l'Altuglas une matière polyvalente servant à fabriquer de nombreux objets décoratifs (lampes, vases, tables), ainsi que certains produits demandant une opacité diffusante, caractéristique des verres fumés, des coupoles d'éclairage, des enseignes lumineuses...

L'Altuglas est également commercialisé sous forme de plaques rectangulaires dont les dimensions varient en fonction de la qualité choisie et de la teinte. Les formats les plus courants sont échelonnés de 0,80 m x 1,20 m à 2 m x 3 m dans des épaisseurs variant de 2 à 12 mm environ.

C'est à partir de tels formats que l'on conçoit les objets ou les aménagements divers. L'Altuglas peut être usiné (perçage, sciage, tournage, etc.) par tous les procédés mécaniques courants, il est ensuite poli et lustré à l'aide d'un liquide abrasif (Altupol), qui lui redonne son brillant et sa transparence. Si l'exécution nécessite le collage de différentes pièces, il faut utiliser une colle spéciale (Altufix, qui n'est autre que l'Altuglas liquide) afin que le joint ne vienne pas ternir la transparence du matériau.

Pour d'autres fabrications demandant des formes plus ou moins complexes (sièges galbés, par exemple), la matière plastique une fois élaborée est mise en forme en utilisant la thermoplasticité du matériau. La plaque d'Altuglas chauffée à 150 °C environ prend la souplesse du caoutchouc, ce qui permet de lui donner une grande variété de formes en se servant d'un outillage approprié. Après refroidissement, l'Altuglas retrouve sa rigidité tout en conservant la forme qui lui a été donnée.

FORMAGE D'UNE FEUILLE D'ALTUGLAS.

Altuglas chauffé à 150°C environ

Aspiration

PIÈCE MOULÉE.

la mise en œuvre des revêtements plastiques

La plupart de ces revêtements étant employés dans un but décoratif, leur pose s'effectue presque obligatoirement par collage puisque les autres systèmes de fixation sont plus ou moins apparents.

Il est important de toujours employer la qualité de colle préconisée par le fabricant du matériau qui, connaissant la composition de son revêtement, est seul en mesure d'indiquer le produit le mieux adapté.

Sachez que certains produits réalisent une véritable soudure en faisant fondre la surface des matériaux mis en présence, mais que ces mêmes produits, appliqués sur une autre matière plastique, de composition différente, n'auront aucune propriété adhésive.

De même, vous devrez respecter la méthode d'encollage qui peut être différente suivant le revêtement.

Certains revêtements souples sont encollés comme le papier peint : la colle est déposée sur le matériau.

D'autres revêtements, comme la plupart des revêtements de sol, nécessitent un encollage du support seul.

D'autres enfin, du type revêtements rigides (lamifiés), ont une pose à double encollage : matériau et support sont recouverts de colle.

• Les revêtements muraux sont, en général, vendus en rouleaux; la pose consiste donc à mettre côte à côte un certain nombre de lés, comme s'il s'agissait de papiers peints. Mais la plupart de ces revêtements ayant une épaisseur supérieure à celle du papier (parfois 2 à 3 mm), il convient d'effectuer une pose dite « à joints vifs » (qui se fait comme celle des papiers peints) afin de supprimer le chevauchement des différents lés qui formeraient à l'endroit des joints une proéminence peu esthétique.
• Pour les revêtements de sol, le matériau peut se présenter soit en dalles, soit également en rouleaux. Les dalles sont placées bord à bord en respectant un alignement et une géométrie d'ensemble suivant un procédé assimilable à la pose d'un carrelage classique. Le travail commence au centre de la pièce et se poursuit jusqu'à ce que toutes les dalles entières soient posées. Restent ensuite le périmètre et quelques recoins d'accès difficile, où il est nécessaire d'effectuer des coupes pour ajuster les derniers morceaux du revêtement. Quand il s'agit d'un revêtement en rouleaux, il faut tout d'abord déterminer l'emplacement des joints et leur orientation. Il n'y a pas de règle absolue, mais il est préférable de placer des joints perpendiculairement à la fenêtre pour qu'ils se trouvent dans le sens d'arrivée de la lumière. Quand vous déterminez la mise en place, veillez à ce que les joints ne tombent pas au milieu d'une porte, en travers d'un couloir ou à l'emplacement d'un lieu de passage intense.

Pour réaliser un collage parfait...
Il faut, bien sûr, utiliser un produit de qualité, mais il est également nécessaire que le support soit préparé soigneusement. Ce support doit être plan, sain, propre et dur.

• **Plan :** une granulométrie grossière ou un relief important du support réduisent d'autant la surface de collage. Il faut prévoir un rebouchage par l'application d'un enduit qui supprimera ce manque de planéité.

• **Sain :** c'est-à-dire sans humidité latente, sans salpêtre, sans moisissure. Autrement, renoncez à une pose par collage, elle est par avance vouée à l'échec.

• **Propre :** tous les supports doivent être lessivés, brossés ou grattés afin d'éliminer toutes traces de poussière, de graisse ou de souillures qui formeraient un véritable écran à la pénétration de la colle.

• **Dur :** un support poreux ou friable peut être partiellement détruit par la tension que provoque toujours un encollage. Il est recommandé de durcir ces supports par l'application de produits d'impression qui assurent au matériau une meilleure stabilité de surface.

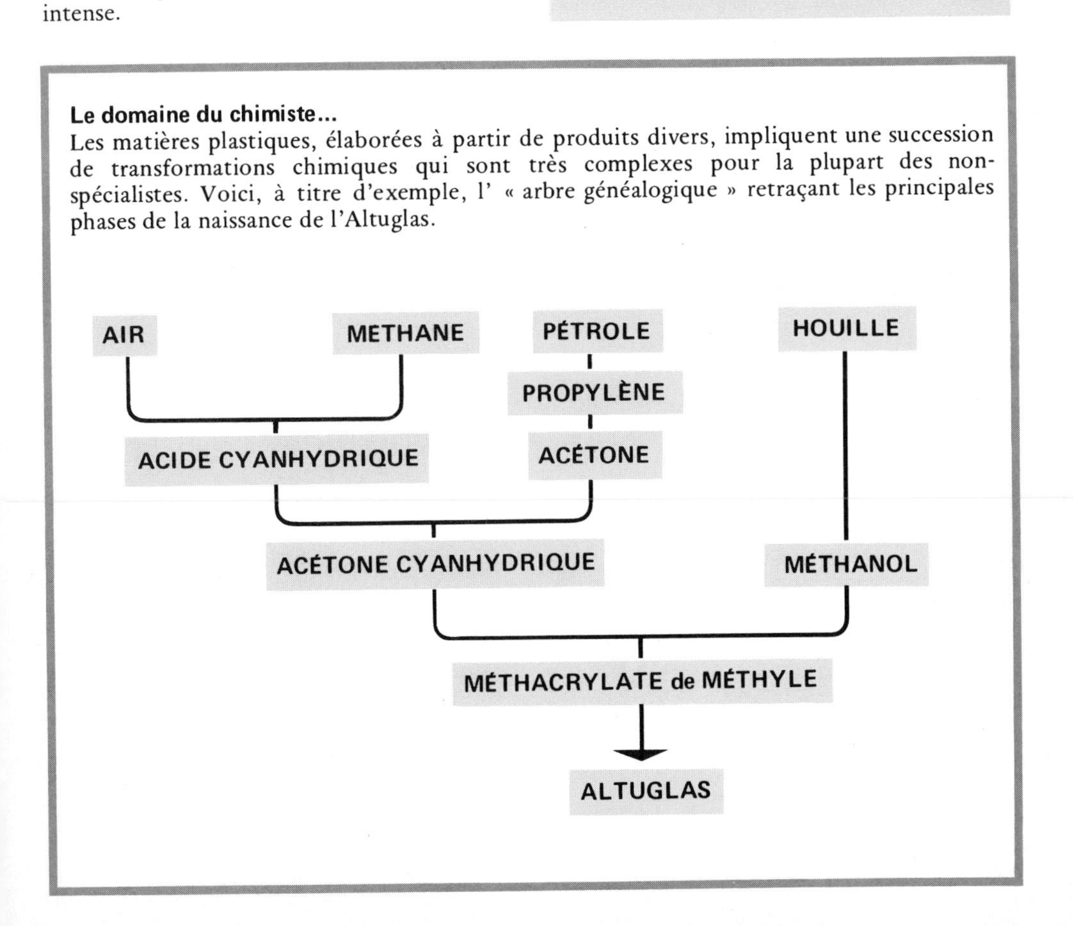

Le domaine du chimiste...
Les matières plastiques, élaborées à partir de produits divers, impliquent une succession de transformations chimiques qui sont très complexes pour la plupart des non-spécialistes. Voici, à titre d'exemple, l' « arbre généalogique » retraçant les principales phases de la naissance de l'Altuglas.

Le revêtement est ensuite débité en tenant compte de la longueur des différents lés qui doivent dépasser et se chevaucher d'environ 5 cm. Après quoi, la pose peut être effectuée par la méthode dite « en bateau » (semblable à la pose des moquettes), qui permet le collage successif des lés en effectuant au fur et à mesure la coupe des joints pour qu'ils soient parfaitement rectilignes et ajustés. L'opération se termine par l'arasement des différents lés sur tout le périmètre de la pièce et par la pose de barres de seuil au droit des portes.

précautions particulières pour les lamifiés

Les panneaux de lamifiés servent principalement à recouvrir des meubles, des éléments de cuisine, des plans de travail qui doivent être protégés de la chaleur, des chocs ou des agents chimiques divers.
Comme pour tous les revêtements décoratifs, il est particulièrement intéressant de les coller afin qu'ils fassent corps avec le matériau qu'ils doivent protéger et décorer. Étant donné la composition du lamifié, ce collage n'est possible qu'à l'aide d'une colle spéciale, dont on provoque le séchage par une réaction chimique. Vous emploierez de préférence une colle à l'urée-formol ou une colle-contact.

- La colle à l'urée-formol (Caurite, Mélocol 306...) est à base de résines artificielles dont le séchage est provoqué par un durcisseur ajouté au moment de l'emploi. Dans ce cas, le collage nécessite un moyen de serrage et d'immobilisation (presse, serre-joint) pour maintenir les pièces en contact. La colle est étalée sur l'une des deux pièces, et le durcisseur sur l'autre; le début du séchage et du durcissement de la colle ne commence que quand les pièces sont en contact l'une avec l'autre. Cette qualité de colle résiste bien à la chaleur et à l'humidité et présente une réelle facilité d'emploi.

En revanche, elle est très dure et, de ce fait, néfaste pour le tranchant des outils coupants (fer de rabot, ciseaux à bois...).

- La colle-contact (Néoprène, Formica...) est à base de caoutchouc synthétique dissous par de la benzine ou du trichloréthylène.

A l'inverse de la colle à l'urée-formol, vous n'aurez pas besoin d'un moyen de serrage, mais vous devrez respecter un mode d'emploi très particulier : assurez-vous que les surfaces à coller sont propres et exemptes de taches grasses, puis étalez la colle sur les deux faces à réunir. Procédez à cette enduction avec une petite spatule crantée, qui vous donnera un film de colle d'une épaisseur régulière. Ensuite, laissez sécher entre dix et vingt minutes, suivant la température ambiante, jusqu'à ce que les solvants soient évaporés. Présentez alors les deux faces à réunir l'une contre l'autre en les ajustant avec précision, car la prise de la colle est immédiate et ne permet pas de tâtonnement, puis martelez toute la surface.

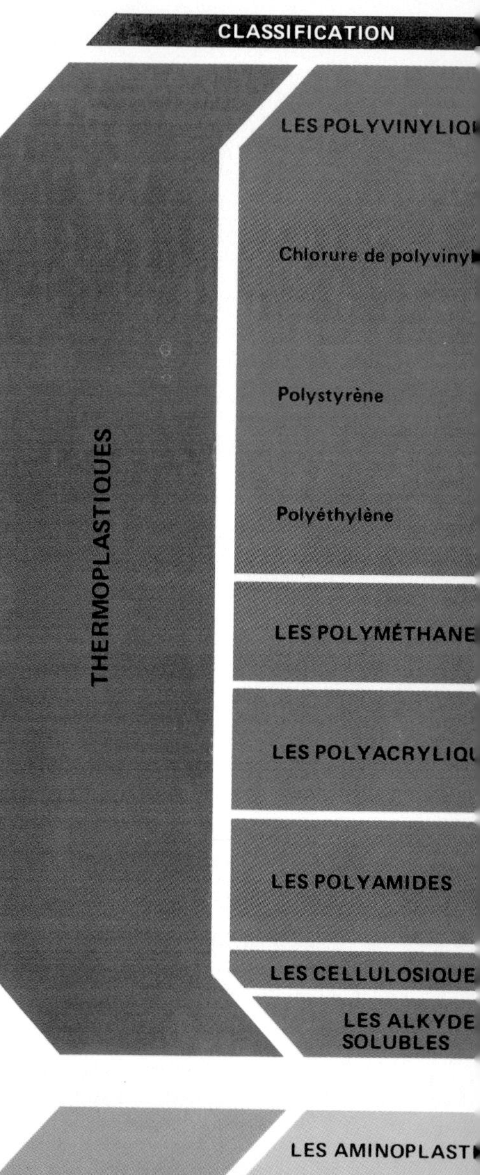

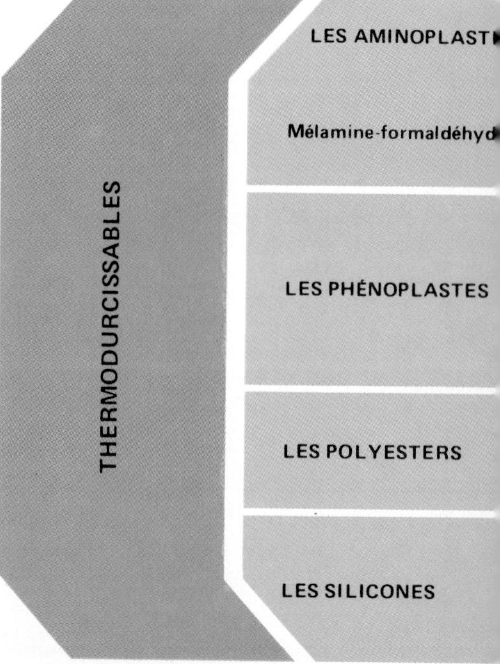

LASSIFICATION DES MATIÈRES PLASTIQUES*

CARACTÉRISTIQUES	PRINCIPALES UTILISATIONS
ıs grandes possibilités de coloration. sistance à la lumière et à la plupart des agents miques. ntretiennent pas la combustion. ucher lisse. Résonance mate au choc.	Objets moulés de toutes formes. Carreaux ou feuilles de revêtement. Certains textiles (Rhovyl). Nappes, rideaux de douches, imitations tissus pour revêtements de sièges.
tière de base ayant au naturel l'aspect de la rne. nne résistance aux acides, bases et alcools. loré dans la masse sans limitation de teinte. uplesse variable.	Revêtements de sièges. Maroquinerie. En feuilles minces : rideaux, nappes, emballages. En feuilles épaisses : revêtements de murs. Imprégnation de tissus et papiers sous forme de latex.
rges possibilités de coloration. Non toxique. nne résistance aux détergents. ansparence brillante. Il existe un polystyrène choc » et un polystyrène « chaleur ».	Articles ménagers divers. Jouets. Objets d'éclairage. Tous objets moulés. Conditionnement des produits alimentaires.
andes qualités isolantes. ucher rappelant celui de la bougie. uplesse. Résiste bien aux produits chimiques. cessite une certaine épaisseur pour tenir à l'eau uillante.	Objets moulés de toutes formes. Cuvettes, flacons, pots, etc. Conduites et canalisations. Emballages (sous forme de pellicules).
uvoir adhésif sous forme de colle. rtout importants sous forme de mousses qui sistent bien aux détergents et à l'eau bouillante.	Éponges à alvéoles très fines de toutes couleurs. Isolants phoniques. Compartiments insubmersibles. Colles industrielles.
emarquables qualités optiques. xcellente transparence. Bonne résistance aux ents chimiques et atmosphériques.	Articles de bureaux de luxe. Vasques d'éclairage. Feux de signalisation, baies d'autocar, pare-brise, etc. Tabletterie de luxe, pratiquement incassable : Plexiglas. Textile : Crylor.
ès grande résistance mécanique. cilement fabriqués en fibres. xcellente tenue aux chocs, aux détergents, à l'eau uillante.	Textiles synthétiques : Nylon et Rilsan.
érivés de la cellulose.	Emballage. Objets moulés : Rhodoïd.
apidité de séchage.	Laques, émaux, vernis, encres. Peintures glycérophtaliques.
olidité. Grandes possibilités de coloration.	Ustensiles ménagers. Traitement des tissus et des papiers. Stratifiés et lamifiés.
onne résistance aux acides et aux bases, à essence. upportent des températures élevées. randes possibilités de coloration.	Panneaux lamifiés (agencement, décoration, revêtements) Formica. Émaux et peintures résistant très bien aux détergents. Apprêts textiles.
roupe très important de résines phénoliques. ulgarisés depuis longtemps grâce à la bakélite. ossibilités de coloration améliorées, mais infé- eures à celles des aminoplastes. xcellente tenue aux chocs, aux détergents, à l'eau ouillante. la flamme, odeur de phénol.	Isolants. Objets moulés de toutes formes (postes radio, tableaux de bord des automobiles).
arges possibilités de coloration. Très grande résis- ance aux chocs. Comparables (parfois supérieurs) ux matériaux de construction.	Moulage de pièces de grandes dimensions. Bâtiment. Stratifiés avec des fibres de verre. Isolants thermiques et électriques. Films très résistants pour l'emballage. Textiles : Tergal.
ont hydrofuges, imputrescibles, incombustibles, nsensibles à l'eau. Remarquables propriétés 'antiadhérence. rande résistance à la température. rès bonnes propriétés électriques.	Isolants en électricité et en électronique. Produits antifroisse dans l'industrie textile. Agents de démoulage dans l'industrie alimentaire. Qualités hydrofuges utilisées dans peintures, encaustiques, cires, etc.

* Extrait de : *les Matériaux de l'habitation*, Édition Jacques Lanore. Tableau établi d'après R. Bossu.

Les colles-contact.

Les colles-contact ne collent qu'une fois sèches, c'est-à-dire une fois que les solvants se sont évaporés.

Il faut donc d'abord encoller les deux parties à réunir, puis laisser sécher et enfin mettre en contact. L'adhérence est alors instantanée.

Prévoyez donc d'interposer, entre les deux faces, avant l'assemblage, quelques liteaux ou plus simplement une feuille de papier journal, que vous ferez glisser ensuite pour obtenir un contact progressif des deux faces à coller.

Encollez le Lamifié et le support.

COLLAGE DES LAMIFIÉS.

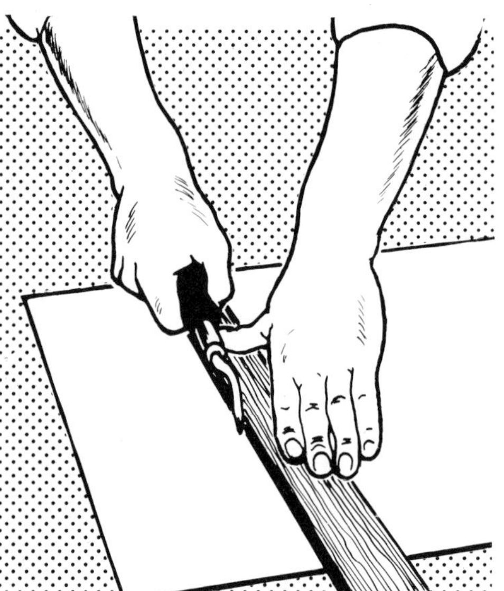

Rayez la surface du Lamifié avec une griffe.

Interposez un papier journal pour éviter un contact trop rapide des deux faces.

Pliez le long de la règle pour obtenir une cassure franche.

Martelez la surface pour compléter l'adhérence.

LES MÉTAUX ET LEURS ALLIAGES

Les métaux et alliages ont leur place dans l'aménagement et la décoration de l'habitation. Ils ont des propriétés mécaniques (dureté, résistance) et des propriétés physiques (couleur, éclat) qu'il est intéressant d'exploiter, mais en connaissant toutefois leurs points faibles, car ils sont, pour la plupart, altérables et, avec le temps, sensibles à la corrosion. Cette corrosion est d'ailleurs très différente suivant le type de métal. On distingue deux catégories :

- les métaux et alliages ferreux (fer, fonte, acier), qui subissent une corrosion profonde et continue, la rouille ;

- les métaux et alliages non ferreux, dont les principaux sont l'aluminium, le cuivre, l'étain, le plomb, le zinc et qui subissent une corrosion de surface, superficielle et protectrice.

Tous ces métaux et alliages se présentent sous forme de barres, de tôles, de tubes, de fils, destinés à être usinés, ou sous l'aspect de pièces obtenues par moulage.

métaux et alliages ferreux

le fer

De nos jours, bien qu'il conserve sa dénomination dans le langage courant, il est presque partout remplacé par l'acier. On a coutume de dire fer blanc, fer à béton..., mais ces productions sont en réalité des aciers doux ou extra-doux, et non plus du fer pur.

la fonte

Dure et légèrement poreuse, la fonte est un alliage lourd, qui a de remarquables qualités de conductibilité de la chaleur. Elle est principalement utilisée pour couler des pièces d'éléments chauffants (radiateurs, plaques de cuisinières, plaques de cheminée).

Vous trouverez également des carreaux en fonte, destinés aux revêtements muraux. La grande facilité de moulage de la fonte permet d'obtenir des carreaux présentant en surface des proéminences de formes géométriques diverses de 3 à 4 cm d'épaisseur, qu'on utilise, par exemple, pour décorer une hotte de cheminée ou animer la surface d'un mur (carreaux Stern). Il est possible de poser ces carreaux soit par une fixation mécanique (vis et écrou), soit par scellement dans le ciment.

CARREAUX EN FONTE.

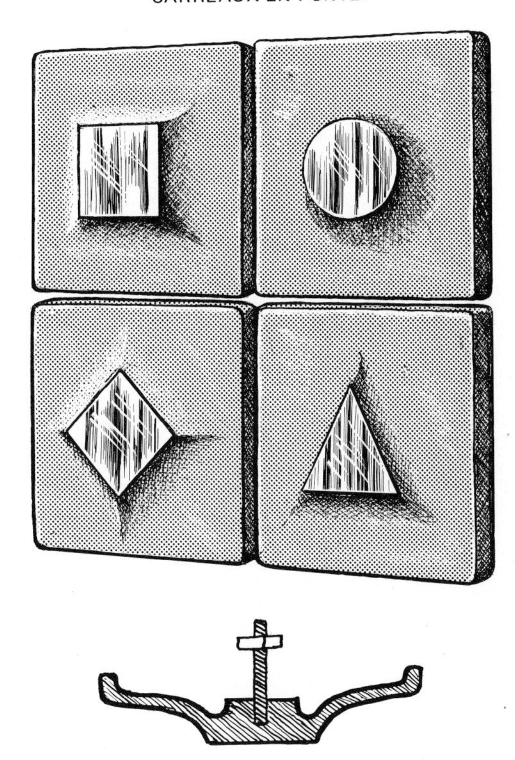

Détail de fixation.

l'acier

Il a donné son nom à une couleur (gris acier). Parfois légèrement bleuté, c'est de la fonte élaborée comportant du fer plus 0,05 à 1,5 % de carbone. En faisant varier, lors de la fabrication, ce pourcentage de carbone, on obtient des aciers de dureté différente permettant la majorité des réalisations mécaniques.

De plus, il est possible d'ajouter à l'acier, lors de sa fabrication, d'autres éléments (nickel, chrome, cobalt...) qui modifient sensiblement ses caractéristiques mécaniques.

C'est le cas des aciers inoxydables, très appréciés dans la décoration contemporaine.

les aciers inoxydables

De couleur gris argent, les aciers inoxydables peuvent avoir des aspects différents : brillant, pòli miroir, satiné, mat, qui dépendent de la nature de l'acier et de son état de surface. Pour les aciers utilisés en décoration, on distingue trois qualités :

- **les aciers inoxydables au chrome,** utilisés pour la décoration et les aménagements intérieurs ;

- **les aciers inoxydables au chrome-nickel,** qui sont réservés aux ouvrages extérieurs ;

- **les aciers inoxydables au chrome-nickel-molybdène,** qui sont employés pour répondre à des problèmes spéciaux de résistance à la corrosion.

Un acier inoxydable est désigné par une succession de chiffres et de lettres répondant à une désignation normalisée. Ainsi, vous pouvez lire : « Acier inox. 18.10. »
Sachez qu'il ne s'agit pas d'une feuille d'acier de 1,8 mm d'épaisseur, mais d'un acier inoxydable contenant 18% de chrome et de 10% de nickel.

L'explosion... de l'acier inoxydable n'est pas destructrice. Sous ce terme se cache un procédé de fabrication : le formage par explosion.
La tôle d'acier placée dans un moule est mise en présence d'une charge d'explosif. L'ensemble est immergé au fond d'une piscine afin que la masse d'eau amortisse la déflagration due à l'explosion.
Il s'ensuit une déformation instantanée du métal qui épouse fidèlement les formes du moule.
Ce procédé nouveau permet d'obtenir des formes inhabituelles et très décoratives qui ne sont pas réalisables avec un outillage classique, par ailleurs trop onéreux.

Leurs différents aspects

Les aciers inoxydables se présentent sous différentes formes.
- Les tôles, d'une épaisseur variant de 0,6 à 2 mm suivant leurs dimensions (1 m x 2,5 m, 1,2 m x 3 m), peuvent être à surface unie, à surface travaillée (ondulations ou gravures), à surface perforée (poinçonnage carré ou rond) ou ajourée, suivant la technique de fabrication du métal déployé, ce qui donne des mailles décoratives comme celles des grilles d'aération ou des cache-radiateurs.
- Les profilés sont, en fait, des tôles pliées pour obtenir des cornières, des tubes carrés ou rectangulaires, des tubes ronds ou en forme de cônes. Les sections varient du rond d'un diamètre de 10 mm au rectangle de 40 mm x 100 mm.
- Les barres et les fils, de section carrée, rectangulaire ou ronde, ont des dimensions allant du fil de 2 mm de diamètre, au méplat de 20 mm x 80 mm.

Comment les travailler

Le travail des aciers inoxydables ne présente pas plus de difficulté que celui des autres métaux. Ils se percent, se scient, se plient et peuvent même être soudés. Toutefois, il est recommandé de n'employer soudure et brasure que pour des parties cachées, de façon à éviter un long polissage pour restituer aux pièces leur état de surface d'origine.
Après l'usinage, il est préférable d'employer un procédé d'assemblage ne risquant pas d'amener des déformations. Vous avez le choix entre trois procédés :
- Le collage. La technique de collage de l'acier inoxydable s'apparente à celle qui est utilisée pour les lamifiés et nécessite les mêmes précautions. On utilise des colles du genre Rédux 775, Pyrocolle 111 ou, pour un collage à froid, des colles au Néoprène du type Bostik 662. Avant le collage, il est important de s'assurer de la régularité des faces et il est recommandé de procéder à une légère abrasion de la surface pour faciliter l'adhérence. Dans certains cas, pour des pièces de petite surface, il est possible d'utiliser un ruban adhésif double face, du type Norton ou Minnesota.
- La fixation par vis et écrous. L'assemblage ne demande pas de précautions particulières, mais nécessite impérativement l'emploi de vis et d'écrous en acier inoxydable, surtout s'ils doivent être apparents.

Il existe également des raccords spécialement destinés à l'assemblage des tubes. Le système de serrage se place à l'intérieur du tube et agit par coincement, sans que la fixation soit visible de l'extérieur. Ce système résoud, en outre, le problème des éléments démontables (raccords Ariex, ACG).
- La fixation magnétique. Bien que certaines qualités d'acier inoxydable soient amagnétiques, les fixations par aimants permanents sont possibles et apportent des solutions satisfaisantes aux problèmes des revêtements décoratifs. Il suffit alors de fixer, par exemple par collage, une plaquette d'acier doux au droit des aimants de fixation.

Comment les entretenir

Un entretien courant leur conservera indéfiniment leur aspect initial. Cette opération, indispensable mais simple, consiste à laver à l'eau, éventuellement additionnée d'un

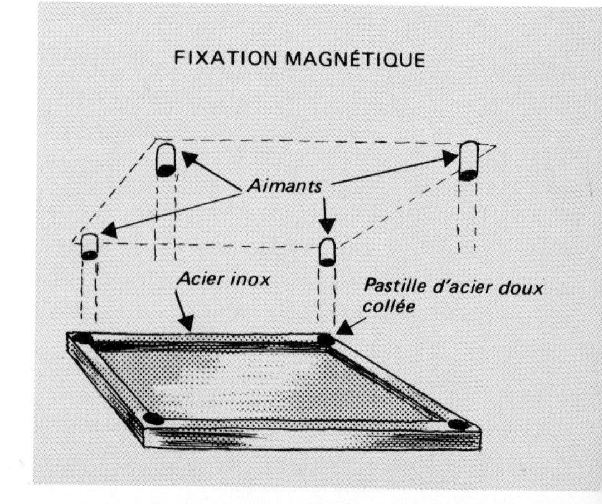

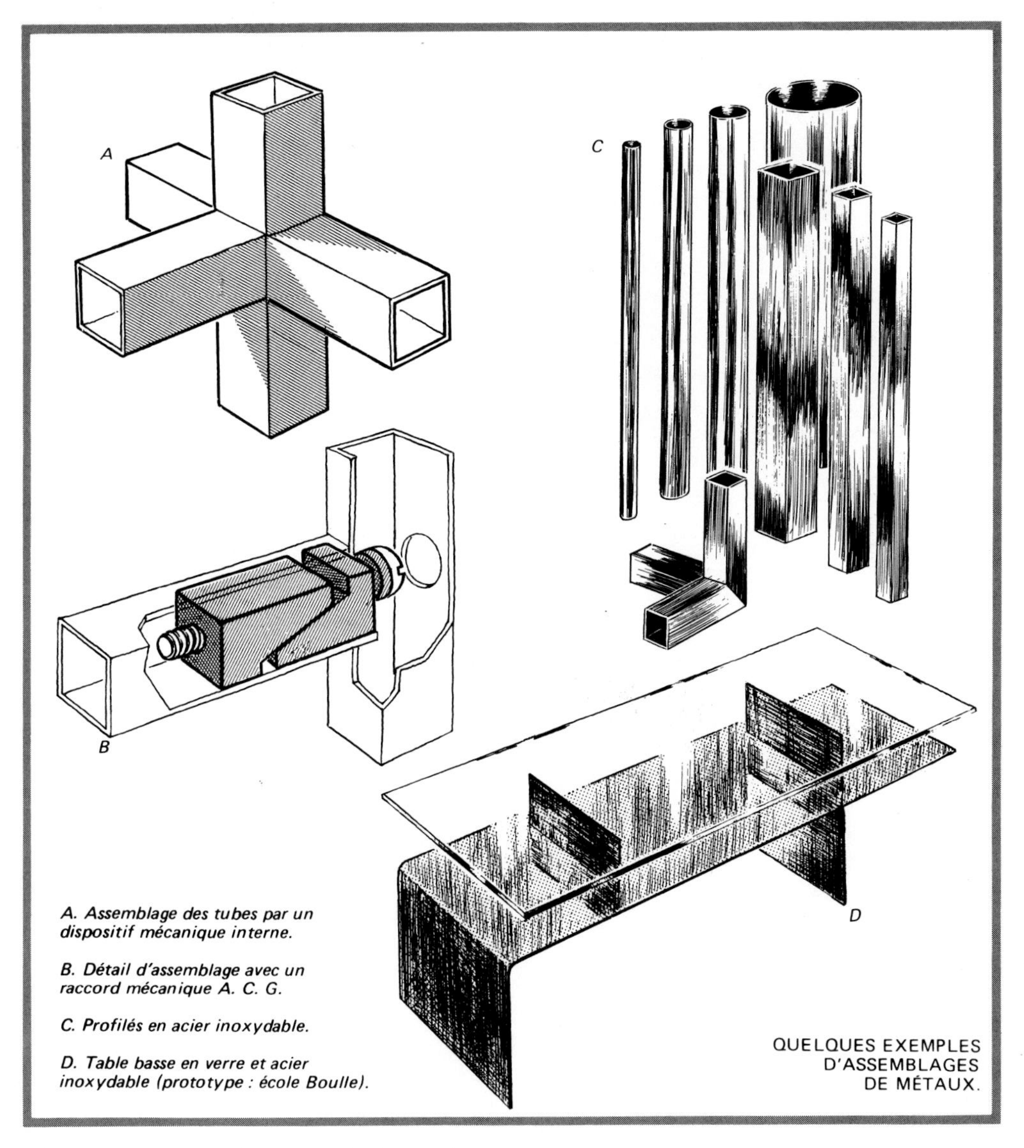

A. Assemblage des tubes par un dispositif mécanique interne.

B. Détail d'assemblage avec un raccord mécanique A. C. G.

C. Profilés en acier inoxydable.

D. Table basse en verre et acier inoxydable (prototype : école Boulle).

QUELQUES EXEMPLES D'ASSEMBLAGES DE MÉTAUX.

détergent à base de Teepol, la surface souillée, et ensuite à rincer et à sécher.
Si l'entretien a été longtemps négligé, vous pouvez traiter la surface à l'aide d'une fine poudre à récurer ou employer un abrasif du type Scotch Brite ou Bear Tex, qui atténuera les rayures et les taches. L'emploi de tels produits nécessite une application dans le sens du polissage de l'acier et sera suivi d'un rinçage à l'eau chaude, qui donnera l'éclat final.

Les fabrications spéciales

En dehors des fabrications commerciales courantes, il existe des éléments d'acier inoxydable plus complexes, utilisés dans un

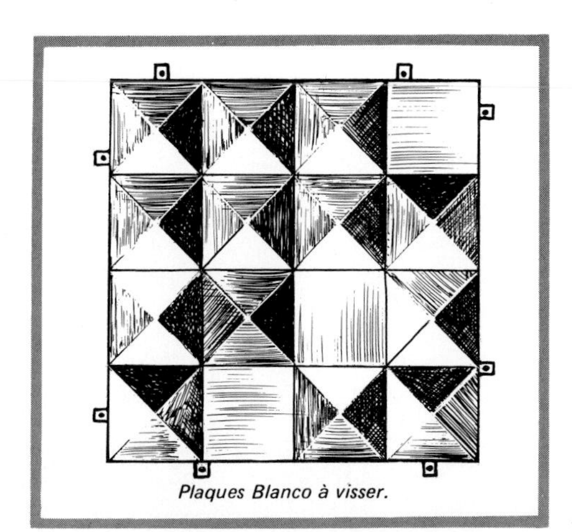

Plaques Blanco à visser.

Servez-vous d'un aimant... pour connaître la qualité d'un acier inoxydable.

S'il s'agit d'un acier destiné à un usage courant, utilisé pour des réalisations intérieures (bac d'évier, plaques murales...), il est magnétique et attire l'aimant.
S'il s'agit d'une fabrication recommandée pour une utilisation extérieure ou pour un milieu particulièrement corrosif (façade de magasin, huisserie...), elle est amagnétique, l'aimant ne tient pas.

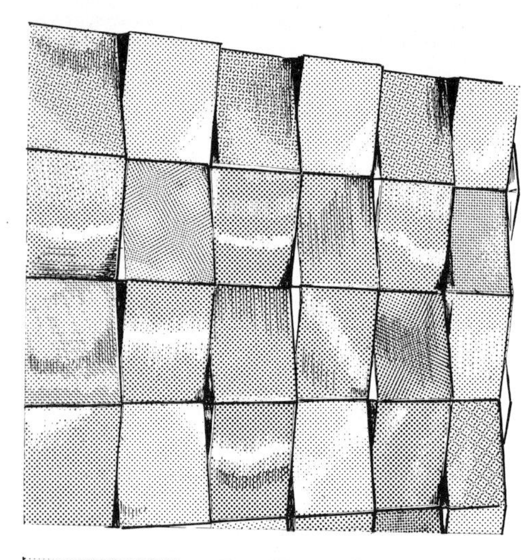

DALLES MURALES DALINOX *fixées par un système de clips à ressort.*

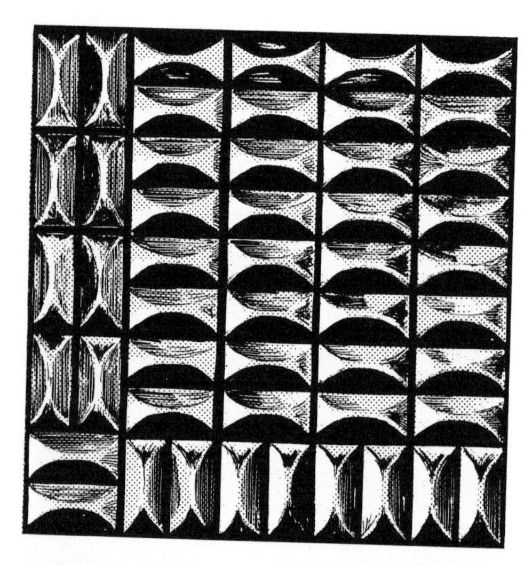

MOSAIQUE MOSAMÉTAL *en plaques souples à coller.*

but décoratif, comme revêtement de parois ou de plafonds. Ces éléments, obtenus par emboutissage ou par formage par explosion, ont des aspects de surface et une géométrie très variés donnant des effets inattendus. Nous citerons quelques exemples.

- Dalinox, dalles carrées d'environ 200 mm de côté, à motifs triangulaires, pyramidaux, ronds, qui s'assemblent entre elles à l'aide de pattes métalliques ou de verrous magnétiques pour former un revêtement de composition très diversifiée ;
- Mosamétal, petits éléments carrés ou rectangulaires de 50 mm de côté, liés entre eux par un film de matière plastique appliqué sur la face arrière. Présenté en plaques, ce revêtement se pose par collage ou scellement au mortier, comme de la mosaïque traditionnelle.

métaux et alliages non ferreux

l'aluminium

L'aluminium est léger et peu dur; il est inaltérable à l'air, grâce à la pellicule d'oxyde (alumine) qui le recouvre et forme un revêtement protecteur.

Autre propriété particulièrement intéressante : sa malléabilité, qui lui permet de prendre les formes les plus compliquées sans perdre ses qualités. L'aluminium peut être plié, embouti ou laminé en feuilles dont l'épaisseur peut descendre jusqu'à 5/1000 de millimètre.

En revanche, il se raie facilement et se déforme sous l'action des chocs, ce qui explique l'émaillage qu'on lui fait parfois subir afin de durcir et de protéger sa surface (par exemple : tôle d'aluminium émaillée Caralu).

Vous trouverez l'aluminium, principalement sous forme de plaques ou de tôles, dans des dimensions généralement situées aux alentours de 1 m x 2 m, et ce dans des épaisseurs très variables.

Il existe également bien d'autres matériaux qui ont l'aspect de l'aluminium, mais qui sont en réalité des alliages d'aluminium. En effet, l'aluminium peut s'allier par fusion à un très grand nombre de métaux. Ce qui donne, par exemple, le Duralinox, l'Alpax, le Synal.

- Le Duralinox est un alliage d'aluminium avec un fort pourcentage de magnésium, qui diminue son oxydation naturelle. C'est, pour certains panneaux et revêtements décoratifs, le rival direct de l'acier inoxydable. Il est plus résistant que l'aluminium et prend un beau poli de finition.

- L'Alpax est un alliage d'aluminium et de silicium. Résistant et facile à couler, il est surtout utilisé pour la fabrication de pièces compliquées (telles que carters de moteurs, appareils électroménagers, poignées de porte).

• Le Synal, alliage d'aluminium et de manganèse, est destiné à la fabrication des batteries de cuisine.
Tous ces alliages, ainsi que l'aluminium pur, sont des matériaux tendres. Vous éviterez de les nettoyer avec une toile ou une éponge métalliques, qui ne manqueraient pas de les rayer. Pour l'entretien de l'aluminium, vous utiliserez de préférence un tampon très fin de laine d'acier et vous laverez ensuite avec de l'eau additionnée de détergent.
De par sa malléabilité et sa légèreté, l'aluminium est facile à adapter à d'autres matériaux, qu'il vient ainsi protéger ou décorer. C'est le cas des fenêtres Aluvo, dont le bois, principal élément de construction, est recouvert d'aluminium du côté extérieur, afin d'assurer une protection durable contre les agents atmosphériques.
Autre fabrication à caractère décoratif, le Plymax, panneau de contre-plaqué multiplis dont l'une ou les deux faces sont recouvertes d'une feuille de Duralinox.
Ces panneaux ont un format de 1,22 m × 2,5 m et une épaisseur variant de 5 à 19 mm. Il est à noter que cette fabrication est accompagnée du Plymétal, bande métallique adhésive destinée à plaquer les chants des panneaux.
La présentation se fait en rouleaux de 2,50 m de long; dans des largeurs variant de 22 à 120 mm.

Le premier procédé de fabrication de l'aluminium fut mis au point en 1854 par Sainte-Claire Deville. Actuellement, on l'obtient en faisant subir à la bauxite un traitement chimique basé sur les variations de solubilité de l'alumine hydratée dans les lessives de soude.

le cuivre et ses alliages

• Le cuivre. Beaucoup plus lourd que l'aluminium, il est cependant très malléable et peut être réduit à l'état de feuilles ou de fils de quelques centièmes de millimètre. Le cuivre se range dans la catégorie des métaux possédant une autoprotection. Exposé à l'air humide, il se recouvre d'une couche d'hydrocarbonate (c'est le vert-de-gris), imperméable, qui protège la masse du métal contre une attaque profonde.
Vous trouverez le cuivre pur sous forme de feuilles, qui servent principalement à exécuter des objets d'art, des plateaux, des ustensiles de cuisine, ou sous forme de tubes, pour les installations sanitaires.
Mais le cuivre pur est d'une utilisation peu répandue parce qu'il est difficile à travailler : il est malléable, mais durcit rapidement et devient cassant si on ne prend pas la précaution de le recuire fréquemment en cours d'usinage. On lui préfère de beaucoup ses alliages, qui ont une plus grande ténacité : bronze, laiton, maillechort.

• Le bronze. C'est un alliage de cuivre et d'étain, de couleur jaune foncé. Suivant la proportion d'étain et, parfois, l'apport d'autres constituants, on obtient des bronzes de qualités différentes, répondant à des utilisations précises : les bronzes d'art, faciles à couler grâce à un apport de zinc (quincaillerie d'ameublement, orfèvrerie); les bronzes de cloches, contenant jusqu'à 25% d'étain et qui ont une résonance bien connue; les bronzes d'aluminium, parfaitement inoxydables et résistant à l'eau de mer (hélices); les bronzes mécaniques, d'un emploi plus courant et à l'éclat décoratif intéressant, qui sont utilisés pour la robinetterie et la plupart des raccords de tuyauterie.

• Le laiton. Alliage de couleur jaune clair, c'est du cuivre et du zinc. Il est parfois nommé cuivre jaune. Plus résistant que le bronze, il est cependant très malléable et tout particulièrement apprécié en électricité pour sa bonne conductibilité thermique et son inoxydabilité. Suivant la proportion des composants, on obtient des laitons aux caractéristiques différentes, qui ont des applications diverses : construction d'appareils électriques ou thermiques, emboutis pour la fabrication des douilles et des cartouches, moulages pour la robinetterie, feuillards de décoration pour agrémenter meubles et objets.

• Le maillechort. Alliage de couleur jaune très clair, c'est du cuivre et du zinc auxquels s'ajoute une forte proportion de nickel. Il est surtout utilisé dans l'industrie optique et pour la fabrication des instruments de mesure en raison de son inoxydabilité et de la résistance que lui apporte le nickel. Le cuivre et ses différents alliages sont également appréciés en décoration pour leurs couleurs qui forment un camaïeu allant du jaune paille au rouge feu, dégradé de tons dont la présence convient particulièrement bien à certaines essences de bois. Acajou et cuivre rouge, noyer et bronze sont des appareillages classiques.
Le cuivre et ses alliages sont commercialisés sous forme soit de pièces coulées, soit de

Certains métaux se présentent sous un aspect inattendu.
C'est le cas, par exemple, de l'aluminium qui, par un procédé de métallisation sous vide, peut être vaporisé sur un film de matière plastique. Il en résulte un produit souple à face brillante et très réfléchissante. On l'utilise dans la construction pour ses intéressantes qualités d'isolation thermique, en sous-face de toitures ou tendu dans les vides sanitaires (murs ou planchers).
Il se présente sous des formes diverses, mais offre toujours une grande facilité de pose (Rexotherm).

tôles, barres, dont les dimensions sont identiques à celles de l'acier.

Ils prennent tous un beau poli de finition, qui nécessite un entretien périodique ou une légère couche de vernis incolore, afin d'éviter qu'ils ne se ternissent à l'air.
Enfin, n'oubliez pas que tout récipient en cuivre utilisé pour la cuisine doit, au préalable, être étamé intérieurement et ensuite parfaitement entretenu, si vous ne voulez pas vous empoisonner. En effet, l'humidité provoque sur le cuivre la formation d'hydrocarbonate, ou vert-de-gris, produit éminemment toxique.

l'étain

De couleur blanc brillant, très malléable et inoxydable, l'étain sert à la fabrication des objets d'art et peut être, comme l'aluminium, réduit à l'état de feuilles très minces (papier de chocolat). Liquide à partir d'une température relativement basse (230 °C), il sert à l'étamage de certaines pièces d'acier, qu'il rend ainsi inoxydables et propres à la conservation des aliments (ustensiles de cuisine, boîtes de conserve).

Connu dès la plus haute antiquité, l'étain figure dans les Livres saints et Homère lui-même en parle. Ce métal est mentionné dans les armes forgées par Vulcain pour Achille, et la cuirasse d'Agamemnon était ornée de cannelures d'étain. Au Moyen Age, la vaisselle en étain était très répandue.

le zinc

Peu oxydable à l'air, il est surtout utilisé pour la confection de toitures, gouttières, chaîneaux. Comme l'étain, il peut être déposé en mince pellicule sur l'acier pour le protéger de l'oxydation (tôle d'acier, grillage galvanisés), mais on ne peut l'utiliser pour des récipients de cuisine, car il est attaqué par les acides organiques.

le plomb

Lourd et très malléable, le plomb n'a pas de caractère décoratif, mais plutôt une utilisation pratique et, dans certains cas, obligatoire, étant donné sa résistance à plupart des acides, même à l'acide chlorhydrique.
Vendu en feuilles et en tuyaux, le plomb s'utilise également comme revêtement isolant pour le doublage des toitures ou des cloisons. Son manque de dureté et sa densité s'opposent à la transmission des ondes vibratoires et à la pénétration de l'humidité (c'est le cas du Molyscaphe, papier isolant recouvert d'une mince feuille de plomb).

LE PAPIER

Le papier s'obtient principalement à partir d'une pâte de cellulose provenant du bois.
Il est constitué par un enchevêtrement de fibres.
Des procédés divers permettent de fabriquer des papiers plus ou moins épais et plus ou moins résistants, dont les utilisations sont variées (écriture, imprimerie, emballage).
Dans le domaine de la décoration, le papier s'utilise surtout sous forme de revêtement mural recouvert de peinture ou d'encre : ce sont les papiers peints.
D'habitude, les papiers peints se présentent sous forme de rouleaux. Cependant, leur mode de fabrication aboutit à des qualités différentes.

les différentes sortes de papier peint

Vous pouvez vous procurer :

- **Des papiers classiques.** Imprimés sur papier blanc ou de couleur, ils offrent une infinité de tons et de motifs. Leur qualité varie souvent avec leur épaisseur ; les papiers peints de luxe sont plus épais que les papiers d'apprêt destinés à recouvrir un support vierge. Ces derniers servent uniquement de sous-couche à une peinture ou à un papier décoratif.

- **Des papiers gaufrés.** Ces papiers de qualité passent entre deux rouleaux portant un motif plein et en creux faisant apparaître une gravure en relief.

- **Des papiers velours,** dont la fabrication fait appel au procédé du « flocage ». On encolle la face apparente du papier à l'aide d'un pochoir marqué du motif à reproduire. Le papier est ensuite recouvert de fibres de tissu parfaitement calibrées, qui se collent uniquement sur les parties réservées par le pochoir. Après séchage, on brosse l'ensemble afin d'évacuer les fibres non collées et de faire apparaître le motif définitif.

- **Des papiers lavables.** Ils peuvent être simplement épongeables si l'huile de lin constitue la base de protection recouvrant le papier, ou lessivables. Dans ce dernier cas, pendant la fabrication, on étend un produit à base de vinyle sur toute la surface du papier. Cette pellicule forme un film protecteur et étanche qui permet de le lessiver avec des produits détergents sans altérer ses couleurs.

• **Des papiers au plomb.** Une mince pellicule de plomb recouvre uniformément une des faces du papier. Ce sont des papiers d'apprêt destinés à tapisser les murs humides. Le côté « plomb » du papier appliqué contre la paroi établit une barrière efficace contre l'humidité.

• **Des papiers émargés.** Les deux lisières du rouleau de papier sont arasées pendant la fabrication et, de ce fait, parfaitement parallèles. Cette présentation permet de coller côte à côte les différents lés d'un revêtement sans qu'il soit nécessaire d'en retoucher les joints.

• **Des papiers préencollés.** On répartit uniformément un film de colle spéciale au dos du papier. Puis on le sèche. Avant la pose, il suffit de mouiller le papier à l'eau claire pour redonner à la colle sa viscosité première, nécessaire à l'affichage sur le mur.

• **Des papiers japonais.** D'une grande richesse de coloris, doublés d'un tissage de fils de soie ou de pailles de riz tressées, ces papiers offrent un relief comparable à la trame d'un tissu.

Certaines fabrications cumulent plusieurs de ces caractéristiques. Ainsi il est possible de se procurer des papiers peints lavables, émargés et préencollés; cette présentation simplifie la mise en œuvre et offre à tous la possibilité de réussir le revêtement d'une pièce.

calcul de la quantité nécessaire

Dans le commerce, on trouve des rouleaux de papier peint variant de 7,50 m à 10 m de longueur environ et dont les largeurs s'échelonnent de 50 à 90 cm. Lors d'un achat, il faut tenir compte de ces dimensions pour évaluer la quantité de papier indispensable. Pour calculer la quantité nécessaire :

• Relevez la longueur et la largeur de la pièce à tapisser, et calculez son périmètre.
Si vous êtes en présence d'un local de forme asymétrique, comportant des recoins ou d'importants décrochements, établissez son périmètre en mesurant la longueur de chaque mur au ras du sol et en additionnant toutes ces dimensions.

• Retranchez ensuite du total la largeur des ouvertures ou des panneaux qui ne doivent pas recevoir de papier peint (par exemple : fenêtres, portes de placard...); vous obtiendrez ainsi la longueur totale des murs à couvrir.

• Divisez ce chiffre par la largeur d'un rouleau, ce qui vous permet d'obtenir le nombre de lés entiers qui vous seront nécessaires.

• Calculez par ailleurs, en tenant compte de la hauteur de la pièce, la quantité de lés que vous pourrez couper dans un rouleau.

• Divisez alors le nombre de lés que vous avez trouvé par la quantité de lés contenus dans un rouleau, pour obtenir le nombre total de rouleaux nécessaires à l'opération.

Pour concrétiser le calcul par un exemple numérique, supposons une pièce d'un périmètre de 15,70 m.
Ouvertures et panneaux ne devant pas être tapissés : fenêtre, 3 m; porte, 0,80 m; placard, 1,50 m; soit, au total, une largeur de 5,30 m. Périmètre devant être tapissé : 15,70 − 5,30 = 10,40 m.
Largeur d'un rouleau de papier : 0,53 m.
Nombre de lés à afficher : 10,40 : 0,53 = 19,6, soit *20 lés*.
Longueur d'un rouleau : 10 m.
Hauteur de la pièce : 2,75 m.
Nombre de lés entiers contenus dans un rouleau : 10 : 2,75 = *3 lés* entiers, et il reste 1,75 m de chute par rouleau.
Nombre total de rouleaux pour tapisser la pièce : 20 : 3 = 6,66, soit *7 rouleaux*.
Dans cet exemple, chaque rouleau fournit une chute de 1,75 m de long. Elle vous permettra de tapisser la partie supérieure des portes et des fenêtres, et de procéder à divers raccords sans vous trouver à court de papier.
Quand cette chute est moins importante, ou lorsqu'elle s'avère nulle, il vaut mieux acheter un rouleau supplémentaire, afin de pouvoir éventuellement réparer une maladresse ou effectuer quelques finitions imprévues.

TABLE A ENCOLLER
et accessoires pour la pose du papier peint.

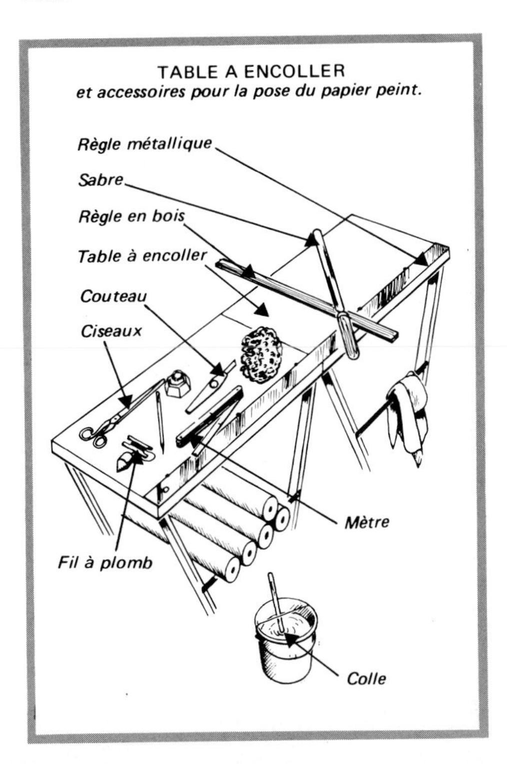

Ce calcul s'applique aussi bien à un papier peint uni qu'à un papier à rayures verticales. Si vous choisissez un papier à motifs, il vous faudra décaler chaque lé par rapport au suivant, afin d'assurer la continuité du dessin. Cette obligation accroît la valeur des chutes et la consommation totale de papier. Il est donc nécessaire, dans un tel cas, d'augmenter d'environ 20% la quantité de rouleaux prévue.
Si vous désirez tapisser le plafond, déterminez le sens de la pose, puis calculez, comme pour un mur, la quantité de lés nécessaire.

la préparation du support

Avant la pose d'un papier peint, il est nécessaire de préparer les murs afin de les rendre lisses pour que la colle adhère bien.
D'ailleurs, l'épaisseur de papier n'est pas suffisante pour camoufler ou faire disparaître les défauts de surface; ces derniers réapparaîtraient au travers et détruiraient l'effet décoratif recherché.
Travail essentiel, la préparation des murs différera suivant l'aspect du matériau :

- Sur un mur neuf, que l'on doit tapisser pour la première fois, il est préférable de poser un papier d'apprêt qui servira de base d'adhérence au papier décoratif.

- Sur un mur en plâtre neuf, n'opérez qu'après séchage complet. Il faut attendre parfois deux ou trois mois que le plâtre ait rejeté complètement l'eau utilisée pour le gâcher. Après quoi, égrenez la surface avec un couteau de peintre ou un grattoir, puis badigeonnez-la à l'aide de colle pour atténuer la porosité du plâtre. Utilisez la même colle que pour l'affichage du papier, mais additionnez-la d'un peu plus d'eau, afin d'étaler facilement le mélange. Laissez sécher et pénétrer cette première couche dans le plâtre; appliquez ensuite le papier d'apprêt qui bénéficiera d'un support sain.

- Sur un support en bois, agissez comme pour le plâtre en procédant à un préencollage de la surface. Si vous ne respectez pas cette précaution, la colle déposée sur le papier, lors de l'affichage des lés, pénétrera entièrement dans le bois, et, après séchage complet, le papier se décollera de son support.

- Sur un mur peint, lessivez la vieille peinture afin d'éliminer toutes traces de graisse, puis poncez la surface pour supprimer le film brillant de la peinture sur lequel la colle ne pourrait adhérer. Grattez les parties écaillées et les fissures, que vous reboucherez à l'aide de plâtre ou d'enduit afin d'égaliser la surface.

- Sur un mur déjà recouvert de papier peint, un rapide examen du revêtement existant vous permettra de choisir entre deux possibilités :

- S'il s'agit d'un papier relativement récent et bien conservé, vous pouvez l'utiliser comme papier d'apprêt. Égalisez simplement la surface en ponçant la zone des joints et, éventuellement, recollez soigneusement les parties déchirées. Assurez-vous également de sa qualité; si vous êtes en présence d'un papier peint lavable, il vous faudra, comme pour la peinture, poncer toute la surface pour éliminer le film étanche qui s'opposerait à la pénétration de la colle.

Il vaut mieux acheter en une seule fois tous les rouleaux nécessaires au revêtement d'une même pièce. Si, par mégarde, vous êtes dans l'obligation d'effectuer cet achat en plusieurs fois, relevez soigneusement le numéro des rouleaux en votre possession et procurez-vous, si possible, du papier provenant du même lot; dans le cas contraire, vous risquez d'obtenir un papier dont les couleurs offrent des tons légèrement différents des précédents.

- S'il s'agit d'un papier vétuste, très souvent superposé à d'autres papiers formant une épaisseur importante, il est indispensable de l'arracher. Vous enlèverez également les papiers gaufrés ou les revêtements comportant des couleurs foncées, susceptibles de réapparaître au travers du nouveau papier.

Procédez à l'arrachage en mouillant abondamment l'ancien papier avec une éponge ou un rouleau. Utilisez de l'eau additionnée d'un décollant vendu dans le commerce, qui facilitera la dissolution de la colle et rendra ce travail moins pénible. Enlevez le papier par lambeaux en prenant soin de ne pas abîmer le plâtre du mur, rendu fragile par l'application de l'eau.
Laissez sécher et disparaître toutes les traces d'humidité, puis traitez le mur comme s'il s'agissait d'un support neuf.

la pose du papier peint

La pose des papiers peints classiques s'obtient à l'aide d'une colle diluable dans l'eau, que l'on prépare soi-même. Mais il ne faut pas oublier que, après leur malaxage, certaines colles exigent un temps de repos avant d'être utilisées. Suivez scrupuleusement les indications du mode d'emploi, afin d'effectuer une préparation suffisante pour le travail de la journée.
Il est, en effet, déconseillé d'utiliser la colle de la veille, qui vieillit rapidement et perd de son efficacité.
Préparez ensuite le papier en coupant, à la longueur voulue, les différents lés nécessaires

au tapissage de la pièce. Ce travail s'exécute sur une table à encoller. Toutefois, si vous n'en possédez pas, vous vous dépannerez en utilisant une porte plane posée sur deux chaises ou deux tréteaux. Protégez la porte en la recouvrant de vieux journaux, afin de ne pas la maculer de colle au cours des opérations suivantes.

Si vous avez prévu de tapisser le plafond, commencez par découper les lés nécessaires à cette opération. Elle doit être exécutée avant le revêtement des murs, pour ne pas risquer de salir ceux-ci.

Choisissez auparavant le sens de pose : soit perpendiculaire à la fenêtre, soit parallèle à cette dernière (cas le plus fréquent), afin d'assurer, d'une façon esthétique, la continuité des différents motifs avec les murs latéraux.

La pose des papiers peints au plafond n'est pas un travail aisé pour un débutant; sa difficulté rend nécessaire l'intervention de deux exécutants : l'un pour tenir le lé encollé, l'autre pour l'ajuster. Prévoyez, pour plus de facilité, un petit échafaudage qui vous permettra de vous déplacer à bonne hauteur, afin d'atteindre le plafond sans adopter des positions fatigantes et dangereuses.

Placez successivement tous les lés du plafond en prévoyant à chacune des extrémités une marge de 3 ou 4 cm, qui retombera en partie sur les murs. Ce léger débordement disparaîtra ensuite sous leur revêtement.

Encollez les différents lés nécessaires pour recouvrir les murs et ce au fur et à mesure des besoins de l'affichage, qui se déroule de la façon suivante (voir figure ci-dessous) :

Commencez près de la fenêtre la pose du premier lé. Sur le mur, à l'aide d'un crayon et d'un fil à plomb, tracez une ligne verticale distante de l'embrasure d'une largeur d'un lé, moins 1 cm. Servez-vous de cette ligne comme d'un repère pour coller le premier lé. Le papier viendra ainsi s'ajuster le long de la fenêtre et sera ensuite arasé. Ne vous guidez pas sur l'huisserie de la fenêtre ou sur la moulure décorative adjacente, qui peuvent se trouver légèrement inclinées et vous donneraient un mauvais départ. Appliquez le papier au ras du plafond et laissez le lé se déplier. Donnez un coup de brosse vertical au centre du lé, puis obliquement, de chaque côté, pour chasser les bulles d'air et faire adhérer le papier au mur. Marquez le bas du lé avec la pointe des ciseaux, décollez légèrement le papier et coupez-le au ras de la plinthe.

Préparez le deuxième lé, arasez une des lisières pour faire disparaître la marge. Ce travail s'exécute soit à l'aide d'une paire de ciseaux, soit avec un sabre et une règle, si vous possédez une table à encoller.

Placez le second lé en le faisant chevaucher sur la marge du premier; prenez soin que les lisières et les différents motifs du papier concordent. Continuez à tapisser jusqu'à ce que vous atteigniez le mur opposé à la fenêtre. Repartez ensuite de l'autre côté de celle-ci pour tapisser l'autre moitié de la pièce. Au fur et à mesure du travail, vérifiez la position des lés avec le fil à plomb pour corriger éventuellement les défauts dus aux inégalités de la maçonnerie.

Terminez la pose en recouvrant les parties situées au-dessus des portes et des fenêtres; celles-ci permettent d'utiliser les chutes des

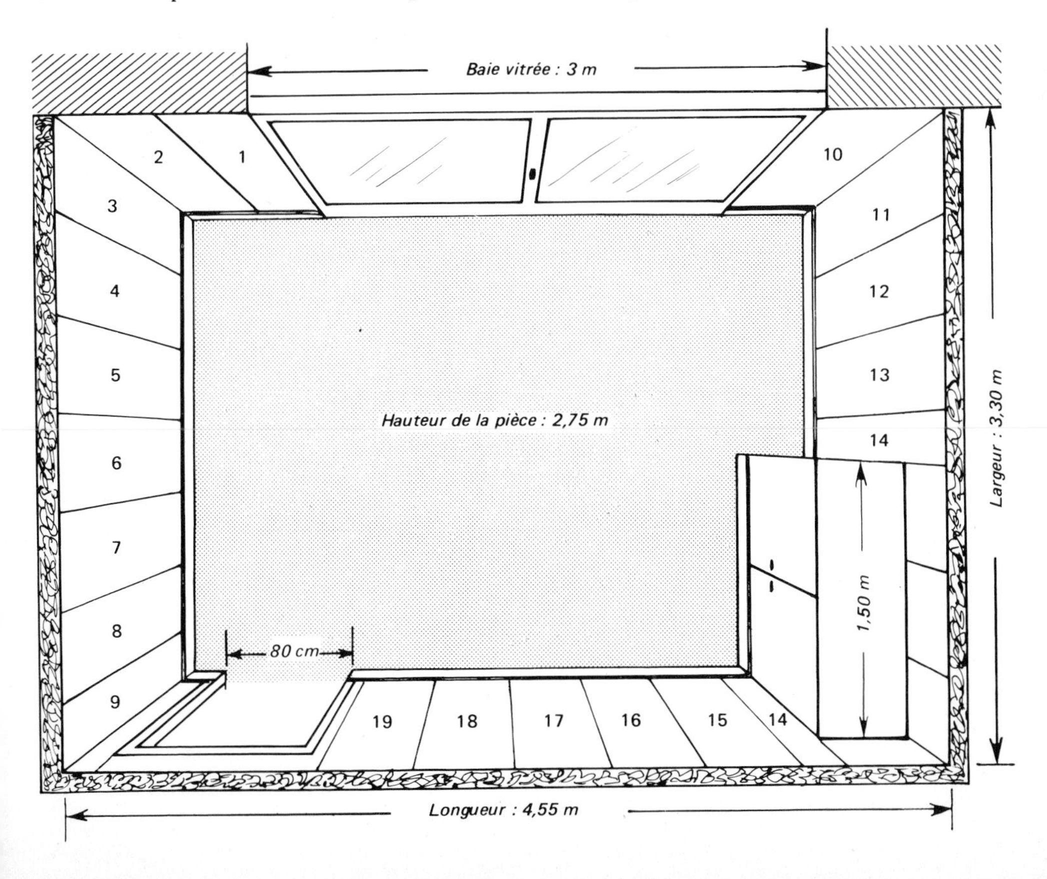

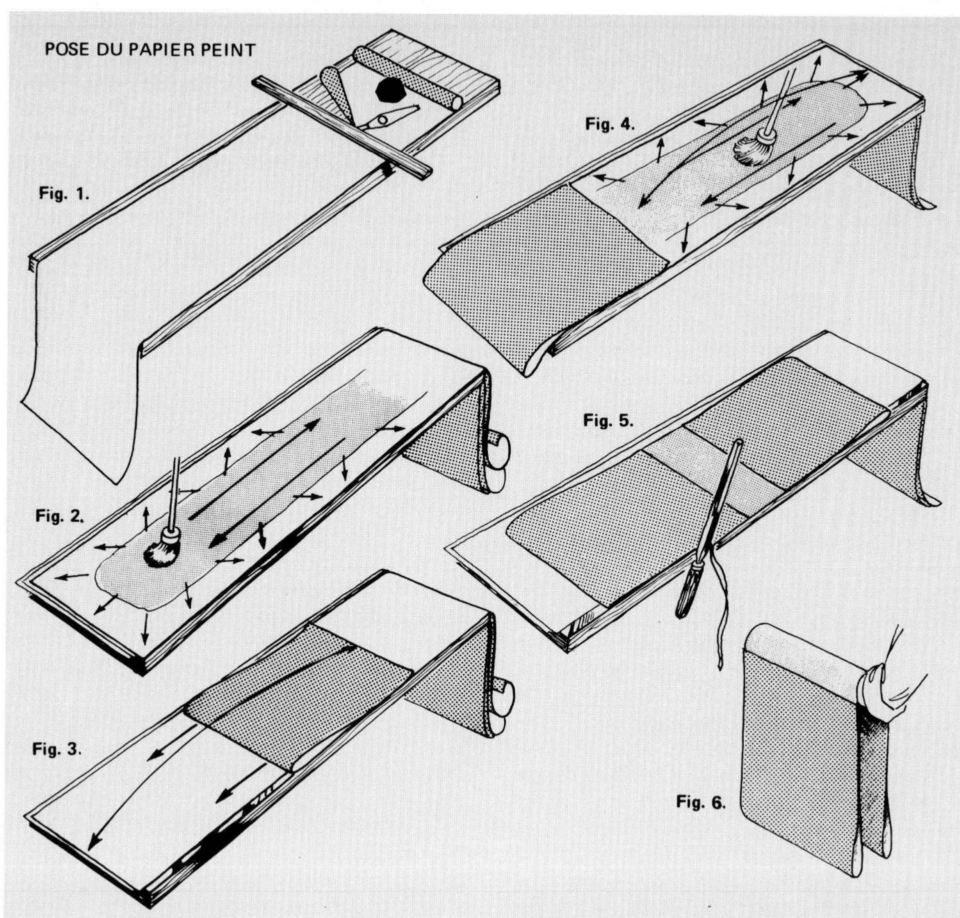

Fig. 1. *Coupez à longueur voulue les différents lés.*

Fig. 2. *Encollez la moitié du premier lé.*

Fig. 3. *Repliez l'extrémité jusqu'à la moitié de la longueur.*

Fig. 4. *Encollez la seconde moitié du premier lé.*

Fig. 5. *Arasez la lisière au sabre.*

Fig. 6. *Pliez le lé pour le prendre sur le bras.*

Fig. 7. *Posez le premier lé près de la fenêtre, contrôlez la perpendicularité au fil à plomb.*

Fig. 8. *Marquez le bas du lé avec la pointe des ciseaux, puis coupez-le au ras de la plinthe.*

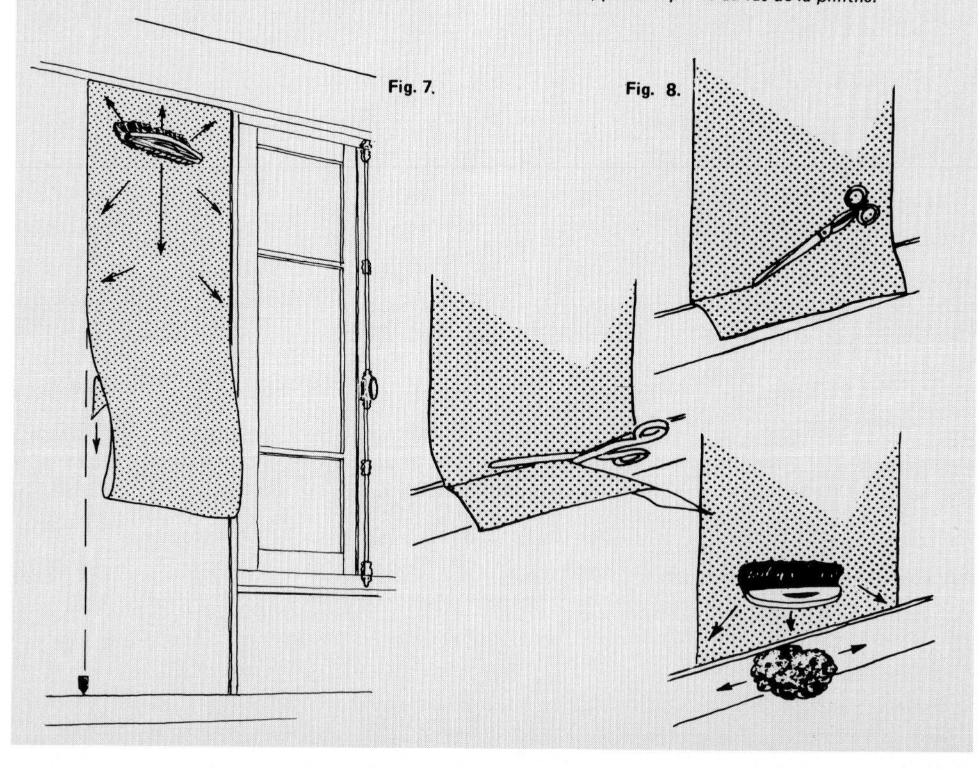

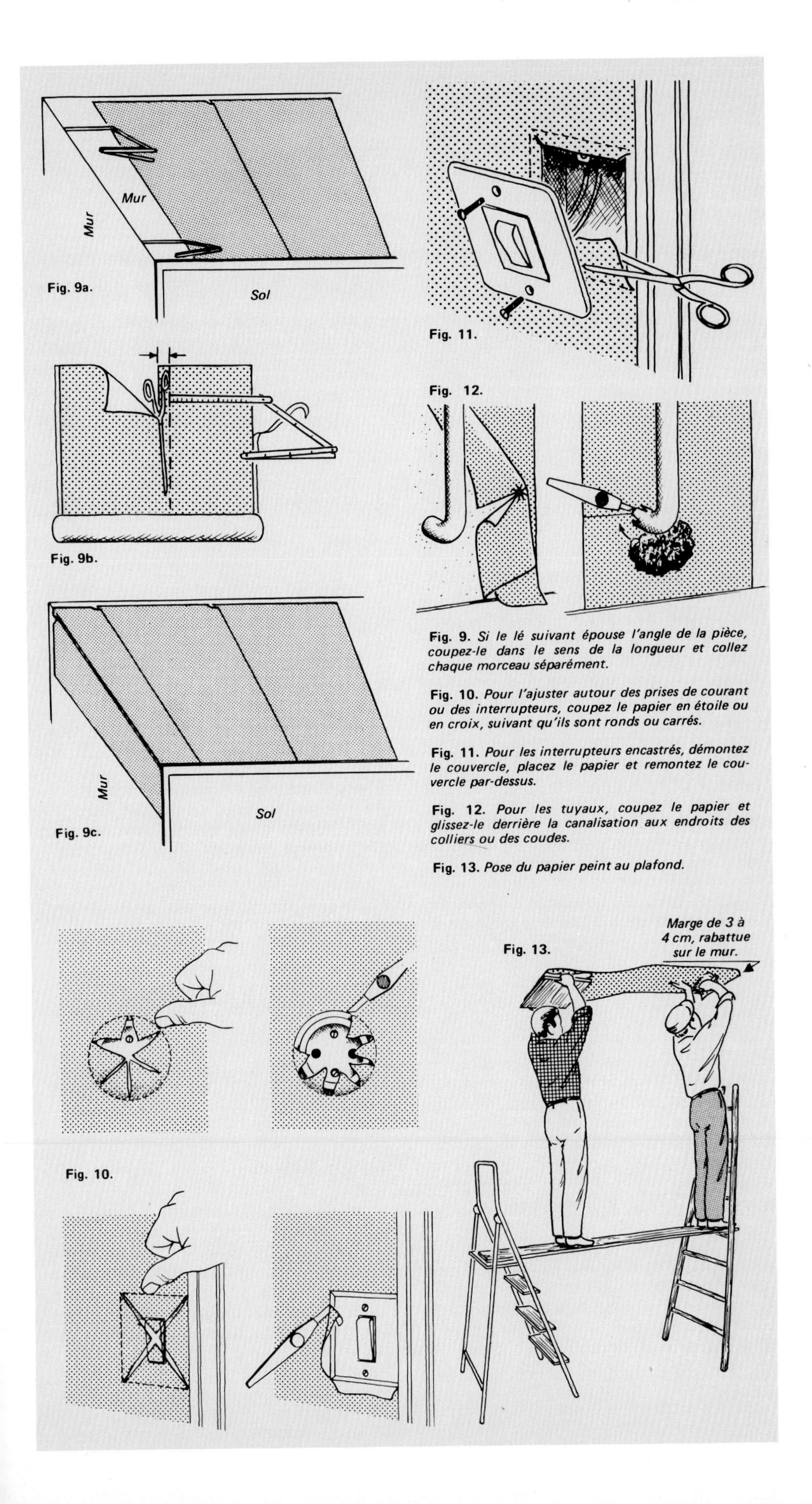

Fig. 9a.

Fig. 9b.

Fig. 9c.

Fig. 10.

Fig. 11.

Fig. 12.

Fig. 13.

Fig. 9. *Si le lé suivant épouse l'angle de la pièce, coupez-le dans le sens de la longueur et collez chaque morceau séparément.*

Fig. 10. *Pour l'ajuster autour des prises de courant ou des interrupteurs, coupez le papier en étoile ou en croix, suivant qu'ils sont ronds ou carrés.*

Fig. 11. *Pour les interrupteurs encastrés, démontez le couvercle, placez le papier et remontez le couvercle par-dessus.*

Fig. 12. *Pour les tuyaux, coupez le papier et glissez-le derrière la canalisation aux endroits des colliers ou des coudes.*

Fig. 13. *Pose du papier peint au plafond.*

différents rouleaux. Effectuez ensuite les finitions en tapissant les endroits d'accès difficile et ceux que vous n'avez pu couvrir directement.
Si vous désirez tapisser une porte plane afin qu'elle se confonde avec le mur, collez le papier en vous assurant de la continuité du motif par rapport aux murs adjacents.
Coupez le papier tout autour de la porte, à quelques millimètres en retrait de l'arête, sans quoi il se déchirerait rapidement.
Si l'ensemble décoratif le permet, clouez sur le papier, tout autour de la porte, une baguette de bois mince, que vous peindrez du même ton que le fond du papier.
Dans le cas d'une porte à panneaux, tapissez seulement l'intérieur de chaque panneau en centrant soigneusement le papier pour que ses motifs restent symétriques d'un panneau à l'autre. Ou bien vous doublerez entièrement la porte d'un mince panneau de contre-plaqué, que vous tapisserez ensuite.

l'entretien du papier peint

Pour les papiers peints classiques, effectuez un dépoussiérage à l'aspirateur muni d'une brosse douce. Les papiers tachés sont, en général, très difficiles à nettoyer; la plupart des taches deviennent indélébiles quand elles ont imprégné le papier en profondeur. Dès que l'incident survient, agissez rapidement : épongez avec un buvard ou un coton, et traitez la tache avec le produit correspondant (eau oxygénée, ammoniaque, vinaigre...). S'il s'agit de traces superficielles (projection de boue, traînées noirâtres provoquées par les radiateurs de chauffage central...), brossez l'emplacement, puis effacez à l'aide d'une gomme à crayon propre. Essuyez avec un chiffon doux.
Toutefois, vous n'aurez pas la certitude d'obtenir un résultat aussi impeccable que celui que vous garantissent les papiers lavables, dont l'étanchéité permet le nettoyage aisé. Si, pour des raisons diverses, vous ne choisissez pas cette sorte de papier, vous pourrez tout de même le protéger, après la pose, en appliquant sur toute sa surface un lavabilisateur incolore (mat ou brillant) très efficace. Ce produit est appliqué au pinceau ou au rouleau, tout de suite après la pose du papier peint. Insistez sur les joints pour que le lavabilisateur les pénètre et assure une bonne étanchéité. Prévoyez une application en deux couches successives s'il s'agit d'un local humide.

Si vous envisagez des travaux importants, comme la remise en état complète d'un appartement vétuste, vous pouvez louer une décolleuse à papiers peints. Cet appareil, d'utilisation simple, humidifie la colle par projection de vapeur d'eau et permet de décoller aisément les vieux papiers.

LES PEINTURES ET VERNIS

Peintures et vernis sont destinés à décorer et à protéger la surface d'un objet, d'un mur, d'un matériau. Pour être efficaces, ces produits ont donc un double rôle à remplir; il faut les choisir pour leur aspect, mais également en fonction de leurs propriétés, qui doivent convenir très exactement au travail envisagé.

Les vernis sont réalisés à l'aide de deux composants :

- le liant, constituant essentiel, à base d'huile ou de résines naturelles ou synthétiques, qui donne au produit ses qualités de dureté, de résistance;
- le solvant, qui a pour but de fluidifier le liant pour faciliter son application.

Les vernis forment un film transparent, d'aspect brillant ou mat, qui protège le support sans modifier sa présentation.

Les peintures sont réalisées à l'aide de trois composants :

- le liant, élément principal du mélange qui, après séchage, forme la couche superficielle de protection;
- les pigments qui, ajoutés au liant, lui donnent son opacité et sa couleur;
- le solvant, chargé de rendre l'ensemble liquide jusqu'à l'application de la peinture : il s'évapore au séchage.

Les peintures forment un revêtement opaque; l'aspect de surface peut être émaillé, brillant, satiné ou mat suivant la nature des composants.

les différents types

Il est courant de différencier ces produits en tenant compte de l'état du solvant ou de la nature du liant. On distingue principalement :

les peintures

Les peintures à l'eau. Elles sont considérées comme étant les plus anciennes peintures que l'on connaisse. Elles sont composées avec des liants naturels : blanc d'œuf, caséine du lait, colle animale, gélatine, chaux, dilués dans un unique solvant : l'eau. Ce sont des peintures sensibles à l'humidité, non lavables, qui prennent le nom de badigeon, peinture à la colle, blanc gélatineux, lait de chaux, etc. Ces peintures sont très économiques et faciles à appliquer, mais ne sont utilisées que pour des travaux courants, étant donné que leur faible résistance aux frottements et aux lavages éventuels est tout de même un inconvénient dont il faut bien tenir compte.

Les peintures à l'huile. Ce sont également des peintures connues depuis longtemps. Elles sont composées principalement de blanc de zinc et d'huile de lin, dilués par un solvant : l'essence de térébenthine. Ces peintures donnent un film étanche caractérisé par une grande souplesse et une bonne adhérence. Toutefois, il est recommandé d'ajouter, avant l'emploi, un siccatif qui réduira le temps de séchage, souvent fort long (2 à 5 jours).
Ces peintures sont lavables à condition de ne pas employer des lessives en solution très concentrée. Mais elles ont deux défauts : elles jaunissent rapidement et résistent mal aux températures élevées.

Les peintures glycérophtaliques. Plus récentes, ces peintures ont une meilleure stabilité de teinte et un temps de séchage beaucoup plus court que les peintures à l'huile. Grâce aux progrès réalisés par la chimie de synthèse, elles sont exécutées à l'aide de liants synthétiques et de solvants à base d'huile ou d'eau.
Ces peintures sont d'une application facile et donnent un film de surface souple, très tendu et d'une adhérence durable. De plus, elles sont imperméables et supportent de nombreux lavages, car elles résistent à la plupart des agents chimiques.

Les émulsions. Ce sont les peintures à l'eau modernes, que l'on nomme couramment peintures vinyliques, acryliques, au latex, etc., parce qu'elles sont composées de résines polyvinyliques, acryliques, alkydes, etc., en dispersion dans un solvant : l'eau.
Elles sont très appréciées des non-professionnels pour leur facilité d'application, la rapidité de leur séchage et leur absence presque totale d'odeur. Elles forment un film généralement mat et poreux, mais sont néanmoins lavables et faciles à nettoyer.
A quelques exceptions près, les émulsions synthétiques sont plus particulièrement destinées aux usages intérieurs.

les vernis

Il existe, comme pour les peintures, de nombreuses catégories de vernis suivant la constitution de leurs composants. On distingue principalement :

Les vernis gras. Composés d'huiles combinées avec des gommes et des résines naturelles ou artificielles, ils donnent un film souple, imperméable, d'un brillant profond et sèchent rapidement.
Les vernis gras sont principalement utilisés pour la protection des bois qui sont exposés aux intempéries, en raison de leur film épais et étanche.

Les vernis synthétiques. Réalisés à partir de résines synthétiques (vinyliques, époxydiques, silicones...), qui apportent au produit une facilité d'emploi et une résistance particulière aux produits chimiques.

Les vernis à l'alcool. Obtenus par la dissolution d'une gomme naturelle dans de l'alcool ou de l'essence de térébenthine, ils sont destinés au vernissage des meubles.

les cas particuliers

L'industrie des peintures et des vernis connaît depuis quelques années un essor per-

Pour peindre un local, procédez avec méthode...

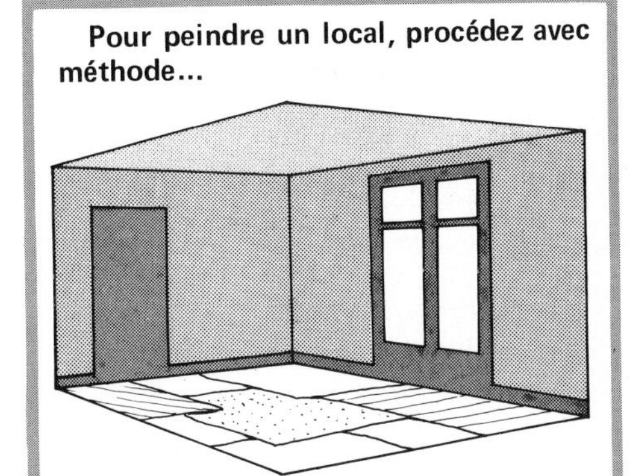

Protégez le sol et commencez par peindre le plafond afin que d'éventuelles projections ne viennent pas souiller les murs.

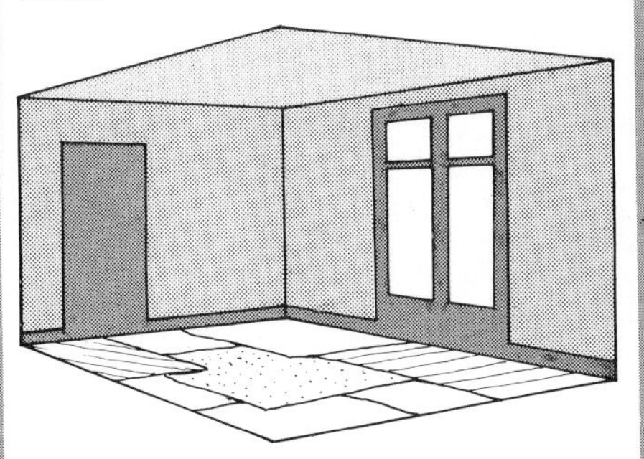

Peignez ensuite les portes, les fenêtres, les plinthes...

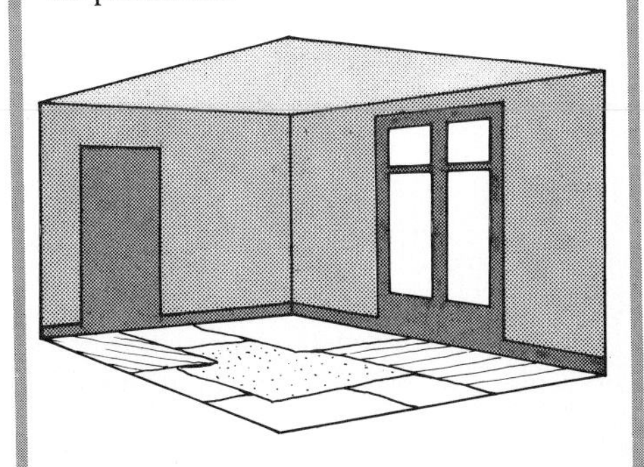

Peignez enfin les murs en commençant par le haut et les angles.
S'il y a lieu, vous peindrez le sol en dernier.

manent. Les produits de synthèse ont permis une recherche constante pour étendre le domaine d'application de telle ou telle résine, pour créer des produits capables de répondre à des problèmes particuliers. Nous allons examiner quelques-uns de ces produits.

Les peintures aux silicates. Ce sont des peintures à l'eau, mais l'utilisation récente des silicates alcalins a permis d'obtenir des peintures plus résistantes, ayant une bonne tenue sur la pierre et le ciment soumis aux intempéries. Ces peintures présentent un film dur, très adhérent et pratiquement insoluble, si bien qu'il empêche l'adhérence de toute autre peinture dont on voudrait le recouvrir.

Les peintures antirouilles. Ces peintures contiennent des pigments spécifiquement antirouilles (par exemple : minium de plomb, chromate de zinc...) associés à un liant gras. L'ensemble est employé comme peinture primaire pour protéger les métaux ferreux de la rouille. Pour les métaux non ferreux (aluminium, zinc...), on utilise de préférence un produit spécial du nom de « wash-primer ».

Les peintures cellulosiques. Ce sont des produits à base d'acétate de cellulose, qui donnent à la peinture un film très brillant, imperméable et lavable. Ces peintures sont particulièrement appréciées pour leur qualité d'étanchéité et leur rapidité de séchage (30 mn au plus). En revanche, elles sont difficiles à appliquer, précisément en raison de leur séchage rapide.

Les peintures ignifuges. Elles sont destinées à protéger les matériaux inflammables (papier, bois, carton...) de la chaleur et des flammes. Sous l'action de la chaleur, le film de peinture fond et se transforme en mousse isolante qui stoppe la propagation des flammes.

Les peintures insecticides. Ces peintures, à effet insecticide de longue durée, tuent les insectes par simple contact. Sans odeur résiduelle, elles sont exclusivement destinées à une utilisation intérieure et ne doivent en aucun cas être mélangées avec d'autres peintures qui annuleraient leur efficacité.

Les peintures antibruit. Ces peintures sont formées par une sorte d'enduit à base de fibres de cellulose et de calcaire broyé, dont l'application est conseillée comme isolant phonique. Leur application exige une technique qui nécessite l'intervention d'un professionnel.

le choix des peintures

Pour déterminer le type de peinture à employer, il est primordial de connaître les caractéristiques de la surface à peindre afin de définir précisément le travail à effectuer. Il est en effet impossible de juger de la qualité d'une peinture si ce qu'on en fait ne correspond pas à l'usage pour lequel elle a été fabriquée.

Pour choisir une peinture, posez-vous les questions suivantes :

1. L'emplacement. S'agit-il d'une surface intérieure ou extérieure ?
Est-elle horizontale ou verticale (plafond, murs, sol, meuble...) ?

2. La localisation. A quel milieu la peinture va-t-elle être exposée ? Milieu sec, milieu humide... ?
Pour l'extérieur, s'agit-il d'une atmosphère marine, rurale ou urbaine... ?

3. Le support. S'agit-il de bois, de ciment, de plâtre... ?
La surface est-elle en bon état, dégradée... ?
A-t-elle été spécialement préparée ?

4. L'aspect. Désirez-vous un aspect final mat, satiné, brillant ?
La surface doit-elle être lisse, granulée, à reliefs... ?

Quand vous aurez déterminé ces quatre points principaux, vous posséderez suffisamment de renseignements pour consulter avec profit les notices détaillées des fabricants de peinture ou pour consulter les revendeurs spécialisés, qui vous guideront dans votre choix.
Vous trouverez dans la page ci-contre un tableau qui vous permettra de résoudre les problèmes les plus fréquents.

la préparation du support

Peindre, c'est recouvrir un matériau d'un mince film protecteur, dont l'épaisseur varie aux alentours du dizième de millimètre.
Une si faible épaisseur peut protéger et décorer, mais elle n'a pas le pouvoir de colmater toutes les fissures ou de faire disparaître tous les défauts.
Pour obtenir une finition soignée, il faut préparer le support pour obtenir une surface propre, lisse et saine, avant la mise en peinture. Il ne faut pratiquement jamais peindre directement sur le support, même s'il est neuf. Le support doit d'abord subir une préparation si vous voulez obtenir un résultat satisfaisant.
Voici les préparations à effectuer suivant la nature des supports.

Pour le plâtre. Pour sa mise en œuvre, le plâtre est gâché avec beaucoup d'eau et garde pendant un certain temps une humidité qui ne saurait convenir à la peinture. Il est donc nécessaire de laisser sécher complètement le plâtre avant d'entreprendre la préparation. Ne soyez pas trop pressé, car ce séchage demande parfois deux à trois mois. Après séchage complet, *égrenez* le plâtre à l'aide d'un grattoir pour supprimer les rugo-

LA QUALITÉ DES PEINTURES A UTILISER
SELON L'ASPECT RECHERCHÉ ET LA NATURE DES TRAVAUX

Utilisation hautement déconseillée X
Utilisation possible mais non recommandée ◆
Utilisation normale ◆◆
Utilisation hautement recommandée ◆◆◆

		TRAVAUX INTÉRIEURS							TRAVAUX EXTÉRIEURS								
		Murs							Façades			Volets, portes en			Palissades		
TYPE de PEINTURE		Salles de bains, cuisines	Salles de séjour, chambres	Couloirs, garages	Plafonds	Meubles	Portes, fenêtres, moulures	Petits objets	Ciment	Brique	Autres	Bois	Métal	Grilles	Bois	Ciment	Meubles de jardin
ASPECT BRILLANT	HUILE	X	X	◆◆	◆	X	X	X	X	◆	◆	◆◆	◆	◆	◆◆◆	X	◆
	HUILE + STANDOLIE (vernissée)	X	X	◆◆	◆	X	◆	X	X	◆	◆	◆◆	◆	◆	◆◆◆	X	◆
	PEINTURE LAQUÉE GLYCÉRO OLÉOGLYCÉRO	◆	◆	◆◆	◆	◆	◆	◆	X	◆◆◆	◆	◆◆◆	◆◆	◆◆	◆◆	X	◆
	LAQUE ou ÉMAIL GLYCÉRO POLYURÉTHANE ISOPHTALIQUE	◆◆◆	◆◆	◆◆	◆	◆◆◆	◆◆	◆◆	X	◆◆◆	◆	◆◆◆	◆◆◆	◆◆◆	◆◆	X	◆◆◆
	ÉMULSION	◆◆	◆◆	◆◆	◆◆	◆	◆◆	◆	X	◆	◆	◆	◆	◆	◆	X	◆
ASPECT SATINÉ	LAQUE GLYCÉRO	◆◆	◆◆	◆◆	◆	◆◆◆	◆◆◆	◆◆	X	◆	◆	◆	◆	◆	◆◆	X	◆◆
	ÉMULSION	◆◆	◆◆	◆◆	◆	◆	◆◆◆	◆	◆	◆	◆	◆	◆	◆	◆	◆	◆◆
ASPECT MAT	BADIGEONS	X	X	◆	◆◆	X	X	X	X	X	X	X	X	X	X	X	X
	HUILE	X	◆	◆	◆◆	X	X	X	X	X	X	X	X	X	◆	X	X
	LAQUE GLYCÉRO	X	◆◆	◆	◆◆◆	◆	◆	X	X	X	X	X	X	X	◆◆	X	X
	ÉMULSION VINYL ou ACRYL	◆	◆◆◆	◆◆	◆◆	◆	◆◆	X	◆◆◆	◆◆	◆◆◆	◆	X	X	◆	◆◆◆	X
ASPECT BRILLANT	LAQUE AÉROSOL	X	X	X	X	◆◆	X	◆◆◆	X	X	X	◆◆	◆◆	◆	◆◆	X	◆◆
	VERNIS GLYCÉRO ou POLYURÉTHANE et IMPRÉGNATIONS	◆	◆	◆	◆	◆◆	◆◆	◆◆	X	X	◆◆	◆◆◆	X	X	◆◆◆	X	◆

Tableau communiqué par la Fédération nationale des fabricants de peintures.

sités et les grains pouvant subsister en surface. N'insistez pas trop pour ne pas marquer le plâtre, puis poncez au papier de verre et brossez pour enlever la poussière qui, en surface, compromettrait l'adhérence de la peinture.
Procédez ensuite à « l'impression » du plâtre, opération destinée à durcir la surface. Cette impression s'exécute soit avec de la colle cellulosique (colle pour papier peint), soit avec une peinture de base dite d'impression. Quel que soit le produit, il doit être délayé très liquide (aussi fluide que l'eau) afin de « nourrir » le plâtre, c'est-à-dire d'atténuer sa porosité pour éviter une consommation trop importante de peinture de finition.
La suite des opérations vous est ensuite imposée par la qualité de peinture que vous avez choisie.
S'il s'agit d'une peinture à l'eau ou d'une émulsion, vous pouvez peindre directement sur la couche d'impression. Deux couches sont en général nécessaires pour obtenir un aspect soigné.
En revanche, s'il s'agit d'une peinture à l'huile, ou d'une laque glycérophtalique (peinture lisse superbrillante), souvent utilisée pour les salles de bains ou les cuisines, il convient de passer des couches d'enduit gras sur le plâtre pour obtenir une surface d'une finition parfaite. Le nombre de couches dépend de l'état du mur. En général deux couches suffisent. Laissez sécher complètement, puis passez au ponçage final. Exécutez le ponçage de toute la surface avec un papier abrasif fin ; travaillez soigneusement, car c'est de cette opération que dépend l'aspect final du film de peinture.

Pour le bois. Tout d'abord, poncez toute la surface pour éliminer les échardes ou les éclats de bois.
Ce travail peut être ébauché par le menuisier ; il vous suffira de le parfaire en employant successivement des papiers de verre de grain décroissant.
Brossez, puis appliquez un produit « bouche-pores » qui, comme son nom l'indique, colmatera les petites anfractuosités des veines du bois. S'il s'agit d'un bois résineux, passez un vernis isolant afin de combattre les suintements de résine. Pour toute autre essence de bois tendre, vous pouvez, comme pour le plâtre, appliquer une peinture d'impression pour imprégner et « nourrir » les fibres du bois. Après quoi, vous poncerez à nouveau pour éliminer toutes les « peluches » que la peinture d'impression aura fait ressortir.
Appliquez ensuite une à deux couches de peinture. Si vous désirez un travail très soigné, donnant une surface laquée ou émaillée, vous exécuterez auparavant un enduisage et un lissage pour faire disparaître le grain du bois.

Pour les métaux. Les métaux doivent être protégés contre la corrosion de l'air. Cette protection est assurée par une peinture spéciale (wash-primer, antirouille...), qui empêche l'oxydation de surface (rouille, calamine...). Des soins particuliers doivent être apportés à cette opération dont dépend la réussite et la durée du travail de finition, surtout s'il s'agit de métaux ferreux.

- Décapez soigneusement toute la surface à l'aide d'une brosse métallique et de toile d'émeri. Insistez pour faire disparaître toutes les traces de rouille, car elles réapparaîtraient rapidement sous la peinture et la feraient cloquer.

- Nettoyez ensuite à l'aide d'un solvant pour éliminer complètement les taches grasses sur le métal mis à nu.

- Appliquez alors une peinture antirouille contenant des pigments protecteurs ; laissez sécher et durcir complètement avant de passer la peinture de finition. Si vous ne respectez pas un temps de séchage suffisant, l'antirouille restera mou et l'ensemble ne séchera jamais.

Pour le ciment. Les maçonneries brutes de béton ou de mortier sont en général recouvertes d'un enduit de plâtre ou d'un enduit de parement avant d'être mises en peinture. Toutefois, dans certains cas (mur de soubassement, sol de garage...), une application directe de peinture peut être envisagée. Vous emploierez de préférence, pour ce genre de travail, une peinture aux silicates ou un revêtement synthétique (genre peinture au caoutchouc) spécialement destinés aux surfaces de ciment. Avant l'application, veillez à décaper la surface pour éliminer la poudre de ciment et les taches grasses, car elles empêcheraient le produit d'adhérer.
D'autres cas nécessitent également une préparation particulière, que l'on emploie lors d'une remise en état, quand il s'agit, par exemple, de peindre des surfaces vétustes ayant déjà été peintes, enduites ou tapissées.

Pour les surfaces déjà peintes.
- Pour une peinture à l'eau (badigeon, blanc gélatineux), il est conseillé de laver l'ensemble jusqu'à disparition totale de l'ancienne peinture. Utilisez de l'eau propre, tiède de préférence, que vous renouvellerez souvent. N'employez jamais de lessive, mais rincez simplement par passes successives à l'aide d'une grosse éponge.

Aérez ensuite le local et laissez sécher trois à quatre jours, surtout s'il s'agit d'un support en plâtre, avant d'entreprendre d'autres travaux.
- Pour un badigeon à la chaux ou une peinture aux silicates, il n'y a pas de solution intermédiaire. Il faut soit repeindre toute la surface avec très exactement le même produit, et ce sans précaution préalable, soit gratter, puis poncer tout le revêtement jusqu'à l'apparition du mur nu. En effet, ces peintures à réaction alcaline détruisent la

plupart des autres peintures et, si elles ne sont pas complètement enlevées, le nouveau revêtement ne tiendra pas.

- Pour une peinture à l'huile, un émail, une laque glycérophtalique, vous pouvez, après nettoyage, conserver le revêtement.

Si l'ancienne peinture n'est pas écaillée, procédez à un lessivage puissant (1 kg de lessive pour 10 litres d'eau), puis au rinçage de toute la surface pour éliminer les taches et les salissures profondes. S'il s'agit d'une peinture brillante, poncez-la au papier abrasif fin pour faire disparaître le film brillant qui serait nuisible à l'adhérence de la nouvelle peinture. Lessivez et rincez ensuite comme précédemment; n'oubliez jamais le rinçage indispensable pour supprimer toute trace de lessive ou de produit de nettoyage, qui deviendraient les premiers ennemis de la nouvelle peinture.

Si l'ancienne peinture est en mauvais état, il faut gratter toutes les parties écaillées ou cloquées et préparer ces petites surfaces par l'application d'un enduit, pour restituer une surface lisse. Si les parties écaillées sont très nombreuses, il est recommandé d'enlever complètement l'ancienne peinture. Dans ce cas, vous pouvez utiliser un décapant spécial (sorte de pâte gélatineuse) destiné à ramollir le film de peinture que vous pourrez ensuite gratter plus aisément. Rincez abondamment, laissez sécher et traitez ensuite le mur comme s'il s'agissait d'un support neuf.

Pour les surfaces tapissées de papier peint. Un papier peint, s'il est uni ou de couleur claire, et si sa surface n'est pas abîmée, peut très bien recevoir une seule couche de peinture. Assurez-vous, toutefois, que le papier est parfaitement collé et qu'il ne dissimule pas plusieurs couches antérieures d'autres papiers. Faites un essai de peinture sur une petite surface et attendez le séchage complet pour vous assurer que la peinture ne détrempe pas le papier et que les tons de ce dernier n'apparaissent pas à travers la peinture. Utilisez une peinture vinylique, d'aspect mat, que vous étalerez au rouleau.

la mise en peinture

Avant même de commencer à peindre, vous devrez, bien entendu, calculer la quantité nécessaire et vous procurer la peinture en une seule fois, surtout s'il s'agit d'une peinture de couleur.

Mélangez le contenu des différents pots dans un récipient assez grand (un « camion », disent les professionnels). Vous éviterez ainsi les différences de nuance d'un pot à l'autre. Remuez bien la peinture avant de l'utiliser pour en faire une pâte fluide, sans dépôt. Si c'est une peinture que vous avez stockée pendant un certain temps, il est possible qu'une croûte se soit formée en surface : découpez cette croûte, puis filtrez la peinture au travers d'un bas en Nylon pour qu'elle retrouve sa fluidité.

Appliquez l'enduit au couteau en procédant par petites surfaces successives d'environ 50 cm de côté. Commencez en haut et à droite du mur. Appliquez la pâte verticalement de haut en bas; répétez ce geste deux ou trois fois en progressant au fur et à mesure vers la gauche.

Empâtage de la surface d'un carré en trois passes.

Lissage de la même surface en six passes.

Revenez au début du panneau et procédez au lissage de la surface. Passez le couteau de haut en bas, en appuyant fortement sur la gauche de la lame; comme précédemment, déplacez-vous progressivement vers la gauche par bandes successives. Dès que la surface est lisse, passez au carré suivant, en travaillant cette fois horizontalement. Quand toute la surface du mur est ainsi enduite, laissez sécher, poncez légèrement, puis exécutez la seconde passe.

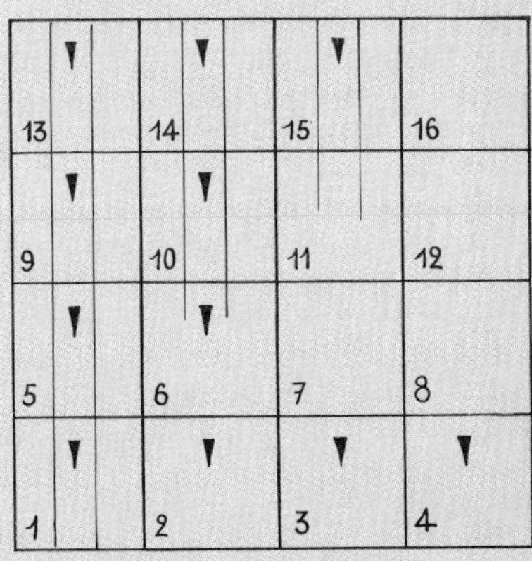

Procédez comme précédemment, par carrés d'environ 50 cm de côté, mais cette fois dans l'ordre inverse, c'est-à-dire en commençant par le bas du mur et en enduisant de la gauche vers la droite. Le travail de l'enduit se fait, pour cette seconde passe, uniquement verticalement.

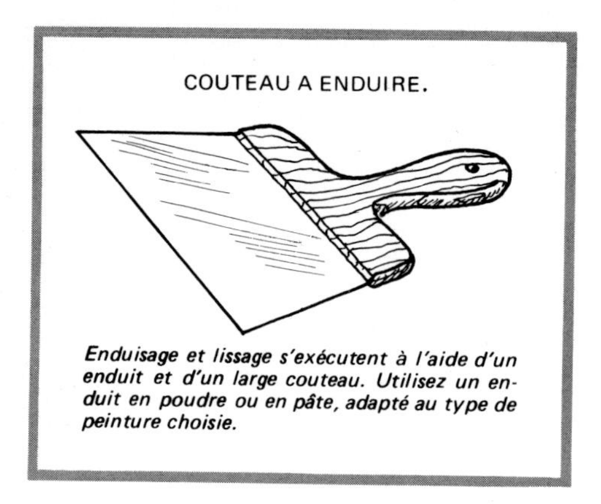

Enduisage et lissage s'exécutent à l'aide d'un enduit et d'un large couteau. Utilisez un enduit en poudre ou en pâte, adapté au type de peinture choisie.

Éventuellement, ajoutez un peu de solvant (eau ou essence de térébenthine, suivant la qualité de la peinture) pour allonger la peinture et faciliter son application.
Suivant le travail à effectuer, vous appliquerez la peinture à la brosse ou au rouleau, ou en utilisant les deux, ces instruments se complétant fort bien.
De toute façon, appliquez toujours la peinture en couches minces; il est préférable de superposer deux ou trois couches de peinture plutôt qu'un film trop épais, qui formerait des coulures par endroits.
A l'aide d'une brosse, travaillez avec la souplesse du poignet. Trempez la brosse dans la peinture, jusqu'à la moitié des poils seulement, et essorez-la légèrement en l'appuyant sur le bord du récipient. Étalez la peinture en décrivant des mouvements alternatifs; progressez par petites surfaces de la largeur de la brosse.
Pendant que la première couche est encore humide, étalez la peinture en croisant les mouvements.
Terminez par une série de mouvements parallèles en lissant la surface et en relevant la brosse à chaque fin de course pour éviter de laisser l'empreinte des poils. Ne rechargez votre brosse qu'après avoir ainsi « tiré » toute la peinture qu'elle contenait.
Pour obtenir un travail soigné avec un rouleau, un bac et une grille sont indispensables. Trempez le rouleau dans la peinture, sans l'immerger complètement. Passez-le ensuite sur la grille en le faisant rouler d'avant en arrière pour répartir la peinture et en exprimer l'excédent.
Appliquez la peinture sur le support par bandes successives en alternant le sens des mouvements. Terminez en lissant toute la surface dans un même sens et en évitant de trop appuyer sur le rouleau pour ne pas enlever la peinture déjà étalée.

le vernissage

Cette technique est principalement destinée au bois. Les portes, les fenêtres, les meubles sont en général vernis à l'aide d'un vernis gras ou d'un vernis synthétique.
Comme la peinture, le vernissage nécessite une préparation de la surface. Si vous êtes en présence d'un bois déjà verni ou ciré, vous décaperez la surface à l'aide d'un solvant pour faciliter l'adhérence d'un autre produit.
S'il s'agit d'un bois neuf, préparez la surface en masquant les porosités par un mastic à bois ou un produit bouche-pores.
Laissez sécher, puis poncez avec un papier de verre très fin.
Vous pouvez ensuite soit appliquer un produit incolore qui conserve la teinte naturelle du bois, soit utiliser un vernis teinté, ou encore, teinter le bois avec du brou de noix ou un colorant du commerce, et passer ensuite un vernis incolore. Pour vernir, prenez soin de travailler dans un local sec à l'abri de la poussière. A l'extérieur, abritez-vous du soleil et choisissez un jour où il n'y a pas de vent.

- Dépoussiérez le bois et appliquez une première couche de vernis que vous aurez auparavant dilué de moitié avec le solvant approprié.
Laissez sécher deux à trois jours pour que le vernis durcisse, puis poncez toute la surface pour ternir le brillant du vernis.
Lavez ensuite à l'eau savonneuse, rincez et essuyez avec une peau de chamois.

- Appliquez une deuxième couche de vernis, dilué cette fois avec le quart du solvant. Laissez sécher et recommencez les opérations de ponçage et de lavage.

- Appliquez une troisième et dernière couche de vernis pur. Tirez sur la brosse pour étaler le produit au maximum. Laissez sécher et durcir plusieurs jours avant d'utiliser l'objet.

LES PIERRES NATURELLES

La France est le pays d'Europe le plus riche en gisements de pierres. Plus de cent carrières d'extraction d'une certaine importance fournissent, dans les diverses régions de France, ce que l'on a coutume de nommer la « pierre de pays ». La pierre est utilisée brute, taillée, polie..., comme matériau de construction pour le gros œuvre, mais, également, étant donné ses variétés de couleurs et de textures, comme élément décoratif sous forme de revêtements de murs et de dallages.

Les pierres naturelles sont, en général, désignées par le nom de la roche naturelle (exemple : granit); parfois elles portent le nom de la localité ou de la carrière d'extraction qui leur a donné naissance.
Nous allons passer rapidement en revue les pierres naturelles les plus couramment utilisées, mais il est impossible de les citer toutes, et cette liste n'est évidemment pas limitative. Les professionnels de la pierre connaissent parfaitement les gisements et, suivant la région, ils savent très bien utiliser en fonction du climat, du sol et de la tradition, la « pierre du pays ».

ardoise

Schiste quartzeux. C'est une pierre dure à grains fins généralement d'un gris bleuté.
L'ardoise se présente sous forme de dalles brutes ou à faces polies dont l'épaisseur peut varier de 8 à 10 mm suivant l'importance de la surface.
On distingue des dalles carrées et rectangulaires jusqu'à environ 1 m de côté, ou des éléments de formes et de dimensions diverses servant, par exemple, à exécuter les dallages en *opus incertum* ou en *opus romain*.
L'ardoise offre une bonne résistance à l'usure et ne craint pas les graisses ni les acides. En revanche, il ne faut pas oublier qu'elle se raie facilement.

basalte

Roche volcanique, lourde et dure. Noire à l'état brut, elle prend des tons verdâtres ou brun rougeâtre en s'altérant. Le basalte taillé en blocs ou en pavés convient pour réaliser des revêtements extérieurs : chemins, allées de jardin, etc. Il présente une très grande résistance à l'usure.

comblanchien

Roche calcaire très dure. Cette pierre compacte à grains fins se polit bien. Le comblanchien se présente sous forme de dalles carrées ou rectangulaires de 15 à 30 mm d'épaisseur, dont une face est polie. Les dimensions des éléments sont variables jusqu'à environ 50 cm de côté. Il a un aspect gris jaunâtre avec parfois des auréoles rosées. Malgré sa grande résistance à l'usure, sa surface polie reste glissante pour un dallage de sol. En outre, il craint les taches grasses et les acides.

granit

Roche endogène, c'est-à-dire provenant directement des profondeurs de l'écorce terrestre. Le granit représente la roche la plus répandue sur terre (plus de 10% de la surface totale du globe) : c'est une pierre composée en grande partie de quartz, ce qui lui donne sa très grande dureté. De couleur généralement grise, mais aussi rose et parfois rouge, le granit se polit très bien et présente alors une certaine ressemblance avec le marbre.
Le granit se présente le plus souvent en dalles géométriques ou irrégulières, bien que, étant taillé à la demande, il puisse prendre toutes sortes de formes. Étant donné sa composition, le granit est pratiquement imperméable; il offre une très grande résistance aux graisses, aux acides et à l'usure.

grès

Roche siliceuse résultant de la transformation naturelle du sable. Le grès est une pierre dure ou tendre suivant le degré de transformation du gisement. De couleur grise ou rose, il est surtout utilisé sous forme de dalles ou de blocs pour constituer des allées ou des chemins carrossables.
Sa composition naturelle lui donne un pouvoir abrasif que l'on utilise pour la fabrication des meules et pierres à aiguiser.
C'est une pierre possédant une bonne résistance à l'usure; même polie, sa surface reste mate et antidérapante.
Ne pas confondre grès et grès cérame. Le grès cérame est un matériau à base d'argile vitrifiée, ce qui lui donne ses qualités d'étanchéité.

marbres

Roches calcaires, très denses, à grains fins, présentant des couleurs variées, dont les caractéristiques tiennent à la diversité des substances (alumine, oxyde de fer) qu'elles contiennent.
On a coutume de désigner les marbres par leur couleur, parfois suivie de leur lieu d'extraction : marbre blanc de Carrare, rose de Brignoles, vert de Campan...
Le marbre est une pierre dure qui prend facilement un beau poli; cet aspect contribue à faire ressortir ses couleurs et son veinage.
Si les couleurs sont nombreuses, il en est de même pour la présentation commerciale : vous trouverez le marbre en dalles de pare-

ment et en dalles de sol, dans des épaisseurs de 2 à 5 cm environ et sous toutes autres formes destinées à la réalisation de cheminées, escaliers, colonnes..., car le marbre se travaille à la demande.
C'est un matériau très apprécié en décoration et d'un entretien facile. Il ne retient pas la poussière, et, pour le conserver en état, il suffit de le laver à l'eau légèrement savonneuse, de le rincer et de l'essuyer. En revanche, comme la plupart des pierres calcaires, il se raie facilement et craint les acides et les graisses. Il faut lui épargner le contact avec des produits tels que l'eau de Javel, le savon noir, le vinaigre..., ainsi qu'avec les produits abrasifs, même doux, qui ternissent sa surface.
Employez de préférence de l'essence ou de l'eau oxygénée immédiatement suivie d'une application de talc sur les taches tenaces et protégez ensuite le marbre par une couche d'encaustique ou de cire liquide blanche.

travertin ou pierre de Tivoli

Roche calcaire de formation lacustre présentant des cavités tapissées de cristaux.
Quand ces cavités sont assez régulièrement réparties, elles constituent un élément décoratif de surface. Le travertin est une pierre compacte de couleurs diverses, surtout beige foncé, crème ou brun rougeâtre, suivant le lieu d'extraction. Ses qualités et ses utilisations sont comparables à celles du marbre, mais il donne des effets décoratifs plus ordinaires.

la mise en œuvre

Dans le domaine de la décoration, les pierres naturelles sont utilisées sous forme de revêtement que l'on a coutume de désigner par le terme de dallage.
C'est, en fait, un assemblage d'éléments dont la mise en œuvre est comparable à celle d'un carrelage. Mais les dalles ont des dimensions plus importantes et une épaisseur oscillant entre 2 et 6 cm en moyenne.
L'opération s'exécute sur une forme supposée stable, plane et propre. Ce peut être de la terre ferme, ou une chape de béton, qui doit avoir une planéité et une horizontalité tolérables (un défaut de 5 mm au maximum sur une longueur de 2 m est acceptable). S'il s'agit d'un sol en terre vierge, il est nécessaire d'enlever la terre végétale et de remblayer avec du mâchefer ou d'exécuter une chape en ciment pour assurer une assise suffisamment solide.

Dans le cas de travaux importants, lorsque le dallage d'un local ou d'un escalier est terminé et que d'autres corps de métier doivent continuer à travailler dans ce même local, on peut protéger la surface carrelée par une couche de plâtre de 1 cm d'épaisseur environ.
A la fin des travaux, le plâtre légèrement mouillé est enlevé par plaques, et le dallage est ensuite poncé pour obtenir un nettoyage parfait.

Après quoi, le dallage est scellé au mortier de ciment soit directement, soit par interposition d'un lit de sable sec d'environ 1 à 2 cm d'épaisseur. Chaque dalle est posée séparément en maintenant, entre deux dalles, l'écartement nécessaire à la réalisation d'un joint dont la largeur varie avec le type de dallage.
Il est déconseillé de poser les dalles en contact continu, car le support peut avoir quelques variations dimensionnelles qui amèneraient un soulèvement ou un craquèlement du revêtement. Toutes les dalles doivent être posées de façon que le mortier de pose remonte partiellement dans les joints pour bien séparer les dalles les unes des autres. Les joints sont ensuite exécutés avant que le mortier de pose ait pris complètement.
L'exécution d'un dallage est un travail long et méthodique, qui demande « du métier ». Nous vous conseillons de faire appel à un spécialiste qualifié, car il est difficile à un amateur de réussir du premier coup un bon revêtement.

LES PRODUITS A BASE DE PLATRE

La pierre à plâtre ou gypse est un sulfate de chaux composé de 80% de sulfate et 20% d'eau. Broyé en usine et soumis à la chaleur, le gypse perd son eau et donne une poudre blanche : le plâtre.
Mis au contact de l'eau, le plâtre en s'hydratant « fait prise », c'est-à-dire reprend la composition et la dureté qu'il avait à l'état de gypse.

En faisant varier la température de fabrication et la quantité d'eau à la mise en œuvre, on obtient des qualités de plâtre et des duretés différentes.

présentations commerciales

Le plâtre se présente sous forme de poudre ou d'éléments préfabriqués.

la poudre de plâtre

La poudre de plâtre, conditionnée en sacs de 1 à 40 kg environ, est destinée à la réalisation d'enduits ou de moulages. On distingue principalement :

- Le plâtre de construction. C'est un plâtre grossier qu'on utilise pour la construction du gros œuvre.
- Les plâtres pour emplois spéciaux du bâtiment, ayant des caractéristiques bien définies. Ce sont les plâtres utilisés pour la réalisation des enduits des murs, pour le *ragréage* des sols, pour les travaux de ravalements extérieurs. Enfin, il existe des plâtres spécialement conçus pour être projetés mécaniquement;
- Les plâtres à mouler, plus spécialement destinés aux arts et à la décoration (moulage de statues, d'ornementation, de maquette...).

Tous ces plâtres livrés en poudre doivent être utilisés avec 60 à 80% de leur volume d'eau. De ce fait, on leur reproche volontiers de sécher trop lentement et de freiner le déroulement des opérations de finition.

les produits préfabriqués

Les produits préfabriqués en plâtre n'ont pas cet inconvénient, et l'on comprend l'essor de cette industrie récente. Livrés secs, prêts à peindre, ces éléments faciles à poser ont l'avantage d'être d'un emploi peu salissant. L'industrie du plâtre offre de nombreuses solutions que l'on peut classer ainsi :

- Carreaux de plâtre à faces lisses. Ces éléments, pleins ou allégés par des évidements verticaux ou horizontaux, sont moulés, séchés et lissés en usine. Les dimensions sont variables : trois ou quatre carreaux couvrent généralement une surface d'un mètre carré ; leur épaisseur se situe entre 5 et 15 cm. Ils sont utilisés pour le montage des cloisons intérieures et le doublage des murs extérieurs.

Chaque carreau, rainuré sur son périmètre, est emboîté au suivant et assemblé par collage à l'aide d'une colle spéciale à base de plâtre. Les joints sont pratiquement invisibles, ce qui permet de peindre ou de tapisser la surface sans prévoir d'autres préparations.

- Panneaux de plâtre à faces lisses. Les panneaux se présentent soit sous la forme de dalles compactes rectangulaires, soit sous forme de dalles alvéolées dans le sens de la longueur par une âme en céramique creuse. Les épaisseurs varient de 6 à 15 cm pour des largeurs de 30 à 70 cm. La longueur varie avec les différentes fabrications afin d'assurer une cote correspondant à la distance séparant le plafond du plancher (longueurs standards jusqu'à 3 m).

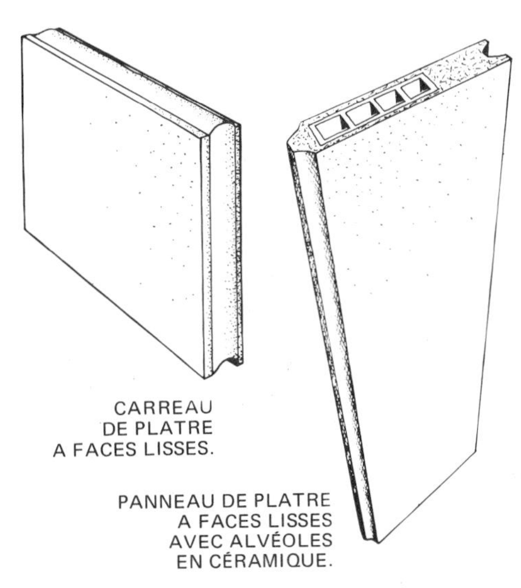

Ces panneaux sont placés debout, posés sur une semelle en bois ou en ciment. Il sont ensuite réunis par collage ou par un joint de plâtre coulé. Comme pour les carreaux de plâtre, la pose par collage permet d'effectuer des joints très minces et faciles à poncer permettant d'obtenir instantanément une surface prête à recevoir un revêtement.

- Plaques de parement. Ce sont des plaques de plâtre de 10 à 18 mm d'épaisseur dont les faces et les chants longitudinaux sont recouverts d'une feuille de carton kraft qui renforce la rigidité de l'ensemble. Ces plaques ont une largeur de 0,90 m à 1,20 m pour une hauteur variant de 2 à 3,60 m. Elles sont utilisées soit pour doubler des murs, soit pour constituer des cloisons entières. Si la plaque de parement constitue un doublage, elle peut être soit collée directement sur le mur, soit vissée sur une ossature de tasseaux de bois, préalablement fixée au mur.

Pour constituer une cloison intérieure d'une épaisseur standard de 7 cm, les plaques sont vissées de chaque côté d'une ossature en métal ou en bois, ou tenues à écartement par un enchevêtrement de lames de carton fort. Les joints entre les plaques sont dissimulés par une bande de calicot collée et recouverte d'un enduit de finition. Ces cloisons ont

CLOISON SANDWICH AVEC UN RÉSEAU DE CARTON.

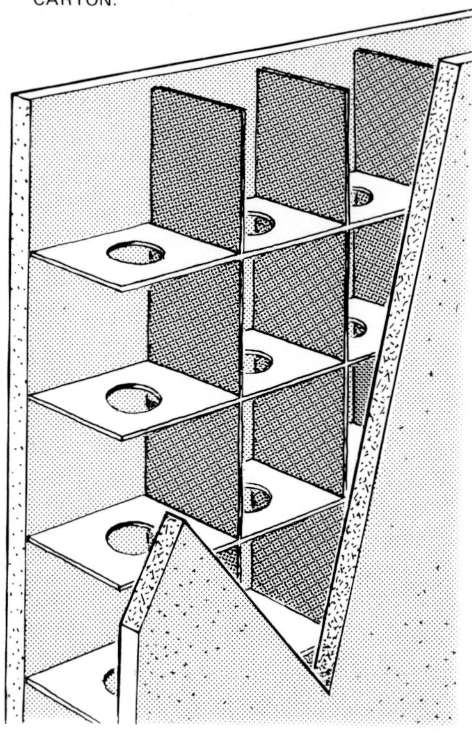

CLOISON SANDWICH AVEC ARMATURE MÉTALLIQUE.

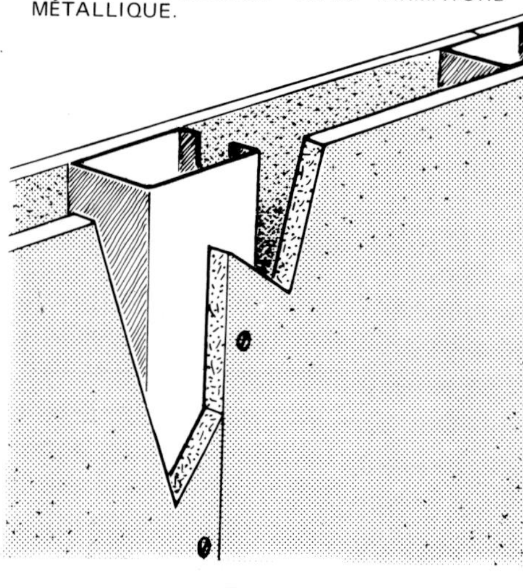

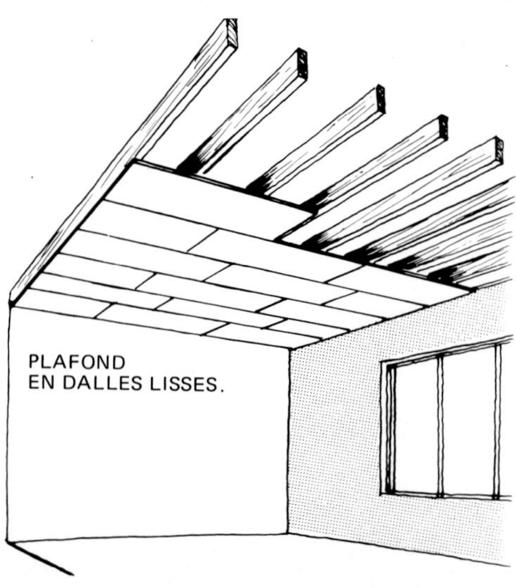

PLAFOND EN DALLES LISSES.

l'avantage d'être très légères (faible poids au m²) et peuvent être montées rapidement.
Il existe des cloisons en plâtre de type « sandwich », constituées par deux plaques de plâtre entre lesquelles s'insère un réseau de carton, lui-même bordé de tasseaux pour faciliter la pose par clouage.
L'opération s'exécute comme s'il s'agissait d'une cloison en bois : la fixation haute se fait par l'intermédiaire d'un rail vissé au plafond sur lequel vient s'encastrer le haut de chaque panneau. La fixation basse s'exécute par clouage direct sur plancher ou par scellement d'une semelle s'il s'agit d'une chape de béton. Le raccordement entre les différents panneaux est obtenu par des taquets cylindriques enfoncés par moitié dans le chant des deux parties contiguës.
Ces plaques de parement sont prêtes à peindre, imputrescibles et classées « non inflammables ».

● Éléments de plafond. Les éléments de plafond se présentent sous forme de plaques ou de dalles réalisées en plâtre armé de fibres végétales ou synthétiques.

On distingue :

1. Les plaques planes, dont la face apparente est soit en plâtre, soit recouverte de

FIXATION DES DALLES LISSES PAR CLOUAGE.

DALLES DE PLATRE EN RELIEF POUR PLAFOND.

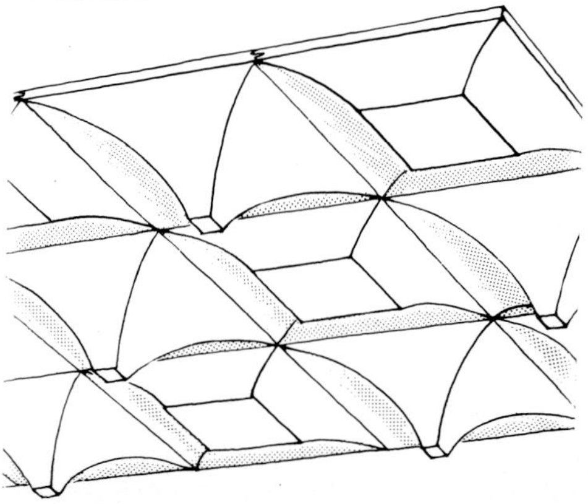

DIFFÉRENTES LIAISONS DES DALLES DE PLAFOND AVEC LES MURS.

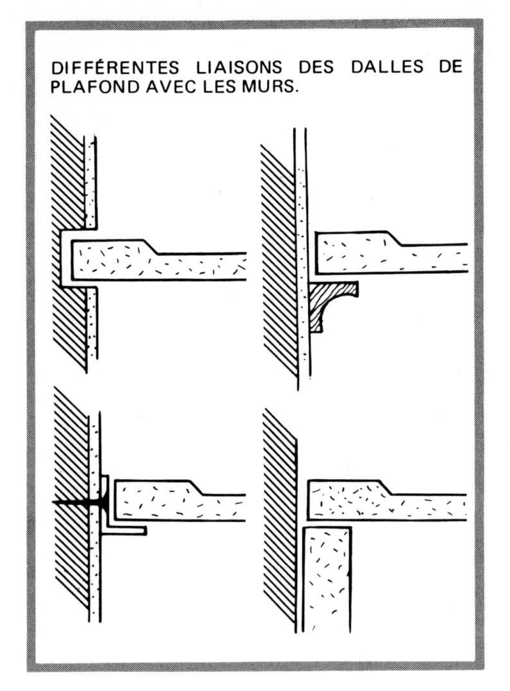

SUSPENSION DES DALLES POUR EXÉCUTER DE FAUX PLAFONDS.

Suspension par agrafage

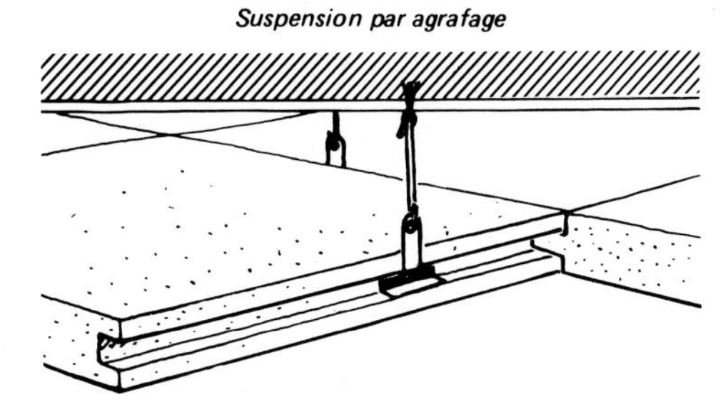

Suspension par « polochon » de plâtre

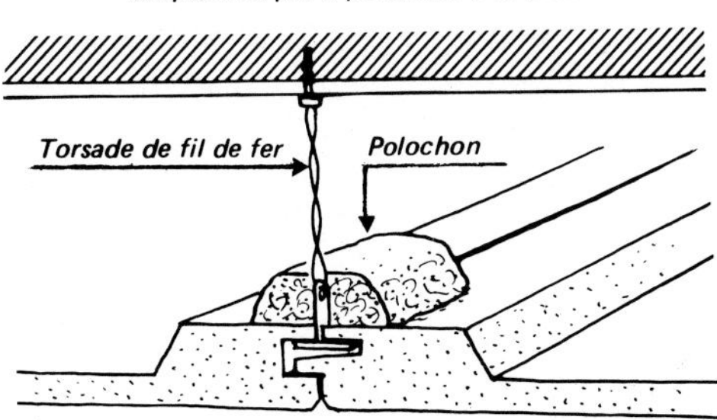

A quand remonte la découverte du plâtre ?
D'éminents archéologues avaient proposé 3 000, puis 5 000 ans avant Jésus-Christ.
Mais la date recule sans cesse dans le temps, au gré des découvertes : nous voici maintenant à 7 000 ans avant Jésus-Christ.
En effet, récemment, au sud du lac de Tibériade, plusieurs niveaux d'occupation préhistorique montrant des sols enduits de plâtre ont été mis au jour.

carton. Ces plaques rectangulaires ont une épaisseur de 10 à 18 mm et des dimensions standards allant de 0,60 m à 1,20 m pour la largeur et de 1,50 à 3,60 m pour la longueur. La pose est obtenue par clouage au plafond ou sur une ossature de bois en orientant, si possible, les joints longitudinaux dans le sens de la source de lumière. Entre chaque plaque, les joints sont dissimulés par un enduisage soigné.

2. Les dalles lisses ou perforées sont en plâtre pur ou en staff et peuvent être à surface décorative présentant des motifs très variés. Elles servent à constituer des plafonds suspendus ou des faux plafonds décoratifs. Les dimensions, très variées, s'adaptent à celles des plafonds : dalles carrées de 50 cm x 50 cm, dalles rectangulaires de 67 cm x 37 cm..., dans des épaisseurs variant de 12 à 50 mm.
Tout autour de ces dalles, des rainures et des languettes permettent des assemblages précis.
La pose se fait par clouage, vissage ou suspension. La pose par suspension est obtenue généralement à l'aide d'une torsade de fil de fer galvanisé, agrafée dans le joint des dalles et maintenue par un « polochon » de plâtre. Si l'espace entre le plafond et les dalles n'est pas assez important, la torsade est remplacée par un profilé métallique qui assure la jonction de l'ensemble.
La jointoiement des dalles entre elles se fait soit par collage, soit par scellement au fur et à mesure de l'avancement des travaux.
Le raccordement des dalles périmétriques avec les murs se fait à l'aide d'un profilé métallique en L, d'une corniche en bois ou en staff, ou encore en les faisant reposer sur une cloison intermédiaire. De toute façon, le plafond ne doit jamais être rendu solidaire des murs de soutien, des poteaux ou des poutres, pour ne pas être soumis à leur contrainte et à leur dilatation.

utilisation du plâtre en décoration

Pour la décoration intérieure, vous utiliserez le plâtre, surtout sous forme d'enduit ou pour effectuer quelques rebouchages ou scellements. Dans ce cas, le plâtre en poudre s'emploie seul, mélangé avec de l'eau. Le mélange à faire varie suivant les travaux.

- Pour enduire une surface assez importante, le mélange doit être assez liquide (les professionnels disent : « gâcher clair »). Les proportions sont de l'ordre de 1/2 à 3/4 de volume de plâtre pour 1 volume d'eau.

- Pour enduire une surface plus petite ou colmater des fissures, le mélange sera un peu moins fluide : 1 volume de plâtre pour 1 volume d'eau.

- Pour le rebouchage d'un trou ou un scellement profond, le mélange sera plus compact

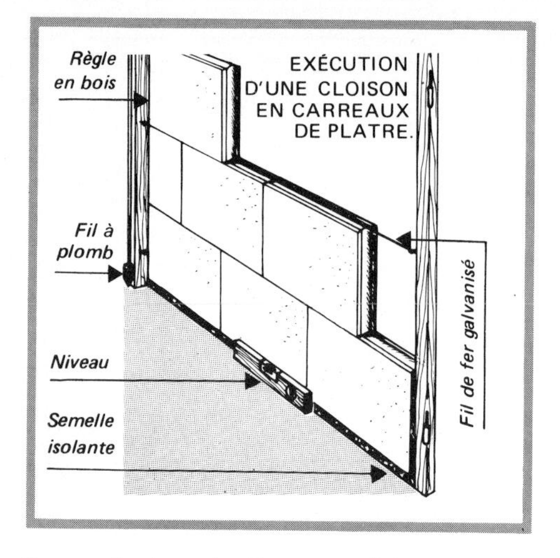

(les professionnels disent : « gâcher serré »). Les proportions sont de l'ordre de 2 à 3 volumes de plâtre pour 1 volume d'eau.
Le gâchage du plâtre s'effectue de la façon suivante : dans un récipient propre, versez la quantité d'eau nécessaire au mélange que vous désirez obtenir. Éparpillez le plâtre en pluie fine en le laissant tomber dans l'eau, laissez-le s'imbiber pendant quelques secondes, puis remuez l'ensemble avec une truelle ou un couteau de peintre.
Quand tout le plâtre est dissous dans l'eau, laissez reposer le mélange cinq à dix minutes. Lorsque le mélange est à point, la consistance s'épaissit, et le plâtre commence à prendre. Utilisez-le rapidement et complètement, car il n'est pas possible de rajouter de l'eau, ce qui « tuerait » le mélange.
Pour de petits scellements, nous vous conseillons d'utiliser du plâtre à prise retardée qui vous permettra de disposer d'un temps de travail supérieur à celui permis par un plâtre ordinaire.

- Pour la mise en œuvre des produits préfabriqués, il est rarement nécessaire de gâcher du plâtre (ou si peu). L'exécution d'une cloison en carreaux de plâtre par exemple se résume à un assemblage des différents éléments :

1. Tracez l'emplacement de la cloison au sol. A l'aide d'un fil à plomb, reportez ce tracé au plafond et sur le mur de fond.

2. Collez au sol une semelle isolante (en liège, par exemple) parfaitement de niveau pour asseoir la première rangée de carreaux, puis, sur le mur latéral, fixez une règle perpendiculaire au sol.

3. Placez le premier rang de carreaux au sol en vérifiant l'aplomb et en suivant la règle-guide du mur. Collez les joints au fur et à mesure et passez à la deuxième rangée en exécutant une pose à joints croisés, c'est-à-dire décalés d'une rangée à l'autre pour qu'ils ne se trouvent pas verticalement en continuité. Assurez la jonction avec le plafond soit par collage direct, soit par un bourrage au plâtre ou à la colle spéciale.

Le gypse utilisé pour la fabrication du plâtre était autrefois appelé « pierre de lune ».

Stuc et staff ne sont pas des clowns

... mais des produits moulés à base de plâtre, et plus spécialement destinés à la décoration.
Le staff est composé de plâtre à mouler et de matière fibreuse (jute, sisal, chanvre...) intimement mélangés. La forme à exécuter est coulée à l'atelier, sur un marbre ou dans un moule. L'ensemble est ensuite monté, raccordé et scellé sur place à l'aide de « polochons », constitués de chanvre ou de filasse noyés dans le plâtre formant ainsi un cordon très dur et solide. Le staff est léger, un peu flexible mais très résistant; incombustible, d'une très faible conductibilité thermique, il est par ailleurs un bon isolant phonique.
Le stuc est un enduit composé, destiné à imiter le marbre ou la pierre. Autrefois, il s'agissait, le plus souvent, de stuc à la chaux, composé principalement de poussière de marbre et de chaux grasse. Aujourd'hui, des produits nouveaux sont apparus, et l'on emploie plus spécialement le stuc au plâtre, préparé en gâchant le plâtre avec de l'eau dans laquelle est incorporée environ 5 % de colle forte. Nombreuses sont les variétés de stuc, et le « compositeur » (ouvrier stucateur) est un artiste possédant ses secrets et ses tours de main.

avantages et inconvénients

Les revêtements de plâtre enduit sont de précieux régulateurs hygrométriques de l'air ambiant d'un appartement. Ils absorbent la vapeur d'eau et atténuent les variations d'humidité de l'air; ce qui suppose, bien sûr, que la surface puisse respirer, c'est-à-dire qu'elle ne soit pas recouverte d'un revêtement complètement imperméable.
Appliqué en couches suffisamment épaisses, le plâtre est, en outre, un très bon isolant thermique et acoustique grâce à sa structure poreuse.
Par ailleurs, de par sa composition chimique, le plâtre freine la propagation de la chaleur et offre une protection intéressante contre le feu. Disons, pour donner un ordre de grandeur, qu'une couche d'enduit de plâtre de 1,5 cm, appliquée sur chaque face d'une cloison en béton de 5 cm d'épaisseur, multiplie par 6 la durée coupe-feu de la cloison d'origine.
Les reproches que l'on peut formuler envers ce matériau sont principalement sa difficulté d'entretien et une certaine fragilité pour des causes diverses dont vous trouverez quelques exemples en page ci-contre.

QUELQUES DÉFAUTS COURANTS DU PLÂTRE ET LEURS REMÈDES.

DESCRIPTION	ASPECT	CAUSE	REMÈDE
Fissures étendues intéressant toute l'épaisseur de l'enduit.	Commencent à un angle de porte ou de fenêtre, et s'étendent en diagonale sur le mur.	Tassement de la construction. Tassement des joints. Joints insuffisants situés entre deux matériaux n'ayant pas le même coefficient de dilatation. Dessiccation des bois de charpente.	Laisser sécher et durcir ; ventiler convenablement le local et reboucher les fissures après stabilisation.
Fissures produites dans un plafond posé sur lattis de bois.	Petites fentes se recoupant dans toutes les directions	Enduits d'épaisseur trop faible. Excès d'eau au gâchage du plâtre.	Refaire l'enduit après pose d'un nouveau lattis.
Fissures autour des portes et des fenêtres.	S'étendent en biais à partir de l'angle des huisseries.	Garnissage incorrect des espaces entre huisserie et maçonnerie, généralement cause d'un mauvais remplissage de plâtre ou d'un abus de gravois destinés à remplir l'espace trop large. Huisserie en bois humide.	Repiquer et refaire partiellement l'enduit.
Craquelures Fendillements	Prennent généralement la forme d'une carte géographique.	Défaut de ventilation ralentissant l'évaporation de l'eau de l'enduit, d'où impossibilité d'une prise correcte.	Gratter ou repiquer et appliquer une couche mince de plâtre. Chauffer et ventiler au moment de l'application.
Fissures dues à de brusques variations de température.	Fissures minces avec tendance au soulèvement.	Enduit d'épaisseur trop faible, notamment sur les conduits de cheminées et sous les planchers chauffants.	Refaire partiellement l'enduit en prévoyant une couche suffisamment épaisse. Gâcher serré.
Fissures dues à des conditions atmosphériques extrêmes.	Fentes dans toutes les directions.	Plâtre effectué par temps de gel. L'eau du gâchage contenue dans le plâtre crée des fissures et des soulèvements.	Refaire totalement l'enduit. Si les risques de gel persistent, prévoir un chauffage du local pour obtenir une température supérieure à +2 °C.
		Plâtre effectué par temps chaud et sec. Évaporation trop rapide de l'eau empêchant l'hydratation de l'enduit.	Refaire totalement l'enduit. Éviter une évaporation trop rapide en humidifiant le support ou en jetant un *gobetis* abondant.

LES TAPIS ET MOQUETTES

les tapis

Tapis et moquette sont, l'un comme l'autre, des revêtements textiles, mais tandis que le tapis recouvre plus ou moins partiellement une pièce tout en restant mobile, la moquette est fixée au sol sur toute la surface d'une pièce.
Le tapis est constitué principalement par :

- **un support,** sorte de grosse toile tissée, en coton ou en jute appelé également « dossier » ;

- **un velours,** partie supérieure obtenue par l'implantation verticale de brins ou fibres textiles dans le support.

Suivant le mode de fabrication, la matière utilisée et sa mise en œuvre, on obtient des tissages différents qui sont plus ou moins recherchés et plus ou moins appréciés :

Les tapis à points noués sont des tapis exécutés à la main ; c'est le mode de fabrication le plus ancien. Le velours est constitué par des brins de laine qui sont noués un par un sur les fils de chaîne du support.
La qualité d'un tapis au point noué dépend de la laine utilisée et du nombre de nœuds au mètre (250 à 500 nœuds environ). Plus il y a de nœuds, plus le tapis est dense, solide et a de la valeur.

Les tapis tissés sont en général exécutés sur des métiers mécanisés et automatiques. Les fils de trame et de chaîne du dossier sont alternativement soulevés et abaissés pour laisser passer les laines qui formeront le velours du tapis. Dans ce cas, le velours est accroché sur les fils de trame et maintenu par un fil de liage.
Ces tapis, appelés également moquette tissée, sont exécutés sur des machines dont l'importance permet de réaliser en une seule fois des métrages d'une largeur allant jusqu'à 5,5 m.

Les tapis de haute laine sont également appelés tapis chenille, car le velours du tapis est préalablement monté sur un canevas en forme de chenille. L'ensemble est ensuite raccordé aux fils de trame du dossier. Du fait du procédé de fabrication, ces tapis sont plus épais que les tapis tissés, mais cela ne signifie pas toujours que la laine du velours est plus longue.

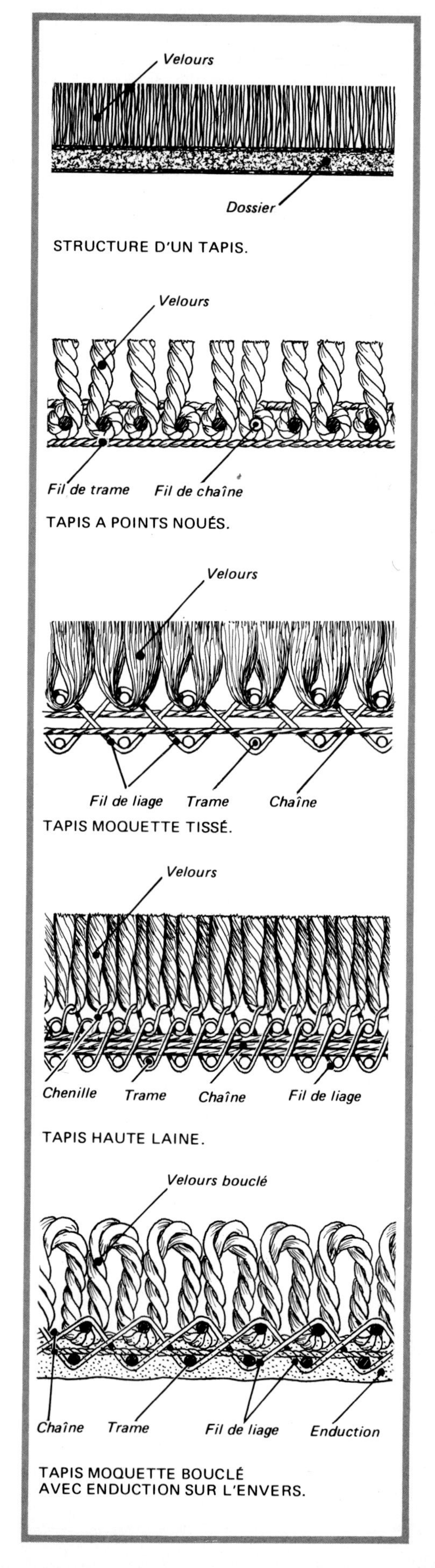

Luxe inventé par l'Orient, les tapis ont été introduits en Europe par les croisés revenus de Terre sainte. Au Moyen Age, on se contentait de joncher les dalles des demeures de feuillages et de fleurs. Longtemps, les tapis seront suspendus aux murs ou posés sur des meubles et non foulés aux pieds, comme en témoigne l'*Encyclopédie* de 1755 : « On met les tapis sur une table, sur une armoire, *ou même* sur le carreau. »
A l'origine, les deux grands centres de fabrication furent la Turquie et la Perse, auxquelles il faut ajouter l'Inde, la Chine, puis l'Afrique du Nord.
D'une façon très générale, le décor des tapis anciens d'Anatolie (Milet, Konya) est plutôt géométrique (motifs angulaires, losanges, étoiles, plans de mosquée), et celui des tapis persans (Tabriz, Senneh, Farahna, Kashan) plutôt figuratif : semis de fleurs, scènes de chasse, vases, médaillons. Les tapis fabriqués en Europe n'ont, jusqu'à une date récente, guère cessé d'imiter ces anciens modèles. Une chose a changé : les teintures. Jadis végétales, elles sont désormais pour la plupart chimiques, non parce qu'elles sont ainsi moins chères, mais parce qu'elles sont plus régulières et plus résistantes à la lumière. Des lavages légèrement décolorants leur donnent la patine des siècles, un traitement à la glycérine et le repassage leur assurent un brillant soyeux.

Les tapis non tissés sont, pour la plupart, de conception assez récente. On emploie de préférence des fibres textiles artificielles ou synthétiques (Crylor, Rhovyl...) pour constituer le velours du tapis. Ces fibres sont implantées par divers procédés (aiguilletage, tuftage, flocage...) dans la toile formant dossier. Elles sont ensuite immobilisées par une enduction sur l'envers.
Ce procédé d'enduction, qui renforce le dossier du tapis, est parfois utilisé sur des produits tissés comme la moquette bouclée pour immobiliser le velours et les fils de liage après le tissage.
Quand ils sont entièrement fabriqués à partir de fibres synthétiques, ces tapis, nommés encore textiloplastiques, sont très solides; ils peuvent être lavés à l'eau et au savon. Ils sont parfois doublés d'une semelle en caoutchouc mousse qui assure un confort supplémentaire appréciable.

Les tapis sans velours, constitués uniquement d'un canevas de fibres naturelles, sont, pour la plupart, tissés à la main par des artisans régionaux. Ils ont l'apparence d'une grosse toile dure à base de coton, de sisal, de coco..., d'où leur aspect rustique et naturel.

entretien des tapis

Les dimensions des tapis sont nombreuses, et vous n'aurez sans doute aucun problème pour trouver le format désiré. Un entretien soigné permet de conserver fort longtemps un tapis en bon état.
Durant les premiers temps de l'acquisition, ne vous inquiétez pas si votre tapis « moutonne ». Ce sont les déchets du velours (la « jarre » disent les spécialistes) qui sont éliminés par le foulement des pieds. Balayez journellement cette bourre avec un balai en paille de riz et évitez de battre le tapis qui est encore trop neuf pour subir cette opération.
Par la suite, vous pourrez le dépoussiérer avec un aspirateur et, de temps à autre, le battre avec une « tapette » en osier.
Veillez à ne pas poser le tapis sur un angle vif ou sur une corde tendue, vous pourriez casser les fils de trame et de chaîne du dossier. Placez le tapis à plat ou à cheval sur une surface arrondie (barre d'appui, par exemple) et battez-le en commençant par l'envers. Mais n'oubliez pas que, dans la plupart des villes, il est interdit de battre les tapis dehors, du moins après une certaine heure.

les moquettes

Comme pour les tapis, les divers modes de fabrication donnent naissance à de nombreux articles, mais il est de coutume de distinguer deux grandes catégories :

Les moquettes de laine sont des sortes de tapis tissés mécaniquement dont le velours est constitué à 100 % par des fils de laine. Le dossier support est une toile de jute seul ou de jute et coton mélangés, assurant le maintien des fibres naturelles et la souplesse de l'ensemble.
Dans cette catégorie de moquettes, toutes les couleurs sont réalisables ainsi que les dessins les plus variés, car la laine peut être teintée à la demande.
La qualité d'une moquette est fonction de la qualité de la laine utilisée, mais également du tissage. Une moquette normale comporte environ 18 à 20 points sur une longueur de 7 cm, tandis que sur une moquette très serrée, on dénombre 25 à 30 points pour une même longueur. Ce dernier type de moquette est d'ailleurs utilisé pour recouvrir les lieux de passage fréquent, les escaliers par exemple.

Les moquettes synthétiques. Ce sont également des tapis tissés mécaniquement dont le velours est constitué à 100 % par des fibres synthétiques (Nylon, Crylon, Surnyl...) ou par un mélange de fibres naturelles et

synthétiques (laine et polyamide, laine et viscose...). Le support est une toile de jute, de coton ou de lin qui reçoit sur l'envers une enduction, le plus souvent vinylique, destinée à pénétrer dans la toile et à maintenir à la base les fibres constituant le velours.
Parfois, cet ensemble est doublé d'un épais molleton feutré qui renforce les qualités du tapis : ce sont les moquettes à thibaude incorporée. Les moquettes synthétiques ou semi-synthétiques ne sont disponibles que dans certaines couleurs. Comparativement aux moquettes de laine, la gamme des nuances est réduite, car les fibres synthétiques ne peuvent se faire que dans certaines teintes.
En revanche, les couleurs obtenues sont immuables et moins sensibles à la lumière que celles des moquettes en pure laine.

présentations et propriétés

La présentation commerciale des moquettes se fait en rouleaux d'une longueur de 25, 30, 50 m. Les largeurs sont de 0,50 m ; 0,70 m ; 1 m ; 2 m ; 2,75 m ; 3,66 m ; 4,57 m ; 5,50 m. A partir de 2,75 m, la moquette est dite « en grande largeur » et permet de recouvrir toute la surface d'une pièce, voire le sol et un mur, sans couture.
Les moquettes sont des revêtements très souples à la marche, en même temps que d'excellents isolants thermiques et phoniques.
Lorsqu'une moquette vient d'être posée, elle perd sa « bourre », comme un tapis, et il convient de la traiter avec précaution. Utilisez de préférence un balai en paille de riz pour la brosser fréquemment et évitez d'employer un aspirateur qui risquerait d'entraîner trop de poils. Par la suite, quand tout le revêtement sera bien rodé (il faut compter deux à trois mois), vous pourrez utiliser l'aspirateur ou mieux un aspirateur-batteur, car les grands ennemis des moquettes sont les poussières qui parviennent à s'incruster dans la toile et forment une sous-couche permanente qu'il est ensuite difficile d'enlever.

la pose

La pose d'une moquette est une opération délicate qu'il est préférable de confier à un spécialiste, car une moquette mal posée s'use anormalement et perd rapidement ses qualités de confort. Toutefois, certains amateurs avertis arrivent à des résultats encourageants, notamment en utilisant les nouveaux revêtements à coller.
C'est donc à vous de choisir, suivant vos capacités manuelles, si l'économie que vous réaliserez en effectuant la pose vous-même (environ 15 à 20% du prix de la moquette) vaut de courir le risque d'un échec total pour, dans le meilleur des cas, avoir la satisfaction de rivaliser avec un professionnel.

Il existe plusieurs méthodes de pose qui dépendent de la qualité de la moquette choisie et du lieu d'implantation.

La pose libre. Elle convient aux petites surfaces (salle de bains, chambre d'enfant...) pour l'utilisation d'une moquette synthétique ou d'un revêtement textiloplastique.
Le sol doit être au préalable parfaitement nettoyé et plan. La moquette, dont les dimensions doivent dépasser de 10 à 15 cm celles du local, est étendue sur le sol et arasée le long des plinthes. C'est, en fait, un tapis aux dimensions exactes de la pièce, qui est simplement posé sur le sol. Éventuellement, une barre de seuil maintient le bord de la moquette sous la porte. Cette méthode de pose est surtout employée pour les moquettes doublées d'une semelle en caoutchouc mousse. Le revêtement adhère ainsi de lui-même au sol et ne risque pas de se déplacer.

La pose tendue. C'est la méthode classique employée pour poser les moquettes de laine. C'est, sans nul doute, le procédé qui donne au revêtement un maximum de confort, mais c'est également le plus difficile à réaliser.
La moquette n'est pas posée directement sur le sol, mais en interposant une thibaude, sorte de molleton feutré très épais (5 à 8 mm environ). Notez à ce sujet qu'il existe plusieurs dimensions et qualités de thibaude. Plus elle est épaisse, plus le revêtement sera moelleux et confortable.
Comme pour la plupart des revêtements de sol, la surface du local doit être exempte d'humidité et parfaitement lisse. Procédez à un ragréage soigné : changez les lames de parquet cassées, remplacez les carreaux descellés ou lissez les dalles en béton avec un enduit spécial. Évacuez les meubles de la pièce et démontez les portes qui s'ouvrent à l'intérieur pour raboter leur base d'une épaisseur correspondant à celle du revêtement posé.
Posez ensuite la thibaude. Disposez les lés de thibaude côte à côte et assemblez-les par une couture au *point zigzag*. Tendez et immobilisez l'ensemble par quelques semences en évitant les fronces et les plis qui formeraient des bourrelets.

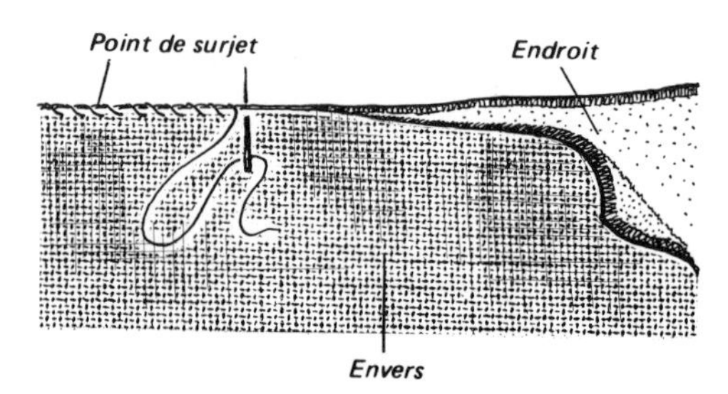

COUTURE DES LÉS DE MOQUETTE.

Préparez ensuite la moquette. S'il s'agit d'une moquette en petite largeur (0,70 m - 1 m environ), il faut assembler les différents lés par une couture, comme pour la

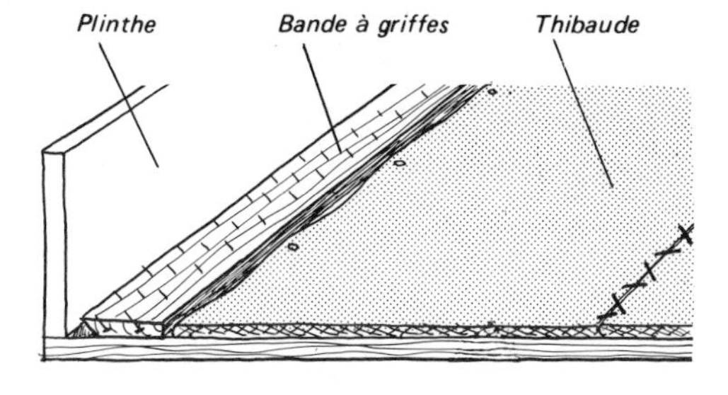

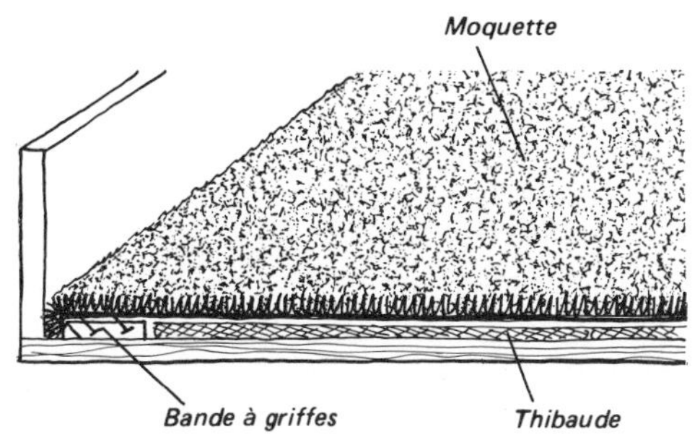

POSE SUR BANDES A GRIFFES.

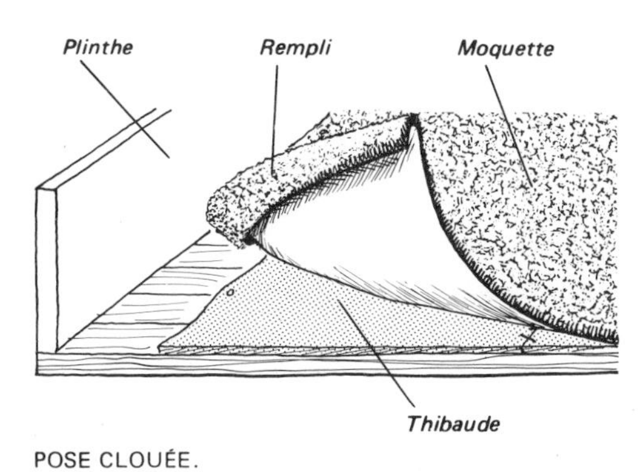

POSE CLOUÉE.

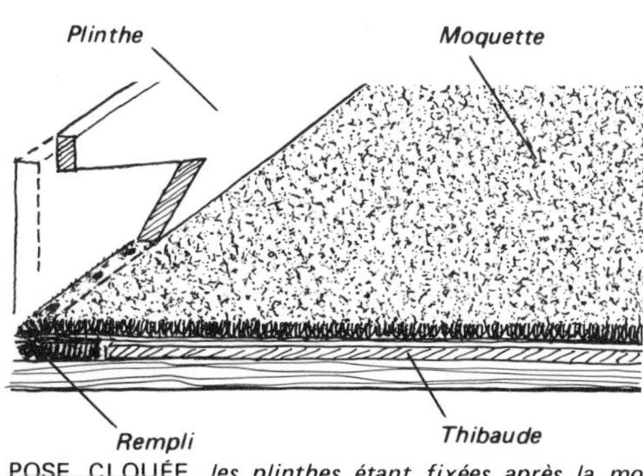

POSE CLOUÉE, *les plinthes étant fixées après la moquette.*

thibaude. La moquette de laine ayant un sens, veillez à disposer tous les lés dans le même sens; dirigez le poil du velours vers la source de lumière la plus importante.

Quand toute la surface de la pièce est recouverte par la moquette, procédez à la fixation qui se fait soit par clouage, soit par agrafage, sur tout le périmètre du revêtement.

Pour une fixation par clouage, la moquette est repliée tout autour sur environ 10 cm de large; les deux épaisseurs sont tout d'abord pointées sommairement puis clouées définitivement en tendant la moquette de part et d'autre de la pièce en suivant le droit fil des lés : le travail de tension débute par le lé central et progresse alternativement sur la droite puis sur la gauche, en plaçant successivement des clous espacés d'environ 5 cm.

Pour une fixation par agrafage, la moquette est ancrée sur tout le périmètre, sur des bandes à griffes (Smoothedge), qui se présentent sous forme de lattes de bois hérissées de pointes en acier implantées en biais. Ces règles d'ancrage sont préalablement clouées et collées au sol, le long des plinthes. La moquette tendue est agrafée sur ces règles dont les pointes acérées pénètrent dans la toile-support. La tension est obtenue progressivement en tirant la moquette à l'aide d'une griffe spéciale (coup de genou) que l'on applique à partir d'un angle de la pièce alternativement sur chaque mur.

Quand la tension est suffisante, la moquette est arasée sur tout son périmètre à l'aide d'un couteau spécial, puis le bord est rabattu vers le sol entre la plinthe et la règle d'ancrage. La tension de la moquette doit être effectuée progressivement, mais très régulièrement si l'on veut obtenir un revêtement uniforme et de longue durée.

La pose collée. Elle convient à tous les locaux qui utilisent un revêtement synthétique ou semi-synthétique et qui sont, pour la plupart, des moquettes à thibaude incorporée. Pour effectuer et réussir le collage, il faut impérativement que le sol soit sec et sain, sinon la pose est vouée à l'échec.

Observez donc, comme pour une mise en peinture, les précautions d'usage et, surtout, éliminez toute trace de poussière qui empêcherait la pénétration de la colle. Pour la pose collée, il y a deux méthodes de mise en œuvre :

1. La méthode dite « en bateau ». Implantez la pièce, c'est-à-dire disposez sur le sol les différents lés de moquette en les faisant chevaucher de 5 à 6 cm et en laissant sur tout le périmètre de la pièce 3 à 4 cm d'excédent pour les arasements. Relevez le premier lé, sur les deux tiers de sa longueur, parallèlement au joint. Étalez la colle sur la surface ainsi dégagée. Utilisez une spatule crantée qui vous permettra d'étaler un film de colle uniforme sur toute la surface.

Rabattez le premier lé de moquette sur la colle et *marouflez* énergiquement toute la surface.

Exécutez ensuite la coupe à joints vifs du premier raccordement. Entre le premier et le deuxième lé, à l'endroit où les deux épaisseurs de moquette se chevauchent, placez une longue règle métallique et, à l'aide d'un couteau de type Stanley, coupez franchement et nettement les deux épaisseurs du revêtement. Marquez sur la surface de la moquette avec un morceau de craie la position des deux lés l'un par rapport à l'autre, puis relevez le tiers du lé déjà collé et les deux tiers du second lé, évacuez les chutes de la coupe et encollez ensuite le sol ainsi dégagé.

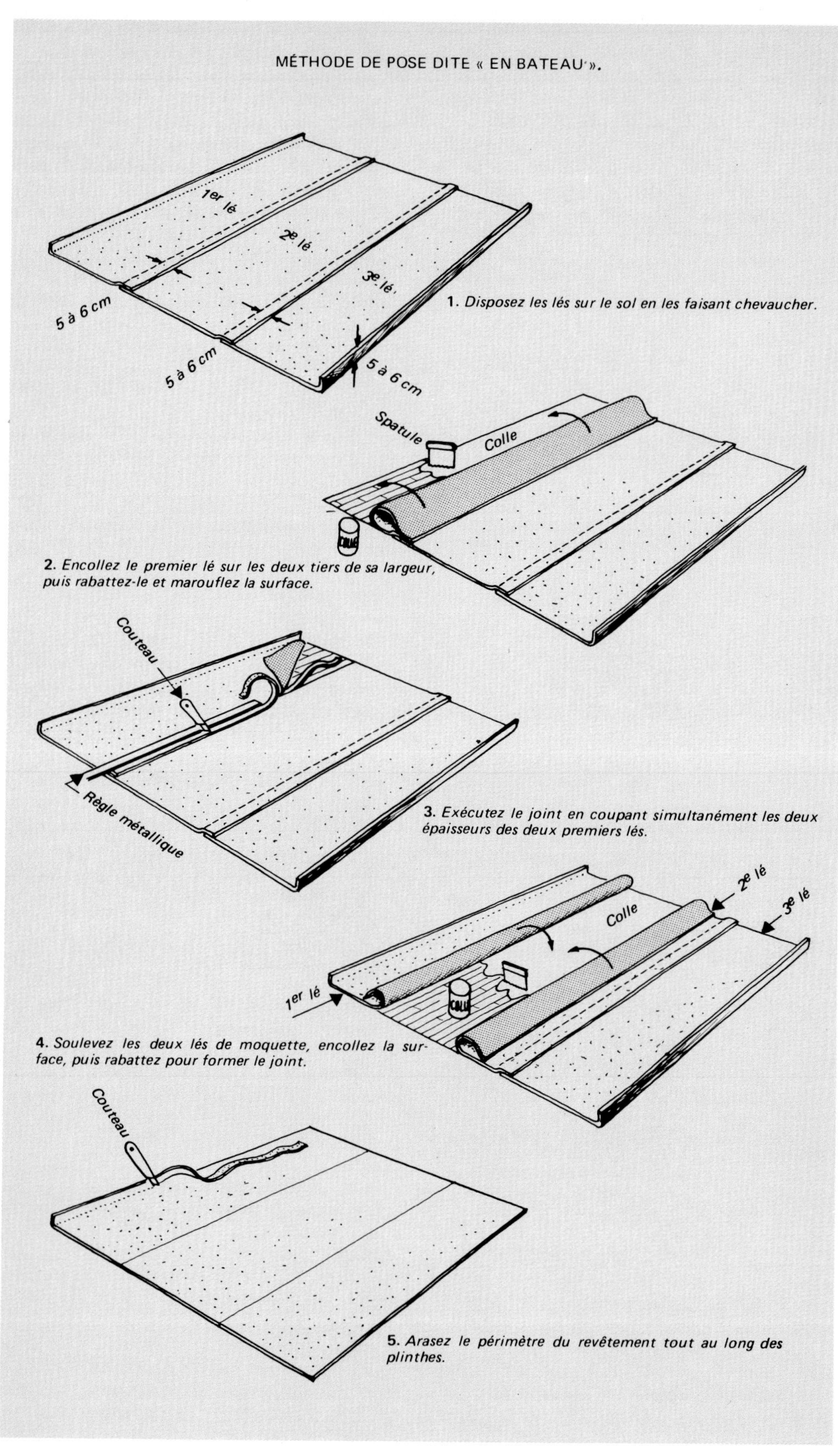

MÉTHODE DE POSE DITE « EN BATEAU ».

1. Disposez les lés sur le sol en les faisant chevaucher.

2. Encollez le premier lé sur les deux tiers de sa largeur, puis rabattez-le et marouflez la surface.

3. Exécutez le joint en coupant simultanément les deux épaisseurs des deux premiers lés.

4. Soulevez les deux lés de moquette, encollez la surface, puis rabattez pour former le joint.

5. Arasez le périmètre du revêtement tout au long des plinthes.

Rabattez le premier lé sur la colle, puis le deuxième en vérifiant l'exactitude de sa position à l'aide des repères précédemment tracés à la craie. Marouflez la surface énergiquement et passez à l'exécution du deuxième joint en procédant de la même façon jusqu'à ce que toute la surface de la pièce soit recouverte. Laissez sécher et découpez les bords de la moquette en l'arasant au couteau tout au long des plinthes.

2. La méthode dite « en portefeuille ». Cette méthode de pose est destinée à des pièces de surface moyenne (30 à 35 m² environ). Elle est plus rapide que la méthode en bateau, mais plus délicate à réussir pour un non-initié.

Implantez la pièce en plaçant sur le sol les différents lés et en les faisant chevaucher de 5 à 6 cm. Laissez un excédent de quelques centimètres sur tout le pourtour.

Immobilisez le revêtement à l'aide de quelques pointes (3 ou 4 par lé) et réalisez tous les joints. Servez-vous d'une règle métallique et d'un couteau à lame droite pour bien sectionner les deux épaisseurs du revêtement. Exécutez la coupe d'un bout à l'autre du lé, sans sortir la lame du couteau, afin de suivre une ligne aussi droite que possible.

Quand tous les joints sont coupés, relevez tous les lés par moitié, dans le sens de la longueur, afin de découvrir la moitié de la surface totale de la pièce. Encollez cette partie découverte et rabattez les différents lés de moquette sur la colle ; marouflez et passez à la seconde moitié de la surface en relevant l'autre moitié des lés.

Terminez en arasant la moquette sur tout son périmètre, à l'aide d'un couteau.

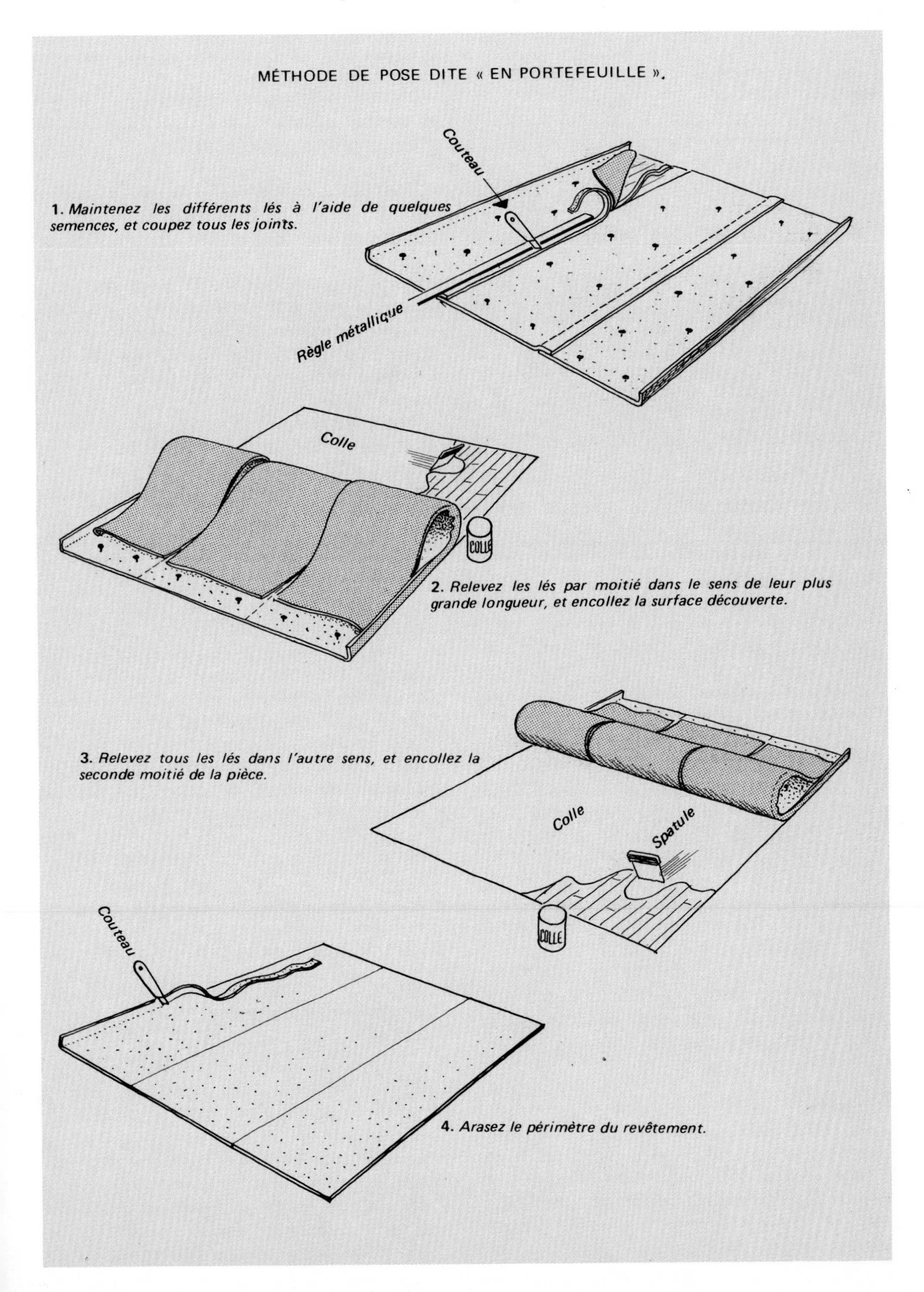

MÉTHODE DE POSE DITE « EN PORTEFEUILLE ».

1. Maintenez les différents lés à l'aide de quelques semences, et coupez tous les joints.

2. Relevez les lés par moitié dans le sens de leur plus grande longueur, et encollez la surface découverte.

3. Relevez tous les lés dans l'autre sens, et encollez la seconde moitié de la pièce.

4. Arasez le périmètre du revêtement.

LES TISSUS

les différentes sortes

Tentures murales, tissus pour sièges ou dessus-de-lit, les tissus d'ameublement apportent une note de chaleur dans un décor et mettent le mobilier en valeur.
Si ces tissus sont tous fabriqués à partir de fibres textiles, ils se présentent néanmoins sous des formes différentes et ont des caractéristiques très variées.

Un classement logique peut se faire en tenant compte de l'origine des fibres entrant dans leur composition. On distingue trois origines principales :

Origine naturelle. Ce sont les tissus utilisant des fibres de provenance :

- animale (laine et soie) ;
- végétale (chanvre, coton, jute, lin...) ;
- minérale (fil de verre).

Origine artificielle. Ce sont des tissus obtenus à partir de :

- fibres cellulosiques, à base de cellulose ou de dérivés de cellulose (acétate, viscose...) ;
- fibres protéiques, à base de protéines extraites de l'arachide, du maïs, de la caséine.

Origine synthétique. Ce sont les tissus obtenus avec toutes les possibilités de composition qu'offrent les matières plastiques. Citons, par exemple :
- les fibres polyacriliques donnant naissance au Crylor, à l'Acrilan, au Velicren, etc. ;
- les fibres polyamides d'où proviennent le Nylon, le Rilsan ;
- les fibres polyesters pour le Tergal, le Vycron, etc ;
- les fibres polyvinyliques appelées aussi chlorofibres, permettant la confection du Rhovyl, du Clévyl T, etc. ;

Ces trois origines donnent lieu à de nombreux tissages (toiles, satins, velours, reps, jerseys...) dont il serait inutile de vouloir prétendre énumérer en détail toutes les qualités, tant les présentations et les coloris sont nombreux.

Le choix de tel tissu ou de tel autre est avant tout fonction de votre mobilier, du style de votre maison, de l'usage que vous désirez en faire.

Notons que les statistiques de vente de ces dernières années font ressortir une consommation française assez partagée : les tissus d'origine naturelle (principalement laine et coton) représentent 49 % du marché, tandis que les tissus artificiels et synthétiques se partagent 51 % des ventes.

Tous les tissus peuvent, en principe, être utilisés comme tissus d'ameublement, pour recouvrir un siège ou servir de revêtement mural. Cependant, il est préférable d'écarter les tissus trop fragiles et de choisir des tissus d'ameublement portant un label « grand teint » ou « vêtement mural » qui sont une garantie, notamment en ce qui concerne la longévité des couleurs.
Vous trouverez de nombreuses fabrications qui peuvent vous être proposées sous les formes suivantes :

Les tissus classiques. Présentés en rouleaux et vendus au mètre linéaire, ce sont tous les tissus courants de largeurs variables : 90 cm, 130 cm, 140 cm.

Les tissus en grande largeur. Plus spécialement destinés à l'habillage des murs, ces tissus ont des largeurs de 2,50 m, 2,58 m, 2,65 m. Les fabricants de toile de lin, par exemple, produisent ces métrages, avec lesquels le travail du tapissier est simplifié, puisque la largeur du tissu est suffisante pour couvrir la hauteur plancher-plafond sans effectuer de couture. L'effet esthétique est, par ailleurs, fort appréciable.

Les tissus « non-feu », qui sont en général d'origine synthétique. Les fibres synthétiques sont teintées, puis tissées à la manière des étoffes, ce qui leur donne une certaine richesse d'aspect. Ils ont, par ailleurs, une parfaite tenue au feu, à l'eau, à la poussière, ainsi qu'à la plupart des taches (Lesura, Clévyl T...).

Les tissus adhésifs. Très souvent présentés en petites largeurs (45 cm, 60 cm), ce sont de véritables tissus dont l'envers est enduit d'un adhésif autocollant permettant une application instantanée sur tous les supports, pourvu qu'ils soient propres et dépoussiérés.

Les non-tissés, qui sont des produits issus d'une technique récente permettant d'obtenir, à partir de fibres textiles enchevêtrées, un matériau semblable au tissu et d'usage traditionnel. Les non-tissés se présentent en rouleaux dans des largeurs classiques ; ils ont une bonne stabilité dimensionnelle, des coloris variés et permanents et, pour certains, un coefficient d'isolation intéressant (Bidim mural, Newstyle, etc.).

calcul de la quantité nécessaire

Tous ces tissus vous permettront de réaliser aisément le décor que vous préférez. S'il s'agit de recouvrir un meuble, un siège, nous vous conseillons de faire un patron à l'échelle réelle pour vous rendre compte du métrage à employer. Un morceau de papier kraft est, en général, suffisant pour esquisser une forme correspondant à la réalité et s'avère utile pour apprécier la position des

dessins, lorsque vous utilisez un tissu à motifs.
S'il s'agit de tenture murale, vous devez, pour apprécier la quantité de tissu nécessaire, effectuer un petit calcul préliminaire.

Les variétés de tissus imposent, en général, deux façons de procéder :

Pour les tissus en grandes largeurs, la disposition peut être horizontale. La largeur du tissu étant supérieure à la hauteur du local, il suffit de calculer le périmètre de la pièce pour connaître la longueur totale du métrage à utiliser.

Pour les tissus en petites largeurs ou en **largeurs traditionnelles** (90 cm, 140 cm...), les différents lés sont juxtaposés, cousus et disposés verticalement.

Il convient donc d'effectuer un calcul du genre de celui que nous vous avons indiqué pour le papier peint.
Relevez les dimensions de la pièce à tapisser et calculez son périmètre. Soustrayez de ce périmètre la largeur de la fenêtre, mais seulement s'il s'agit d'une baie vitrée occupant toute la hauteur d'un panneau.
Divisez ce nombre par la largeur du tissu, que vous aurez volontairement diminuée de 5 cm, marge nécessaire pour les coutures.
Multipliez le résultat par la hauteur totale de la pièce pour connaître la longueur du métrage à acheter.
Pour concrétiser par un exemple numérique, supposons une pièce d'un périmètre de 12 m. Le tissu utilisé est une toile de lin en 130 cm de large.
Nombre de lés nécessaires pour tapisser la pièce : 1 200 : 125 = 9,6, soit 10 lés (125 = 130 − 5).
Hauteur de la pièce : 2,60 m.
Longueur totale du tissu à commander : 2,60 m x 10 = 26 m.
Ce calcul donne un métrage couvenant à un tissu uni. Si vous avez choisi un tissu à motifs, vous augmenterez ce résultat d'environ 20%, car le raccordement des lés entre eux vous obligera à un décalage pour retrouver la concordance des différents motifs.
Si le local présente des recoins, des renfoncements ou d'importantes saillies (cheminée, par exemple), il vous faudra tenir compte de ces éléments pour situer les coutures des différents lés. Pour une parfaite esthétique, il est préférable que les coutures soient situées soit dans un angle, soit, au contraire, centrées au milieu d'un panneau, ou alignées sur l'huisserie d'une porte. Vous effectuerez alors le calcul du métrage en traitant chaque mur séparément, c'est-à-dire en prévoyant la position des coutures, sans tenir compte de la partie de tissu couvrant le mur adjacent. Une telle méthode demande un métrage de tissu plus important, mais donne un meilleur résultat.

Les non-tissés.

Ni papiers, ni complètement tissus : et pourtant, plusieurs milliers de tonnes de ce matériau (180 000 en 1970) ont été fabriquées et vendues dans le monde, ce sont les non-tissés.
Sous ce nom apparaissent, depuis peu de temps, des produits de l'industrie textile réalisés à partir de fibres, qui ne sont ni tissées, ni tricotées, mais simplement enchevêtrées les unes aux autres et maintenues par des liants. Il y a trois méthodes de fabrication :

- par voie sèche : on procède à la formation d'un voile obtenu par cardage des fibres, puis la liaison est assurée par un procédé mécanique, chimique ou thermique ;

- par voie humide : les fibres sont mises en suspension dans l'eau, puis, après adjonction de liants et décantation du liquide, on obtient un produit fibreux;

- par voie fondue : les fibres sont filées en nappes successivement superposées, pressées et aplaties pour former un enchevêtrement épais et très résistant. L'ensemble est lié par *aiguilletage.*

Toutes ces fabrications donnent naissance à des produits de qualités diverses, qui peuvent être utilisés différemment. Il existe :

- des non-tissés à usage unique : il s'agit principalement de sous-vêtements ou de serviettes à jeter après usage ;

- des non-tissés à usage limité dans le temps : nappes, serviettes, sets de table dont la texture permet 10 à 15 lavages d'entretien, mais pas plus ;

- des non-tissés à usage traditionnel : revêtements imputrescibles dont l'usage permanent convient pour effectuer des revêtements de sol ou des revêtements muraux et dont certains ont l'apparence du papier peint ou le velouté du tissu.

La trame et la chaîne... des tissus.

Les tissages sont formés par un entrecroisement de fils. Les fils verticaux, parallèles aux lisières, sont appelés *fils de chaîne* ou simplement fils. Les fils horizontaux, perpendiculaires aux lisières, sont appelés *fils de trame*.
C'est dans le sens des fils de chaîne (droit fil) qu'un tissu se détend le moins. En revanche, dans le sens de la trame, les fils, moins tendus, sont plus souples ; il faut donc éviter d'utiliser un tissu dans n'importe quel sens.

la préparation du support

Le tissu représente l'élément décoratif le plus chaleureux des revêtements muraux.
C'est aussi l'artifice le plus séduisant pour cacher des murs défectueux. En effet, sa pose supprime les fastidieux lessivages, rebouchages et enduisages qu'impose une mise en peinture.
Il serait cependant faux de croire qu'un tissu est un « cache-misère » ; un mur humide ne saurait être habillé de tissu sans avoir été au préalable assaini, faute de quoi le revêtement serait rapidement taché et irrémédiablement perdu.
De toute façon, la pose d'un molleton ou d'un isolant (mousse de polyester, par exemple) est recommandée avant la pose de n'importe quelle qualité de tissu : d'une part l'isolation phonique et acoustique que l'on peut en attendre sera plus efficace ; d'autre part, l'ensemble sera plus esthétique et plus confortable.
Auparavant, démontez les prises de courant, les interrupteurs, les appliques et ôtez les clous, les punaises et toutes fixations pouvant faire saillie à travers le tissu.
Nettoyez les murs avec une brosse dure, puis posez le molleton soit par clouage, soit par agrafage.
Préparez ensuite le tissu. S'il s'agit d'un métrage en grande largeur correspondant à la hauteur de la pièce, vous n'aurez aucun problème. Il vous suffit de le dérouler et de le couper en autant de panneaux que de murs à recouvrir. Il sera éventuellement nécessaire de le repasser.
Si le tissu a une largeur traditionnelle, vous serez obligé d'assembler les lés à la dimension de chaque panneau. Placez les lés côte à côte en ayant soin de ne pas contrarier le sens du tissu. (Pour le velours, par exemple, dirigez le sens du poil vers le plafond.) Épinglez-les, puis cousez-les à la machine, repassez ensuite les coutures en les écartant sur l'envers.

la pose d'un tissu d'ameublement

Pour exécuter ce travail, vous pouvez utiliser des semences de tapissier ou des agrafes. Nous conseillons à l'amateur d'opter pour le travail à l'agrafeuse, qui est plus rapide et demande moins d'habileté. Employez une agrafeuse à main ou mieux, si vous avez une grande surface à couvrir, louez une agrafeuse pneumatique, qui est d'un maniement fort simple.
Placez le tissu le long du mur en le fixant de part en part dans sa partie supérieure et en ayant soin de centrer les coutures pour qu'elles soient également réparties par rapport à l'ensemble du panneau.
Agrafez alors le tissu en commençant par le haut et par le centre du mur. Agrafez alternativement vers la droite, puis vers la gauche, puis, à nouveau, vers la droite en tendant le tissu au fur et à mesure. Placez les agrafes légèrement en biais et très près les unes des autres (1 cm environ). Tendez ensuite le tissu verticalement et agrafez-le au ras de la plinthe. Terminez le premier panneau en fixant les côtés, dans chaque angle, et agrafez en faisant un retour sur le mur suivant.
Tapissez alors le deuxième mur en centrant également la couture, mais en commençant par l'angle que vous venez de terminer.
Placez le tissu dans l'angle, l'endroit contre le mur et fixez dessus, en l'agrafant de haut en bas, une bande de carton appelée « carton à angléser » ou une baguette de bois extraplate (couvercle de moulure électrique).
Rabattez le tissu vers la droite, tendez-le et agrafez-le ainsi que vous l'avez fait pour le premier panneau. Habillez ainsi tous les murs en anglésant les angles et en ayant soin de vérifier, au fur et à mesure, la verticalité des coutures à l'aide d'un fil à plomb.
Terminez la pose en cousant, avec une aiguille courbe de tapissier, les deux derniers lés entre eux. Il est préférable que cette finition se situe au-dessus d'une porte ou d'une fenêtre et, si possible, dans le prolongement d'une huisserie pour qu'elle soit la plus discrète possible. Agrafez ensuite le tissu tout autour des portes et des fenêtres, et découpez la surface qui les condamnait. Découpez également l'emplacement des interrupteurs, des prises de courant et remontez tous ces accessoires. Arasez le tissu au-dessus des plinthes et le long du plafond ; cachez les agrafes par un galon adhésif.

On ne peut rien agrafer sur les murs en pierre ou en béton.
Dans ce cas, vous fixerez tout autour de la pièce et à tous les angles, ainsi que près des portes et des fenêtres, des baguettes de bois de section rectangulaire (6 mm x 20 mm ou 8 mm x 30 mm environ). Ces baguettes vous serviront de support, partout où il sera nécessaire d'enfoncer une agrafe. Pour leur fixation, vous utiliserez de la colle au Néoprène et quelques clous à béton. Afin d'obtenir une finition soignée, vous placerez les baguettes à 2 ou 3 mm des angles ; vous pourrez ainsi dissimuler les lisières du tissu en les glissant dans cet espace, à l'aide d'une lame de couteau.
Pour tapisser de petites surfaces (intérieur de niche, renfoncement peu accessible...), vous pourrez utiliser la méthode dite « à cadre volant ». Exécutez un cadre en tasseaux de section carrée (20 mm x 20 mm environ), placez le tissu sur ce cadre, tendez-le et agrafez-le sur les côtés du cadre. Mettez ensuite ce cadre en place et clouez-le au mur en utilisant des clous à tête d'homme dont la tête pénétrera et disparaîtra facilement à travers le tissu.

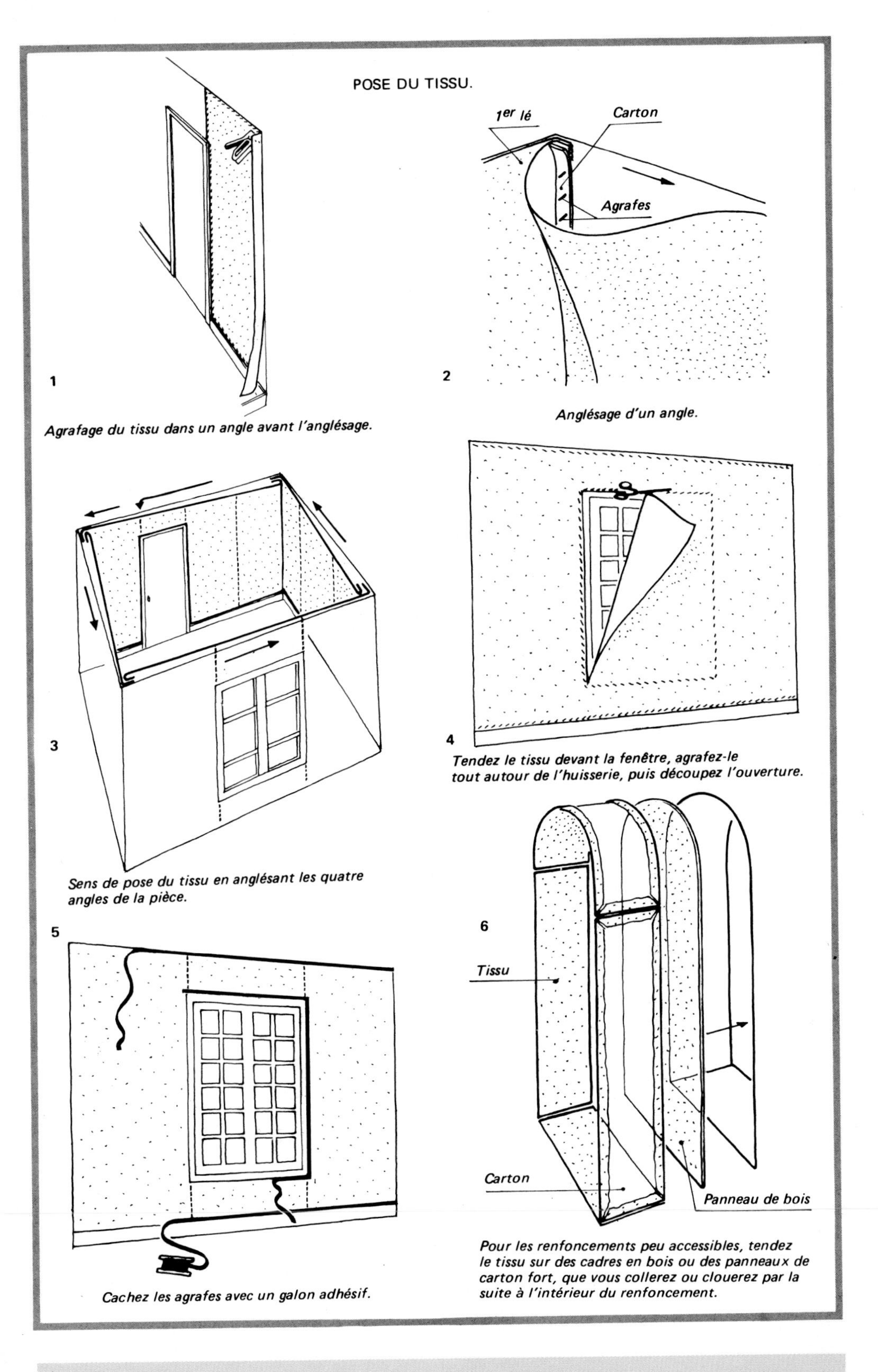

Agrafage du tissu dans un angle avant l'anglésage.

Anglésage d'un angle.

Sens de pose du tissu en anglésant les quatre angles de la pièce.

Tendez le tissu devant la fenêtre, agrafez-le tout autour de l'huisserie, puis découpez l'ouverture.

Cachez les agrafes avec un galon adhésif.

Pour les renfoncements peu accessibles, tendez le tissu sur des cadres en bois ou des panneaux de carton fort, que vous collerez ou clouerez par la suite à l'intérieur du renfoncement.

Les fibres synthétiques ont pour origine des éléments simples : pétrole, charbon, huile de ricin..., que l'on traite par des procédés chimiques dits « de synthèse ». Il est amusant et intéressant de savoir que la plupart de ces fibres synthétiques donnent naissance à des tissus qui, bien que venant du même produit, portent des noms différents suivant le pays où ils ont été tissés.
C'est ainsi que le polyester donne naissance à du Tergal en France, à du Térital en Italie et à du Térylène en Grande-Bretagne.

LE VERRE

La verrerie est sans doute une des plus anciennes industries du monde, et nul ne peut dire exactement qui inventa le verre.
Le verre employé de nos jours est une substance transparente principalement composée de silice, de soude et de chaux. La silice, utilisée sous forme de sable, permet la vitrification du verre. La soude favorise la fusion du mélange, et la chaux durcit l'ensemble et lui donne son aspect étincelant.
A ces matières premières sont ajoutés d'autres produits (oxydes métalliques, par exemple), qui donnent aux différentes catégories de verre leurs qualités particulières.

les différentes sortes de verre

Dans le domaine de l'aménagement et de la décoration, plusieurs catégories de verre conviennent aux utilisations les plus variées. Vous trouverez ci-dessous un tableau qui vous donne les caractéristiques des fabrications courantes.

le verre ordinaire

C'est le verre classique, appelé couramment verre à vitre et obtenu par étirage vertical, directement à partir d'un bain de verre en fusion. La lame de verre se fige sous forme d'un ruban continu ; elle s'engage entre des rouleaux et l'ensemble entraîne en continu la partie visqueuse sortant du bain.
Le verre à vitre n'est pas toujours sans défaut, quelques petites bulles venant parfois troubler sa transparence. Pour cette raison, les fabrications sont triées, et il existe différents choix de verre à vitre (normal, sélectionné, pour argenture...) destinés à divers usages.
Vous trouverez le verre à vitre sous des formats très différents, de 108 cm x 20 cm à 324 cm x 140 cm environ, et ce dans des épaisseurs variant de 1,6 mm à 5,5 mm.

Vous trouverez également du verre plus ou moins travaillé ou ayant subi des opérations qui modifient sa présentation. Notons par exemple :

le verre dépoli

Verre dont la surface a été balayée par un jet de sable propulsé par de l'air comprimé. La face est ainsi dépolie et offre un aspect granuleux ; le verre n'est plus transparent, mais seulement translucide.

TYPES DE VERRE	ÉPAISSEURS (en mm)	POIDS (en kg/m²)	FORMATS COURANTS (en cm)
VERRE ÉPAIS	5,50	13,800	108 à 324 x 28 à 140
VERRE ÉPAIS	4,80	12	108 à 324 x 28 à 140
VERRE FORT	3,80	9,500	108 à 244 x 20 à 140
VERRE NORMAL	2,90	7,300	108 à 216 x 20 à 120
VERRE MINCE	1,95	4,900	108 à 160 x 20 à 60
VERRE EXTRA-MINCE	1,60	4	160 x 60

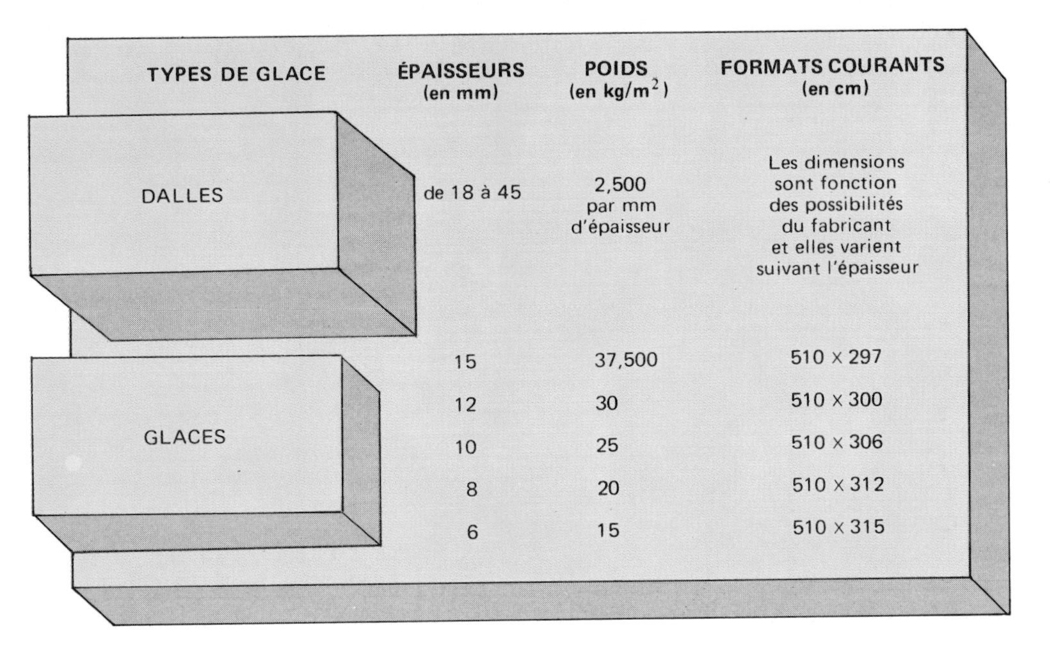

TYPES DE GLACE	ÉPAISSEURS (en mm)	POIDS (en kg/m²)	FORMATS COURANTS (en cm)
DALLES	de 18 à 45	2,500 par mm d'épaisseur	Les dimensions sont fonction des possibilités du fabricant et elles varient suivant l'épaisseur
GLACES	15	37,500	510 x 297
	12	30	510 x 300
	10	25	510 x 306
	8	20	510 x 312
	6	15	510 x 315

le verre coulé

Appelé également verre cathédrale, ce verre est coulé entre deux cylindres qui le laminent à une épaisseur constante, puis il est imprimé par un rouleau à reliefs dont les dessins s'incrustent à la surface. Le verre cathédrale diffuse la lumière, mais protège des regards indiscrets. Le verre imprimé Vania, par exemple, est un verre coulé translucide, imprimé sur les deux faces. Il ne demande que très peu d'entretien et sa réversibilité lui permet des applications diverses telles que les cloisons, les séparations de balcon, les portes... Il se présente en format rectangulaire de 308 cm x 24 cm, dans des épaisseurs de 4 à 8 mm.

le verre de couleur

Comme le verre à vitre, il est obtenu par étirage vertical d'un bain de verre en fusion, teinté dans la masse par l'apport d'oxydes. Par exemple, l'oxyde de nickel le colore en rouge, l'oxyde d'argent en jaune, l'oxyde de cobalt en bleu...
Le verre de couleur a sensiblement les mêmes dimensions que le verre ordinaire. Il se présente en formats rectangulaires de dimensions variables (180 cm x 100 cm ; 168 cm x 102 cm par exemple) et dans des épaisseurs variant de 2 à 5 mm, chacune d'elles étant de dimension constante.
Par ailleurs, il existe une autre qualité de verre de couleur qui n'est pas fabriquée par étirage, mais par *soufflage*. Ce procédé permet d'obtenir les caractéristiques des verres anciens et notamment des différences d'épaisseur dans une même feuille, ce qui donne des nuances de teintes.
Présentations commerciales : format de 84 cm x 63 cm, 120 cm x 84 cm, 107 cm x12 cm pour des épaisseurs de 1,5 à 3,5 mm. Les variations d'épaisseur peuvent atteindre 2 mm, dans la même feuille de verre.
Ces verres soufflés, dont les irrégularités confèrent un aspect décoratif, existent dans 3 000 teintes environ, dont 128 sont couramment disponibles.
Ce chiffre, assez considérable, permet, évidemment, un très grand choix et des effets variés, offrant ainsi de nombreuses possibilités d'utilisation.

les différentes sortes de glace

Les glaces et dalles de verre sont des feuilles de verre coulées ayant subi, après solidification, une opération complémentaire destinée à rendre leurs faces planes et parallèles.
Les termes « glace » et « dalle » sont employés en fonction de l'épaisseur du produit. Jusqu'à 15 mm d'épaisseur, le produit est appelé glace ; au-dessus de 15 mm, c'est une dalle.

les fabrications courantes

Les fabrications les plus courantes sont obtenues par laminage horizontal. Le verre en fusion passe entre deux cylindres qui donnent une épaisseur constante au ruban de glace brute. L'ensemble recuit subit ensuite deux opérations (le doucissage et le polissage), destinées à rendre les deux faces du produit planes, parallèles et polies. La glace polie est alors lavée et découpée en plaques de grandes dimensions comme indiqué dans le tableau ci-dessus.

Des fabrications de dimensions spéciales sont toujours possibles : certaines glaces de vitrine atteignent parfois des longueurs de 8 m.
Comme pour le verre ordinaire, il existe des glaces ou des dalles aux caractéristiques précises. Ce sont par exemple :

les dalles de couleur

Ce sont des produits recuits en verre teinté dans la masse et obtenus par moulage. Le format standard (30 cm x 20 cm pour une épaisseur de 2 cm) est le plus courant et permet la réalisation des cloisons ou de fresques pour les décors intérieurs.
D'autres fabrications, de formats divers, sont adaptées à des réalisations spéciales.
Citons, par exemple, les dalles de Transacryl granité utilisées comme poignées de portes.

les glaces solaires

Glaces filtrantes, légèrement teintées dans la masse, qui ont le pouvoir d'absorber l'excès de luminosité.
Leurs teintes (gris, bronze, vert) ont été choisies pour assurer un maximum de protection contre le rayonnement et la chaleur solaires, sans pour autant dénaturer les couleurs.
Les formats standards sont de 510 cm x 252 cm et 465 cm x 252 cm, pour des épaisseurs de 6,8 et 10 mm.

Vous pouvez protéger vos baies vitrées contre l'excès de luminosité en les doublant d'un écran antisolaire. Il s'agit d'un film Rexotherm qui laisse passer la lumière, mais arrête les ultraviolets. Le film s'applique par simple adhérence, directement sur une vitre classique, côté intérieur.

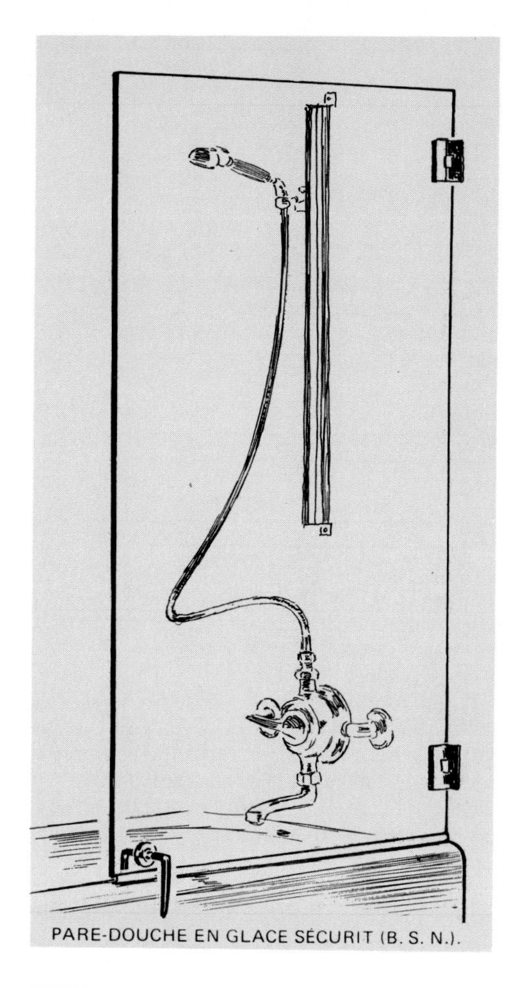

PARE-DOUCHE EN GLACE SÉCURIT (B. S. N.).

PORTES COULISSANTES
miroir pour penderie (Gliss-glace).

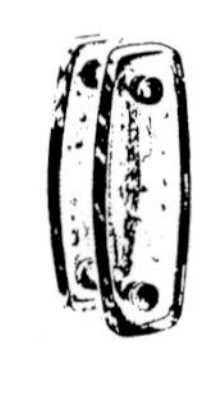

POIGNÉE DE PORTE
en verre teinté (Saint-Gobain).

les glaces opaques

Principalement destinées à la décoration : portes de meubles, tablettes de radiateurs, dessus-de-table...
Ce sont des produits de composition analogue au verre rendus opaques par des oxydes métalliques qui les teintent dans la masse, en blanc ou en noir. Ces glaces opaques sont commercialisées sous le nom d'opaline; si elles sont trempées, on les nomme Solidorite. Leur format courant est de 402 cm x 249 cm sous deux épaisseurs : 6 et 10 mm.

les miroirs

Fabriqués à partir d'une glace transparente, parfaitement polie, dont une des faces est recouverte d'une couche de métal à grand pouvoir réflecteur (étain, argent, platine...). Cette couche est appelée « tain », car c'était, à l'origine un amalgame d'étain. Elle est ensuite recouverte et protégée par un vernis ou une peinture à base de minium. La qualité d'un miroir ne dépend pas seulement de celle de la glace, mais du soin apporté à l'application de la couche de métal. Des essais sont en cours pour remplacer l'argent ou le platine par l'aluminium, moins cher, mais de moindre pouvoir réfléchissant.

les verres spéciaux

Malgré toutes les qualités reconnues aux produits verriers, il fallait néanmoins lutter contre la plus grande faiblesse du produit : sa fragilité. Divers procédés sont utilisés dans ce but et donnent au verre, quand son emploi le nécessite, une résistance mécanique fort appréciable.

le verre trempé

La trempe est un traitement thermique qui consiste à réchauffer le verre déjà solide, puis à le refroidir brusquement par des jets d'air soufflé. Il s'ensuit une modification de la structure interne qui donne au verre une résistance beaucoup plus grande.
Verres et glaces peuvent subir ce traitement. S'il s'agit d'un verre ordinaire coulé, le produit est appelé Durlux ; s'il s'agit d'une glace polie transparente, elle prend la dénomination de glace Sécurit. Tous ces produits trempés ne peuvent être ni découpés ni percés ; il faut prévoir toutes les opérations de façonnage en atelier, avant de réaliser la trempe. En cas de rupture, la glace Sécurit se fragmente en morceaux de petites dimensions ne pouvant pas causer de blessures profondes. Les dimensions des verres et glaces trempés sont assimilables à celles des produits bruts avec, toutefois, une réserve quant à l'épaisseur, qui doit être au moins de 6 mm.

le verre armé

Le verre armé est un verre coulé, translucide, dans l'épaisseur duquel est incorporé un treillis métallique. Cette insertion est pratiquée dans le verre en fusion, immédiatement avant son passage entre les deux rouleaux qui lui donnent son épaisseur.
C'est, par excellence, la qualité de verre destinée à la réalisation des toitures : en cas de bris, les morceaux de verre sont retenus par le treillage métallique et ne peuvent tomber.
Les dimensions pour les plaques planes sont de 308 cm x 172 cm sous deux épaisseurs principales, 6 et 8 mm. Mais le verre armé peut avoir d'autres présentations. Le Vérondulit, par exemple, est un verre armé ondulé, qui se pose en toiture et se raccorde avec les plaques d'amiante-ciment ou les tôles ondulées.
Le Profilit et le Ridover sont des plaques de verre armé, crantées ou en forme de large U, destinées à la réalisation de cloisons, de séparations intérieures sans utiliser d'huisserie en bois. Le Profilit a, comme dimensions, une épaisseur de 5 à 6 mm, une largeur de 262 mm et une longueur variant entre 1 et 7 m.

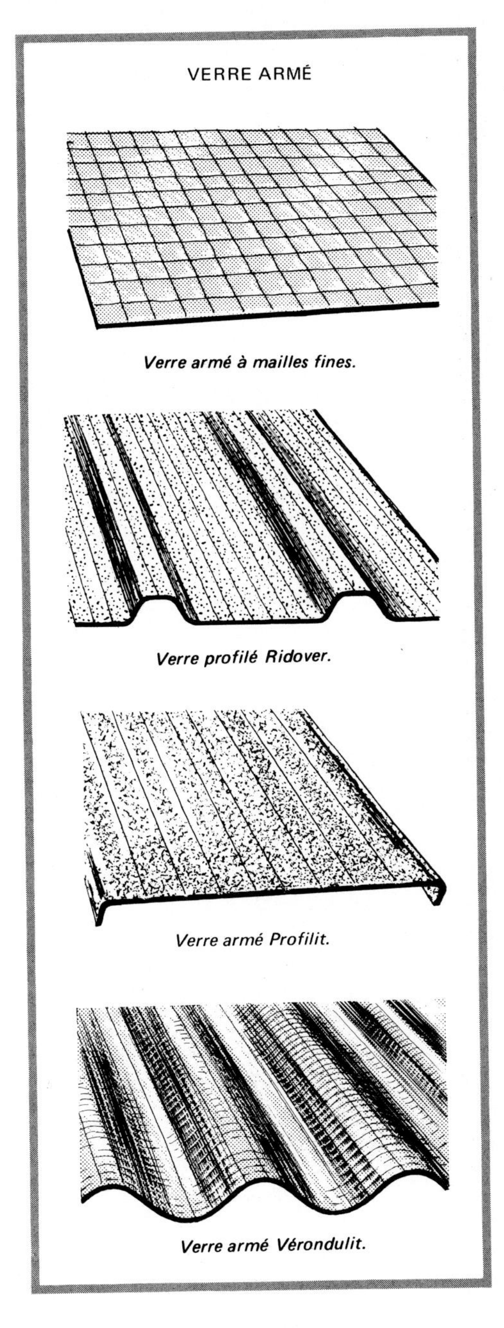
VERRE ARMÉ

Verre armé à mailles fines.

Verre profilé Ridover.

Verre armé Profilit.

Verre armé Vérondulit.

Parfois, le verre est armé par un autre matériau que le treillis métallique. C'est le cas des fabrications Triplex qui proposent un vitrage de sécurité composé de deux vitres soudées intimement par l'interposition d'une feuille de matière plastique transparente. Le Triplex peut être exécuté avec diverses qualités de verre (verre à vitre, glace Sécurit, verre de couleur...).
Par ailleurs, il est possible de varier le nombre d'éléments : trois, quatre, cinq... plaques de verre sont alors assemblées pour former des vitrages antieffractions ou antiballes. Les dimensions courantes du verre Triplex évoluent du format de 160 cm x 96 cm à la plaque de 4 cm x 2 m. Les épaisseurs courantes vont de 5,3 à 25 mm, mais il est possible d'obtenir des vitrages d'épaisseur plus importante, jusqu'à 120 mm environ.

les vitrages isolants

Le principe de ces vitrages repose sur le pouvoir isolant que possède un espace d'air enfermé entre deux vitres. Il s'agit donc de constituer une vitre avec deux, trois ou plusieurs verres ou glaces, chaque élément étant séparé du précédent par une couche d'air que l'on déshydrate pour éviter l'embuage à l'intérieur du vitrage.
Vous trouverez aisément ces vitrages (Thermopane, Polyglass, Supertriver) qui sont des produits très appréciés, car leurs qualités d'isolation thermique et phonique sont particulièrement intéressantes. Ces fabrications utilisent, en général, des glaces d'au moins 4 à 5 mm d'épaisseur, qui sont scellées en usine sur un cadre spécial assurant une étanchéité parfaite à l'ensemble.
Il ne faut pas confondre ces produits avec les doubles vitrages que l'on exécute soi-même en doublant la fenêtre existante par une vitre similaire, procédé qui n'apporte bien souvent que de faibles résultats, car le montage n'est pas suffisamment étanche.
A noter : Les doubles vitrages Thermopane et Polyglass peuvent être montés sur de nombreuses fenêtres, car il existe des profilés spéciaux qui permettent de les fixer sur la plupart des huisseries en bois ou en métal.

les moulages en verre

Ce sont des éléments de petites dimensions réalisés en verre extra-clair et destinés à créer sur le sol, les murs ou le plafond, des trouées de lumière naturelle.
On distingue principalement trois fabrications :

La barbe de verre...
Si on laisse tomber du sucre cristallisé sur un disque chauffé, tournant à grande vitesse, on récolte à la périphérie du disque une multitude de fils très fins, bien connus sous le nom de « barbe à papa ». Remplaçons le sucre par une goutte de verre fondu et l'on obtient de la « barbe de verre » ou *fibre de verre* dont les qualités isolantes sont bien connues.
D'autres procédés de fabrication (à la filière, par exemple) permettent d'obtenir de la fibre de verre en fil continu dont le diamètre ne dépasse pas 2/100 de millimètre; si fines soient-elles, les fibres de verre sont néanmoins toujours creuses.

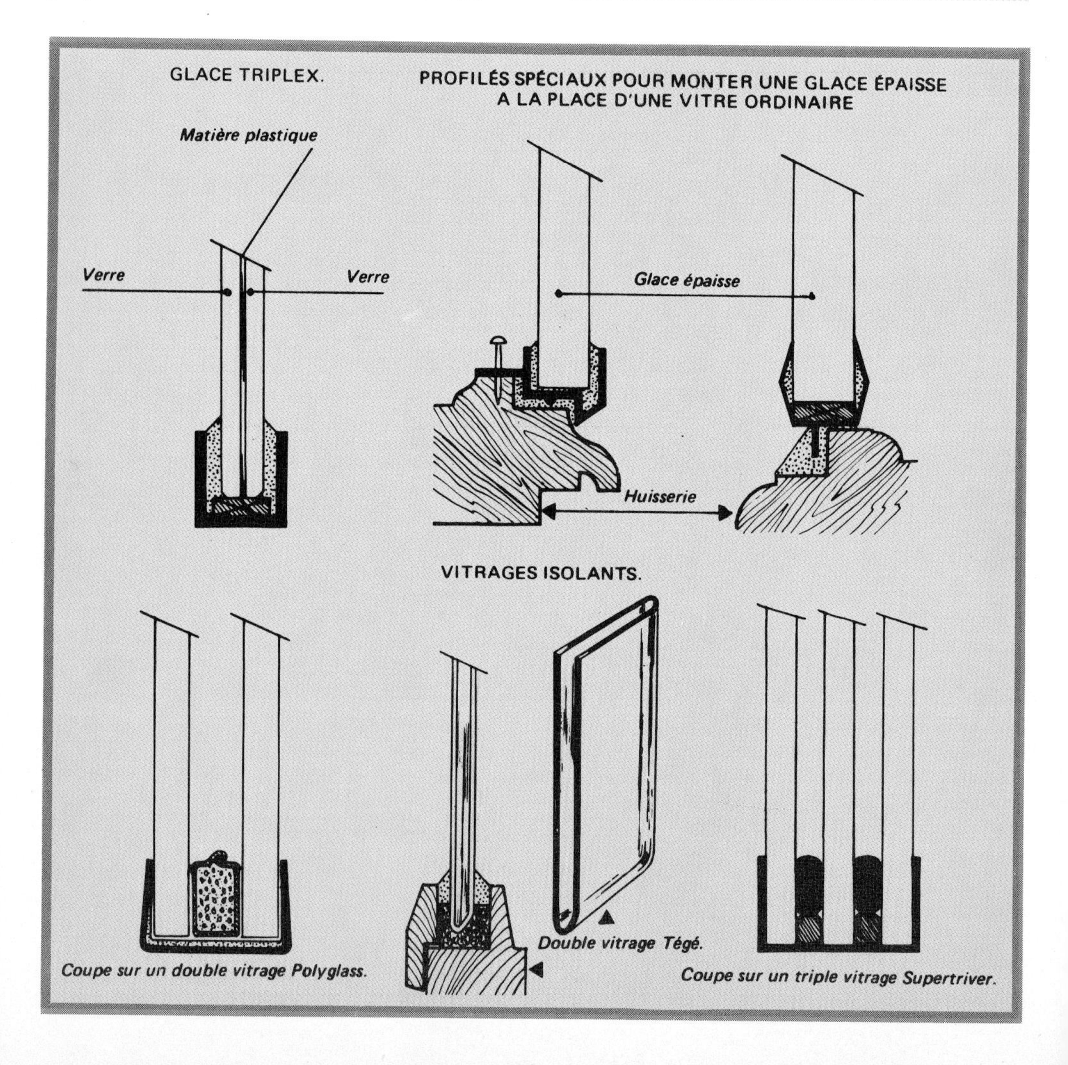

Coupe sur un double vitrage Polyglass.
Coupe sur un triple vitrage Supertriver.

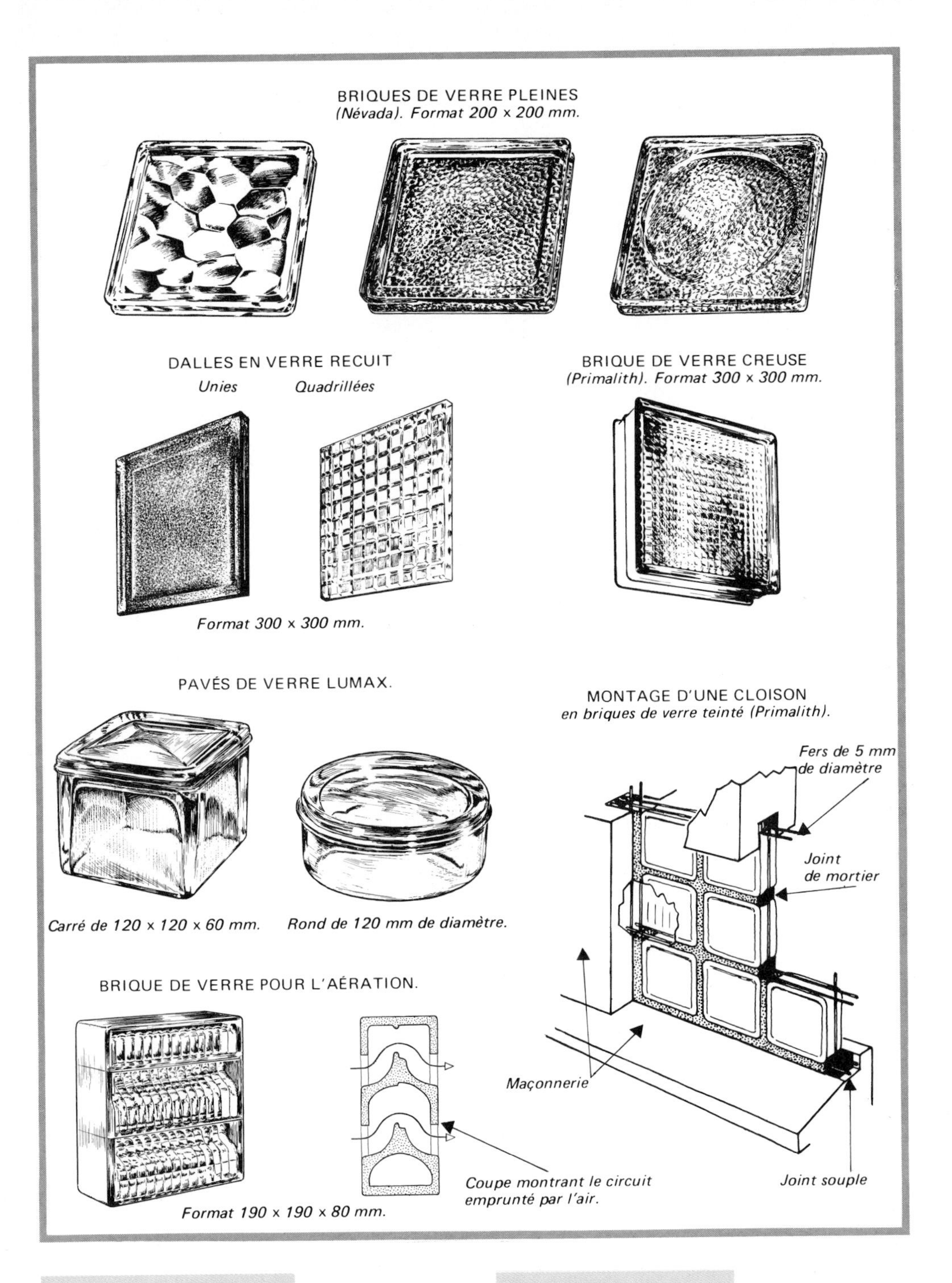

les briques de verre

Les briques de verre peuvent être creuses ou pleines.
Les briques creuses sont constituées par deux demi-briques moulées et soudées à chaud (Primalith). Elles contiennent de l'air raréfié qui leur confère des propriétés d'isolant thermique et phonique. Dimensions courantes : carrés de 196 mm ou 300 mm de côté, épaisseur 100 mm.
Les briques pleines sont moulées en une seule pièce et comportent une gorge de fixation sur tout le périmètre. Dimensions : carré de 200 mm de côté, épaisseur 32 mm (Nevada).

les pavés de verre

Moulés d'un seul bloc, ce sont des pavés creux en verre trempé. Ils sont ronds ou carrés et scellés au mortier dans les ouvrages en maçonnerie. Dimensions : diamètre de 120 mm ou carré de 120 ou 150 mm de côté; hauteurs : 50, 60, 80 ou 100 mm (Lumax).

les dalles de verre

Dalles carrées en verre recuit dont les faces sont quadrillées ou unies. Dimension unique : carré de 300 mm de côté pour une épaisseur de 30 mm.

CHAPITRE VIII

LES MEUBLES DE STYLE

les styles

La plupart des ouvrages consacrés au mobilier vous présentent les styles comme une succession de phénomènes isolés d'un pays à l'autre. Cette vision, pour ainsi dire nationaliste, est forcément partielle et partiale. Les pages qui suivent sont animées d'un esprit différent. Des examens comparatifs montrent que les grands styles, liés à l'histoire, s'affirment à des époques déterminées sans tenir compte des frontières.

les meubles témoins de leur temps

Avec une remarquable alternance de lignes droites et de lignes courbes, l'évolution des formes du mobilier se poursuit à travers les siècles, étroitement solidaire du mouvement des arts européens. Quelques décalages dans le temps se produisent d'un pays à l'autre où chaque style, tout en gardant ses principales caractéristiques, subira néanmoins des influences locales qui permettent de le situer. Nous avons parlé d'évolution : c'est dire qu'il y a aussi continuité d'un style à l'autre. Comme les artistes d'une génération reçoivent un héritage qu'ils font fructifier, les fabricants de meubles inventent des formes nouvelles en partant de celles qui leur sont transmises, d'où les styles dits « de transition » qui, s'inspirant d'un passé récent, préfigurent les meubles de l'avenir.
L'évolution fonctionnelle s'accompagne évidemment de modifications progressives dans les techniques de fabrication, et les créateurs de meubles s'attachent toujours davantage à équilibrer les lignes et à les adapter aux besoins de la vie de tous les jours.
Le choix des bois et autres matières premières résultera souvent des conditions locales ou d'une conjoncture économique particulière. Si les meubles en acajou du XVIIe s. furent fabriqués surtout dans les ports et principalement à Bordeaux, c'est que les bateaux chargés de bois exotiques venaient y décharger leurs cargaisons.
Au cours des siècles, les meubles s'adaptent aussi aux mœurs. Au début du XVIIIe s. par exemple, les accotoirs des fauteuils reculent par rapport à l'alignement des pieds pour permettre aux robes à panier de bouffer sans se froisser selon les exigences de la mode. Sans parler des meubles que l'on invente pour des usages précis, depuis le tabouret de chantre jusqu'à la table trictrac en passant par les meubles de métier qui apparaissent au fur et à mesure que les métiers pour lesquels ils sont conçus prennent de l'importance.
Les styles ou les tendances de la décoration intérieure se répandent en Europe avec la même rapidité que les armées des rois et des princes qui s'en vont en guerre : de Flandre en Italie, d'Angleterre en Gascogne ou de France en Espagne.
Pour reconnaître un style, il suffit presque d'avoir une idée de l'allure générale des meubles de telle ou telle époque. Ainsi une

Le cabinet doré fait partie des petits appartements de la reine à Versailles. Le mobilier Louis XVI est bien mis en valeur par les boiseries dorées de la même époque.

table à pieds droits cannelés sera toujours néo-classique, qu'elle soit anglaise, française ou autrichienne. Il est évidemment utile de connaître les dénominations et les caractéristiques que chaque pays donne à des époques précises, mais on peut considérer qu'il ne s'agit là que de particularités nationales de la tendance générale d'une époque. Dès lors, il est beaucoup plus important de savoir où et pour quelle raison tel style a commencé et d'en suivre les variantes à travers les différents pays.

Nous avons pris comme point de départ le XVIIe s. et le style Louis XIII en France, considérant que les meubles gothiques ou de la Renaissance, fort rares, sont plutôt des meubles de musées, exception faite de quelques coffres ou panneaux que vous reconnaîtrez aisément à leur décor sculpté, qui rappelle en tout point le décor architectural de l'époque.

En outre, jusqu'à la fin de la Renaissance, les meubles étaient – comme l'indique l'étymologie du mot – essentiellement « mobiles ». Coffres, sièges pliants, tables à tréteaux et bois de lit se déplaçaient au gré des voyages qu'entreprenaient monarques et grands seigneurs féodaux. Leur structure devait répondre à cet incessant déménagement. Même sous François Ier, les meubles changent sans arrêt de demeure. Un ambassadeur vénitien à la cour de France raconte qu'en quatre ans le roi n'est pas resté quinze jours de suite au même endroit.

Le développement et l'enrichissement de la bourgeoisie des villes, les centres d'attraction que constituent les cours des monarques qui, ayant triomphé des grands féodaux, deviennent beaucoup moins itinérants, vont créer des conditions nouvelles. A partir du XVIIe s., les meubles vont se multiplier. La corporation des menuisiers, à laquelle s'adjoindra bientôt celle des ébénistes, va, dès lors, connaître une prodigieuse activité. D'autant plus que, dans la noblesse et la grande bourgeoisie, il est d'usage, dès qu'un style est passé de mode, de reléguer les meubles dans les greniers et garde-meubles pour les remplacer par de nouvelles acquisitions, qui sont davantage au goût du jour. Personne ne songera sous Louis XV à se meubler en style Régence, ni sous Louis XVI en style Louis XV. On remplace les meubles à une vitesse qui n'a d'égale que la rapidité de production des fournisseurs. Cette abondance de meubles constituera, quelques siècles plus tard, un capital artistique pour chaque pays.

Il est généralement admis qu'un meuble mérite le qualificatif d'ancien lorsqu'il a cent ans d'âge. Mais les meubles qui datent de moins d'un siècle ne sont pas sans intérêt pour autant, comme en témoignent ceux de l'époque « art nouveau » ou, plus près de nous, ceux de la période 1925. Une véritable connaissance de l'évolution des styles dans le mobilier ne peut pas s'attacher à la seule notion d'ancienneté. Tant que l'on fabriquera des meubles, il y aura des créateurs, des dessinateurs et des styles subissant l'influence de la vie du moment.

C'est pourquoi nous avons poursuivi notre étude jusqu'à l'époque contemporaine, une des plus fertiles d'ailleurs en cette matière. De droites en courbes vous découvrirez ainsi, à travers les meubles, l'exact reflet de l'évolution du goût jusqu'à ses plus récentes tendances. L'examen comparé de ces « témoins de leur temps » vous permettra de mieux les connaître et de mieux les aimer.

APERÇU DE LA SUCCESSI

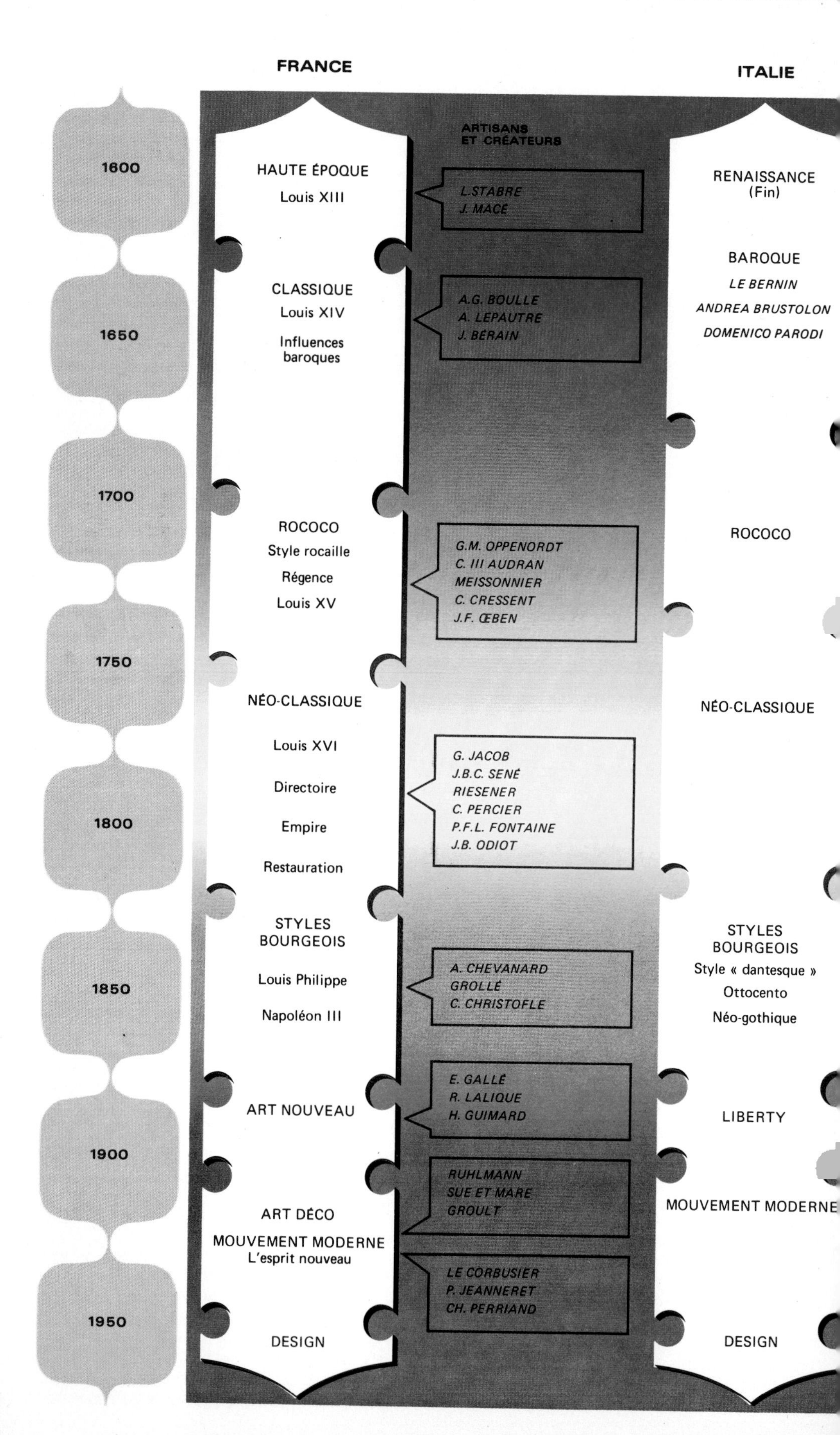

; STYLES EN EUROPE

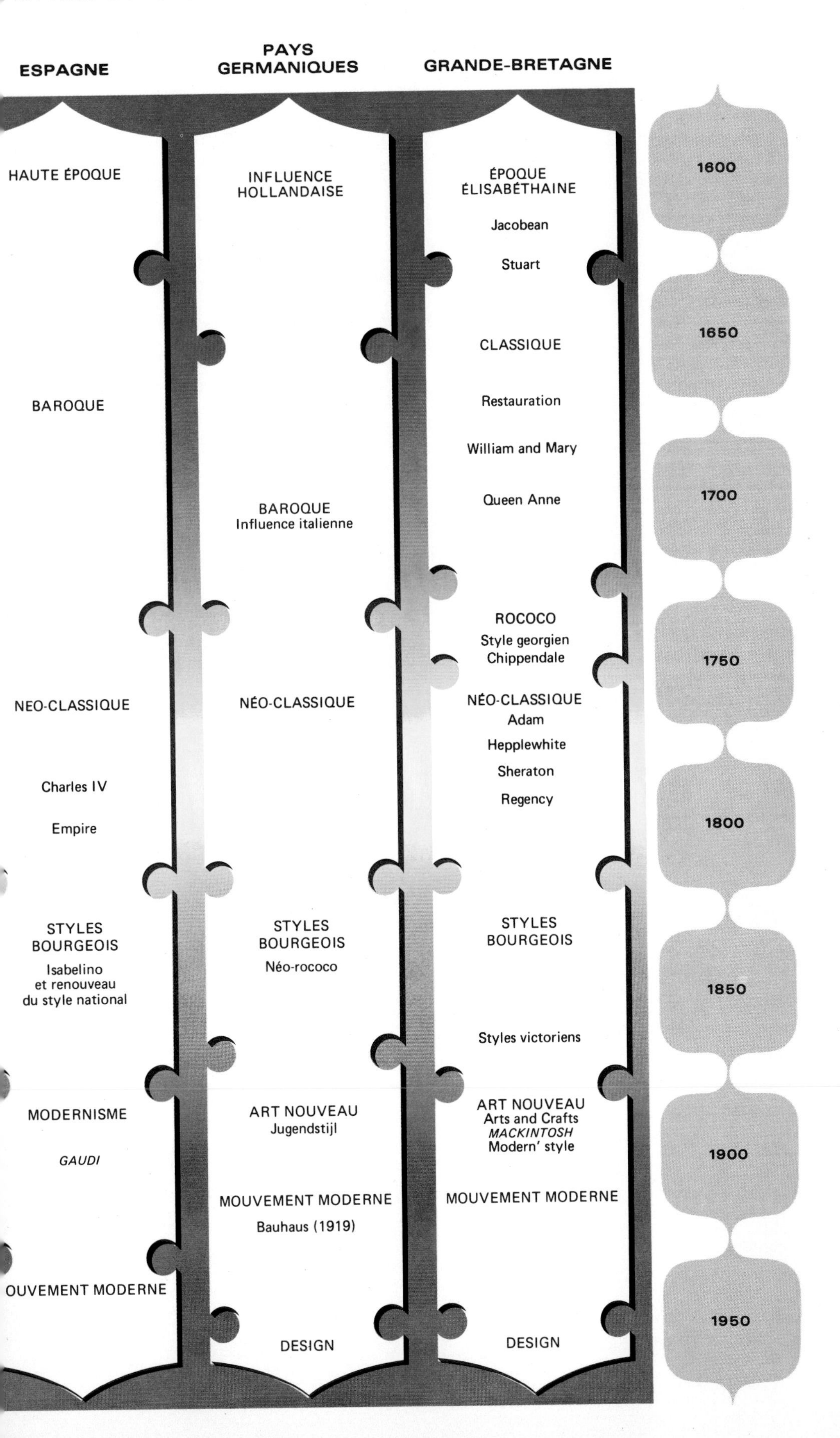

COMPARAISON DES ST

LES FAUTEUILS

Fauteuil Louis XIII.

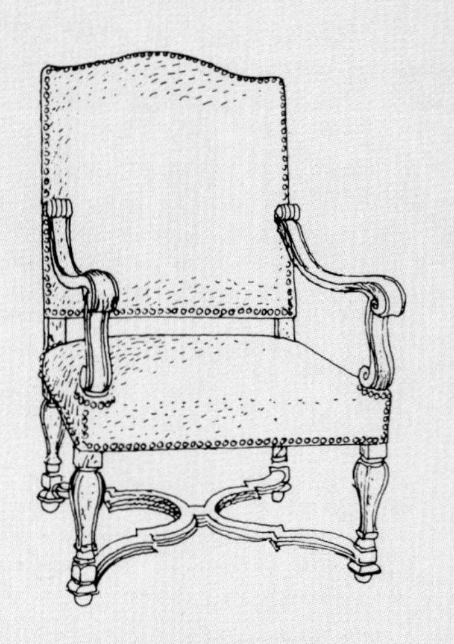

Fauteuil Louis XIV.

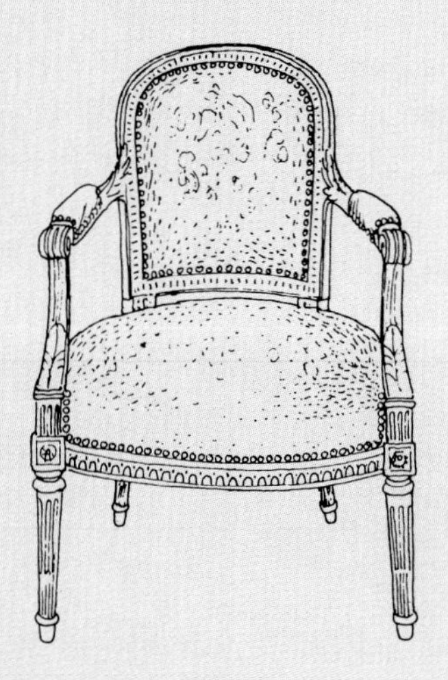

Fauteuil Louis XVI.

Fauteuil Directoire.

LES CHAISES

Chaise Louis XIV. *Chaise Louis XV.* *Chaise Chippendale.* *Chaise Louis XV*

CORATIFS PAR TYPE DE MEUBLE.

Fauteuil Régence.

Fauteuil Louis XV.

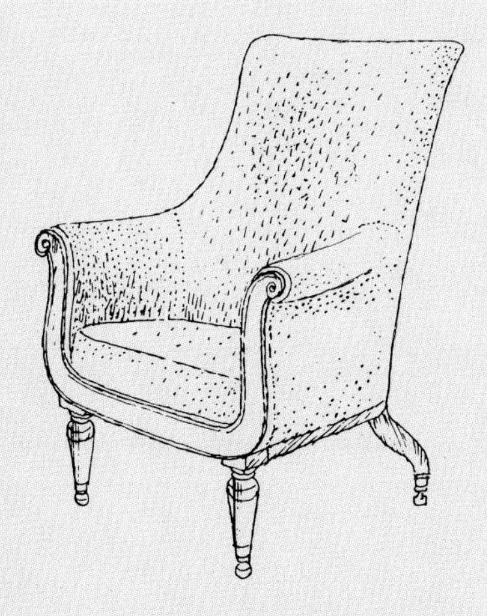

Fauteuil Louis-Philippe.

Fauteuil art nouveau.

Chaise Empire.

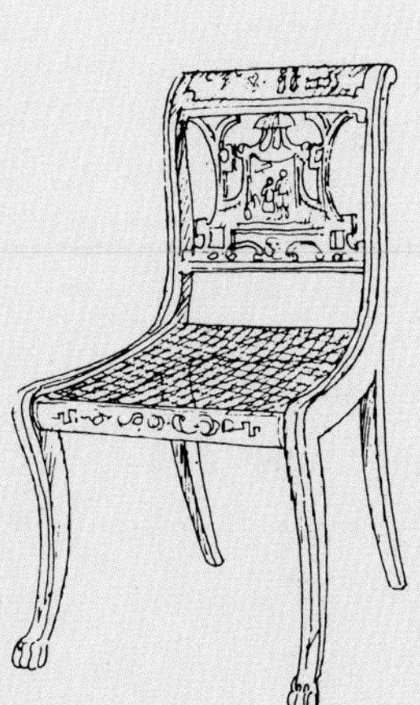

Chaise Regency.

Chaise cathédrale du XIXe s.

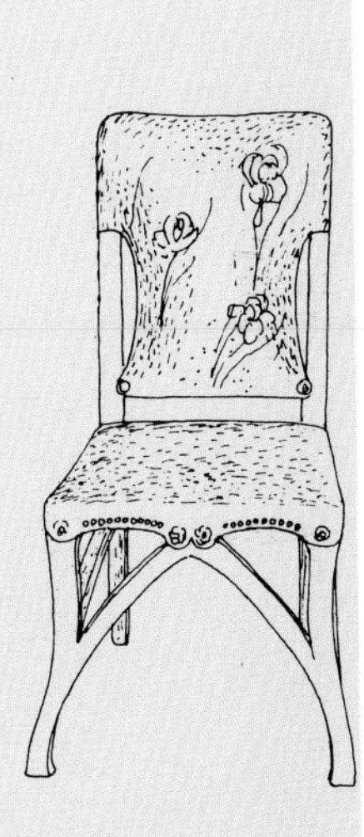

Chaise art nouveau.

Table Louis XIII.

Table Queen Anne.

Table à écrire Louis XV.

Table allemande du XVIIe s. inspirée du style Louis XIV.

Table Louis XVI.

ORATIFS PAR TYPE DE MEUBLE.

LES COMMODES

Commode Régence.

Commode Louis XV. Style rococo.

Commode Louis XVI à trois grands tiroirs.

Commode de Ruhlmann. Style art déco.

LES BUREAUX

COMPARAISON DES STYL

Bureau anglais du XVIIe s.

Bureau dos-d'âne Louis XV.

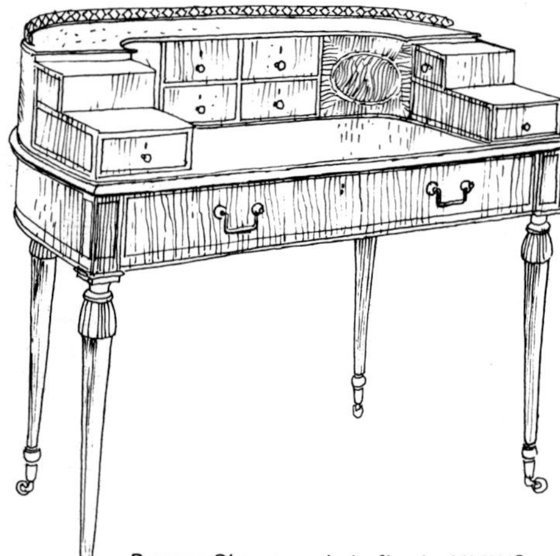

Bureau Sheraton de la fin du XVIIIe s.

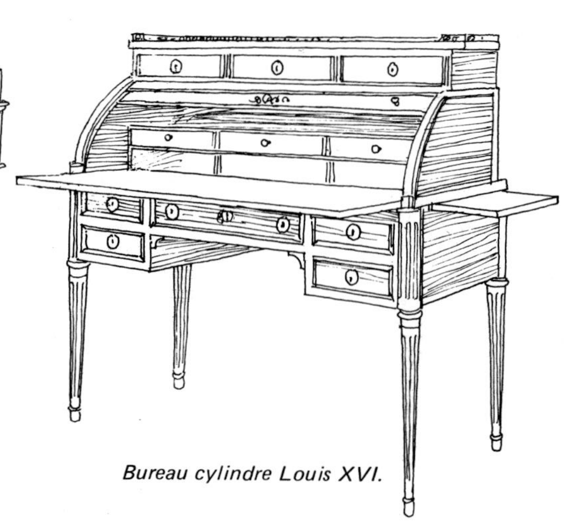

Bureau cylindre Louis XVI.

Table-bureau Empire.

Bureau de dame Louis-Philippe.

:ORATIFS PAR TYPE DE MEUBLE.

LES LITS

Lit anglais de la fin du XVIIe s.

Lit Louis XV.

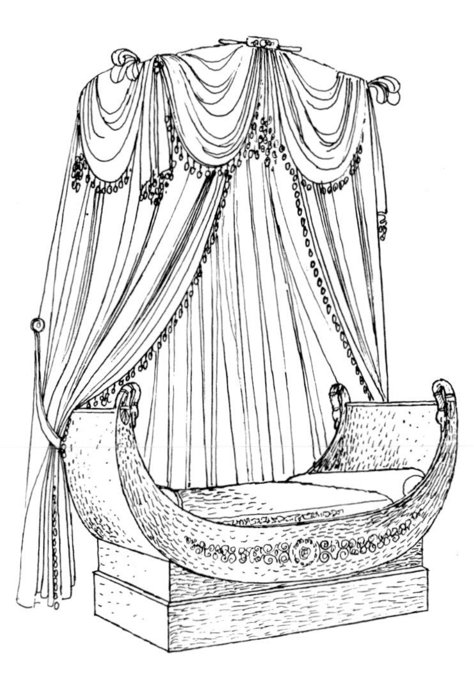

Lit bateau Restauration.

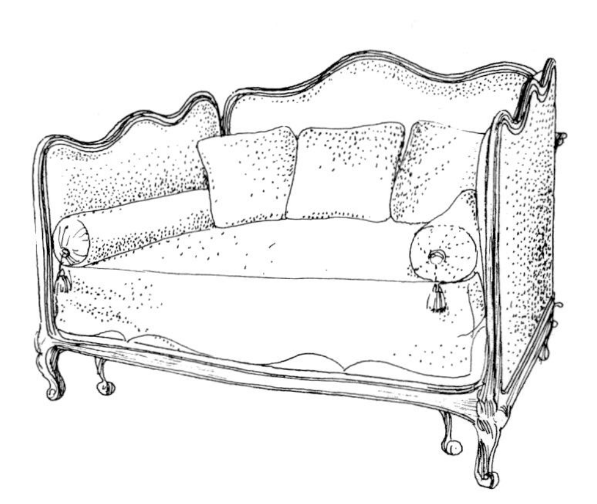

Lit-divan Louis XV à trois chevets.

Lit de repos Directoire.

les meubles de style du XVIIe siècle à nos jours

Nous avons présenté dans les pages précédentes un aperçu graphique très général de l'évolution des styles décoratifs à travers l'Europe. Puis nous avons voulu vous permettre de comparer visuellement les caractéristiques de chaque style sur un même type de meuble. Avant de passer à l'histoire même des meubles et à l'analyse des styles, nous attirons votre attention sur les différentes appellations que les professionnels donnent au mobilier suivant son ancienneté et son authenticité.

la grande famille des meubles de style

C'est ainsi que, lorsque vous entendez parler d'un meuble de style Louis XV, ne croyez pas qu'il ait été fabriqué sous Louis XV. En effet, un objet est dit « de style » s'il présente les caractéristiques d'un style bien défini, mais il a pu être exécuté de nos jours. Par contre, un meuble est dit « d'époque » s'il date réellement de l'époque en question. Pour reconnaître les meubles de style, qui ont parfois un aspect « ancien », il faut un peu d'habitude et une bonne connaissance des styles qui ont servi de modèle. En effet, sous Napoléon III, on exécutait des copies qui n'étaient pas forcément exactes, car il ne s'agissait nullement de tromper le public, mais de renouer avec la tradition, ce qui n'excluait pas une certaine invention personnelle. Et l'imagination un peu débordante qui règne alors pare les meubles de style de détails décoratifs qui permettent de les distinguer. Le choix des motifs devient en effet fantaisiste, alors que, sous Louis XV ou Louis XVI, il est parfaitement défini.
Les menuisiers et ébénistes du XVIIIe s. créaient leurs meubles un par un. Aussi leurs formes sont-elles en général plus amples et plus équilibrées que celles des meubles fabriqués en série au XIXe s.
Les proportions des meubles du XVIIIe s. français sont le résultat de plus d'un siècle de tradition artisanale d'une qualité exceptionnelle. Lorsque les fabricants du XIXe s. veulent reprendre ces styles pour leur compte en les interprétant, ils commettront des erreurs, imputables à l'influence du goût de leur propre époque. Ainsi, le Louis XVI du XIXe est souvent alourdi de prétentieuses surcharges, alors que le vrai Louis XVI est d'une merveilleuse sobriété, d'une rigoureuse froideur et d'un modernisme dont on n'a pas fini de découvrir les grâces.
Une bonne méthode pour distinguer le meuble de style sera donc de procéder à un examen attentif des détails décoratifs et du rapport des lignes. En les comparant aux motifs et proportions de meubles authentiques, il sera facile de remarquer les variations. D'autres indications seront également utiles. Ainsi les sièges laqués qui ont encore leur peinture d'origine auront une patine et une transparence dans les couches de peinture que le XIXe n'a pas su donner. Également, les dorures du XIXe sont rougeâtres, uniformes et plutôt épaisses, alors que le bois doré à la feuille d'or au XVIIIe s. conserve une pureté et un ton jaune très typiques. Mais aussi bien les patines que les tons de l'or ou l'ancienneté d'un bois ne peuvent se reconnaître qu'avec un certain entraînement de l'œil. Il est impossible d'expliquer la différence entre un bois ancien et un bois plus neuf. L'un est plus abîmé, plus chaud, plus patiné que l'autre, mais c'est encore à l'œil d'apprécier cette différence. Plus on aura acquis l'habitude de regarder du bois ancien, mieux on reconnaîtra celui qui ne l'est pas d'après l'aspect de sa texture.
Cette appréciation du bois est évidemment nécessaire si l'on veut savoir distinguer un meuble « de style » fabriqué couramment aujourd'hui de son modèle ancien. Et il ne s'agit pas de prétendre distinguer un « faux », ce qui demande beaucoup de capacités. Aujourd'hui, les fabricants de meubles de style n'essaient pas tant d'imiter le XVIIIe s., ce qui serait beaucoup trop cher à cause des placages et marqueteries, que d'offrir un choix de meubles « rustiques » inspirés du Louis XIII ou du style espagnol, et de meubles de style anglais (généralement importés).
Les premiers sont parfois fabriqués avec soin dans des bois anciens, et les antiquaires qui les vendent le font savoir à leur clientèle. Ainsi, à Perpignan, un antiquaire spécialisé en haute époque et meubles espagnols possède non seulement un considérable stock de bois espagnols anciens et de meubles du XVIIe s., mais fabrique des

tables Louis XIII ou des tables espagnoles sur commande soit en bois ancien, soit en bois admirablement vieilli et patiné, le prix étant calculé d'après le nombre de mètres carrés utilisés.
De même, beaucoup d'ateliers proposent des chaises lorraines à balustres, des tables Louis XIII à pieds tournés, des coffres ou des fauteuils « os de mouton » (certains nés d'hier) fabriqués dans des bois qui ne cherchent même pas à faire ancien ou dans de vieux bois.
Ici, de nouveau, pour les distinguer des meubles authentiques, c'est une affaire d'appréciation et d'œil : le tournage actuel est fait à la machine et présente un aspect plus régulier; un meuble du XVIIe s. peut difficilement être dans un état parfait; les assemblages et les joints jouent avec le temps, le bois des plateaux se fend, s'use plus à certains endroits qu'à d'autres, reçoit des taches, subit des réparations de fortune. Toutes ces notions, si elles s'ajoutent à une parfaite connaissance des caractéristiques d'un style donné, doivent aider à savoir si un meuble est ou n'est pas authentique. D'ailleurs, il est très rare qu'un antiquaire avisé prétende totalement authentique, ou plutôt « né tel que vous le voyez », un meuble très restauré ou fabriqué de toutes pièces dans du bois ancien.
On considère couramment qu'un meuble restauré à plus d'un certain pourcentage n'est plus un meuble d'époque, et un antiquaire qui tient à son prestige n'a pas intérêt à tromper sa clientèle.
Cela nous amène à parler des meubles faux. Quand il s'agit d'un faux, toutes les notions que nous venons d'indiquer sont à peu près inutiles, car le faussaire est parfaitement averti de toutes les particularités des meubles anciens, et son adresse consiste justement à les reproduire : patine, usure, assemblages. Il est donc vain de croire que l'on peut reconnaître un très bon faux si l'on n'a pas, outre des connaissances approfondies, une expérience qui ne s'acquiert qu'après des années de métier. Les conseils classiques donnés aux amateurs tels que de vérifier si le chevillage est en bois ou si l'intérieur des tiroirs est en bois ancien ne jouent que pour les meubles d'imitation grossière et qui n'essaient de tromper personne.
Si l'on n'est pas en mesure, par manque d'habitude ou de connaissances, de reconnaître un meuble d'époque, on peut en effet avoir recours à quelques examens typiques : voir si les chevillages ne sont qu'en bois, si l'usure du bois est authentique et non pas simulée à petits coups de scie, si la sculpture est assez marquée et légèrement irrégulière et non pas faite à l'emporte-pièce.
Mais reconnaître un meuble faux, fabriqué dans le dessein de tromper non seulement les amateurs, mais parfois aussi les experts (n'a-t-on pas dit que les musées étaient remplis de faux?), n'est pas du ressort d'un débutant et, en tout cas, ne peut pas s'apprendre d'après des règles écrites. Le faussaire, en outre, ne s'intéresse pour ainsi dire qu'aux meubles du XVIIIe s. qui lui permettent de réaliser d'importants bénéfices, alors que le fabricant de mobilier de style recherche une clientèle beaucoup plus modeste, décidée à payer moins cher que la valeur de l'ancien authentique. La marge est grande entre les deux, elle est une fois de plus à la mesure des prix qu'on paye.

le début du XVIIe siècle

Les tendances artistiques qui dominent l'Europe à la fin du XVIe s. varient considérablement d'un pays à l'autre.
L'Italie et la Hollande sont largement en avance dans le domaine des arts décoratifs et du mobilier, aussi bien du point de vue de la technique que de celui de la création de nouvelles formes. La Renaissance est dépassée, et un nouveau style, le baroque, fait déjà son apparition. La France, qui depuis des années attire de nombreux artistes et artisans flamands et hollandais, n'est pas très en retard. On y construit encore quelques meubles Renaissance, mais un style nouveau, d'inspiration baroque, domine : le style Louis XIII. L'Angleterre et l'Espagne, en

On trouve un bel exemple de colonnes torses dans ce lit en bois doré et polychrome, meuble espagnol du XVIIe s. qui est conservé au musée des Arts décoratifs de Madrid.

Les deux grandes tendances de la décoration du début du XVIIe s. : le classicisme hérité de la Renaissance et les lignes baroques chères à Vouet sont présentes dans cette tapisserie exécutée d'après un carton de Simon Vouet.

revanche, vivent jusqu'au milieu du XVIIe s. sur des styles plus personnels. La Grande-Bretagne restera en effet, jusqu'en 1660, très peu soumise aux influences étrangères. L'Espagne, à peine sortie de la domination arabe dont elle est tout imprégnée, vit les dernières heures de son « siècle d'or ».

L'extraordinaire poussée de la Renaissance était partie d'Italie pour atteindre successivement les pays germaniques et flamands, la France, puis l'Angleterre et l'Espagne. Vers la fin du XVIe s. naît un mouvement nouveau, qui va s'étendre à toute l'Europe, surtout à l'Europe continentale : le baroque. Mais avant de s'affirmer il lui faudra triompher des survivances du passé. Aussi n'est-ce que dans le chapitre suivant que nous traiterons du baroque. Bornons-nous, pour l'instant, à étudier les meubles que certains pays produisent entre la fin du XVIe et le milieu du XVIIe s. Il est d'autant plus utile de les connaître qu'ils ont fait l'objet, au cours des XIXe et XXe s., de nombreuses « copies » ou imitations qui les ont ainsi fait entrer dans le répertoire des styles industriels et populaires.

le style Louis XIII

Nous l'avons dit, le mobilier fut d'abord essentiellement mobile, comme l'indique l'étymologie. C'est sous Louis XIII qu'il commence à l'être moins. L'inventaire du mobilier de Catherine de Médicis en 1589 décrit, à quelques exceptions près, des meubles qui sont faits pour être transportés. Dix ans après, en 1599, l'inventaire du mobilier de Gabrielle d'Estrées comporte, entre autres, un gigantesque lit qui, avec tous ses accessoires, tient dans quatre grandes malles, dont deux sont en cuir et deux en toile. En 1624 encore, la chambre de la duchesse Nicole de Lorraine ne comporte, du lit à la chaise percée, que des pièces pliantes, c'est-à-dire prêtes à tout moment pour le transport.

Nous arrivons ainsi à l'époque de transition, où le meuble tend à devenir un élément fixe des lieux où il se trouve.

Sous Louis XIII, l'architecture fleurit à Paris : dans le Marais et autour du Luxembourg se

Ci-dessus : *Dans cette somptueuse salle du château de Montal, le style Louis XIII est à l'honneur : sièges à pieds tournés; chaises légères pliantes et transportables; tapisseries pour réchauffer la salle et, au fond, une majestueuse cheminée Renaissance.*

construisent de nombreux hôtels, tandis que les châteaux qui s'élèvent dans les campagnes perdent définitivement leur aspect défensif et moyenâgeux pour prendre l'allure de résidences d'apparat. A l'intérieur des édifices, la distribution des pièces commence à se préciser. Le salon n'existe pas encore. On reçoit dans les salles ou dans les galeries de fêtes; dans les hôtels parisiens, la salle à manger fait son apparition, mais les pièces de réception sont relativement peu meublées, alors que les chambres et antichambres, où se déroule la vie privée, deviennent confortables et vivantes.

La décoration joue un rôle important. Les étoffes, souvent somptueuses et d'origine italienne, recouvrent beaucoup de meubles. Dans les demeures de la noblesse de robe et de la riche bourgeoisie qui s'installent place Royale, aujourd'hui place des Vosges (construite de 1604 à 1612) et dans le faubourg Saint-Antoine, le goût est à l'opulence : des cuirs gaufrés ou des tentures couvrent les murs, les plafonds sont peints, les lambris décorés; partout règne une accumulation d'objets : orfèvrerie, étains, cuivres.

C'est dire que la manière dont nous traitons le style Louis XIII aujourd'hui, en le plaçant dans un décor dépouillé, est un contresens. Mais notre optique n'est plus la même : nous

Ci-dessous : *Aujourd'hui, on appelle volontiers « haute époque » les styles antérieurs au XVIIe s. Dans cette chambre du château de Montal, une table italienne à balustres se détache sur une tapisserie du XVIe s.*

vivons à une époque où la tendance est à simplifier le décor et à le décharger, alors qu'au début du XVIIe s. ces mêmes meubles que nous mettons en valeur aujourd'hui n'étaient souvent — exception faite des *cabinets* — qu'un support plus ou moins ouvragé pour des matières plus chaudes et chatoyantes.

le mobilier Louis XIII

Les sièges. Les angles droits caractérisent les sièges Louis XIII. Les piétements sont tournés en *chapelet* ou en *balustre.* Il existe deux sortes de dossiers : le dossier large et bas, et le haut dossier qui, à la fin du règne, est légèrement incliné vers l'arrière. Les accotoirs sont dans le prolongement des pieds, ils s'incurvent parfois en crosse. Les piétements et accotoirs en os de mouton, donnés à tort comme une caractéristique du Louis XIII, marquent plutôt le début du style Louis XIV. Les sièges sont recouverts de tapisseries diverses en velours, brocart, cuir. Les clous fixant la tapisserie sont parfois apparents.
Il existe encore d'autres sièges hérités de la Renaissance. Ils sont généralement plus petits : escabelles ou tabourets, *placets,* chaises à *vertugadin* ou *caquetoires.*

Les lits. Le bâti en bois est caché par un baldaquin décoré aux angles par quatre pommes ou panaches, des *cantonnières* et des rideaux le long des colonnes. Le lit est plus l'œuvre du tapissier que du menuisier.

L'armoire possède des corniches importantes. La distribution des portes est variée. De nombreuses moulures encadrent portes et panneaux, ces derniers étant parfois flanqués de colonnes torses.

Le cabinet est le meuble le plus ouvragé du style. Incrusté, peint ou en marqueterie, il comporte de nombreux casiers et tiroirs, et il repose soit sur une table console, soit sur des pieds à colonnes ou en cariatides.

La table à plateau uni ou formé d'épaisses moulures est portée par des pieds tournés reliés par un entrejambe tourné. La table-bureau, qui préfigure le bureau Mazarin, présente des superpositions de tiroirs de chaque côté. Il existe aussi des tables pliantes et des tables à rallonges.

techniques et répertoire décoratif du style Louis XIII

Les piétements des sièges, tables, tabourets sont en bois tourné en chapelet, en spirale ou en balustre. Le piétement en os de mouton apparaît à la fin du style.

Répertoire décoratif : cartouches, feuilles d'acanthe, guirlandes et draperies, branches de palmier et de laurier, têtes de lion ou de bélier. Dans les cabinets : perspectives d'architecture, colonnes, statuettes.

le style élisabéthain

Trois monarques régnèrent en Angleterre du milieu du XVIe s. au milieu du XVIIe s. Ce fut d'abord Élisabeth Ire (1558-1603), de la famille des Tudors. A sa mort, Jacques Stuart, roi d'Écosse, hérite de la couronne anglaise et règne sous le nom de Jacques Ier (1603-1625). C'est Charles Ier qui lui succédera (1625-1649).
C'est pourquoi les expressions style élisabéthain, style « jacobean », style Tudor tardif ou Stuart sont presque équivalentes. Mais il est bon de les connaître, car elles figurent dans les livres d'art et les catalogues.
Ce style est encore sévère, car, pendant les XVe et XVIe s., le mobilier anglais ne subit les influences européennes qu'avec un certain retard. Les meubles sont lourds et massifs, taillés dans le chêne, et leur décor, à peine sorti du gothique et teinté de Renaissance, est une interprétation très anglaise d'influences diverses.
Mais le style élisabéthain est important, car il fait fortement partie de la tradition britannique et, lorsqu'au XIXe s. les poètes et peintres romantiques et préraphaélites ont voulu remonter aux sources médiévales, c'est tout naturellement ce style, largement revu et corrigé, qu'on vit refleurir un peu partout. Le style élisabéthain est, en quelque sorte, comparable au style Henri IV français (nous n'en avons pas traité ici, car le vrai Henri IV n'existe plus que dans les musées), dont les interprétations industrielles n'ont pas cessé depuis cent ans. Cela a rendu le style Henri IV comme le style élisabéthain extrêmement populaires, et on ne saurait les ignorer.
Charles Ier Stuart sera renversé en 1649 par le Commonwealth, révolution communautaire qui prendra le pouvoir pendant onze ans. Elle marque dans les styles anglais une volonté farouche de dépouillement et de simplicité, freinant encore l'évolution de l'élisabéthain, qui avait à peine acquis, sous Charles Ier, une plus grande élégance.
Il faudra, en effet, attendre la restauration de la monarchie sous la personne de Charles II Stuart pour voir l'Angleterre se mettre « à la mode » du continent où, depuis déjà assez longtemps, le baroque sévissait.
Le nombre de modèles de meubles créés par l'élisabéthain est limité : il est donc facile de les reconnaître. Les sièges en bois plein très raides ressemblent un peu à des chaires d'église, mais il existe quelques chaises dont

Table Louis XIII.

Panneau sculpté en pointe de diamant.

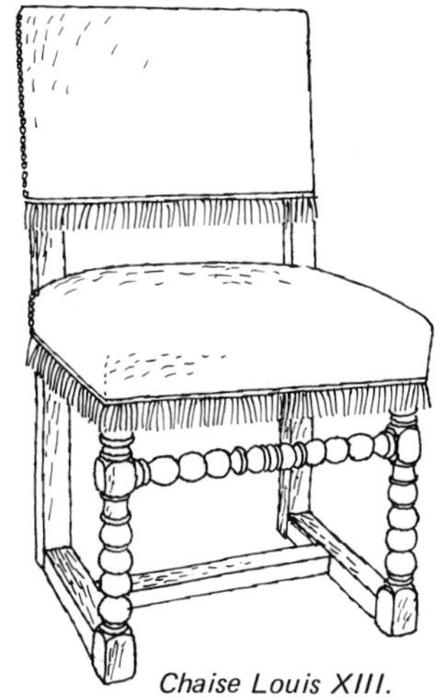
Chaise Louis XIII.

Pieds os-de-mouton.

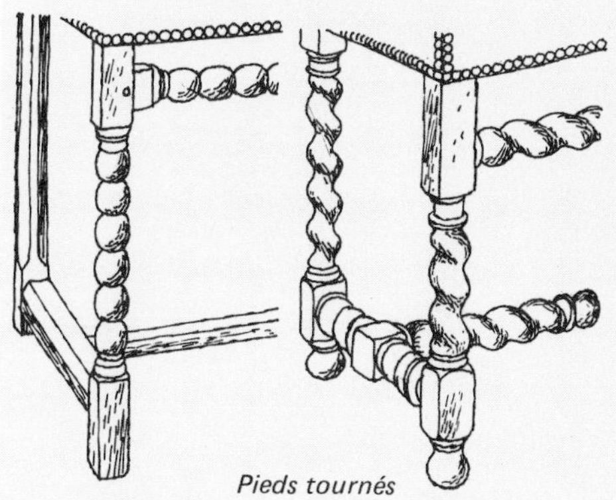
Pieds tournés en chapelet (à gauche) et en spirale (à droite).

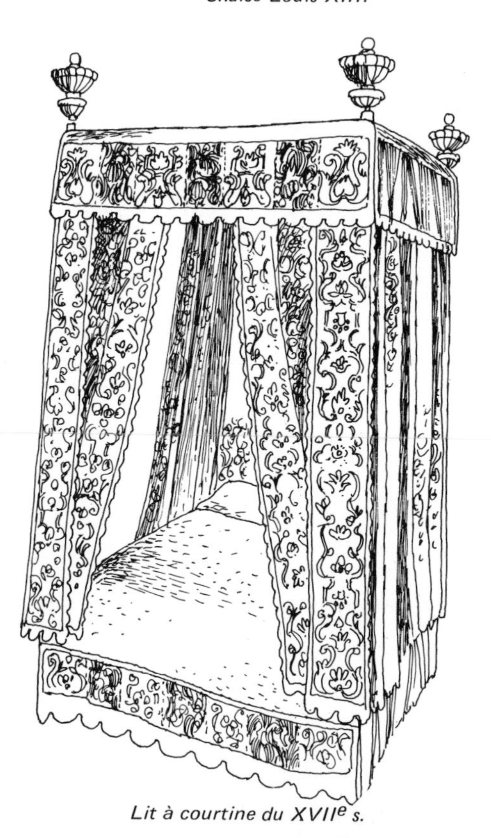
Lit à courtine du XVIIe s.

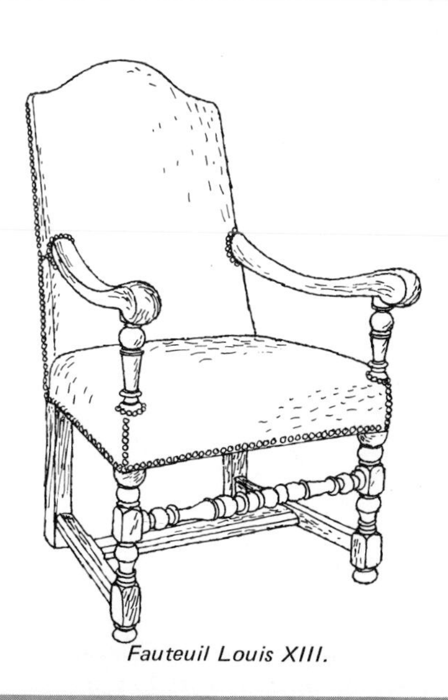
Fauteuil Louis XIII.

Table de style « jacobean » dite « gate-leg table ».

Fauteuil en chêne élisabéthain.

Armoire française du XVIIe s.

Table de salle à manger de style élisabéthain.

les dossiers ou les piétements sont ornés de balustres. Des tables pliantes rectangulaires ou hexagonales préfigurent la *gate-leg-table* à châssis pivotant, que l'on continuera à construire tout au long du siècle en guise de table de salle à manger.

La grande table d'apparat à quatre ou huit pieds à gros balustres fait son apparition vers 1660, accompagnée du *side-board* ou table-console à trois plateaux tenus par des balustres ou figures sculptées. Les *chests of drawers*, ou coffres à tiroirs, naissent vers 1650 et comportent encore des portes qui dissimulent les tiroirs. Car la « commode », légère et sur pieds, du type français, ne sera imitée en Angleterre qu'au milieu du XVIIIe s. Le *chest of drawers* se retrouvera dans les styles suivants tantôt seul, tantôt formant le bas d'un cabinet, d'une bibliothèque ou d'un secrétaire.

A l'époque élisabéthaine d'ailleurs, le vrai coffre est encore à la mode ; les lits à épaisses colonnes sculptées et *courtines* sont coiffés d'un baldaquin. La rose stylisée des Tudors est un motif ornemental fréquent. D'après les chroniques décrivant les intérieurs royaux de l'époque, les meubles comptent peu, et l'accent est mis sur les étoffes, les objets curieux, les boîtes en matière précieuse, les coffrets en argenterie, les étains.

Nous sommes alors encore bien loin des meubles de parade, meubles dorés et meubles argentés, qu'on verra proliférer en Angleterre avec le style suivant.

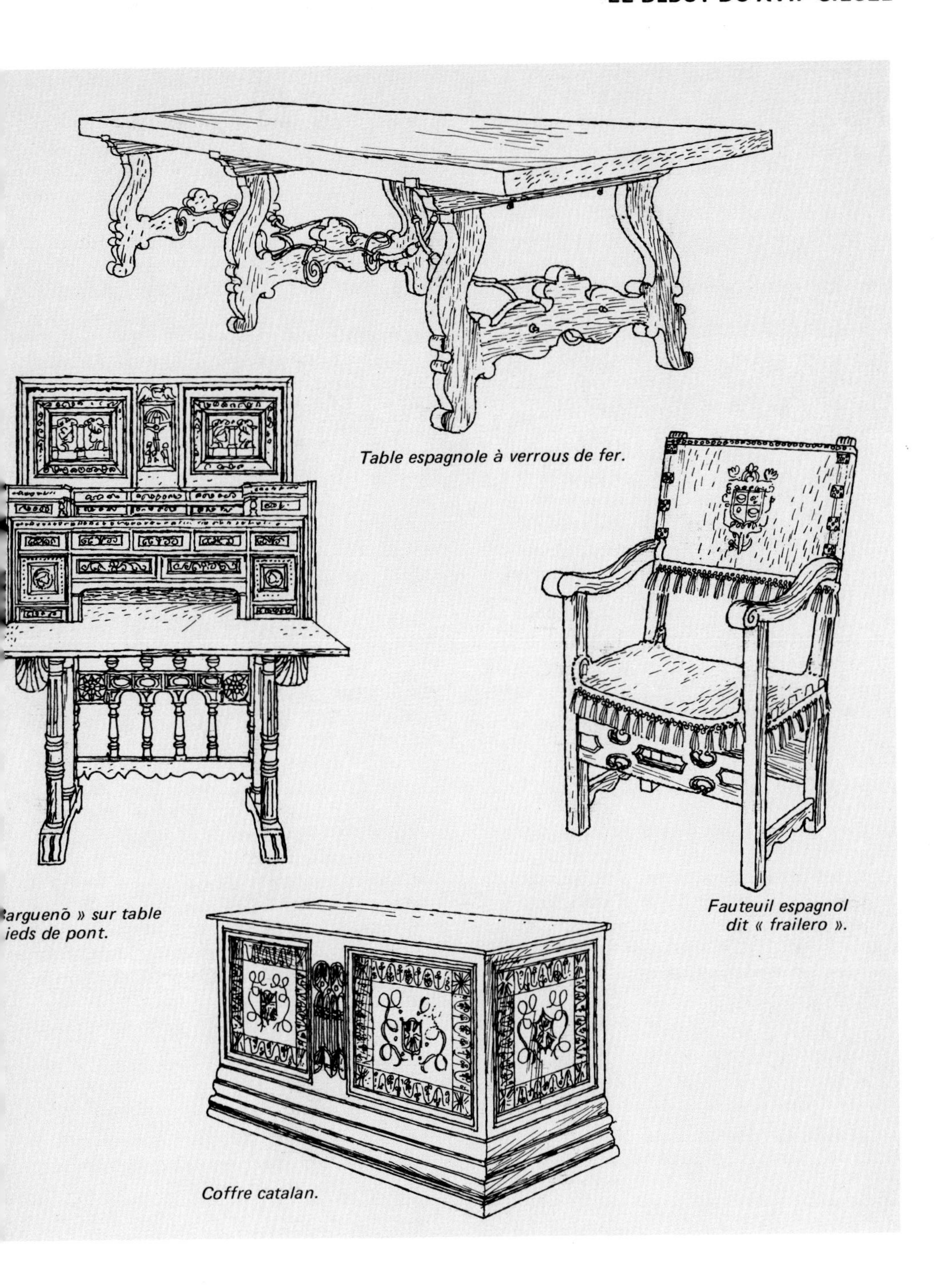

Table espagnole à verrous de fer.

« bargueño » sur table à pieds de pont.

Fauteuil espagnol dit « frailero ».

Coffre catalan.

l'Espagne

Les meubles espagnols des XVIe et XVIIe s., très homogènes d'aspect, sont particulièrement intéressants à étudier. Ils représentent le seul style tout à fait original que l'Espagne ait conçu, et leur influence sur les autres pays européens, à cette époque, est incontestable. Ce « meuble espagnol » est à la fois noble et gracieux. Les formes sont d'une simplicité monastique, alors que la décoration est très souvent d'une finesse tout orientale. Ces meubles sont, en effet, les témoins de deux mondes : le monde chrétien et le monde arabe, qui pendant sept siècles furent intimement liés sur la Péninsule. Les « envahisseurs » arabes n'ont été définitivement expulsés d'Espagne qu'à la fin du XVe s., mais il est évident que la marque qu'ils laissèrent n'était pas près de disparaître. En outre, le monde arabe était alors incomparablement plus civilisé, plus raffiné et plus cultivé que le monde chrétien, à tel point qu'aujourd'hui certains historiens d'art trouvent dans l'art arabe la source de certains styles européens, dont le gothique. Beaucoup d'artisans arabes étaient restés dans les villes espagnoles reconquises. Leurs créations, connues sous le nom de « style mudéjar », marquèrent l'art espagnol

pendant des siècles. Ce style est facile à reconnaître, puisqu'il rappelle l'art mauresque, toujours abstrait et géométrique. On le retrouve dans la décoration des « barguenos » sous forme d'incrustations à triangles ou à losanges, dans la mouluration des panneaux de portes, sur les armoires et les tables, dans la sculpture des traverses avant des fauteuils « fraileros ». Les frises, les entrelacs, les combinaisons de lignes, tous les motifs que nous attribuons à l'art arabe sont alors interprétés en Espagne sur d'autres matières que celle qui leur servait de support à l'origine, l'*azulejo* (céramique) ; mais la source d'inspiration demeure la même.
Une autre technique de décoration typiquement espagnole, datant de cette même époque, se nomme « style plateresque ». Ce terme vient du mot « plata » (argent) et désigne les motifs décoratifs inspirés de travaux d'orfèvrerie. En Espagne comme ailleurs, l'orfèvrerie massive ou les meubles recouverts ou ornés d'argent sont le symbole de la richesse et du pouvoir. Rien d'étonnant, dès lors, si l'on s'ingénie à imiter sur du bois les reliefs et motifs inspirés du repoussage ou de la ciselure, pour donner l'illusion de l'argent.
Pour revenir aux meubles typiquement espagnols, citons d'abord le bargueño (ou vargueño), qui est l'interprétation nationale du cabinet. C'est un meuble à deux corps. Le bas est formé soit d'une simple table, soit d'une table à entretoise en arcatures appelée « à pied de pont », soit d'une sorte de commode. Le haut du meuble bargueño proprement dit est un cabinet à multiples tiroirs, tirettes et compartiments, extrêmement orné d'incrustations, de sculptures ou de peintures. En général, les bargueños se ferment totalement par un abattant dont la décoration extérieure (ferronnerie, cloutage, cuir ou orfèvrerie) donne à ce meuble l'aspect d'un coffre très précieux. Mais il existe aussi des bargueños anciens sans abattant et d'autres, réalisés plus tard, qui se rapprochent de plus en plus du secrétaire.
Le fauteuil frailero – ou de moine – est un siège rigide, à dossier droit, garni de cuir ou de velours clouté. On le distingue des autres sièges européens des XVIe et XVIIe s., car tous les montants du siège sont parfaitement droits et sans décor.
Les bras, horizontaux au XVIe s., sont un peu recourbés et finissent par un léger enroulement au XVIIe s. Le seul ornement se porte sur la traverse qui relie les pieds avant.
Une particularité des meubles espagnols est la couleur de leur bois, un noyer très chaud et foncé. On le remarque surtout dans les tables du type conventuel. Certaines, en effet, destinées aux réfectoires, comportent presque toujours des tiroirs sculptés à motifs géométriques. La plus caractéristique néanmoins est la table à quatre ou six pieds retenus au plateau par des verrous en fer ouvragé, qui remplacent habilement la moyenâgeuse entretoise. Il faut rappeler que, au début du XXe s., l'Espagne a connu une vague de patriotisme décoratif. En effet, pendant les XVIIIe et XIXe s., l'Espagne copie des styles français sans rien créer de très personnel. Ce retour aux sources et une habileté artisanale légendaire ont donc fait naître une pléiade de « meubles espagnols », exactement copiés ou très fantaisistes, mais qui ont certainement contribué à répandre ce style, jusque-là assez peu recherché.

les Pays-Bas

L'influence qu'ont eue, au XVIe s. et au début du XVIIe s., les meubles flamands dans les pays du nord de l'Europe (et par répercussion en Amérique du Nord) est incontestable. Il s'agit néanmoins plus d'une maîtrise technique que de la création d'un style.
L'activité artisanale et commerciale des Pays-Bas était prodigieuse, et leurs ports accueillaient une marchandise extrêmement variée – bois exotiques, objets orientaux, pierres précieuses, métaux – qui s'acheminait vers les autres pays européens. L'échange était constant et stimulait la production des diverses corporations déjà fortement organisées et prospères. L'art du placage d'ébène se perfectionne au plus haut point et la fabrication de cabinets devient une spécialité des Pays-Bas. Chaque ville crée des modèles particuliers. C'est ainsi qu'Anvers était célèbre pour ses cabinets plaqués et ornés de peintures exécutées par des artistes aussi connus que Van Kessel ou Franken. Middelburg, situé près de la Zeeland, possédait des ateliers importants, et l'on pense que Jean Macé, un des premiers ébénistes français à employer le placage d'ébène au début du XVIIe s., avait appris son métier dans cette ville.
Le mobilier, plus simple, acquiert dans la première moitié du XVIIe s. des caractéristiques locales, bien que la forme soit souvent d'origine espagnole. Il ne faut pas oublier, en effet, que les Flandres ont longtemps appartenu à la couronne d'Espagne. Ainsi, les armoires hollandaises de la Zeeland, appelées *Beeldenkast*, ont parfois, au début du XVIIe s., des panneaux sculptés à motifs géométriques d'inspiration mauresque, et les sièges, à dossier assez haut, seront souvent comparables soit au frailero, soit à des chaises plus légères, italiennes ou espagnoles, à pieds tournés en toupie.
En fait, le style qui devait se répandre en Europe, en partant des Pays-Bas, se caractérise essentiellement par un nombre important de modèles dont la source vient du bassin méditerranéen.

l'Italie

Rome abrite les plus fastueux palais de l'époque : dans les immenses galeries des palais Barberini, Aldo Mancini ou Colonna, aux murs couverts de fresques, le mobilier est ostentatoire. Des cabinets en ébène incrustée servent à exposer des collections de bijoux, coquillages ou pierres précieuses, et de gigantesques consoles ornent les perspectives. C'est en Italie que déjà, à la Renaissance, apparaissent les tables non habillées de tissu et uniquement décoratives. Pendant tout le XVIIe s., le support est généralement sculpté, et le plateau en marbre, incrusté. Nombre de villes italiennes en fabriquent, mais les plus célèbres proviennent de Florence, où la famille Médicis possède l'atelier de *pietre dure* le plus renommé d'Europe. Pendant un siècle, on y viendra de toutes les villes européennes pour y commander des panneaux en pierre destinés soit à l'ornement des cabinets, soit à couvrir les consoles ou les tables-consoles. Le reste du mobilier italien est empreint des motifs de la Renaissance. En effet, si le baroque se manifeste en architecture dès le milieu du XVIe s., c'est seulement beaucoup plus tard que le mobilier en portera la marque.
On peut dire que le mobilier italien, déjà extrêmement riche sous la Renaissance, restera assez longtemps sans changer d'aspect.

Le style de « transition » représenté en France par le Louis XIII n'existe pour ainsi dire pas, et l'on passe directement d'un style Renaissance lourd, magnifique et très orné, à un baroque tout aussi grandiose.

les meubles entre le classique et le baroque

La définition du baroque est l'une de celles qui divisent le plus les historiens. Certains veulent y voir une notion fondamentale qui éclaire l'histoire des arts et celle des idées, de la fin de la Renaissance jusqu'à la Révolution française. Selon cette conception, le baroque devient l'expression esthétique d'une société profondément monarchique. Son enflure, son goût de la grandeur, son sens de la mise en scène sont ainsi destinés à exalter la gloire du souverain et de tous ceux qui sont directement à son service. Ses recherches ornementales témoignent d'une volonté obscure mais efficace d'échapper à tous les modèles précédents (qu'il s'agisse de ceux de l'Antiquité, du Moyen Age, ou de la Renaissance), pour montrer que la perfection de l'organisation sociale (que l'on croit avoir atteinte) ne doit rien à personne. Dans ce sens, l'art baroque est une sorte de représentation symbolique d'un régime politique : celui des monarchies absolues.
D'autres historiens ou critiques d'art préfèrent, au contraire, fixer l'emploi du mot baroque à la définition de certaines conceptions architecturales et ornementales plus limitées. Il faut remarquer que *barocco*, au moment de son apparition dans le vocabulaire européen, désignait en portugais une perle irrégulière et donc de peu de valeur, et que, jusqu'à la fin du XVIIIe s., cet adjectif fut toujours pris en mauvaise part, tour à tour synonyme de bizarrerie, d'excès, de ridicule, de comportement choquant, d'invention saugrenue... Dans ces conditions, l'art baroque, selon eux, est essentiellement une déviation, une exagération de mauvais goût, un travestissement maladroit de l'art

Ce grand cabinet à deux corps en marqueterie est conservé dans un château bavarois. Il est très typique du goût qui se développa dans les principautés allemandes pour un style baroque particulièrement imposant.

Ci-dessus : *La chambre du Roi au château de Vaux-le-Vicomte illustre bien le style somptueux et solennel imposé par Louis XIV.*

Page ci-contre, en haut : *La console de style Louis XIV est en chêne sculpté et doré, avec dessus en onyx ; la pendule, également Louis XIV, est ornée de bronze doré. La tapisserie a été tissée sous Louis XV.*

Page ci-contre, en bas : *La boiserie à motifs d'inspiration italienne, formant de petits panneaux réguliers, est caractéristique du XVIIe s., tout comme le bureau Mazarin à huit pieds en marqueterie de Boulle. Les deux fauteuils à piètements et bras tournés en spirale sont de style Louis XIII.*

classique, ce dernier demeurant le seul qui puisse véritablement caractériser l'art européen aux XVIIe et XVIIIe s. Ancêtre du rococo et même du style 1900, le baroque serait ainsi le signe d'un manque d'imagination créatrice, le refuge d'artistes médiocres ou paresseux. Et il est vrai que bon nombre d'arguments vont dans ce sens : les églises surdécorées, les sculptures torturées, les meubles trop dorés, que l'on trouve à cette époque aussi bien en Italie qu'en Bavière, en Espagne ou en Amérique du Sud, paraissent, en effet, témoigner d'un goût du faste très affirmé.

En fait, cette discussion entre deux écoles d'historiens a peu de conséquences pratiques lorsqu'il s'agit de reconnaître le style d'un monument, d'un décor, d'un meuble ou d'un objet. D'une façon générale, on appellera baroque toute œuvre d'art où dominent le goût du mouvement, des masses colossales, des formes irrégulières, des oppositions d'ombre et de lumière, la recherche de l'emphase, de l'effet et de la surprise. Sur le plan des arts décoratifs, celui qui nous intéresse, cela se traduira par une conception exagérément ornementale du mobilier. Certains meubles italiens, ou espagnols (du style dit « churrigueresque »), sont à cet égard presque extravagants : leur ornementation va jusqu'à leur retirer tout caractère d'utilité ; les tables ne sont plus faites pour recevoir des objets ni les sièges pour s'y asseoir, mais pour supporter des grappes de figures, des buissons de fleurs ou de feuilles, des amoncellements d'animaux ou de dieux, tous puissamment sculptés.
Cette définition exclusivement pratique du

baroque entraîne à son tour une définition de l'art classique. On y verra en effet, par opposition, un art fait d'équilibre, de rigueur, de symétrie, où dominent la recherche de l'ordre et l'ampleur des lignes. Certes, les thèmes ornementaux, la conception majestueuse du décor sont bien souvent communs au baroque et au classique, mais, alors que le premier croit marquer son originalité par l'excès, la surcharge, la complication et la turbulence des lignes, le second trouve sa raison d'être dans une sorte de majestueuse simplicité, de noblesse sans rigueur.

le style Louis XIV

Triomphe et modèle de l'art de l'époque, le style Louis XIV naît aux environs de 1660, culmine vers 1680 et commence, dès les premières années du XVIIIe s., à céder la place à ce qu'on appellera le style Régence. Au même degré que la politique étrangère du royaume ou que l'activité des auteurs de théâtre, des poètes et des peintres, il est l'expression d'une volonté délibérée : celle du roi lui-même. Pour Louis XIV, tout, dans l'État, doit servir à la gloire de l'État et contribuer à l'éclat du « soleil » royal. Menuisiers, ébénistes, sculpteurs et tapissiers ont ainsi un rôle tout à fait comparable à celui des courtisans, des militaires ou des artistes.

Au service de cette ambition, le roi dispose d'une administration efficace, conçue par Colbert et dirigée, pour tout ce qui concerne les beaux-arts, par un homme remarquable, le peintre Le Brun. Ce dernier, d'abord chargé par le surintendant des Finances, Nicolas Fouquet, de diriger la décoration de son château de Vaux, fut, à partir de 1661, en tant que « premier peintre du roi », le véritable responsable des arts décoratifs dans tout le royaume. C'est à lui, à sa prodigieuse richesse d'invention autant qu'à son étonnante capacité de travail, que l'on doit les caractères les plus homogènes du style Louis XIV.

Après sa disgrâce, en 1683, au moment de la mort de Colbert, deux hommes prendront le relais : Lepautre et Berain ; le premier, auteur d'innombrables modèles de meubles et de motifs ornementaux, se montrera sensible à l'influence du baroque italien ; le second, qui dut sa carrière à sa charge d'intendant des menus plaisirs de Versailles, se spécialisera dans l'organisation et la décoration des fêtes, des bals et des représentations théâtrales.

Quoi qu'il en soit des hommes qui créèrent le style Louis XIV ou participèrent à son élaboration et à son succès, ses traits les plus importants sont faciles à déterminer. Il s'agit avant tout d'un style d'apparat. Les bâtis et les parties secondaires d'un meuble sont dédaignés au profit de tout ce qui se voit. Cette conception entraîne un remarquable progrès de plusieurs techniques ornementales : la marqueterie de bois, de cuivre, d'argent, d'étain ou d'écaille, la laque et les vernis, le travail du bronze. Le style Louis XIV attache enfin une importance essentielle à la symétrie.

Celle-ci se manifeste aussi bien par rapport à l'axe vertical que par rapport à l'axe horizontal. Elle inspire à la fois la forme du meuble ou de l'objet et son ornementation. Enfin, le style Louis XIV est le fruit d'une inspiration architecturale : c'est un style de palais. Il doit meubler de grands volumes, orner de vastes perspectives, donner partout une impression de majesté. Ses formes amples, massives, éprises de la ligne droite et des angles nets sont, en quelque sorte, un cadre destiné à mettre en valeur la richesse des matériaux d'ornementation, la beauté des motifs ou des sujets, la perfection technique de l'exécution.

A cet égard, le talent de l'ébéniste André Charles Boulle (1642-1732) est profondément significatif. Ses meubles, qui sont des merveilles de proportions, se plient scrupuleusement au canon de l'architecture classique. Toutefois, marqueteur de génie en même temps que graveur, ciseleur, bronzier et sculpteur, il les conçoit comme autant de prétextes à montrer la sûreté de son goût, la virtuosité de sa technique ornementale et la richesse des matériaux qu'il utilise. Sa réussite dans ce domaine est telle qu'il parvient à créer son propre style, qui est une sorte de style Louis XIVpoussé au plus haut degré de perfection. Ses grandes armoires, ses majestueuses commodes, ses horloges à gaines, ses grandes et ses petites tables sont les chefs-d'œuvre d'un artiste complet et sans rival.

On conçoit, dans ces conditions, que le style Louis XIV ait établi longtemps la prééminence du goût français dans les arts décoratifs. L'Europe tout entière rêvera pendant plus d'un siècle d'imiter Versailles et de retrouver le secret du classicisme. Elle y parviendra avec plus ou moins de bonheur, confondant souvent la redondance du baroque avec l'éclat mesuré des fastes du Roi-Soleil, de sorte que le classicisme français nous apparaît aujourd'hui comme une réussite isolée.

le mobilier Louis XIV

Les sièges. La hauteur du siège à proprement parler ne dépasse pas 45 cm.

Le fauteuil est à haut dossier rembourré, légèrement incliné vers l'arrière, les accotoirs sont en bois plein et incurvés, toujours à l'aplomb du pied antérieur. Les sièges les

Fauteuil « en confessionnal » de style Louis XIV.

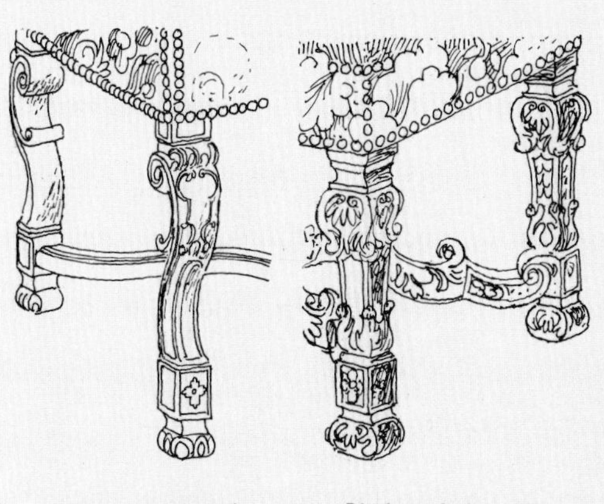

Pieds en console de style Louis XIV.

Pieds en balustre de style Louis XIV.

Masque en bronze servant de motif ornemental. Style Louis XIV.

Armoire Boulle de style Louis XIV.

Bureau plat Boulle de style Louis XIV.

Commode Boulle de style Louis XIV.

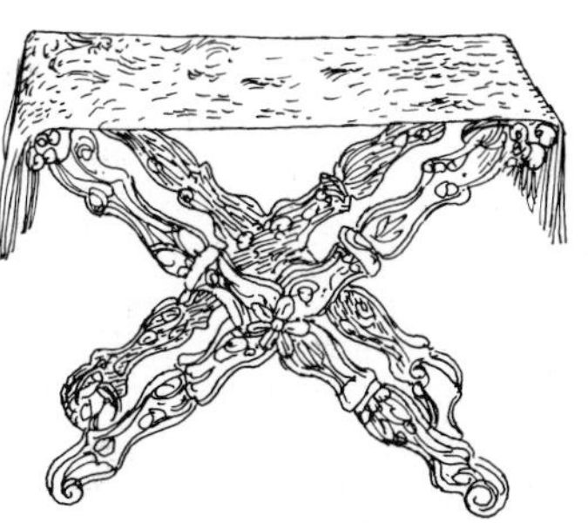

Tabouret de style Louis XIV.

plus répandus, surtout à la cour, sont le *tabouret* et le *ployant* très richement garnis et décorés de franges.

Le canapé apparaît comme une sorte de juxtaposition de fauteuils aux coussins amovibles.

Le lit de repos est une banquette étroite reposant sur huit pieds ; le dossier de tête est bas.

Le fauteuil en confessionnal, à haut dossier comportant des « oreilles » et qui deviendra, sous la Régence, la *bergère en confessionnal,* était d'abord conçu avec des oreilles percées de jalousies.
Beaucoup de sièges sont recouverts de tapisserie à l'aiguille ou au petit point, de velours ou de damas. Certains sont cannés et munis d'un coussin carré amovible (le carreau) recouvert de tapisserie ou de velours.

La chaise en paille est très répandue ; elle est peinte « façon Chine ».

Les tables. Majestueuses et très lourdement décorées, elles ont subi l'influence du mobilier en argent. Le piètement est en bois doré et le plateau est en marbre, en porphyre ou en marqueterie de pierres dures. Lorsqu'elles sont adossées au mur, les tables ne sont ornées que sur trois côtés et sont appelées alors tables en console. Les *torchères*, dont le plateau repose sur un fût central se terminant par trois pieds richement sculptés, servent à poser les candélabres ou les flambeaux. Les *tables de jeu* apparaissent. Elles sont en forme de triangle ou de pentagone. La table-écritoire est petite, avec un tiroir où se rangent le poudrier, la plume et l'encrier.

Les bureaux. La table-bureau, ou bureau plat, est rectangulaire, bordée d'un quart-de-rond en cuivre. La ceinture de marqueterie comprend deux ou trois tiroirs. Les tiroirs, les entrées de serrures, les jambes, les chutes d'angles sont ornés de bronze. Le serre-papiers est posé au bout de la table.
Le bureau à huit pieds, dit bureau Mazarin, comporte deux séries de tiroirs reposant chacun sur quatre pieds, reliés par des entretoises. Le tiroir du milieu est en retrait pour laisser la place aux jambes. Le sombre cabinet, jusqu'ici en marqueterie d'ébène, s'éclaircit, car la mode est à la marqueterie de bois précieux, de cuivre et d'écaille, ou aux laques d'Orient.

Les commodes. La commode va très vite détrôner le cabinet. Les principaux modèles comportent de un à cinq tiroirs, des arêtes droites et un plateau en bois ou en marbre. Les commodes sont en bois massif, en marqueterie de bois, d'écaille ou de cuivre. Des bronzes dorés somptueux ornent les serrures, les pieds, les poignées et les chutes contrastant avec la rigueur de la ligne.

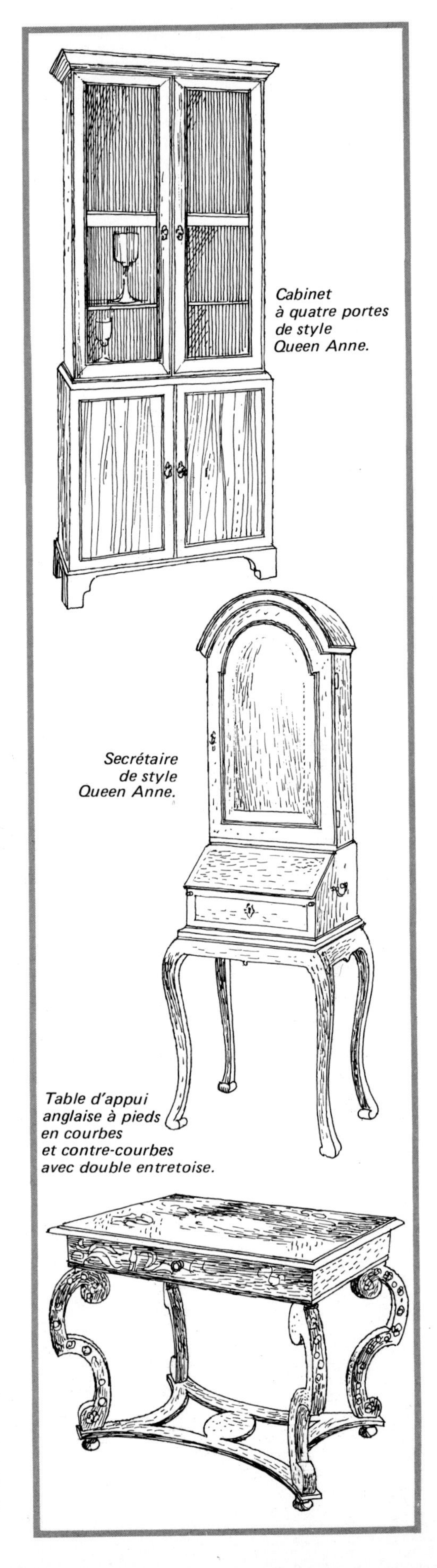

Cabinet à quatre portes de style Queen Anne.

Secrétaire de style Queen Anne.

Table d'appui anglaise à pieds en courbes et contre-courbes avec double entretoise.

Les armoires et buffets. En bois massif, ils changent peu depuis le début du siècle. Seules les moulurations se compliquent.

Les lits. Ils sont encore recouverts de tissus. Le *lit à quenouilles* est à quatre montants qui supportent le ciel de lit. *Le lit d'ange* et le *lit à la duchesse* sont sans montants. Un ciel de lit appuyé au mur les coiffe. Il est plus court que la couche du lit d'ange et de la même taille pour le lit à la duchesse.

techniques du style Louis XIV

L'ébénisterie. Elle va connaître un développement extraordinaire. La marqueterie se compose de matériaux très divers :
- bois aux couleurs variées : houx blanc; amandier jaune; poirier rouge; noyer brun;
- éléments animaux comme la corne, l'écaille, la nacre, l'ivoire, ou métalliques comme le cuivre, l'argent, l'étain.

La marqueterie Boulle se présente sous deux aspects soit avec un fond en écaille et décor en cuivre : elle est alors « en première partie » ; soit avec fond en cuivre et décor en écaille : elle est alors « en contrepartie ».

La menuiserie. Les meubles en bois massif sont en chêne, en noyer ou en châtaignier. Ils sont parfois peints de couleurs vives, ou dorés et argentés.

Laque, bronze, marbre. On fait venir à grands frais des panneaux de laque d'Orient, mais leur prix va inciter les artisans français à inventer des vernis « façon Chine ». Le bronze doré et ciselé orne les entrées de serrures, les poignées, les angles et le centre des panneaux. Les marbres multicolores recouvrent tables et consoles; ils encadrent aussi portes et miroirs.

Les piètements. Le tournage tend à disparaître, le bois est parfois très richement sculpté. Les pieds des sièges sont soit en balustres, soit en consoles; les traverses sont en H ou en X, se terminant par des *volutes affrontées* et décorées de feuilles d'acanthe. Les pieds des tables, consoles et bureaux d'abord droits, le plus souvent en balustres ou en gaines, évolueront en forme de consoles. Vers la fin du style, ils se galbent. Il existe aussi des pieds terminés en épaisses volutes, en griffes de lion, en pieds fourchus.

répertoire décoratif du style Louis XIV

L'ornementation répond aux lois de la symétrie parfaite, la mouluration est grasse et encadre les différentes parties des meubles. Les motifs décoratifs sont essentiellement :
- empruntés à l'architecture : la console, le *triglyphe*, le *modillon*, le *balustre* ;
- empruntés à la tapisserie : le lambrequin, les franges, les draperies, les rubans;
- empruntés à la guerre : les trophées, le casque, le bouclier, les flèches;
- d'origine végétale : les feuilles de chêne, de laurier; les guirlandes de fruits et de fleurs en festons, en rinceaux; les feuilles d'acanthe; la corne d'abondance.
- d'origine animale : la tête de lion, de griffon, la griffe de lion, le dauphin, le sabot fourchu, le sphinx;
- d'origine humaine : le masque, le soleil à tête d'homme, les mascarons avec leurs figures grotesques;
- des jeux de fond : entrelacs, losanges à fleurettes, losanges à points.

le style classique anglais

La Restauration de Charles II (Stuart), en 1660, après les années du Commonwealth (1649-1660), marque pour l'Angleterre une période nouvelle, aussi bien dans la vie sociale que dans le décor de la maison. Les royalistes avaient eu, pendant l'exil, le loisir d'admirer Versailles et de s'habituer au luxe de la cour de Louis XIV. Ils ramèneront avec eux en Angleterre le goût de l'élégance française et, dès l'avènement de Charles II, leur pays s'ouvrira aux artistes étrangers et aux influences continentales. En outre, de fortes immigrations françaises et hollandaises accéléreront encore le changement qui se traduit, dans le mobilier, par une disparition définitive des lourds modèles en chêne de l'époque précédente. Ils seront remplacés par un mobilier plus léger et très orné, tandis que le noyer se substitue au chêne.
Le passage du chêne au noyer est si sensible dans l'histoire des arts du meuble anglais que l'on nomme « Period of Oak » (âge du chêne) les années qui précèdent 1660, et « Period of Walnut » (âge du noyer) les cinquante années qui vont suivre. Pendant ce demi-siècle, quatre monarchies se succèdent : Charles II et Jacques II, qui régnèrent pendant la période dite de « Restauration »; William and Mary (Guillaume III étant devenu, en 1689, souverain conjoint avec son épouse Mary, fille de Jacques II) et Anne. Ces derniers ont donné leur nom aux meubles créés sous leur règne : on parle, en effet, du style William and Mary et du style Queen Anne.
Mais, d'une manière générale, de 1660 à 1714, l'Angleterre demeure essentiellement soumise au style classique français, malgré un certain goût pour le baroque italien et l'apparition d'une nouvelle influence toute particulière : celle des arts d'Extrême-Orient (Inde et Chine, surtout).
Enfin, une catastrophe favorisera également, à cette époque, le renouveau des arts déco-

ratifs. En effet, en 1666, le grand incendie de Londres détruira dix mille maisons et une cinquantaine d'églises, et fera disparaître un si grand nombre de meubles que des familles entières de menuisiers et d'ébénistes lui devront leur fortune au cours des années suivantes. Car la noblesse dépense alors des sommes énormes pour se meubler et, puisque le style précédent a été en partie balayé par le feu, elle se précipite avec délice dans la nouveauté et le faste que lui proposent les nombreux artisans venus aussi bien de France que des Pays-Bas.

Pendant la Restauration, les meubles ont des formes très proches de celles du Louis XIII français, mais elles évoluent rapidement et, à mesure que le siècle avance, l'exubérance du baroque devient de plus en plus marquée.

Sous Charles II, la chambre à coucher reste la pièce la plus importante, car les dames s'en servent comme lieu de réception. Celle de la favorite du monarque, la duchesse de Portsmouth, avait les murs entièrement habillés de glaces. John Evelyn, chroniqueur de la cour, raconte qu'étant, en 1683, au service de Charles II il doit l'accompagner un matin le long de la galerie et jusqu'au « dressing-room » de la duchesse, puis dans sa chambre à coucher où celle-ci se trouve en vêtement négligé, se faisant coiffer par ses servantes, alors que Sa Majesté et sa suite restent debout autour d'elle et lui font leur cour.

Le goût du jeu et celui de l'élégance font naître toutes sortes de tables, petites et grandes, à pieds tournés et plus tard à pieds en volutes, qui servent de coiffeuses, de tables à divers jeux de cartes ou d'échiquiers. Le cabinet d'ébène incrustée, depuis longtemps en vogue sur le continent (comme aiment dire les Anglais), arrive également en Angleterre. Les consoles sur lesquelles on le pose sont, depuis un certain temps déjà, en bois sculpté à riches motifs.

La technique de la marqueterie, apportée par les Hollandais émigrés est très appréciée et, sous leur influence, les ébénistes anglais emploient des essences très variées : bois clairs sur fonds sombres, marqueterie à fleurs de tons vifs, bois exotiques aussi bien que bois fruitiers.

Les meubles anglais de ce style sont très caractéristiques. Les sièges ont de hauts dossiers ornés de sculptures, colonnes ou rinceaux. Une partie est en cannage ainsi que le fond de la chaise. Le lit de repos et le fauteuil tapissé sont une innovation. Pour imiter le mobilier d'argent de Versailles, la mode sera aux bois peints en argent, puis en or. Après la Restauration, sous William and Mary, l'agencement des pièces se modifie. C'est ainsi que la salle à manger, en tant que telle, prend de l'importance et que l'on conçoit, pour la meubler, les « gate-leg tables » et nombre de meubles d'appui à étagères. Dans les chambres, le meuble de rangement le plus courant est, avec l'armoire, une commode à nombreux tiroirs et si haute qu'il faut, au dire des chroniqueurs du temps, « un escabeau pour ouvrir les derniers tiroirs ».

La bibliothèque à portes, si typiquement anglaise, existe déjà, mais on se met à l'orner d'un fronton à volutes.

Vers la fin du siècle, l'influence baroque prend le relais du classicisme français et produit des meubles étonnants que l'on peut encore voir aujourd'hui : consoles en bois doré représentant d'immenses oiseaux et supportant des coffres en laques orientales, tables portées par des cariatides d'ébène, cabinets soutenus par de véritables imbrications de sculptures et surmontés encore de frontons, etc. Il est vrai que la plupart de ces meubles extraordinaires étaient destinés aux résidences royales et que, dans tous les récits de l'époque, la splendeur de Ham House, une des demeures du roi, est devenue légendaire, à l'instar de celle de Versailles.

Table en bois sculpté et doré, de style Louis XIV.

Table d'appui italienne de style Louis XIV.

Sous le règne de William and Mary, Daniel Marot, l'élève de Charles André Boulle et de Lepautre, crée des modèles qui se rapprochent du Louis XIV, mais, sous la reine Anne, une réaction se fait sentir. Les meubles, tout en gardant le pied cambré et le fronton en volutes, s'allègent et se simplifient. Pour les menuisiers, la forme passe avant le décor, et ils construisent des sièges sans entretoises, à dossiers toujours très hauts. Les modèles se multiplient : la haute commode devient secrétaire, des bibliothèques étroites surmontent des bureaux à abattant, des commodes carrées et moins encombrantes s'accompagnent de coiffeuses. Les combinaisons multiples en hauteur, qui sont particulières au mobilier anglais, existent déjà presque toutes.

l'Italie

Dans l'Italie du XVIIe s., formée de villes et de principautés indépendantes, la rivalité des villes et des familles qui gouvernent est prépondérante. En France, c'est le roi et sa cour qui, voulant s'entourer de faste, contribuent à développer les métiers artistiques. En Italie, comme dans les principautés allemandes, chaque petite capitale est un noyau de création fortement stimulé par un orgueil régionaliste tout aussi énergique que l'esprit national des grands pays.
C'est en Italie que prend naissance le style baroque, d'abord illustré par l'œuvre de l'architecte Bernini (le Bernin). Il inspirera, aux XVIIe et XVIIIe s., d'innombrables églises, palais, résidences de campagne à travers toute l'Europe, mais son interprétation dans le domaine des arts décoratifs sera plus tardive. Ce n'est que vers 1650 que le « cassone » ou coffre de la Renaissance sera remplacé par l'armoire massive à deux ou quatre portes à l'ornementation mouvementée et irrégulière. Et ce n'est qu'à la fin du XVIIe s. que quelques ébénistes extraordinaires comme Andrea Brustolon et Domenico Parodi exécuteront des meubles d'une extravagance et d'une originalité si remarquables qu'ils sont devenus de véritables « modèles » de mobilier baroque.
Brustolon travaille surtout à Venise pour la famille Venier et invente des pièces célèbres, dont un fauteuil en ébène à pieds en troncs d'arbre et à accotoirs soutenus par des torchères et des nègres nus en bois sculpté. Parodi, lui, originaire de Gênes, crée des miroirs étranges, dont la forme compliquée rappelle l'architecture des églises de l'époque, et des tables d'appui ou consoles, souvent en marbre, dont les piètements sont parfois inspirés par le style Louis XIV, tout comme certains fauteuils vénitiens à pieds tournés en balustres, mais qui supportent souvent d'exubérantes sculptures aux lignes mouvementées et aux formes imposantes.

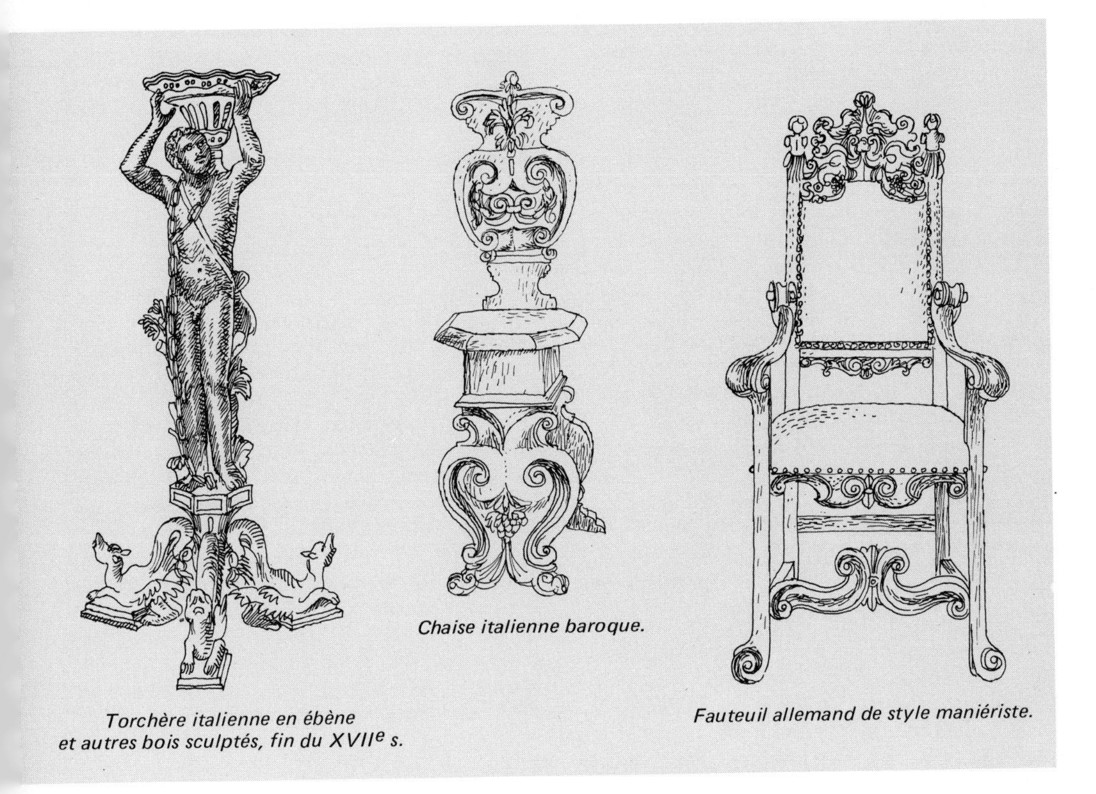

Torchère italienne en ébène et autres bois sculptés, fin du XVIIe s.

Chaise italienne baroque.

Fauteuil allemand de style maniériste.

les principautés allemandes

Au sortir de la guerre de Trente Ans, vers le milieu du XVIIe s., les principautés allemandes, presque toutes obligées de rebâtir leurs demeures, rivalisent dans la construction de somptueux palais. Elles y installent aussi des ateliers, protégeant les artisans et leur donnant des possibilités que les corporations ne leur apportaient pas. Des recueils d'ornemanistes publiés à Augsbourg et à Nuremberg, s'inspirant directement d'Antoine Lepautre et de Berain, circulent dans les ateliers allemands de cette époque; l'influence française est donc certaine. Un des ébénistes alors les plus en vogue,

H. D. Sommer, ancien élève de Boulle, qui travaille en Souabe, se spécialise, comme son maître, dans les meubles incrustés d'écaille. A cette époque, les ateliers d'Augsbourg produisent des meubles en argent repoussé et ciselé, qui seront très recherchés. Leur forme très extravagante est plutôt d'inspiration italienne, ainsi le trône en argent de la cour du Danemark à pieds se terminant en sphinx et au dossier surmonté des armoiries royales; il se trouve encore aujourd'hui au château de Rosenborg à Copenhague. L'aristocratie est, en effet, très puissante, et chaque petite cour voudra être un centre d'élégance et de raffinement.

Les exemples sont multiples. A Munich, le prince-électeur de Bavière, Ferdinand Maria épousa une princesse italienne. Il introduisit le baroque en s'adressant à des architectes et artisans italiens pour la décoration de ses palais. De son côté, Frédéric Ier de Prusse fait construire le palais royal de Berlin et celui de Charlottenburg. A Vienne, Eugène de Savoie fait édifier le palais du Belvédère, qui, jusqu'à nos jours, est resté un des exemples les plus raffinés de l'architecture et de la décoration baroques. Les cours du Danemark et de Suède sont sous la domination de princes allemands et subissent la même influence. En Franconie, le prince-évêque de Bamberg construit comme résidence d'été le château de Pommersfelden, resté intact jusqu'aujourd'hui et dont l'intérieur est conçu avec toute la splendeur du baroque le plus poussé : salons entièrement en glaces et bois dorés, consoles, torchères et appliques à sujets naturalistes extravagants, parquets en marqueterie, lustres immenses, magnifiques cabinets, etc. Pommersfelden date du début du XVIIIe s. Ce château, comme beaucoup d'autres, où le goût de l'ornement est poussé jusqu'au délire, annonce le style rococo qui va connaître tout autant de succès en Autriche et en Allemagne.

le rococo en Europe

Les historiens d'art s'accordent aujourd'hui pour trouver en France certaines sources du style rococo défini comme un « baroque transposé sur un mode mineur, avec plus de naïveté et de douceur » (Victor Tapié).

Mais, si le rococo est parfois considéré comme la sublimation gracieuse du baroque, il n'en reste pas moins qu'il est le style décoratif original le plus marquant de l'Europe du XVIIIe s.

Le baroque avait dû lutter avec le classicisme d'une façon permanente; certains pays l'avaient adopté, mais en le transposant. Le style rococo, plus décoratif qu'architectural, est beaucoup plus homogène, et, de l'Espagne jusqu'aux confins du Danube, la courbe du rococo, les ornements légers et la grâce de ce style vont triompher sans trouver d'opposition.

Les ornemanistes français comme Berain sont parmi les premiers à employer des motifs rococo en puisant leur inspiration dans l'esthétique d'Extrême-Orient. Ils vont bientôt l'adapter à toute l'architecture intérieure et au mobilier : Oppenordt, architecte du Régent, qui séjourne longtemps à Rome au palais Mancini, prend à son compte l'exploitation des *grotesques,* remises au goût du jour au XVIe s. par l'école de Fontainebleau. Il multiplie à foison les arabesques, les pampres, les rinceaux et les feuilles d'acanthe. Il introduit en France ce qu'on a appelé le *style rocaille.* La « rocaille », à l'origine socle d'un objet qui simulait un rocher, désigne ensuite tout motif décoratif aux lignes sinueuses. On doit à Oppenordt la décoration du salon du Régent au Palais-Royal.

Les ornemanistes de cette époque, comme Claude III Audran et, après lui, Pierre

Masque de femme souriante, employé dans le décor rococo.

Motif rocaille typique du style Louis XV.

Cet ensemble Louis XV présente des détails caractéristiques des meubles français du XVIIIe s. : les fauteuils ont un dossier plat dit « à la reine » dont le haut, à double échancrure, s'arrête au niveau des épaules. Les pieds des sièges et de la console sont cambrés et des motifs rocaille ornent le bois sculpté et doré.

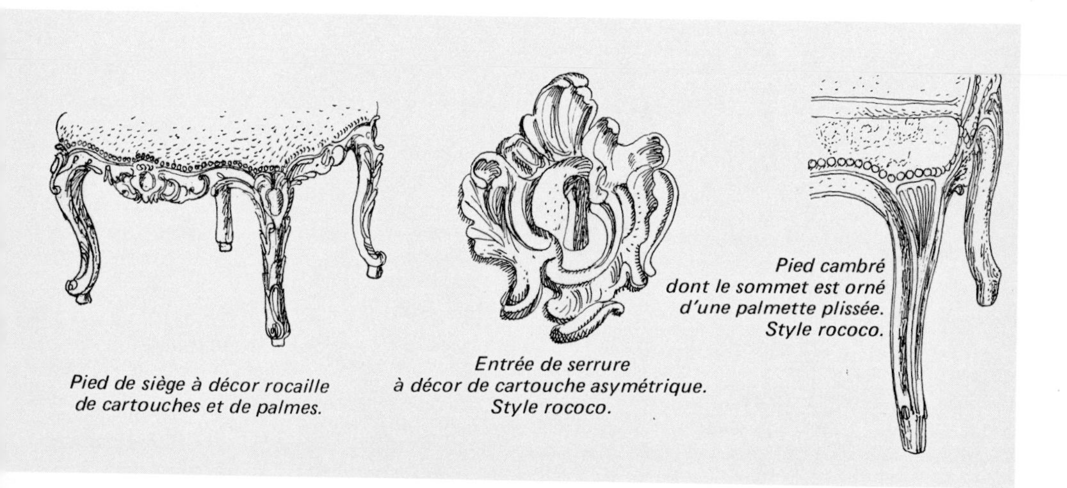

Pied de siège à décor rocaille de cartouches et de palmes.

Entrée de serrure à décor de cartouche asymétrique. Style rococo.

Pied cambré dont le sommet est orné d'une palmette plissée. Style rococo.

Lepautre, se dégagent de l'emprise italienne et délaissent délibérément la ligne droite et la symétrie pour dessiner des motifs légers et gracieux. Leur influence sur le rococo est considérable. Les fantaisies décoratives de Claude Gillot et de son élève Watteau – qui commença sa carrière comme peintre décorateur – affranchiront définitivement les arts décoratifs français de tout formalisme classique. Le reste de l'Europe suivra le même chemin que la France. En Espagne, le décor rococo s'étale dans les salons royaux du palais de Madrid et dans les boiseries dorées fantaisistes des églises. Le rocaille s'épanouit également au Portugal et, traversant l'Atlantique, atteint le Brésil où, à la fin du siècle, naissent de beaux décors dissymétriques. Dans les pays germaniques, la féerie du rocaille trouvera son apothéose dans les palais des cours de Saxe et de Bavière. En effet, ces pays qui avaient adopté le baroque tardif avec enthousiasme passeront avec facilité au rococo, qui représentait en tout point le raffinement somptueux que l'on prisait à l'excès dans chacune des cours princières. Les bois sculptés et peints en blanc et or, les meubles gracieux dans le goût parisien orneront les palais des princes et les résidences des Électeurs germaniques ; même les villes libres nordiques de la Ligue hanséatique, plus bourgeoises déjà, suivront cette vogue.
La Russie, qui, jusqu'ici, avait vécu un peu à l'écart, se tourne désormais vers l'Europe occidentale aussi bien pour la mode que pour la décoration. Des meubles rocaille français, importés à grands frais, servent de modèles aux ateliers locaux. Les palais de Saint-Pétersbourg et surtout les palais impériaux de Tsarskoïe Selo, Peterhof et le palais d'Hiver s'ornent de sculptures et de décorations d'un rococo flamboyant, qui rappellent les réalisations germaniques les plus osées.
L'Italie est peut-être la seule qui reste, dans l'ensemble, plus attachée au baroque ; elle nomme d'ailleurs le rococo « barochetto », c'est-à-dire « petit baroque ». Mais des éléments du décor tels que miroirs, boiseries et meubles épousent souvent les courbes hardies et fines du rocaille français.
Quel que soit le pays européen vers lequel on se tourne vers le milieu du XVIIIe s., on y retrouve la marque du rococo, qui, en fait, correspond non seulement à un style décoratif, mais à un véritable état d'esprit. « C'est le siècle de l'explosion de toutes les libertés, nous dit Philippe Huisman, de la remise en cause de toutes les idées... Les meubles, les bibelots, les objets mêmes dont s'entouraient les hommes et les femmes de ce temps nous renseignent plus concrètement sur cette philosophie du bonheur d'où est né un art de vivre si plaisant, si doux, si savant aussi qu'on n'en connut jamais de semblable. »
Cette philosophie, cette époque sont celles du rococo en Europe.

le style Régence

Comme toutes les périodes de transition, la Régence marque une évolution des formes qui déborde largement l'interrègne de huit ans seulement qui, au lendemain de la mort de Louis XIV, laisse l'exercice du pouvoir à Philippe d'Orléans.
Louis XIV avait fait peser sa volonté jusque dans les moindres détails de l'ornementation et de l'ameublement. Mais le désir d'échapper à ce despotisme se manifeste dès 1690, après la mort de Le Brun, maître absolu des arts sous le règne du Roi-Soleil.
Le style qu'il est convenu d'appeler Régence s'affirme avec originalité dès que Philippe d'Orléans devient nouveau maître du royaume. Esprit curieux, il lève toutes les contraintes aussi bien dans les mœurs que dans les arts. Comme l'écrit Michelet : « L'aimable génie de la France, lumineux, humain, généreux, éclata le lendemain de la mort de Louis XIV dans tous les actes du Régent. » Dès lors, une vie de société, de « compagnie » dit-on, se substitue aux rigueurs de l'étiquette.
La noblesse délaisse Versailles, et c'est Paris qui redevient la capitale de toutes les modes. Chacun se met à l'aise pour la conversation, et les salons se meublent de sièges que les visiteurs occupent sans souci de préséance.
Les ornemanistes refusent désormais tout emprunt à l'Antiquité et, comme nous l'avons vu, jettent les bases d'un style décoratif qui gagnera toute l'Europe. L'asymétrie fleurit dans les moindres sculptures, sur les ceintures des sièges ou sur les tiroirs des commodes. Le léger galbe du Louis XIV de la dernière période s'arrondit, s'assouplit. Si l'on exécute sous la Régence des meubles d'une grande beauté et d'une grande richesse, ils ont pourtant perdu toute solennité : ils ne sont pas seulement destinés à paraître, ils sont destinés à vivre et à participer directement à la vie.
Le goût du confort trouve son expression dans la bergère, garnie de coussins moelleux dont la vogue se généralise, ou dans la chaise longue de plus en plus appréciée. Charles Cressent, ébéniste du Régent, crée des commodes sur pieds élevés et de formes chantournées, qui annoncent les fantaisies du rocaille. Le bureau Mazarin à huit pieds, imposant et travaillé, sera remplacé par le bureau plat d'une bien plus grande simplicité. Si le style Régence a encore gardé les structures robustes du siècle précédent, il est déjà paré de toute la grâce du style Louis XV qui lui fait suite. C'est, en fait, un style aimable, équilibré et plein de charme.

le style Louis XV

L'évolution qui s'est amorcée sous la Régence et qui marque d'un esprit nouveau le début du XVIIIe s. en France s'épanouira sous le règne de Louis XV, plaçant la France au tout premier rang dans tous les domaines artistiques.

La possession de belles choses n'est plus l'apanage de la cour et d'une élite aristocratique. La bourgeoisie, en effet, imite maintenant la noblesse, et, par cet apport de clientèle aisée, les arts mineurs sont florissants. Les amateurs et collectionneurs se multiplient. Ils recherchent avant tout la curiosité, et les « cabinets » du XVIIIe s., pièces destinées uniquement aux collections, renferment aussi bien des pierres dures et des animaux empaillés que des instruments scientifiques ou des bronzes d'ameublement. Mme de Pompadour, grande bienfaitrice des arts, donne le ton. Elle commande sans cesse aux peintres et aux artisans des tableaux, décorations, meubles, boîtes en orfèvrerie, céramiques ou pièces d'argenterie. Pour avoir une idée du nombre de ses collections, rappelons qu'après sa mort son frère, le duc de Marigny, dut louer deux maisons à Paris, car le palais de l'Élysée et le palais des Réservoirs à Versailles, qui appartenaient tous les deux à la marquise, ne suffisaient pas pour contenir les objets et meubles provenant de ses appartements de Versailles et des autres résidences royales. De même, la noblesse française non seulement fait appel aux meilleurs architectes et peintres pour construire et aménager ses châteaux ou hôtels particuliers, mais s'adresse directement aux marchands d'objets d'art qui joueront, à partir de cette époque, un rôle considérable.

Ces « marchands-merciers » (ancêtres des antiquaires et décorateurs actuels) s'occupent de coordonner le travail des divers corps de métiers tels que céramistes, bronziers ou ébénistes. On ne peut passer sous silence l'influence qu'ils eurent sur le goût de l'époque. Ils conseillent directement leur clientèle, lui indiquent les nouveaux modèles de meubles. Ils choisissent les artisans, les tissus, font monter les objets, se chargent de tel bronze qui doit orner une commode ou font exécuter telle écritoire ou telle petite table. Les lustres, les bois dorés, les porcelaines, les bibelots, les tentures, les merveilleux meubles en marqueterie, tout passe par les marchands-merciers. Les noms de certains d'entre eux comme Lazare Duvaud, Gersaint ou Mariette — plus spécialisés en tableaux — ont fait date.

Le style qui naît de cette éclosion soudaine de raffinement et de confort est un style gracieux et léger, parfaitement adapté à une époque qui voit la femme jouer un rôle

Le style Louis XV fait triompher la courbe et la contre-courbe dans les boiseries du château de Millemont. Les guirlandes de fleurs en bois sculpé et les tons pastel sont représentatifs du goût de l'époque.

Dans cette bibliothèque de Nostell Priory, dont la décoration des murs et des plafonds dénote déjà l'influence néo-classique d'Adam, les meubles sont encore de style Chippendale, typique du rococo anglais.

Les bureaux à cylindre sont parmi les plus belles créations du style Louis XV, aussi bien par la perfection de leur ébénisterie que par la subtilité de leur mécanique. Celui-ci, œuvre de David Roentgen, est en bois marqueté de fleurs et d'attributs d'écrivain. Le cylindre, une fois ouvert, révèle cinq tiroirs, dont deux à secret. La forme gracieusement cambrée des pieds et la décoration en bronze ciselé et doré sont caractéristiques de l'époque.

significatif. Les architectes s'ingénient à composer pour elle de petits appartements chauds, douillets et accueillants. Les peintres, comme Fragonard ou Boucher, l'idéalisent, et l'étiquette royale elle-même devient moins rigide, se pliant à ses préférences pour une vie sociale moins solennelle, plus agréable et détendue. Le prince de Croy nous raconte dans son journal comment, à la fin d'un souper de dix-huit personnes, le roi Louis XV se dirige vers un petit salon pour y faire le café lui-même. Les invités se servent, et Croy fait remarquer qu'il n'y a pas de laquais. Puis des tables de jeu s'installent, et le roi veille à ce que personne ne reste debout; ce n'est qu'à deux heures du matin qu'il traverse les petits appartements pour se diriger vers la chambre d'apparat où se déroulera la cérémonie publique du coucher. Mais on sait que, très souvent, Louis XV regagnait presque aussitôt ses petits appartements pour y dormir.
La haute société française, issue de Versailles et dont la vie s'améliore au XVIIIe s. tant sur le plan matériel que culturel, impose un nouveau « savoir-vivre ». Il est fait d'un mélange de politesse, d'amabilité, d'étiquette sans rigueur et d'esprit, et a été longtemps « l'image de marque » de la société française. Or, rien n'étant plus expressif que la décoration intérieure des maisons, celles créées sous Louis XV reflètent en tout point les mêmes principes. Rien ne doit être triste, lourd, rigide ou tape-à-l'œil. La gaieté, même factice, est de rigueur.

Les murs sont ornés de panneaux représentant des scènes galantes ou d'aimables déesses; les boiseries ou tentures sont toujours dans les tons clairs, voire vifs. Des glaces, des girandoles, des flambeaux et des appliques font vibrer les couleurs. Les fleurs envahissent toutes les pièces : fleurs véritables, fleurs en porcelaine, fleurs peintes, fleurs sculptées ou fleurs tissées dans les soieries.
Le triomphe de la ligne rocaille, très décorative et légère, semble aller de soi, dans cette atmosphère. Reproduit sur les meubles, sur les objets, sur le moindre flambeau, repris, copié et interprété à travers toute l'Europe, le style Louis XV ou rococo est, dès lors, le symbole d'une manière de vivre.

les mobiliers Régence et Louis XV

Les sièges. Ils se diversifient et s'allègent. Les dossiers des fauteuils, parfois hauts sous la Régence, s'abaissent. Les accoudoirs reculent et s'incurvent. Les modèles sont multiples. Citons les principaux : la bergère en confessionnal, aux oreilles rembourrées; la bergère cabriolet, à dossier concave; la bergère gondole, à dossier enveloppant; la duchesse ou bergère, assez profonde pour s'y allonger (prolongée d'un tabouret, elle est dite « brisée »); la marquise ou siège à deux places; le fauteuil cabriolet, léger et maniable; le fauteuil de bureau à dossier gondole, dont l'avant s'appuie sur un pied; les sièges à dossier plat, dits « à la reine »; le lit de repos à huit pieds; la chaise percée. Parmi les canapés, on retiendra : la veilleuse au dossier incliné sur un seul accotoir; l'ottomane dont le dossier sinueux se referme sur les côtés et le sopha. Il existe aussi nombre de tabourets et de banquettes.

La commode. C'est le meuble marquant du siècle. On la place, en général, face à la cheminée et on la veut très décorative; elle est le plus souvent en marqueterie. Pendant la Régence, le modèle le plus répandu est celui de la commode dite « en tombeau », à trois tiroirs, lourde et écrasée sur des pieds cambrés et courts, aux côtés ventrus. Sous Louis XV, la commode dite « à arbalette » va devenir le modèle le plus courant : elle comporte deux tiroirs, les pieds s'étirent vers le haut, le tablier découpé et orné de bronze en cul-de-lampe se confondra bientôt avec le profil du dernier tiroir.

Le bureau. Le bureau plat à deux ou trois tiroirs subsiste, tandis qu'apparaît le bureau en dos d'âne à abattant oblique qui sert d'écritoire, puis le secrétaire debout à abattant vertical cachant tiroirs et casiers, enfin le bureau à cylindre inventé pour Louis XV par Œben et Riesener.

Les petits meubles. C'est dans les petits meubles que le style Louis XV excelle : multitude de petites tables à usages divers, à

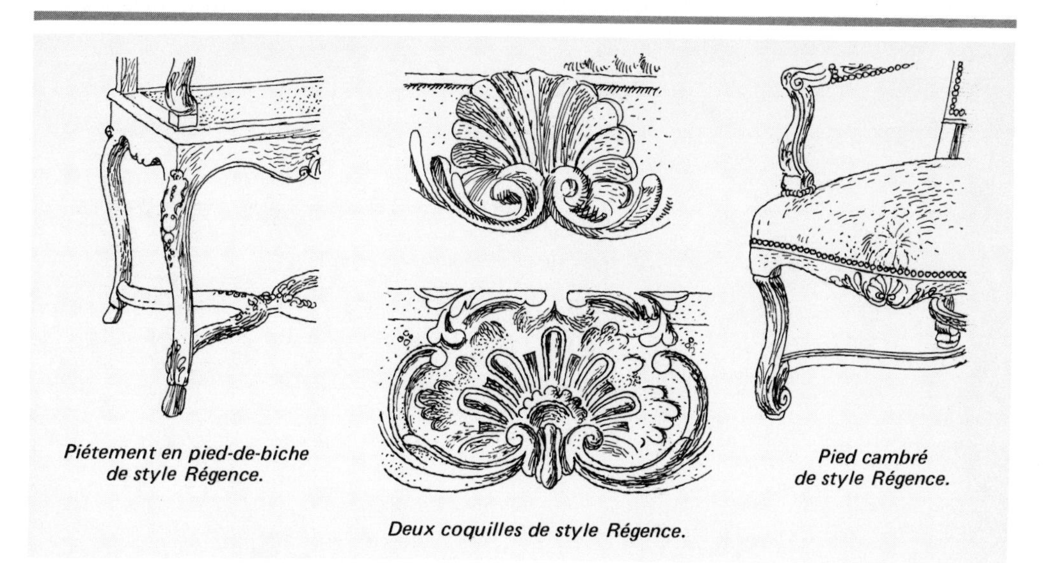

Piétement en pied-de-biche de style Régence.

Deux coquilles de style Régence.

Pied cambré de style Régence.

Commode Régence dite « en tombeau ».

Lit « à la duchesse » de style Régence.

Fauteuil de style Régence.

Chaise longue de style Régence.

Chaise Louis XV à fond canné.

Chaise ponteuse au dossier surmonté d'un accotoir. Style Louis XV.

Fauteuil de bureau au dossier en gondole. Style Louis XV.

Table-bureau de style Louis XV.

Petite table marquetée de style Louis XV.

Console richement sculptée de style Louis XV.

Bureau à cylindre marqueté de style Louis XV.

Secrétaire à abattant oblique de style Louis XV.

abattants, tirettes, tiroirs, offrant des possibilités de combinaisons ingénieuses pour le café, l'écriture, la toilette, la coiffure, les ouvrages de dames, les jeux, etc. Les meubles de rangement, chiffonniers, *encoignures,* bibliothèques se multiplient.

Les consoles. La console évolue entre le style Régence et le style Louis XV. Elle est la pièce favorite où s'étale tout le répertoire décoratif. En bois doré et reposant sur quatre pieds sous la Régence, elle devient ensuite console d'applique sur deux pieds très cambrés réunis à leur extrémité par des motifs rocaille.

Le lit. Le lit à quenouilles tend à disparaître, tandis que le lit à la duchesse et le lit d'ange continuent de plaire. Vers le milieu du siècle, apparaissent de nouveaux modèles :
- Le lit d'alcôve, qui se place de côté le long du mur et est surmonté d'un baldaquin.
- Le lit à la polonaise, qui a deux dossiers et dont le baldaquin repose sur une armature de fers courbés, d'où tombent quatre rideaux rattrapés aux angles.
- Le lit à la turque, qui a trois dossiers dont le plus grand est adossé au mur ; le baldaquin est fixé au mur et deux rideaux se drapent à l'arrière.

L'armoire. Elle est en bois massif ainsi que les buffets, les bonnetières, les vaisseliers. Ils ont peu évolué dans leur structure, seul le répertoire décoratif change.

techniques des styles Régence et Louis XV

L'ébénisterie. Tandis que le placage d'ébène commence à disparaître sous la Régence, la marqueterie d'écaille et de cuivre inventée par Boulle va être supplantée par la marqueterie de bois exotiques : les lamelles de palissandre, amarante, bois de rose, utilisées dans les différents sens du bois, dessinent des figures géométriques en losanges, ailes de papillon, queues de paon, éventails, qui jouent avec la lumière : c'est la technique du « frisage ». Dans le style Louis XV, la marqueterie devient une véritable peinture reprenant sans cesse les motifs de fleurs et d'oiseaux, les attributs de la chasse, de la musique et de l'amour.

La menuiserie. Le bois naturel revient à la mode. Les sièges sont généralement en hêtre ou en noyer. Les meubles de bois massif sont en chêne ou en noyer ainsi qu'en bois fruitier. Le bois doré est moins à la mode. Les meubles et les panneaux de boiserie sont souvent en bois peint de couleur pastel aux rechampis plus clairs ou plus foncés.

Les bronzes. Les bronzes d'ornement sont une des gloires les plus précieuses de la Régence : poignées de tiroirs ou « mains », entrées de serrures, arêtes de meubles, sabots de pieds s'ornent de bronzes au décor végétal délicat. Sous Louis XV, ce décor devient plus exubérant, asymétrique, déchiqueté.

Les marbres. Ils apportent leur matière somptueuse et colorée au décor. Les tablettes débordent généreusement des meubles dont elles suivent la forme.

Les piétements. Sous la Régence, les pieds sont soit bas et cambrés, soit hauts et figurant un pied de biche terminé par un sabot.
Sous Louis XV, les pieds sont plus souplement galbés ; ils reposent sur un dé ou sur un enroulement appelé « roquillard ». Le pied est très souvent garni d'une feuille d'acanthe.

répertoire décoratif des styles Régence et Louis XV

Sous la Régence :
- la coquille symétrique ;
- les motifs exotiques (chinoiseries, *singeries*) ;
- le décor végétal : fleurette au sommet du dossier, palmette en haut d'un pied, feuille d'acanthe, feuille d'eau, fleur de tournesol ;
- les visages de femmes souriant ou de faunes remplaçant les masques ;
- le décor animal : ailes de chauve-souris, singes, dauphins, dragons, oiseaux, chimères.

Sous Louis XV :
- la coquille déchiquetée ou perforée ;
- les fleurs stylisées ou « fleurettes dressées » ;
- la feuille d'acanthe déchiquetée mêlée aux feuilles de laurier, aux tiges de jonc ;
- les thèmes orientaux et exotiques (chinoiseries, *pachas, derviches* et singeries) ;
- les attributs de la chasse, de la musique ou de l'amour.

les styles géorgien et Chippendale

En Angleterre, la période qui commence sous le règne de George Ier (1719-1727) et se continue jusqu'à George VI (1760-1811) se nomme « Georgian » et couvre tout le siècle. Mais elle comprend plusieurs styles très différents : le palladien au début du siècle ; le rococo, inspiré du Louis XV entre 1730 et 1750, y compris le style Chippendale ; et, vers la fin du siècle, les styles Adam, Sheraton et Hepplewhite, de ligne néoclassique. Qualifier un meuble de « georgien » équivaut donc à dire qu'il s'agit d'un meuble anglais du XVIIIe, mais ne définit pas une tendance. Ce sont les ébénistes

Chaise en acajou sculpté. Début du style rococo anglais.

Cabinet rococo. Style Adam.

Coiffeuse-secrétaire en noyer de style georgien.

Guéridon en acajou. Plateau pivotant. Style rococo anglais.

Glace et console vénitienne. Style rococo.

Fauteuil vénitien en bois sculpté doré. Style rococo.

Chaise en bois sculpté doré. Florence. Style rococo.

anglais les plus célèbres, et non pas les souverains, qui donneront leurs noms aux meubles, et c'est la parution de leurs cahiers de modèles qui fera date.

Au début du XVIIIe s. et jusqu'en 1740, le mobilier courant garde l'aspect du style Queen Anne : lignes courbes peu accentuées, pieds cambrés, grande simplicité. Cependant, un petit groupe d'aristocrates s'enthousiasme pour les principes classiques de Palladio, génial architecte italien du XVIe s. Cette coterie d'élégants se fait construire des maisons inspirées des temples antiques et des palais de la Renaissance, dont la vogue se répercutera en Amérique du Nord, se reflétant dans la typique résidence coloniale à colonnades et fronton.

Quelques meubles d'apparat, spécialement dessinés pour les maisons palladiennes anglaises peuvent être donnés en exemple de

Lit à la polonaise en bois sculpté doré. Style rococo allemand.

Canapé chinois. Style Chippendale.

Canapé en bois sculpté et doré. Style rococo allemand

Commode peinte. La forme et la décoration sont typiquement vénitiennes. Milieu du XVIIIe s.

Fauteuil en bois sculpté et peint. Style rococo allemand.

Cabinet-secrétaire marqueté en noyer et autres essences de bois. Style roroco allemand.

ce style, mais les ébénistes ne les reprennent pas à leur compte, et le style palladien restera plus attaché à l'architecture qu'à la décoration. En revanche, un fait économique jouera un rôle important dans le mobilier. En 1740, la France décide de contrôler l'exportation du bois, y compris le noyer. C'est alors que les ébénistes anglais se tournent vers l'acajou « espagnol », l'acajou de Cuba, de Saint-Domingue, de Porto Rico. L'acajou devient alors représentatif du meuble anglais. Les qualités de l'acajou, sa résistance et sa patine donneront naissance à de nouvelles formes. Le meuble sans marqueterie s'impose, car on aime mettre en valeur la superbe couleur du bois. Les pieds avant des sièges, toujours de forme « cabriolet », seront sculptés et se termineront en patte de lion, en griffes tenant une boule *(claw and ball)* ou en léger enroulement. La mode du thé, in-

troduite en Angleterre en 1650, prend de l'importance et donne naissance à nombre de meubles : tables, étagères, armoires à vaisselle légère, petites tables volantes à plateau rond et trépied.
Au milieu du siècle, le rococo aura gagné totalement l'Angleterre, et certains ébénistes copient en tout point les meubles de style Louis XV, imitant les formes et les motifs rocaille.
Chippendale est l'ébéniste le plus marquant et le plus original du rococo anglais. En publiant son premier recueil de modèles en 1754, suivi de trois autres, il deviendra très vite célèbre. Par la suite, il semble que les historiens d'art aient exagéré son importance en tant que créateur. Il n'en reste pas moins qu'il désigne un style précis dans lequel se résument à merveille les tendances artistiques qui dominent en Angleterre : le rocaille, un gothique transposé et le goût pour l'exotisme. Chippendale interprète le tout avec élégance et modération, dessinant des lits en forme de pagode rococo ou des chaises à pieds cambrés et dossier sculpté de motifs gothiques entrelacés.
La production de Chippendale, ou inspirée par lui, et celle d'autres ébénistes anglais comme William Vile donneront aux meubles de cette époque une réputation qui dépasse les frontières de la Grande-Bretagne. Appréciés pour leur originalité, pour le choix important de modèles, les meubles anglais seront exportés à partir du troisième quart du XVIIIe s. vers les autres pays européens. Même la France, qui aura pourtant imposé son style, sera très tôt sensible à la perfection de l'ébénisterie anglaise.

les styles néo-classiques

Le style rococo, nous l'avons vu, avait pris sa source dans les expressions plastiques des ornemanistes et des décorateurs. Les styles néo-classiques, eux, auront une source toute différente puisqu'ils sont la conséquence de recherches historiques et archéologiques. D'une certaine manière, on peut qualifier le néo-classique de style intellectuel.
En effet, une série d'ouvrages parus en Angleterre, en Allemagne et en France au cours du XVIIIe s., notamment le *Recueil d'antiquités* de Caylus (grand collectionneur français) et *l'Histoire de l'art chez les Anciens* de Winckelmann, ont eu une influence capitale. C'est grâce à eux que les architectes et les dessinateurs vont

Le salon bleu de l'hôtel d'Arenberg représente parfaitement le style raffiné du XVIIIe s. néo-classique français : les boiseries légères, de la fin du siècle ; les sièges Louis XVI en bois doré ; les candélabres inspirés de torches antiques ; les petites tables élancées ; la forme typique des cantonnières en tapisserie de Beauvais, qui encadrent les fenêtres.

2

1. *Kedleston Hall est un bon exemple d'une noble demeure anglaise dans le style néo-classique. Le salon est l'œuvre d'Adam.* **2.** *Le salon de musique de l'hôtel de Beauharnais montre que la sévérité du style Empire peut s'accommoder d'un décor fantaisiste : les cols-de-cygne des fauteuils de Jacob, qui semblent assouplir la raideur des lignes, se retrouvent dans les motifs des décors muraux de chaque côté de la cheminée. Les peintures sont traitées dans la manière de Prud'hon et de Girodet.* **3.** *Les meubles Restauration se caractérisent par leurs surfaces lisses ornées de bronzes d'inspiration pompéienne, encore très proches de l'Empire, comme dans ce salon Restauration du musée des Arts décoratifs.* **4.** *Mars est à l'honneur avec le style Empire. Dans cette pièce du musée des Arts décoratifs on peut voir un fauteuil d'officier sans accotoirs, permettant le port du sabre assis. Ce type de lit, avec ses deux têtes symétriques et le drapé de l'alcôve, se retrouve fréquemment à cette époque.*

4

redécouvrir le goût de l'Antiquité et délaisseront les lignes courbes du rococo pour s'inspirer désormais des lignes classiques.
Fait plus décisif encore seront les fouilles entreprises en Italie : la première fouille de Pompéi en 1748 devait mettre au jour des vestiges gréco-romains dont la beauté et la délicatesse de lignes inspireront l'Europe pendant toute la fin du XVIIIe s.
L'Angleterre, la première, et, presque en même temps, la France vont adopter avec enthousiasme la ligne classique qu'on retrouve bientôt sur les façades des châteaux, des hôtels particuliers ou des bâtiments publics. Elle se rencontre aussi dans la forme des divers éléments de décoration intérieure (cheminées, boiseries, pilastres, portes ou fenêtres), qui perdront jusqu'au moindre soupçon de courbe pour devenir rectilignes et élancés, empruntant au répertoire décoratif gréco-romain les sujets d'ornementation. Les autres pays européens imiteront l'Angleterre et la France en important leur mobilier et en s'inspirant de leur architecture.
Quelques années plus tard, au tournant du siècle, les mêmes lignes droites, chères au classicisme, mais un peu alourdies, vont se continuer sous l'Empire. Napoléon Ier imposera tout naturellement ce style dans les pays conquis, particulièrement dans ceux où ses frères ou ses maréchaux, installés en tant que souverains, apportent avec eux meubles et objets, qui seront aussitôt adoptés et copiés par les artistes locaux.
Le style néo-classique se présente donc en trois étapes. Imposé par l'élite intellectuelle, il sera, dans un premier temps (Louis XVI, Directoire, Adam), léger, élégant et correspondra au raffinement de la société du XVIIIe s. Rendu lourd et ostentatoire sous l'Empire, le néo-classique de la deuxième époque s'impose en Europe par voie de conquête et représentera déjà l'élévation sociale d'une nouvelle classe. Repris à son compte par l'industrialisation, mais encore néo-classique d'inspiration, le style Restauration et fin Regency déclinera peu à peu, tendant à perdre son aspect rectiligne, classique et beau pour devenir tout simplement confortable, s'alignant d'avance sur les bouleversements sociaux du XIXe s., qui allaient faire du « meuble » un objet fonctionnel et non plus un objet d'art.

le style Louis XVI

La naissance du style Louis XVI semble étroitement liée aux fouilles de Pompéi : en effet, fortement encouragés par Mme de Pompadour, les archéologues français s'en vont sur place étudier les vestiges gréco-romains miraculeusement conservés sous les laves du Vésuve. Dans une célèbre lettre datée de 1754, la favorite de Louis XV prend fait et cause pour les Anciens et part en guerre contre les courbes et contre-courbes du rocaille.
Le public élégant, prompt à s'enthousiasmer pour tout changement de mode, se déclare écœuré des lignes sinueuses décadentes et réclame un style « moderne ». Les ébénistes ne tardent pas à transposer dans les meubles, avec une élégance raffinée, la pureté rigoureuse des lignes antiques. Autrement dit, les fabricants de meubles font du Louis XVI sous Louis XV.
Des maîtres ébénistes tels que Œben et Georges Jacob parviennent alors à faire triompher ce paradoxe : les lignes droites des tables et des chaises paraissent plus légères que les courbes. Mais il faut dire que l'on a réduit les ornements; les pieds des meubles se redressent, les bronzes s'allègent, les teintes s'adoucissent.
Par un curieux retour en arrière, le Louis XVI s'apparente, par certains côtés, au Louis XIV. Quand Marie-Antoinette abandonnera ses longues robes, imposant aussitôt une nouvelle mode, les ébénistes ramèneront les accotoirs des sièges à l'aplomb des pieds avant, comme sous Louis XIV, puisqu'on n'aura plus besoin du recul des bras pour que puisse s'y loger l'ampleur des jupes.
Ce qui, dans l'esprit, différencie nettement les deux styles, c'est que les ébénistes du grand siècle ont vu le classique à travers la Renaissance, d'où de fastueuses surcharges, tandis que les artisans du XVIIIe s. se sont inspirés de la sobriété grecque et romaine. Hormis ce détail visuel, le souci de la composition architecturale reste le même à un siècle de distance.
Mais le changement d'un style à l'autre n'est jamais radical. Les formes du Louis XV continuent à plaire à une certaine clientèle parisienne et surtout en province, où il persiste longtemps. Certains ébénistes produisent en même temps des modèles rococo et néo-classiques, et Riesener crée, en 1784, pour le château de Fontainebleau, un secrétaire qui est de style Louis XV, alors que dès 1765 la tendance néo-classique est déjà très affirmée.
Aussi naîtront entre le Louis XV et le Louis XVI un certain nombre de meubles dits « de transition », qui ont les caractéristiques des deux styles : ils conservent, en général, les pieds cambrés du style rocaille, mais le corps du meuble a perdu son galbe et présente des montants et des surfaces rectilignes.
Il est certain, cependant, que non seulement le style Louis XVI, mais l'histoire même du meuble français seront à leur apogée au temps de Marie-Antoinette.
Les ébénistes auront en effet acquis au cours du XVIIIe s. une habileté remarquable. Leur production est d'autant plus parfaite que leur clientèle est devenue exigeante.

La reine est une fervente du style antique, mais demande aux artisans de fabriquer des petites tables, des meubles à bijoux, des sièges, des éléments décoratifs à la fois élégants, simples mais très ornés. Le goût de l'aristocratie s'est fortement développé : elle est riche et raffinée, et recherche dans le mobilier les formes rares et travaillées. Dans cette perspective, l'artisan du meuble est un personnage considérable, l'égal du peintre ou de l'architecte, et l'on peut dire que les ébénistes, qui furent les responsables du Louis XVI finissant, ont poussé leur virtuosité au point qu'ils préfigurent les grands designers modernes.

le mobilier Louis XVI

Les sièges. La structure est très apparente : le *dé de raccordement* sculpté souligne l'endroit où la ceinture rejoint les pieds. Les pieds antérieurs sont toujours droits, les pieds postérieurs légèrement inclinés vers l'arrière, l'accotoir revient souvent à l'aplomb du pied avant. Le siège lui-même est carré, cintré sur le devant, « *violonné* », rond ou en fer à cheval. Les dossiers sont incurvés en cabriolet, ou droits dits « à la reine ». Les formes sont multiples : en carré, en rectangle, en rond, en médaillon, en ovale, en écusson, en chapeau. Les dossiers des chaises sont parfois ornés de motifs en forme de corbeille, de lyre, de montgolfière, de gerbe ou d'arcature.

Les tables. Les petites tables sont très nombreuses; leurs plateaux sont en marbre ou en porcelaine, et leurs formes carrées, rectangulaires, en ovale, en rognon ou cylindriques. Suivant l'usage auquel on les destine, on les nomme bouillotte, rafraîchissoir, travailleuse, tricoteuse, jardinière, table-servante, liseuse, athénienne, tables à café, à

Tout, dans le charmant salon de l'hôtel d'Arenberg, respire l'ambiance élégante et paisible de la fin du XVIIIe s. français : les lignes simples et droites non seulement des boiseries, mais aussi de la cheminée et des canapés, la légèreté des appliques et du lustre, et l'harmonie subtile des couleurs pâles.

Frise d'entrelacs

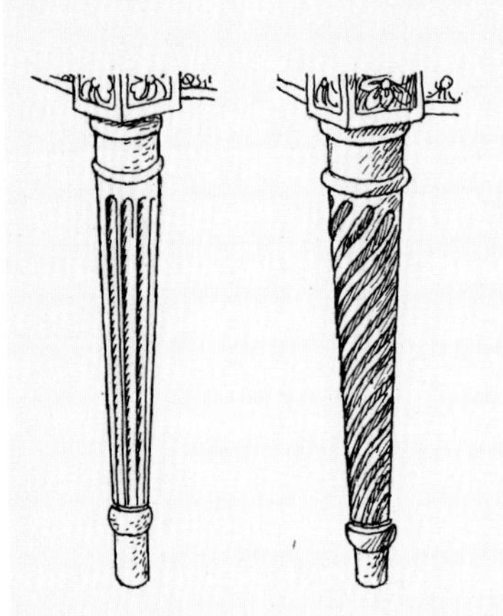

*Pieds droits de style Louis XVI.
A droite, cannelures en spirale.*

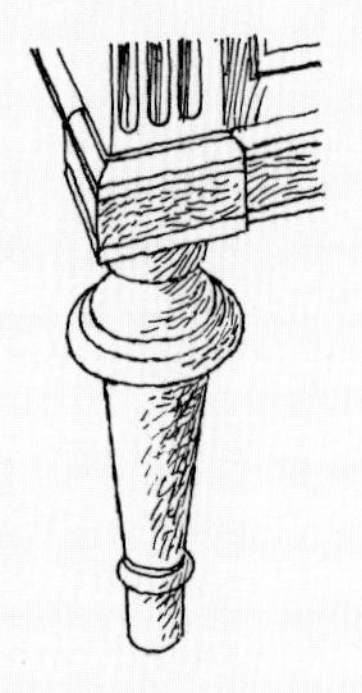

*Pied en toupie
de style Louis XVI.*

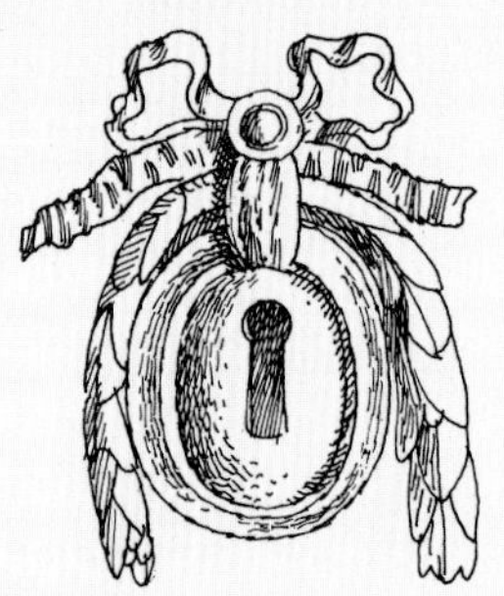

*Entrée de serrure en forme de médaillon
orné d'un nœud de ruban.*

*Bergère Louis XVI
aux pieds droits cannelés.*

*Console-desserte.
Style Louis XVI.*

toilette, « à la Tronchin » (pourvue de crémaillères).
La table de salle à manger à rallonges ou à abattants peut être aussi en demi-lune, avec un plateau se repliant. Les tables de jeu sont rondes ou rectangulaires.
Les consoles à plateau en marbre reposent sur deux pieds droits cannelés reliés par un entrejambe. Certaines, appelées commodes-servantes, ont quatre pieds, un tiroir et une ou deux tablettes en demi-lune, en rectangle ou en trapèze.

Le bureau plat subsiste, très simple, orné parfois d'un filet de cuivre qui souligne le plateau.

Le secrétaire à abattant et le bureau à cylindre, apparus sous Louis XV, sont nombreux. Pour ce dernier, l'abattant est en lamelles articulées et cache l'écritoire et les niches.

Le bonheur-du-jour, meuble très délicat, se compose d'une table de bois ou de marbre (avec ou sans tablette d'entrejambe) surmontée d'une petite armoire posée en retrait.

La commode Louis XVI est souvent posée sur des pieds assez courts. Elle comporte deux grands tiroirs et un tiroir de ceinture, parfois divisé en trois. Elle est rectangulaire ou en demi-lune. Les encoignures s'assortissent aux commodes et servent souvent d'étagères pour l'exposition d'objets d'art. Le chiffonnier est un meuble à huit tiroirs; le semainier, à sept.

Les armoires et les buffets gardent la même structure que dans le style Louis XV, seule l'ornementation change.

Les lits. Le lit à la française, avec un dais placé perpendiculairement au mur, ne comporte qu'un seul chevet.
Le lit à la polonaise comporte un montant placé le long du mur et deux chevets. Il y a

Fauteuil Louis XVI. Dossier en anse de panier.

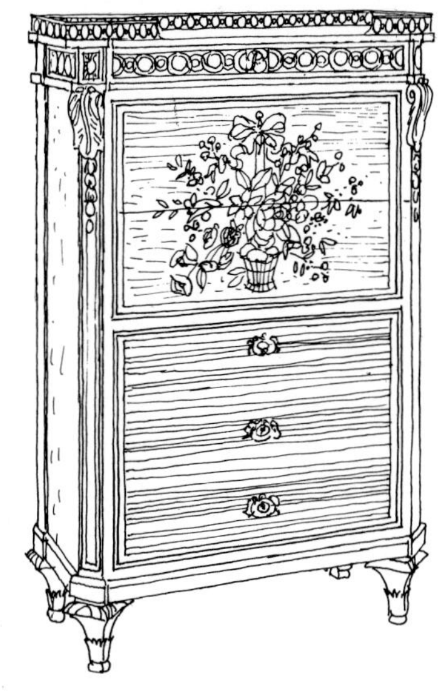

Chiffonnier-secrétaire Louis XVI. Des sabots en bronze protègent les pieds.

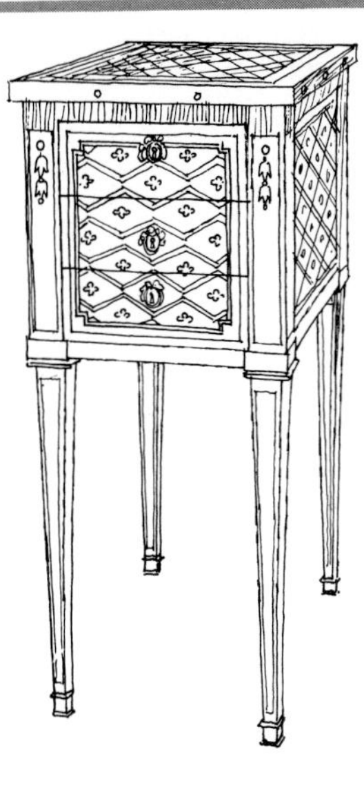

Table-jardinière de style Louis XVI.

Commode Louis XVI. Pieds droits cannelés. Angles arrondis à colonnettes.

Table travailleuse à pieds cambrés. Style Louis XVI.

d'autres types de lits dits « en tombeau », « à la militaire ».

techniques du style Louis XVI

L'ébénisterie et la menuiserie. La marqueterie devient plus sombre ; elle représente des bouquets et des paysages, ou des motifs géométriques. Le bois le plus à la mode est l'acajou, que l'on emploie massif ou en placage pour en faire ressortir les veines et le moiré. Les bois fruitiers sont toujours employés, surtout le citronnier. L'ébène revient à la mode. Le bois doré connaît moins de faveur, tandis que le bois peint de couleurs tendres est très fréquent.

Des bronzes finement ciselés ornent les chutes (de festons, d'ornements), les entrées de serrures, les pieds, etc. On découvre le bronze doré mat, qui imite l'or.

Les marbres, qu'ils soient gris ou blancs, recouvrent les meubles en suivant leur ligne en ressaut ou en pan coupé.

La laque et le vernis Martin sont encore employés.
Certains meubles, surtout les petites tables, sont décorés de plaques de porcelaine de Sèvres ou de Wedgwood.

Le cuivre est façonné en bague pour les pieds tournés, en filet pour souligner moulures et panneaux, en galerie ajourée autour des plateaux ou tablettes, en entrées de serrures, etc.

Le fer forgé est employé pour les piétements, à l'imitation des meubles antiques trouvés dans les fouilles.

Les piétements. Les pieds des sièges et des meubles sont ronds et fuselés ou hexagonaux, sculptés de cannelures droites ou à spirales ; ils sont aussi en gaine quadrangulaire, en asperge ou en toupie.

répertoire décoratif du style Louis XVI

- Nœud plat, chapelet de pilastres, cassolette, médaillon ovale orné d'un ruban, figures de femmes et d'enfants.
- Répétition en lignes ou rangées d'éléments classiques : *oves,* rais de cœur, feuilles, godrons, entrelacs, rinceaux, baguettes enroulées de rubans.
- Motifs architecturaux : cannelures, pilastres cannelés, balustres cannelés, consoles, *colonnes engagées* ou non, triglyphes.
- Objets de fouille : urnes, vases, cassolettes, bêtes mythologiques (chimères, sirènes, dauphins, sphinx).
- Éléments végétaux : cornes d'abondance débordantes de fruits, guirlandes de fleurs, de fruits, bouquets, corbeilles, pommes de pin, *thyrses* et grenades.
- Attributs de la chasse, de la pêche, de la musique, de la guerre, de l'amour.

le style Directoire

Moins de trois ans après la mort de Louis XVI, le style qui va se développer sous le Directoire (considéré aussi comme style de transition entre le Louis XVI et l'Empire) adoptera les lignes antiques romaines les plus dépouillées : tout ce qui symbolisait les fastes de la monarchie est désormais condamné.
Toutefois, les révolutions politiques se font plus rapidement que les révolutions dans les mœurs et dans les styles. Ce que le style Louis XVI avait acquis en simplicité sera maintenu.
De plus, la suppression des corporations et la situation économique limiteront les possibilités de fabrication. Il en résulte une recherche d'économie de moyens qui se traduit par une certaine discrétion du décor.
La Révolution impose un style spartiate, et l'ornementation sera bel et bien copiée sur les documents grecs et romains. On verra même, plaqués sur des meubles Louis XVI,

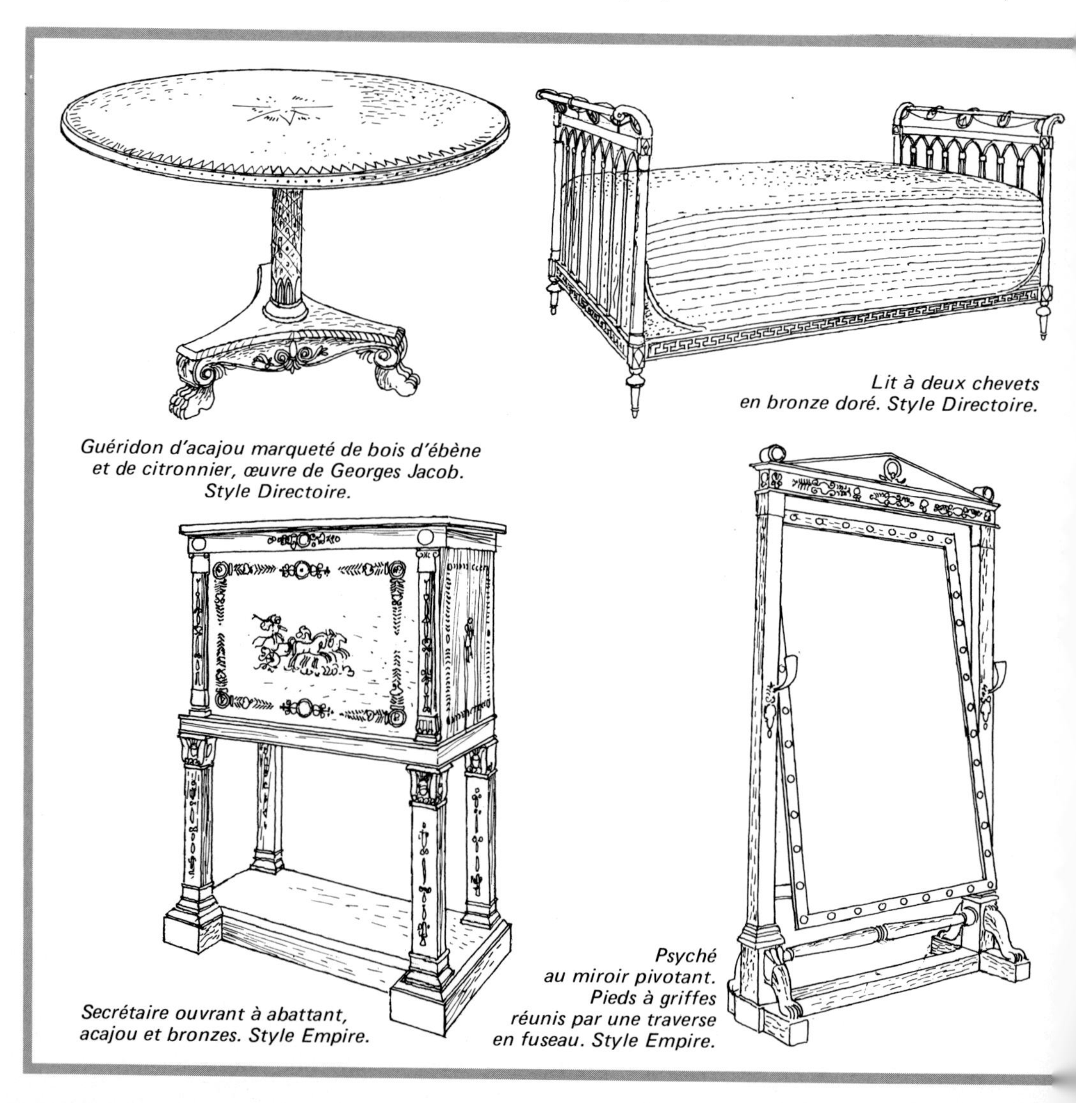

Guéridon d'acajou marqueté de bois d'ébène et de citronnier, œuvre de Georges Jacob. Style Directoire.

Lit à deux chevets en bronze doré. Style Directoire.

Secrétaire ouvrant à abattant, acajou et bronzes. Style Empire.

Psyché au miroir pivotant. Pieds à griffes réunis par une traverse en fuseau. Style Empire.

des emblèmes révolutionnaires : bonnets phrygiens, faisceaux ou rameaux de chêne. Au ministère des Finances, il existe encore une commode baptisée la « commode de l'ingratitude », car elle est ornée de bronzes massifs représentant des *faisceaux* de licteurs typiquement républicains, alors que ce meuble, commandé par Marie-Antoinette, comportait à l'origine des bronzes inspirés des emblèmes royaux. Ainsi s'achèvent avec le XVIIIe s. les styles monarchiques français qui se sont succédé, suivant une lente évolution, du Louis XIII au Louis XVI.

le mobilier Directoire

Les meubles gardent la même structure générale que pendant la période Louis XVI, avec quelques innovations.

Les sièges. Les accotoirs des sièges affectent parfois un mouvement de crosse vers l'extérieur. Ils se terminent souvent par une tête de lion ou de griffon, tandis que les supports d'accotoirs s'appuient sur un buste de femme ou un sphinx ailé. Les dossiers sont variés : certains s'évasent vers le sommet en forme de « corne »; d'autres, rectangulaires, s'enroulent vers l'extérieur; d'autres, enfin, sont ajourés, la traverse réunissant leurs montants étant décorée des motifs du style.
Le lit de repos, immortalisé par Mme Récamier, est étroit et raide avec deux dossiers inégaux et les pieds cambrés vers l'extérieur.
La chaise gondole est une nouveauté avec son dossier arrondi et enveloppant, ainsi que le siège curule directement inspiré de l'Antiquité.

Les tables. Les petites tables et les guéridons ne se différencient des tables Louis XVI que par le décor.
Les consoles ont quatre pieds, une planche d'entretoise et un tiroir de ceinture.

Les bureaux à abattant et à cylindre sont en bois massif. Les derniers bureaux en dos d'âne sont faits sous la Révolution.

Les commodes sont toutes créées sur le même modèle : leurs côtés sont plats, ornés de pilastres, de colonnes, de figures en gaines sur leurs angles; elles comportent trois ou quatre tiroirs, leurs pieds sont courts.

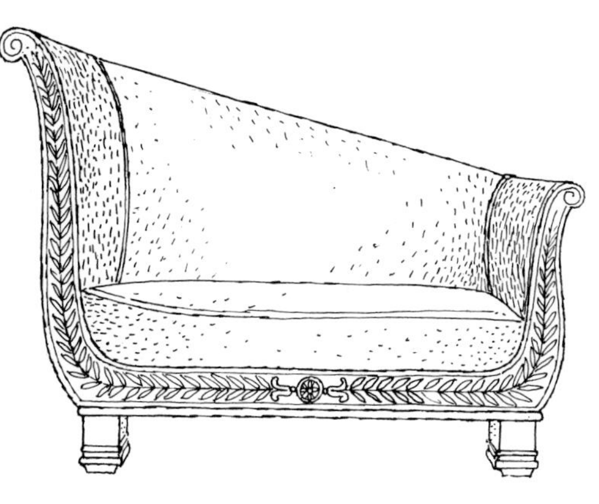

*« Méridienne » ou siège de repos.
Style Empire.*

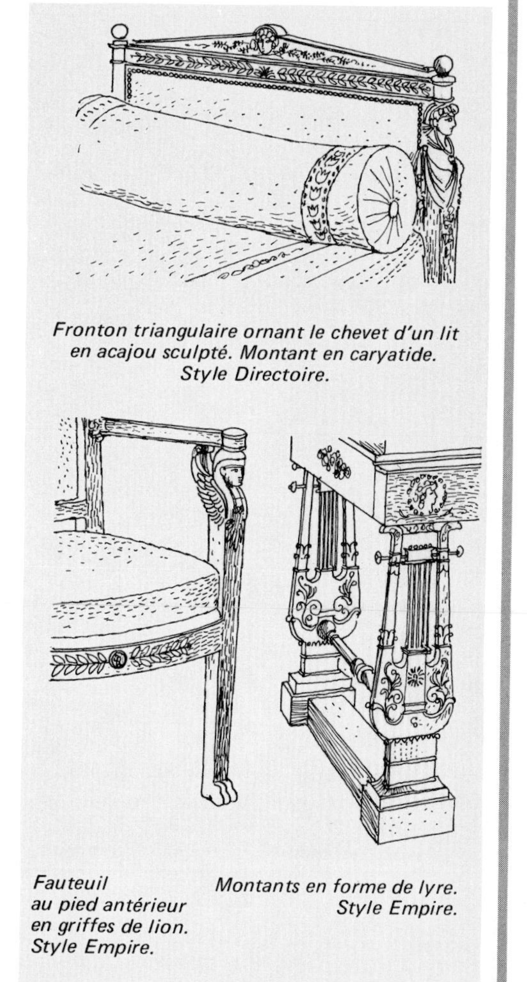

*Fronton triangulaire ornant le chevet d'un lit en acajou sculpté. Montant en caryatide.
Style Directoire.*

*Fauteuil au pied antérieur en griffes de lion.
Style Empire.*

*Montants en forme de lyre.
Style Empire.*

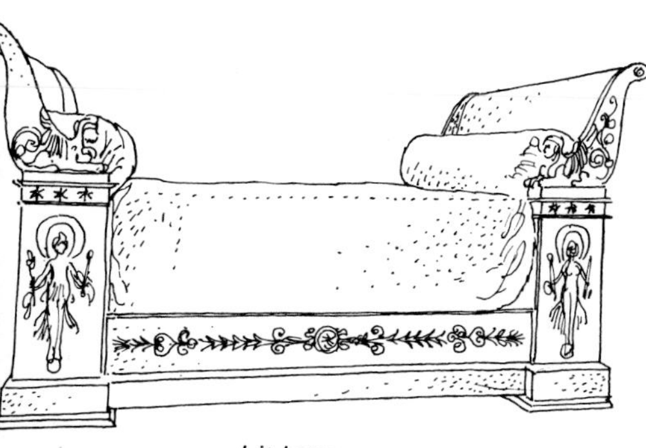

*Lit bateau.
Les dossiers enroulés vers l'extérieur s'appuient sur des sphinges.
Style Empire.*

Les armoires gardent la même structure que pendant la période précédente, et leur décoration est très importante.

Les lits en hêtre peint ou en acajou sont inspirés de l'Antiquité. Les deux chevets, de même hauteur, sont sculptés et souvent surmontés d'un fronton triangulaire ou d'un bandeau décoré qui s'enroule vers l'arrière.

techniques du style Directoire

L'ébénisterie et la menuiserie. La marqueterie a presque entièrement disparu, les bronzes ciselés aussi. On emploie l'acajou massif ou incrusté de bois clair ou d'ivoire. Les meubles peints de couleurs claires, rehaussées de tons foncés, sont très fréquents.

Les piètements. Les pieds avant des sièges sont droits, tournés, en balustres, en fuseaux, en colonnettes, parfois bagués de cuivre. Les pieds en jarrets de lion sont rares. Les pieds postérieurs sont de section carrée, cambrés vers l'arrière et dits « en sabre » ou « à l'étrusque ».
Le dé de raccordement des pieds et de la ceinture est décoré d'un losange. Les pieds des meubles sont en toupie, en carquois, en griffes de lion ou en gaine quadrangulaire terminée par un sabot carré.

répertoire décoratif du style Directoire

- Le losange employé seul, de petite ou de grande taille, au centre d'un motif central. Il est peint ou incrusté.
- L'hexagone, l'octogone, le fuseau.
- Le bandeau de palmettes, la rosace au centre d'un losange.
- Les motifs révolutionnaires : bonnets phrygiens, faisceaux de licteurs, feuilles de chêne, peupliers, cocardes, coqs gaulois.
- Les motifs à l'antique : urnes, vases d'où sortent des palmettes, colonnes, soupières. Après la campagne d'Égypte : scarabées, pyramides, palmiers.
- Les animaux mythologiques : griffons, sirènes, sphinx, génies et lions ailés.

le consulat, l'empire et la restauration

Le Consulat, qui fait la liaison entre la Révolution et l'Empire, n'a pas le temps de trouver son style propre. Les ébénistes de la période du Consulat s'ingénient à créer des modèles inédits et les plus grands d'entre eux, comme Jacob, adaptent facilement leur talent aux modes qui se succèdent. Mais c'est la volonté de grandeur qu'imposera l'empereur qui va marquer le style décoratif. Le nouveau monarque, qui va dominer la France de 1804 à 1815, veut un style empreint de la même volonté de propagande que Louis XIV. Le confort que les créateurs du XVIIIe s. avaient presque atteint sera sacrifié à l'apparat. La majesté de l'Empire écarte définitivement les grâces aimables de l'Ancien Régime.
Pourtant, Napoléon, soucieux de ranimer le commerce, y compris celui de luxe, impose à la cour un décor qui doit permettre un nouvel essor de l'industrie du meuble. Les ateliers d'ébénisterie produiront, sous l'Empire, des milliers de meubles. Les tables répondent, pour la plupart, à un usage précis : table de toilette, lavabo, barbière, table à fleurs ou jardinière. L'athénienne, table à plateau de marbre ou de porphyre sur trépied métallique, est, elle, destinée à des usages divers. La psyché, grande glace s'insérant dans un cadre fixe, est une innovation du style Empire et la console, l'un des éléments mobiliers les plus employés. Les armoires ont des dimensions importantes et sont souvent surmontées d'un fronton. Bien que les droites dominent et que les ébénistes adoptent les angles à arête vive, on trouve fréquemment la courbe en bateau ou en gondole dans les modèles de sièges, souvent lourds et amples, les chaises longues et les lits. L'acajou de toutes couleurs, massif ou en placage, est très employé jusqu'au blocus de 1810. Il est ensuite remplacé par le noyer, la loupe d'orme, le frêne, le buis, l'olivier, l'érable. La marqueterie a disparu. Elle est remplacée par des incrustations.
Les bronzes sont les ornements principaux des meubles. Répartis symétriquement, ils semblent parfois réalisés à l'emporte-pièce. Les motifs les plus caractéristiques du style sont soit géométriques (avec une prédilection pour l'ovale), soit empruntés à l'Antiquité. Ceux-ci deviennent si importants que le meuble en lui-même passe parfois au second plan. Ce sont les pieds en caryatides ailées des guéridons, les gigantesques cygnes (comme ceux qui s'enroulent à la tête du lit de l'impératrice Joséphine, tandis que les pieds de ce lit représentent des cornes d'abondance), les bas-reliefs formés de danseuses grecques, etc. L'art impérial, à mesure que les années passent, devient de plus en plus grandiose. Puis, les fastes de l'Empire s'achèvent à Waterloo, où sombrent également les excès d'un style monumental. La France aspire alors à la paix et au confort.

Les formes du style Louis XVIII ne se séparent pas des lignes générales du néo-classicisme. La mode reprendra, mais sur un ton mineur, les goûts de l'Ancien Régime. Ni Louis XVIII ni Charles X, qui, dans leur jeunesse, s'enthousiasmèrent pour les styles antiques, ne songent à bouleverser les lignes. Les aristocrates, par opposition à une classe bourgeoise « parvenue », recherchent la distinction discrète et refusent l'opulence décorative du régime précédent.
Des circonstances économiques empêchant l'importation de bois exotiques et notamment de l'acajou, l'usage des bois français se répand, donnant naissance au mobilier en bois clair si typique du style Charles X. Les ébénistes devront rechercher de nouvelles essences pour la marqueterie qui prend toute son originalité.
Mais ni dans les formes ni dans la décoration, la Restauration n'apportera une vie nouvelle aux meubles. Bien au contraire, faute d'une clientèle raffinée, l'art industriel va éclipser pendant presque un siècle toute la création artisanale. La Restauration a paisiblement préparé le triomphe des styles bourgeois.

le mobilier Restauration

Les meubles changent de proportions, mais gardent la même structure que sous l'Empire.

Les sièges sont moins raides, plus légers, les bois sont cintrés. Les dossiers, d'abord plans, s'incurvent ensuite en forme d'arc et de gondole, les garnitures deviennent plus confortables et sont souvent à ressorts. Les canapés et les méridiennes se diversifient de plus en plus. On trouve principalement : les causeuses, les dormeuses aux dossiers inégaux, les baigneuses au dossier enveloppant, le sopha, le canapé au dossier « en chapeau de gendarme », le canapé dit « en haricot ».

La Restauration met à l'honneur le bois clair tout en s'accommodant des formes héritées du style Empire. Ici, la méridienne, la table travailleuse et les fauteuils sont de l'époque Charles X, tandis que la plupart des objets sont d'inspiration nettement romantique.

Les tables sont plus légères et maniables que sous l'Empire. La table dite « à l'anglaise », rectangulaire, est prolongée par deux abattants. Les tables de jeu sont souvent garnies d'un drap vert; les tables-coiffeuses et les psychés ont des glaces basculantes rondes ou ovales. La travailleuse comporte un couvercle et, à l'intérieur, une ou deux rangées de compartiments à petits tiroirs.

Les guéridons, les commodes, les bureaux, les consoles, les lits, tout en devenant moins lourds et solennels, gardent les mêmes formes que sous l'Empire.

techniques du style Restauration

L'ébénisterie et la menuiserie. Les bois clairs sont très en vogue, le plus souvent incrustés de bois foncé. On emploie le hêtre, la loupe d'orme et l'orme, le peuplier clair, le platane, le frêne, l'érable, le sycomore, le thuya, l'oranger, le buis, le citronnier, l'acacia, l'olivier. Les incrustations, d'une exquise finesse, sont faites en acajou, en palissandre ou en amarante. Le placage d'ébène a disparu, mais on utilise les racines, les ronces et les loupes des bois clairs pour obtenir de très beaux effets décoratifs.

Les bronzes ont presque tous disparu.

Les marbres utilisés sont le plus souvent clairs, à profil en doucine.

Les piètements. Les pieds des sièges sont en forme de sabre, les pieds avant droits en balustres ou en fuseaux, en consoles, terminés par des volutes ou par des renflements appelés « cuisses de grenouille ». Le piètement des autres meubles varie peu par rapport à la période précédente. La mouluration se pratique avec beaucoup de finesse. Un nouveau profil, la *tulipe*, apparaît à la partie supérieure des secrétaires et des commodes.

répertoire décoratif du style Restauration

- Les motifs gothiques : rosaces, dentelures, clochetons, fenestrages, découpes du bois.
- Les motifs géométriques sont moins fréquents que sous l'Empire et deviennent proches de la sculpture du Moyen Age.
- Les motifs classiques subsistent, tandis que les motifs allégoriques de l'Antiquité se font rares.
- Les motifs du style Empire tels que la palmette, la corne d'abondance, le cygne, le dauphin, la lyre subsistent.

les styles anglais : Adam, Hepplewhite, Sheraton

La deuxième époque du « georgien » se caractérise par un retour aux lignes droites du classicisme aussi bien en architecture qu'en décoration intérieure.

Robert Adam, jeune architecte écossais, fait, vers le milieu du XVIIIe s., un voyage en Italie et, séduit par les vestiges pompéiens qu'il étudie avec soin, il décide aussitôt de les interpréter. Dès son retour, il publie un recueil de ses dessins, tout à fait typiques d'une nouvelle orientation qui se fait jour. En effet, l'Angleterre, qui, depuis l'époque palladienne, avait conservé (surtout parmi les classes aristocratiques ou dites « lancées ») une grande nostalgie du classicisme, fera un accueil extrêmement favorable aux nouvelles tendances et, à partir de 1758, Adam, avec la collaboration de ses deux frères, construira de nombreuses et importantes résidences londoniennes, ainsi que des bâtiments publics comme la colonnade de l'Amirauté ou les terrasses de l'Adelphi.

Mais Robert Adam ne se contente pas d'adapter les caractères grecs aux façades qui, désormais, avec leurs frontons triangulaires et leurs colonnes à chapiteaux enroulés, sont conformes en tout point à l'idée que l'on se faisait alors de l'époque classique.

La décoration intérieure joue pour Adam un rôle extrêmement important : il crée de véritables ensembles, et ce sont les éléments peints de la décoration murale — pilastres, *grecques* peintes, guirlandes — qui le représentent de manière caractéristique. Il choisit des tonalités pastel, du vert pâle ou du jaune de préférence, et il cherche à donner aux pièces un ton si uniforme qu'il n'hésite pas à faire décorer les meubles des mêmes motifs qui ornent les murs. Adam dessine des meubles, mais son rôle d'architecte, de chef de file et d'ensemblier passe au premier plan. Il s'intéresse aussi à la distribution des pièces de réception et fait remarquer à ce sujet que, contrairement aux Français qui quittent la salle à manger immédiatement après les repas, les Anglais aiment à s'y attarder. Aussi Adam crée pour ses compatriotes des salles à manger décorées à l'excès et confortables comme des salons.

Les idées de cet architecte précurseur seront adoptées par les décorateurs et les ébénistes de la génération suivante. Hepplewhite et Sheraton, qui, dans la tradition anglaise, donneront leur nom à un style de meubles comparable aux Louis XVI et Directoire, seront les plus importants.

Hepplewhite est très proche d'Adam. On reconnaît les sièges qu'il a créés à leur dossier en forme d'écusson ajouré, orné au centre de vases ou de tiges, ou de plumes sculptées.

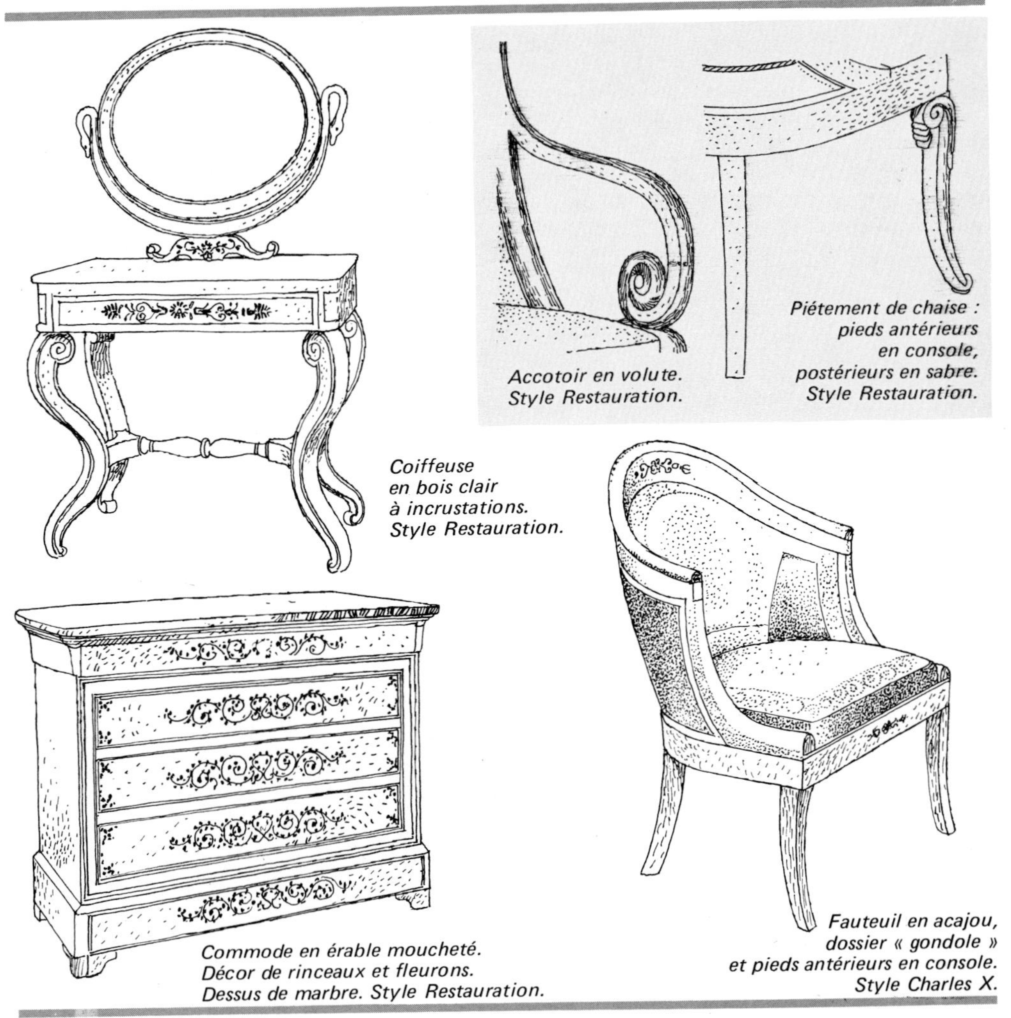

Accotoir en volute. Style Restauration.

Piétement de chaise : pieds antérieurs en console, postérieurs en sabre. Style Restauration.

Coiffeuse en bois clair à incrustations. Style Restauration.

Commode en érable moucheté. Décor de rinceaux et fleurons. Dessus de marbre. Style Restauration.

Fauteuil en acajou, dossier « gondole » et pieds antérieurs en console. Style Charles X.

Les pieds des sièges, des tables et les montants des lits sont tout à fait droits, parfois cannelés, mais les meubles plus importants comme les secrétaires surmontés de bibliothèques ou les bureaux à nombreux tiroirs présentent encore une légère incurvation dans le piétement.

Les bibliothèques à portes vitrées sont surmontées de corniches à l'antique ou d'éléments à rinceaux.

Une charmante commode appelée « bowfront » date de cette période ; elle a le devant arqué et ses pieds sont légèrement écartés.

Sheraton, dont les meubles sont d'une légèreté incomparable, publie son recueil en 1791. Il se distingue de Hepplewhite par des formes plus dépouillées (plus proches du style Directoire), plus élancées et par des piétements longilignes parfois interrompus par des motifs en pomme de pin. Il emploie souvent le piétement tripode d'inspiration antique, et, vers la fin de son époque, déjà sous l'influence de l'Empire, on verra les meubles devenir de plus en plus massifs, tandis que les sièges seront parfois alourdis de draperies.

le Regency

Comme le style Empire, le Regency, déjà latent à la fin du XVIIIe s., puisera d'abord dans l'art égyptien l'essentiel de son inspiration. La grâce qu'Adam avait su imposer, et qui avait été maintenue par Hepplewhite et Sheraton, disparaît, et les meubles deviendront architecturés, carrés, imposants. Les bois peints ne plaisent plus ; on utilise le cuivre et le métal comme ornements, sous forme de sujets antiques, feuilles d'acanthe, têtes ou pieds de lion.

Les guerres napoléoniennes ont appauvri le pays, et la main-d'œuvre est chère. Déjà, à cette époque, les ateliers d'ébénisterie emploient des « machines à travailler le bois » permettant de réduire leurs prix, mais leur qualité s'en ressent parfois.

Vers 1807, Thomas Hope, architecte décorateur et grand amateur d'antiques, publie un recueil de dessins qui seront à la base d'un style que l'on nomme parfois Empire anglais. Mais on trouve déjà dans le Regency,

Commode en demi-lune, marquetée. Style Adam.

Lit à baldaquin soutenu par quatre colonnes. Style Adam.

Chaise à dossier oval. Style Adam.

Bibliothèque. Style Hepplewhite.

Chaise à dossier en écusson. Style Hepplewhite.

Table. Style Regency.

Table à écrire. Style Regency.

qui va se prolonger pendant le premier quart du XIXe, toutes les tendances qui vont s'épanouir au cours du siècle : la recherche du confort, l'amour de l'Orient et de l'exotisme, et l'influence de styles hétéroclites.

Et l'on peut dire que, à l'aube du siècle industriel, les intérieurs anglais de style Regency ont déjà commencé à perdre la sobriété et la grâce qu'avait connues la période néo-classique à ses débuts.

les styles bourgeois du XIXe siècle

Les styles du XIXe s. sont souvent laissés pour compte dans les manuels qui traitent de meubles anciens ou d'art décoratif. Or, aujourd'hui, on considère comme « ancien » un meuble qui a cent ans d'âge, et, par ailleurs, le XIXe s., malgré son mauvais goût et ses pastiches, nous fascine, car il annonce les temps modernes. Le passage à vide dans l'inspiration créatrice — en ce qui touche le décor de la maison — est en effet la marque d'un grand changement, et il faut essayer de comprendre pourquoi rien d'original n'a été créé pendant trois quarts de siècle dans le domaine des formes pour s'intéresser ensuite à l'aspect anecdotique des « copies » ou transpositions de styles plus ou moins réussies qui apparaissent en Europe et en Amérique.

Le XIXe s., avec la montée vertigineuse d'une classe nouvelle, donc d'une clientèle totalement différente, avec l'industrialisation et la mécanisation du travail, avec la disparition du statut qu'avaient jusqu'alors les artisans, est une époque aussi bouleversante pour l'art décoratif que le sera le début du XXe s. pour la peinture, car le but même du métier est changé en même temps que la condition de l'artiste et de l'acheteur.

Cette évolution sociale est la même dans tous les pays d'Europe. Dès lors, les intérieurs du XIXe s. sont, malgré la bizarrerie des modèles, tous semblables dans leur esprit.

Le changement n'est cependant pas immédiat; on s'inspire encore pendant un certain temps de la rigueur du style Empire. C'est, en Angleterre, les dernières années du style Regency; en France, le style Louis-Philippe.

Peu à peu, à mesure que le siècle s'avance, la bourgeoisie délaisse cette rigueur. Triomphante et riche, elle se grise de décoration et se livre à des extravagances de goût qui finissent par des délires de grandeur : les antichambres des hôtels particuliers ressemblent à des salles d'armes des châteaux de la Renaissance, et, le romantisme aidant, on assiste aussi à une éclosion de formes d'inspiration gothique.

Le ton est donné : partout, dans les salons, dans les hôtels particuliers, le style cathédrale est en faveur. Il s'y greffe, dans chaque pays, le surplus de pittoresque qu'ajoutaient les meubles « retour aux sources », les innombrables sièges capitonnés et molletonnés et l'influence exotique à bon marché des colonies et de l'Orient.

Le guéridon à incrustations en nacre, le secrétaire de style Boulle, les deux chauffeuses et la petite chaise dorée reflètent l'ambiance à la fois confortable et chamarrée que fit naître le style Napoléon III.

Typique du style Napoléon III, cet ensemble s'inspire des styles anciens : siège aux formes Louis XV, cheminée à décor chantourné, glace rocaille du genre vénitien, céramiques à l'aspect baroque de Jacob Petit.

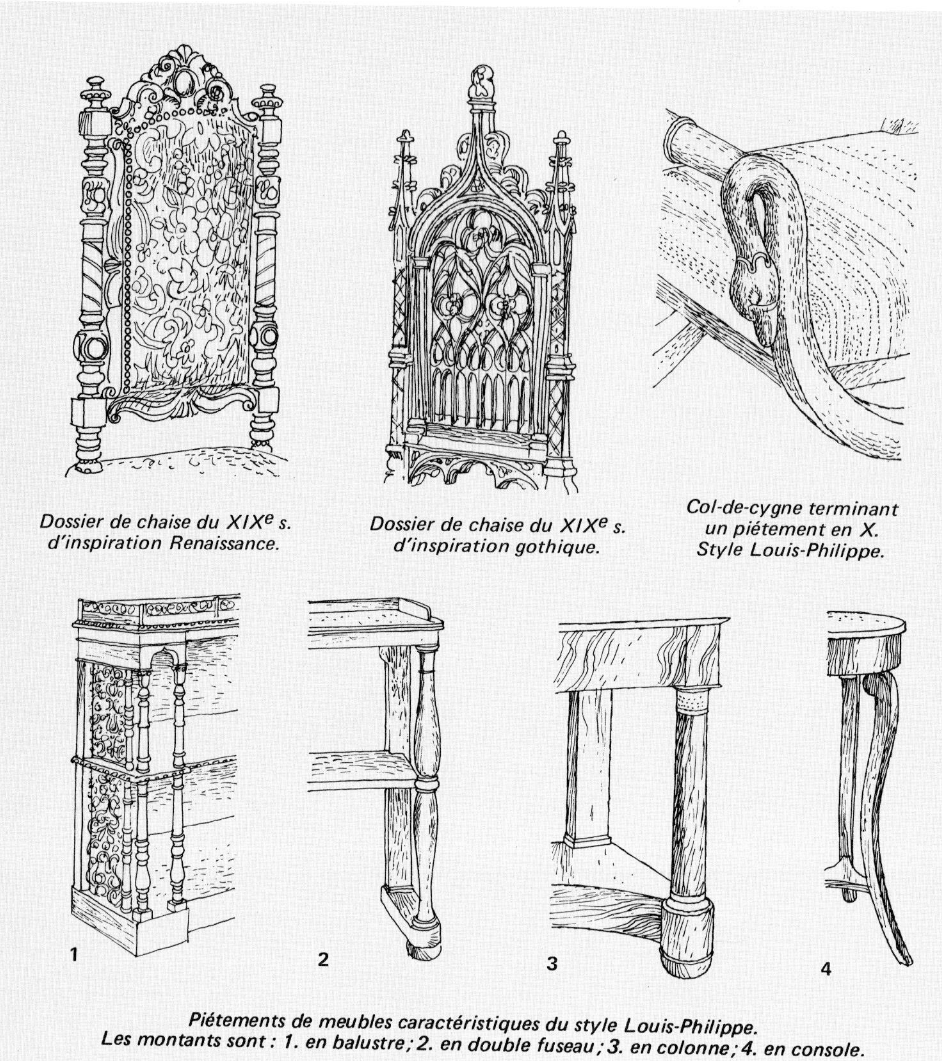

Dossier de chaise du XIXe s. d'inspiration Renaissance.

Dossier de chaise du XIXe s. d'inspiration gothique.

Col-de-cygne terminant un piétement en X. Style Louis-Philippe.

Piétements de meubles caractéristiques du style Louis-Philippe. Les montants sont : 1. en balustre ; 2. en double fuseau ; 3. en colonne ; 4. en console.

En Allemagne, où le mobilier Empire avait eu un grand succès, le style Biedermayer (du pseudonyme d'un écrivain allemand Ludwig Eichrodt, 1827-1892, qui publia, entre autres, *La joie de chanter du bonhomme Biedermayer*) qui s'en inspire fortement, a été une des tentatives avortées pour imposer un type de meubles extrêmement légers, élégants et même déjà fonctionnels. Le mobilier Biedermayer rappelle parfois, dans ses modèles les plus réussis, les réalisations Regency dans ce qu'elles ont de plus fin.

Mais ce style, qui aurait pu marquer une transition vers des styles modernes, allait être étouffé par une mode néo-romantique de tentures, de peluches et de chaises cathédrale, alors qu'en Autriche, et surtout à Vienne, le néo-rococo faisait naître des formes bien plus folles encore que celles du rococo du siècle précédent.

En Italie, ce sont les luttes pour l'unité de la péninsule qui vont éveiller le sentiment patriotique, contribuant à créer le style appelé parfois « dantesque » et qui tient de la Renaissance, du sens du confort et du goût très italien pour le mélange des styles.

En Espagne, la mode est de suivre les initiatives de Paris où règne l'impératrice Eugénie, d'origine espagnole ; et le style « Isabelino » résume à la fois le Louis-Philippe et le Napoléon III. Mais l'Espagne connaît aussi un renouveau d'esprit national, et l'on remet en honneur le style « typique » du XVIe et du XVIIe s. De sorte qu'un salon madrilène élégant de la fin du siècle dernier comportait certainement des sièges « fraileros » et quelques bargueños, mais aussi un ensemble de canapés et de fauteuils, qui étaient des interprétations du Louis XV, l'immanquable piano à queue recouvert d'un châle brodé de Manille, quelques poufs, quelques fauteuils crapauds et nombre d'objets romantiques : miniatures, opalines et fleurs séchées. Or, ce décor, à peu de choses près, est celui de tous les tableaux de genre peints à cette époque et qui représentent les intérieurs en France ou ailleurs : le XIXe s. n'a pas créé un style mais un décor, pour ne pas dire une ambiance, et, en assurant aux générations successives l'installation dans le confort aisé, il menait immanquablement vers un besoin de beauté et de grâce qui allait permettre l'éclosion de l'art nouveau et de l'art moderne.

le style Louis-Philippe

De Charles X, dernier roi de France, à Louis-Philippe, premier roi des Français, la monarchie change de style : une révolution sépare les deux souverains. C'est véritablement une nouvelle société qui s'installe en France après les Trois Glorieuses (28, 29, 30 juillet 1830). A partir de la monarchie de Juillet, le privilège de la naissance n'est plus le seul moyen d'accéder au luxe, et la fortune sourit aux audacieux.

Louis-Philippe est le dernier roi de France qui donne son nom à un style. Après la grande série des souverains qui marquèrent le décor de leur temps, le règne du Roi-Bourgeois se caractérise davantage par l'évolution des formes vers un certain confort que par l'invention originale.

Entre deux révolutions, celle de 1820 et celle de 1848, la monarchie de Juillet verra la bourgeoisie d'affaires se substituer partout à l'aristocratie décadente. Pour gagner plus d'argent et plus vite, les machines vont, dans tous les domaines, y compris celui du meuble, remplacer les outils artisanaux tenus à la main.

Bénéficiaires de la prospérité économique, de plus en plus nombreux sont les bourgeois ou les nouveaux riches qui veulent transformer l'argent gagné en un confort et un bien-être solides. Le nouvel art de vivre commencera par les meubles, d'une acquisition plus facile que les hôtels en pierre de taille. Les appartements construits à cette époque dans des « immeubles de rapport » ont de petites pièces, et les meubles doivent s'adapter à des surfaces restreintes : petits guéridons à pied central, petites tables de salon, chiffonniers, dessertes.

Dans un esprit d'économie et pour rendre ces meubles moins chers, l'ornementation en bronze doré est beaucoup plus réduite.

La recherche du confort s'exprime surtout dans les sièges. Avant Louis-Philippe, le bois apparent laissait peu de place à la tapisserie. Avec le Roi-Bourgeois, le Français moyen rentre chez lui pour se mettre à l'aise, les sièges se couvrent de tissus rembourrés en attendant le capitonnage, qui sera à la mode quelques années plus tard.

Mais, si le mode de vie a changé totalement, les meubles, eux, n'ont pas trouvé une ligne nouvelle : sans originalité, le style Louis-Philippe prolonge le style Restauration, dont il conserve l'allure générale sans en avoir l'élégance. Pour répondre aux besoins de meubles des nouveaux possédants, les fabricants commencent à tailler les bois avec un outillage industriel. Les meubles ainsi produits sont mis en vente dans les grands magasins spécialisés, où les bourgeois ont un large choix. Mais l'abaissement du prix de revient par la fabrication en grande série se fait au détriment de la qualité.

Cependant, pour masquer l'indigence des formes et donner aux meubles plus de noblesse apparente, les ébénistes ont recours à une ornementation inspirée d'un lointain passé moyenâgeux ou teintée d'orientalisme. D'où l'emploi de rosaces, dentelures, clochetons, ciselures à l'image des sculptures gothiques ou islamiques. Certains sièges dont les dossiers sont ornés d'arcatures gothiques sont parfois baptisés chaises ou fauteuils troubadour. Le style cathédrale, typiquement romantique, se retrouve dans les moindres bibelots à la mode : opalines, tisanières, socles de pendule, argenterie, etc. Dans les dernières années du règne (à partir de 1838), le style Renaissance prend le relais du style gothique : les portes des buffets et des armoires s'ornent de sculptures fouillées, de médaillons, de rinceaux et de figurines en relief. Ces meubles prétentieux, notamment les buffets Henri II, continueront à faire l'ornement des appartements jusqu'à la fin du siècle.

A signaler encore l'apparition de l'armoire à glace dont l'usage se prolongera jusqu'au XXe s. Ce meuble solennel et imposant, qui encombre les chambres à coucher, permet au bourgeois et à « sa bourgeoise » de donner tous leurs soins à l'habillement et de contempler avec satisfaction leur propre image et celle de leur prospérité.

A part ces quelques meubles fonctionnels, la monarchie sous Louis-Philippe n'a inventé

Le guéridon à trois pieds et les fauteuils à accotoirs en double croisée qui meublent la salle Louis-Philippe au musée des Arts décoratifs témoignent des réminiscences néoclassiques qui subsistent dans ce style.

vraiment aucune forme, et, comme l'écrit Alfred de Musset : « Nous n'avons imprimé le cachet de notre temps ni à nos maisons, ni à nos jardins, ni à quoi que ce soit... Nous prenons tout ce que nous trouvons, ceci pour sa beauté, cela pour sa commodité, telle autre chose pour son antiquité, telle autre pour sa laideur même, en sorte que nous ne vivons que de débris. »
C'est de ce débris, où triomphe le pastiche, que va cependant naître, après les convulsions de la IIe République, un nouveau style bourgeois, le Napoléon III.

le mobilier Louis-Philippe

Les fauteuils droits, en gondole ou Voltaire, sont recouverts de crin noir ou de bandes de tapisserie à fleurs; le fauteuil crapaud est entièrement tapissé et les pieds disparaissent sous une frange.

Quelques sièges ont le dossier ajouré d'arcatures ou croisillons délicats parfois incrustés de nacre. Les autres sièges varient peu et gardent la forme gondole et Empire.

Les tables, consoles, psychés, bureaux et lits gardent les formes de la fin de l'Empire et de la Restauration; mais les bois employés sont moins riches.

Certaines commodes ont le tiroir supérieur aménagé en table de toilette.

Les armoires sont à la mode et deviennent, avec leurs portes de glace, leur surface lisse et le tiroir du bas faisant pendant avec la corniche supérieure, l'élément indispensable de la chambre à coucher.

techniques du mobilier Louis-Philippe

Menuiserie. Les bois foncés, acajou, palissandre, ébène, remplacent les bois clairs du style précédent. On noircit même quelques bois tels que le poirier, le hêtre, le noyer. Les bois clairs sont employés pour les placages intérieurs des meubles tels que les secrétaires à abattant.

Ébénisterie. La marqueterie ne se pratique plus, mais on continue les incrustations de bois différents et contrastés, ainsi que les incrustations de nacre.

Les bronzes disparaissent. Les entrées de serrures seront en cuivre.

Les dessus de marbre sont gris, noirs ou blancs et moulurés en gorge ou en doucine.

Dans les piètements, le *tournage* et le *toupillage* réapparaissent : le pied central des tables et des guéridons est souvent en bois tourné en forme de bulle lisse ou à godrons. Les pieds des tables rectangulaires sont

Table à ouvrage Louis-Philippe en acajou; les pieds en X sont munis de roulettes.

Table travailleuse Napoléon III. Son plateau monté sur des charnières ouvre sur un coffre.

Bonheur-du-jour Napoléon III. Inspiration Louis XV. Incrustations et marqueterie importantes.

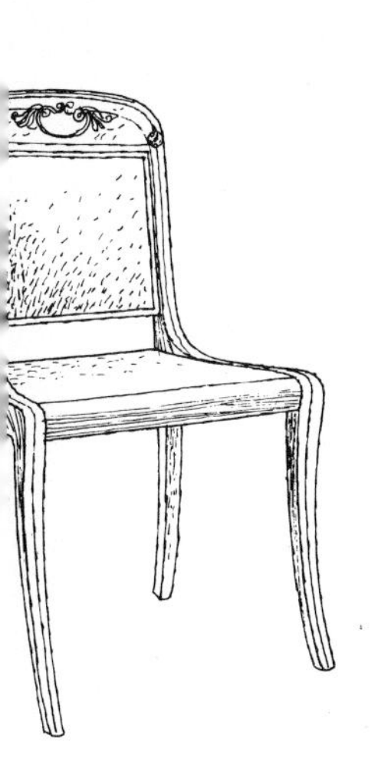

Chaise Louis-Philippe
ssier cintré en acajou incrusté
de filets de cuivre doré.

Chaise basse Louis-Philippe
dite « chauffeuse à la cathédrale ».
Palissandre incrusté de citronnier.

Chaise capitonnée.
Style Napoléon III.

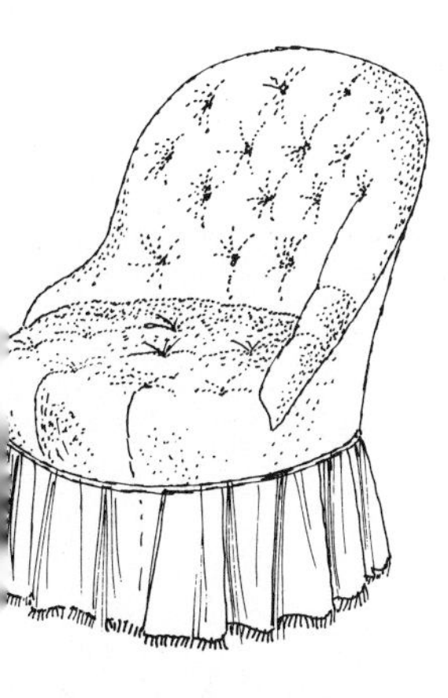

Siège entièrement capitonné.
Style Napoléon III.

Tabouret Napoléon III.
Les pieds et les traverses
sont en bois imitant le bambou.

Chaise capitonnée Napoléon III.
De longues franges dissimulent les pieds.

Coiffeuse Napoléon III.
Inspiration Louis XIII.

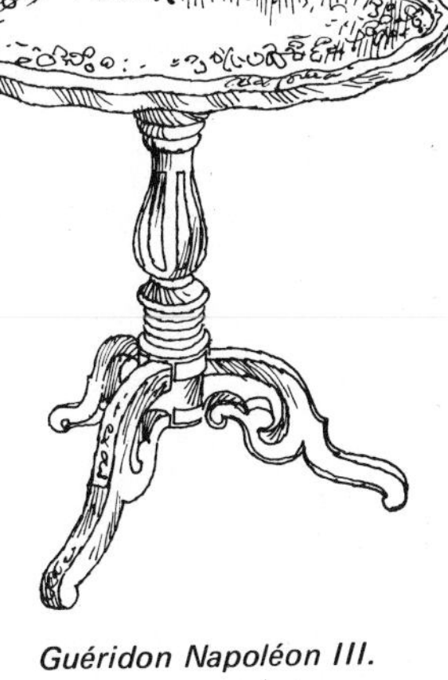

Guéridon Napoléon III.

Buffet Napoléon III à deux portes.
Inspiration rococo.

tournés en chapelet et munis de roulettes, les pieds avant des fauteuils sont souvent renflés en cuisse de grenouille.
La mouluration est presque toujours inexistante et les surfaces restent souvent lisses. Le haut des meubles ainsi que les corniches sont, pour la plupart, soit creusés en doucine soit creusés en boudin.

répertoire décoratif du style Louis-Philippe

Les motifs d'ornementation ont presque tous disparu : seuls subsistent les filets qui soulignent les volutes, les palmettes à larges pétales, les cuisses de grenouille, les bouquets de fleurs peints sur le bois noirci.

le style Napoléon III

Les meubles de la première partie du règne, de 1852 à 1860, sont hétéroclites et sans personnalité. On retrouve dans les salons la plupart des meubles louis-philippards : poufs, crapauds, canapés, chauffeuses, divans, méridiennes et ottomanes, à côté de copies de sièges Louis XV ou Louis XVI fabriquées à la demande et selon le goût de la clientèle par les ateliers du faubourg Saint-Antoine.
Peu à peu, à mesure que le régime impérial s'affirme, le style se trouve. Les bois noircis — souvent du poirier, facile à teindre — connaissent une nouvelle vogue. L'ébène reste appréciée, ainsi que le noyer et le bois de rose. Enfin un nouveau bois entre en scène, le pitchpin, importé d'Amérique du Nord. Cependant l'impératrice Eugénie veut une cour fastueuse. Finie l'ère des économies : dans ses appartements du Louvre, c'est elle qui relancera le goût des bois dorés, des consoles Louis XIV, des fauteuils Louis XV capitonnés de velours et, surtout, de tous les meubles de salon Louis XVI. L'impératrice, qui voue un culte à Marie-Antoinette, exige que les imitations soient poussées à la per-

fection : elle sera la muse du style Louis XVI-Impératrice que Théophile Gautier baptise néo-pompéien. Les incrustations à la manière de Boulle émailleront les plateaux des tables de nacre, d'écaille et d'or; les bronzes rocaille rehausseront les pieds des bureaux et des secrétaires; mais il s'agit de dorures obtenues artificiellement par une nouvelle technique, la *galvanoplastie.*

Finalement, ce qui donne à ce style une certaine originalité, c'est le foisonnement des formes empruntées à toutes les sources, du gothique au Louis XVI, du style anglais aux arts chinois et japonais. A partir des modèles des siècles passés, des ébénistes tels que Godin, Gueret, Dasson et Grollé s'efforceront de copier les modèles anciens, mais en utilisant des procédés de fabrication mécanique. Pour donner plus de caractère à leurs créations, ils croient bon d'accentuer les courbes et de rajouter des motifs richement sculptés sur des parties de sièges ou de commodes que le bon goût des grands ébénistes du XVIIIe s. avait laissé nues. Ce style pseudo-Louis XV est parfois appelé néo-rococo.

Les supports des accotoirs sont nettement en retrait comme sous Louis XV, car cette disposition, inventée pour laisser bouffer les robes à paniers, convient encore mieux aux arceaux des robes à crinoline de l'époque.

Parmi les meubles à la mode dans les salons, les poufs et les bornes capitonnées ont un grand succès, de même que les sièges de conversation tels que le « confident » à deux places inversées et l'« indiscret » à trois places en hélice, qui permet, si l'on peut dire, à un tiers de s'introduire dans un dialogue.

Un autre matériau industriel entre en jeu dans l'ameublement : la fonte utilisée pour des canapés, des lits, de grands meubles de jardin, ainsi que pour des piétements de tables et de guéridons.

Pour les petits meubles qui sont très en vogue, de nouvelles matières premières font leur apparition : le cuir bouilli et le papier mâché, qui permettent toutes les fantaisies possibles dans les formes. Enfin les meubles de rotin tressé, faciles à transporter, font la transition entre le jardin d'hiver et le jardin de plein air ou les terrasses.

Que reste-t-il de cette profusion de meubles? Un désir d'éblouir, une volonté de confort soutenue par toutes les ressources du capitonnage et un étalage de tapisseries qui drapent aussi bien les sièges et les lits que les fenêtres et les alcôves. Finalement, la multiplicité des formes et les perfectionnements d'une fabrication mécanique en série ont fait naître des tendances disparates qui se prolongeront longtemps encore, sans aucune recherche esthétique, sous la IIIe République. Il faudra attendre les dernières années du siècle pour que les novateurs du modern style réagissent enfin contre la platitude des styles bourgeois.

Le château de Ferrières-en-Brie est un des meilleurs exemples de décoration intérieure Napoléon III dont l'exubérance éclate dans la galerie bordée d'un balcon de balustres rehaussés d'or, les meubles de style Boulle et les trophées d'armures du grand hall central (ci-contre). *Les cariatides géantes* (ci-dessus), *représentant des nègres de style vénitien, ont été exécutées par un élève du sculpteur Rude, Cordier.*

le mobilier Napoléon III

Les sièges sont très nombreux : on copie de façon remarquable les fauteuils Louis XV et Louis XVI. De plus, une grande variété de sièges confortables apparaissent : les poufs capitonnés avec une frange jusqu'à terre ;les tabourets à pieds figurant des nègres sculptés à la vénitienne ou des entrelacs compliqués imitant les cordages; le confident composé de deux fauteuils inversés formant un S ou l'indiscret à trois sièges imbriqués en hélice.

Les canapés sont inspirés des styles du XVIIIe s., sauf la borne formée de trois canapés adossés à un socle triangulaire.

Les chaises les plus caractéristiques sont : la chaise bambou, dont les montants imitent cette matière; la chaise à dossier médaillon et siège canné; la chaise chinoise en bois laqué, inspirée des modèles Chippendale; les « charivari », chaises très légères à bois peint en noir ou doré, que nous employons encore comme sièges d'appoint pour les réceptions; la chauffeuse à dossier élevé et les chaises à piétements tournés en cordage.

Les tables sont copiées sur le style Louis XVI, Regency ou Renaissance. Cependant, nombre de modèles très variés, en bois laqué noir décoré de bouquets polychromes, apparaissent. Leur usage est multiple : travailleuses, tables basculantes sur un pied tripode, tables gigognes, tables de jeu pliantes, guéridons bambou, consoles reposant sur des caryatides, tables de nuit à abattants.

Les bureaux s'inspirent des modèles anciens, depuis le bureau Mazarin jusqu'au bureau plat Louis XVI. Certains petits bureaux de dame, de style néo-rococo ou néo-classique, sont exquisement décorés et incrustés.

Les armoires et les bibliothèques, d'aspect carré et massif, mais agrémentées d'ornements, bronzes, glaces ou vitres, sont en ébène ou en bois noir. On crée le fameux buffet Henri II, meuble populaire par excellence.

Les lits ont les pieds torsadés ou sculptés, beaucoup d'entre eux sont en fonte. Les commodes, les petits buffets ou les meubles d'appui à deux portes se rattachent aux styles du XVIIe s., du genre Boulle, ou imitent, avec des variantes fantaisistes, les meubles du XVIIIe s.

techniques du style Napoléon III

La menuiserie. On continue à employer les bois foncés comme l'ébène, mais aussi le pitchpin, le poirier noirci, le noyer, le palissandre, le bois de rose ainsi que le bois laqué noir, peint ou incrusté de nacre et d'ivoire.

Les matériaux nouveaux. La fonte est employée pour les lits, canapés, pieds de guéridons; elle est moulée et permet une décoration riche et tourmentée. Elle est peinte en noir le plus souvent.
Le papier mâché ne s'est répandu en France qu'après 1850. Il est moulé et peint, incrusté de nacre. Il est très employé pour les guéridons, chaises, petites tables.
Le cuir bouilli est utilisé comme le papier mâché.
Le bronze doré, remis à la mode par des procédés de fabrication bon marché, est employé non seulement dans l'ornementation, mais aussi pour des meubles entiers : guéridons, lits, chaises, tabourets. Il imite souvent le bambou.

L'ornementation. Elle utilise tous les matériaux et toutes les techniques nouvelles et industrielles : incrustations de nacre, d'ivoire, d'étain, de cuivre; applications de plaques de porcelaine, de bois laqué; peinture sur bois, sur papier mâché; garnitures de bronze doré.

répertoire décoratif du style Napoléon III

- Reprise du répertoire décoratif des styles Louis XV et Louis XVI : arabesques, bouquets, oiseaux, singeries, chinoiseries.
- Nègres servant de pieds aux guéridons et aux tables ou en torchères.
- Médaillons de porcelaine encadrés de bronze doré.
- Piétements imitant le bambou ou les cordages.

le style victorien

Le règne de la reine Victoria (1837-1901) est si extraordinairement long que dire style victorien équivaut à dire style anglais du XIXe s. Or, pendant ces soixante années, l'Angleterre fabrique plus de meubles que pendant tous les autres siècles et devient le plus grand exportateur mondial de mobilier. Cependant, en Grande-Bretagne comme en France, la ligne de meubles du XIXe s. sera constamment une reprise ou une interprétation romantique surchargée — et à la fois plus confortable — des styles des siècles précédents.
D'après une publication encyclopédique anglaise de 1833, les cinq styles les plus recherchés du moment étaient « le style grec ou moderne, qui prévaut de loin; le gothique ou style perpendiculaire, qui imite les lignes et les angles de l'architecture gothique Tudor; le style élisabéthain, qui allie le gothique aux manières romanes et italiennes; le style de l'époque Louis XIV ou Louis XV, et finalement le style italien fleuri, caractérisé par des lignes courbes et l'excès d'ornements mouvementés ».
En effet, le style Regency qui régnait au début du siècle va lentement se transformer. Chaque fabricant lui ajoutera un détail d'ornement ou une nouvelle forme. A côté des styles imités de l'ancien, surgiront aussi de nombreux modèles hybrides que l'on ne peut classer sous aucune tendance. Le besoin de confort y sera pour beaucoup, et l'on verra apparaître des sièges capitonnés et des canapés tout à fait originaux et qui connaissent déjà, dans la première partie du XIXe s., un grand succès.
La tendance gothique est la première à s'affirmer vraiment. Cela d'autant plus que le Regency comportait déjà quelques réminiscences de ce style moyenâgeux. William Pugin, architecte et dessinateur, fabrique pour le château de Windsor un mobilier gothique qui va fortement influencer les meubles commerciaux. Apparaissent alors, dans le commerce, des buffets, des consoles,

Ci-dessus : *L'Angleterre verse, au XIXe s., dans l'imitation des styles anciens. A Haseley Court, les sièges d'inspiration gothique voisinent avec un lit « à la polonaise » dérivé d'un modèle français du XVIIIe s.*

Ci-dessous : *On retrouve dans ce wagon de chemin de fer, construit en 1896 pour la reine Victoria, le goût pour les ambiances capitonnées, typique du XIXe s.*

des bibliothèques, des bureaux, de grands cabinets à quatre portes et des sièges, tous assez lourds et encombrants, surchargés de sculptures, d'ogives et de rosaces gothiques. De même, le retour au style élisabéthain verra naître des sièges à pieds tournés et des bancs, ou des meubles sculptés ou peints de motifs héraldiques de cette époque : lions, griffons à pieds ailés, etc.

Malgré tout, le public se rendra compte que des modèles imposants convenaient mieux dans les pièces de réception ou dans les bureaux.

L'élisabéthain comme le gothique seront surtout employés dans les meubles de salles à manger, d'entrées, de bibliothèques ou de bureaux d'homme. En revanche, les styles français, surtout le rocaille, seront réservés pour les boudoirs et les chambres.

Pour attirer la clientèle, les commerçants proposent des modèles chargés d'ornements. Parmi ceux-ci, nous rencontrons une nouveauté : les meubles en papier mâché, dont les formes chantournées et ventrues s'inspirent du rococo, mais dont la fabrication est originale. Le fond est généralement noir et les ornements de fleurs polychromes peintes ou à incrustations de nacre. Beaucoup de modèles divers en papier mâché sont fabriqués alors : consoles, guéridons, pare-feu, boîtes à ouvrage, petites tables à thé, étagères sur pied ou destinées à être accrochées, encoignures, écritoires, boîtes et plateaux.

Plus tard, dans le siècle, à mesure que le goût pour l'excès commence à se calmer, un regain de faveur pour les styles anglais du XVIIIe s. se fait jour, et les ébénistes copient et transposent les meubles de Chippendale, Hepplewhite ou Sheraton. Mais, là encore, la simplicité et la pureté des lignes néoclassiques ont été déformées par des surcharges multiples. Sur des modèles qui, à l'origine, comportaient peu d'ornementation, le XIXe s. s'est ingénié à combiner marqueteries, incrustations de porcelaine, décor Boulle ou peintures.

Vers 1860, les meubles « romantiques », comme des coffres peints, représentant des épopées de chevaliers du Moyen Age, connaissent une grande vogue. On voit aussi surgir une série de meubles en bois teint en vert et d'autres ornés de cuir polychrome repoussé.

Les meubles de style japonais plaisaient aussi : inspirés de l'Orient, ils s'étageaient en pagode, alors que les sièges, assez légers, avaient le dossier ajouré formant des motifs géométriques japonais.

En passant ainsi très rapidement en revue les meubles de l'époque victorienne, on se rend compte que toutes les tendances ont été imitées, mélangées, copiées. Cependant, comme pour les meubles français de la même période, leur aspect, qui évoque aujourd'hui l'ambiance d'une époque à nos yeux essentiellement douillette, ne manque pas de charme.

En Grande-Bretagne pourtant, vers 1860, se

Console en papier mâché. Début de l'époque victorienne.

Triple siège capitonné dit « confident ». Époque victorienne.

Meuble écritoire. Époque victorienne.

Buffet en bois de rose sculpté et incrusté. Angleterre, style Nouvelle Renaissance.

remarque une forte réaction contre ces styles hétéroclites. Au nom de l'art et de l'artisanat, des hommes comme Ashbee (1863-1942) et Mackmurdo (1851-1942) vont fonder le mouvement des Arts et Métiers, qui tint sa première exposition en 1888. A eux viendra se joindre William Morris. Bien qu'au début ils n'aient pas produit un style original ni des modèles particulièrement différenciés d'autres meubles victoriens, les compagnons des Arts et Métiers, par leur amour du travail bien fait et par leurs idées sur la protection de l'artisanat, vont préparer le terrain où viendra éclore enfin le style qui marquera le tournant du siècle : l'art nouveau ou modern style.

l'art nouveau

Le terme « art nouveau » est né du nom d'un magasin ouvert en 1896, à Paris, par un collectionneur français très connu à l'époque, Siegfried Bing. Le mouvement qu'il désigne est essentiellement individualiste et décoratif, romantique pourrait-on dire. Ce style, qui s'étendit sur toute l'Europe entre 1890 et 1910 environ, exalte l'ornement, les lignes courbes et ondoyantes inspirées souvent du monde végétal.

Maurice Rheims fait remarquer dans son ouvrage *l'Art 1900* : « On a souvent confondu l'art nouveau et la Belle Époque. Cette dernière est une continuation du XIXe s., aussi bien dans les mœurs que dans les meubles, alors que l'art nouveau est un changement

Chaise « à portrait » de l'époque victorienne.

Fauteuil à bascule. Époque victorienne.

Chaise en frêne et amboine. Style Biedermayer. Pays-Bas.

Lit en bois sculpté. Style Isabelino. Espagne.

Table en bois clair à pied central. Style Biedermayer. Pays-Bas.

radical de style et de technique. Mais l'équivoque est peut-être due aux innombrables appellations de l'art nouveau : style 1900, Liberty, Floréal, style métro, style coup de fouet, sécession, Yachting style, Glasgow style, Lilienstil, Wellenstil. »

En effet, chaque pays baptise d'un nom différent et plus ou moins cocasse ce style qui régnera à l'aube du XXe s. et qui prendra aussi en France le nom anglais de « modern style ».

Difficile à cerner et à définir, l'art nouveau a des sources lointaines dans un mouvement qui prit naissance en Angleterre sous le nom de « Domestic Revival » aux environs de 1860. Et c'est, en fait, au début du XXe s. que l'art nouveau prendra fin, alors que se dessinent déjà deux autres tendances qui s'opposeront. De l'une sortira le style art déco ou 1925, qui s'épanouira vite, mais restera sans prolongements réels. L'autre, presque inconnue du grand public au départ, mais puisant ses racines à des sources plus accordées à l'évolution générale de l'époque, n'est rien moins que le mouvement contemporain qui s'affirma au cours des décennies suivantes.

Certains spécialistes veulent voir une analogie entre l'art nouveau et le style Louis XV par la souplesse des formes d'une part et, d'autre part, en raison d'un certain abandon des bois exotiques (à l'exception de l'acajou) en faveur d'un retour aux bois indigènes qu'on cherche à mettre en valeur.

L'art nouveau n'a pas surgi d'un coup. On peut dire qu'il est le produit d'une lente assimilation d'influences diverses et aussi le reflet d'une époque. Il est, en effet, intimement lié, d'une part, à l'éclosion d'un nouvel âge de l'architecture que provoquent les possibilités offertes par les techniques et matériaux nouveaux et, d'autre part, aux bouleversements sociaux qui découlent du machinisme. Architecture et décoration, contenant et contenu, sont plus que jamais indissolublement liés, tandis que naît chez certains pionniers l'idée d'introduire l'art dans la vie la plus quotidienne. L'art

Ce bureau de Majorelle est remarquable par l'élégance de ses proportions, la légèreté de ses lignes, le raffinement de ses bronzes. Il compose, avec la chaise et le paravent, un ensemble art nouveau de la meilleure veine. Au mur, un tableau de Magritte.

nouveau est, en fait, plus un état d'esprit qu'une doctrine. C'est d'abord une volonté de libérer l'artiste de toutes les entraves : c'est un pouvoir d'affranchissement sans précédent dans l'histoire des styles.

Mais l'art nouveau, né d'une société en pleine transformation, porte la marque de ses contradictions. Et ce style, rapidement qualifié de « modern » et qui se retrouve, dans ses grandes lignes, à travers toute l'Europe, sous des noms différents comme nous l'avons vu, a traduit dans certains pays une volonté très nette du sentiment national. Ce fut le cas notamment du groupe dit « de sécession », né en Autriche sous l'impulsion du peintre Gustav Klimt.

Quelques artistes isolés vont, en effet, mener dans chaque pays le combat pour une nouvelle conception de la beauté. C'est d'abord en Angleterre que cette soif de renouveau trouvera ses esthètes, ses créateurs et ses propagandistes. Les pasticheurs du gothique ont fait leur temps. Cette partie du public qui fait les modes veut véritablement un art nouveau. John Ruskin proclame la nécessité d'embellir le décor de la vie quotidienne par d'authentiques créations. Il plaide pour que la nature passe tout entière dans les meubles et les immeubles pour le bonheur de tous.

En 1861, William Morris avait déjà eu l'audace d'ouvrir à Londres un magasin présentant des mobiliers dont les prototypes étaient confiés aux plus célèbres peintres préraphaélites : Rossetti, Burne-Jones, Madox Brown. Et l'on peut lire sur le prospectus qu'il distribue, et qui prend figure de manifeste : « Une société d'artistes vient de se former dans le but de produire des œuvres d'art appliquées d'un caractère artistique et à des prix peu élevés ; ils ont résolu de se consacrer à la production d'objets utiles qu'ils veulent valoriser comme œuvres d'art. » Leur doctrine veut que les objets soient travaillés dans une matière adaptée à leur destination et que le décor soit subordonné à leur structure.

Dans le même esprit, quatre jeunes peintres écossais fondent un groupe, les « Boys from Glasgow », dont la première exposition, en 1896, sensibilise le public. Ils seront bientôt admis aux expositions de Paris en 1900 et primés à l'exposition de 1902 à Turin. Mackintosh, H. Mac-Neir, les sœurs Margaret et Frances MacDonald créent des meubles pleins de fantaisie où les lignes droites, vigoureuses et masculines servent de support à des courbes fantaisistes, alanguies et féminines.

L'idéal féminin de l'époque, que l'on trouve déjà dans la peinture préraphaélite, c'est la danseuse américaine Loie Fuller « longue, éthérée, botticellienne ». Cette célébrité de l'époque a d'ailleurs servi de modèle à de nombreuses statuettes et lampes en bronze.

En Belgique, la revue *l'Art moderne* fait la théorie de ces tendances : « L'art qui n'a pas un but social est un luxe méprisable. »

C'est l'époque de l'art dans tout. Edmond Picard écrit : « L'art socialisé fera surgir des cités fabuleuses, il fera de nos tristes villes des séjours des dieux ! » Les deux architectes belges, Victor Horta et Paul Hankar, travaillent dans le même sens.

Au Salon de la libre esthétique de 1896, ils exposent une salle à manger complète : de la cheminée aux boutons de portes, tout est en flore stylisée. Henry Van de Velde prétend que « seule l'utilité peut régénérer la beauté ». Il est à la fois architecte, décorateur et créateur de meubles, et dessine aussi bien des appareils ménagers ou de chauffage, tous dans la ligne modern style.

L'art nouveau trouve en France son chef de file avec Émile Gallé, fondateur de l'école de Nancy. Il s'était fait remarquer à l'exposition de l'Union centrale des arts décoratifs de 1884 par l'envoi d'œuvres en pâte de verre sorties de ses fours « comme des fleurs mystérieuses... ».

« C'était là quelque chose d'insolite, d'étrange, d'hyalin, d'opaque et diaphane, profond et chimérique, plein d'ombre, de lumière et de feu », dira l'écrivain d'art Louis Gillet. Mais Gallé ne s'en tient pas aux pâtes de verre qui ont assuré sa réputation. Il fait également passer dans le mobilier l'ornementation florale à la mode. Il crée un style de meubles aux formes souples comme des lianes et aux marqueteries d'une grande richesse de composition sur des thèmes naturalistes.

L'école de Nancy fondée en 1901 sera, pendant toute une génération, d'une activité débordante : vases et bibelots en verre, vitraux, meubles, lampes, reliures, fers forgés, tapisseries porteront les noms des frères Daum, de Prouvé, Majorelle, Vallin, Jacquemin, Paul Colin, Eugène Gaillard, Georges de Feure et Jean Lurçat.

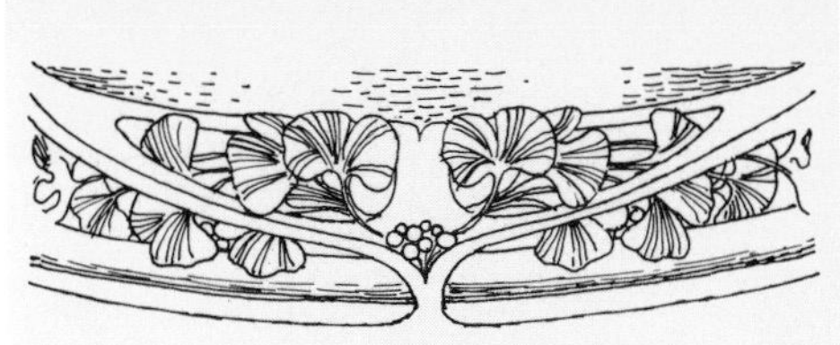

Décoration florale, motif caractéristique de l'art nouveau.

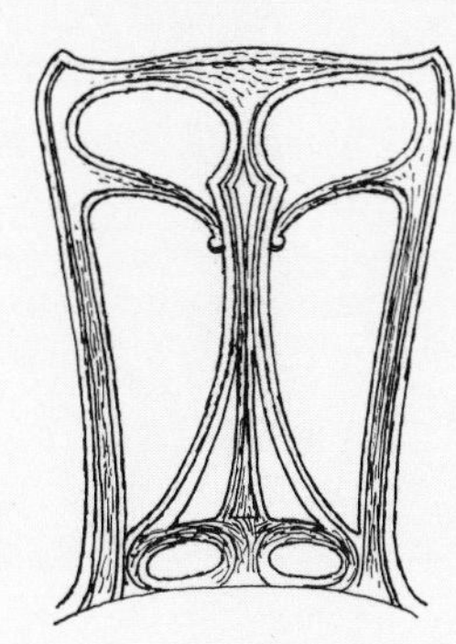

Dossier de chaise dont les entrelacs évoquent algues ou lianes chères à l'art nouveau.

Visage de femme ornant le pied d'un candélabre art nouveau.

Les bijoux de René Lalique, l'orfèvre poète, les affiches du décorateur tchèque Mucha et de Chéret, « le Watteau de la rue », expriment avec des moyens différents le même goût pour les lignes ondulantes de ce néo-baroquisme.

Hector Guimard fut l'un des plus importants représentants de l'art nouveau en France.

Architecte et décorateur, il reconnaissait l'influence de la tradition médiévale (à travers Viollet-le-Duc) sur son œuvre. Les entrées de métro de Paris, dont le projet lui fut confié en 1899, devaient le rendre

Un exemple de la vogue que connaît la verrerie vers 1900 : cette lampe de Tiffany, dont l'abat-jour est fait d'une pâte de verre de couleurs à motifs floraux.

célèbre, et, encore aujourd'hui, son nom reste lié au style métro, avec ses volutes, ses bouquets d'arbres et ses entrelacs de métal. Mais il a laissé derrière lui une œuvre architecturale importante. Auteur de nombreux immeubles et hôtels particuliers qu'il aménagea intérieurement, il est aussi créateur de meubles. Dans ses constructions, il n'hésitait pas à utiliser conjointement les matériaux les plus divers, et l'ensemble de ses créations, dans le domaine de la décoration, se caractérise par un parti pris d'asymétrie, l'horreur de la ligne droite et un grand souci de raffinement dans le détail.
C'est ainsi qu'avec les premières années du XXe s. s'est dégagé un style fondé sur les principes d'une conception esthétique commune.
Ceux qui, par leur valeur personnelle, ont contribué à l'essor de ce mouvement, ont trouvé les sources de leur énergie créatrice dans quelques contradictions élémentaires : contradiction entre l'art de caractère artisanal et la fabrication industrielle en série; contradiction entre l'imitation précise de formes naturelles et l'invention délirante de formes nouvelles ; contradiction entre le désir de mettre l'art à la portée de tous et la dépendance économique d'un nouveau mécénat enrichi par le commerce et l'industrie.
Ces tendances diverses vont bientôt conduire aux pires excès. Les formes vont s'amollir et dégénérer dans une production industrielle multiple et confuse. Le style métro et sa caricature, le style nouille, finissent par lasser jusqu'à l'écœurement. « L'art est descendu dans la rue, mais la vulgarité s'est substituée à la vulgarisation. » (Maurice Rheims.)
En Espagne, cependant, un créateur de génie

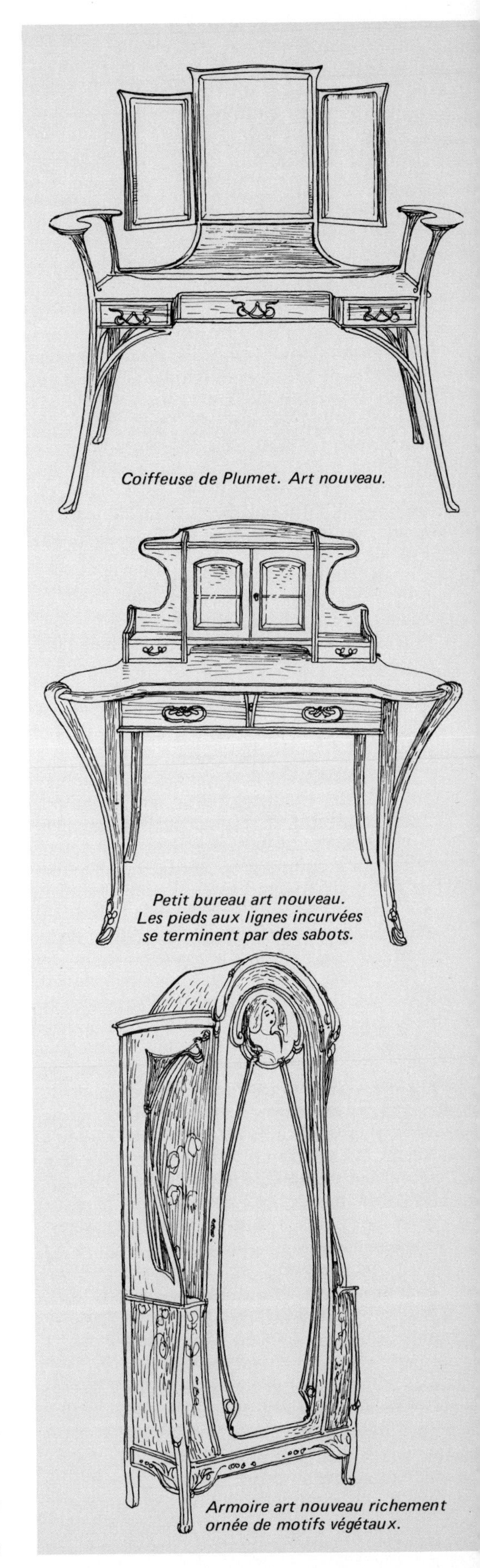

Coiffeuse de Plumet. Art nouveau.

Petit bureau art nouveau. Les pieds aux lignes incurvées se terminent par des sabots.

Armoire art nouveau richement ornée de motifs végétaux.

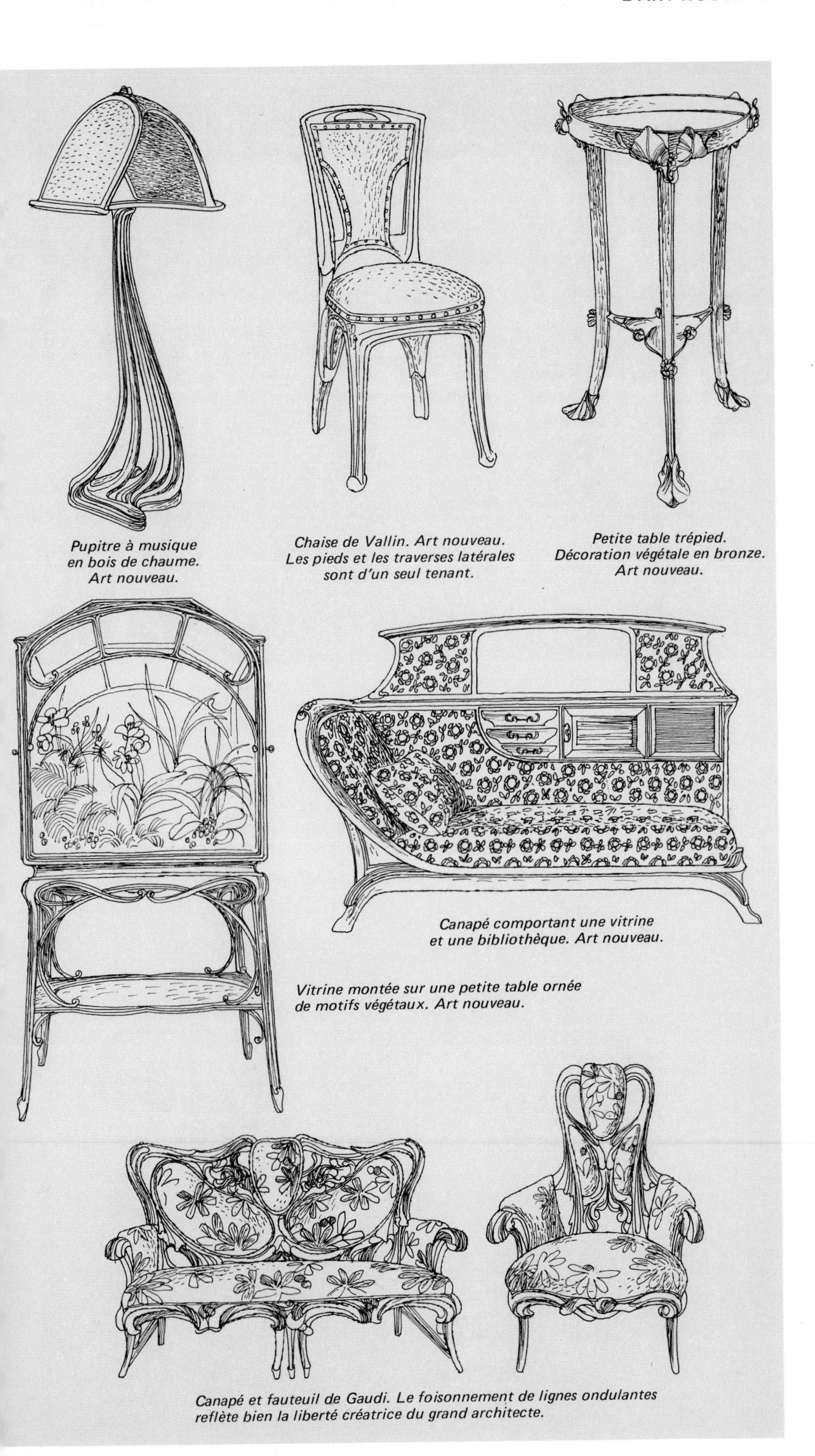

Pupitre à musique en bois de chaume. Art nouveau.

Chaise de Vallin. Art nouveau. Les pieds et les traverses latérales sont d'un seul tenant.

Petite table trépied. Décoration végétale en bronze. Art nouveau.

Canapé comportant une vitrine et une bibliothèque. Art nouveau.

Vitrine montée sur une petite table ornée de motifs végétaux. Art nouveau.

Canapé et fauteuil de Gaudi. Le foisonnement de lignes ondulantes reflète bien la liberté créatrice du grand architecte.

Ci-dessus : *Le génie créateur des artistes de l'art nouveau se manifeste ici dans ses formes les plus diverses : les boiseries de Hankar mettent en valeur une belle collection de vases de Gallé. Les meubles de salle à manger sont de l'ébéniste Vallin, le lustre de Landry et la fameuse « table aux libellules » également de Gallé.*

Ci-dessous : *Cette salle à manger d'Eugène Vallin est conservée au musée de l'école de Nancy. L'absence presque totale d'ornementation est compensée par l'emploi systématique de lignes courbes. La table, dont le plateau suit des lignes sinueuses, a des pieds très épais. Le buffet fortement galbé comporte un corps inférieur à quatre portes et un corps supérieur vitré.*

se place, par la vigueur de sa personnalité, au-dessus du commun. Le Catalan Antonio Gaudi fait de ses maisons revêtues de céramique des œuvres sculpturales. Salvador Dali verra, « dans cette beauté terrifiante et comestible, le phénomène le plus original et le plus extraordinaire de l'histoire de l'art ». Comme tous les grands artistes de cette époque, Gaudi est également dessinateur de meubles, et sa quête de formes naturelles et même organiques, identifiées aux structures elles-mêmes, se retrouve dans ses modèles aux lignes convulsives qui s'intègrent dans le jeu savant des volumes et de la lumière.

En Allemagne, la revue *Jugend* défend toutes les manifestations artistiques qui font triompher la ligne végétale; ce sera le Wellenstil (style ondulé), le Schnörkelstil (style contourné) ou, avec une nuance péjorative, le Bandwurmstil (style ténia), que l'histoire groupera finalement sous le terme générique de Jugendstil.

En Autriche, nous l'avons vu, le style sécession sépare la jeune génération des pontifes officiels inspirés des conceptions néo-gothiques des Habsbourg.

Ce sera néanmoins un artiste autrichien, l'architecte Adolf Loos, qui pressentira la lassitude que feront naître dans le public les excès du modern style. Il dénoncera le délit d'ornementation et demandera que l'art remplace enfin l'ornement : « La cité du XXe s. sera éblouissante et nue », écrit-il en 1908. Il annonce ainsi la Cité radieuse de Le Corbusier, d'où seront définitivement exclus, aussi bien dans l'architecture que dans le mobilier, le pastiche et le folklore végétal.

Ne soyons pas injuste pour le modern style. Au-delà des volutes abusives du style nouille et de ses tentacules, se cachent des trésors d'une richesse de formes inépuisable, où s'inscrivent déjà toutes les révolutions artistiques qui se succèdent depuis le début du siècle. Paul Morand ne croyait pas si bien dire lorsqu'il écrivait : « Cher 1900, nous lisons notre avenir dans vos rides. »

le mobilier art nouveau

Les sièges. Ils se caractérisent par une ligne sinueuse et continue qui s'étire comme une liane du dossier jusqu'aux pieds. Le dossier est généralement haut et le siège étroit. Parfois une garniture épouse les deux parties sans interruption en accentuant encore l'unité.

Les tables, bureaux et autres meubles. Ils sont souvent irréguliers et sinueux, leurs pieds sont traités en s'inspirant du monde végétal. Certains artistes, comme Rupert Carabin, poussent l'excès jusqu'à créer des tables soutenues par des personnages en ronde bosse, comme à l'époque baroque. Les bureaux comportent, outre de nombreux tiroirs et cassettes, de petites étagères asymétriques.

Les travailleuses, tables de nuit, tables gigognes, encoignures, vitrines, étagères, jardinières ou pare-feu ont toujours des lignes ondulantes et des pieds galbés. Leur structure est souvent asymétrique.

Le buffet assez lourd et encombrant comprend une partie inférieure à quatre portes et une partie supérieure vitrée, ajourée de niches et de tablettes. Les montants et les corniches sont renflés et sinueux.

Les armoires, hautes, parfois étroites, sont ornées de glaces et de motifs. Des meubles composites, tels la coiffeuse-bureau, l'armoire-étagère, le divan encoignure, sont typiques de ce style.

Les lits ont des chevets inégaux. La moulure fait le tour du meuble, parfois rehaussée d'une deuxième moulure qui encadre les marqueteries ou les panneaux de bois différents.

techniques de l'art nouveau

L'ornementation s'incorpore à tel point au meuble que « c'est le meuble tout entier qui devient ornemental ».

La mouluration, la marqueterie (représentant des fleurs ou parfois des paysages), les incrustations et la sculpture accentuent les sinuosités, les courbes ou le ploiement des piétements en tiges.

Les bois. Les bois clairs, le noyer et le sycomore, sont le plus souvent utilisés, ainsi que l'acajou, massif ou en placage.

Les fabricants de meubles en série pour les grands magasins emploient aussi le pin, le pitchpin et le sapin, laqués ou peints.

Autres matériaux. Le fer, l'acier brut, la fonte émaillée ou le bronze sont travaillés en lianes, en rubans, en torsades, pour constituer le support d'une ornementation parfois extravagante que l'on retrouve même dans les meubles utilitaires comme les cuisinières ou les poêles. Le vitrail et le verre teinté, oxydé ou irisé sont utilisés dans la décoration des meubles. Des statuettes, lustres et lampes sont en verre et en cristal taillé.

répertoire décoratif de l'art nouveau

- Formes d'inspiration végétale, principalement les nénuphars, les algues et les herbes d'eau, les lianes, les iris, les orchidées et les fleurs exotiques.
- Formes animales : oiseaux, papillons, libellules. Quelquefois, des serpents, inspirés par les peintures japonaises sur soie.
- Figures féminines en pied, en buste ou en têtes alanguies. La chevelure ou la draperie des robes épouse la forme des meubles et objets, ou se confond avec elle.

l'art déco ou 1925

« 1925, c'est le marathon international des arts de la maison », écrivait Le Corbusier au sujet de l'Exposition des arts décoratifs et industriels qui se tenait à Paris cette année-là et qui donne son nom au style art déco ou 1925, qui triomphe alors en réaction contre l'art nouveau.

En effet, l'art déco, qui se situe entre 1909 et 1925, marque la fin du modern style, tandis que naissent les conceptions fonctionnelles de l'art contemporain.

L'époque est riche en mouvements d'avant-garde — le Bauhaus en Allemagne, De Stijl en Hollande, l'Esprit nouveau et le cubisme en France — et tend vers la simplification totale des lignes et la suppression de l'ornement.

Les meubles 1925 sont influencés par le cubisme : les lignes droites, le carré et le cercle dominent. Mais l'exécution montre une volonté de retour vers les styles classiques. Les ébénistes y apportent un soin extraordinaire; plus que simples ébénistes, ce sont de véritables créateurs : Ruhlmann, Groult, Süe et Mare réalisent des meubles en ébène à incrustations ou en marqueterie de bois précieux.

On se trouve donc devant un étrange paradoxe. Alors que le Bauhaus existe déjà et que ses artistes sont en train de jeter les bases du style contemporain, alors que le cubisme (1910) est déjà dépassé et que le mouvement dada (1916) a laissé la place au surréalisme (1924), la Compagnie des arts français et d'autres grands créateurs inventent, créent de toutes pièces le dernier des styles « décoratifs », l'art déco. Il vivra peu, le temps des « années folles ».

C'était encore une fois une question d'ambiance. La première guerre venait de finir, et la génération d'après 1918 n'était pas d'humeur à s'entourer des lignes froides et dépouillées que lui proposaient les artistes d'avant-garde.

Bien au contraire : « L'ornement semblait prendre une revanche sur les temps inhumains que l'on venait de traverser », nous raconte Tony Bouilhet. Les « années 25 » ont été à leur manière une renaissance de la Belle Époque. Les jeunes femmes coiffées à la garçonne, portant les robes sans ceinture dessinées par Poiret ou par Chanel se sont jetées dans la frivolité et l'exotisme pour ne pas avoir à faire face à une société nouvelle, à une nouvelle manière de vivre.

Alors, on se tourne vers le jazz, vers la couleur, vers les ballets russes qui, tout comme un film peut imposer une mode vestimentaire, imposent une gamme de tonalités inattendues et contrastées. Les intérieurs jusqu'ici traités dans des tons suaves et de « bon goût » deviennent noirs et blancs ou violets ou orange ou écarlates.

Cela nous paraît normal aujourd'hui, car nous sommes saturés de couleur, mais en 1920, ou même encore en 1925, la couleur était une nouveauté : on l'avait oubliée, reléguée, depuis les vernis Martin aux tons éclatants du XVIIIe s. Le XIXe s. était un siècle sobre : du vert, de l'acajou, du gris.

L'arc-en-ciel de l'art déco était une fête et, sous cet aspect, une fête moderne.

L'électricité aussi sera enfin utilisée dans le décor. Jusqu'ici elle était utilitaire; désormais, elle souligne les plafonds, court le long des rampes, se répand en chutes, fait miroiter les appliques, jaillit des fontaines de verre. Lalique, dont les bijoux avaient obtenu un grand succès à l'Exposition 1900, continuait à occuper une place de choix dans l'art décoratif de son temps. Il saura utiliser le verre et la lumière pour créer des objets, des lustres, des appliques parmi les plus typiques de l'époque.

Autre matériau que l'on emploie à nouveau beaucoup : le fer forgé sous forme de grilles, même au milieu d'une pièce, ou sous forme de motifs dorés ou argentés qui se surajoutent aux décorations.

La production des artistes traditionnels vient aussi répondre à ce besoin de luxe raffiné, d'ambiance chaude et protectrice, mais originale, que le public élégant désire.

Pierre Chareau construit et aménage pour le docteur Dalsace une des premières maisons modernes françaises, rue Saint-Guillaume, où elle existe encore. Il dessine en même temps tous les éléments du décor, y compris les bureaux et fauteuils qui, eux, respirent encore la nostalgie du gondolé Louis-Philippe. André Groult adapte à sa manière les lignes du style Restauration et crée des bergères arrondies à accotoirs enroulés. Iribe, le plus proche du XVIIIe s., emploie des matières riches : acajou, *galuchat*, ébène ou bois marquetés. L'appartement de Jeanne Lanvin, rue Barbet-de-Jouy, est aménagé avec le concours d'Armand Rateau et Paul Plumet, avec lesquels elle avait conçu l'installation du théâtre Daunou. Süe et Mare, qui fondent en 1919 la Compagnie des arts français, groupent autour d'eux Paul Vera, Dunoyer de Segonzac, Boutet de Monvel et s'occupent de tous les problèmes de la décoration : tissus, éclairages, bronzes; ils éditent des meubles d'inspiration légèrement louis-philipparde. Clément Mère emploie du macassar, des cuirs laqués, de l'ivoire, du palissandre.

Les grands magasins eux-mêmes emboîtent le pas et confient leurs ateliers de meubles à d'importants créateurs. Paul Follot dirige « Pomone » au Bon Marché, pour lequel il conçoit des meubles laqués ou marquetés, ornés de chutes de feuilles ou de corbeilles de fleurs sculptées, proches de celles que l'on aimait au XVIIIe s. Maurice Dufrêne est à la tête de l'atelier de « la Maîtrise », aux Galeries Lafayette, et Djo Bourgeois travaille pour le « Studium » des magasins du Louvre. La production des grands magasins va accélérer la distribution des meubles art déco et va répandre ce style dans le grand public. Vingt ans plus tard, celui-ci continuera à considérer l'art déco comme le symbole du confort et de l'aisance bourgeoise, et comme le comble du moderne.

Mais il faut parler ici de Ruhlmann, qui s'affirme comme le plus grand créateur de mobilier de luxe. Il avait fondé, après la guerre de 1914-1918, les ateliers Laurent et Ruhlmann. Les modèles que nous tenons de lui sont d'une élégance et d'une finition remarquables, et on peut le considérer comme un des derniers grands créateurs de meubles d'ébénisterie que la France ait connus. Il utilise de préférence les bois précieux, l'amarante, le placage d'ébène, le macassar, le palissandre, la loupe d'amboine, le bois de violette. Les formes sont légèrement galbées et, trait spécifique, les pieds sont toujours en fuseau. A l'Exposition de 1925, Ruhlmann occupe une place de premier plan.

Un pavillon entier, baptisé Hôtel d'un collectionneur, lui est confié. Il l'installe en collaboration avec des architectes et des sculpteurs comme Bourdelle, Despiau, Pompon, et des dessinateurs comme Jean Puiforcat (le plus grand nom de l'orfèvrerie 1925).

En effet, cette exposition des arts décoratifs, qui groupe tous les créateurs de l'époque,

Le cercle et le carré, hérités du cubisme, dominent dans le sytle 1925. La lampe et la glace de Ruhlmann et la table aux lignes sobres les combinent ici avec élégance.

marque l'apogée de ce style, qui va décliner peu d'années après. 1930 sera une époque de crise financière : plus personne ne songera à se meubler d'une manière luxueuse. L'art conformiste avait été secoué par Dada et par le surréalisme, la révolution russe avait bouleversé le monde, Manhattan et ses gratte-ciel éblouissaient les Européens. Après le feu d'artifice des années folles et de son décor nostalgique, la place était désormais prête pour l'art et le mobilier contemporains.

le mobilier art déco

Les sièges. Ils sont nombreux et divers.

Les chaises ont un dossier bas, un siège canné et des motifs sculptés. Elles sont garnies de cuir, avec des pieds fins et galbés ou d'inspiration paysanne et régionale.

Les fauteuils sont assez bas, les pieds courts et l'allure générale ramassée. Les accotoirs sont plats.
La mode est au fauteuil club recouvert de cuir ou de fourrure, dont les pieds sont cubiques et les accotoirs volumineux et rembourrés. Les canapés d'inspiration anglaise sont également rembourrés. Les sièges sont recouverts de couleurs claires aux motifs géométriques et inspirés du cubisme.

Les tables. Les tables de salle à manger sont rondes, carrées, ovales, à pans coupés. Les pieds sont simplement décorés. Les tables basses ont souvent un plateau de marbre et un piétement en fer forgé, ainsi que les consoles.

Les bureaux. Ils sont de forme classique, souvent recouverts de cuir, l'ornementation discrète est géométrique. Les entrées de serrures de cuivre ou de bronze sont finement ciselées.

Les armoires. Réalisées en bois précieux (ébène, palissandre, bois de rose), les armoires, comme les bibliothèques, sont volumineuses. Leur fronton est très décoré de marqueterie ou de motifs de bronze doré ou argenté. Les panneaux des portes sont incrustés de cuir ou d'ivoire, ou de motifs rapportés et de jeux de glaces.

Les coiffeuses ont un miroir très allongé en ovale, et, de chaque côté, un petit caisson comporte des tiroirs reliés entre eux par une tablette basse. Le tour du miroir est sculpté, les panneaux sont discrètement décorés d'un motif de marqueterie ou de bronze.

Les commodes. De forme classique, elles sont très proches de la commode Louis XVI. Leur ornementation est délicate, l'intérieur des tiroirs est parfois gainé de cuir.

Les lits. Très simples, avec deux chevets inégaux, les lits sont décorés d'ivoire ou de bois exotiques, de cuir travaillé ou d'applications de bronze qui les rendent précieux.

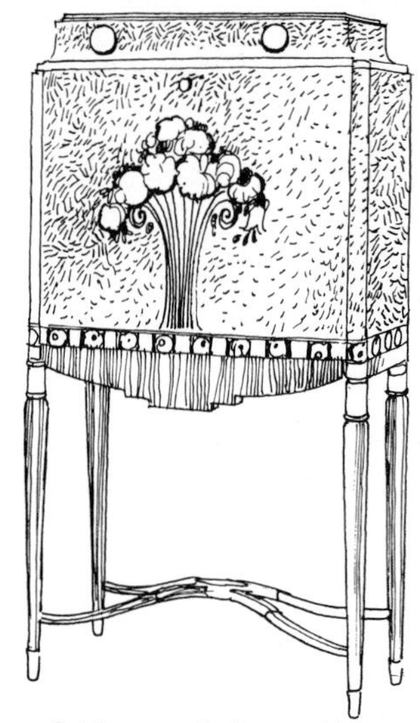

Cabinet-secrétaire art déco. L'abattant est marqueté de bois précieux.

Chaise longue aux lignes géométriques de Pierre Legrain. Style art déco.

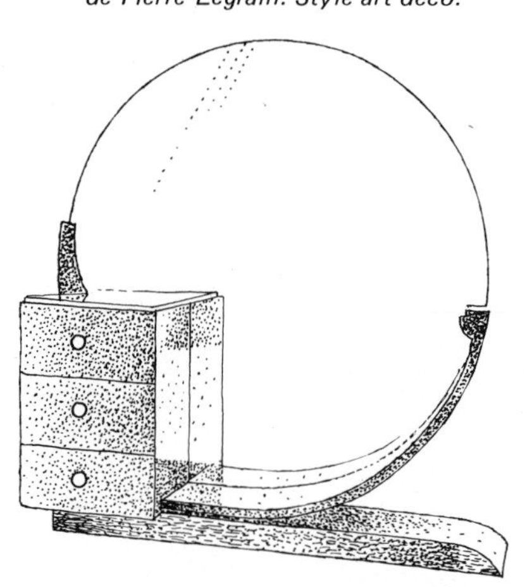

Coiffeuse à trois tiroirs asymétriques. Style art déco.

techniques de l'art déco

Les bois. Tous les bois sont employés : les bois les plus rares et les plus coûteux, des plus foncés comme l'ébène et le macassar

Bureau de dame. Les pieds sont droits l'ornementation sobre. Ruhlmann. Art déco.

Motif décoratif caractéristique du style art déco.

Cabinet de Clément Mère. Style art déco.

Fauteuil recouvert 'une tapisserie de Joan Miró. Style art déco.

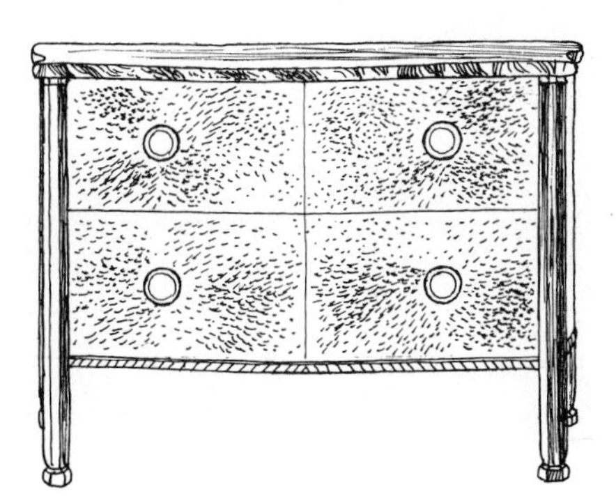

Commode à deux tiroirs de Süe et Mare. Style art déco.

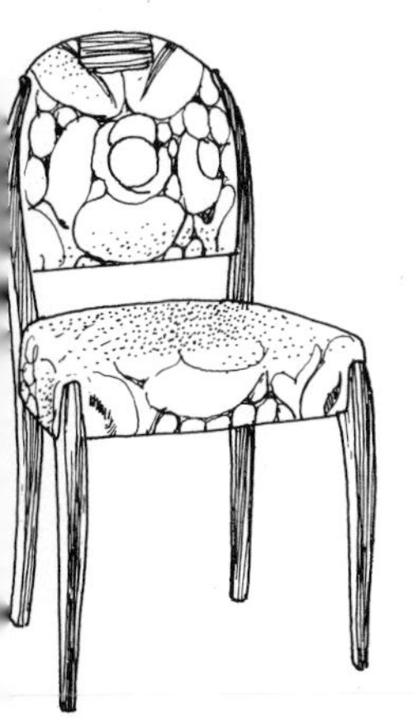

Chaise en palissandre ciré. Style art déco.

Bergère dessinée par Paul Iribe. Style art déco.

Bergère confortable d'André Groult. Style art déco.

aux plus clairs comme le citronnier et le sycomore. Les bois laqués sont très en vogue, le bois de rose est surtout employé en marqueterie.

Les métaux. Le fer forgé continue à remplacer le bois dans les piétements des tables et des guéridons. Il sert de panneau dans les pare-feu, les portes de bibliothèques ou d'armoires. Il est brut ou laqué.

L'argent est employé pour les entrées de serrures ou les poignées de meubles précieux.

Les nouveaux matériaux. Le cuir est très en vogue pour recouvrir les sièges, mais aussi en panneaux décoratifs sur les tables et les portes. Il est repoussé, travaillé, teinté, mais on préfère le cuir clair.

La fourrure est aussi très à la mode dans le mobilier ; elle devient tapis, tenture, coussin,

1. *Le style 1925 s'inspire de lignes anciennes : ce bureau en ébène, à sabots d'ivoire, rappelle par la légère cambrure des pieds les bureaux plats Louis XV.*

2. *Le galuchat, cher au style 1925, était employé par les ébénistes de cette époque, pour recouvrir des boîtes, des étuis, des meubles même comme ce secrétaire de Groult dont la forme en guitare rappelle les thèmes du cubisme.*

3. *Dans une chambre à coucher moderne au décor fleuri se détachent les lignes extrêmement élégantes et presque classiques d'une coiffeuse de Ruhlmann, l'un des meilleurs créateurs du style art déco.*

garniture de sièges (ocelot, zèbre, poulain). Le galuchat (peau de squale traitée) sert aux mêmes fins que le cuir.
L'ivoire est employé en marqueterie, en incrustations sur les commodes et les lits.

répertoire décoratif de l'art déco

- Motifs géométriques influencés par le cubisme, où s'imbriquent cercles et carrés.
- Motifs inspirés par l'art nègre et la découverte des arts primitifs.
- Motifs végétaux : fruits s'étageant dans des corbeilles, épis s'épanouissant en gerbes, fleurs stylisées et géométriques.

le meuble contemporain

L'histoire du meuble moderne prend sa source dans les premiers mouvements de l'art contemporain. Cela peut surprendre, car on imagine que le meuble moderne, fonctionnel et fabriqué industriellement est le fruit de spéculations savantes sur les matériaux et les techniques. C'est parfois le cas, surtout à partir de 1950, mais, à la base des formes contemporaines, on trouve d'abord l'élan créateur, novateur des artistes d'avant-garde du début de ce siècle.
Ce seront, en effet, De Stijl en Hollande, l'Esprit nouveau en France et le Bauhaus en Allemagne (mouvements auxquels participent architectes, sculpteurs, peintres et écrivains de grand talent) qui, les premiers, traduiront dans les arts décoratifs les aspirations d'une société et d'une industrie en développement.
Les premiers designers conçoivent des modèles de meubles, fabriqués entre 1918 et 1930, d'un modernisme si total qu'aujourd'hui encore on les admire et on les réédite, alors qu'à leur naissance ils avaient stupéfié et choqué le public. Aujourd'hui, ces meubles sont devenus pour nous ce que l'on pourrait appeler des « classiques modernes » : le siège Barcelona de Mies Van der Rohe (1929) ou la chaise longue de Le Corbusier sont entrés dans le répertoire des arts décoratifs — et dans les musées — au même titre que les toiles de Kandinsky ou de Mondrian, leurs contemporains.
Dès lors, pour avoir un aperçu assez exact des origines du mobilier actuel, il faut connaître d'abord l'évolution des mouvements artistiques du début du siècle pour suivre ensuite, plus dans le détail, les modèles créés par quelques précurseurs.

De Stijl. Ce mouvement porte le nom d'une revue hollandaise fondée en 1917 par Théo Van Doesburg.
Il groupait des peintres, des sculpteurs et des architectes qui voulaient promouvoir une nouvelle esthétique, et, en fait, le mouvement fut, dès le départ, fortement marqué par le néo-plasticisme de deux de ses créateurs, Théo Van Doesburg et Piet Mondrian (1872-1944). Ce dernier, qui devint rapidement le chef de file du mouvement, écrivit de nombreux essais dans la revue *De Stijl.* L'un d'eux, publié sous le titre de *Réalité naturelle et Réalité abstraite,* devait constituer l'une des bases de la peinture abstraite. En opposition avec la tradition et l'évolution suivie par le grand public, ce mouvement, très influencé par le cubisme, prônait la supression des ornements au profit de surfaces planes et de formes géométriques. La couleur ne devait plus avoir une fonction décorative indépendante, mais permettre de définir les différents espaces tant intérieurs qu'extérieurs. Seules les couleurs primaires (rouge, bleu et jaune) étaient utilisées en opposition avec le noir, le blanc et le gris. L'architecte hollandais Gerrit Rietveld fut un membre important du Stijl. Pionnier en ce qui concerne l'architecture intérieure, Rietveld est un des premiers à tenter la fabrication en masse de meubles bon marché, afin de décharger les artisans d'une tâche trop lourde. Ayant travaillé longtemps dans l'atelier d'ébénisterie de son père, il applique l'expérience ainsi acquise à des systèmes de modules, de lignes et de plans extrêmement simples, qui aboutissent en 1918 à la naissance d'un des premiers sièges « modernes », le « fauteuil rouge et bleu », composé uniquement de surfaces rectangulaires de bois peint en rouge et en bleu.
Il faut se rappeler qu'à la même époque le style art déco venait d'éclore, et qu'en France comme ailleurs on en était encore — même et surtout parmi les décorateurs à la mode — à la recherche d'effets décoratifs rappelant les styles anciens. On peut alors mesurer ce que le « fauteuil rouge et bleu » ou la « chaise berlinoise » (1923), ou la « chaise zigzag » (1924), faite de morceaux de bois assemblés à angle droit, avaient d'audacieux.
La revue *De Stijl* cessa de paraître en 1928. Elle avait attiré, entre-temps, les artistes dadaïstes et fortement contribué à changer l'art de son époque.

L'Esprit nouveau. En France, la revue *l'Esprit nouveau,* créée en 1920 par le peintre Amédée Ozenfant et l'architecte d'origine suisse Charles Édouard Jeanneret (qui devait bientôt prendre le pseudonyme de Le Corbusier sous lequel il devint célèbre), est à l'origine d'un mouvement de rénovation architecturale important. Ce mouvement groupa, entre 1920 et 1925, non seulement des peintres et des architectes, mais aussi des poètes et des écrivains comme André Breton, Paul Éluard, Louis Aragon, Blaise Cendrars, Jean Cocteau, des musiciens comme Éric Satie et Darius Milhaud, des savants comme Auguste Lumière.
La rencontre de personnalités aussi marquantes ne pouvait que favoriser le brassage d'idées nouvelles et de conceptions diverses. Au départ, l'Esprit nouveau fut très influencé par le purisme, tendance importante à l'époque, car elle reniait la mièvrerie et l'ornement inutile. Elle finit même par adopter, comme symbole plastique, la machine, « objet d'une perfection absolue par le fait que tous les accessoires inutiles à son fonctionnement en sont bannis » (Maurice Raynal). En peinture, ces principes, bien trop sévères, ne donneront sur le moment que peu de résultats. En décoration, en revanche, et surtout dans le mobilier, ce

fut le premier pas vers une primauté du fonctionnel et vers la recherche de moyens simples pour obtenir des formes utiles. Les meubles créés par Le Corbusier lui-même, entre 1927 et 1929, en sont le témoignage. Son fauteuil « grand confort » (voir dessin p. 432), sa chaise longue de 1928 à piétement en acier et siège en poulain, ou les ensembles réalisés avec son cousin Pierre Jeanneret et Charlotte Perriand sont à la fois harmonieux et totalement adaptés à l'esprit contemporain. Le Corbusier, qui a étonné le monde par la diversité de ses talents, considérait le mot « mobilier » comme désormais périmé et lui préférait celui d'« équipement ». L'art décoratif n'avait de sens pour lui que si les formes et les objets étaient envisagés au service de l'homme.

Le Bauhaus. Le Bauhaus est né de la fusion d'une école d'art et d'une école d'arts appliqués, et devait rester marqué par cette double appartenance. Fondé en 1919 à Weimar par l'architecte Walter Gropius, le Bauhaus allait dispenser un enseignement tout à fait nouveau qui devait influencer toute l'évolution de l'architecture et du mobilier. Une première prise de position tranchait nettement sur l'esprit du moment : fusionner la formation artisanale et artistique et travailler en équipes réunissant des disciplines différentes telles que chorégraphie, théâtre, typographie, publicité, géométrie, photographie, travail du métal, en plus des arts plastiques et de l'architecture proprement dits. Les bases de l'enseignement étaient exprimées dans un cours préliminaire créé par Johannes Itten et destiné à délivrer l'étudiant d'idées académiques toutes faites et à éveiller sa capacité créatrice. Deuxième aspect révolutionnaire dans l'état d'esprit du Bauhaus : la machine n'était plus l'ennemie. Il fallait, au contraire, l'utiliser pour fabriquer des objets qui soient beaux. Les efforts du Bauhaus portèrent donc aussi sur la création de prototypes destinés à la fabrication de série.

De nombreux professeurs du Bauhaus devaient devenir célèbres : des peintres et graveurs comme Feinninger, Georg Muche, Paul Klee, Wassily Kandinsky, Oskar Schlemmer, qui fut peintre et décorateur de théâtre, Laszlo Moholy-Nagy, à la fois peintre, décorateur de théâtre, photographe et typographe...

Mais un centre d'enseignement tellement en avance sur l'époque rencontra, malgré des succès certains, une telle opposition qu'il dut finalement quitter Weimar en 1925.

Le Bauhaus s'installa alors à Dessau, où Walter Gropius fut chargé de construire l'immeuble qui devait l'abriter. L'enseignement fut renforcé par l'accentuation des travaux pratiques en architecture et en décoration intérieure, et par la mise au point de prototypes réalisés ensuite par l'industrie.

A Gropius devait succéder Hannes Meyer de 1928 à 1930, puis Mies Van der Rohe. En 1932, les événements politiques obligèrent le

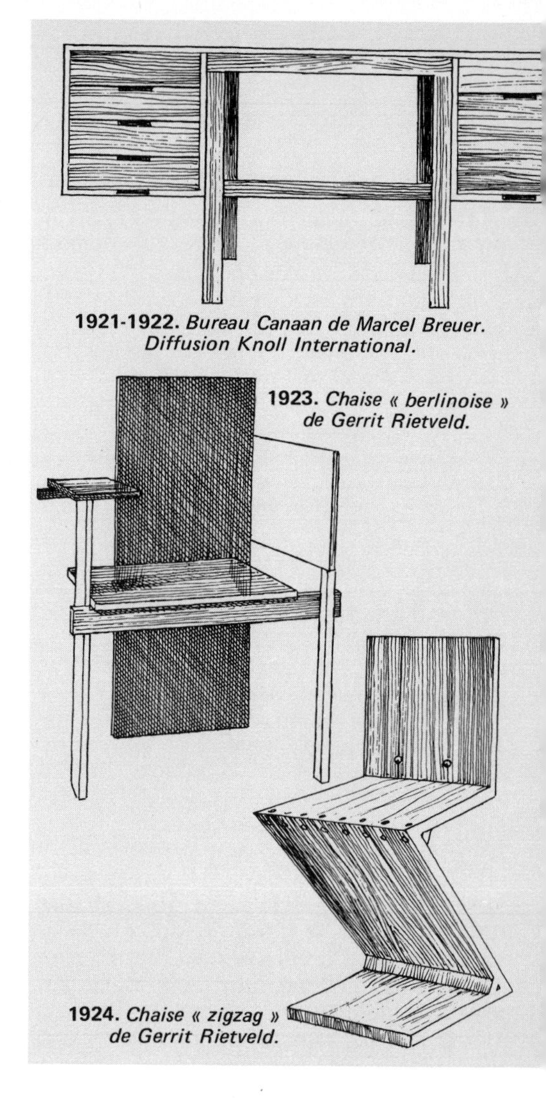

1921-1922. *Bureau Canaan de Marcel Breuer. Diffusion Knoll International.*

1923. *Chaise « berlinoise » de Gerrit Rietveld.*

1924. *Chaise « zigzag » de Gerrit Rietveld.*

Bauhaus à un nouveau déménagement à Berlin, et, en 1933, les nazis le fermèrent définitivement.

Entre-temps, le Bauhaus avait rendu toute une génération apte à rompre avec le passé et devait ainsi permettre à l'art contemporain de trouver son originalité et de s'exprimer dans tous les domaines. En particulier, les méthodes profondément révolutionnaires de l'enseignement du Bauhaus firent naître des types de meubles nouveaux non seulement dans leurs formes, mais aussi par les matériaux employés.

C'est, en effet, au Bauhaus que Marcel Breuer, architecte d'origine hongroise, inspiré par le guidon de sa bicyclette, étudie les premiers modèles de mobilier métallique tubulaire. Ses idées prennent forme et, en quelques années seulement, entre 1924 et 1928, il complète son système de tubes et crée à peu près tous les types de tabourets, tables et chaises à structure en acier tubulaire que l'on utilise (ou que l'on imite) de nos jours. Breuer est donc le père spirituel du mobilier de bureau moderne, du meuble fonctionnel typique, si bien adapté aux besoins quotidiens qu'il nous paraît difficile de croire que l'on ait pu s'en passer.

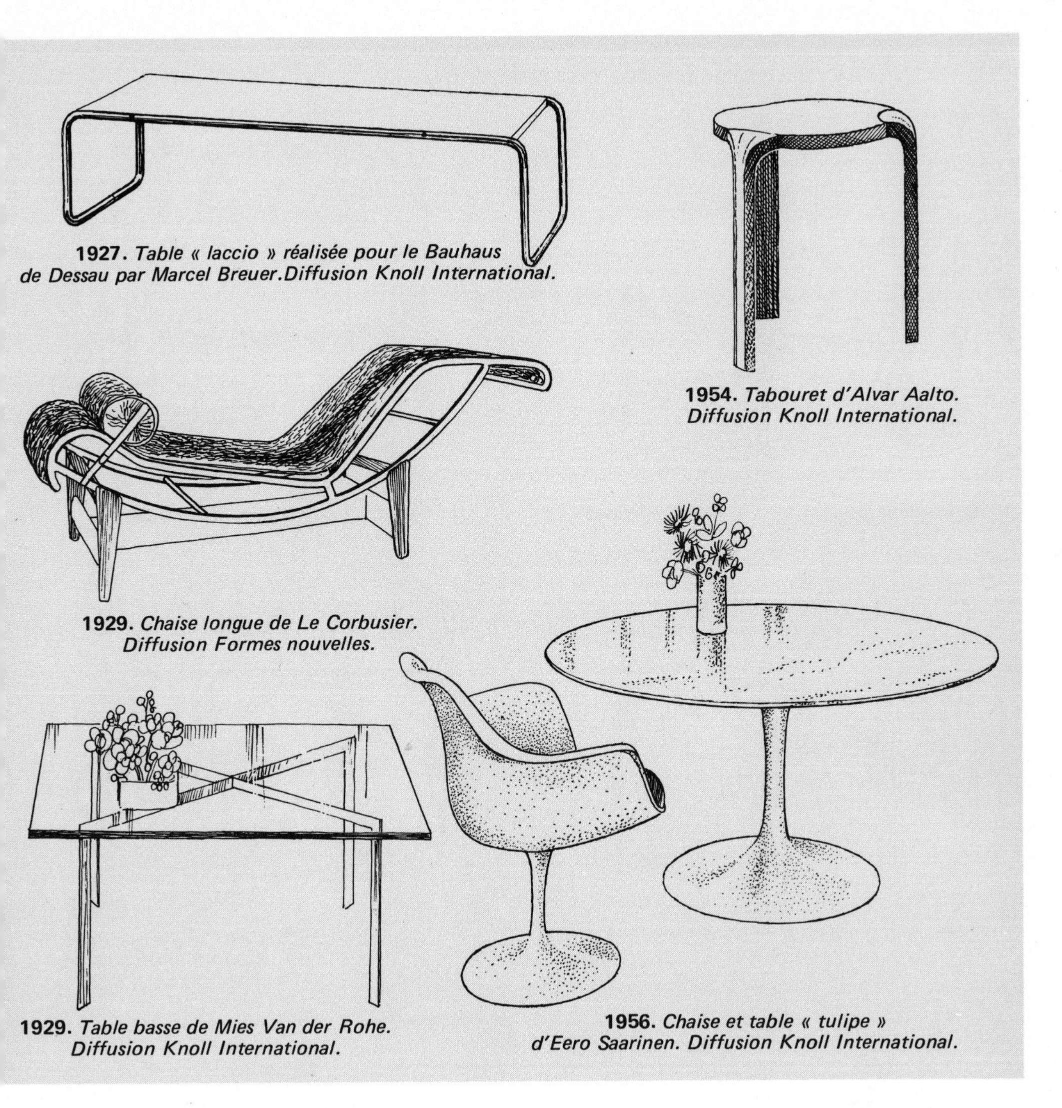

1927. *Table « laccio » réalisée pour le Bauhaus de Dessau par Marcel Breuer. Diffusion Knoll International.*

1954. *Tabouret d'Alvar Aalto. Diffusion Knoll International.*

1929. *Chaise longue de Le Corbusier. Diffusion Formes nouvelles.*

1929. *Table basse de Mies Van der Rohe. Diffusion Knoll International.*

1956. *Chaise et table « tulipe » d'Eero Saarinen. Diffusion Knoll International.*

Parmi les modèles dessinés par Breuer et que l'on réédite encore, les plus célèbres sont sans doute le fauteuil Wassili, en tubes d'acier et sangles de cuir, et la chaise Cantilever formant un S.

Marcel Breuer dirigea la section d'ameublement du Bauhaus alors qu'il avait à peine 22 ans. En 1925, à Dessau, il crée le nouveau mobilier, et, quelques années plus tard, il dessine en Suisse des sièges à châssis d'aluminium qui seront parmi les premiers de ce type. A l'arrivée d'Hitler, il quitte l'Allemagne et rejoint Walter Gropius, qui enseigne alors à l'université de Harvard aux États-Unis. Il fera dans ce pays une brillante carrière d'architecte et d'enseignant.

Breuer est un exemple très typique de l'influence qu'allait continuer à exercer le Bauhaus bien après sa disparition.

En effet, tôt ou tard, les membres du Bauhaus dispersés, et la plupart du temps contraints de fuir devant le nazisme, trouvèrent refuge aux États-Unis où ils allaient donner toute la mesure de leur talent et, pour certains, de leur génie.

Ludwig Mies Van der Rohe, l'un des très grands noms de l'architecture du XXe s., créateur de meubles d'une remarquable beauté, en est encore un exemple. Lorsqu'il construisit le pavillon allemand pour l'Exposition de Barcelone en 1929, il dessina en même temps des fauteuils à piétement métallique connus sous le nom de sièges Barcelona, qui connaissent depuis quelques années une vogue extraordinaire.

Le même souci de simplicité et de pureté obtenues avec un minimum de moyens apparents, qui est la base de sa doctrine architecturale, se retrouve dans le mobilier qu'il crée et qui est peut-être des plus typiques des deux premiers tiers de notre siècle. Sa table basse à piétement métallique et au plateau de verre rectangulaire, ses tabourets, sa chaise longue sont des prototypes qui, appréciés seulement par quelques amateurs voici quinze ans, sont maintenant imités et copiés en des modèles aujourd'hui partout répandus.

Quelques « classiques ». En marge de ces mouvements artistiques, il est impossible de parler de mobilier contemporain sans mentionner au moins quelques créateurs scandinaves, italiens et américains qui ont apporté une très intéressante contribution à l'évolution des formes de notre temps.

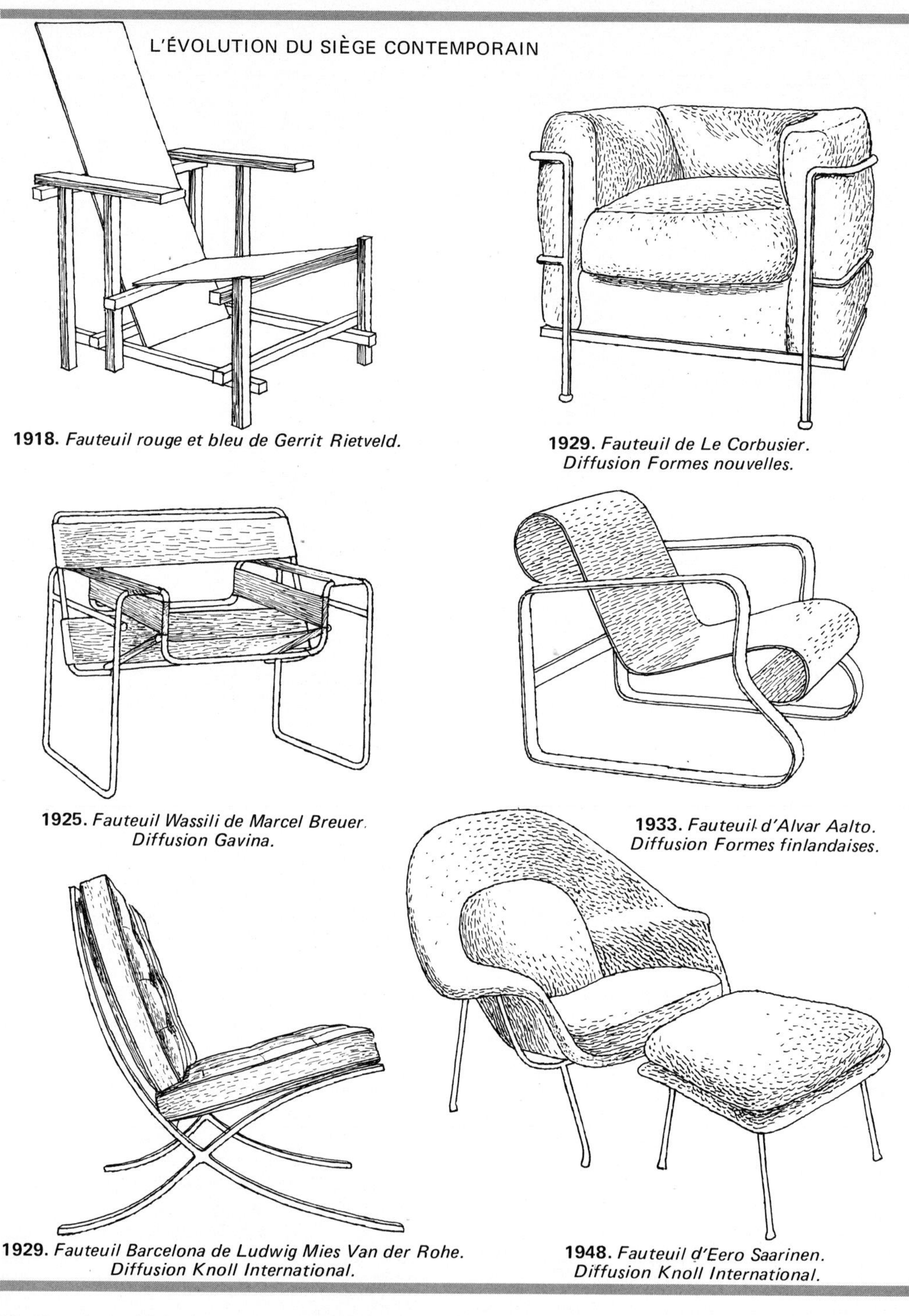

L'ÉVOLUTION DU SIÈGE CONTEMPORAIN

1918. *Fauteuil rouge et bleu de Gerrit Rietveld.*

1929. *Fauteuil de Le Corbusier. Diffusion Formes nouvelles.*

1925. *Fauteuil Wassili de Marcel Breuer. Diffusion Gavina.*

1933. *Fauteuil d'Alvar Aalto. Diffusion Formes finlandaises.*

1929. *Fauteuil Barcelona de Ludwig Mies Van der Rohe. Diffusion Knoll International.*

1948. *Fauteuil d'Eero Saarinen. Diffusion Knoll International.*

Gio Ponti, architecte italien, a dessiné des meubles et donné une large audience aux designers modernes en publiant leurs créations dans la revue *Domus,* qu'il a fondée et qu'il dirige.

Alvar Aalto, architecte finlandais né en 1898, crée, dès les années 20, un type de meubles nouveaux en bois, qui préfigurent les mobiliers scandinaves modernes que nous connaissons bien aujourd'hui.

Eero Saarinen (1910-1961), également d'origine finlandaise, mais travaillant aux États-Unis, dessine de nombreux sièges en bois moulé et invente, en 1946, le siège en forme de tulipe en plastique moulé. Cette technique nouvelle permettra au meuble de faire un gigantesque pas en avant. Nous tenons de lui encore les tables à piétement en tulipe, des tables de salle à manger, des guéridons, des tables de conférence et de nombreux fauteuils.

Charles Eames est connu surtout pour les sièges qui portent son nom (ils sont en bois moulé, en fibre de verre, en aluminium) et, en particulier, pour le « fauteuil confortable » en bois moulé et cuir.

Arne Jacobsen, architecte danois marqué par la doctrine du Bauhaus, a dessiné lui aussi

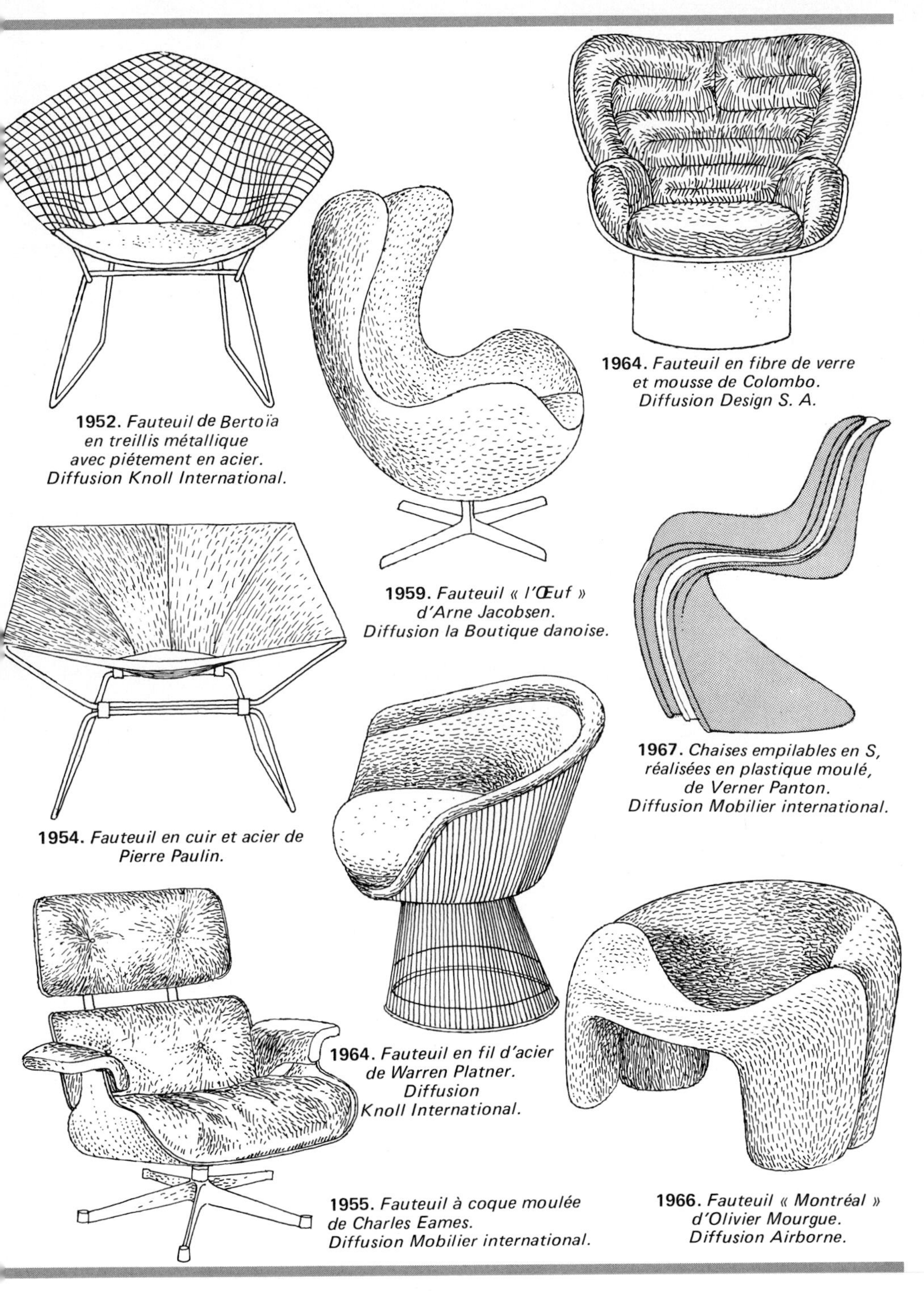

1952. *Fauteuil de Bertoïa en treillis métallique avec piétement en acier. Diffusion Knoll International.*

1959. *Fauteuil « l'Œuf » d'Arne Jacobsen. Diffusion la Boutique danoise.*

1964. *Fauteuil en fibre de verre et mousse de Colombo. Diffusion Design S. A.*

1954. *Fauteuil en cuir et acier de Pierre Paulin.*

1967. *Chaises empilables en S, réalisées en plastique moulé, de Verner Panton. Diffusion Mobilier international.*

1964. *Fauteuil en fil d'acier de Warren Platner. Diffusion Knoll International.*

1955. *Fauteuil à coque moulée de Charles Eames. Diffusion Mobilier international.*

1966. *Fauteuil « Montréal » d'Olivier Mourgue. Diffusion Airborne.*

des sièges et meubles très remarquables. A eux tous, ils ont constitué, dans les cinquante premières années de notre siècle, une série de modèles qui ont permis aux designers actuels de prendre la relève.

Fonctionnel, utile, fabriqué à de nombreux exemplaires et dans des matériaux contemporains, parfaitement adapté à la vie de tous les jours, le meuble moderne sera, une fois de plus, l'expression d'une société et d'une manière de vivre ignorant les frontières.

Quelques créateurs actuels. Aujourd'hui, en Italie, en France, en Angleterre, et, bien entendu, aux États-Unis, les créateurs de meubles contemporains multiplient les audaces dans les formes et les matériaux.

En France, où le meuble contemporain n'est arrivé à s'imposer que depuis une quinzaine d'années, on peut citer : Pierre Paulin, qui a employé avec talent des matériaux souples et a créé des sièges très étudiés; Roger Tallon, dont les meubles en métal, aux lignes très pures, sont tapissés de mousse plastique; J.-A. Motte, qui, sur l'heureuse initiative du Mobilier national, a créé de remarquables modèles de bureaux et de sièges; Olivier Mourgue, un des jeunes talents du design

La maison que l'architecte américain Philip Johnson, disciple de Mies Van der Rohe, s'est construite en 1949 dans le Connecticut, est d'une sobriété classique. Une utilisation subtile des matériaux, un sens très sûr de l'espace et le souci de faire entrer le paysage à l'intérieur des habitations sont typiques des recherches contemporaines.

français, et Qasar qui, l'un des premiers, a utilisé du P. C. V. gonflable dans la fabrication de poufs, lampes et sièges. Et la liste s'allonge de jour en jour.

L'Italie, avec le génie qui lui est propre, non seulement incorpore très tôt les lignes modernes au mobilier, mais saura en créer d'autres extrêmement arrondies, confortables et souples par rapport à la rigidité un peu ascétique des grands meubles contemporains classiques. Parmi les créateurs importants signalons, entre autres, Marco Zanuso, Gae Aulenti, Joe Colombo et, enfin, Harry Bertoïa, qui travaille aux États-Unis. Dans ce dernier pays, de véritables services de création artistique, comme celui de Herman Miller, où travaille George Nelson, étudient les problèmes d'esthétique industrielle et ceux de l'esthétique du meuble.

Partout, aujourd'hui, même au Japon, en Espagne ou en Amérique du Sud, la jeune génération d'architectes et de dessinateurs se penche sur le problème de la forme du mobilier et de ses rapports avec notre vie quotidienne. Le meuble contemporain, en effet, plus que tout autre, est l'expression d'une manière de vivre, et se conçoit, comme l'art de notre époque, à l'échelle mondiale.

le design

Vous avez vu le mot « design » imprimé partout et vous vous demandez sans doute ce qu'il veut dire.

Le design n'est pas ce qu'on croit généralement : ce n'est pas le style décoratif de la deuxième moitié du XXe s. Le design est à la mode parce que la mode est au design. Et pourtant, rien n'est plus contraire à la mode que le design.

Alors, qu'est-ce que le design ?

Le design, c'est l'étude la plus poussée à la fois de la fonction d'un objet (donc de son utilité) et de sa forme (donc de sa beauté). Et, qu'il s'agisse de robots ménagers, de meubles, de moyens de transport, d'équipements collectifs *(industrial design)*, d'architecture *(architectural design)* ou d'affiches *(graphic design)*, il y a derrière tout cela un homme (ou une équipe) qui s'attache à produire des choses belles et utiles. Cet

homme c'est le designer. Le designer doit, pour concevoir un objet, non seulement le dessiner, mais connaître parfaitement les matériaux, les techniques de fabrication, la morphologie humaine, les structures du marché et les impératifs de prix.
Contrairement au décorateur, le designer est professionnellement intégré à la société et à l'industrie.
On tend parfois actuellement à confondre décorateur et designer, parce que l'on croit trop souvent que le design c'est le mobilier contemporain.
Essayons donc de nous y retrouver.

- **Le décorateur** « orne » et « embellit » un espace en prenant soin de choisir et de placer meubles, tissus et objets destinés à créer un « effet », une « ambiance », qualifiés, selon le cas, de « moderne » ou « de style ».
- **L'architecte d'intérieur,** lui, aménage le cadre de vie en architecturant l'espace. Il ne se contente plus de « disposer », mais crée, au contraire, une circulation interne répondant à un programme défini. Il est celui que les Anglo-Saxons appellent *interior designer.*
- **Le designer,** intégré au processus de production, participe à tous les stades de la fabrication. Il crée donc un produit cohérent en se soumettant aux impératifs de la technique et de l'économie. Il aboutit ainsi à une forme qui découle de la fonction et qui porte, néanmoins, la marque personnelle de tout créateur. Vous voyez donc qu'il ne s'agit plus là simplement de meubles.

Pourquoi alors avoir choisi le mobilier comme signe et symbole du design? Parce que chacun s'y reconnaît et s'y retrouve. Rien n'est plus quotidien qu'un meuble, qu'il soit de style ou contemporain. Mais tous les meubles contemporains ne sont pas du design, bien au contraire. Appartiennent, en fait, au design, les meubles qui relèvent d'une recherche qui n'est pas seulement formelle. Deux exemples assez proches peuvent illustrer ce que nous entendons par ce terme :

- Le Sacco, siège indéfini, est rempli de plusieurs milliers de minuscules petites boules de polyuréthane enfermées dans une enveloppe souple en cuir ou en plastique. Là, la fonction a été clairement définie. C'est un siège « sur mesure », produit industriellement à très bas prix (même s'il est vendu cher !). « Sur mesure », parce que sa forme c'est vous-même qui la lui donnez, soit que vous vous y asseyiez, soit que vous vous y allongiez. En outre, ce siège, qui pèse moins de 5 kg, se déplace avec facilité.
- La Mama, fauteuil aux formes incroyables et inhabituelles, est l'exemple même de la technique et du matériau parfaitement maîtrisés au profit d'un confort extrême et d'une forme totalement libre. Fait d'une mousse ultra-compressée et qui s'expanse au simple contact de l'air, la Mama est vendue sous la forme d'une « galette » que l'on peut emporter sous son bras.

Il s'agit là, sans aucun doute, des deux sièges les plus intéressants de ces dernières années, parce que rompant totalement avec l'image traditionnelle du « siège-parade » au bénéfice du confort et de l'humour.
Mais, en deçà et au-delà du meuble, l'activité des designers s'empare de tous les domaines de la vie quotidienne.
La Méhari, par exemple, voiture utilitaire composée d'une coque monobloc en plastique coloré dans la masse, est un autre exemple du design. Produite industriellement, elle est vendue avec un fer à souder qui permet de redresser les ailes cabossées par le simple contact de la chaleur sans passer par un carrossier.
Le nombre considérable de boutiques qui se sont ouvertes tant à Paris qu'en province et qui se réclament du design, le nombre de décorateurs qui se rebaptisent designers, les articles de plus en plus fréquents dans les journaux et revues de décoration, la publicité qui s'en est emparée, la diffusion commerciale qui lui est assurée ont fait tant et si bien que la France a fini par découvrir le design.
Pourtant, le design n'est pas né d'hier. Enfant de la société industrielle, le design a vu le jour dans le premier quart de ce siècle. Trois grands courants de pensée lui ont, en quelque sorte, servi de rampe de lancement : De Stijl (1917), fondé en Hollande par Mondrian; l'Esprit nouveau (1920), fondé en France par Le Corbusier et Ozenfant; le Bauhaus (1919), fondé en Allemagne par Gropius. Après avoir conquis l'Allemagne, la Scandinavie, la Suisse, les États-Unis, le Japon et la Grande-Bretagne, le design s'est implanté en France après être passé par l'Italie.
Voici quelques années, les Italiens inondèrent le marché européen de meubles aux formes et aux couleurs agressives, fabriqués dans des matériaux nouveaux et nommés « design ». De là vient probablement la confusion entre meuble contemporain et design.
Mais la France, en découvrant ces meubles, nouveaux dans leur conception, prenait conscience de l'existence d'une discipline jusqu'alors méconnue et dont les buts et les exigences dépassent largement le cadre étroit de l'art décoratif.
Bateaux, métros, chemins de fer, ordinateurs, avions, réveille-matin, lampes, fauteuils, appareils électroménagers, équipements de loisirs, caméras, appareils médicaux, matériel de bricolage, et même vêtements utilitaires, architecture industrialisée, signalisation urbaine et routière : nombreux sont les champs d'application du design.
Ce que vous devez surtout retenir de tout cela, c'est que le design n'est ni un nouvel art décoratif ni un nouvel art de vivre. Il s'agit simplement d'une nouvelle manière de voir les choses, de les comprendre, de les rationaliser, de les ordonner, afin de les rendre à la fois plus utiles, plus efficaces et plus harmonieuses.

1. Fabriquée en plastique, la Méhari de Citroën est colorée dans la masse. 2. Pelles à ordures de Kartell, en plastique coloré (diffusion Design S. A.). 3. La « Mama », fauteuil de Gaetano Pesce (diffusion Formes nouvelles). 4. Tous ces objets demandent des soins particuliers au niveau de la conception, car les « services » qu'ils rendent sont parfaitement codifiés : le téléviseur Brionvéga a été conçu pour être posé sur le sol, le spectateur étant assis dans un fauteuil; la machine à coudre Elna-Lotus devait être portative et avoir le plus faible encombrement possible; le téléphone de Zanuso devait pouvoir se poser sur une table basse ou une table de chevet sans l'occuper entièrement; c'est pourquoi il est « pliable ». De gauche à droite : *Instamatic Kodak; téléviseur Brionvéga (diffusion Distrimex); machine à coudre Elna-Lotus; téléphone de Zanuso (diffusion Design S. A.); centrifugeuse Braun; machine à écrire Olivetti « Valentine ». 5. Vide-poches mural de Dorothée Maurer. 6. Le fauteuil « Sacco », créé par*

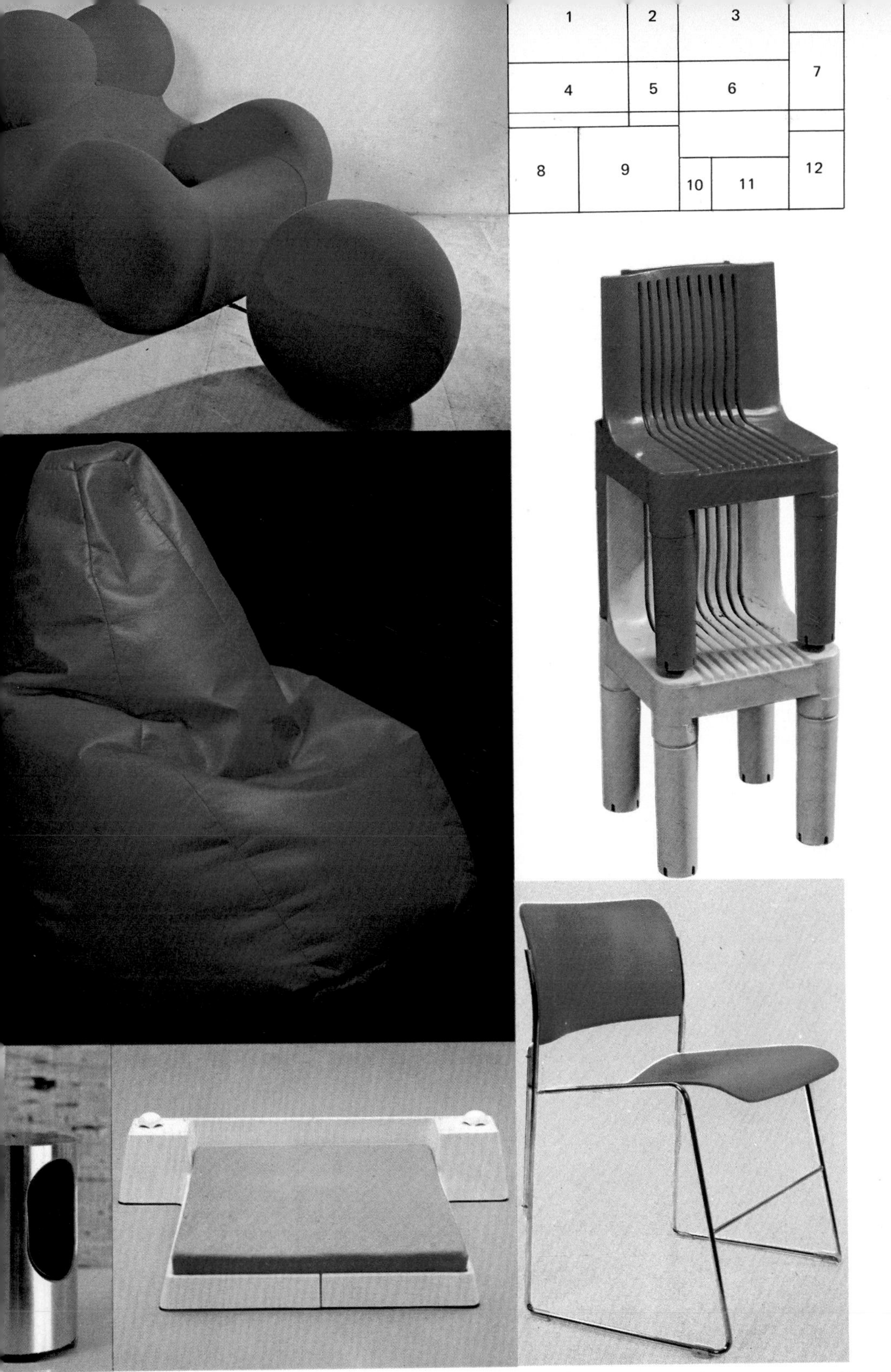

Gatti, Peodoro et Paolini. 7. Chaises pour enfants, empilables, incassables, lavables et confortables, de Marco Zanuso et Richard Sapper (diffusion Design S. A.). 8. Quelques petits objets qui font partie de notre univers quotidien : calendrier Signal de Danese (diffusion Mobilier international); pendulette Lorenz; briquet de table Braun; couverts de Roger Tallon (diffusion Sola) et stylo Lamy. 9. Maison finlandaise « Futuro », formée d'éléments assemblables en plastique; Matti Suuronen, architecte. 10. Briquet de table mis au point par le bureau de design de la firme Braun, animé par Fritz Eichler et Dieter Rams. 11. Lit de Marc Held (diffusion Prisunic), étudié d'abord pour les maisons de vacances à petit budget. Le chevet est intégré au lit et l'éclairage au chevet en une opération unique, d'où une importante réduction du prix de revient. 12. Chaises métalliques de David Rawland (diffusion Ronéo), essentiellement destinées aux collectivités. Ces chaises sont sans doute parmi les plus faciles à empiler.

le meuble régional en France

Le meuble régional français présente des caractéristiques qui permettent de le distinguer très facilement du meuble sorti des ateliers des grands ébénistes parisiens. Par régional, nous entendons meuble de campagne, de ferme ou même d'intérieur bourgeois traditionnel, et nous excluons les meubles plus raffinés exécutés pour l'aristocratie par quelques grands ébénistes des villes de province (Grenoble, Lyon, Bordeaux, Nantes, etc.) à l'imitation des commodes, secrétaires ou bureaux en vogue dans la capitale. Le mobilier régional se compose principalement de pièces simples et rustiques, dont certaines sont spécifiquement provinciales, comme le vaisselier, le lit clos ou la panetière.
Les modèles régionaux peuvent être divisés en deux catégories. D'une part, les meubles traditionnels du trousseau de mariage, ornés de décorations typiques de la région : coffres, lits et certaines armoires. D'autre part, les meubles qui viendront compléter ces éléments de base : buffets, vaisseliers, bahuts, commodes, tables et sièges, dont le décor suit, parfois avec un décalage de quelques années, le style dominant de l'époque : Louis XV, Louis XVI, etc.
Ainsi, les portes des buffets bas seront à décor chantourné au XVIIIe s. et rectilignes sous l'Empire, alors que les coffres de mariage, aussi bien du XVIIIe s. que du XIXe s. porteront des décors de *rosaces,* de fleurs ou d'éléments géométriques. Il faut ajouter que certaines régions pratiquent sur les meubles tout à fait « campagnards » (buffets, armoires) des décorations en marqueterie à filets, qui soulignent les tiroirs ou les encadrements des portes.
Un certain nombre de types de meubles régionaux se retrouvent à travers le pays. Mais chaque province, presque chaque petite ville, invente son décor d'après des motifs traditionnels interprétés parfois avec habileté et finesse. Nous allons donc examiner les principaux types de meubles et les motifs qui les caractérisent suivant chaque région.

Le coffre est l'ancêtre de tous les meubles paysans, l'élément fondamental du mobilier populaire. Sa présence dans la ferme remonte au XVe s., et son usage s'est prolongé jusqu'à nos jours. Le coffre régional, qui sert à ranger les réserves alimentaires ou des ustensiles ménagers, est sédentaire, et c'est par là qu'il se distingue de son frère noble, le coffre de château, qui se déplaçait avec les seigneurs d'une province à l'autre.
Taillé par les huchiers dans les troncs d'arbres, le coffre paysan est, à l'origine, un meuble utilitaire, simple et massif. Mais, rapidement, sa façade s'agrémente de sculptures à motifs soit inspirés par le style dominant de l'époque, soit tout à fait locaux. En Provence, les coffres paysans sont garnis de cuir, de cuivre et de clous. Au Pays basque et dans le Béarn, ils sont d'une grande richesse de décor : motifs géométriques circulaires, rosaces composées ou compositions géométriques gravées à la gouge ou au couteau. Ces motifs les rapprochent des coffres bretons, eux aussi souvent décorés de *gâteaux,* moulures concentriques ou *fuseaux.* Les coffres bretons, en chêne, noyer ou if, se plaçaient le long du lit et servaient parfois de support à un berceau dont une face était décorée des mêmes sculptures feuillées à motifs concentriques.
Dans les régions des Alpes (Savoie, Dauphiné, etc.) les coffres en mélèze, bois plus tendre, comportent des reliefs très saillants, rouelles, rosaces à cinq branches, motifs géométriques réguliers que l'on retrouve encore sur les petits coffres à sel du siècle dernier.
En Normandie, la sculpture du coffre devient très figurative : fleurs, fruits, visages et même scènes mythologiques.
En Vendée, les coffres reposent souvent sur une base à pieds tournés.
Du coffre au pétrin, il n'y a pour ainsi dire qu'un pas, ou plutôt les quatre pieds qui rehaussent l'ensemble du meuble, appelé aussi huche à pain en Béarn, ou maie en Normandie et en Picardie. Les bois employés seront ceux de la région de sa fabrication : chêne, noyer, pin, bois fruitier. Lorsque la meunerie s'est mécanisée au XIXe s., le pétrin est devenu un meuble de rangement bientôt décoré, lui aussi, de sculptures dans le style propre à chaque région.
En Provence, le pétrin reçoit un complément naturel, la panetière ou réserve de pain, qui prend la forme d'une charmante cage à barreaux joliment tournés.

La commode est, elle aussi, une interprétation du coffre. En province, elle n'arrive guère avant le XVIIIe s., et même les plus rustiques seront construites à l'imitation des commodes parisiennes.
Néanmoins, si ces dernières sont marquetées et vernies, les commodes régionales, elles, sont en bois plein sculpté et ornées seulement de quelques bronzes très simples. Leur aspect général sera néanmoins tout à fait semblable aux commodes parisiennes : chantournées sous Louis XV, elles seront à pieds droits sous Louis XVI et continueront à suivre les modes de la capitale. N'étant en rien un meuble traditionnel, la commode ne

Ci-dessus : *La simplicité du décor géométrique de ce bahut auvergnat en châtaignier donne à ce meuble utilitaire et quelque peu encombrant un aspect classique d'une grande vigueur.*

Ci-dessous : *Ce qui frappe le plus dans cet intérieur paysan auvergnat, c'est la solidité robuste des meubles qui l'occupent : lit en alcôve et table de ferme.*

présente pas de décor typiquement provincial. Dans les régions voisines de Paris ou plus directement influencées par la capitale (Normandie, Lyonnais, Touraine, etc.), elle sera plus raffinée que dans d'autres provinces plus lointaines. En outre, des villes comme Bordeaux ou La Rochelle produiront de superbes commodes en acajou ou en bois précieux, puisque, dans ces ports, arrivaient les bateaux chargés de bois exotiques.

Les buffets-vaisseliers ou dressoirs varient beaucoup d'une région à l'autre.
En Lorraine ou en Franche-Comté, le buffet-vaisselier est conçu pour permettre d'exposer la faïence de la région, alors qu'ailleurs il est à panneaux pleins. En Bourgogne, pays des gros meubles, le buffet-vaisselier est un élément important du mobilier : certains ne comportent pas moins d'une horloge, six portes et deux rangées d'étagères à vaisselle. Dans l'ensemble, et quel que soit le nombre de portes, tiroirs ou étagères, la décoration des buffets et vaisseliers suit l'évolution des styles de la capitale : moulures chantournées au XVIIIe s., droites au début du XIXe s. Il s'y ajoute parfois quelques motifs locaux.

Les hommes-debout ou **bonnetières**, meubles de rangement de vêtements et de linge, sont moins importants déjà par leur taille. Il semble en effet que, dans la chambre, par exemple, on alignait les meubles l'un contre l'autre le long des murs à partir du lit en alcôve. S'il restait un vide, en général peu large, le menuisier fabriquait un bahut supplémentaire qui servait à tel ou tel usage suivant les régions. Les bonnetières n'existent que dans les régions où les femmes portaient la coiffe (en Bretagne, par exemple). On pense que l'« homme-debout », armoire haute à une seule porte, typiquement vendéenne, a été ainsi baptisé car les blancs pouvaient s'y cacher pendant l'insurrection contre-révolutionnaire.

L'armoire, longtemps considérée comme un luxe par les paysans, n'apparut à la ferme qu'à la fin du XVIIIe s. Elle conserve, en Bourgogne par exemple, un décor repris à des meubles plus simples tels que le bahut : motifs géométriques ou pointes de diamant. Les pieds sont souvent sphériques, demi-sphériques ou en forme de miche de pain. En Bretagne, nous retrouvons la géométrie populaire des coffres traditionnels à cercles concentriques et motifs finement sculptés, avec parfois des ferrures de cuivre ouvragées. L'armoire du Sud-Ouest s'inspire du décor espagnol avec rosaces et étoiles. Dans d'autres provinces, l'armoire porte l'empreinte du style Louis XV avec des courbes gracieuses et des motifs floraux.
Mais la Normandie est certainement le pays des armoires : ce sont de véritables monuments d'une grande beauté, souvent donnés en cadeau de mariage, d'où la richesse des sculptures à sujets floraux ou animaliers,

entrecoupées de courbes et contre-courbes inspirées du style rocaille.

Les lits régionaux ont une forme qui dépend entièrement des conditions climatiques de chaque province. Totalement ouverts dans le Midi ou munis d'un baldaquin « à la duchesse » dans le Sud-Ouest, ils deviennent de plus en plus fermés à mesure que l'on arrive dans des régions froides ou humides. A tel point que, dans le Marais poitevin, certains lits ont des pieds extrêmement hauts pour les préserver des inondations. Dans les pays froids, le lit se transforme en une véritable chambrette bien isolée par des volets ou des rideaux épais. Il s'y ajoute le matériel de couchage qui non seulement protège du froid, mais témoigne aussi de la fortune du paysan. Les matelas de laine superposés et les édredons rendent les lits campagnards si hauts qu'il faut souvent poser un coffre devant pour pouvoir monter se coucher.
On peut distinguer quelques types dominants : le lit ouvert, le lit à courtine ou à quenouilles, le lit alcôve, le lit mi-clos et le lit clos.
Les lits à quenouilles sont faits de montants de bois réunis par un baldaquin en cotonnade piquée. On les trouve dans le Poitou et la Saintonge. Les lits d'alcôve, ouverts d'un seul côté, sont utilisés en Champagne, dans le Massif central, les Alpes, le Dauphiné et la Franche-Comté. Les lits clos sont typiques de la Bretagne; on pouvait les fermer totalement par des volets. L'extérieur, souvent très décoré, comporte des sculptures ou des ornements en cuivre. Quant aux lits méridionaux, ils rappellent les lits espagnols ou italiens, à chevet découpé et orné de peintures figurant parfois des scènes religieuses.

Les berceaux ont à peu près partout les mêmes formes qui s'adaptent au lieu où l'on veut installer l'enfant : en forme d'auge pour être posés par terre ou sur les coffres près du lit, à balustres et pieds assez hauts en tant que petits lits indépendants.
Certains berceaux s'accrochaient entre les montants du lit principal, mais tous les modèles ont les pieds réunis par des patins pour qu'on puisse les balancer.

Les sièges essentiels à la campagne seront d'abord le banc, le coffre-banc, le tabouret et la chaise à siège en bois plein et dossier à montants de bois. Dans le nord de la France, les chaises paysannes ou escabelles ont les pieds évasés vers le bas et le dossier orné de sculptures parfois extrêmement fouillées. Plus tard, c'est le siège paillé, beaucoup plus confortable, qui est adopté presque partout. Les montants et traverses des dossiers s'inspirent un peu des courbes Louis XV ou restent droits, mais, dans l'ensemble, fauteuils et chaises paillées, commandés à la pièce au menuisier du village, varient de hauteur et de largeur suivant la taille du futur propriétaire et l'usage qu'il veut en

Lit à baldaquin. Bresse.

Buffet bas de style Louis XV. Val de Loire.

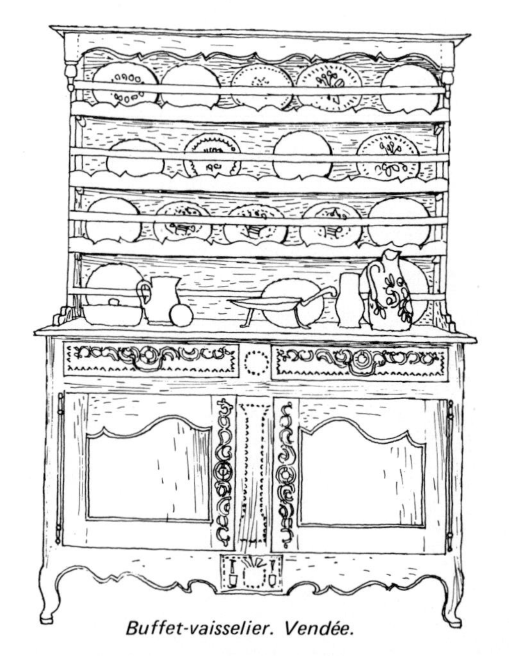

Buffet-vaisselier. Vendée.

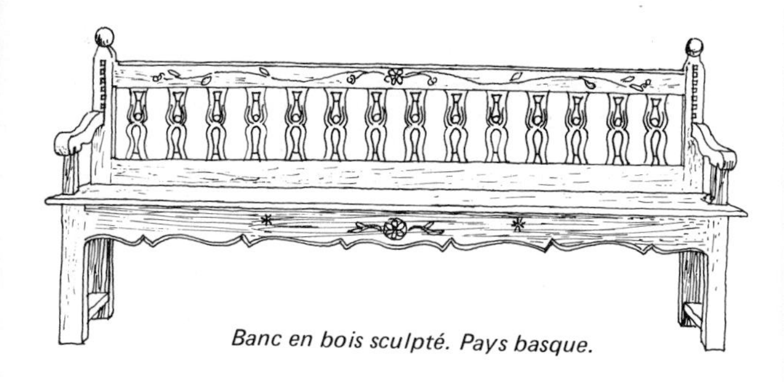

Banc en bois sculpté. Pays basque.

Détail d'un panneau d'armoire. Franche-Comté.

Armoire à vêtements dite « homme-debout ». Vendée.

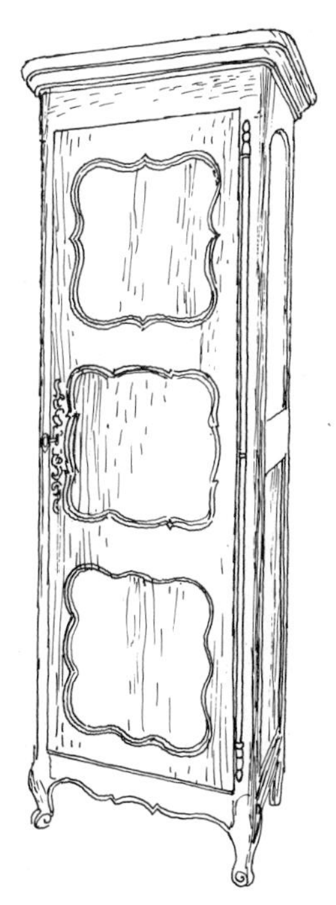

Armoire à double porte très décorée. Normandie.

Horloge comtoise. Normandie.

Armoire robuste à décoration simple. Flandre, Artois.

Lit clos du Morbihan. Bretagne.

Table de ferme aux pieds robustes. Bourgogne.

Meuble sculpté servant à conserver le pain dit « panetière ». Provence.

Huche à pain dite « maie ». Guyenne et Languedoc.

Armoire sculptée servant de garde-manger. Provence.

Chaise entièrement en bois : dossier et siège. Alsace.

Pétrin monté sur pieds élevés. Provence.

faire. Certains, à dossier très haut et siège très bas, se mettaient près du feu ; d'autres, plus équilibrés peut-être, prenaient place autour de la table.

La table de ferme, autre élément important du mobilier populaire, n'est pas toujours, comme on le croit, une table de salle à manger. Il est possible qu'au cours du XVIIIe s. on se soit réuni autour de la table où l'on posait les victuailles, mais les femmes, qui servaient les hommes, ne s'y asseyaient pas. D'ailleurs, les hommes eux-mêmes ne faisaient peut-être que s'y appuyer.
Le repas de famille cérémonieux semble n'avoir été pratiqué à la campagne qu'à partir du XIXe s. C'est ce qui explique que les tables rustiques, qui servaient le plus souvent de dressoirs, comportent des tiroirs ou de larges ceintures et ne sont pas toujours à la hauteur qui aurait normalement permis de s'asseoir autour. Il existe néanmoins aussi de très belles tables campagnardes faites d'un large plateau de bois d'un seul tenant.
En dehors du mobilier de base que nous venons d'évoquer, il existe toute une série de petits meubles d'appoint ainsi qu'évidemment des interprétations locales de meubles plus « parisiens » : petits bureaux, écritoires, tables de chevet, guéridons, bergères ou chaises. Ils ne se différencient de leurs modèles que par une facture plus rustique et, en général, par l'absence de marqueterie et de bronze doré.
Parmi les meubles d'appoint, citons les

horloges, dont les formes suivent l'évolution des styles de la capitale; l'*estagnié*, petit meuble à étagères qui, accroché au mur, servait à ranger les étains; les égouttoirs-vaisseliers; les confituriers ou petites armoires à ranger pots et confitures et, enfin, quelques meubles de métier tels que le banc très haut des dentellières ou les différents types de tables ou établis correspondant aux métiers artisanaux.

décors typiques des meubles régionaux

Décor exubérant

Bretagne. Fuseaux en rangées, en rosaces, gâteaux, pointes de diamant ou disques concentriques, clous de cuivre soulignant les motifs. Dessins sculptés au compas. Motifs celtiques et religieux.

Normandie. Motifs végétaux et floraux dominants : guirlandes de feuillages et de fleurs, corbeilles. Motifs symboliques du mariage : cœurs, colombes, nids, flèches. Vases, draperies.

Pays basque, Béarn, Guyenne. Motifs inspirés des styles arabes. Étoiles, rosaces, cercles concentriques. Éventails, hélices, fleurs de lis.

Provence. Rameaux d'olivier, fruits et fleurs, bouquets sauvages, paniers de fleurs, branchages, instruments de musique. Un peu de marqueterie.

Décor équilibré

Dauphiné, Savoie. Sculptures très fouillées sur les coffres : cercles, rosaces, pointes de diamant, motifs géométriques, animaux stylisés.

Auvergne. Étoiles rayonnantes, rosaces rustiques, rouelles, fleurs et feuilles, chevrons, coquilles.

Picardie-Artois. Losanges, motifs végétaux et floraux.

Lorraine. Étoiles, losanges, damiers en marqueterie. Bouquets stylisés, vases de fleurs, rinceaux, branchages sculptés.

Franche-Comté. Rosaces, marguerites, motifs végétaux, corbeilles, crosses, pointes de diamant.

Bourgogne. Symboles vinicoles : grappes, paniers de fruits. Fleurs et rosaces mélangées.

Bresse. Fleurs en rosace carrée à quatre pétales, bouquets.

Décor discret

Vendée, Saintonge, Poitou. Décors géométriques, croix de Saint-André, panneaux à moulurations chantournées, ensembles végétaux.

Pays de la Loire. Moulurations chantournées, quelques attributs de chasse.

Champagne, Ardennes. Feuilles de vigne, grappes de raisin, glands, chutes de fleurs.

Ile-de-France. Rosaces stylisées, fleurs.

Languedoc. Fleurs et feuillages.

Lyonnais. Palmettes, fleurs, moulurations chantournées.

Ci-dessus : *Le goût de la symétrie des styles classiques s'accorde avec l'aspect fonctionnel de cette apothicairerie du collège des Jésuites (musée Paul-Dupuy à Toulouse).*

Ci-dessous : *Ce buffet rustique Louis XV et cette table d'inspiration Louis XIII, dans une salle à manger champenoise, montrent l'influence des styles en province.*

le meuble américain

Parler aujourd'hui d'influence européenne en Amérique serait plutôt surprenant. Pourtant c'est bien l'Europe qui, pendant plusieurs siècles, influença, bien qu'avec un certain retard, le mobilier américain.

Les premiers colons anglais qui débarquèrent du *Mayflower* pour s'installer en Amérique n'apportaient avec eux que quelques chaises, malles, coffres et vêtements. Ils durent donc fabriquer eux-mêmes leurs meubles dans cet esprit de pionniers menant une vie rude. Ces meubles se rapprochaient davantage du gothique que des raffinements de l'Europe; les deux modèles les plus connus, les fauteuils Brewster et Carver, des noms de leurs créateurs arrivés par le *Mayflower*, en témoignent avec leurs fonds paillés et leurs traverses garnies de colonnes verticales.

Cette Amérique, peuplée d'abord essentiellement de colons anglais et hollandais, devait rester typiquement nordique et puritaine pendant environ un siècle. De cette époque datent le Kas, armoire aux portes peintes en trompe-l'œil, d'inspiration hollandaise, et une chaise à fond de bois plein et dossier sculpté avec des pieds s'écartant vers le sol, d'inspiration germanique.

Ce style qu'on peut en gros qualifier d'anglo-saxon s'imposa même aux vagues d'immigrants latins et d'Europe centrale, qui y virent le signe de leur intégration et de leur réussite dans leur nouveau pays.

Mais, avec l'essor économique et la prospérité sans cesse croissante, l'esprit d'austérité céda le pas à un goût du raffinement qui devait s'affirmer pendant tout le XVIIIe s. et se faire l'écho de ce qui se passait en Europe, mais avec un décalage important.

Les styles qui régnèrent en Angleterre pendant tout ce siècle, successivement le Queen Anne, le palladien, le Chippendale ou rococo, le néo-classique — avec Adam, Hepplewhite, Sheraton — et, plus tard, le Regency, arrivèrent en Amérique avec parfois vingt ou trente ans de retard.

Le Queen Anne, par exemple, qui, en Grande-Bretagne, s'éteignit vers 1715, fleurit aux États-Unis jusque vers 1750. De ce style sont dérivés des modèles que nous connaissons bien, tels que les sièges Windsor, à pieds tournés s'écartant vers le sol, et au dossier formé d'une série de colonnettes verticales. Ces modèles, qui apparurent à Philadelphie vers 1720 et que l'on continua de fabriquer jusqu'au XIXe s., donneront naissance à l'un des sièges les plus typiques des États-Unis : le rocking-chair ou fauteuil à bascule.

Mais, si les ébénistes américains s'inspiraient des styles anglais, il n'en reste pas moins qu'ils réussirent parfois à produire des meubles d'une qualité supérieure aux modèles britanniques. C'est ainsi que nous devons au Queen Anne des meubles américains d'une qualité étonnante. Ainsi des *tall boys* ou commodes-chiffonniers, à nombreux tiroirs et pieds très élevés, coiffées d'un fronton.

Le bois et la brique apparente ornent les murs de cette cuisine américaine du XVIIIe s., dont les meubles en bois de pin témoignent de l'adresse des artisans de la Pennsylvanie. On remarquera une table dite « hutch-table », dont le plateau se relève complètement.

De très courte durée en Angleterre, le style palladien, qui succède au Queen Anne, influence surtout l'architecture américaine, et nombreux sont les exemples de grandes demeures seigneuriales du Sud comportant des façades à colonnes surmontées d'un fronton : interprétation non sans charme d'un classicisme habilement adapté.
Le Chippendale, qui arrive en Amérique vers 1760, prend une importance considérable. La forme de base, avec sa note rococo, reste la même en Amérique qu'en Europe, mais les artisans américains la modifient suivant leur propre inspiration. Les commodes Chippendale américaines, par exemple, sont ornées de coquilles sculptées, motif typiquement américain qu'on commença à employer dès le Queen Anne.
A partir de 1790 et faisant suite à la proclamation de l'indépendance des États-Unis d'Amérique, on voit s'affirmer le style fédéral, résultat d'influences combinées des styles néo-classiques français et anglais. C'est en effet un mélange de ce que font Hepplewhite et Sheraton en Angleterre, et du style Empire en France. L'ébéniste Duncan Phyfe (1768-1854) est le grand maître de cette époque. Écossais installé à New York, il fabrique du mobilier avec des techniques industrielles et emploie près de cent ouvriers. Ces meubles, en acajou, étaient ornés de motifs Regency ou Empire : aigles, feuilles d'acanthe, lyres, etc. Mais l'interprétation de Phyfe est si personnelle que l'on peut vraiment le citer comme créateur d'un style original. D'autres ébénistes, dont Michel Allison et le Français Lannuier, prendront sa succession, ce dernier en ajoutant sur les meubles des bronzes d'inspiration française.
Au cours du XIXe s., on trouve en Amérique plusieurs tendances simultanées : anglaise, française et enfin purement locale. A cette dernière appartiennent, par exemple, les sièges très élégants à fond paillé et dossier décoré, conçus par Hitchcock, produits à la chaîne et vendus partout au début du siècle. Citons aussi le mobilier réalisé par une secte religieuse de la Nouvelle-Angleterre, les shakers, mobilier entièrement fait à la main et d'une sobriété totale. Parmi les styles d'origine européenne qui jouèrent un rôle important au XIXe s. figure en bonne place le Regency avec ses bras en S et ses chaises gondole qu'une firme new-yorkaise fabrique en grande quantité.
Puis viennent les modes romantiques et néogothiques, avec des sièges à dossiers découpés en ogives, le néo-élisabéthain qui, en Amérique comme en Angleterre, devient un style lourd, encombrant et pompeux, tenant à la fois du Renaissance et du rustique. Le rococo français et le Louis XVI, repris en France au XIXe s., traversent l'Atlantique et connaissent un succès important, bien que les ébénistes américains les interprètent avec plus de lourdeur.
En fait, le XIXe s. américain emprunte à d'autres styles, tout comme l'a fait l'Europe, pour arriver finalement à la véritable « copie d'ancien ».
L'influence européenne fut surtout sensible dans les villes, mais, dès le XVIIIe s., s'affirme à travers le pays un style « colonial américain », qui a pour caractéristique principale l'utilisation du bois dans la construction des maisons. De nos jours, dès que l'on s'éloigne de New York ou des autres grandes villes, on passe par des villages qui

Cette pièce évoque irrésistiblement la vie des premiers colons sur le sol américain avec sa grande cheminée où se blottissaient parents et enfants, son four à pain encore intact, ses meubles robustes en bois ciré et la vaisselle en étain tout à fait complète.

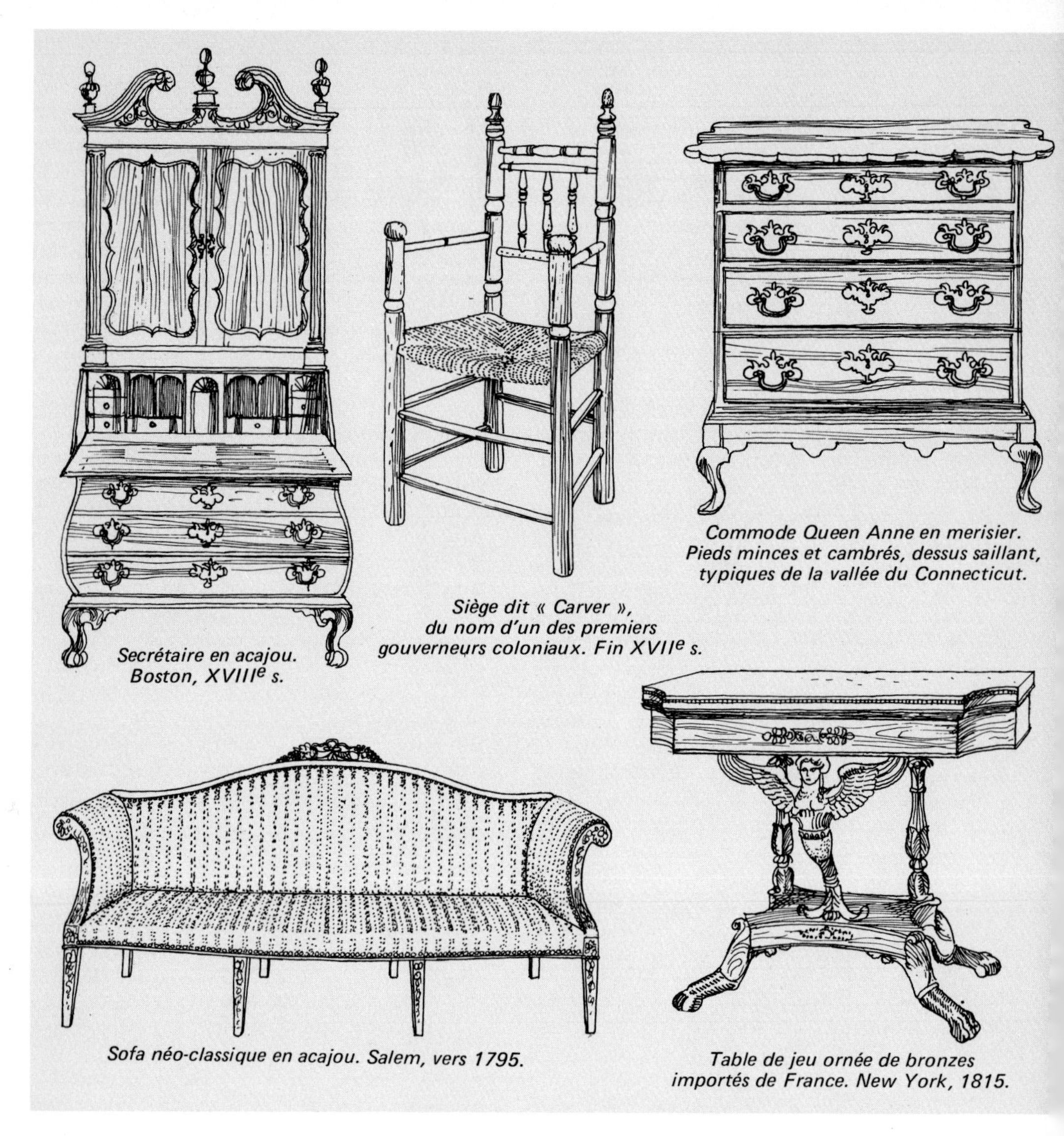

Secrétaire en acajou. Boston, XVIIIe s.

Siège dit « Carver », du nom d'un des premiers gouverneurs coloniaux. Fin XVIIe s.

Commode Queen Anne en merisier. Pieds minces et cambrés, dessus saillant, typiques de la vallée du Connecticut.

Sofa néo-classique en acajou. Salem, vers 1795.

Table de jeu ornée de bronzes importés de France. New York, 1815.

sont encore presque entièrement composés de maisons en bois. Les unes sont d'époque, les autres ont été construites plus tard, mais dans le même style. Cette tradition se poursuit toujours, et il existe actuellement aux États-Unis des entreprises qui livrent sur catalogue des maisons en bois démontables que l'on édifie sur place en quelques jours. L'intérieur de ces maisons de bois a été meublé d'une façon très caractéristique dans le style d'inspiration anglaise provinciale. Les sièges, tables, panetières ou buffets en bois naturel clair ne sont pas sans rappeler ceux de certaines provinces françaises (meubles en mélèze de Savoie), autrichiennes ou suisses, ou certains meubles écossais rustiques.

C'est en somme une résultante des tendances campagnardes de quelques pays européens. Le mobilier américain porte donc très tôt la marque d'une double tendance : elle sera anglo-saxonne en ville, alors que, dans les fermes du Middle West ou du Far West, les colons infléchissent l'influence anglaise pour y introduire des caractéristiques de leur pays d'origine.

On peut donc dire avec raison qu'il n'existe pas de style américain à proprement parler. Et ce qu'on appelle « Early American » n'a pas eu, en réalité, d'existence historique. Il correspond à la recherche, par les Américains, d'une tradition nationale, et au goût suscité dans le public pour l'ambiance américaine d'avant la guerre de Sécession, telle du moins qu'elle était reconstituée dans un film à grand succès *Autant en emporte le vent*.

Un très fort engouement pour les meubles américains du XVIIIe s., qui furent alors imités à grande échelle, avait déjà été provoqué par une exposition qui s'était tenue à Philadelphie en 1876.

Mais, parallèlement, le courant qui allait faire de l'Amérique un des grands du design actuel était déjà amorcé. En 1840, Michel Thouet, Autrichien émigré, réussit à fabriquer du mobilier en bois moulé, tandis que d'autres artisans s'ingéniaient à créer des meubles en métal ou à ressorts. Le goût des matériaux modernes et de la recherche de formes neuves, le développement de techniques nouvelles et le souci de les exploiter, d'une part, le flux incessant

Chaise en acajou, style Chippendale. Massachusetts, fin du XVIIIe s.

Chaise en papier mâché peinte en noir et ornée de nacre. Exécutée en Angleterre vers 1850.

Secrétaire Salem, placage acajou, fin du XVIIIe s.

Table de Duncan Phyfe. 1800.

Fauteuil à bascule au bâti métallique peint façon écaille. New Jersey, vers 1860.

Table à ouvrage en peuplier peint. New York, 1850.

d'artistes européens qui viendront en Amérique où l'on accueille mieux qu'ailleurs leur talent et leur imagination créatrice, d'autre part, feront rapidement de ce pays un des hauts lieux de la création d'un mobilier conçu pour l'homme d'aujourd'hui, c'est-à-dire adapté aux exigences et aux agréments de la vie contemporaine.

Tous les meubles de cette chambre à coucher sont en bois d'érable. Les bandes froncées qui ornent le tour du lit et le baldaquin ont été tissées à la main.

l'exotisme et ses traditions

Dans l'histoire des arts décoratifs, l'exotisme désigne, au sens strict, toutes formes apportées de l'extérieur, toute création étrangère au pays considéré. En fait, on appelle « exotiques » les meubles et objets venus de lointaines civilisations et, plus précisément, d'un autre continent.

Le goût de l'exotisme a toujours été très vif en Europe. Animés d'une grande curiosité pour tous objets ou œuvres d'art en provenance d'Afrique, d'Orient, d'Extrême-Orient ou des Amériques, les Occidentaux ont volontiers adopté les décors les plus divers rapportés d'expéditions pacifiques ou guerrières.

Ces « curiosités », exposées dans les demeures, furent ainsi connues des artistes et d'autres amateurs d'exotisme, puis souvent adaptées au pays et intégrées dans les arts nationaux. C'est ainsi que la civilisation carolingienne, qui régénère la Gaule décadente, emprunte à Byzance son orfèvrerie cloisonnée, ses mosaïques, ses ivoires sculptés. Sur les chapiteaux romans, les chevrons, entrelacs et autres motifs géométriques sont directement inspirés des « arabesques » héritées de l'invasion musulmane; et ces mêmes motifs, très simples, seront de nouveau repris par l'imagination populaire pour orner, quelques siècles plus tard, des devants de coffres ou d'autres meubles communs, constituant la base du répertoire décoratif de nombreuses provinces françaises.

Le salon turc, dans la maison de Pierre Loti, à Rochefort. Il fut exécuté sous la direction de l'écrivain, qui a reconstitué ainsi, mais sans doute avec plus de luxe, la chambre dans laquelle il avait vécu à Istanbul.

L'influence musulmane, à elle seule, a déjà été si grande à cette époque que certains historiens d'art vont jusqu'à soutenir que les minarets ont donné naissance aux clochers des églises européennes et que les tours des cathédrales gothiques sont, en quelque sorte, des doubles minarets qui élèvent vers le ciel leurs audacieuses architectures.

L'influence des arts islamiques, considérablement plus avancés et raffinés à ce moment de l'histoire, se manifeste également en Europe dans l'ornementation des vêtements et dans les enluminures des manuscrits.

N'oublions pas que c'est des Arabes que nous tenons les chiffres que nous employons encore aujourd'hui.

Plus tard, sur la route de Jérusalem, les croisés redécouvrent les splendeurs de l'Orient avec ses mosaïques et ses icônes, ses ors ciselés et ses cuirs repoussés, ses tentures, tapis et tissus magnifiques, ses lanternes féeriques, ses coffres et ses bancs finement sculptés. Ce sont des objets faciles à transporter qui circuleront désormais d'un pays à l'autre : bijoux, ivoires, étoffes, échiquiers, meubles légers, tablettes à écrire ou nécessaires de toilette orientaux seront rapportés par les croisés et admirés par les seigneurs féodaux.

Au XVIe s., la Renaissance italienne se passionnera pour l'Antiquité, et cet « exotisme du passé » va bientôt renouveler complètement l'ornementation du mobilier européen. On voit fleurir, dans les bois des cabinets, des buffets et des armoires à deux corps, les motifs architecturaux de l'Antiquité gréco-romaine, qui peuvent paraître de nos jours très peu fantaisistes, mais qui, à l'époque, étonnaient par leur exotisme : rinceaux, feuilles d'acanthe, personnages mythologiques, sphinx ailés, colonnes, pilastres ou médaillons ornés de portraits; autant de sujets extrêmement décoratifs que le besoin de dépouillement des siècles de culture chrétienne avait réussi à effacer.

François Ier fait venir des artistes italiens pour décorer le château de Fontainebleau, où les stucs et les fresques qui se détachent sur les murs et les plafonds, empruntant leurs thèmes à cette nouvelle tendance, imitent les camées antiques et l'architecture

Masque servant de reliquaire. Kota-Congo.

Vase « art nouveau » de Brocard, au décor exotique.

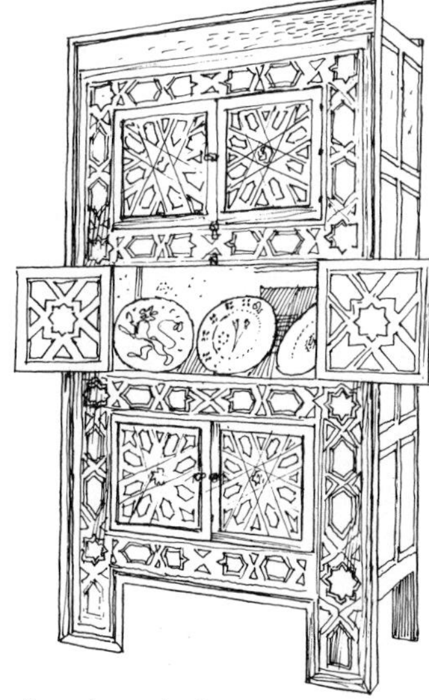

Armoire sculptée de style mauresque. Couvent de Sainte Ursule, Tolède.

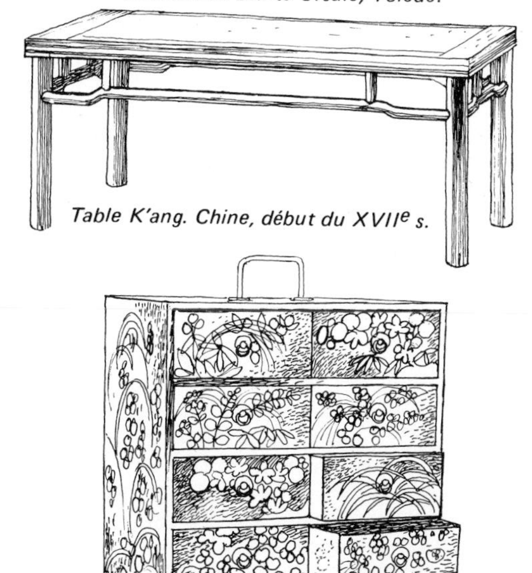

Table K'ang. Chine, début du XVIIe s.

Meuble à tiroirs en bois laqué décoré. Japon, fin du XVIe s.

de la civilisation de la Rome impériale. De nombreux artistes venus de France, des Flandres ou des pays germaniques font le voyage en Italie pour renouveler leur inspiration. Ce n'est pas l'Italie du Moyen Age qu'ils vont chercher, mais, bien au-delà et à travers elle, le contact avec des civilisations disparues.

Un graveur allemand, Peter Flötner, publie un recueil de gravures sur bois destinées à servir de modèles à ses compatriotes qui n'ont pu s'initier, de l'autre côté des Alpes, aux nouvelles formes apportées par la Renaissance.

En Espagne, l'influence italienne se manifeste dans le travail du fer : c'est ainsi que la clôture du chœur de la cathédrale de Séville est ornée de colonnes corinthiennes et qu'à Tolède la peinture de la chapelle de la cathédrale comporte des « grotesques » et des scènes d'inspiration antique.

Au XVIIe s., le style baroque prend ses distances avec l'Antiquité en éliminant la ligne droite et en limitant l'ornementation des meubles à quelques motifs pompeux et triomphants. L'influence de l'exotisme oriental n'est pas pour autant éteinte et se remarque de manière indirecte dans des caractéristiques du style Louis XIV.

André Charles Boulle substitue au décor en relief hérité de la Renaissance les marqueteries incrustées d'ivoire, de cuivre, d'étain, d'écaille, où les fines arabesques sont comme une résurgence de motifs d'origine islamique. Les artistes tels que Charles Le Brun ou Jean Berain puisent également leur inspiration chez les ornemanistes orientaux, et des réceptions offertes à Versailles en l'honneur des ambassadeurs de Constantinople, d'Alger ou de Bagdad donnent naissance à toutes sortes de « turqueries » qui mettront les étoffes et les tapis persans à la mode dans l'ameublement. La Fontaine évoque, dans une fable célèbre, l'idée de luxe attachée aux tapis d'Orient : « Sur un tapis de Turquie, le couvert se trouva mis... »

Cet engouement, d'ailleurs, fait naître de nouvelles formes de siège : l'ottomane à dossier en gondole, la sultane à deux dossiers et le sofa, petit divan à matelas mobile. Sous l'impulsion de Colbert, les échanges commerciaux se multiplient entre l'Europe et l'Asie grâce à la Compagnie des Indes. Les décors « à la chinoise » vont bientôt se retrouver sur les faïences de Delft, de Rouen, de Moustiers et de Marseille.

De l'Espagne aux Flandres et même plus au Nord, des fresques colorées animeront les murs des salons de personnages à chapeaux pointus et à ombrelles, dans des décors de pagodes et de paysages orientalisés.

Les meubles laqués que les voyageurs découvrent en Orient sont une révélation pour la société du XVIIIe s., avide de raffinement et d'éclat. Ils donneront naissance à un courant d'échanges artisanaux extraordinairement actif. Pour répondre à cette mode, les ébénistes du faubourg Saint-Antoine enverront en effet de nombreux meubles, par bateau, en Orient (notamment des commodes qui allèrent jusqu'à Canton), où les artisans chinois leur apposaient des couches de laque et souvent même des décors en incrustations de nacre.

Toujours pour tenir tête à cette concurrence, les frères Martin réussissent enfin, à quelque temps de là, à imiter les laques de Chine grâce à un vernis de leur composition. Mais jusqu'à la fin du XVIIIe s., les compagnies de navigation continueront à importer de Chine des paravents, des tables basses, des tentures et des papiers de riz.

Un recueil de gravures d'Aveline, *Formes ornées de figures, oiseaux et dragons chinois*, contribue à répandre le goût de l'exotisme. Le célèbre marchand Gersaint présente son magasin à l'enseigne *A la pagode*, et, au

construire le château de Belœil dans le Hainaut, le prince de Ligne conseille à ses architectes : « Pas trop de chinois, cela devient trop commun. » Cette réaction s'exprime en France par un retour à l'« exotisme » antique. Dans sa correspondance, Diderot note ce nouvel engouement : « La décoration extérieure et intérieure des bâtiments, les meubles, les étoffes, les bijoux, tout est à Paris à la grecque » (1763). Ce sera le néo-classique, qui s'étend à toute l'Europe et se prolonge jusqu'à l'Empire aux lignes sévères.

L'expédition de Napoléon en Égypte se traduira, dans la décoration, par l'apport d'un nouvel exotisme : lotus, palmettes, sphinx, griffons et cols de cygne introduisent la mythologie des pharaons.

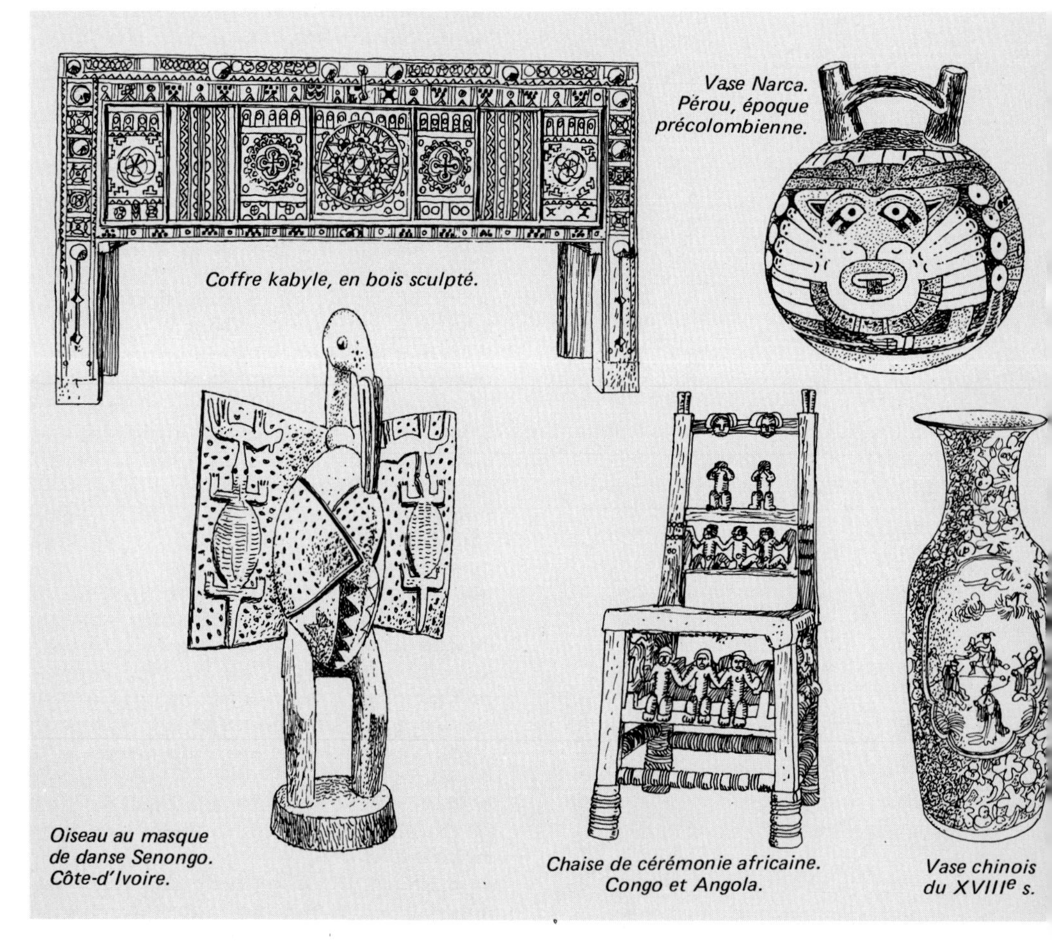

Vase Narca. Pérou, époque précolombienne.

Coffre kabyle, en bois sculpté.

Oiseau au masque de danse Senongo. Côte-d'Ivoire.

Chaise de cérémonie africaine. Congo et Angola.

Vase chinois du XVIIIe s.

théâtre des Italiens, une comédie en trois actes se termine par un ballet chinois où l'on chante : « On a beau changer de vernis à Londres, à Venise, à Paris, tout est pagode de la Chine. » Watteau et Boucher introduisent dans leurs tableaux toutes sortes de sujets chinois et de nombreux châteaux français et flamands, tels que Chantilly, Champs, Bellevue, Hex et Attre, sont décorés à la chinoise tout comme les jardins ornés de labyrinthes, volières et pagodes.

Cependant, à la fin du règne de Louis XV, on se lasse de cet exotisme asiatique qui aura duré près d'un demi-siècle. Lorsqu'il faut

Mais, bientôt, le XIXe s. allait faire beaucoup plus, car les nombreuses expositions coloniales et l'accroissement des échanges commerciaux allaient proposer de multiples thèmes aux amateurs d'exotisme.

La conquête de l'Algérie fait découvrir les créations artisanales du Maghreb : sièges sculptés de fines arabesques et incrustés de nacre, plateaux et aiguières en cuivre, bracelets et broches en argent, tapis et tentures aux couleurs éclatantes. La peinture française de cette époque reflète bien l'attrait qu'exerce, sur l'imagination artistique, ce que nous appellerions aujourd'hui

des décors de bazar. Ingres et Delacroix et de nombreux peintres orientalistes se plaisent à nous montrer des bains turcs, des odalisques et des femmes voilées enfouies dans de profonds divans et entourées de tous les objets : poufs en cuir, tentures et meubles qui allaient bientôt envahir les intérieurs bourgeois déjà bien encombrés du XIXe s.
Les expéditions en Indochine, qui se succéderont sous le Second Empire et la IIIe République, mettront à la mode les meubles en bambou, les statues khmères, les soieries cambodgiennes, qui apportent une note exotique de plus aux salons Napoléon III.
Cet orientalisme trouvera une nouvelle source dans les rapports commerciaux avec le Japon, pays que l'Europe découvre avec stupéfaction. Le Japon, qui était resté replié

Paravent chinois.

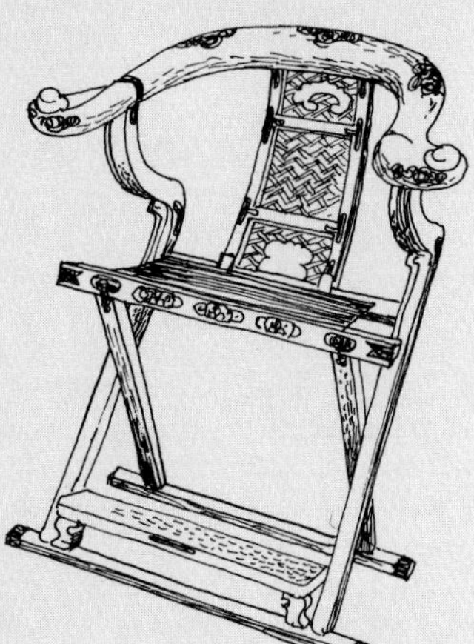

Fauteuil pliant chinois.

sur lui-même pendant trois cents ans, avait une culture très originale qui devait influencer profondément l'art occidental.
Le Japon envoie ses laques, ses porcelaines, ses estampes, ses émaux et ses ivoires aux expositions de Londres (1862) et de Paris (1867). Jusqu'à la fin du siècle, les pionniers de l'art nouveau comme Gallé, Gaillard, Rousseau, Feuillatte et Lachenal iront chercher dans le décor japonais le graphisme précis et raffiné de nombreux motifs naturalistes. Les meubles, les tapis, les affiches et l'orfèvrerie modern style sont fortement marqués d'influence japonaise, et certaines céramiques de cette époque — gourdes, petits vases — en terre cuite et vernie ressemblent à s'y méprendre à des modèles japonais.
Parallèlement, la pénétration, à partir de 1880, du continent africain encore inexploré révèle l'originalité puissante des statuettes Baoulé, des objets en or du Ghàna, des antilopes stylisées de la civilisation Dagon, des oiseaux sacrés Senongo, des masques Bakota ou des bronzes du Benin : autant d'œuvres diverses que l'on désigne généralement sous le nom d'art nègre.
Toutes ces créations, d'une force expressive incomparable, connaîtront un regain d'intérêt lorsque les surréalistes et des artistes comme Derain, Braque et Picasso collectionneront les objets nègres et y puiseront leur inspiration pendant une période dénommée d'ailleurs « période nègre ». Plus encore, la découverte de l'art nègre pousse les ethnologues, les explorateurs et les artistes d'avant-garde à s'intéresser à l'art de toutes les peuplades dites « primitives », et les amateurs se disputent les objets incas, aztèques, précolombiens, les masques esquimaux ou les statuettes, armes et bois sculptés polynésiens.
Plus près de nous, l'intérêt que nous portons aux civilisations disparues ou à celles dites sauvages, les fouilles archéologiques de la Crète et de l'Asie Mineure, l'exhumation de civilisations précolombiennes et polynésiennes procurent aux amateurs d'exotisme des émotions esthétiques encore inédites en attendant que la conquête de l'espace donne naissance à de nouvelles formes fonctionnelles.
Car il ne faut pas croire que le rôle de l'objet exotique, même quand il s'agit de pièces rares, se limite au plaisir esthétique qu'il procure à tel ou tel amateur. Il n'y a pas d'exemple de découverte ou de nouveauté en matière artistique qui ne soit pas suivie d'une répercussion dans les arts mineurs, la décoration, les tissus ou les motifs décoratifs.
Si l'art nègre se remarque d'abord dans la peinture, on le retrouve plus tard dans les tissus imprimés pour l'ameublement ou dans la recherche d'ambiance de tel salon, tel magasin, tel restaurant. Et quand, de nos jours, la jeunesse hippie se tourne vers l'Inde en quête d'une nouvelle sagesse, aussitôt, non seulement les vêtements ou foulards de soie indiens deviennent à la mode, mais les décorateurs nous proposent des cotonnades indiennes pour tendre les murs et des coloris orientaux pour créer un « climat » exotique.
L'exotisme est donc une constante dans l'histoire des arts décoratifs. On dirait que l'Europe rêve inlassablement d'échapper à son architecture rationnelle et à ses beaux meubles imposants en introduisant, à tout moment, cette note d'humour et de fantaisie que lui apporte l'art des pays lointains.
Toutes ces formes originales ne luttent pas avec les styles classiques, mais les enrichissent d'un sang nouveau. Le goût de l'exotisme, ou plutôt des exotismes, fait partie des traditions de l'Occident.

les meubles estampillés et les ébénistes au XVIIIe siècle

l'estampille

Les meubles estampillés sont généralement considérés comme les pièces anciennes qui offrent le plus de garantie. L'estampille est la marque en creux portée sur une partie du meuble par les maîtres ébénistes.
L'exercice du métier de menuisier-ébéniste était enfermé dans les règles étroites et précises imposées par cette corporation professionnelle. Après son apprentissage chez un maître, le jeune artisan devenait compagnon et devait parfois attendre plus de vingt ans pour obtenir le titre de maître. Dès lors, il avait le droit de se faire confectionner un fer à son nom ou, plus rarement, à ses initiales.
C'est la marque de ce poinçon vigoureusement appliqué sur le bois qui laissait la trace des lettres distinctives.
Ce fer pouvait avoir différentes formes graphiques, mais, dans la plupart des cas, les lettres étaient dessinées en capitales romaines d'une hauteur de 6 à 8 mm.
Où trouve-t-on l'estampille ? En général sur une partie du meuble, solide mais peu apparente. Sur une commode par exemple, l'estampille est frappée sur le haut d'un montant, sur une traverse de côté ou sur un pied arrière. Elle peut l'être également sur le haut de la ceinture, dans la partie horizontale, mais cachée sous le marbre. Pour les sièges, l'estampille est placée soit sur la traverse arrière, soit sur le plat de la ceinture.
L'obligation d'estampiller les meubles a été imposée par la jurande des maîtres ébénistes à partir de 1743. Cette date est à retenir, car si l'on vous parle de meubles estampillés Régence ou Louis XIV, il ne peut s'agir que d'une imposture. Ce qui ne veut pas dire que tous les meubles aient été systématiquement estampillés par les grands ébénistes du XVIIIe s. Souvent, les artisans évitaient d'apposer leur estampille pour échapper aux contrôles fiscaux, à Paris comme en province. De plus, lorsqu'ils fabriquaient une série de six ou huit sièges par exemple, un seul d'entre eux portait l'estampille.
Il ne faut donc pas accorder une confiance aveugle à l'estampille. Dans certains cas, elle n'indique « qu'un ébéniste revendeur ou réparateur de meubles et non pas fabricant lui-même », comme le souligne Pierre Varlet, dont les études sur la question font autorité. D'autre part, ébénistes et marchands cherchaient souvent à placer chez leurs clients une marchandise de bonne qualité, mais ne portant pas leur signature, toujours pour éviter des taxes. Enfin, les plus grands ébénistes, lorsqu'ils étaient arrivés au sommet de leur carrière, se contentaient de mettre leur marque sur des meubles fabriqués par leurs ateliers.
Ainsi on peut trouver l'estampille d'un grand maître comme Georges Jacob sur des meubles de qualité courante. A l'inverse, des meubles de tout premier ordre peuvent ne pas porter d'estampille. Quoi qu'il en soit, l'estampille conserve un prestige tel que les meubles estampillés ont aujourd'hui une cote plus élevée et plus stable que les meubles de même qualité non estampillés.

les ébénistes

Tout au long du XVIIIe s., les menuisiers et ébénistes français ont produit une si grande quantité de meubles, et de si bonne qualité, qu'il est intéressant de connaître plus à fond l'histoire de ces corporations.
Les ateliers parisiens du faubourg Saint-Antoine ont été jusqu'à la Révolution, puis à nouveau sous le Directoire et l'Empire, d'une extraordinaire fécondité. Plus de deux cents maîtres ébénistes ont été identifiés, qui, avec leurs ateliers de dix à vingt apprentis et compagnons, formaient de véritables dynasties où les gestes et les secrets du métier se transmettaient avec une respectueuse fidélité.
A l'époque, il existait une différence entre les menuisiers et les ébénistes. Les premiers assemblaient le bâti qui donnait au meuble sa structure, les seconds ajoutaient les placages d'ébène ou d'autres bois et composaient les marqueteries. Cependant, des menuisiers ont également le mérite d'avoir créé un très grand nombre de modèles de sièges qui ont donné à cette corporation, admirée dans l'Europe entière, un immense prestige.
Parmi les ébénistes de talent, Jacques Dubois, né en 1695, reçu maître en 1742, est connu pour de nombreux chefs-d'œuvre tels que l'encoignure à étagères garnie de bronzes ciselés qui figure au cabinet Rothschild du musée des Arts décoratifs de Vienne. Malheureusement, la plupart de ses meubles, qui furent dispersés après la Révolution, se trouvent à l'étranger ou dans des collections privées. Son fils, René, conserva l'estampille paternelle, de telle sorte que l'on trouve la marque J. Dubois, aussi bien sur des meubles Louis XV que Louis XVI.
Les frères Criaerdt, d'origine flamande, ont

JOUBERT IDUBOIS I·LEBAS
IAVISSE N·P·FOLIOT
P·GARNIER F·FOLIOT
DELORME P. BERNARD · B·SENE
EBENISTE
R·LACROIX J·F·LELEU
R·V·L·C M·CARLIN F·J·PAPST
E·LEVASSEUR TILLIARD
J·H·RIESENER FALCONET
PERE·GOURDIN J·F·OEBEN
M CRIAERD
P·PLUVINET A·WEISWEILER
PH·POIRIE C·C·SAUNIER
GAVTIER L·CRESSON

Quelques exemples d'estampilles, que l'on trouve généralement apposées sur une partie cachée des meubles.

signé de nombreuses commodes et encoignures. Matthieu Criaerdt, le cadet, reçu maître en 1738, fut un des premiers à transposer, dans les formes et le décor du meuble, les exubérances de la rocaille. Son fils, Antoine Matthieu, reçu maître en 1747, exerça jusqu'en 1787.

Une estampille est restée longtemps une énigme : les initiales B. V. R. B. qui désignaient, on le sait depuis peu, Bernard Van Riesen Burgh. Sous cette marque, trois frères d'origine flamande ont travaillé à Paris entre 1722 et 1766. Ils ont créé de nombreux petits meubles précieux aux courbes très accusées et parfois revêtus de laque de Chine ou du Japon. Les meubles estampillés B. V. R. B. se caractérisent également par une marqueterie raffinée en bois de rose, dont les sujets étaient souvent influencés par les chinoiseries à la mode.

Pierre Migeon s'est surtout rendu célèbre par le bureau plat dit « de Vergennes » (du nom du ministre des Affaires étrangères de Louis XVI), que l'on peut encore voir au Louvre. Auteur de commodes superbes conservées au musée des Arts décoratifs à Paris, il fut également ébéniste de Mme de Pompadour, ce qui lui valut de nombreuses commandes. Son atelier devint à l'époque une véritable entreprise et il fit appel, pour le seconder, aux ébénistes parisiens les plus doués.

Également d'origine flamande, Roger Van der Cruse, qui francisa son nom en de la Croix, signait des initiales R. V. L. C. Le mariage de ses trois sœurs lui permit d'entrer en relation avec les plus célèbres familles d'ébénistes. En effet, deux d'entre elles épousent les frères Jean François et Simon Œben, et la troisième, Simon Guillaume, ébéniste lui aussi. Par la suite, l'aînée se maria en secondes noces avec le célèbre Riesener, un des ébénistes les plus prisés des amateurs actuels.

Ayant commencé sa carrière comme apprenti chez Jean François Œben, Riesener prend la direction de cet important atelier lorsque, à la mort du maître, il épouse sa veuve.

Ces « familles » d'ébénistes ont été d'une importance capitale pour l'essor du meuble français. « On naissait dans une profession artisanale que l'on était amené à pratiquer du plus jeune âge jusqu'à la mort. Nulle école professionnelle n'a jamais pu remplacer semblable initiation », nous raconte Philippe Huisman, qui compare les dynasties d'ébénistes aux dynasties nobles et royales. Il faut dire un mot à part sur Jean François Œben, créateur incomparable. Premier de sa lignée, il apprend son métier chez un fils d'André Charles Boulle; il devient fournisseur de la marquise de Pompadour, ainsi qu'ébéniste attitré des Gobelins. On lui doit l'invention du premier bureau à cylindre, un des chefs-d'œuvre du mobilier du XVIIIe s., qu'il mit au point en 1769 pour le cabinet de travail de Louis XV, avec la collaboration de Riesener. Ce bureau, après être resté au Louvre pendant longtemps, se trouve aujourd'hui à Versailles, à sa place d'origine.

Cressent, comme Œben, se spécialise, entre autres, en meubles à mécanisme compliqué tels que des bureaux comportant à la fois tiroirs, pupitre ou abattants, mais on lui doit aussi de très belles commodes ainsi qu'un remarquable bureau commandé par le roi de Pologne Stanislas et qui fait partie aujourd'hui de la Collection Wallace à Londres.

Pour bien saisir la beauté et la perfection de certains de ces meubles, il faut rappeler que les ébénistes travaillaient en collaboration étroite avec des dessinateurs ou ornemanistes, des bronziers, des tapissiers, des doreurs et des menuisiers qui, outre le montage du bâti, sculptaient le bois. L'étonnant meuble à bijoux commandé par Louis XV pour Marie-Antoinette, sorte de grand cabinet à trois vantaux, sur pieds cannelés réunis par une étagère en bois sculpté, ornée d'un aigle, a été dessiné par J.F. Bellanger. Évalde, l'ébéniste qui le fabriquera, s'adressera à Gouthière, le bronzier le plus célèbre du XVIIIe s., pour les ornements en bronze doré que celui-ci exécute, en partie, d'après des sculptures de Houdon.

Il est impossible de citer en détail tous les ébénistes du siècle des lumières. Pour l'époque Louis XV, outre ceux que nous avons signalés, il faut encore connaître : Christophe Wolff, qui emploie souvent des touches d'ivoire dans la marqueterie, P. Bernard, P. Garnier, C. Topino, dont les petites tables sont très justement appréciées, Carlin, Saunier et Adrien Delorme, d'une famille d'ébénistes réputés et qui passe pour être un des plus grands spécialistes de marqueterie.

Comme nous l'avons dit, les meubles sans placage étaient réservés aux menuisiers qui avaient la spécialité des sièges, des lits, des tables et des armoires. La distinction entre menuisiers et ébénistes ne sera abolie qu'à la Révolution, et l'on voit alors des menuisiers comme la famille Jacob devenir en même temps ébénistes.

Contrairement à ces derniers, souvent d'origine hollandaise ou germanique (il ne faut pas oublier que l'ébénisterie est née aux Pays-Bas), les menuisiers sont tous français. Leurs ateliers, extrêmement importants, se trouvaient autour de la rue de Cléry et de l'église Notre-Dame-de-Bonne-Nouvelle. Ils avaient le droit de sculpter les motifs sobres, mais, pour les ornements importants, la corporation des sculpteurs leur imposait de faire appel à ses membres.

Cependant les familles de menuisiers, comme celles de leurs confrères les ébénistes, sont, au XVIIIe et au début du XIXe s., très renfermées, dynastiques et prospères.

Jean-Baptiste Tilliard est un des premiers à introduire les sièges de style Louis XV, mais il n'en estampille que très peu, et son fils, nommé Jean-Baptiste également, signe du même fer que son père.

Les Foliot se succèdent pendant un demi-siècle, restant au service du Garde-Meuble de la couronne : Nicolas Foliot, puis ses fils Nicolas Quinibert, le plus connu, et François, puis François II, créent des sièges aux lignes extrêmement amples et confortables.

D'autres étonnantes lignées de menuisiers, les Avisse, dont Jean Avisse, le plus brillant de la famille, les Cressou, les Gourdin, les Nadal marqueront le XVIIIe s. On leur doit de nombreux modèles de cabriolets légers rocaille, de fauteuils « à la reine » ou de bergères à la grecque.

Louis Delanois, nommé maître en 1761, crée les premiers modèles de fauteuils faisant transition du Louis XV au Louis XVI et travaille, entre autres, pour Mme du Barry. Claude Chevigny, Heurtaut et J.B. Boulard, fournisseurs du Garde-Meuble, sans appartenir à des « familles » renommées, produisent à leur tour des sièges de qualité et d'une grande hardiesse. Mais Jean-Baptiste Claude Sené, dont la réputation est grande, mérite une mention spéciale, car ses créations de sièges Louis XVI (il est reçu maître en 1769) sont d'une élégance si particulière qu'ils ont été souvent et injustement attribués à Georges Jacob, son aîné de quelques années seulement.

Car Georges Jacob occupe déjà, à son époque, une place considérable qui le situe un rang au-dessus des autres menuisiers. Reçu maître en 1765, il est le premier à employer dans les sièges l'acajou, bois jusqu'alors réservé à l'ébénisterie. Travaillant le bois plein comme il était de règle dans sa confrérie, il produira aussi d'autres meubles en acajou : tables, consoles, lits dont la légèreté et l'originalité sont caractéristiques. Ses fils Georges et François-Honoré Jacob continuent la tradition de l'atelier, dont la production est immense. Cependant, les changements sociaux dus à la Révolution les obligent à proposer des modèles beaucoup moins chers à exécuter. Le nom de Jacob reste, en tout cas, attaché aux sièges Louis XVI, que seuls Georges Jacob et Sené se sont souciés de rendre moins lourds en équilibrant à la perfection les bois et en inventant la case carrée qui relie les pieds à la ceinture.

Reste à dire un mot encore sur les ébénistes de l'époque Louis XVI. Beaucoup de familles qui avaient créé des meubles Louis XV se mettent au goût du jour ou créent des formes classiques et nouvelles tout en restant dans la tradition d'un artisanat admirablement exécuté.

A son apogée sous la Régence et au début du XVIIIe s., l'ébénisterie devait ensuite se transformer sous l'influence du machinisme.

petite encyclopédie des objets de style

Il est presque impossible de parler des styles anciens sans dire un mot des objets qui, à chaque époque, ont orné, égayé, embelli les décors classiques et raffinés.
C'est si vrai qu'aujourd'hui, en cherchant à donner à une pièce une ambiance disons de « haute époque », nous songeons à des plats en étain, à des candélabres majestueux et à quelques céramiques du XVIe ou du XVIIe s., presque au même titre qu'aux meubles.
Mais le royaume de l'objet est infiniment vaste : du bibelot à la « curiosité » en passant par les instruments scientifiques anciens ou les collections les plus importantes, presque tout peut être, d'une manière ou d'une autre, envisagé en tant qu'« objet décoratif ».
C'est pourquoi nous avons dû limiter notre choix à des types d'objets, pour ne pas dire de matériaux, qui, à travers les siècles, ont suivi l'évolution des styles de mobilier. Il s'agit de l'argenterie et de son succédané l'étain, et de la céramique.
Car, à n'importe quelle époque, l'argent ou la faïence font partie du décor de la maison. D'inspiration constamment renouvelée, l'orfèvrerie et la céramique ont joué un rôle important dans l'histoire des styles. Connaître leur évolution, le nom de grands créateurs, savoir distinguer les époques, les différentes origines de fabrication et leurs modèles caractéristiques sera donc indispensable pour celui qui s'intéresse véritablement à l'art décoratif.

ARGENTERIE

Aiguière et son bassin d'Henry Auguste, Paris 1789.

Cloche et plat de service Napoléon III de Charles Christofle 1855.

Confiturier, entre 1789 et 1809.

Soupière Louis XV, 1739.

Nécessaire de campagne de Napoléon Ier, Biennais, 1806.

l'argenterie

Symbole évident de la richesse, après l'or et les bijoux, l'argenterie suit de près l'histoire non seulement des styles, mais des civilisations. Très tôt, les objets en or ou en argent ont été considérés comme un investissement et une réserve financière aussi bien par les États que par les particuliers. Dès lors, l'argenterie sera sujette aux contraintes économiques et aux guerres, ou, au contraire, favorisée dans les périodes de prospérité. La France donne l'exemple le plus typique des fluctuations que connaît l'argenterie. Au XVIIe et au XVIIIe s., les monarques français, par des édits confiscatoires, obligent à la fonte tout ce que l'on possède d'argenterie. Ils réussissent à en tirer des sommes considérables qui permettront de renflouer le Trésor, appauvri par les guerres. Malheureusement, ces fontes successives (surtout celles de 1689 et 1709) ont privé la France d'un patrimoine artistique considérable. Les musées étrangers en témoignent par les pièces d'argenterie Louis XIV qui, envoyées en cadeau à des souverains étrangers, ont échappé à la destruction. En France même, ce sont souvent des pièces d'argenterie plus simples, très belles d'ailleurs, destinées à une clientèle de bourgeois ou à la petite noblesse de province, qui, ayant échappé aux fontes, sont arrivées jusqu'à nous.

Cependant nous connaissons l'« argenterie » de Versailles par les récits du temps. Le spectacle de la richesse déployée avant la première grande fonte frappait d'admiration l'Europe entière, et les cours étrangères, pour imiter Versailles, faisaient, faute de meubles en argent, peindre les leurs de couleur argentée. Car l'argenterie du XVIIe s. français ne se bornait pas à la vaisselle : à Versailles, les balustrades, les chandeliers, les candélabres et les lustres d'un poids extraordinaire, les sièges, les tables et même les caisses des orangers et les bassins étaient en argent. Aujourd'hui, il ne reste que quelques sièges, des luminaires ou de l'argenterie de table.

Notre propos ici étant de guider le lecteur parmi les pièces d'argenterie que l'on peut trouver couramment, nous allons passer rapidement en revue les divers styles de l'argenterie française.

les styles

Il nous reste peu d'exemples d'argenterie Louis XIII. D'ailleurs, à l'époque, les couverts ne sont guère employés, et il est courant de manger avec les doigts en s'aidant tout au plus d'un couteau. En revanche, la vaisselle était riche à en juger par les gravures retraçant les coutumes d'alors et parvenues jusqu'à nous. Aiguières, écuelles, coquetiers, saupoudreuses, assiettes dites en chapeau de cardinal, pichets, réchauds, salières et vinaigriers sont utilisés à table, alors que de nombreux bougeoirs et candélabres en argent sont utilisés pour l'éclairage. Les formes sont solides, les surfaces, généralement lisses, comportent parfois des décorations gravées ou ciselées.

Nous avons déjà parlé de l'emploi fastueux de l'argent sous Louis XIV : on le coule pour en faire des pièces de mobilier royal, mais on crée aussi nombre d'objets en argent : cadres, flacons, chenets, écritoires, rafraîchissoirs ou encriers, sans parler de la vaisselle.

Les formes sont empruntées au répertoire baroque; c'est ainsi que des lustres d'argent sont formés de personnages allégoriques.

Les chandeliers ont des tiges en balustre et le pied généralement à six ou à huit pans. Les « bras de lumière » suspendus aux murs sont à branches multiples.

L'argenterie de table, elle, s'orne de motifs décoratifs typiques du style : *quadrilles, godrons, palmettes, masques* ou *pattes de lion.*

Louis XV aime l'argenterie autant que son prédécesseur, et la prospérité de son règne verra fleurir cet art sous un aspect nouveau, celui de la légèreté et du raffinement. Les orfèvres français de l'époque, protégés et stimulés par une clientèle de plus en plus nombreuse, poussent leur métier à un tel degré de perfection que de nombreuses cours européennes commandent leur argenterie en France. Le style rocaille leur permettra des prodiges de fantaisie : les formes des plats ou des pièces plus importantes deviennent chantournées, les bougeoirs et candélabres s'élèvent comme des torsades, les pieds et les couvercles des plats s'ornent de motifs rocaille ou végétaux. Dans les cuisines des grands seigneurs, les marmites sont en argent; les garnitures des carrosses, les baignoires et tous les ustensiles de toilette sont livrés à l'imagination des orfèvres, sans oublier les objets du culte. Il faut aussi rappeler le grand rôle joué par les fêtes au XVIIIe s. Or il y fallait de l'éclairage. Les girandoles, bougeoirs et flambeaux créés à l'époque sont donc innombrables. Vers la fin du siècle, le goût néo-classique marquera l'argenterie de sa froide élégance, et les éléments caractéristiques que l'on remarque dans le mobilier Louis XVI, comme les cannelures ou les perles, se retrouvent sur les pièces d'argenterie, qui, à l'instar des meubles, s'allègent de plus en plus jusqu'à apparaître dépouillées de tout ornement.

Pendant la Révolution, la fonte de 1789, les pillages et les ventes publiques raréfient très nettement l'argenterie, provoquant d'ailleurs, une fois le calme revenu, un engouement d'autant plus grand pour l'orfèvrerie nouvelle.

La production du XIXe s. est démesurée si on la compare à celle du XVIIIe, mais la qualité n'est plus la même. Si, sous l'Empire et la Restauration, quelques très belles pièces

ARGENTERIE

Verseuse de voyage, 1713.

Cafetière Louis XV de style rocaille.

Aiguière Louis XIV à frise ciselée.

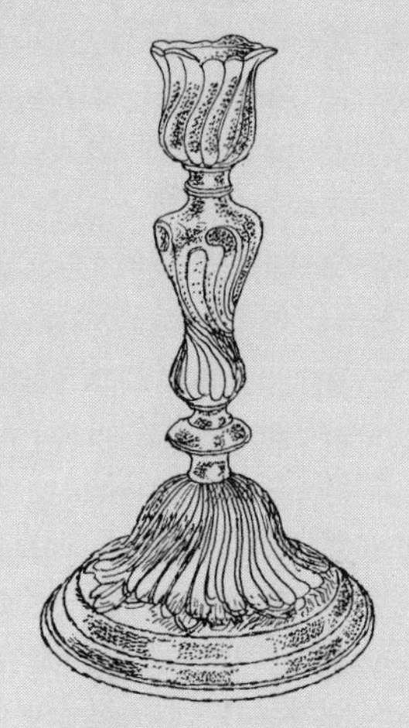

Bougeoir Louis XV de style rocaille.

Saupoudreuse ornée d'un masque féminin, 1712.

Écuelle à bouillon, 1680.

Écuelle d'Odiot, XIXe s.

apparaissent encore, désormais la commercialisation et l'industrialisation de l'orfèvrerie relégueront trop souvent ses productions au rang de simples objets manufacturés. Seuls, quelques orfèvres travaillant en marge de la production courante, marqueront de leur goût des créations dès lors assujetties à leur personnalité tout autant qu'aux tendances de l'époque.

les orfèvres français

Fondée au XIIe s. pour réglementer l'apprentissage et défendre le métier, la corporation des orfèvres français a été l'une des plus prospères d'Europe. Elle occupe vers le XVIe s. le quartier du pont au Change, et les mêmes familles donnent de longues générations d'artisans, puisque la tradition veut que l'on soit orfèvre de père en fils. Lors de la création des ateliers du Louvre par Henri IV, une place importante est accordée aux orfèvres. De même, ils seront installés en bonne place à la manufacture royale des Gobelins par Louis XIV. A partir de cette époque surtout, certains grands noms d'orfèvres, ou de familles d'orfèvres, dont les créations ont été particulièrement remarquables, se détachent de l'ensemble et sont indispensables à connaître.

Claude Ballin, orfèvre du roi Louis XIV, établi au Louvre, est certainement le maître incontesté du siècle. Il préside à l'exécution des pièces en argent de Versailles et son neveu Claude II Ballin crée des vaisselles et des services de table pour de nombreuses cours étrangères (espagnole, portugaise et russe).

La famille Germain connaît une grande notoriété du XVIIe s. jusqu'à la fin du XVIIIe s. Pierre Germain travaille au mobilier de Versailles. Son fils Thomas Germain, le plus célèbre de la famille, dépasse largement la condition d'orfèvre, car il est à la fois architecte, dessinateur, sculpteur, peintre et ciseleur. Son œuvre sera continuée par son fils François Thomas.
Robert Joseph Auguste, membre d'une famille illustre de la confrérie des orfèvres, s'affirme lors du déclin du style rocaille. Devenu fournisseur du roi, il travaille en même temps pour les cours de Suède, de Russie et de Portugal.

Martin Guillaume Biennais, dont le nom reste lié à l'Empire, installé au *Singe Violet,* 238, rue Saint-Honoré, emploie plus de 600 ouvriers et fournit toute la famille impériale. Bien qu'il suive les exigences de la mode, son style demeure particulièrement élancé. Les nécessaires de voyage qu'il crée pour Napoléon Ier sont devenus célèbres.

Jean-Baptiste Claude Odiot, contemporain de Biennais, crée des pièces inspirées de l'antique et contribue au prestige de l'orfèvrerie française. Sous la Restauration il sera attaché à la famille royale ; son fils Charles et son petit-fils Gustave Odiot continueront la tradition jusqu'à la fin du siècle.

Froment-Meurice est l'orfèvre du style romantique. Il pratique le *niellé,* et ses formes s'inspirent de la Renaissance et du gothique. Il exécute en 1856 le berceau du prince impérial.

Charles Christofle doit sa célébrité à l'orfèvrerie en métal argenté qu'il perfectionne par l'emploi de la galvanoplastie. Le succès de sa production est si grand que, dès 1847, son chiffre d'affaires dépasse 2 millions de francs.

Peter Carl Fabergé, bien qu'il ne soit pas français, mérite d'être cité. Cet orfèvre et joaillier russe est une des plus illustres figures de la fin du XIXe s. Venu de Saint-Pétersbourg à Paris pour y apprendre son métier, il retournera en Russie en 1870. Ses créations allient souvent à l'argent des matériaux précieux. Leur forme très personnelle emprunte des motifs à tous les styles, suivant en cela la tradition du siècle.

Jean Puiforcat est un des grands inspirateurs du style 1925. A partir de l'exposition qui eut lieu cette année-là, il devint à juste titre le plus important orfèvre français.

les poinçons d'orfèvrerie française

Pour déterminer l'époque et l'origine d'une pièce d'argenterie, il faut se familiariser avec les poinçons d'orfèvrerie. Ces petits signes qui ont été frappés sur le métal, dès le Moyen Age, pour en garantir le titre, varient selon les pays et les années. Quand l'argenterie n'est pas trop usée, il est facile de les étudier avec une loupe et, en se référant au besoin à des ouvrages spécialisés, de retrouver ainsi l'origine de la pièce.
Pour distinguer plus aisément les poinçons français, on peut les classer en trois périodes : avant la Révolution, de 1797 à 1838, et de 1838 à nos jours.
En effet, depuis 1838, toutes les pièces d'argenterie française portent le poinçon représentant Minerve casquée, la tête tournée à droite. Il est d'ailleurs convenu d'appeler argenterie « ancienne » celle qui est datée d'avant 1838.

avant la Révolution

Les pièces fabriquées avant la Révolution portent côte à côte quatre marques que le maître orfèvre était obligé de faire apposer au cours de l'exécution.

1. Le poinçon de maître est celui que l'orfèvre appliquait sur sa pièce avant de l'avoir finie. Il est généralement composé des initiales du maître, du symbole de la ville où il travaille et d'un emblème personnel.

2. Le poinçon de charge, apposé par les fermiers généraux lorsque l'orfèvre leur apporte la pièce pour signer une reconnaissance des droits qu'il aura à payer. Ce poinçon est composé d'une lettre correspondant à l'hôtel des Monnaies, où il est frappé. Ces lettres varient de dessin tous les 3 à 9 ans. On connaît exactement leurs formes depuis le XVIIe s., et il suffit de savoir comparer le poinçon de charge aux modèles signalés dans les ouvrages compétents sur l'argenterie, pour dater une pièce et en connaître l'origine. La liste des lettres de l'hôtel des Monnaies est la suivante : A, Paris ; B, Rouen ; C, Caen ; D, Lyon ; E, Tours ; F, Angers ; G, Poitiers ; H, La Rochelle ; I, Limoges ; K, Bordeaux ; M, Toulouse ; N, Montpellier ; O, Riom ; P, Dijon ; Q, Perpignan ; R, Orléans ; S, Reims ; T, Nantes ; V, Troyes ; X, Amiens ; Y, Bourges ; Z, Grenoble ; &, Aix ; AA, Metz ; CC, Besançon ; W, Lille ; 9, Rennes.
L'initiale du poinçon de charge est très souvent surmontée d'une couronne, mais il faut savoir la distinguer du poinçon de jurande.

3. Le poinçon de jurande garantissait le titre de l'argent et se composait d'une lettre qui changeait tous les ans accompagnée d'un symbole qui indiquait la ville où on l'apposait. Tous les 23 ans, on revenait à la lettre A, mais, à partir de 1784, on change de système : les villes reçoivent une lettre fixe, à laquelle on ajoute le millésime.

4. Le poinçon de décharge était appliqué par les fermiers généraux quand la pièce était finie et la taxe payée. Il représente souvent un animal, un oiseau ou un symbole.

après la Révolution

Le 9 novembre 1797, une nouvelle loi établit l'usage de poinçons tout à fait différents, que l'on emploie jusqu'en 1838.
Les pièces comportent désormais seulement les poinçons suivants :

- Celui du maître orfèvre représentant ses initiales entourées d'un losange.
- Celui du titre dont voici l'aspect successif pendant cette période :

– un coq avec la tête tournée vers la gauche, de 1798 à 1809, appelé premier coq ;
– un coq avec la tête tournée vers la droite, de 1809 à 1819, appelé deuxième coq ;
– un profil de vieillard barbu tourné vers la droite, de 1819 à 1838.

de 1838 à nos jours

A partir de cette date, comme nous l'avons dit plus haut, apparaît la tête de Minerve. En outre, depuis 1798 déjà, il n'y a plus de

POINÇONS DE CHARGE

Avant la Révolution

Paris, 1756-1762.

Paris, 1756-1762.

Paris, 1762-1768.

Paris, 1762-1768.

Aix, 1750-1756.

Aix, 1774-1780.

Aix, 1780-1790.

Bordeaux, 1672-1680.

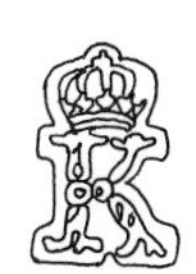

Bordeaux, 1774-1780.

Bordeaux, XVIIIe s.

Après la Révolution

Coq 1er titre, 1798-1809.

Coq 2^{e} titre, 1798-1809.

Coq 1er titre, 1809-1819.

Coq 2e titre, 1809-1819.

distinction pour les villes de province. A Paris comme ailleurs, les poinçons sont les mêmes.
Enfin, il faut tenir compte que ce système de repérage si facile a certainement beaucoup tenté les faussaires. Il existe donc des poinçons faux, et il faut une grande habitude pour les reconnaître.
Les faussaires emploient plusieurs méthodes : surmouler une pièce ancienne, souder un morceau poinçonné à une pièce plus moderne ou simplement imiter des poinçons et frapper des pièces. Dans les trois cas, on peut néanmoins déceler la fraude par comparaison avec des pièces originales. Le surmoulage fait apparaître les poinçons très faiblement et avec des contours peu vifs. La soudure peut être reconnue à la loupe, si on a l'habitude de manier de l'argenterie. Quant aux poinçons imités, ils sont rarement très bons; en outre, les poinçons anciens étaient apposés au cours de la fabrication de la pièce et, de ce fait, subissaient une certaine déformation qu'il est difficile de reproduire.
Le système de poinçonnage que nous venons de décrire vaut non seulement pour l'argenterie, mais aussi pour tous les objets d'or et même d'étain.

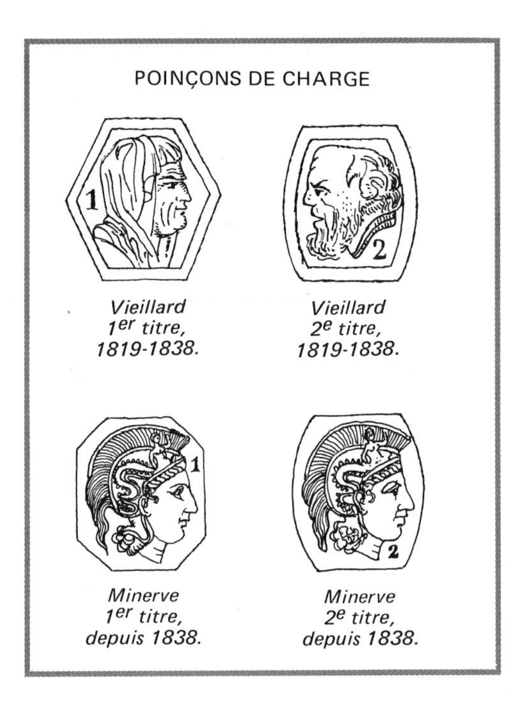

Vieillard 1er titre, 1819-1838.

Vieillard 2e titre, 1819-1838.

Minerve 1er titre, depuis 1838.

Minerve 2e titre, depuis 1838.

l'argenterie anglaise

Jusqu'à la fin du XVIIIe s., l'Angleterre est, avec la France, le deuxième centre important d'orfèvrerie européenne. La production anglaise est à la fois stimulée par le goût du faste des grandes familles et une demande croissante de la bourgeoisie, qui aime s'installer avec confort et qui accorde à l'argenterie une importance qui devient très rapidement traditionnelle. N'ayant pas subi de fontes désastreuses comme en France, les pièces anciennes qui existent encore sont impressionnantes aussi bien par leur nombre que par leur variété. Mais, dès 1700, les formes suivent de très près l'évolution de l'orfèvrerie en France.
Les orfèvres huguenots français émigrés en

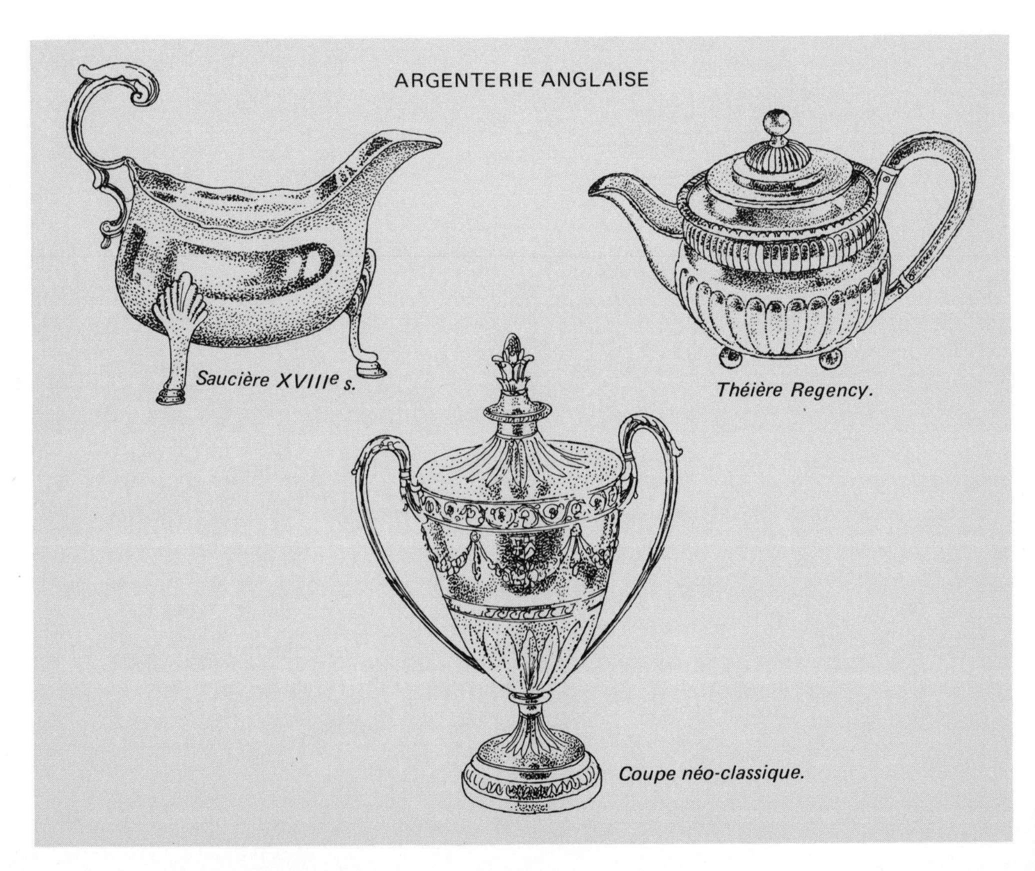

Saucière XVIIIe s.

Théière Regency.

Coupe néo-classique.

Angleterre au XVIIe s. imposent déjà leur goût et, vers le milieu du XVIIIe, le style rocaille donnera naissance à toutes sortes de modèles à profil chantourné. Mais les pièces les plus originales sont, d'une part, celles de l'époque néo-classique, à décor pompéien, et, d'autre part, celles de la fin du XVIIIe s., à motifs géométriques égyptiens. La tradition du thé donnera lieu à la création de nombreux objets : théière bien sûr, à laquelle s'ajoutent la bouilloire, le petit pot à crème, la saupoudreuse à sucre, ainsi que les boîtes à thé, qui permettent de conserver les diverses espèces de thés pour obtenir le meilleur mélange.

D'abord rond, le grand plateau à thé s'ovalise, au XIXe s., pour recevoir tous les accessoires indispensables à la *cup of tea*. Les formes un peu raides du néo-classique s'assouplissent et, sans revenir aux courbes excessives de la rocaille, s'adaptent à un style très britannique, le Regency, orné de fleurs et de feuillages.

Par la suite, l'argent plaqué suivant un nouveau procédé mis au point à Sheffield permet à toutes les classes sociales d'utiliser l'argenterie aussi bien à l'heure du thé que pour les plaisirs de la table. L'époque victorienne de l'Angleterre triomphante fait éclore des pièces somptueuses souvent surchargées de décors allégoriques.

On trouve encore dans toute l'Angleterre de nombreuses pièces d'argenterie ancienne qui ont échappé aux guerres et aux fontes.

l'étain

L'infortune de Louis XIV a fait la fortune de l'étain. Pour renflouer les caisses du royaume vidées par les guerres, le Roi-Soleil envoie ses plus belles pièces d'argent à la fonte, et, à partir de 1691, la fabrication d'argenterie est interdite. Il ne reste plus aux orfèvres qu'à adapter leur technique à un métal moins précieux qui rappelle la somptuosité de l'argent. L'étain s'y prête bien, et sa gloire va durer jusqu'à la fin du règne de Louis XV.

Cependant, l'usage de l'étain remonte à l'aube des premières civilisations. Il ne s'altère pas au contact des aliments, et cela justifie son emploi dans la fabrication de toutes les pièces de vaisselle ou des récipients destinés à la pharmacie. Viollet-le-Duc donne une indication intéressante sur l'emploi de l'étain selon les classes sociales au Moyen Age : « Le bois chez le pauvre, l'étain chez les personnes aisées, l'argent chez les grands seigneurs », écrit-il dans son *Dictionnaire du mobilier*. De son côté, l'Église avait autorisé l'usage de l'étain pour les vases sacrés, aidant ainsi les paroisses pauvres. Les médecins et pharmaciens utilisaient cette matière pour les plats à saignées, les seringues, les clystères et les pots à onguents. Vases, pichets, mesures, écuelles, toutes les formes d'ustensiles domestiques allaient sortir pendant plusieurs siècles des ateliers des potiers d'étain, qui, dans la France entière, constituaient une corporation fortement organisée et jalouse de ses prérogatives.

Les potiers utilisaient des alliages dont les proportions étaient réglementées selon les usages. L'étain le plus pur ne pouvait contenir plus de 5% de plomb, et le moins pur, appelé « claire étoffe », en contenait 50%. Pour certifier la qualité des pièces, une série de poinçons seront apposés. Poinçon de maîtrise pour l'origine, de contrôle pour l'alliage, de propriétaire portant initiales ou emblèmes, et enfin de jaugeage pour les récipients utilisés comme mesure pour le vin, la farine ou le grain.

Sous Louis XIV, les pièces d'étain qui viennent se substituer à l'argenterie s'épanouissent en œuvres d'art dignes des plus grands orfèvres, et l'on vit même des artistes quitter la corporation des orfèvres pour rejoindre celle des potiers d'étain qui rapportait alors davantage.

La vaisselle d'étain, lorsqu'elle était de forme luxueuse, se nommait « vaisselle à façon d'argent ». Délaissant les pichets et les écuelles, les potiers appliquèrent leur talent à imiter les formes nobles de l'argenterie et l'on vit, au début du XVIIIe s., toute une éclosion d'aiguières, d'assiettes, de plats ou de flambeaux d'étain. L'étain étant d'autant plus léger que sa pureté est grande, la finesse des décors, pour ainsi dire moulés d'après les modèles d'argent, avait son revers : les belles pièces sont minces et fragiles.

Les vaisselles d'étain gracieusement festonnées atteignent leur apogée sous Louis XV avec le style rocaille. Mais peu à peu, au cours du XVIIIe s., l'engouement pour la porcelaine et l'essor de manufactures comme celles de Sèvres ou de Limoges allaient à leur tour reléguer l'étain à un rang très secondaire. La Révolution, en supprimant les corporations, porta un coup sérieux à la poterie d'étain. Les « estaigniers » se contenteront par la suite d'imiter sans effort d'imagination des pièces classiques ou d'utiliser simplement les moules légués par leurs maîtres. Au XIXe s., la production de faïence en grande série acheva de ruiner les derniers artisans, dont le métier ne consista bientôt plus qu'à réparer les pots cassés ou à boucher par étamage les fissures des récipients métalliques les plus ordinaires.

Mais le XXe s., avec son goût pour les objets populaires et artisanaux, a relancé la mode de l'étain. Il accompagne très heureusement les intérieurs campagnards ou de « haute époque », et présente sur l'argent l'avantage de ne pas noircir au contact de l'air, donc d'être facile à entretenir. Pour les grands amateurs, les étains les plus recherchés sont ceux du Moyen Age, de la Renaissance et du début du XVIIe, antérieurs à l'obligation du poinçon : mais il s'agit là de pièces de musée qui peuvent coûter très cher. Il faut enfin avoir une très grande expérience pour reconnaître les vrais étains des faux. Les pichets parisiens et normands sont les plus fréquemment imités, et il est facile de leur donner une patine artificielle. Les étains anciens sont généralement plus légers que les copies, mais il faut retenir une chose importante : l'étain n'a été employé jadis que pour des objets utilitaires. Tout objet purement décoratif est donc moderne.

ÉTAINS

Cafetière.

Écuelle à oreilles, début du XVIIIe s.

Pot à couvercle.

Boîte à thé, XVIIe s.

Fontaine ornée d'un dauphin.

Pichets.

la céramique

les techniques

La céramique (du mot grec *keramos,* argile) englobe l'ensemble des arts du feu, depuis les poteries primitives cuites au soleil jusqu'aux porcelaines les plus fines. C'est un très vaste domaine; pour reconnaître du sèvres ou du saxe, il est nécessaire d'avoir un aperçu des techniques.

Si on sait comment une pièce a été fabriquée, il est en effet beaucoup plus facile de la situer. L'élément de base de la céramique est toujours l'argile mélangée à plus ou moins de sable ou de marnes argileuses et additionnée d'eau pour la travailler en forme. Si on la laisse sécher sans plus, la matière s'effrite, alors que, cuite, elle devient dure et consistante. Le degré de chaleur de la cuisson, d'une part, et la nature des terres argileuses employées, d'autre part, déterminent sa finesse et son durcissement. Les poteries antiques ou précolombiennes, extrêmement fragiles, ont été cuites à des températures peu élevées. Plus tard, les terres cuites, les grès et les faïences subiront des températures d'environ 1 200 °C, et la porcelaine 1 400 °C. Mais un deuxième élément important intervient : le revêtement, car l'argile n'est pas imperméable; très tôt, on s'est préoccupé de la recouvrir d'un émail pour pallier cet inconvénient. La particularité de tout ce que l'on nomme faïence — que ce soit des majoliques italiennes ou

des faïences françaises — est d'être recouverte d'un enduit blanc opaque, composé de sels d'étain : l'*émail stannifère.* Il recouvre entièrement la pièce et sert de base au décor. C'est ce qui différencie la faïence de la terre vernissée, dont l'émail laisse apparaître la terre par transparence.
Pour décorer la faïence, il existe deux techniques qui donnent des résultats totalement différents, et qu'il faut savoir reconnaître : la cuisson « à grand feu » et la cuisson « à petit feu ».
Pour la première, les décors sont tracés directement sur l'émail, avant cuisson, avec les oxydes métalliques colorants qui peuvent supporter des températures élevées et permettent d'obtenir du bleu, du jaune, du vert, du violet ou du brun. Le décor est donc cuit en une seule fois avec l'émail. Cette méthode ne permet aucune retouche, et, après cuisson, les couleurs, généralement très contrastées, sont intimement liées à l'émail et forment rarement relief à la surface. Cette technique, la plus ancienne, fut pratiquée en Orient, dans l'Espagne musulmane, en Italie au Moyen Age et à la Renaissance. La majolique italienne, produite par les ateliers d'Urbino, de Faenza ou de Deruta, etc., aux XVIe et XVIIe s., tire son nom de pièces hispano-mauresques fabriquées à Majorque et exportées en Italie.
En France, la technique des faïences à grand feu sera pratiquée à Nevers, Rouen et Moustiers, à partir du XVIe s. et surtout au XVIIe.
La technique du petit feu est très différente. Après une première cuisson à haute température, on décore l'émail déjà cuit avec des couleurs plus fragiles à la cuisson, mais dont le choix, infiniment plus riche, permet une acuité du trait, des nuances et des couleurs dégradées que l'on ne peut pas employer avec la première méthode. La pièce est alors recuite, corrigée, retouchée et cuite une troisième fois. Cette technique découverte en Allemagne et introduite en France par Paul Hannong, à Strasbourg, au XVIIIe s., a donné naissance à des pièces extrêmement raffinées. Marseille, Lunéville, Niderviller et presque tous les centres français firent des essais de faïence au petit feu tout comme les manufactures étrangères telles que celles de Delft.

la faïence

Delft. Cuite à grand feu, cette faïence a un éclat particulier grâce à une glaçure spéciale, le « kwaart ». Il n'y a guère de production importante avant le XVIIIe s., mais, à partir de ce moment, Delft crée des faïences en grande quantité dans l'esprit commercial et démocratique qui caractérise la Hollande de cette époque. En cinquante ans, la guilde des faïenciers de Delft devient une des plus prospères du pays, et sa production, exportée dans toute l'Europe, y exerce son influence, notamment sur la céramique anglaise et la céramique française de l'époque Louis XIV.
Deux tendances caractérisent le décor de Delft : la plus ancienne, d'influence italienne, se remarque dans les pièces à surface entièrement peinte à l'imitation d'un tableau. Plus tard, Delft adopte un style oriental. Les fameux bleu et blanc de Delft à fleurs, à motifs géométriques ou à personnages sont en effet d'inspiration chinoise.

Nevers. Cette fabrique est un des plus importants centres faïenciers français à grand feu et produit des pièces allant du grand art à l'art populaire. Les motifs originaux de Nevers s'affirment à partir de 1670 : fonds bleus ou fonds persans peints en blanc et jaune avec des fleurs et des oiseaux, et quelques fonds orange à décors tracés en bleu et blanc. Certaines pièces comportent des reproductions de tableaux ou de gravures. Au XVIIe s., Nevers pastiche les décors orientaux et, plus tard, imite (car toutes les faïenceries ont à un moment imité d'autres centres) Rouen, Moustiers ou Meissen. Au XVIIIe apparaît une production dans le style populaire en quatre couleurs : bleu, jaune, violet et vert. Nevers n'a jamais obtenu de rouge. Le dessin simple et naïf trouve son expression dans les assiettes révolutionnaires très en vogue actuellement.

Rouen. Il faut attendre la fin du XVIIe pour voir la production rouennaise affirmer son originalité, d'abord par la décoration « à lambrequins » ou « à broderie », puis, vers 1700, par le décor rayonnant en camaïeu bleu avec enfin des *rehauts* de rouge et de jaune. Ces décors verront leur apogée avec les pièces à fonds ocre aux centres ornés de culs-de-lampe, d'armoiries, de corbeilles, etc. Vers 1730 apparaissent les chinoiseries annonçant les motifs décoratifs de la période rocaille, où scènes galantes et champêtres, trophées, carquois, fleurs chinoises et cornes d'abondance étalent leurs riches couleurs.
Rouen a été copié, surtout à Sinceny, Moulins, Bordeaux, Quimper, Paris, et il est quelquefois difficile de différencier le vrai rouen des meilleurs exemples de Sinceny.

Moustiers. Le troisième grand centre faïencier français à grand feu se situait dans un village du Midi : Moustiers.
Ce n'est qu'en 1720 que Moustiers quitte la « manière italienne » pour s'inspirer de Berain. Le motif central d'arabesques et de grotesques sera entouré d'un *marli* déchiqueté comme une dentelle. Ce décor traité avec hardiesse et finesse atteindra une qualité et une beauté extraordinaires. Au milieu du siècle, on emploie la polychromie pour illustrer des sujets mythologiques et ces scènes typiques qu'on trouve au centre dans un médaillon, entourés de guirlandes de fleurs, trophées, drapeaux, etc.
Moustiers a exercé son influence sur le sud de la France, de Marseille à Lyon, et, en Italie, jusqu'à Turin et Urbino.

FAÏENCES

Rouen, vers 1750.
Fontaine dite de « Bacchus enfant ».

Rouen, époque Louis XIV.
Assiette à décor rayonnant.

Nevers, XVIIe s.
Grand plat.

Nevers, 1786.
Plat à grand feu.

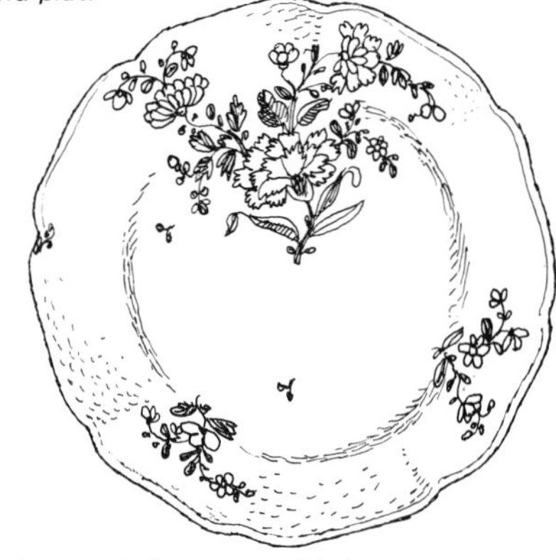

Strasbourg. Assiette caractéristique
de la production à petit feu de Paul Hannong.

Strasbourg.
Soupière.

QUELQUES MARQUES DES FABRIQUES DE FAIENCE

ROUEN

Masséot
Abaquesne
XVIe s.

faict a Rouen
1647

LE VAVASSEUR
A ROÜEN
(faïence au petit feu)

NEVERS

a neuers
1652
Le .ivgement de SaLomon

Agostino Coro
a nevers

MARSEILLE

mausall 1681 a S^t iean. du desert—

Saint-Jean du Désert

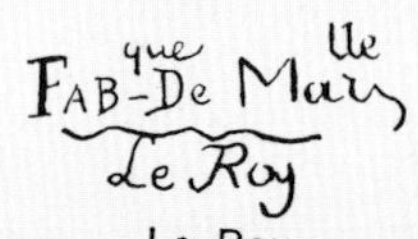

Le Roy

C
S

Savy

V.P. V.P.

Vve Pe

Marseille.
Assiette Vve Perrin.

Delft.
Potiche à décor cachemire.

« Delftware ».
Faïence anglaise de Liverpool.

Moustiers, XVIIIe s.
Pot à olives.

Wedgwood.
Théière.

Staffordshire.
Moutardier.

Italie, XVIe s. Vase de pharmacie en majolique, de Castel-Durante.

Italie, XVIe s.
Plat de Deruta.

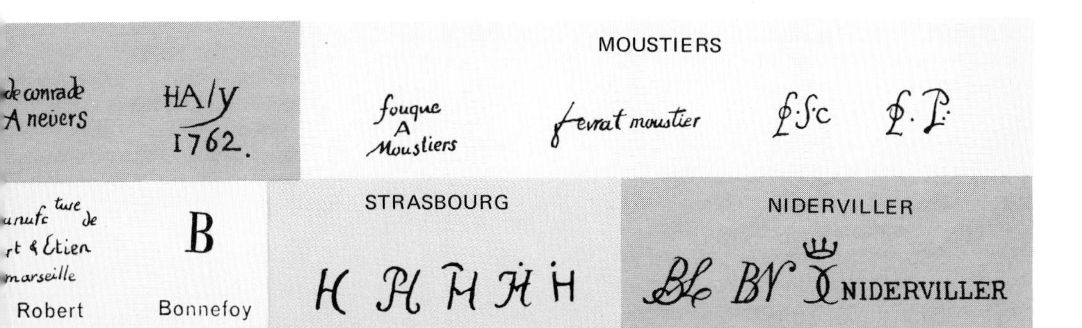

Strasbourg. C'est dans cette fabrique que, sur l'initiative de Hannong, on se lance au début du XVIIIe s. dans la décoration au petit feu.
Très caractéristiques par leurs couleurs rouges et roses, les décors des faïences de Strasbourg représentent surtout des fleurs : lis, œillets, tulipes, jacinthes, etc. Quelques paysages existent mais, vers le troisième quart du XVIIIe s., ce sont surtout les chinoiseries de fantaisie qui connaîtront un grand succès.

Marseille. Après avoir produit de la faïence à grand feu dans le goût de Moustiers ou de Nevers, Marseille, à partir de 1749, commence à travailler au petit feu. Rapidement, cette faïence devient l'une des plus prisées et sera largement imitée dans beaucoup d'autres centres. Marseille étonnera sans cesse par la richesse, la liberté et la fantaisie de ses décors : fleurs peintes au naturel, paysages, marines chinoises « à la Pillement », coquillages, poissons, le tout dans des tons plus chauds, plus brillants et plus transparents que Strasbourg. Les plats à fond jaune bouton-d'or de Marseille sont célèbres.

Les potiers anglais. La tradition des poteries anglaises remonte au VIIe s., avec des grès à vernis salins et des argiles vernissées de formes originales et à usage familial : *milk-pot, honey-pot, jugs* et *mugs,* souvent ornés de charmantes devises.
A la fin du XVIe s., des fabricants de faïence venus d'Anvers se fixent en Grande-Bretagne. Les sujets pittoresques et les décors italiens à la manière d'Urbino caractérisent la production de cette époque et prennent le nom d' « English maiolicas ».
Puis les faïences anglaises restent pendant longtemps sous l'influence des Pays-Bas et produisent des pièces recouvertes de « kwaart », la glaçure brillante des faïences hollandaises. Le mot « Delft » désigne d'ailleurs pour les Anglais toutes les pièces de *faïence stannifère.* Les portraits du roi et de la reine, Adam et Ève, les bouquets de tulipes, les paysages occupent presque toute la surface de ces poteries encore très naïves. Les principales fabriques, qui vont prendre une extension considérable au XVIIIe s., sont dans la région de Londres (Aldgate, Southwark, Lambeth), à Liverpool (terre beige) et à Bristol (pâte gris fer).
Plus tard, la région du Staffordshire deviendra un des centres importants de céramique anglaise en raison de la nature du sol propice à cette production. Les céramistes du Staffordshire tels que le célèbre Wedgwood vont mettre au point une faïence fine, faite d'argile blanche appelée terre de pipe, recouverte d'une glaçure plombifère vitreuse. D'une grande variété de formes et de couleurs vives, cette production, dont le décor s'inspire souvent de l'antique, possède un cachet typiquement britannique et fait naître de grandes pièces ornementales, des services à thé, des chandeliers, des vases, des statuettes et des pots en tous genres.
Enfin, les fabriques de Leeds réussiront une faïence aux oxydes métalliques qui donnent des reflets moirés d'argent. Ces pièces, revendues sur le continent en transitant par Jersey, prennent au passage le nom de cette île anglo-normande.
Par la suite, les faïences fabriquées en grande série maintiendront la qualité de leur matière première et de leurs décors pittoresques avec souvent, dans l'expression graphique, une note d'humour dans les meilleures traditions insulaires.

la porcelaine

Il y a quatre grands centres producteurs.
Sèvres : de la pâte tendre à la porcelaine. A l'origine, cette manufacture est installée à Vincennes. Ses recherches pour obtenir une pâte blanche d'une grande pureté lui valent la protection de la marquise de Pompadour et le privilège royal en 1747. Dix ans plus tard, la nouvelle manufacture fut reconstruite à Sèvres pour répondre au vœu de Mme de Pompadour qui la voulait plus près de Versailles. Elle compte alors une centaine d'ouvriers et elle est universellement célèbre pour la finesse de ses faïences et la beauté de ses décors de fleurs et d'oiseaux pleins de charme et de fantaisie. Les pièces de Sèvres sont désormais marquées de deux L entrelacés, qui évoquent le parrainage de Louis XV. Malgré les efforts de ses chimistes, Sèvres ne parvient pourtant pas encore à la finesse translucide des porcelaines de Saxe. La manufacture produit alors une pâte tendre, qui fixe admirablement les couleurs sans les altérer, mais difficile à modeler. Ces faïences en pâte tendre, qui ne peuvent rivaliser avec la dureté de la porcelaine « naturelle » au kaolin, sont parfois appelées « porcelaines artificielles ». Les faïences de Sèvres « façon Saxe » compensent les inconvénients d'une grande fragilité et d'une mauvaise résistance à la cuisson, par la beauté de leurs décors, d'un aspect doux et velouté, rehaussé par l'éclat limpide des couleurs. La découverte du kaolin dans les gisements de Saint-Yrieix, près de Limoges, sous le règne de Louis XVI, permet enfin à la manufacture de Sèvres d'atteindre la haute qualité de la porcelaine de Saxe.
Après la tornade révolutionnaire, la manufacture, réorganisée sous l'Empire, produit des pièces d'une grande somptuosité de décor et d'une perfection technique remarquable. C'est alors qu'est mis au point le « bleu de grande chauffe », qui fait rayonner le nom de Sèvres dans le monde entier.

Meissen (Saxe) : les pionniers de la porcelaine.
Dès la découverte des gisements de kaolin en Saxe, au début du XVIIIe, une manufacture est fondée à Meissen. Pour répondre au goût des amateurs, elle commence par copier les

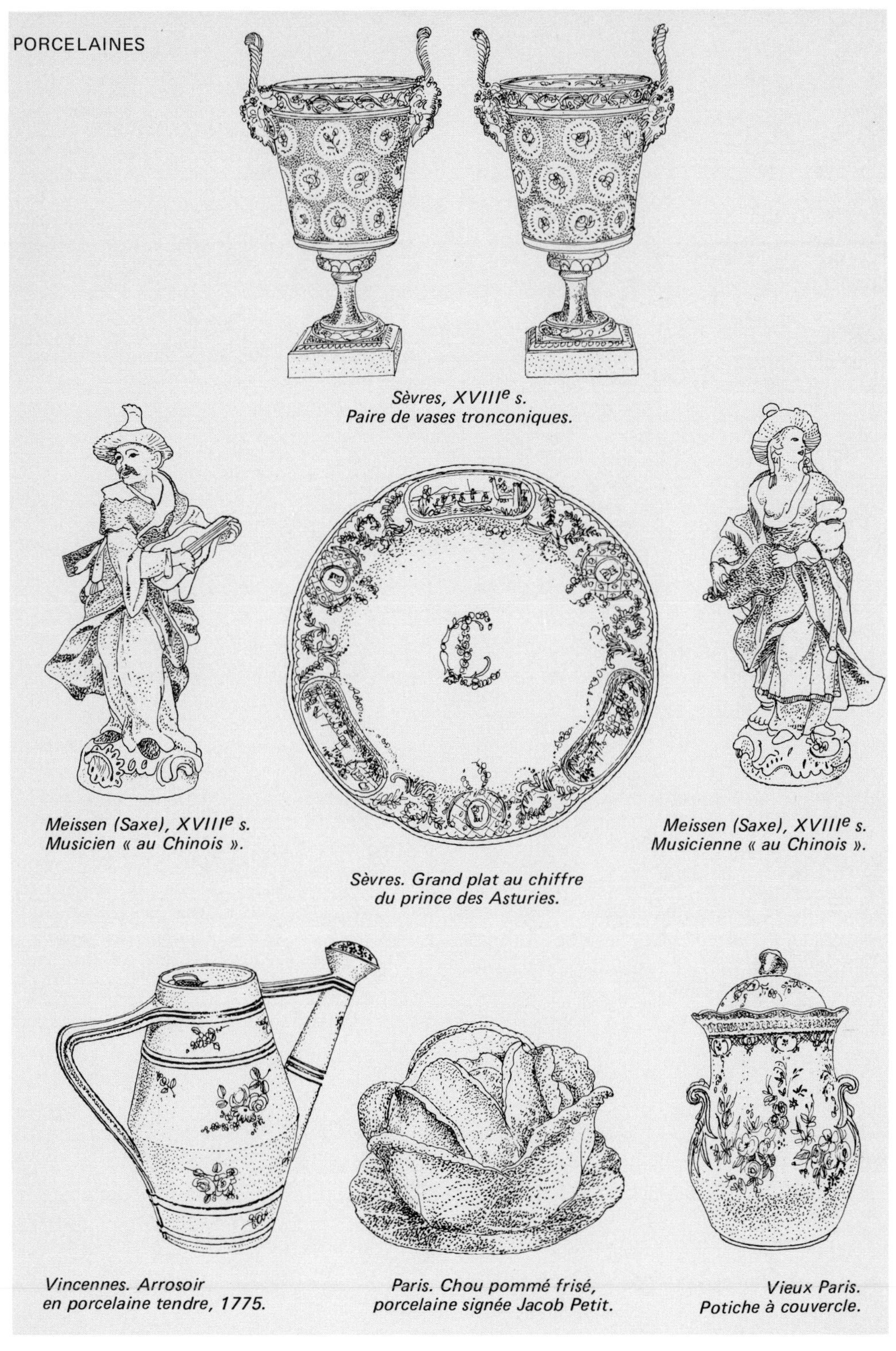

Sèvres, XVIIIe s. Paire de vases tronconiques.

Meissen (Saxe), XVIIIe s. Musicien « au Chinois ».

Meissen (Saxe), XVIIIe s. Musicienne « au Chinois ».

Sèvres. Grand plat au chiffre du prince des Asturies.

Vincennes. Arrosoir en porcelaine tendre, 1775.

Paris. Chou pommé frisé, porcelaine signée Jacob Petit.

Vieux Paris. Potiche à couvercle.

chinoiseries des porcelaines importées par la Compagnie des Indes. Puis, les artisans allemands dessinent sur les pièces qui sortent des fours des décors d'un naturalisme précis et un peu sec, avec oiseaux, insectes et branches fleuries, dans le goût des faïences françaises. Plus tard, des scènes de chasse, des paysages, des scènes galantes, souvent empruntées à des peintres tels que Watteau, viendront charger et même surcharger la belle porcelaine blanche et dure de Meissen. Enfin, des artistes vont s'ingénier à faire naître dans la pâte de petits personnages inspirés par l'opéra ou la comédie italienne, et ces groupes aux couleurs vives d'une très grande finesse d'exécution vont rester en vogue jusqu'au XIXe s. Les deux épées croisées de la marque de Meissen seront souvent reproduites sur des copies, qui, pourtant, n'égaleront pas la perfection des formes et la vivacité des couleurs des porcelaines de Saxe.

Limoges : rose fleurie depuis deux siècles.

PORCELAINES

Limoges. Tasse « à la reine » avec sa soucoupe.

Limoges, XVIIIe s. Bouillon à couvercle avec son présentoir.

Le nom de Limoges surgit dans l'histoire de la porcelaine lorsque le fameux *kaoling* des Chinois, terre argileuse très fine et rare, est enfin mis au jour dans cette région. Limoges, riche en traditions artistiques — vitraux, émaux, orfèvrerie —, va devenir dès la fin du XVIIIe s. un des centres porcelainiers français les plus importants.
Sous la protection du comte d'Artois, la manufacture privilégiée produit d'abord des pâtes blanches envoyées à Sèvres pour recevoir des décors à fleurettes alors à la mode.
Mais les artisans se dégagent de la tutelle royale et créent des motifs originaux, notamment la fameuse rose qui, depuis bientôt deux siècles, fleurit dans l'impeccable blancheur de la porcelaine dure.
De nombreuses fabriques limousines vont exploiter le kaolin de Saint-Yrieix.
Au milieu du XIXe s., on ne compte pas moins de trente manufactures dans la région, dont une vingtaine dans la ville même. Sous l'impulsion d'un négociant américain, David Haviland, venu sur place compléter un service dépareillé, Limoges développe des procédés de fabrication industrielle, mais maintient très haut la qualité de ses porcelaines dures et de ses décors raffinés, d'une très grande variété d'inspiration.

Paris : la porcelaine des princes du sang. Le privilège royal accordé à Sèvres par Louis XV n'empêcha pas de nombreuses manufactures de la région parisienne de produire de la porcelaine de qualité sous la protection des princes royaux. Le comte de Provence patronnait la fabrique de Clignancourt à la pâte très blanche et bien glacée. Le comte d'Artois ne s'intéressait pas seulement à Limoges, mais encourageait aussi une fabrique du faubourg Saint-Denis, où Pierre Antoine Hannong, transfuge de la manufacture de Vincennes, marque de sa griffe (H) des décors chinois en camaïeu bleu et des scènes galantes polychromes. Marie-Antoinette accorde sa protection à une petite fabrique dite *A la Reine*.
Le duc d'Angoulême patronne une entreprise de la rue de Bondy, et le duc d'Orléans encore une autre, située rue des Boulets. Quant au duc de Berry, il reprend la manufacture de La Courtille (rue de la Fontaine-au-Roi), fondée par Locré de Roissy, venu d'Allemagne, d'où le nom de « porcelaine allemande » parfois donnée à sa production d'une belle transparence et ornée de motifs très variés de toutes les couleurs de l'arc-en-ciel. A partir de 1830, la manufacture de Jacob Petit produit d'extravagantes fantaisies rocaille, surchargées d'or.

le marché des objets d'art et des meubles anciens

Il est évident que, de nos jours, les meubles et objets anciens jouissent d'un prestige considérable qui les englobe tous, parfois sans discernement. Ce prestige est dû, nous dit-on, au prix sentimental et artistique que nous y attachons. Bien sûr, mais le prix marchand joue un rôle tout aussi important, sinon plus. En effet, qu'il s'agisse d'une commode estampillée du XVIIIe s. ou d'une simple petite table à ouvrage du XIXe, la notion de « valeur » est aujourd'hui attachée de manière inséparable aux meubles anciens et aux objets. Cette notion touche aussi bien les collectionneurs, amateurs et professionnels, que le grand public et se remarque à tous les niveaux.

Ci-dessus, à gauche : *Armoire en laque du temps de Louis XIV. Les panneaux des portes et des côtés sont en ancien laque de Chine. La paire d'armoires a été adjugée 495 000 F en 1966 par Mes Rheims et Laurin.*
Ci-dessus, à droite : *Ce fauteuil Directoire orné de griffons annonce la pompe un peu lourde du style Empire.*

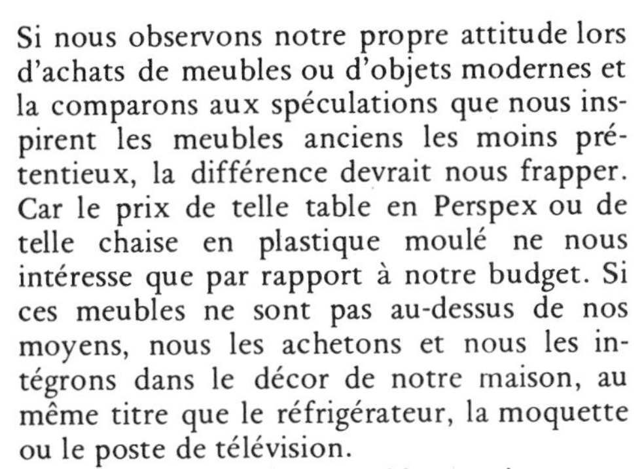

Si nous observons notre propre attitude lors d'achats de meubles ou d'objets modernes et la comparons aux spéculations que nous inspirent les meubles anciens les moins prétentieux, la différence devrait nous frapper. Car le prix de telle table en Perspex ou de telle chaise en plastique moulé ne nous intéresse que par rapport à notre budget. Si ces meubles ne sont pas au-dessus de nos moyens, nous les achetons et nous les intégrons dans le décor de notre maison, au même titre que le réfrigérateur, la moquette ou le poste de télévision.
Cependant, avec les meubles anciens, nos réactions sont tout autres : telle petite paire de chaises anciennes achetées il y a dix ans aux Puces ou tel échiquier Napoléon III hérité d'une tante ne sont pas seulement des « meubles » : ils bénéficient (même modestement) du prestige mystérieux de la cote des œuvres d'art, et ils nous intriguent. Nous nous demandons ce qu'ils valent, en espérant secrètement avoir fait une « bonne affaire », et cette même idée nous hante quand nous visitons les antiquaires ou parcourons les marchés, à la recherche d'autres meubles anciens. Nous sommes conditionnés, malgré nous, par l'idée du placement. Et, même si nous achetons un objet ou un meuble ancien parce qu'il nous plaît, nous ne pouvons nous empêcher de penser à la valeur qu'il prendra peut-être avec le temps.
Ces objets font partie des si souvent nommés « biens de consommation », et nous savons qu'à partir du moment où ils nous appartiennent ils valent déjà moins cher que neufs. Alors que « l'ancien », au-delà d'un certain niveau de qualité, cesse justement d'être un bien de consommation, et tout nous permet d'espérer que les objets de notre choix vaudront un jour beaucoup plus cher que lors de leur achat.
Dès lors, le marché des meubles et objets d'art doit être envisagé sur deux plans : celui des différents types d'objets qu'on y rencontre et qu'il faut savoir distinguer, et celui de la valeur intrinsèque de ces objets, valeur qui est à la fois réelle et abstraite. Car, si elle dépend en grande partie de la qualité ou de la rareté, elle dépend aussi de notions

Table en marqueterie d'époque Louis XV, estampillée Carel, adjugée 125 000 F en 1966 par Mes Rheims et Laurin.

beaucoup moins faciles à définir, comme le goût, la mode, ou le prestige de l'antiquaire chez qui vous trouverez l'objet.
Une solide connaissance des styles à travers les siècles est donc indispensable pour reconnaître un meuble et savoir l'apprécier. Pour savoir ensuite se diriger dans le vaste marché de l'ancien, il faut ajouter à cela des connaissances pratiques, que nous allons essayer de développer.
Toutefois, malgré les modes ou les engouements qui lancent soudainement un style, quelques principes fondamentaux sont à retenir, car ils déterminent de façon permanente les prix et la cote.

Ainsi, les meubles français du XVIIIe s. sont chers non seulement parce qu'ils sont recherchés, mais aussi parce que, malgré l'extraordinaire productivité des ébénistes de cette époque, ils sont forcément moins nombreux que les meubles du XIXe fabriqués en série. En outre, les guerres et le temps en ont fait disparaître un grand nombre, sans compter ceux qui, achetés par les musées du monde entier, sont désormais hors du circuit commercial. Ici donc la cote s'établit en fonction de la rareté, mais en partie seulement, puisque nous savons que tel meuble estampillé vaut plus qu'un autre sans estampille. Il s'y ajoute alors la notion de création, qui sera tout aussi valable pour un grand ébéniste du début de notre siècle : les meubles de Ruhlmann des années 1920 à 1925 atteignent des prix très forts.

Quelques notions élémentaires peuvent aider à évaluer un meuble en tenant compte, bien entendu, que la cote, comme la Bourse, est soumise aux lois de l'offre et de la demande. En effet, à condition que l'on sache distinguer les meubles anciens des copies du XIXe s. et leur attribuer une époque, on aura aussitôt une appréciation de la rareté, compte tenu du simple fait que plus un meuble est ancien plus il est rare. Le raffinement de l'exécution, la qualité des placages, des marqueteries, des sculptures, des incrustations ou des décorations en bronze permettront d'établir sa qualité, en tenant compte cette fois-ci de son état.

Enfin, viendra s'ajouter la considération tout abstraite du goût. Pourquoi aujourd'hui paye-t-on volontiers très cher un meuble paysan ou de province, alors qu'il y a dix ou quinze ans personne ne songeait à les acheter ?

Pourquoi préfère-t-on en général le style Louis XIII au style Empire ? Il serait vain de vouloir expliquer le goût en quelques phrases, car il s'agit là d'un élément sociologique fluctuant, répondant à notre époque par des choix extrêmement diversifiés.

Mais comme les « goûts » ou les « modes » jouent un rôle sur le prix des meubles anciens, il faut en tenir compte en essayant de se tenir au courant, en observant ne serait-ce que le genre de marchandises que les antiquaires proposent.

Car, en fin de compte, c'est encore là, chez les antiquaires, dans les ventes, dans les marchés aux Puces, que l'on peut apprendre et se renseigner le mieux.

Apprendre, car les antiquaires aiment leur métier et sont le plus souvent de bon conseil et prêts à vous initier. Se renseigner, parce que, en demandant à connaître des prix, en procédant à des comparaisons, en étudiant de près les objets qu'on vous propose, les notions de cote et de valeur seront ramenées à leurs justes proportions. Et enfin parce que le meuble, l'objet ancien doivent être avant tout regardés, appréciés, aimés. Et où peut-on le faire mieux que devant les meubles et les objets eux-mêmes ?

les antiquaires et les amateurs

le métier d'antiquaire

Le métier d'antiquaire, aussi curieux que cela paraisse, n'existe que depuis un peu plus d'un siècle.

Autrefois, les gens aisés se seraient crus déshonorés de vivre dans l'ancien. Les marchands-merciers du XVIIIe s., qui conseillaient les acheteurs, ne leur proposaient pas des « occasions ». Tout au contraire, ils leur faisaient fabriquer des meubles sur commande.

Les occasions n'intéressaient que les déshérités. « La clientèle se complaît dans le déjà vu, mais elle veut du neuf », disait Napoléon. Et l'on attachait peu d'importance aux meubles anciens : on les reléguait dans les greniers ou on les vendait pour très peu d'argent. L'expression « meubles d'occasion » avait alors un sens : ils étaient moins chers que les meubles neufs. Ce n'est plus le cas aujourd'hui. Mais ce renversement ne commence que dans la seconde moitié du XIXe s. A ce moment, où tous les styles copiés de l'ancien avaient été remis à l'honneur, on s'est tourné naturellement vers l'ancien véritable, et les meubles authentiques ont commencé à faire l'objet d'un commerce de luxe. C'est alors aussi qu'est née une nouvelle race d'individus : les amateurs. Jusqu'ici n'existaient que des collectionneurs et des curieux s'intéressant à tel ou tel domaine artistique, mais ils ne se mettaient en quête d'objets anciens que pour assouvir leur passion ou approfondir leur études.

Mais cette recherche n'était jamais liée au décor de la maison. A partir du XIXe s., les amateurs (bourgeois éclairés pour la plupart, ou, parfois, écrivains, peintres ou poètes) commencent à rechercher les meubles et objets anciens devenus brusquement signes extérieurs de richesse et témoignage d'un esprit cultivé. Les meubles de seconde main, jusqu'alors dans les mains des « brocanteurs » qui vendaient de tout dans les

Des ensembles exceptionnels réussissent parfois à lancer un style. Ci-contre : *Au Salon des antiquaires de Paris de 1962, le pavillon pagode exposé par Madeleine Castaing. Il est meublé comme un jardin d'hiver. Autour d'une borne confortable : fauteuils en vannerie, diabolos en turquerie du XVIIIe s. et sièges légers du XIXe s.* ▶

Quelques revues françaises de décoration

- *A.B.C. Décor, 8, rue Saint-Marc, 75-Paris 2e.*
- *Art et Décoration, 2, rue de l'Échelle, 75-Paris Ier.*
- *Guide Émer (Annuaire de l'antiquaire, de l'amateur d'art et du bibliophile), 118, rue de Rivoli, 75-Paris Ier.*
- *Journal de la maison, 31, route de Versailles, 78-Port-Marly.*
- *Maison française, 40, rue du Colisée, 75-Paris 8e.*
- *Maison et Jardin, 4, place du Palais-Bourbon, 75-Paris 7e.*
- *Maison de Marie-Claire, 51, rue Pierre-Charron, 75-Paris 8e.*
- *Meubles et Décors, 101, rue de Miromesnil, 75-Paris 8e.*
- *Plaisir de la maison, 11, boulevard de Bonne-Nouvelle, 75-Paris 2e.*

échoppes situées entre la place du Carrousel et l'Institut, montent de prix. C'est alors que les marchands d'occasion vont repenser leur métier et devenir antiquaires.
Car ce terme avait jadis une autre signification : un antiquaire n'était pas forcément un marchand, mais plutôt un amateur de fouilles, un archéologue. C'est seulement vers la fin du XIXe s. que le mot « antiquités » abandonne sa signification d'origine pour prendre un sens nouveau : l'antiquaire s'est fait marchand, mais il ne faut pas croire que ce métier n'exige pas des connaissances techniques approfondies.

la spécialisation

On peut diviser les antiquaires en deux grandes catégories : les spécialistes et ceux qui vendent de tout. Ces derniers vont du « chineur » et du petit « broc » de province qui vide les caves jusqu'au marchand d'antiquités qui possède à Paris un magasin luxueux sur la rive gauche ou un stand au marché Biron des Puces, en passant par les bons antiquaires des villes de province qui vendent « de tout » parce qu'une marchandise très spécialisée serait pour eux trop difficile à trouver et à vendre.
Mais, à mesure que l'importance de l'antiquaire s'accroît, ses connaissances et son goût personnel le poussent, le plus souvent, à s'intéresser plus profondément à un domaine donné. Là encore, la différence se fait entre les antiquaires chez qui l'on trouve surtout du mobilier ancien, et qui ont généralement une grande compétence pour tout ce qui concerne une époque ou un style soit français, soit étranger, et les spécialistes d'objets de collection.
Les spécialistes, eux, à force de n'avoir en main et sous les yeux que des objets d'un même style ou d'une époque déterminée acquièrent une grande autorité et deviennent très souvent des experts en la matière.
Les spécialisations sont très nombreuses et ne touchent pas uniquement les meubles anciens, mais tout l'ensemble du marché de l'art : objets de famille, bijoux antiques, art primitif africain et océanien, ivoires, porcelaines et objets d'Orient, faïences et céramiques, armes, curiosités en tout genre, monnaies, bronzes, étains, cuivres, livres anciens, autographes, tapisseries, gravures, tableaux et sculptures.
Dans chacune de ces spécialités, les grands antiquaires non seulement cherchent et découvrent des objets à vendre, mais ils les étudient, les classent, les comparent et établissent ce que l'on pourrait appeler un « pedigree ». C'est en effet l'œil et le flair d'un grand antiquaire qui déterminent souvent la valeur d'un objet. Cela explique pourquoi, parfois, par exemple, le même plat espagnol en cuivre repoussé coûtait tel prix chez le petit antiquaire, alors que, six mois plus tard, chez un spécialiste, il coûtera deux ou quatre fois plus.
L'objet, en l'occurrence le plat, n'a pas changé. Mais alors que le premier marchand non spécialisé a su seulement remarquer qu'il était beau et ancien, le vendant au prix courant des objets du même genre, le spécialiste aura reconnu au premier coup d'œil l'origine exacte, le siècle ou le symbolisme du décor. Il saura en outre, puisqu'il s'agit de son propre domaine, si le plat est rare, si ce genre plaît, et il aura probablement une clientèle intéressée. Quoi d'étonnant si chez lui le plat vaut beaucoup plus ?
Il aurait fallu, pour le découvrir chez le petit antiquaire, un autre connaisseur aussi compétent. Disons presque un autre antiquaire, car il existe très peu d'amateurs spécialisés. Il faut une vie entière d'expérience pour faire un grand spécialiste.

les garanties

La multiplication des antiquaires au cours de ces dernières années a permis à certains marchands peu scrupuleux de faire passer pour de l'ancien des meubles de style récemment fabriqués, ou des copies de meubles de haute époque importées des fabriques espagnoles d'aujourd'hui. Même si ce genre d'abus n'a jamais été commis par des antiquaires qui avaient déjà une réputation et un amour véritable de leur métier, ceux-ci ont dû réagir pour rassurer le public. Le Syndicat national des antiquaires a publié une charte des us et coutumes de la profession rappelant les obligations légales de l'antiquaire. Notamment, si le client le désire, il peut demander un certificat d'origine, garantissant l'authenticité et la qualité des meubles vendus.

De leur côté, les membres du S. N. C. A. O. (Syndicat du commerce de l'antiquité et de l'occasion), qui groupe surtout les

antiquaires-brocanteurs, ont donné leur plein appui à l'Association du label, également destinée à garantir l'authenticité des meubles anciens. Ce label, apposé à la vitrine d'un magasin d'antiquités, signale que les détenteurs de ce label de garantie ont pris l'engagement de ne vendre que de l'ancien, à l'exclusion de toute fabrication récente.
Le label est retiré en cas d'infraction constatée par une commission professionnelle. La mise en application de la charte et du label doit donc rassurer les néophytes qui craignaient d'être victimes d'une tromperie sur la marchandise.

l'évolution du goût

Il est remarquable que le goût pour les œuvres d'art et les curiosités s'élargit au fur et à mesure des connaissances acquises par des amateurs de plus en plus nombreux.
Ceux qui achètent aujourd'hui un petit meuble Louis-Philippe se passionneront bientôt pour les opalines et, peut-être, passeront ensuite à un autre type d'objets comme des porcelaines chinoises ou des gravures anglaises. Mais il est certain qu'ils commencent presque toujours par s'intéresser à l'objet le plus familier : le meuble.
De nos jours, en effet, ce souci d'avoir un intérieur personnalisé, soigné, n'est plus l'apanage de quelques-uns, mais un besoin pour tous.
Chacun recherche l'époque qui lui convient, en fonction de son tempérament, de ses goûts et de sa sensibilité, mais aussi en fonction de certaines influences et engouements.
Déjà, sous le Second Empire, les amateurs raffinés (comme les frères Goncourt) s'intéressaient aux meubles du XVIIIe s. français, et cette tendance, justifiée en tous points par la perfection de leur exécution, n'a pas cessé de s'affirmer depuis.
Il est vrai que la crise des années 1930 a fait baisser les prix et que, pendant cette période critique, on pouvait trouver de véritables chefs-d'œuvre à des coûts relativement bas.
Depuis 1945, la cote des meubles estampillés du XVIIIe s. n'a cessé de monter.
A partir du moment où le XVIIIe s. a été très recherché, donc cher, une partie de la clientèle s'est tournée vers des styles moins raffinés : d'abord la haute époque, puis le meuble espagnol. En même temps, la nostalgie de l'acajou et du petit meuble facile à installer donnait de l'essor au style anglais, et l'on commençait aussi à apprécier quelques meubles français du XIXe s.
Il faut bien se rendre compte que l'augmentation considérable de la clientèle et des magasins d'antiquités a contribué à redécouvrir à peu près tous les styles.
Le nombre des résidences secondaires et la modicité du prix de certains meubles de province, sympathiques et toujours très fonctionnels, ont aussi attiré l'attention des acheteurs. Or, s'il y a dix ans les bonnetières et les vaisseliers étaient destinés uniquement à la campagne, ils ont acquis peu à peu droit de cité, et on se meuble de plus en plus en mélangeant l'art populaire (voire le rustique) aux audaces des designers contemporains.
On pourrait aujourd'hui résumer le goût des acheteurs de la façon suivante : les plus fortunés, les collectionneurs, ceux qui « placent » leur argent en achetant des antiquités continuent à s'intéresser au XVIIIe s. ou à certaines pièces Louis XIII et Louis XIV.
La bourgeoisie de bon ton, les familles qui tiennent à leur standing et à une certaine tradition, achètent des meubles anglais, si possible quelques meubles du XVIIIe s. peu importants pour finir par les styles du XIXe s., Restauration ou Louis-Philippe. Les excentricités pleines d'esprit du Napoléon III ou l'originalité du modern style demandent déjà une certaine éducation esthétique pour être appréciées et sont recherchées par une avant-garde d'intellectuels, artistes, vedettes et décorateurs. Mais le fin du fin sera de s'extasier sur le 1925, le mélangeant aux créations modernes les plus hardies et les plus colorées.
En province, ce sont les styles du XIXe s. que l'on préfère, et les antiquaires vendent à une clientèle de notaires, médecins, avocats ou notables, toute la gamme des jolis meubles en bois clair Charles X, du Louis-Philippe léger (parfois de fabrication locale) avec une très nette préférence pour les teintes claires du noyer ou du bois fruitier.
La Belgique est l'un des rares pays où on s'intéresse au modern style, alors qu'en Angleterre, par exemple, ou aux États-Unis, le modern style et le 1925 ne sont appréciés que par une élite d'avant-garde ; les meubles du XVIIIe s. attirent le grand collectionneur, alors que le grand public à la recherche d'ancien se tourne vers le XIXe classique, c'est-à-dire le Regency ou le victorien en Angleterre.
Reste à savoir comment se constituent les cours et les prix.

les prix et la cote

La sélection des meubles, objets anciens et objets de qualité s'accomplit, comme nous l'avons dit, presque toujours à travers les filtrages successifs, qui vont du ferrailleur de village jusqu'au grand antiquaire par l'intermédiaire de tout un réseau de professionnels.
Les brocanteurs et les antiquaires sont, en effet, les meilleurs clients les uns des autres.
Le domaine de l'antiquité est trop vaste et trop diversifié pour qu'un marchand puisse avoir une connaissance précise de la valeur de tout ce qu'il vend.
On n'insistera jamais assez sur ce point, et il faut bien le comprendre si on veut soi-même arriver à faire des « trouvailles ».
Car il suffirait de se spécialiser dans un domaine quelconque, suffisamment déterminé pour qu'il soit possible de le connaître en détail, pour avoir la possibilité

d'agir comme les antiquaires, c'est-à-dire de reconnaître ce qui est vendu en dessous de sa valeur réelle.
Ainsi, des écrivains et des peintres héritiers du cubisme ont constitué, entre les deux guerres, de belles collections d'art primitif. Ce n'est pas étonnant, car ils étaient passionnés par ce sujet ; ils allaient étudier les masques et les figurines nègres ou océaniennes relégués alors dans les musées ethnologiques, et ils se trouvaient en mesure d'apprécier un objet primitif lorsqu'il passait en vente aux enchères ou lorsqu'il gisait dans un bric-à-brac quelconque.
Combien d'amateurs seraient-ils capables de deviner sous d'épaisses redorures du XIXe s. l'authenticité d'un bois du XVIIIe s.?
La connaissance des objets ou meubles est la seule recette valable pour faire une bonne affaire. A cela s'ajoute évidemment l'habitude des prix pratiqués qui peut s'acquérir aujourd'hui sans difficulté, soit en fréquentant les antiquaires et les ventes, soit en lisant des comptes rendus dans les journaux.
Finalement, il est rare qu'un objet découvert par un antiquaire chez un particulier soit directement revendu à un nouvel acquéreur. Il passera plutôt d'un antiquaire à l'autre et, au bout de la chaîne, il sera probablement acheté par un amateur au courant des prix des meubles de l'époque qui l'intéresse. La cote s'établira donc dans des limites relativement étroites, compte tenu de l'offre et de la demande.
Une dernière question que les néophytes posent toujours : faut-il marchander? Ce n'est intéressant, et parfois utile, que tout en bas de l'échelle, là où les prix sont parfois arbitraires et les objets peu ou mal sélectionnés ; mais, à mesure que l'on monte dans la hiérarchie du négoce, il vaut beaucoup mieux — si on veut avoir l'estime des antiquaires et la satisfaction d'acheter intelligemment — se donner le mal de se renseigner avant sur les cours des objets convoités que de se livrer à des marchandages fondés uniquement sur la méfiance ou la simple ignorance.

les bonnes affaires

Quelles que soient les fluctuations économiques, le meuble ancien constitue un placement sûr, et l'on peut affirmer qu'il ne cesse de monter depuis longtemps. Aujourd'hui, un siège Louis XV de qualité atteint régulièrement 10 000 F ; et des bureaux plats ou des commodes du XVIIIe s. signés, entre 200 000 et 400 000 F, ou plus.
Mais, si l'on veut encore aujourd'hui, avec des moyens limités, savoir acheter avec discernement, y a-t-il des styles ou des objets qu'il faut préférer?
A ces questions : que faut-il acheter? quels sont les meubles qui montent? il est très difficile de donner une réponse générale qui soit à la fois simple, claire et efficace.
Comme nous l'avons déjà dit, tout est à la mode en matière de meubles et de styles anciens, simplement parce qu'il y a de plus en plus de gens qui s'intéressent au décor de leur maison. Et cette ouverture vers tous les styles ne se fait pas au détriment des uns par rapport aux autres. Malgré l'intérêt que suscite le modern style dans les milieux avancés, ni le meuble anglais ni le XVIIIe s. ne perdent leur prestige.
Malgré l'engouement soudain pour tous les meubles du design contemporain, des boutiques d'antiquaires continuent à s'ouvrir. Malgré les tendances spectaculaires de la jeune peinture (op'art, pop'art, art cinétique) et leur influence certaine dans le décor de la vie quotidienne par la voie de la publicité, du cinéma et de la télévision, la peinture ancienne (petits maîtres ou grandes signatures) monte régulièrement.
Il faut, peut-être, pour trouver des « bonnes affaires » se poser les questions autrement. Se dire : « Qu'est-ce qui n'est pas à la mode? » cela équivaut à dire qu'en matière de placement, il faut avoir le courage de découvrir et d'aimer ce que personne n'aime encore, ou la sagesse d'étudier un domaine déterminé pour ne pas craindre de payer trop cher.
Les seuls conseils utiles pour bien acheter chez les antiquaires sont les suivants :
Comme dans tous les métiers, les antiquaires ont (ou n'ont pas) une réputation.
Les bons antiquaires n'ont aucun intérêt à mettre la leur en jeu, ni par des prix déraisonnables ni par des meubles douteux. Ils sont cependant d'une grande prudence en matière de certificat d'authenticité. Ainsi, l'expression « estampillé un tel » a valeur de constatation, mais non de garantie de l'authenticité de l'estampille en question.
Il faut donc, avant d'apprendre à choisir des meubles, savoir choisir son antiquaire, et cela d'après les mêmes critères que ceux qui déterminent le choix d'un bon médecin, d'un bon avocat ou d'un bon architecte : avant tout le critère de la confiance.
En deuxième lieu, il faut savoir ce que l'on veut et de combien on dispose, et dépenser cette somme avec la même psychologie que s'il s'agissait d'objets manufacturés.
Pourquoi paye-t-on sans sourciller le prix exact d'une machine à laver, alors que l'on hésite sur celui d'une commode Louis-Philippe? Uniquement parce qu'on s'attend toujours à faire une « bonne affaire » sur de l'ancien et que l'on n'est pas suffisamment renseigné sur les prix pour en être sûr.
Enfin, dans le domaine des prix plus élevés des meubles, tableaux ou objets qui paraissent si chers, comment ne pas souligner que, finalement, ils trouvent toujours acquéreur. Cet acquéreur s'est-il fait « rouler »? Certainement pas, bien au contraire.
Il a simplement le courage ou l'intelligence de savoir payer le prix, ce qui de tout temps a été une des manières les plus sûres de gagner dans ce jeu passionnant qu'est le placement en objets d'art.

les expositions et les foires d'antiquité

Pour satisfaire amateurs, collectionneurs et curieux, les antiquaires tendent de plus en plus à se réunir soit dans des groupements permanents (marchés couverts, Puces, etc.), soit, sur un plan national ou international, dans des expositions ou foires où les amateurs peuvent venir acheter. Les plus réputées sont certainement la Biennale des antiquaires à Florence, qui a lieu tous les deux ans en automne, la Biennale des antiquaires à Paris, en octobre, et, en été, la Foire des antiquaires à Delft, qui se tient tous les ans. Dans ces trois expositions, et quelques-unes du même genre qui ont lieu occasionnellement en Grande-Bretagne, les professionnels importants, les grands spécialistes et les galeries de tableaux confrontent leurs marchandises. Dès lors, il est évident que les prix s'ajustent de manière internationale, et que des meubles ou objets caractérisés, comme une bergère Louis XV, une commode Louis XVI de tel ébéniste, ou un plat en faïence de Rouen du XVIIe s., valent sensiblement le même prix (compte tenu de leur état) chez une certaine catégorie d'antiquaires, qu'ils soient à Londres, à Paris, à Munich ou à New York.

En France, il en va de même sur le plan national. Les grandes foires régionales sont de plus en plus nombreuses : Exposition-Vente des antiquaires du Languedoc et des Pyrénées qui se tient à Toulouse au mois d'octobre; Salon des antiquaires et brocanteurs de Haute et de Basse-Normandie; Foire des antiquaires à Fontainebleau, en avril; Salon de l'antiquité et de la brocante à Marseille, fin mars; Foire des antiquaires de Rouen, en été; foires expositions à Bordeaux, Cannes, Nancy, Avignon, Saint-Flour, Loches, en Touraine, etc. Ces foires sont annoncées dans les journaux locaux ou dans les revues spécialisées comportant des rubriques sur les objets anciens.

A Paris, en outre, depuis peu, les deux syndicats importants d'antiquaires exposent séparément dans des manifestations diverses qui se tiennent à l'automne et au printemps à Paris (naguère aux Halles, et à la Bastille, par exemple) ou en banlieue (Foires à la ferraille de Chatou et de Nogent). Enfin, depuis quelques années, de grands antiquaires parisiens présentent des meubles et objets de haute qualité dans le cadre du Salon des décorateurs ou à l'hôtel George-V.

Par ailleurs, des foires itinérantes consacrées à la brocante se déplacent dans toute la France, comme les fêtes foraines d'autrefois, et des marchés aux Puces, dont la périodicité est variable, se multiplient en province.

Rien que l'énumération de toutes ces rencontres professionnelles devrait suffire pour comprendre qu'il n'existe pas, ou presque plus, de brocanteur naïf et provincial, ignorant totalement les prix pratiqués dans la capitale.

Le brassage des meubles dans les foires et dans les salons d'antiquités tend à créer une cote nationale pour un genre d'objets déterminé. Ce qui donnera plus ou moins de valeur à une commode ou à un siège ancien, ce seront ses proportions, ses ornements, ses ferrures, son état de conservation.

En résumé, l'acheteur doit se garder de deux attitudes qui, toutes deux, sont un aveu d'incompétence : d'une part une méfiance systématique et injurieuse à l'égard de l'antiquaire le plus honorable, d'autre part, une impulsivité irréfléchie, une propension au coup de foudre, qui ne laissent aucune place à l'esprit critique. Seule l'expérience lui fera trouver l'équilibre.

Pour acheter en toute connaissance de cause, il est donc indispensable de comparer ce qui est comparable, c'est-à-dire d'ouvrir les yeux, de voir, d'examiner, de soupeser les très nombreux objets que proposent toutes ces manifestations d'antiquaires et, bien entendu, pour un objet précis, de se renseigner sur les prix.

les puces et les marchés d'occasion

Dans toutes les capitales européennes et dans presque toutes les grandes villes, les chiffonniers, fripiers et marchands de bric-à-brac, représentants anachroniques de métiers vieux comme le monde, se fixent tôt ou tard sur des terrains périphériques ou viennent à des intervalles réguliers exposer leur marchandise sur la place du Marché.

Qu'il s'agisse de grands ou de petits marchés aux Puces, le principe est le même : la vente d'objets d'occasion, de ferraille, de meubles d'occasion et, en un mot, de tout ce que l'on peut trouver de seconde main. Car des Puces véritables, vouées uniquement aux meubles ou objets d'art raffinés, n'existent pour ainsi dire pas, ce n'est qu'une spécialisation dans l'éventail de la marchandise d'occasion.

Actuellement, le marché de l'antiquité tend de plus en plus à la spécialisation.

Pour apprendre à faire de bons achats, il convient, dès lors, de connaître les systèmes et les habitudes des marchands qui nous intéressent, c'est-à-dire les brocanteurs et petits spécialistes. Contrairement aux boutiques d'antiquaires, les marchés aux Puces ne sont généralement ouverts que deux ou trois jours par semaine, car le brocanteur doit garder du temps pour dénicher la marchandise aux sources les moins chères, c'est-à-dire chez les particuliers, à la campagne, dans les fermes, en parcourant les marchés moins importants que le sien ou en proposant ses services pour vider les caves ou les greniers.
Il va de soi qu'avec ce système il est obligé d'acheter souvent des lots entiers d'objets dont seulement certains l'intéressent.
Ceux qui ne sont pas de son ressort, il les vendra à d'autres chiffonniers intéressés, qui, à leur tour, lui cèderont la marchandise qu'il recherche.
Car même les marchands de trottoir des plus petites Puces ont un sens suffisamment développé du commerce des objets pour savoir qu'il est impossible de se faire une clientèle (ne serait-ce que d'autres marchands) si on ne se cantonne pas dans un domaine bien défini. Il est évident, dès lors, qu'une bonne manière de procéder sera d'acheter, disons chez un marchand de céramique, des objets hétéroclites qui ne rentrent pas dans cette spécialité et qu'il vendra d'autant plus volontiers. On peut se dire aussi que, du moment que les Puces sont un des grands points d'approvisionnement pour les antiquaires, les prix qu'on y paie (si on connaît un peu les cours) seront presque toujours inférieurs à ceux payés chez les antiquaires établis.
Ce principe n'est évidemment pas valable quand certaines Puces deviennent élégantes et à la mode. Ainsi, les Puces de Madrid, dont nous parlons plus loin, étaient, il y a une quinzaine d'années (avant le déferlement touristique), fréquentées uniquement par les Espagnols. Les Anglais, les Américains et les Français s'y étant rués depuis, aujourd'hui certains marchands du Rastro sont aussi chers et bien pourvus que des magasins d'antiquités du centre de la ville. En revanche, à Barcelone, où les Puces sont beaucoup moins luxueuses et totalement inconnues des étrangers, elles sont restées extrêmement pittoresques et bon marché, et on y trouve encore des occasions dont ne profitent que les amateurs ou les marchands catalans. Il est donc préférable de se donner du mal pour chercher l'objet insolite dans un marché peu connu et qui, de ce fait, aura toujours un aspect légèrement rebutant, plutôt que de prétendre faire des trouvailles dans des Puces élégantes et bien propres où, de toute évidence, lorsque le particulier arrive vers 10 heures du matin, les antiquaires sont déjà passés depuis longtemps.
A Saint-Ouen, la tradition veut que les meilleures occasions se traitent le samedi, très tôt, avant l'arrivée des promeneurs.

L'entassement des objets aux Puces ou dans les foires est souvent calculé pour favoriser le plaisir de la « découverte ».

Paris

Saint-Ouen. Aux portes de Paris, le marché aux Puces de Saint-Ouen constitue un des centres les plus importants du commerce d'antiquités de la capitale. Plus de deux mille boutiques sont groupées dans les divers marchés, allant du très bon antiquaire au vrai ferrailleur. Il est d'ailleurs relativement facile de s'y retrouver, car les marchands se groupent par ordre d'importance et surveillent même la qualité de la marchandise exposée chez les confrères de la même enceinte. Ouvertes du samedi au lundi, les Puces parisiennes sont aujourd'hui un des terrains de chasse des marchands du monde entier. Il est donc contraire à la réalité de prétendre qu'on n'y fait pas de bonnes affaires. Il faut seulement y venir régulièrement, tôt le matin, et savoir faire la différence entre un marché et un autre.
Situé rue des Rosiers, artère principale des Puces de Saint-Ouen, le **marché Biron** est certainement le plus cher et le plus élégant des marchés parisiens. Sur deux allées parallèles, des boutiques couvertes et souvent fermées par des portes vitrées proposent une marchandise sélectionnée, en parfait état, et toujours ancienne. Il est à remarquer que de nombreux antiquaires parisiens établis en ville ont ouvert des stands au marché Biron, ce qui donne une idée de la qualité des meubles et objets qu'on y vend. La brocante, l'étalage par terre et la vente de meubles neufs sont interdits. Un comité veille au standing du marché, et un bureau de renseignements, au centre du marché, facilite les transports, envois à l'étranger, etc.

A quelques mètres de Biron, le **marché Vernaison,** le plus ancien marché aux Puces, abrite des stands beaucoup plus hétéroclites. Il est cependant intéressant, car un certain nombre de jeunes spécialistes d'art africain, d'art 1900, de monnaies, d'archéologie, de curiosités s'y sont installés ces dernières années. Bien qu'on y trouve aussi des meubles anciens, de nombreux stands vendent des meubles modernes, de style, ou des copies d'ancien ou même des sièges confortables, neufs, non recouverts (rue des Rosiers).

Un petit marché couvert, le **marché Cambo,** vient de s'ouvrir en 1970. Il occupe le rez-de-chaussée et le premier étage de l'immeuble, et les marchands qu'on y trouve, sans être des spécialistes de longue date, vendent des meubles et objets de bon goût et sans prétention.

En remontant la rue Paul-Bert et avant d'entrer dans le marché du même nom, un des plus pittoresques de Saint-Ouen, il convient de remarquer le nombre croissant de jeunes marchands ambulants qui viennent exposer leurs objets à même le trottoir. Ils se cantonnent surtout dans cette rue et dans la rue Jules-Vallès. Au-delà, bien que les Puces continuent encore, le choix et la qualité de la marchandise sont très nettement inférieurs. En revanche, les marchands installés sur le trottoir de la rue Paul-Bert ou de la rue Jules-Vallès sont extrêmement intéressants, car ce genre d'installation est devenu une mode parmi la génération montante. Il ne s'agit donc pas de marchands particulièrement démunis, mais plutôt de futurs antiquaires.

Le **marché Paul-Bert,** nous l'avons dit, est encore très typique; le mélange de styles, d'époques, de spécialités et de prix rend ce marché intéressant pour le vrai chercheur. Bien que fondé seulement en 1945, c'est un marché extrêmement actif, qui comprend aussi bien des stands élégamment installés que des déballages et des boutiques qui ressemblent à des remises.

Enfin, le **marché Jules-Vallès,** peu connu du grand public, car il est situé à l'extrémité de la rue du même nom, ce qui l'écarte du périple le plus connu, est encore aujourd'hui un marché à prix très raisonnables. Très petit, il comporte seulement deux allées, et nombre de stands s'y spécialisent en meubles rustiques, meubles d'art populaire et meubles anglais.

Il est impossible de terminer sans souligner l'extraordinaire montée du **marché Malik** (rue Jules-Vallès), qui était dans le temps un antre de fripiers tout à fait modestes.

Les vêtements 1925 et les chemises de nuit d'occasion en coton à volants étant devenus à la mode, des marchandes avisées ont attiré tout d'abord une clientèle de mannequins et d'actrices; aujourd'hui, Malik est aussi connu dans le milieu des jeunes que certaines rues de la rive gauche : des stands de vêtements curieux, afghans, indiens, bulgares ou réminiscents des années vingt et trente y font courir la jeunesse. Des disques d'occasion, du matériel de photo, des gadgets et des accessoires pour moto et automobile achèvent de rendre Malik particulièrement attrayant pour la jeune génération.

Le Village Suisse. Connu dans le temps comme marché aux Puces en plein centre de Paris, le Village Suisse a dû se transformer dans les dernières années pour devenir un groupement de boutiques d'antiquités. En

Les marchés aux Puces savent lancer ou exploiter les engouements, celui des objets de la Belle Époque par exemple. Ici, des phonographes à pavillon, recherchés par les amateurs de chansons fin de siècle.

effet, la construction d'immeubles modernes avait menacé de chasser de leur terrain les brocanteurs qui, depuis le début du siècle, s'étaient installés à l'emplacement de ce qui fut, pendant l'Exposition universelle de 1900, le « Village Suisse ».
Mais la transformation, commencée en 1963, se fit en douceur et, aujourd'hui, le rez-de-chaussée des bâtiments faisant l'angle entre l'avenue de La Motte-Picquet et l'avenue de Suffren est un harmonieux ensemble d'allées couvertes, de patios et de magasins de toutes les spécialités. Bien que tous les meubles soient extrêmement bien présentés et en parfait état, certains marchands du Village Suisse n'hésitent pas à mélanger meubles de style et meubles d'époque. Un sous-sol comprenant une demi-douzaine de petits magasins très intéressants est à visiter aussi. Dans l'ensemble, les prix sont ceux du marché Biron des Puces, mais la qualité est plus mélangée.

La cour aux Antiquaires. Venant pour la plupart d'un petit marché aux Puces aujourd'hui disparu — les Puces de Ponthieu —, ce groupement, ouvert depuis peu au 54 de la rue du Faubourg-Saint-Honoré, se rapproche par bien des points des supermarchés d'antiquités londoniens.
Les prix pratiqués ici sont moins élevés qu'une situation privilégiée dans une des rues les plus élégantes du monde pourrait le donner à croire.
Les boutiques, au total une vingtaine, sont presque toutes spécialisées, et les marchands font preuve d'un grand esprit d'invention, chacun dans son domaine. Signalons des spécialistes de meubles Napoléon III, de bijoux anciens, de meubles en fonte polie, d'objets de Chine, d'armes, de pierres dures, de meubles anglais et d'objets typiques du domaine maritime.

Londres

Portobello. Portobello Road, l'artère principale des Puces londoniennes, assez loin du centre de la ville, dans le quartier de Notting Hill, est avant tout une fantastique fête populaire et pittoresque : les marchands des quatre saisons côtoient les brocanteurs, des magasins pop déversent une musique assourdissante, et une multitude de jeunes et de vieux, les uns déguisés comme sait si bien le faire la jeunesse, les autres habillés en tweed du dimanche, ajoutent à la couleur locale.
Ici, pas de marchés différenciés : Portobello Road, la rue elle-même, c'est le marché aux Puces. D'un côté s'installent les fripiers ou les petits brocanteurs avec leurs tréteaux ou leurs carrioles qui se suivent à la queue leu leu sur des centaines de mètres, alors qu'en face des antiquaires plus aisés ouvrent boutique dans les rez-de-chaussée des immeubles ou aménagent une impasse en stands. Portobello Road est une très longue rue qui s'étend de Colville Terrace à Chepstow Village et croise Westbourne Grove, autre rue de brocante à bon marché et amusante.
Comme la plupart des amateurs, curieux et marchands parcourent tous la rue en partant du même côté (le plus près de la ville); il va de soi que les antiquaires les plus avisés et les magasins les plus connus se trouvent plutôt au début de Portobello. Les habitués vous diront qu'il faut beaucoup marcher et s'éloigner le plus possible du départ de Portobello Road, car, à mesure que l'on avance, les prix ont tendance à baisser.
Contrairement aux Puces parisiennes, où l'on trouve de tout, mais assez bien réparti entre les divers marchés par catégorie de marchandise, Portobello est extrêmement hétéroclite, et des antiquaires spécialisés, par exemple, en bonne faïence anglaise voisineront avec un ferrailleur ou avec un marchand de fruits et légumes, le tout baignant dans une odeur typiquement anglaise, celle des *fish and chips*, comparable à l'odeur de frites des fêtes foraines en France.
Le meuble ancien n'est pas du tout une spécialité de Portobello Road; ici, il faut venir « chiner » l'objet amusant ou rare. L'éventail est vaste, allant des porcelaines du Staffordshire, produites en grande quantité sous le règne de Victoria, aux pièces en wedgwood, ou, dans un tout autre domaine, à tous les objets touchant aux chevaux et aux courses — gravures, boucles et harnais, casques —, ou aux souvenirs militaires : sabres indiens, pipes à opium, tuniques des Irish Guards, etc.

Ce qui fait l'attrait des marchés et des foires pour le public, c'est l'agrément de combiner la flânerie et la curiosité, sans avoir de seuils à franchir et sans être soumis à aucune contrainte psychologique d'achat.

Il faut cependant signaler un certain nombre d'antiquaires spécialisés en argenterie anglaise, en automates et boîtes à musique, en bois dorés, des galeries de tableaux et d'estampes, et tout de même quelques rares boutiques où l'on trouve des meubles anciens.

Camden. De l'autre côté de Londres, à Islington, la banlieue Nord, ce marché ouvert en fin de semaine est beaucoup plus indiqué pour l'amateur de meubles.
De petits magasins et des stands ouvrent sur un dédale d'allées sans bric-à-brac ni déballage. Accessible comme prix, Camden est très fréquenté par les marchands étrangers en quête de mobilier anglais ou d'argenterie de Sheffield, d'armes ou d'objets d'Orient.

Les supermarchés. Londres est probablement la ville où l'on trouve le plus grand nombre de groupements et de marchés couverts de brocante ou d'antiquités. Ouverts tous les jours de la semaine, ils constituent une attraction pour l'amateur de meubles ou objets d'occasion. En effet, ces marchés couverts existent de longue date, les uns installés dans des immeubles vieillots et presque croulants, les autres installés dans des locaux récemment réaménagés. Des stands, en général minuscules, s'enchevêtrent sur plusieurs étages comme dans un labyrinthe d'autant plus amusant à parcourir que le stock de petits meubles et objets anciens semble particulièrement important en Angleterre. Cela est dû au fait que ce pays a non seulement été d'une très grande richesse, mais qu'en outre son patrimoine n'a pas été entamé par des invasions ou des guerres, comme c'est le cas des autres pays européens. Enfin, le vaste Empire anglais a drainé vers la Grande-Bretagne un échantillonnage d'objets d'art venant de tous les pays : porcelaines et objets asiatiques, objets de fouilles, art des Indes.
Le moins cher des supermarchés, le Chelsea Antique Market, se trouve 253, King's Road, rue devenue célèbre, car elle abrite aussi des magasins de mode et de gadgets du Londres d'avant-garde. Dans ce marché, une centaine de brocanteurs, pour la plupart des femmes, proposent de petites antiquités très peu chères.
Dans le cœur de la ville, à côté d'Oxford Street, l'Antique Supermarket (Barret Street) est déjà plus coquet, mais les stands, tout aussi petits que ceux du marché de Chelsea, ne permettent pas d'y vendre des meubles. L'Antique Hypermarket (26 à 40, Kensington High Street) est en revanche le plus important marché permanent de curiosités en Europe, car il comprend cent huit stands de bonne taille où l'on vend toutes les spécialités du meuble et de l'objet ancien anglais, et parfois étranger.
Dans Bond Street, le faubourg Saint-Honoré londonien, un petit supermarché extrêmement raffiné est installé dans le sous-sol du n° 44. Bien qu'élégant, le Bond Street Antique Center conserve une certaine atmosphère de « marché ». Il est convenu, par exemple, que tous les prix soient affichés.
Mais le marché anglais le plus particulier est celui de l'argenterie d'occasion qui se trouve dans les caves ou coffres-forts d'un imposant immeuble de la City, le centre financier de la ville. Les London Silver Vaults (43 et 64, Chancery Lane) sont des magasins aménagés dans des chambres fortes. Près de soixante spécialistes vendent ici uniquement de l'argenterie, du métal argenté et des bijoux d'occasion, et il va sans dire que, même si l'on n'est pas amateur d'orfèvrerie ou de pierres, la vision de cet ensemble étonnant qui tient à la fois de la prison et de la caverne d'Ali Baba vaut la visite.

Bruxelles

Cette ville est aujourd'hui, avec Paris et Londres, un des centres les plus actifs du commerce d'antiquités. De ce fait, les brocanteurs ou marchands ambulants y viennent volontiers apporter leur marchandise dans les « marchés ».
La foire du dimanche, place des Sablons, est certainement celle qui propose les meubles et objets les plus raffinés. En effet, cette place est non seulement au cœur du quartier d'antiquaires de Bruxelles, mais les marchands qui participent à la foire sont souvent les mêmes qui possèdent des boutiques dans le voisinage. Il s'agit donc plutôt d'une foire d'antiquaires que d'un marché aux Puces.
Le vrai marché aux Puces se tient tous les jours place du Jeu-de-Balle. Les brocanteurs et fripiers étalent leur marchandise à même le sol sur d'immenses bâches. En semaine, ils ne sont pas nombreux, mais, le dimanche, ils approchent de la centaine. Cependant, comme ils ne possèdent pas de stands fixes, leur commerce est limité à de petits objets, à des meubles légers et facilement transportables. On remarque parmi eux des spécialistes d'objets nègres, d'armes, d'objets orientaux et de faïence locale.

Madrid

Le Rastro ou Puces madrilènes — ouvert tous les jours — est un quartier entier voué uniquement à la brocante. Il s'étend de la place Campillo del Nuevo Mundo à la place General Vara del Rey, reliées par la rue de Carlos Arniches, artère principale du Rastro. Ce sont donc ces deux places et cette rue que l'on doit visiter en premier. Beaucoup de marchands exposent sur les trottoirs, faisant déborder leurs étalages jusqu'au milieu de la rue, mais il faut aussi se donner le mal d'entrer dans les patios des immeubles souvent bordés d'un ou deux étages de magasins de brocante. Du côté de la place General Vara se trouvent les meilleurs marchands.

Dans ce fouillis hétéroclite, l'œil exercé découvre la pendule, le moule ou la dentelle ancienne qui méritent d'être achetés.

Ils vendent beaucoup d'objets religieux, meubles de sacristie et de monastères, des sculptures en bois polychromes, ainsi que des « barguenos », des lampes à huile de style mauresque, des braseros en cuivre ou en bronze, des tapis d'occasion espagnols, de la faïence de Talavera à très larges décors, et des meubles et objets du XIXe s. espagnol (style Isabelino), rappelant le Napoléon III français. Comme le meuble de style espagnol typique est très à la mode depuis quelques années, il faut se méfier des copies, d'ailleurs admirablement exécutées, mais dont la valeur vénale est bien entendu inférieure.

Dans les rues Mira el Sol et Mira el Rio Alto, toutes les deux perpendiculaires à Arniches, et sur la place del Campillo, des marchés gitans sont installés. On y trouve des vêtements d'occasion, châles, mantilles, sombreros.

La rue Ribera de Curtidores, parallèle à Arniches, est réservée aux marchands ambulants de tout genre. On y présente aussi bien des gravures, des cadres, des bougeoirs que des disques, des livres, des oiseaux ou des guitares d'occasion.

Rome

Avant la dernière guerre, les touristes et les Romains pouvaient « chiner » dans les parages du Campo dei Fiori ou autour de la place Navona si justement célèbre. Aujourd'hui, chassés du centre, ces brocanteurs et fripiers se sont transportés de l'autre côté du Tibre, allant rejoindre les ferrailleurs et revendeurs d'occasions en tout genre qui, de longue date, sont installés après la porte Portese, à la fois monument et frontière des Puces romaines. Celles-ci s'étendent aujourd'hui le long du fleuve jusqu'à la gare ancienne du Trastevere sur plus d'un kilomètre, sans que l'on puisse très bien en saisir la topographie, car les stands mouvants et les îlots de baraques changent continuellement.

Les ventes se tiennent seulement le dimanche, mais dès le samedi soir les marchands avisés se mêlent aux carrioles qui arrivent et discutent déjà du prix des meubles et des objets. A minuit précis, la vente est autorisée, et, aussitôt, curieux et antiquaires marchandent avec fébrilité, en général dans une obscurité totale, percée seulement de quelques lueurs de lampes de poche.

Le dimanche arrivent les flâneurs : « A la porte Portese, disent les Romains, il n'est rien qui ne soit d'époque ; le tout est de savoir de laquelle. » En effet, Rome n'est pas la plus importante des villes italiennes en matière d'antiquités : à Venise, à Florence, à Milan, à Turin ou à Gênes, d'autres marchés aux Puces locaux et des antiquaires importants contrôlent eux aussi une grande partie du marché d'occasion italien. Dès lors, on ne trouve à la porte Portese que des meubles romains, des objets presque régionaux. Ce qui, en Italie, revient à dire, d'une part, boiseries baroques, cadres, consoles, marbres, guéridons, statues de jardin, d'autre part, quelques objets plus anciens — poteries, pièces de fouilles — ou beaucoup plus modernes, copiés au XIXe sur les somptueux modèles de la Renaissance.

les ventes aux enchères

Les grandes ventes aux enchères comptent aujourd'hui parmi les événements les plus importants du marché international des objets d'art.

Lorsque, à Paris, Londres ou New York, une collection de tableaux ou de meubles est mise aux enchères, les marchands, collectionneurs et amateurs du monde entier ont les yeux fixés sur les objets qui sont mis en vente et sur les prix obtenus. Des catalogues illustrés donnant le détail de chaque œuvre (dimensions, description, origine, collections auxquelles elle aurait appartenu, etc.) sont envoyés par les maisons de vente dans les quatre coins du globe ; le monde de l'art discute des mérites respectifs de chaque meuble, objet ou tableau, et des enchères sont souvent tenues par des amateurs vivant à l'étranger, mais qui participent à la vente par des intermédiaires avec autant de poids et au même titre que s'ils étaient présents.

C'est dire qu'une vente importante touche à peu près tous ceux qui, de loin ou de près, s'intéressent aux objets d'art : les marchands, parce que les ventes fixent le cours des objets ; les amateurs qui possèdent ou désireraient posséder des objets semblables ; le monde de la finance, qui interprétera les prix atteints en tant que symptôme de l'état économique du moment.

Car, quand une toile de Rubens ou une commode française du XVIIIe s. signée de Riesener atteint des milliers de dollars, francs ou livres sterling, cela consacre le tableau ou le meuble non seulement en tant qu'œuvre d'art recherchée, mais en tant que placement. Or, si, jusqu'à il y a vingt ou trente ans, les meubles, tableaux et objets d'art étaient considérés comme une valeur « refuge », aujourd'hui ils ont largement dépassé ce stade. Depuis quelques années, il existe même des sociétés financières qui investissent des sommes importantes en œuvres d'art, et il est très étonnant de voir combien de domaines, jusque-là réservés aux collectionneurs, intéressent désormais les spéculateurs. A un certain niveau de qualité, les meubles, objets, livres, tableaux ou gravures cessent d'être un « bien de consommation » ou d'avoir un rôle purement décoratif pour devenir l'équivalent d'une action en Bourse.

les marchés de Paris, Londres et New York

Le retentissement des grandes ventes est donc incontestable ainsi que le rôle qu'elles jouent dans le marché des objets d'art. Très régulièrement, des enchères d'une importance capitale se tiennent dans les trois villes qui se disputent ce marché : Paris, Londres et New York. Mais, si la signification des ventes est identique partout, leur organisation, ou plutôt l'organisation des maisons qui s'en occupent, diffère dans chaque pays. Dans les pays anglo-saxons, les maisons de vente sont des entreprises commerciales et pas du tout des « charges » comme en France.
Certains des actionnaires ou « partners » occupant des postes de directeurs tiennent le marteau, c'est-à-dire procèdent eux-mêmes aux ventes. Sotheby et Christie's, aujourd'hui les plus importantes maisons de vente aux enchères londoniennes, occupent chacune des locaux très importants où se déroulent les ventes et où, en outre, on peut, à tout moment, voir exposés les objets qui figureront dans les ventes à venir. A Paris, les expositions durent un jour à peine; on le comprend aisément puisque la marchandise, arrivant de chez tel commissaire-priseur, doit être rapidement emportée après la vente pour faire place aux enchères du lendemain. Rien de pareil à Londres : Sotheby ressemble plutôt à un grand magasin voué aux objets d'art. Porcelaines, argenterie, tableaux ou meubles, exposés dans des salons différents, sont là quelques semaines avant la vente, ce qui permet de les étudier avec soin. Sotheby et Christie's se sont fait connaître sur le marché mondial non seulement par les prix spectaculaires atteints chez eux ces dernières années, mais aussi en organisant des ventes aux enchères dans d'autres pays : vente de bijoux en Suisse, de tableaux aux États-Unis, d'objets d'art au Japon, etc. Ils ont ouvert des bureaux dans toutes les grandes capitales et drainent une quantité considérable d'objets d'art vers le marché anglais.
Il faut signaler encore que Sotheby prit l'initiative d'acheter, il y a quelques années, Parke Bernet, la seule maison de vente aux enchères importante de New York. Si les ventes new-yorkaises s'adressent à un public légèrement différent de celui de Londres (car les professionnels, eux, se retrouveront là où il faut être et quel que soit le pays où la vente ait lieu), elles sont donc régies par les mêmes principes que les ventes anglaises.
En France, la différence réside dans le régime fiscal et dans les données du métier même de commissaire-priseur. Les commissaires-priseurs sont des officiers ministériels (comme les notaires ou les avoués) soumis, d'une part, au règlement d'une chambre de discipline et, d'autre part, à la surveillance directe du procureur de la République du tribunal de grande instance du lieu où ils se trouvent. Cela apporte une garantie de probité pour le client, car le commissaire-priseur français ne peut se livrer à aucun acte de commerce en son nom. Mais la réglementation de ce métier (qu'il est impossible de donner en détail), extrêmement peu adaptée au rythme des affaires actuelles, empêche la constitution de groupes suffisamment importants pour rivaliser avec les organisations anglaises.
Quant aux taxes, lorsqu'un client achète en France un objet aux enchères, il est tenu de payer une taxe de 16% jusqu'à 6 000 F, de 11,5% de 6 001 F à 20 000 F et de 10% au-dessus de 20 000 F, en sus des enchères. En Angleterre (et de même chez Parke Bernet), l'acquéreur ne paie que le prix d'adjudication. Les commissaires-priseurs français doivent aussi verser 3% de leurs gains à une caisse à laquelle participent tous les membres de cette confrérie, même ceux qui n'exercent pas le métier, se contentant d'en avoir acquis la charge.

Les ventes aux enchères constituent l'activité principale des commissaires-priseurs français, mais une importante partie de leurs fonctions consiste à faire des estimations, des inventaires, à la suite de successions ou en vue d'assurances, ou simplement à la demande de particuliers qui veulent connaître la valeur de leurs objets. Enfin, un dernier point différencie le marché anglais du marché français. A Londres, les tableaux et objets, bien que catalogués, décrits et étudiés avec le plus grand soin par des spécialistes attachés aux maisons de vente, ne sont pas vendus avec une garantie; mais, en ce qui concerne les tableaux, l'acquéreur, s'il peut apporter des preuves de la non-authenticité de l'œuvre, dispose d'un délai de trente jours pour faire valoir sa contestation. En France, pour les ventes avec catalogues, le commissaire-priseur est garant des objets qu'il vend et solidairement responsable avec l'expert de la description donnée dans le catalogue. C'est pourquoi il s'entoure d'experts spécialisés dans chaque domaine.

les ventes en France

Compte tenu des différences existant entre Paris, New York et Londres, il faut revenir aux ventes elles-mêmes. Il en existe de toutes sortes, depuis les ventes à grande sensation, où l'on se dispute des tableaux impressionnistes ou des bronzes de la Renaissance, jusqu'aux ventes occasionnelles organisées par des commissaires-priseurs ou des notaires de province mettant aux enchères du mobilier courant et des objets sans valeur.

A Paris, les ventes très importantes ont lieu en décembre, en mars et en juin au palais Galliera, qui devient alors une annexe de luxe de l'Hôtel des ventes. Celui-ci, plus connu sous le nom d'hôtel Drouot, est ouvert tous les jours, et les ventes se succèdent l'après-midi, précédées d'une exposition la veille.

Au rez-de-chaussée de l'hôtel Drouot, les salles sont en général réservées à des ventes courantes, c'est-à-dire à des ventes d'objets sans grande valeur : meubles d'occasion, vaisselle, literie, toiles, objets ménagers, linge, livres, etc. Au premier étage, se déroulent les ventes plus intéressantes de meubles anciens, tableaux, argenterie, bijoux, objets d'art ou de collection. Car, à Paris, les commissaires-priseurs peuvent grouper les objets par catégories et procéder à des ventes par spécialités, alors qu'en province il est rare de pouvoir réunir suffisamment d'objets ou meubles du même type, au même moment.

La province, cependant, présente beaucoup d'avantages pour les amateurs de ventes publiques. Elles se déroulent généralement en fin de semaine ou même le dimanche, attirant de ce fait un plus grand nombre de particuliers. A Paris, il faut pouvoir disposer de son temps pour assister aux ventes en semaine.

Aussi, en province, les salles locales généralement plus petites et le contact plus facile avec le commissaire-priseur, dont le bureau est souvent sur place à quelques mètres des objets exposés, créent un climat bon enfant qui effraye moins le débutant ou le « client » de passage.

En dehors de Paris, les plus importants centres de vente français sont les suivants : Versailles, où trois charges de commissaire-priseur extrêmement actives maintiennent un niveau qui fait parfois concurrence à la capitale ; la Côte d'Azur, avec des Hôtels des ventes actifs, surtout en été à Nice, à Marseille et, parfois, à Monte-Carlo ; enfin, quelques villes des environs de Paris, dont la clientèle est composée surtout de propriétaires de résidences secondaires, telles que Chartres, Fontainebleau ou Orléans. Mais presque toutes les villes importantes de province ont un Hôtel des ventes qui fonctionne plus ou moins régulièrement.

Au cours de ventes particulièrement intéressantes à Paris, l'État exerce le droit de préemption. Le but est soit d'empêcher que des œuvres d'art françaises soient acquises par des amateurs étrangers et expatriées, soit d'acheter pour un musée une pièce particulière. Ce droit donne à l'État, pendant quinze jours, la faculté d'acquérir l'objet préempté au prix de la dernière enchère.

Au cours des ventes aux enchères, chaque lot est présenté au public, mais il est sage d'examiner attentivement les objets qui vous intéressent lors de l'exposition qui se tient la veille de chaque vente.

conseils aux acheteurs et aux vendeurs

Au premier abord, l'hôtel Drouot, ou tout autre lieu de vente en province, peut paraître difficile d'accès, mais, avec un peu d'expérience, la timidité du néophyte disparaît rapidement.
Vous devez d'abord fréquenter les Hôtels des ventes le plus souvent possible pour vous mettre dans l'ambiance et apprendre à connaître le rythme des enchères et les cours approximatifs des objets que vous recherchez. Il est également utile de conserver des catalogues en annotant les prix obtenus, ou de consulter les comptes rendus des ventes, qui paraissent dans les quotidiens pour les ventes très importantes, ou dans des journaux spécialisés comme la *Gazette de l'hôtel Drouot*, qui rend compte de toutes les ventes.
Il faut profiter de l'exposition qui précède la vente pour examiner avec attention l'état de l'objet convoité (car, lors de la vente, ce sera difficile) et tenir compte des annonces faites par le commissaire-priseur ou les experts.
En matière de meubles ou d'objets, un langage précis est employé. Style ne veut pas dire époque. Si un commissaire-priseur annonce : « Un fauteuil de style Louis XV », cela veut dire une copie plus tardive. Quant aux tableaux, ils ne sont considérés de tel ou tel maître que si le nom de l'artiste figure en entier sur le catalogue. « Attribué à... » ou « École de... » veut seulement dire que le tableau est ancien (de l'époque du peintre cité et probablement de son entourage).
Ne faites pas monter les enchères trop vite. Fixez-vous un prix plafond et essayez de ne pas le dépasser. Vous devez, si possible, garder la tête froide et ne pas trop vous laisser entraîner par l'esprit de compétition. L'enchère est un pari, un jeu très passionnant, et l'on y perd parfois la tête, comme dans tous les jeux d'argent.
Si vous craignez de vous laisser emporter ou si vous n'avez pas la possibilité d'assister à la vente, vous pouvez donner un ordre d'achat au commissaire-priseur ou à l'expert qui vous avertiront par lettre au cas où l'objet vous aura été adjugé.
N'oubliez pas qu'au prix des enchères s'ajoutent les taxes que nous avons citées plus haut.
Le bulletin remis lors de l'adjudication permet de retirer l'objet acheté. Les ventes sont réglables au comptant, mais, au-dessus de 1 000 F, le règlement doit être effectué par chèque, virement ou mandat. Les objets volumineux peuvent être livrés à domicile par les commissionnaires de l'Hôtel des ventes ou par un transporteur de votre choix. Tous les renseignements sur les ventes, ainsi que la liste des commissaires-priseurs, peuvent être obtenus à l'Hôtel des ventes, 6, rue Rossini à Paris, mais l'on peut également s'abonner aux catalogues des ventes publiés principalement par les diverses études des commissaires-priseurs parisiens.

les expertises

En France, les commissaires-priseurs sont assistés, au cours des ventes aux enchères d'objets de valeur (meubles, tableaux, objets de collection), d'experts professionnels qui garantissent l'authenticité des objets. Ce métier, tout particulier à notre pays, est né en 1736, lorsque Gersaint, connaisseur réputé, devenu, entre autres, le marchand de Watteau, prit l'initiative de faire imprimer des catalogues détaillés pour les ventes dont il s'occupait. Gersaint, dont le magasin se trouvait au pont Notre-Dame, était un des grands merciers parisiens du XVIIIe s. Il commanda à Watteau l'enseigne de sa boutique nommée alors *Au Grand Monarque*, et, par la suite, *A la Pagode*.
Des tableaux de l'époque représentent l'intérieur de son magasin : les murs sont couverts de toiles, et de petites vendeuses montrent aux nobles clients des objets, des boîtes, des glaces et des laques étalés sur un long comptoir.
Plus tard, Mariette (un des plus célèbres collectionneurs de dessins du siècle) et Lebrun, mari d'Élisabeth Vigée-Lebrun, établirent la tradition du catalogue de ventes que l'expert rédige grâce à des recherches et qui constitue une documentation précieuse. En effet, non seulement il renseigne le client au moment de la vente, mais il établit une sorte de pedigree de tous les meubles, objets d'art et tableaux vendus aux enchères. Les experts attitrés des diverses spécialités (tableaux, meubles, art primitif, gravures, objets d'Orient, etc.) sont réunis en une chambre syndicale dont le siège social se trouve 52, rue Taitbout à Paris. En écrivant à cette adresse, on obtient la liste, par spécialité, des experts à qui on peut s'adresser en toute confiance.
Car, outre les ventes aux enchères, les experts peuvent renseigner les particuliers sur la valeur et l'authenticité des œuvres d'art qu'ils possèdent, les conseiller dans leurs achats, et procéder, avec ou sans commissaire-priseur, à des expertises en vue d'assurances, de partages de biens, de liquidations, de ventes ou de successions.
Les honoraires des experts se calculent différemment si les objets sont présentés chez eux, à domicile, ou s'ils doivent se déplacer. L'activité des experts est soumise à des règlements et à un barème d'honoraires. Ils sont, pour la plupart, accrédités près les cours d'appel, les tribunaux, les douanes ou certains ministères.
Aujourd'hui, où les œuvres d'art prennent une place de plus en plus grande dans les placements, le rôle de l'expert a une importance considérable. Il juge et évalue les objets en toute indépendance et doit exprimer son opinion, même quand elle est défavorable. On peut dire qu'il procède comme un médecin. Il s'intéresse à chaque objet ou tableau en particulier, à sa provenance, à son époque, à son état, à sa

valeur. Il saura dire s'il est authentique, s'il faut le conserver, le vendre ou le réparer. Parfois, il devra l'étudier de manière approfondie en faisant des recherches documentaires pour en établir la provenance.
Si l'on n'habite pas Paris, on peut s'adresser aux experts en leur envoyant des photographies des objets dont on désire connaître la valeur. L'expert ne pourra pas toujours se livrer à une expertise complète sur photographie, car seul l'examen de l'objet lui-même est probant, mais il pourra juger si l'objet en question a suffisamment d'intérêt pour procéder à une expertise plus approfondie.

les cotes dans les ventes

Au cours d'une table ronde de commissaires-priseurs qui s'est tenue en 1971, ceux-ci ont fait remarquer que « le plus souvent, ce sont les spécialités donnant lieu à collection qui ont une montée régulière, et même quelquefois spectaculaire ».
On peut noter, en effet, que, dans les vingt ou vingt-cinq dernières années, les prix des objets d'art de qualité n'ont cessé de monter. Parmi les objets de collection, les monnaies connaissent une hausse régulière : 10 à 20% par an selon les experts en numismatique. La très belle orfèvrerie française du XVIIIe s., rare à trouver, s'est stabilisée à des prix assez élevés après avoir connu une hausse régulière jusqu'en 1968. Contrairement à ce que l'on croit, c'est souvent la beauté de la forme ou les poinçons particulièrement vieux des toutes premières années du XVIIIe s. qui font le prix d'une pièce et non pas son poids. Les services de Jean Puiforcat (1925) sont recherchés. Les armes anciennes sont un des nouveaux engouements, et l'on peut évaluer à 30% en deux ans la hausse qui s'est produite sur tous les genres d'armes, surtout les revolvers, les armes blanches, les fusils.
L'art primitif (art nègre, art océanien, mexicain, etc.), après avoir connu une première époque de grande vogue lorsque des artistes comme Matisse ou Picasso s'y intéressèrent (1907), a été relancé vers 1950. Sa montée très rapide est stabilisée aujourd'hui. Une différence de prix très nette se remarque entre les objets de grande qualité et de bonne provenance, et les objets médiocres qui ont inondé le marché après la guerre.
En matière de meubles, il est courant aujourd'hui d'entendre parler de commodes, bureaux plats ou secrétaires français du XVIIIe s. qui atteignent 100 000 F. La hausse n'a jamais cessé ; elle est comparable à celle de la peinture, et on peut, dans ce domaine, parler de valeur refuge. Néanmoins, certaines tendances du goût font apparaître une préférence pour les meubles simples et raffinés (Louis XVI, Directoire). Si la très belle pièce en marqueterie ornée de bronzes dorés d'époque Louis XV est toujours aussi prisée, des meubles en acajou ou en marqueterie sobre, sortant d'ateliers connus, leur font aujourd'hui une forte concurrence.
Dans le domaine de la peinture, la hausse peut se chiffrer entre 20 et 100% depuis la dernière guerre pour les œuvres de grands maîtres, y compris pour les dessins.
Des dessins anciens de petits maîtres, que l'on achetait, vers 1950, 100 ou 150 AF, se payent aujourd'hui facilement de 100 à 500 NF. Mais certaines écoles et certains sujets sont plus prisés que d'autres. Ainsi, les scènes religieuses chères aux écoles italienne et espagnole sont moins appréciées que les sujets mythologiques, les scènes galantes ou les dessins de l'école hollandaise.
Cette dernière, toujours très appréciée, nous fournit, avec les prix spectaculaires atteints par des Rembrandt, un exemple typique de « placement » en œuvres d'art. Il va de soi que des maîtres comme Rembrandt, Rubens, Titien, Goya, Vélasquez, les maîtres français du XVIIIe, les impressionnistes, les primitifs italiens ou du XVe s., ou un Dürer, sont aujourd'hui des valeurs considérées comme plus sûres que les actions en Bourse ou beaucoup d'autres valeurs financières.
D'une façon générale, tout dépend de la qualité et de l'authenticité des objets ou des meubles. Si, aujourd'hui, les beaux meubles signés par Ruhlmann en 1925 se vendent parfois entre 5 000 et 10 000 F, cela ne veut pas dire que tous les meubles 1925 sont à des prix aussi élevés. Néanmoins, c'est une indication évidente du goût pour ce style. Un meuble de cette époque, en bon état, de bonne facture, raffiné et beau de ligne, même s'il n'est pas de Ruhlmann, vaut aujourd'hui vingt ou trente fois plus qu'il y a quinze ans, quand personne ne songeait à s'intéresser à ce style.
Un autre phénomène est à signaler. Quand un certain style d'objets devient à la mode, les prix montent : les vases de Gallé, par exemple, dont la montée, étalée sur plusieurs années depuis 1955, a été très forte. Disons que, tirés de l'oubli, ils ont atteint leur « valeur ». A partir de là, la cote se stabilise et, seuls les exemplaires exceptionnels, très rares, très beaux et particulièrement recherchés atteindront des prix supérieurs.
Cela est vrai pour presque tous les objets de collection : tant qu'ils sont à découvrir, il y aura hausse constante, ensuite c'est la qualité qui primera.
Reste encore à explorer un domaine très vaste : celui des estampes, gravures et lithographies, domaine qui intéresse extraordinairement les amateurs et connaisseurs, depuis que la cote de la peinture a tellement monté. En effet, l'œuvre gravé de certains artistes comme Daumier, Rembrandt, etc., a toujours plu. Mais, aujourd'hui, les lithographies de la Belle Époque, les estampes originales modernes (signées par les artistes), les eaux-fortes des peintres ont aussi un cours remarquablement en hausse. Vasarely, un des créateurs de l'art géométrique visuel appelé op'art, est un bon exemple : il y a dix

ans, ses lithographies originales se payaient autour de 200 F, aujourd'hui elles valent entre 1 000 F et 2 000 F.
On peut conclure en disant que la hausse considérable et régulière dans beaucoup de spécialités très différenciées (orfèvrerie, boîtes en or, monnaies, tapis anciens, meubles du XVIIe et du XVIIIe s., modern style et, maintenant déjà, 1925, objets montés, art japonais, art primitif, bronzes, surtout ceux des artistes du XIXe s., et tableaux, qu'ils soient anciens, du XIXe s. ou modernes), a créé une nouvelle manière de voir l'objet d'art. Car, si de tout temps l'art a été apprécié pour sa valeur, c'était un domaine réservé à une élite de connaisseurs, collectionneurs ou amateurs éclairés.
Aujourd'hui, cette notion est entrée dans l'esprit du grand public qui, plus nombreux qu'avant, s'intéresse et achète des meubles, tableaux et objets d'art, contribuant ainsi à la hausse de leurs prix.

entretien et réparation des meubles et des objets anciens

Toute réparation d'objet ou de meuble ancien en diminue la valeur si elle reste visible. Tenez-en compte avant d'entreprendre vous-même quelque travail que ce soit sur un objet précieux. Nous vous donnons dans ce chapitre quelques conseils d'entretien et de nettoyage tout en vous recommandant de procéder d'abord à un essai préalable sur une partie peu visible de la pièce que vous vous proposez de traiter. En effet, n'oubliez pas que des produits décapants ou acides sont nocifs et risquent, s'ils sont mal employés, d'abîmer au lieu d'améliorer. De même, certains mélanges inflammables ou corrosifs sont à manier avec la plus grande prudence dans des récipients appropriés et en se protégeant les mains. Nous vous expliquons également, pour leur intérêt documentaire, certains procédés utilisés par des professionnels. Ils nécessitent une longue expérience et des connaissances précises pour être appliqués avec succès, et nous vous déconseillons donc formellement de les mettre vous-même en pratique.

le bois

Il est évident que la plupart des réparations de meubles anciens doivent être confiées à des professionnels. Seuls quelques accidents bénins (et encore faut-il se méfier des apparences) sont réparables par un amateur. Si vous êtes bricoleur, vous pouvez, pour le moins, recoller un meuble. Les tables et les sièges anciens sont la plupart du temps branlants; aussi faut-il les étudier de près pour déterminer s'ils ont besoin d'être consolidés par un apport extérieur (comme la pose d'une équerre pour renforcer la ceinture d'une chaise, par exemple) ou tout simplement recollés. Dans ce dernier cas, il vaut mieux décoller complètement l'élément défectueux (barreau de chaise, pied, traverse, etc.), le nettoyer, gratter la partie qui doit être recollée et la replacer après l'avoir enduite de colle (colle spéciale à chaud ou colle blanche à froid). Vous prendrez soin de ne pas la déplacer et de la maintenir dans la bonne position en la ligotant.
Vous pouvez aussi remplacer vous-même une cheville qui a sauté : taillez-la un peu plus grosse que le modèle et dans le même bois; enduisez-la de bougie ou de paraffine et enfoncez-la au maillet.
Si vous projetez de remplacer une planche

Fig. 1. POSE D'UNE CHEVILLE.

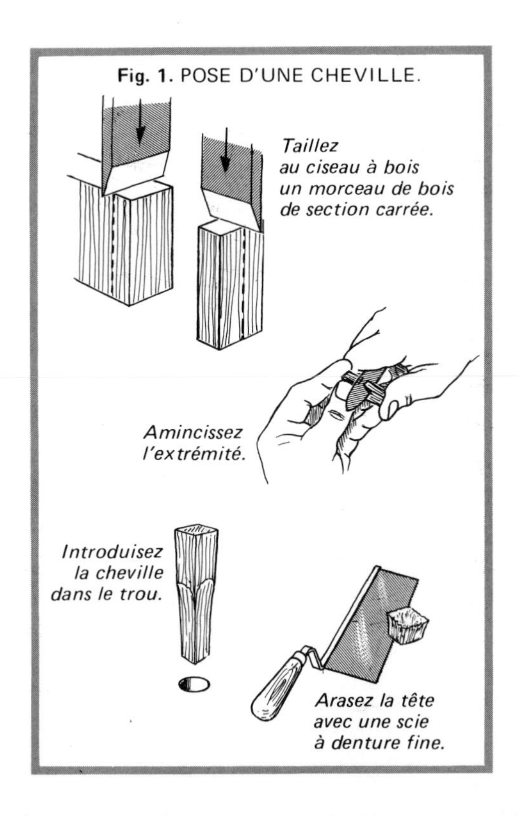

vermoulue au fond d'un bahut ou d'une armoire, il est essentiel de choisir un vieux bois, car les bois neufs, même secs, travaillent encore, et le résultat serait désastreux au bout de quelque temps.
Ici s'arrête, à peu de chose près, ce qui est du ressort du bricoleur moyen.
Il vous sera, par contre, plus difficile de remplacer un montant de dossier, de rajuster un tiroir défectueux, de poser une *enture* à un pied cassé, de réparer les cloques dans une marqueterie abîmée. Toutes ces réparations sont plutôt l'affaire de l'ébéniste.
Par contre, si le décapage, le nettoyage et l'entretien des bois demandent une bonne information pour éviter certaines expérimentations hasardeuses, ces opérations sont du ressort de l'amateur et laissent une marge suffisante aux initiatives personnelles. Vous pourrez donc, comme vous en aurez envie la plupart du temps, nettoyer le meuble que vous venez d'acheter, qu'il vienne d'un antiquaire, d'un brocanteur ou d'un marché en plein air.

Bois ciré. Si vous désirez simplement nettoyer un meuble ciré, vous pouvez le passer entièrement à l'essence de térébenthine en utilisant soit un chiffon imbibé que vous renouvellerez souvent pour les surfaces planes, soit une brosse pour les sculptures, rainures et moulures. Vous frotterez bien le bois qui s'allégera ainsi de sa patine de crasse et de son odeur d'humidité ou de vieux grenier.
Si vous désirez enlever les couches trop épaisses d'encaustique qui ont noirci un meuble, vous pouvez le frotter avec un chiffon imbibé d'un mélange d'alcali (1/5) et d'eau chaude (4/5). Il faut faire cette opération en plein air, car les vapeurs d'ammoniaque sont pénibles à respirer. Vous pouvez employer aussi de la laine d'acier imbibée d'essence de térébenthine en frottant toujours dans le sens des fibres du bois.
Si vous devez éclaircir ou foncer un meuble, commencez par le mettre à nu comme nous venons de l'indiquer.
L'eau oxygénée à 100 volumes, mélangée à 1% d'alcali, éclaircit le bois. Frottez avec un chiffon, tout en ayant soin de porter des gants de caoutchouc, car le mélange est corrosif. Rincez soigneusement en renouvelant l'eau et les chiffons, et séchez longuement avec un linge de toile sec. Certains bois se décolorent plus facilement que d'autres, notamment les bois tendres.
Si vous voulez foncer un bois, passez-le au papier de verre. Pour le teinter, après l'avoir décapé, vous pouvez employer un procédé ancien qui donne de belles couleurs : le jus de chicorée. C'est une décoction de 100 g de chicorée pour un litre d'eau à étendre au pinceau en prenant soin de ne pas faire de traînées plus foncées.
Il existe aussi, bien sûr, nombre de cires colorées, dont certaines donnent au bois de belles nuances chaudes. Enfin des substances,

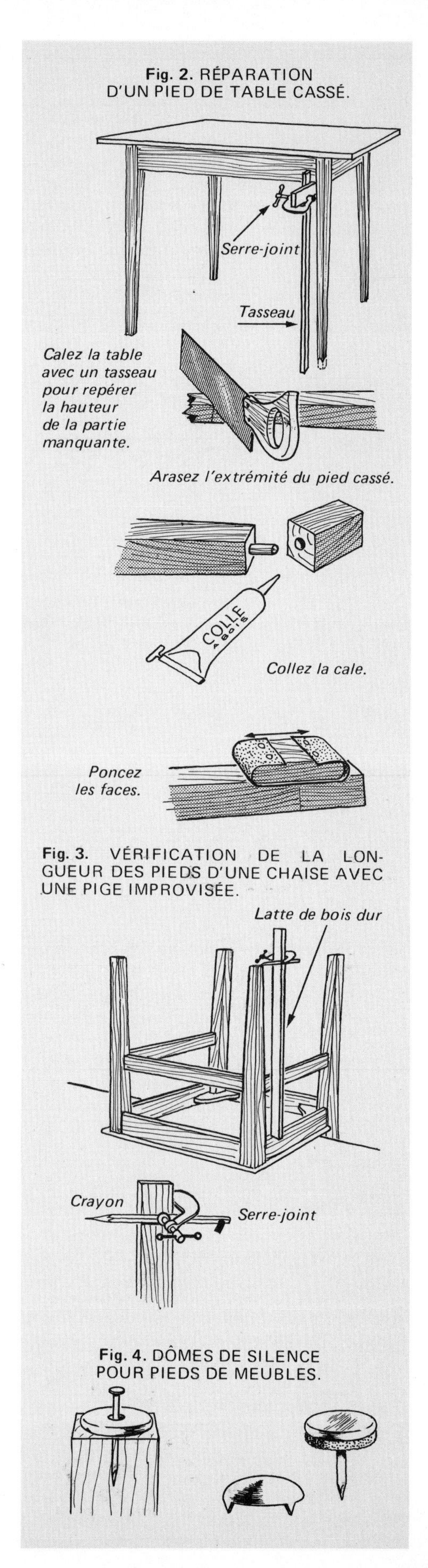

Fig. 2. RÉPARATION D'UN PIED DE TABLE CASSÉ.

Fig. 3. VÉRIFICATION DE LA LONGUEUR DES PIEDS D'UNE CHAISE AVEC UNE PIGE IMPROVISÉE.

Fig. 4. DÔMES DE SILENCE POUR PIEDS DE MEUBLES.

Fig. 5. COMMENT RECOUVRIR UNE CHAISE DE TISSUS.

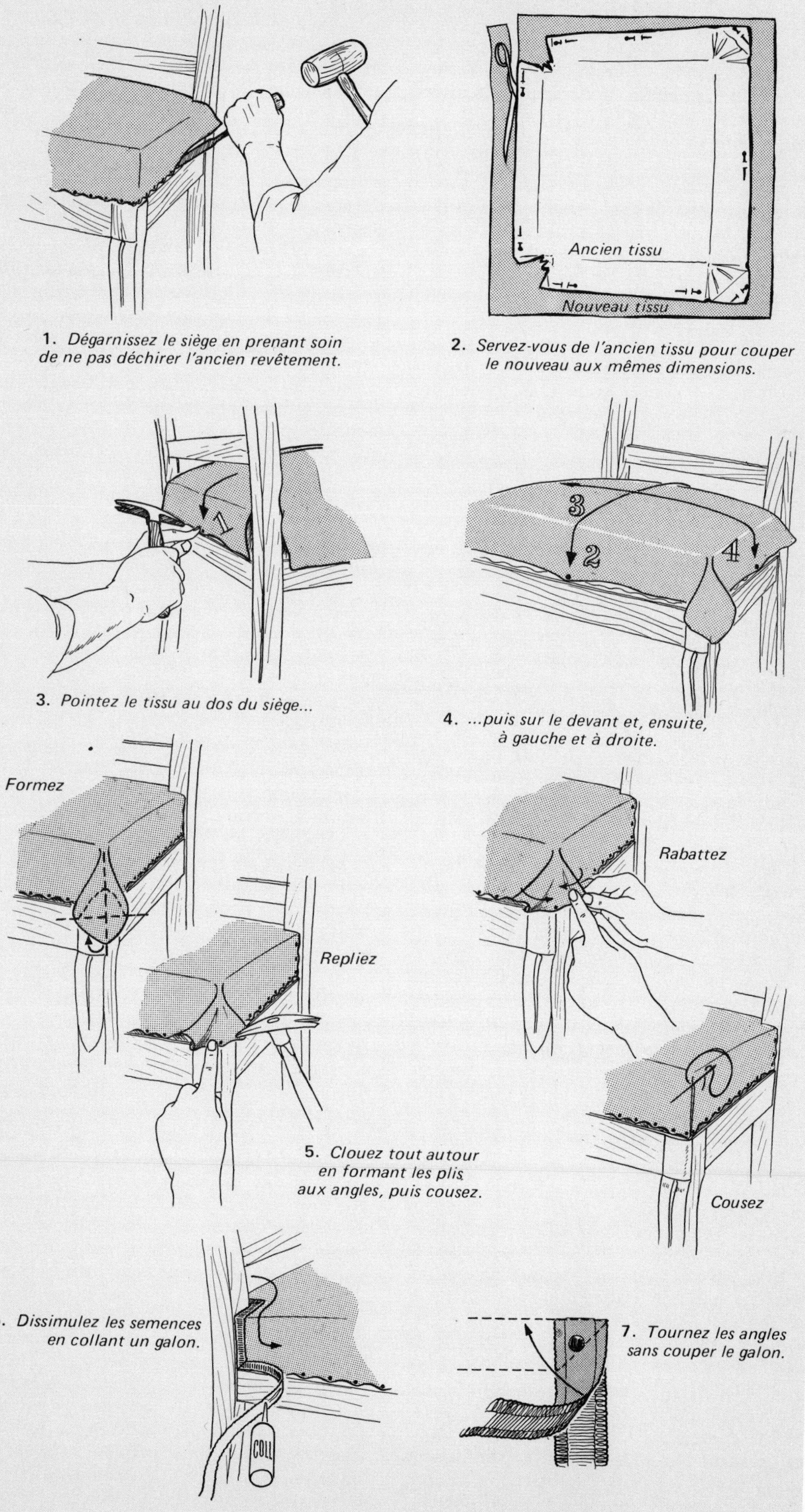

1. *Dégarnissez le siège en prenant soin de ne pas déchirer l'ancien revêtement.*

2. *Servez-vous de l'ancien tissu pour couper le nouveau aux mêmes dimensions.*

3. *Pointez le tissu au dos du siège...*

4. *...puis sur le devant et, ensuite, à gauche et à droite.*

5. *Clouez tout autour en formant les plis aux angles, puis cousez.*

6. *Dissimulez les semences en collant un galon.*

7. *Tournez les angles sans couper le galon.*

comme le brou de noix ou le bitume de Judée, colorent le bois très fortement. Vous pouvez, suivant la concentration du produit, modifier la teinte. Mais n'oubliez pas que les bois réagissent différemment, aussi bien à la décoloration qu'aux colorations. Le pin et le pitchpin, par exemple, se décapent très facilement et se teintent très fortement. Il est plus prudent de faire un essai sur une partie cachée du meuble, comme l'arrière d'un pied ou le dessous d'un plateau de table. On découvre ainsi parfois que certaines parties du meuble ont été réparées avec des bois d'essence différente ou même originellement conçues avec des bois de qualité inférieure, comme le sont souvent les dos d'armoires ou de bahuts et les tiroirs.

Quel que soit le moyen employé pour décaper un bois ciré, il est absolument indispensable de le poncer ensuite au papier de verre avant de le cirer à nouveau.

Pour redonner au meuble un bel aspect lustré, vous choisirez :

- pour les bois fins, la cire liquide, que vous étalerez bien avec un chiffon; puis vous laisserez sécher un ou deux jours. Faites alors briller, puis recommencez jusqu'à ce que le bois ait pris une belle couleur et un beau brillant;
- le pain de cire, que vous ferez fondre au bain-marie, puis que vous mélangerez à un peu d'essence de térébenthine de façon à obtenir une cire onctueuse que vous laisserez refroidir. Étalez au chiffon doux et faites briller;
- la cire blanche, que vous ferez fondre au bain-marie, puis que vous étalerez au pinceau en prenant bien soin de l'appliquer très régulièrement, car les traces sont difficiles à rattraper. Opérez à chaud. Laissez sécher un ou deux jours, puis lustrez au chiffon doux. Vous admirerez alors votre travail : une surface légèrement vernie et patinée, au grain incomparable;
- le cirage à chaussures brun (ou acajou). Son emploi est un truc d'antiquaire, qui permet d'obtenir des résultats étonnants. Pour faire reluire, il existe un instrument connu de tous les ébénistes : la brosse à meuble en plumes d'oie. Cette brosse est très dure, mais ne raye pas et donne aux bois un brillant inégalable.

Vous ferez disparaître les auréoles fraîches de verres ou de bouteilles ou les griffes superficielles sur un bois ciré en frottant avec un bouchon de liège coupé dont vous renouvelez la tranche dès qu'elle est encrassée.

Bois peint. Il est souvent difficile de décaper un bois peint. S'il s'agit d'un meuble et si vous avez le courage et la patience d'entreprendre un travail long mais efficace, le meilleur procédé est le suivant : prenez un morceau de vitre cassée en vous protégeant la main avec un chiffon et grattez la surface peinte en tenant le morceau de verre comme un grattoir. Si vous procédez patiemment par petites surfaces, vous obtiendrez un bois intact et même poli, d'une belle couleur, propre, et qui aura déjà la douceur d'un bois ciré. Vous serez récompensé de votre effort et vous vous en consolerez en pensant que bien des antiquaires peinent en employant le même procédé. Cependant, il n'est pas recommandé pour les bois tendres, comme le pin, le sapin ou le tilleul, mais seulement pour des bois durs comme le noyer, le chêne, le poirier. Poncez ensuite légèrement à la laine d'acier.

Autre moyen bien connu et efficace pour décaper la peinture sur bois : l'emploi d'une lessive à base de potasse, comme la lessive Saint-Marc. Vous pouvez démonter le meuble et le mettre à plat ou, si les différentes parties sont assez peu volumineuses, les plonger dans un vieil ustensile sacrifié. La proportion est alors de 200 g de lessive par litre. Après avoir mis des gants de caoutchouc, frottez à la brosse, puis au *brunissoir* dans les moulures et rainures pour venir à bout des couches successives. Rincez ensuite abondamment, à l'ombre et loin d'une source de chaleur. (Abondamment signifie que vous renouvelez l'opération plusieurs fois sans détremper le bois.)

Séchez au chiffon sec. Il est possible que le bois décapé soit terne et noirci, car le potassium noircit le bois. Bien séché, vous pouvez l'éclaircir au sel d'oseille ou à l'eau oxygénée à 100 volumes. S'il s'agit d'un bois très dur, poncez à la paille de fer, puis à la laine d'acier.

Quand il s'agit de parois verticales, la meilleure solution est l'emploi de la colle de pâte. Faites dissoudre 1 kg de lessive à la potasse dans 10 litres d'eau chaude. Versez ce mélange dans une bassine avec 1 kg de farine et portez à ébullition pendant cinq minutes. Vous obtenez un « gel », facile à badigeonner sur les surfaces à décaper et que vous pouvez laisser agir pendant une nuit. Faites un essai de rinçage et, si le résultat n'est pas satisfaisant, repassez un badigeon et laissez agir plus longtemps.

Vous pouvez aussi vouloir faire disparaître certaines couches de repeint sur du bois tout en préservant la peinture primitive. S'il s'agit de peinture à l'huile, vous emploierez 100 g de lessive à la potasse par litre d'eau et rincerez par places, pour vérifier quand la couche de peinture à préserver apparaît. Si des boiseries sont peintes à l'eau, diminuez la proportion de lessive à 50 g par litre d'eau; si elles sont peintes avec une peinture à la colle ou à la caséine, ne dépassez pas 5% de lessive. Enfin, s'il s'agit de bois ciré, employez la même proportion que pour le bois peint, mais avec de l'eau bien chaude.

Il existe aussi, chez tous les marchands de couleurs, des produits liquides spécialement conçus pour le décapage des bois. Mais on ne les emploie que pour un décapage intégral, car il est impossible, par ce procédé, de sauver les couches de peinture primitive. Il faut appliquer ces produits au pinceau, laisser agir quelque temps, brosser les surfaces à la brosse de chiendent ou à la brosse métallique et bien rincer. De toute

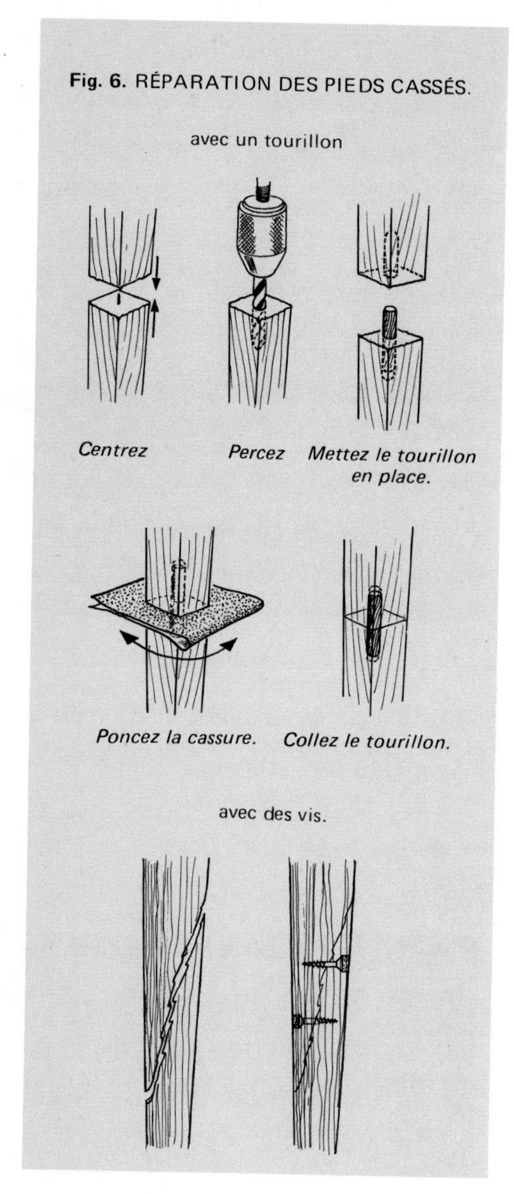

Fig. 6. RÉPARATION DES PIEDS CASSÉS.

façon, avant d'envisager de repeindre, il conviendra de laisser sécher intégralement, de passer la surface au papier de verre fin, d'opérer un rebouchage soigneux des défectuosités à la pâte à bois ou à l'enduit spécial, de poncer à nouveau, puis de dépoussiérer afin d'obtenir un fond se prêtant à tous les décors.

Bois verni. Si vous voulez enlever le vernis d'un meuble de valeur, confiez-le à un spécialiste.

S'il s'agit de meubles sans grande valeur, vous pouvez le faire vous-même en opérant comme suit : faites un mélange en parties égales d'essence de térébenthine, d'ammoniaque et d'alcool à brûler; faites chauffer ce mélange au bain-marie très chaud mais hors du feu (car ce mélange est inflammable) et appliquez-le sur le bois verni avec une éponge, par petites surfaces. Laissez agir un moment et grattez avec un brunissoir dans le sens des fibres du bois. Poncez au papier de verre fin.

Si vous désirez simplement nettoyer un bois verni, évitez surtout d'employer l'essence de térébenthine qui attaque le vernis. Si le meuble est très sale, la meilleure solution est de le passer au chiffon imprégné d'eau tiède et de savon de Marseille. Rincez bien avec un chiffon de toile trempé dans l'eau claire et bien essoré, puis au tampon sec. Laissez le bois sécher pendant une nuit et, s'il reste des taches, vous pouvez employer un produit spécial pour vernis et frotter le meuble avec un vieux foulard de soie, ce qui doit lui rendre tout son brillant. Recommencez cette opération d'astiquage plusieurs jours de suite.

Si le vernis est abîmé, trois solutions sont possibles pour le réparer :

- Vous trouverez en droguerie des produits qui redonnent au bois verni son lustre, sans qu'il soit besoin de frotter.
- Il existe aussi dans le commerce des produits qui se diluent dans l'alcool et peuvent s'appliquer au tampon. Mais, attention, ils sont difficiles à manier, et la maladresse ne pardonne pas.
- Vous essaierez un mélange qui demande beaucoup de soin : faites une solution de 50% d'huile de lin, 50% d'alcool à brûler. Avec un tampon fait d'un chiffon de laine recouvert d'un chiffon de soie, frottez la surface en faisant de petits cercles sans trop imprégner le tampon. Laissez sécher, astiquez au chiffon de laine, puis de soie.

Si le vernis est trop abîmé et qu'il soit nécessaire de revernir, la solution la plus sage est de confier ce travail à un professionnel, car le vernissage au tampon est un art très difficile; quant au vernissage au pinceau, nous vous le déconseillons, car il est rare qu'on obtienne ainsi une finesse de grain suffisante.

Les plats chauds aussi bien que les seaux à glace ou autres récipients très froids laissent des traces sur le bois verni. Il existe dans le commerce des produits qui enlèvent les taches fraîches et les auréoles.

Enfin, un produit bien connu des ébénistes et des marchands de couleurs, la « popote », confère aux vernis une belle patine; astiquez au chiffon doux après application et répétez l'opération plusieurs jours de suite; vous serez étonné du résultat.

Bois laqué. Pour nettoyer un bois laqué, lavez-le avec de l'eau tiède et du savon de Marseille, puis rincez immédiatement à l'eau tiède en prenant bien garde de ne pas tremper le bois. Laissez sécher et appliquez au chiffon une crème spéciale pour bois laqué qu'on lustre au chiffon doux.

Bois doré. S'il s'agit d'un bois doré que vous désirez débarrasser d'une dorure irrécupérable, employez un mélange de 100 g de lessive à la potasse par litre d'eau chaude, qui éliminera l'enduit fait de colle et de plâtre qui soutient la dorure. Laissez tremper l'objet dans ce bain pendant une nuit, puis frottez-le à la brosse de chiendent.

Même si vous êtes certain que vos bois dorés sont dorés *à la feuille* et non à l'or chimique, il est plus prudent de ne pas les nettoyer avec un détergent, même doux, qui pourrait attaquer « l'assiette », c'est-à-dire le support un peu rougeâtre de la dorure, qui est à base de colle animale et que l'eau, même claire, détériore.
Pour nettoyer ou rafraîchir le bois doré, employez un blanc d'œuf battu en neige auquel vous aurez ajouté quelques gouttes de vinaigre d'alcool. Appliquez au pinceau, laissez sécher puis lustrez au chiffon doux.

la marqueterie

La marqueterie s'entretient comme le bois verni. Si des éléments sont décollés et qu'ils soient perdus, ou bien vous confierez le travail à un ébéniste qui les remplacera, ou bien vous boucherez les vides avec du mastic à bois que vous vernirez ensuite, mais ce travail ne peut être qu'une solution de fortune qui déprécie le meuble. Si vous possédez les éléments décollés, nettoyez-les à l'alcool. Démontez le meuble, si possible, pour travailler à plat. Enduisez les éléments de colle cellulosique et replacez-les dans les vides correspondants; appuyez les bords en essuyant les bavures de colle et mettez sous presse ou placez dessus un poids très lourd. Laissez sécher une nuit, puis cirez.

Ci-dessus : *Un récipient mal essuyé, posé sur cette desserte, a provoqué une infiltration d'eau, source du gonflement et des craquelures du placage.* Ci-dessous, à gauche : *Dégâts dus à des parasites du bois sur le bâti intérieur d'un secrétaire.* Ci-dessous, à droite : *Cette commode Régence présente un décollement du placage dû à des variations hygrométriques et de température.*

les poutres anciennes

Décaper les poutres est un travail fastidieux et fatigant à cause de la position, bras levés. Si les poutres sont simplement noircies par des fumées et des vapeurs grasses de cuisine, et même si leur aspect est décourageant, une solution de 50 g à 100 g de lessive à la potasse par litre d'eau bien chaude viendra à bout du bois le plus encrassé, à condition de frotter vigoureusement à la brosse de chiendent et de recommencer l'opération un certain nombre de fois. Rincez à l'eau claire avec une brosse. Si les poutres ont été peintes ou même vernies, la solution peut aller jusqu'à 200 g de lessive par litre d'eau, et il sera peut-être nécessaire de frotter à la brosse métallique pour attaquer les couches épaisses.
Une autre solution est d'employer la colle de pâte dont on a parlé plus haut et de laisser ce mélange agir pendant un à deux jours. Quant à l'acide chlorhydrique, qui vient à bout des résidus de plâtre, d'enduit ou de peinture incrustés dans les fissures ou dans les fibres du bois, il est dangereux à manipuler, surtout pour les yeux. Utilisez-le seulement si votre position par rapport aux poutres le permet, c'est-à-dire si vous êtes au même

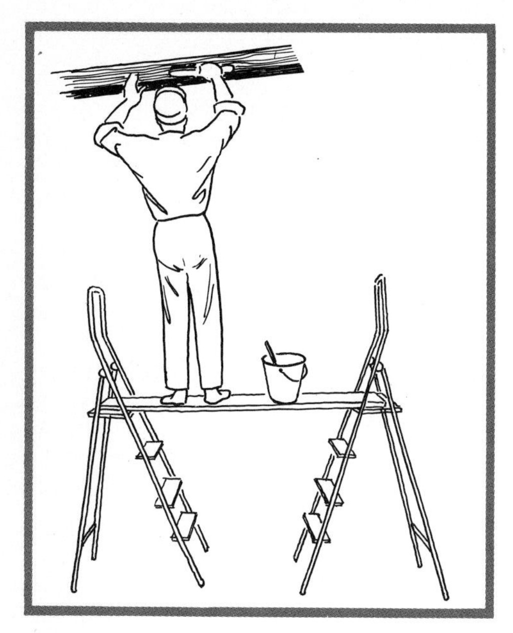

Fig. 7. UN EXEMPLE D'ÉCHAFAUDAGE POUR NETTOYER FACILEMENT LES POUTRES.

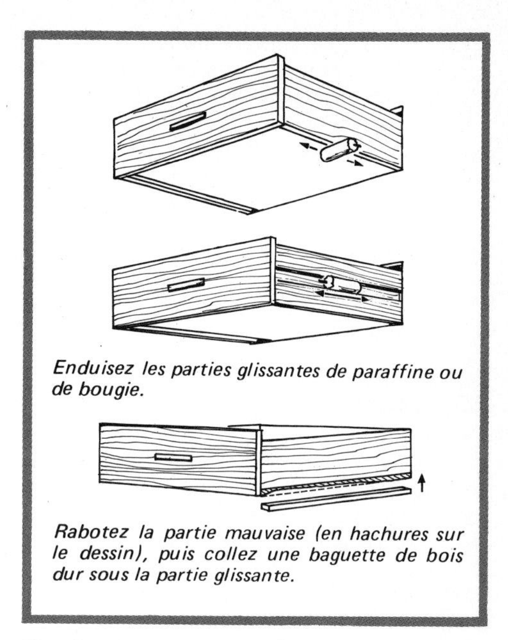

Fig. 8. COMMENT PROCÉDER A LA REMISE EN ÉTAT D'UN TIROIR ABÎMÉ.

niveau qu'elles et non pas au-dessous. Mais ce produit donne à certains bois, et notamment au chêne, une belle teinte dorée. Quand les poutres sont sèches, encaustiquez-les avec une cire aux silicones et faites reluire à la brosse dure.

les vers à bois

Il s'agit en fait de larves qui creusent des galeries en vrille dans le bois et s'en nourrissent. Tous les bois anciens (seuls le châtaignier et le cœur de noyer résistent bien) sont plus ou moins criblés de ces « fameux trous de vers », si importants qu'on en fabrique consciencieusement des faux pour vieillir les copies de meubles anciens. Il est important de se débarrasser de ces insectes qui détériorent les meubles jusqu'à en dévorer littéralement certaines parties. On décèle facilement leur présence par des traces ou des petits tas de poussière jaune impalpable. Si le meuble a été relativement préservé, vous pouvez injecter avec une seringue, dans les quelques trous, un produit spécial (Xylophène) vendu chez tous les droguistes. Mais, la plupart du temps, les trous sont innombrables, et il est plus facile d'utiliser ce produit conditionné en bombe aérosol. Pulvérisez généreusement la surface à traiter, essuyez les traînées et recommencez le lendemain. Les insectes sont détruits à l'intérieur des galeries, mais il est plus prudent de traiter aussi les tiroirs, les dessus et les arrières des meubles pour que les vers n'y trouvent pas refuge. Quand vous êtes certain de leur destruction, encaustiquez largement afin que la cire puisse boucher les trous de vers. Vous trouverez aussi en vente dans le commerce un produit qui prévient les moisissures et le noircissement du bois ainsi que des cires insecticides efficaces.

Si vous désirez boucher les trous de vers, éclats, parcelles de bois sautées, il existe un mastic à bois coloré que vous enfoncerez avec la pointe d'un couteau. Cependant, n'abusez pas de cette forme de « restauration », s'il s'agit de gros creux ou éclats; vous ne réussiriez qu'à rendre ces défauts plus visibles.

les tiroirs

Il est important de toujours bien nettoyer les tiroirs à l'essence de térébenthine et de les traiter contre les vers. En outre, il arrive souvent que les tiroirs de vieux meubles glissent mal. Voici un vieux truc efficace : enduisez les parties glissantes de savon sec, de paraffine ou de bougie. Si l'essai n'est pas concluant, c'est que le bois a joué; passez alors la râpe à bois sur les parties glissantes pour en diminuer la hauteur.
En cas d'insuccès, vous devrez avoir recours à un ébéniste, car, alors, ce sont les glissières elles-mêmes qui sont défectueuses.

les variations de température

Il est préférable de prendre des précautions quant aux changements de température. Un meuble qui vient d'une vieille maison sans chauffage central, d'une remise d'antiquaire ou de brocanteur et qu'on transporte brutalement dans un milieu surchauffé et sec risque de réagir mal : il peut se fendre, jouer, même s'il est sec depuis plusieurs dizaines d'années. Quant à la marqueterie et aux bois de placage, il est rare qu'ils résistent à ce régime : des plaques se soulèvent, se cloquent, les filets de métal ou de bois sautent, le placage gondole, et ces réparations, qui sont du ressort d'un ébéniste qualifié, sont en général coûteuses. L'idéal serait d'« habituer » le meuble à la nouvelle température en l'amenant progressivement, en plusieurs mois, d'une pièce peu chauffée ou d'une maison d'été à la place que vous lui destinez, peut-être près d'un radiateur de chauffage central. Pour la santé des meubles comme pour celle des êtres vivants, veillez à maintenir une certaine humidité dans l'atmosphère à l'aide d'humidificateurs ou, à défaut, de récipients remplis d'eau, posés sur les radiateurs.

les métaux

le bronze

Certains bibelots, statuettes, pieds de lampes ou entrées de serrures de meubles anciens sont faits de cet alliage de cuivre et d'étain parfois mélangé à du zinc. Si le métal est très encrassé, vous pouvez le nettoyer d'abord avec une brosse trempée dans du pétrole. Vous laverez ensuite la pièce à l'eau savonneuse.
Vous pouvez aussi composer le mélange suivant : 1/3 d'eau, 1/3 d'ammoniaque, 1/3 de vinaigre d'alcool. Appliquez ce produit avec un pinceau en insistant bien dans les creux. Rincez, puis faites briller au chiffon doux. Si le bronze n'est pas très sale, de l'eau savonneuse tiède additionnée d'alcool à brûler suffira. Rincez à fond, essuyez avec un chiffon de toile et faites briller avec un chiffon de laine. Vous pouvez également faire une pâte en malaxant de la chicorée et de l'eau tiède que vous étendrez sur l'objet. Quand la pâte est sèche, brossez-la puis faites briller. Les objets de bronze ainsi traités peuvent être cirés, ce qui non seulement les fait briller, mais les protège de l'humidité.
Beaucoup de bibelots anciens ou de garnitures de meubles et autres appliques ou lustres sont en bronze doré. Évitez absolument d'employer les produits pour cuivre qui enlèveraient la dorure. Pour nettoyer, il suffit de mélanger deux cuillerées à soupe d'ammoniaque dans un litre d'eau, puis de passer ce mélange à la brosse douce en insistant sur les parties ciselées. Rincez à l'eau claire et essuyez avec un chiffon de toile. Pour enlever les taches, préparez un mélange d'une cuillerée à soupe d'alcool à brûler dans un litre d'eau.

le fer, la ferronnerie les ferrures

Qu'il s'agisse de pièces de fer forgé, d'anciens outils, de torchères ou de ferrures de meubles, le fer est un très beau matériau qui demande pour son nettoyage une attention particulière.
Si le métal est très sale et rouillé, le mieux est de le plonger dans un bain de pétrole ou, s'il fait partie d'un meuble, de le frotter soigneusement avec un chiffon imbibé de pétrole jusqu'à ce qu'il n'y ait plus trace de rouille. C'est une opération qui demande beaucoup de soin, car le pétrole est gras et tache le bois. S'il s'agit d'une serrure de meuble, frottez-la avec un tampon de laine d'acier jusqu'à ce qu'apparaisse la belle couleur grise aux reflets brillants. Le mieux est ensuite d'encaustiquer la serrure en même temps que le meuble, ce qui lui donne un lustre et la protège de la rouille. S'il s'agit d'une pièce indépendante, comme une arme blanche ou un vieil outil d'artisan, vous pouvez le polir vous-même à la laine d'acier ou le donner à un polisseur professionnel, comme il en existe à Paris dans le faubourg Saint-Antoine.
Il est peu recommandé de faire *sabler* une pièce de fer, car, si vous obtenez ainsi un métal poli, il a perdu tout son grain, tous ses accidents de surface, toutes ses nuances de couleur. Ces pièces s'entretiennent à la cire vierge; évitez toujours de les vernir et plus encore de les peindre avec ces peintures dites « pour fer forgé », qui furent tellement à la mode il y a quelques années.

l'étain

On aime les étains plus ou moins brillants. Autrefois, on préférait garder la patine des années. Aujourd'hui, certaines personnes aiment que l'étain soit aussi bien astiqué que l'argenterie. Si le métal est très sale, frottez-le avec un chiffon imbibé de pétrole, sauf s'il doit contenir des aliments. Dans ce dernier cas, frottez-le énergiquement avec un chiffon imprégné de bière chaude.
Pour lui donner une belle patine, et si vous êtes patient, frottez-le en faisant des ronds avec un bouchon de liège. C'est un travail long, mais qui donne de beaux résultats sur des pièces anciennes qui en valent la peine. Vous pouvez également passer un peu de blanc d'Espagne avec un chiffon humide, puis essuyez vigoureusement.
Signalons qu'il existe dans le commerce un produit conditionné en bombe aérosol qui conserve à l'étain son brillant. Enfin, évitez de laisser de l'eau stagnante dans l'étain, car vous le tacheriez pour toujours.

le cuivre

Avec la mode des objets rustiques pour les maisons de campagne et les résidences secondaires, le cuivre est de nouveau très recherché pour les ustensiles de cuisine et d'ornement. S'il est très encrassé par du vert-de-gris, remplissez une grande bassine de vinaigre bouillant dans lequel vous jetez du sel de mer (une bonne poignée pour 2 litres de vinaigre d'alcool). Plongez l'objet de cuivre dans ce récipient et laissez-le tremper pendant une nuit. Brossez-le ensuite énergiquement. Si le résultat n'est pas satisfaisant, recommencez le bain jusqu'à ce que le vinaigre soit froid. Polissez ensuite l'objet avec l'un des produits en vente dans le commerce pour faire briller les cuivres. Tous ces produits laissent des traces blanches ou verdâtres qu'il est parfois difficile de faire disparaître sur les ciselures et autres recoins inaccessibles; le mieux est de retremper l'objet dans un bain de vinaigre chaud et de le frotter avec une brosse trempée dans le bain. Les cuivres que l'on n'utilise pas peuvent garder assez longtemps leur brillant s'ils ont été pulvérisés avec un produit spécial conditionné en bombe aérosol.

le cuivre doré

N'employez pas les produits pour cuivre qui enlèveraient la dorure de ces garnitures de meubles, bibelots, luminaires ou autres pièces anciennes. Pour les nettoyer, trempez une brosse ou un chiffon de toile dans de l'eau alcoolisée (une cuillerée à soupe d'alcool par litre d'eau) ou dans de l'eau ammoniaquée dans les mêmes proportions. Rincez avec soin la pièce à l'eau claire et essuyez-la avec un chiffon doux.

le vermeil

Le vermeil est de l'argent doré. Qu'il s'agisse d'anciennes pièces d'orfèvrerie, dites de « vermeil doré » (c'est-à-dire dorées d'or rouge) ou d'argent doré de bas or (mélangé d'argent ou d'or vert), le vermeil ne doit en aucun cas s'entretenir avec les produits réservés à l'argenterie.
Les pièces de vermeil se nettoient à l'eau savonneuse, additionnée d'une poignée de bicarbonate de soude, ou avec un chiffon trempé dans l'huile et essoré. Bien sécher et polir avec un chiffon doux ou une peau de chamois. Ranger à l'abri de l'air.

le métal argenté

Pour lui enlever son aspect terne, frottez-le avec un chiffon imprégné d'alcool à brûler. Rincez à l'eau claire, puis astiquez comme s'il s'agissait d'argenterie.

l'argenterie

Les pièces d'argenterie (couverts, plats, timbales, bibelots) sont composées d'alliage (argent et cuivre), dont le titre varie suivant le pays d'origine. L'argent noircit par oxydation, c'est dire qu'il se ternit plus vite dans les climats humides ou au bord de la mer. Pour l'astiquer, passez une couche de produit spécial « longue durée » en vente dans les drogueries en utilisant un chiffon pour les parties plates et une brosse pour les ciselures. Pour entretenir l'argenterie quotidienne, vous pouvez utiliser un « chiffon à argenterie » imprégné de produit spécial. Signalons un vieux truc de nos grands-mères : après la vaisselle, laissez tremper pendant quelques minutes les couverts dans un récipient d'aluminium sacrifié à cet usage et rempli d'eau dans laquelle on a jeté quelques cristaux de soude. Pour l'argenterie dite « de parade » (pieds de lampes, boîtes, bibelots), vous pouvez, après l'avoir bien astiquée, passer une couche de vernis à métaux, que vous appliquerez avec un pinceau de martre très doux, afin que la couche de vernis soit bien étalée et fine. Certaines pièces d'argenterie dont vous vous servez rarement seront, après astiquage, enveloppées hermétiquement dans du papier d'aluminium, à l'abri de l'humidité. Si, quelques minutes avant de dresser votre table, vous découvrez que votre argenterie est ternie, trempez-la rapidement dans un liquide actif (en vente dans les drogueries). Mais ce n'est là qu'un dépannage.
Si l'argent est piqué, trempez la pièce dans du vinaigre chaud pendant quinze minutes ou dans de l'eau ammoniaquée (quelques gouttes d'ammoniaque dans un verre d'eau). Sur un bougeoir, les coulées de cire s'enlèvent en le trempant dans l'eau chaude.

autres matériaux

le cuir

Il n'est pas rare que la garniture en cuir de sièges anciens soit séchée et abîmée.
Il faut d'abord nettoyer très légèrement le cuir à l'essence de térébenthine ou simplement à l'eau et au savon, ce qui est moins dangereux, puis le nourrir si besoin est avec une crème pour cuir ou un bon cirage à chaussures. Vous pouvez ensuite l'entretenir éventuellement avec une cire aux silicones.
La bière nettoie les sièges en cuir. Le blanc d'œuf passé au pinceau comme sur les cadres dorés, puis essuyé au chiffon sec leur donne un léger brillant qu'on peut renforcer par un astiquage vigoureux.
La plupart des taches faites sur le cuir s'enlèvent avec de la benzine et de la terre de Sommières. Mais aussi bien l'essence de térébenthine que la benzine peuvent enlever la couleur des cuirs teints par des procédés actuels. Il faut donc opérer avec précaution et demander conseil à un spécialiste.

l'ivoire

Pour nettoyer les objets usuels en ivoire (touches de piano, brosses, manches de couteaux), vous pouvez employer une solution de 10 g de lessive à la potasse par litre d'eau avec laquelle vous frotterez les objets au chiffon ou à la brosse douce. Vous pouvez aussi les nettoyer avec une poudre de ponce très fine délayée dans l'eau. Frottez-les ensuite avec un chiffon imprégné d'alcool à brûler, puis faites-les briller au chiffon de soie naturelle. Si l'ivoire est très jauni et que vous vouliez le blanchir, faites dissoudre du sel marin dans un jus de citron et frottez l'objet avec ce mélange. L'eau oxygénée à 20 volumes a le même effet. Rincez ensuite à l'eau claire. Si, au contraire, vous trouvez vos ivoires trop blancs, trempez-les dans du café sucré et retirez-les quand vous avez obtenu la teinte désirée. Ne rincez pas, mais essuyez doucement et donnez du brillant avec un chiffon de soie ou une peau de chamois.

le marbre

Le marbre est un matériau relativement sensible aux taches et sur lequel il ne faut pas poser des objets chauds (fer à repasser, casseroles, etc.). Pour un nettoyage léger, frottez avec un chiffon doux imprégné de quelques gouttes d'huile. Si le marbre est clair et très sale, frottez la surface avec un mélange de sel marin et de jus de citron. S'il est foncé, délayez dans du vinaigre d'alcool une poudre de ponce très fine et laissez agir toute la nuit. Le lendemain, brossez et rincez à l'eau chaude. Pour un nettoyage périodique, lavez le marbre à l'eau tiède et au savon noir. Rincez et faites briller avec un chiffon de flanelle imbibé de quelques gouttes d'huile de lin.

Les marbres se cirent très bien, et on peut obtenir, par opérations répétées, le très beau brillant d'une surface vernie.
Il n'est pas difficile de réparer un marbre cassé : nettoyez bien les morceaux, enduisez-les de colle cellulosique, puis replacez-les en les maintenant dans la bonne position avec un poids ou un « bandage » pendant au moins une nuit. Nettoyez ensuite la « cicatrice » et encaustiquez.

les sols

Les revêtements de sol en grès, demi-grès, marbre ou terre cuite sont posés la plupart du temps sur une chape de ciment.
Pour les nettoyer, vous pouvez employer de l'eau chaude et du savon noir, et, pour les entretenir, vous pouvez appliquer, à l'aide d'un chiffon doux, un produit spécial. Vous pouvez aussi les vitrifier comme un parquet. S'il s'agit de terre cuite, vous devez les nettoyer au savon noir pendant assez longtemps pour leur laisser le temps de « rendre » le ciment, puis passer, avec les précautions d'usage, de l'acide chlorhydrique pour enlever les dernières traces.

la pierre

Pour nettoyer les ornements de jardin en pierre (statues, bancs, margelles de puits, auges, fontaines, etc.), versez le tiers d'un paquet de lessive à la potasse dans un seau d'eau chaude avec un verre d'ammoniaque. Brossez énergiquement à la brosse de chiendent, rincez abondamment et, lorsque la pierre est sèche, passez un produit hydrofuge qui l'empêchera d'être trop poreuse et de verdir. Quel que soit le charme des taches de mousse et de lichen, elles rongent et risquent de faire éclater la pierre.

les tableaux

De fausses rumeurs circulent sur les moyens de nettoyer les tableaux : la meilleure façon de détruire les toiles qui vous semblent endommagées est de les frotter avec de la pomme de terre, de la bière, de la lessive ou toute autre substance, détergente ou non.
Nettoyer un tableau ou le restaurer est une profession qui demande des études et des années d'expérience. Le fait même d'être un peintre amateur ne signifie nullement que vous sachiez nettoyer ou restaurer un tableau ancien, car les techniques diffèrent du tout au tout entre la peinture qu'on fait aujourd'hui et celle qu'on faisait autrefois. Par conséquent, en règle générale, évitez de faire ce travail vous-même et confiez vos tableaux à un professionnel qualifié. Vous choisirez de préférence un restaurateur de tableaux accrédité auprès des musées.

Il est très important de ne jamais épousseter les tableaux avec un plumeau (qui accroche à la surface la moindre petite parcelle de peinture soulevée), mais toujours à plat avec un chiffon doux, de soie de préférence. Si vous voulez « désencrasser » un tableau, lavez-le avec un chiffon doux trempé dans de l'eau de savon (savon de Marseille qui n'attaque pas le vernis) et rincez-le avec soin en prenant garde de ne pas tremper l'arrière de la toile.

Il n'existe pratiquement pas de tableau ancien qui n'ait subi au cours des siècles une ou plusieurs restaurations, dues à un accroc, coup de plumeau intempestif de ménagère trop active ou nettoyage à l'aide de produits chimiques dangereux que les restaurateurs employaient autrefois.
Si le tableau a pris une couleur très jaune,

Portrait anonyme du XVIIe s., avant et après restauration. Quand un tableau est très abîmé, il faut d'abord le transposer, puis le restaurateur reprend à la loupe les taches point par point, sans déborder, à la gouache ou à l'aquarelle.

son vernis à base d'huile de lin ayant « viré » au cours des siècles, et que vous désiriez le nettoyer, vous le confierez à un spécialiste. S'il est intéressant de savoir comment procèdent les spécialistes, il est cependant déconseillé de procéder soi-même à des opérations aussi délicates qu'un dévernissage ou un rentoilage.

Pour le dévernissage, les spécialites ont aujourd'hui à leur disposition une quinzaine de produits chimiques, alors que les restaurateurs d'autrefois n'en connaissaient que deux, très forts.

La restauration se fait après un dévernissage léger en utilisant des couleurs non huileuses (la peinture à l'huile est à exclure), soit la *tempera à l'œuf,* soit des couleurs acryliques, permettant des glacis successifs : ce procédé est utilisé de plus en plus dans les musées.

Lorsque la toile d'un tableau est gondolée, le restaurateur la mouille à l'arrière et la repasse, sur un marbre, au fer bien chaud.

Lorsqu'un tableau présente une petite déchirure, on colle à l'envers une pièce de toile très fine avec de la cire non hygrométrique (en évitant aussi toute colle contenant de l'eau), car la pièce gonflerait avec l'humidité et se creuserait avec la sécheresse.

Lorsque la déchirure est trop importante, le spécialiste doit, à ce moment-là, *rentoiler* le tableau. Après l'avoir déverni, il colle un papier sur la surface peinte pour rendre la colle bien adhérente, puis repasse sur un marbre l'ensemble toile-papier. Un châssis plus grand que l'original, entoilé d'une toile écrue décatie, lui permettra de recoller l'ancienne toile, corsetée de son papier, avec une colle faite d'un mélange de colle de peau, de miel, de farine de seigle. Au bout de douze heures, il procédera au décartonnage et aux repassages successifs. Puis il remettra l'ensemble sur un châssis à clés.

Lorsque la peinture s'écaille, un examen microscopique permet, dans certains cas, de constater la prolifération de micro-organismes rongeant les apprêts et empêchant toute adhérence de la toile. En ce cas, il faut la transposer. Cette opération ne se fait qu'en cas de nécessité absolue.

Pour la transposition, on commence par pulvériser de l'éther sur la peinture, qui se trouve dévernie partiellement. On recouvre l'image d'un papier puis, après repassage, d'un second papier dépassant le tableau de 5 cm. Ces cinq centimètres, après démontage du châssis, seront collés sur un panneau de bois. On procède alors à l'analyse de l'apprêt. La plupart des toiles ont, avec l'enduit, une couche de colle qui permet, sous vapeurs alcalines, de décoller la toile de son apprêt. Ce décollage se fait parfois par lambeaux, parfois fil à fil, parfois comme un gant que l'on retourne. Après plusieurs opérations successives s'étalant sur un mois, on collera une gaze et, lorsque celle-ci sera sèche, on décollera du panneau de bois ce tableau corseté devant par le papier et derrière par la gaze. On procédera alors au même travail que pour le rentoilage.

Les tableaux sur bois posent des problèmes particuliers. Lorsque des écailles de peinture se soulèvent, le spécialiste colle un papier de soie sur la partie abîmée et introduit de la colle légère avec une seringue. On effectue aussi des transpositions pour les panneaux de bois. Il est très important d'avoir toujours des humidificateurs dans la pièce où se trouvent des tableaux sur bois, qui souffrent beaucoup d'un air trop sec.

En terminant ce rapide aperçu des principales réparations qui permettent de sauver des objets anciens, nous ne pouvons que vous rappeler à la prudence. Faites toujours des essais préalables. N'essayez pas d'appliquer vous-même des « trucs » de spécialistes et n'hésitez pas à faire appel à des professionnels pour toute remise en état un peu délicate. Songez que vous n'êtes pas seulement le propriétaire de vos objets anciens, mais aussi leur « conservateur ».

GLOSSAIRE

A

Aiguilletage : Procédé utilisé pour implanter, à l'aide de longues aiguilles, le velours d'un tapis non tissé.

Alcôve : Enfoncement plus ou moins profond dans le mur d'une pièce, initialement dans la chambre, et destiné à recevoir un lit. Par extension, peut désigner un enfoncement dans toute pièce de la maison pouvant recevoir d'autres meubles que le lit.

Allège : Partie du mur allant du sol à l'ouvrant inférieur d'une fenêtre, quelles que soient l'importance et les proportions de celle-ci.

Angle *(en)* : Ce terme s'applique à une disposition d'éléments architecturaux, d'équipements ou de meubles qui constitue (en général) un angle droit. On cite ainsi, par exemple, des fenêtres en angle ou des canapés en angle.

Angléser : Terme de métier désignant l'action exécutée par un tapissier lorsqu'il agrafe ou cloue la lisière d'un tissu en faisant un rempli doublé d'une bande de carton pour dissimuler clous ou agrafes.

Assemblages : ● à embrèvement : assemblage oblique de deux pièces de bois.
● à feuillure : par entaille rectangulaire pratiquée sur le bord d'une pièce de bois et dont la largeur correspond à l'épaisseur de la seconde pièce à assembler.
● à rainure et languette : l'une des pièces porte une entaille longue et étroite , la rainure : et l'autre, une partie saillante continue, la languette, de dimension appropriée pour entrer dans la rainure.
● à tenon et mortaise : réunion de deux pièces de bois en exécutant sur l'une la mortaise, trou rectangulaire creusé généralement au ciseau, et sur l'autre le tenon, partie saillante s'emboîtant exactement dans la mortaise.
● à enture : assemblage de deux pièces dans le prolongement l'une de l'autre.

B

Balustre : Petite colonne présentant un renflement en son milieu et surmontée d'un chapiteau. Ce motif de décoration fut adopté dès la Renaissance. En architecture, une rangée de balustres assemblés forme une balustrade. En ébénisterie, le balustre est employé pour orner le dossier d'un fauteuil ou d'une chaise. Cette forme se trouve également dans certains pieds de sièges Louis XIII ou certaines pièces d'orfèvrerie, qui sont dits alors tournés « en balustre ».

Bat-flanc : Petit muret allant jusqu'à 70-80 cm du sol et délimitant un espace de stockage.

Bergère en confessionnal : Ce fauteuil, appelé également bergère à oreilles, se caractérise par des joues pleines (c'est-à-dire sans vide entre l'accotoir et le siège) qui forment un angle droit avec les deux oreilles servant d'appui à la tête.

Bois filé : Bois se présentant sous forme de fines baguettes destinées à être réunies entre elles pour constituer un revêtement ou un store. Le filage est une technique assimilable à celle qui permet d'obtenir le placage.

Boisseaux : Tuyaux en terre cuite qui sont utilisés pour construire les conduits de cheminées.

Bonde : Le trou d'évacuation d'un évier, d'un lavabo, d'une baignoire et, par extension, le bouchon en métal, caoutchouc ou plastique qui l'obstrue. La bonde est souvent reliée au plateau de l'appareil par une chaînette métallique.

Bonheur-du-jour : Bureau à tiroirs sur lequel repose une petite armoire placée en retrait. Utilisé surtout par les femmes, il connut une grande vogue au XVIIIe s.

Bonnetière : Meuble destiné à l'origine au rangement des bonnets et des coiffes et qui, peu à peu, servit d'armoire pour les vêtements et le linge. De fabrication rustique, les bonnetières étaient en bois massif et ne comportaient aucun bronze décoratif.

Bow-window : Fenêtre en saillie sur la façade d'une maison. Les parois latérales sont toujours vitrées, donnant à l'ensemble un aspect de serre. L'origine de ce type de fenêtre est anglo-saxonne.

Brunissoir : Outil d'orfèvre, graveur ou doreur, utilisé pour polir les plaques de cuivre, les ouvrages d'or et d'argent. On s'en sert également pour décaper les bois.

Cantonnière : Bande de tissu placée le long des colonnes d'un lit ou de l'encadrement d'une fenêtre ou d'une porte. Dans le premier cas, elle est destinée à masquer une absence d'ornementation; dans le second, à préserver de courants d'air éventuels.

Caquetoire : Sorte de chaise basse à haut dossier, la caquetoire, au XVIe s., servait aux femmes à « caqueter » près d'un feu ou d'un lit. Extrêmement rudimentaire à l'origine, elle devint plus confortable, mais demeura en bois.

Céruser : Teinter à l'aide de céruse (carbonate basique de plomb), ce qui donne un revêtement résistant aux intempéries.

Chant : Côté le plus étroit d'une pièce de bois, correspondant en général à son épaisseur.

Chapelet *(pieds tournés en)* : Se dit de pieds de table ou de siège constitués par des motifs décoratifs généralement en forme de boules ou d'olives qui se suivent, semblables de bas en haut du pied. Ces pieds, qui sont tournés dans une seule pièce de bois, sont caractéristiques du style Louis XIII.

Chevron : Pièce de bois équarri de section carrée ou rectangulaire qui, fixée sur des lattes, soutient les ossatures en bois.

Clips : Sortes d'agrafes ou d'anneaux métalliques fabriqués dans un acier à ressort.

Coffrage : Habillage total et lisse d'éléments soit inesthétiques, soit fragiles. Des tuyaux peuvent être ainsi dissimulés.

Colonne engagée : Désigne une colonne qui se trouve en partie encastrée dans un mur ou dans tout autre élément contre lequel elle se trouve appuyée. Caractéristique de l'architecture Louis XVI.

Console : Généralement destinée à s'accoter contre un mur, la table console comporte deux ou quatre pieds richement travaillés qui soutiennent un plateau de pierre dure. Apparaît en tant que meuble à la fin du XVIIe s.

Container : Mot d'origine anglaise désignant une caisse destinée au transport des marchandises. Dans le domaine de la décoration contemporaine, on appelle containers des éléments mobiles de rangement, d'aspect dépouillé et d'entretien facile, qui peuvent se juxtaposer ou s'empiler aisément et permettre ainsi de gagner de la place.

Cordeau : Corde tendue entre deux piquets pour déterminer une ligne droite.

Cotes : Dimensions (hauteur, profondeur, largeur, longueur), en mètres, centimètres ou millimètres, des pièces, des éléments architecturaux (portes, fenêtres, escaliers, etc.), des meubles, des objets d'une maison.

Courtine : Jusqu'au XVIIe s., ce terme s'appliquait à tous les rideaux, mais plus particulièrement à ceux qui servaient à fermer un lit ou à en dissimuler les montants.

D

Décrochement : Différence de niveau ou de profondeur dans une surface unie. Lorsqu'on fait sauter une cloison entre deux pièces, le plafond et le sol présentent souvent chacun un décrochement. Les murs peuvent aussi comporter des décrochements.

Dé de raccordement : Cette petite pièce de forme cubique (d'où son nom) servait à réunir le pied d'un meuble à sa ceinture, c'est-à-dire à la partie généralement en bois qui entoure le siège. Dans le mobilier Louis XVI, ce cube est presque toujours orné de rosaces.

Derviches : La représentation de ces religieux musulmans était particulièrement prisée sous Louis XV. Avec les singes, les pachas et autres motifs orientaux (turcs ou chinois, peu importe), ils se retrouvaient fréquemment dans la décoration de cette époque (boiseries, tapisseries, marqueterie, bronzes, etc.).

Dresser : Rendre une surface parfaitement plane.

Dressing-room : Mot anglais désignant une pièce dans laquelle il est possible à la fois de s'habiller et de ranger les vêtements (du verbe anglais *to dress,* s'habiller).

E

Ébrasement : Épaisseur d'un mur ou d'une cloison visible à l'intérieur sur le pourtour d'une fenêtre ou d'une porte.

Égrener : Gratter une surface pour enlever les grains ou les écailles de vieille peinture.

Élastomère : Matière présentant une haute élasticité.

Encoignure : Ce petit meuble était spécialement conçu de manière à pouvoir être placé dans l'angle d'une pièce. Souvent exécutées en marqueterie ou en laque et par paire, les encoignures Louis XV étaient souvent rehaussées de bronze travaillé.

Enture : Assemblage de deux pièces

de bois qui sont encastrées l'une dans l'autre et parfois maintenues par une cheville.

Escalier à vis : Escalier dont le développement est circulaire et non pas droit. Les marches sont disposées autour d'un axe, plus ou moins important.

Estagnié : Ce petit meuble en bois typiquement régional servait à ranger et à exposer les plats, gobelets ou pots en étain qui constituaient souvent la seule richesse d'un intérieur modeste.

F

Faïence stannifère : La juxtaposition de ces deux mots donne lieu à un pléonasme, car c'est précisément l'émail stannifère (à base d'étain) qui, recouvrant une terre cuite, en fait une faïence. On emploie cependant ce terme pour distinguer la faïence courante de la faïence « fine », qui, revêtue d'un vernis transparent, se rattache aux produits vernissés.

Faisceau : Emblème de l'autorité dans l'Antiquité romaine, le faisceau était constitué de verges de bouleau disposées autour d'une hache et liées entre elles par des courroies de cuir rouge. Symbole d'union, le faisceau devint un motif décoratif révolutionnaire qui servit à orner le mobilier Directoire.

Feldspath : Nom donné à certains minéraux à base de silicate double d'alumine qu'on retrouve dans des roches d'origine éruptive et surtout dans le granit.

Feuille *(dorer à la)* **:** Cette technique de dorure du bois ou de tout autre matériau (bronze, plâtre, etc.) consiste à appliquer des feuilles d'or très minces sur un support préalablement enduit d'une préparation à base de colle.

Fibre de verre : Porté à l'état liquide par fusion, le verre passe dans une filière pour être étiré. La fibre de verre ainsi obtenue est utilisée principalement dans l'industrie textile et comme isolant thermique et phonique.

Fil du bois : Sens prédominant indiqué par les fibres de croissance du bois.

Fixation micromisée : Procédé industriel permettant de fixer une pellicule très mince d'un produit ou d'un revêtement sur un support. La fixation micromisée trouve ses principales applications avec les produits métalliques.

Flèche : Affaissement d'un matériau rigide utilisé sur une portée trop longue pour une épaisseur trop faible. Une planche mince et exagérément chargée peut « prendre de la flèche ».

Fuseau : Motif décoratif de forme allongée présentant un renflement en son milieu et aminci aux extrémités. Il rappelle ainsi le fuseau des fileuses ou des dentellières, qui était utilisé dans l'ornementation des meubles rustiques.

G

Gaine : Enveloppe résistante entourant des tuyaux ou des fils de toutes provenances. Pour des raisons de sécurité, il est cependant interdit de dissimuler des conduites de gaz dans une gaine. Ce terme de « gaine » peut également, par extension, désigner une conduite d'air chauffé ou réfrigéré.

Galuchat *ou* **Galluchat :** Peau de squale ou de raie, utilisée en reliure et gainerie. Le nom vient de celui du maître gainier parisien, Jean-Claude Galluchat, qui fut au XVIIIe s. le premier à préparer ces peaux, à l'imitation de l'art oriental, pour en faire des revêtements décoratifs. Le galuchat connut un grand succès vers les années 1925.

Galvanoplastie : Procédé technique qui permet de déposer par électrolyse une couche d'un métal sur un autre. En décoration ou en orfèvrerie, il s'agit le plus souvent d'or, d'argent, d'étain ou de cuivre.

Gâteau : Motif géométrique que l'on trouve principalement dans les meubles bretons et basques. Il est formé de cercles simples ou concentriques rappelant des gâteaux aplatis.

Gobetage *ou* **gobetis :** Procédé qui consiste à faire des « jetées » successives en projetant sur un mur le mortier à la truelle. Le mortier fluide doit pénétrer dans toutes les anfractuosités du mur.

Godron : Relief en forme de côtes de melon placées régulièrement les unes contre les autres verticalement ou obliquement. Est employé pour la décoration d'éléments architecturaux ou de pièces d'orfèvrerie.

Grecque : Ornement géométrique de décoration intérieure qui consiste en une série de lignes brisées se coupant à angle droit. Très utilisé par l'architecture grecque, ce motif apparaît de nouveau à la fin du XVIIIe s., notamment en Angleterre, décorant meubles et objets dits « à la grecque ».

Griffe *ou* **patte de lion** : Bien que leur utilisation remonte à Louis XIV, c'est surtout avec le style Directoire et après l'expédition d'Égypte qu'apparurent vraiment en France les motifs décoratifs rappelant les animaux sauvages et en particulier les fauves. Ces griffes de lion ornaient soit les pieds des meubles (commodes, par exemple), soit des objets d'orfèvrerie.

Grotesques : Fantaisies décoratives découvertes à Rome pendant la Renaissance dans des salles en sous-sol dites « grottes », d'où leur nom. Ce sont des ornements dans lesquels des figures d'hommes et d'animaux fantastiques se mêlent aux motifs géométriques.

H

Haute sélection : Se dit de panneaux formés d'essences de bois sélectionnées parmi les plus décoratives.

Homme-debout : Destiné comme la bonnetière au rangement des vêtements, ce meuble d'origine spécifiquement vendéenne était toujours assez haut.

Hourdis : Maçonnerie de remplissage entre éléments d'ossature.

I

Imprimé : Se dit d'un panneau de contre-plaqué dont la surface est constituée par la reproduction photographique d'un vrai bois.

K

Klégécel : Produit très léger à base de résines thermoplastiques existant dans de nombreuses épaisseurs. Le klégécel est un excellent isolant thermique.

L

Lambourde : Pièce de bois de forte section destinée à supporter un plancher.

Lambris : Revêtement en matériau dur (le plus souvent du bois), posé sur un cadre et habillant totalement ou partiellement les parois intérieures d'une pièce.

Lanterne : Partie supérieure d'un conduit de cheminée.

Lissé : Se dit d'un mortier humide qu'on lisse avec une règle en bois, puis une truelle plate, afin de faire disparaître toutes les aspérités de surface.

Lit d'ange : Lit à la française, de style Louis XIV, en vogue jusqu'à la Révolution. Caractérisé par un ciel de lit plus petit que la couche et qui s'appuie au mur et non sur des montants. Les rideaux du lit sont retenus par des embrasses à nœuds.

Lit à la duchesse : Ce lit bas, surmonté d'un fronton ou d'un dais, apparaît dans le mobilier français à la fin du XVIIIe s. Comme celui du lit d'ange, le dais, aussi vaste que la couche elle-même, s'appuie au mur et non sur des montants.

Lit à quenouilles : Par opposition au lit d'ange cité précédemment, ce lit comporte quatre colonnes, ou « quenouilles », en forme de fuseau de fileuse et qui soutiennent un dais richement décoré.

Ludion : Inspiré d'un instrument de physique, le ludion est un petit objet de densité moyenne, souvent coloré, qui monte et descend doucement dans un liquide (eau, alcool, huile, etc.), offrant ainsi une attraction décorative.

M

Marli : Bord intérieur d'une assiette ou d'un plat.

Maroufler : Lisser la surface d'un revêtement collé pour le faire adhérer et chasser les bulles d'air.

Masque : Motif décoratif en forme de figure humaine couramment utilisé dans le style Louis XIV pour orner les bois sculptés, les bronzes, et qui fut repris pour agrémenter des pièces d'orfèvrerie.

N

Nielle : Procédé d'orfèvrerie qui consiste à décorer une feuille d'argent en incrustant dans le creux de sa gravure un émail de couleur noire.

O

Ove : Motif décoratif classique en forme d'œuf, qui se retrouve dans tous les styles, généralement répété le long d'une ligne.

P

Pachas : Comme les derviches cités plus haut, les pachas, gouverneurs de province turcs, étaient souvent représentés comme motif décoratif dans le style Louis XV.

Palmette : Déjà utilisé dans l'Antiquité gréco-romaine, ce motif stylisé, qui représente un bouquet de petites palmes, réapparut sous Louis XVI et le Directoire, mais connut surtout une grande vogue dans le style Empire, en sculpture, en peinture et même en orfèvrerie.

Panneautage : Habillage d'un mur ou d'un plafond de panneaux de dimensions identiques (bois, métal, plastique, etc.) dont les joints restent apparents ou sont même soulignés par un creux, une moulure ou tout autre élément coloré ou en relief.

Parclose : Baguette rapportée sur le pourtour d'une vitre ou d'une glace afin de les maintenir très solidement dans l'encadrement de la porte ou de la fenêtre. Une parclose peut remplacer le mastic traditionnel.

Passe-plat : Ouverture pratiquée dans une cloison ou un mur et faisant communiquer deux pièces, par exemple la cuisine et le côté repas de la salle de séjour. Un passe-plat doit se situer à environ 75 à 80 cm du sol et mesurer au minimum 35 cm de haut.

Ployant : Pliant extrêmement luxueux tendu de tissu précieux dont l'X était en bois richement sculpté, parfois même doré.

Pochée : S'emploie en parlant d'une peinture exécutée avec une brosse spéciale et dont l'aspect présente un grain plus ou moins important. Une peinture pochée est le contraire d'une peinture lisse ou lissée.

Point zigzag : Point de surjet très espacé.

Portes isoplanes : Portes modernes ne comportant aucune moulure, d'où une grande souplesse d'emploi. Elles sont en général fabriquées dans un bois ou un aggloméré alvéolé, ce qui leur assure rigidité et planéité.

Portière : Écran de tissu ou de tout autre matériau léger pouvant obturer d'une façon plus ou moins importante et plus ou moins temporaire un passage entre deux pièces. Une portière en tissu peut aussi doubler une porte pleine sur laquelle elle est fixée.

Poterie : Conduit en terre cuite réfractaire assurant le tirage d'un feu ouvert et permettant en outre l'évacuation de la fumée.

Projeté : Se dit d'un enduit que l'on projette à l'aide d'un balai ou d'une machine pour former un crépi rugueux.

Q

Quadrillé : Ornement à motifs géométriques utilisé dans la décoration des bronzes, des bois ou même de l'argenterie.

R

Ragréage : Opération qui consiste à enduire un sol pour le rendre parfaitement plan et lisse.

Rechampi : Partie moulurée d'un meuble, d'une boiserie, qui, après une finition générale, est repeinte dans une autre couleur que celle du reste du meuble ou de la boiserie.

Rehaut : Touche d'un ton plus clair destinée à rehausser, c'est-à-dire à faire ressortir dans une peinture un motif ou le relief de certains détails.

Relevé : Résumé écrit des caractéristiques (plan et dimensions) d'une pièce, d'un appartement, d'une maison.

Renformis : Deuxième couche de crépissage.

Rentoiler : Procédé technique et délicat de restauration d'un tableau qui consiste à renforcer la toile usée ou à la remplacer par une toile neuve.

Retombée : Partie du mur allant du plafond à la partie supérieure de l'ouvrant d'une fenêtre, quelles que soient l'importance et les proportions de celle-ci.

Rosace : Ornement d'architecture, motif de décoration en forme de rose épanouie ou d'étoile inscrite dans un cercle.

S

Sabler : Procéder au nettoyage d'un métal par projection de sable fin ou de grenaille (petits grains de métal) à l'aide d'air comprimé.

Singerie : Dessin représentant des singes, fréquent dans la décoration Louis XV où les motifs inspirés de l'Extrême-Orient étaient à la mode.

Sipo : Variété d'acajou économique.

Sisal : Fibre végétale utilisée le plus souvent sous forme tressée.

Soffite : Surface inférieure d'un plafond surbaissé.

Solive : Tasseau de bois sur lequel un plancher est cloué.

Soufflage : Procédé artisanal consistant à insuffler de l'air, par l'intermédiaire d'une tige creuse, dans de la pâte de verre à laquelle on donne ainsi la forme souhaitée.

Sous plafond : Expression utilisée pour déterminer la hauteur du sol au plafond (une hauteur sous plafond de 2,60 m, par exemple).

Sous plafond *ou* **Faux plafond** : Plafond installé sous le plafond d'origine soit pour en dissimuler les imperfections, soit pour diminuer la hauteur de la pièce.

Système Knapen : Ce système est utilisé pour lutter contre l'humidité d'un mur. Il s'agit de petits tubes poreux qui sont noyés dans les murs et permettent ainsi une évaporation de l'humidité par une meilleure circulation de l'air.

T

Tableau : Épaisseur d'un mur comprise entre la fenêtre ou la porte et la façade extérieure.

Table de jeu : Apparaît en France et en Angleterre à la fin du XVIIe s. Peut être carrée, triangulaire ou pentagonale selon les jeux auxquels elle est destinée (cartes ou échecs) ; elle se plie souvent le long d'une ou de plusieurs charnières.

Table-top : Terme utilisé par les fabricants d'appareils électroménagers (machines à laver, réfrigérateurs) lorsque la partie supérieure de ceux-ci est équipée de manière à servir de plan de travail.

Tabouret : Siège bas, souvent aussi richement orné que le ployant ; le droit de s'y asseoir en présence du roi était réservé aux seigneurs du plus haut rang. Ce droit donna lieu à de nombreuses intrigues à la cour de Versailles.

Taloche : Petite planche utilisée par les maçons ou les plâtriers pour étendre plâtre ou mortier sur une paroi.

Taloché : Se dit d'un mortier dont la surface est frottée à l'aide d'une taloche en bois pour en faire ressortir le grain.

Tempera à l'œuf : Cette préparation utilisée parfois dans la restauration des tableaux anciens est à base d'œuf mélangé à divers pigments colorés. La peinture *a tempera* a été couramment utilisée par les peintres anciens, jusqu'à la découverte de la peinture à l'huile par les Flamands à la fin du Moyen Age.

Thermostat : Appareil permettant d'obtenir une température constante par réglage du débit d'une source de chaleur.

Thyrse : Élément décoratif constitué par un bâton entouré de feuilles de vigne ou de lierre et surmonté d'une pomme de pin. Attribut de Bacchus, il est caractéristique du style Louis XVI.

Tire-ligne : Petit instrument utilisé dans le dessin et permettant de tracer des traits de toutes épaisseurs, du plus fin au plus gros.

Toile de Jouy : Toile imprimée à l'origine dans la commune de Jouy-en-Josas dès la seconde moitié du XVIIIe s. Les dessins étaient souvent d'inspiration pastorale.

Torchère : Grand chandelier, fréquent au XVIIe s. Le plus souvent installé sur trois pieds, il se faisait en bois doré et sculpté ou en marbre.

Toupillage : Façonnage du bois à l'aide d'une toupie, machine comportant un axe vertical tournant à grande vitesse et surmonté d'un couteau qui donne sa forme à la pièce de bois.

Tournage : Procédé dans lequel la pièce à façonner est placée sur un tour et se déplace devant l'outil. On obtient ainsi des objets de profils divers, mais toujours de section circulaire.

Travaillé : Se dit d'un enduit que l'on travaille à l'aide d'instruments les plus divers (rouleau, couteau, éponge, etc.) afin de donner à la surface un relief ou un dessin.

Tringles télescopiques : Tringles s'imbriquant les unes dans les autres par coulissement.

Tulipe : Galbe que l'on rencontre sur la partie supérieure de certains secrétaires et commodes de style Restauration, dont la forme rappelle celle de la fleur.

Végrage : Ossature formée par un quadrillage de tasseaux et destinée à supporter un revêtement mural.

Vertugadin : Petite chaise dessinée spécialement pour que puissent s'asseoir les femmes qui portaient un vertugadin, c'est-à-dire une jupe rendue bouffante par un bourrelet du même nom.

Violonné : Se dit du dossier d'un fauteuil dont la forme courbe en arabesque rappelle la silhouette d'un violon. Cette forme est caractéristique du style Louis XV rococo.

Volutes affrontées : Ornement formé de spirales juxtaposées mais contrariées. Utilisées pour les piétements de fauteuils, de tables, etc.

Photographies

Les chiffres en italique désignent les pages du livre. Nous indiquons l'emplacement des photographies par les abréviations suivantes : *d :* à droite ; *g :* à gauche ; *h :* en haut ; *b :* en bas ; *c :* au centre.

Pages intérieures. ***24 :*** *h g* et *h d,* Knoll International France ; *c g,* Maison française ; *c d* et *b d,* S.R.D./Pierrehumbert ; *b g,* M. Masera • *37 :* Maison française/M. Nahmias • *38 :* Marie-France • *39 :* Beyda • *42 :* Marie-France • *43, 44 :* Maison française • *45 : g,* Marie-France ; *d,* G. Bellot • *46 :* Maison française • *53 :* Maison française • *57 :* Maywald • *58 :* Transworld Feature • *61 : h g* et *h d,* Maison française • *63 :* M. Masera • *73 :* Leoneck • *76 : h g,* C. de Benedetti ; *h d,* Maison française ; *c,* C. de Benedetti • *77 :* Pinto • *78 : h,* Maison française/M. Nahmias ; *b g,* Beyda ; *b d,* C. de Benedetti • *79 : h,* M. Nahmias ; *b,* C. de Benedetti • *81 :* M. Nahmias • *82 :* Maison française • *83 :* C. de Benedetti • *84 :* Leoneck • *85 :* C. de Benedetti • *86 :* M. Nahmias • *87 :* Maison française/J. Primois • *90 :* S.R.D./Pierrehumbert • *91 : h g,* M. Nahmias ; *b d,* J. Debaigts • *92 : b g,* S.R.D./Germain • *93 :* S.R.D./Pierrehumbert • *94 : g,* S.R.D./Pierrehumbert ; *d,* S.R.D./Germain • *95 : b g,* Maison française ; *c,* S.R.D./Pierrehumbert • *96 : h,* J. C. Villevot ; *b g,* J. C. Villevot ; *b d,* J. Debaigts • *97 : g,* S.R.D./Germain-Tapis Sommer ; *d,* S.R.D./Germain • *98 : h,* M. Masera ; *b g,* S.R.D./Pierrehumbert - Ensemble G. Gautier ; *b d,* Maison française • *99 : h,* C. de Benedetti ; *b,* Maison française/M. Nahmias • *100 : h,* Maison française ; *b g,* C. de Benedetti ; *b d,* M. Nahmias • *101 : h g,* C. de Benedetti ; *h d,* Seven P. ; *b,* M. Masera • *103 :* M. Masera • *104 : h g,* Marie-France ; *h d,* Maison française ; *b,* Maison française • *105 :* C. de Benedetti • *109 : h,* C. de Benedetti ; *c,* Maison française ; *b g,* Marie-France ; *b d, Maison* française • *113 :* Mondadori/M. Masera • *116 :* Maison française • *117 : h,* Maison française ; *b,* R. Martinot • *118 :* Marie-France • *119 : h g* et *d,* S.R.D./Pierrehumbert • *120 :* Maison française • *121 : h g* et *d,* N. Nahmias • *124 :* S.R.D./Pierrehumbert • *125 :* Mondadori/M. Masera • *126 :* Graphis (De Trintinian) • *127 :* M. Nahmias • *130 :* Lynx • *131 : h,* C. de Benedetti ; *b,* Lynx • *133 :* Mondadori/M. Masera • *137 :* S.R.D./Pierrehumbert • *138 :* R. Martinot • *139 :* Maison française • *143 : h g,* Leoneck ; *h d,* M. Nahmias • *145 : h,* Maison française ; *b,* Mondadori/M. Masera • *146 :* M. Nahmias • *147 : h* et *b,* M. Masera • *148 : h* et *b,* M. Masera • *149 : b g,* M. Nahmias ; *b d,* M. Masera • *150 :* J. L. Seigner • *151 :* S.R.D./Pierrehumbert — Ensemble créé par Gilles Bouchez • *152 : h,* M. Masera ; *b g,* C. de Benedetti ; *b d,* Mondadori/Grossetti • *153 : h,* M. Masera ; *b,* Lynx • *154 :* Joly-Cardot • *155 : h,* Maison française ; *c,* M. Nahmias ; *b,* C. de Benedetti • *157 :* S.R.D./Pierrehumbert • *160 :* M. Nahmias • *161 : h,* Joly-Cardot ; *b,* S.R.D./Pierrehumbert • *162 : b g,* M. Nahmias ; *b d,* Maison française • *163 :* S.R.D./Pierrehumbert • *165 :* M. Nahmias • *166 :* S.R.D./Pierrehumbert • *168 :* Maison française • *173 :* S.R.D./Pierrehumbert • *180 :* Maison française/M. Nahmias • *181 : b g,* Leoneck ; *b d,* Pinto • *183 :* Joly-Cardot • *184 :* Leoneck • *185 :* J. C. Villevot • *186 : h,* Joly-Cardot ; *b,* M. Nahmias • *189 :* M. Nahmias • *190, 191, 192* et *193 :* Joly-Cardot • *195 :* Marie-France • *196 :* Penela/Jeanver • *197 :* C. de Benedetti • *198 :* Pinto • *202 : h,* Pinto ; *b,* Joly-Cardot • *203 : h,* Seven P./J. Primois ; *b,* M. Nahmias • *204, 205 :* C. de Benedetti • *206 :* M. Nahmias • *207 :* Pinto • *208 :* O. L. F./M. Nahmias • *209, 210 :* M. Nahmias • *211 : h g,* Leoneck ; *h d,* Pinto ; *b g,* Leoneck ; *b d,* Joly-Cardot • *217 :* C. de Benedetti • *218 : n° 1,* C. de Benedetti ; *n° 3,* Maywald • *219 : n° 2,* Pinto ; *n° 4,* S.R.D./Pierrehumbert - Boutique Flat ; *n° 5,* S.R.D./Pierrehumbert-Knoll International • *220 :* Pinto • *224, 225* et *226 :* Sartony • *232 :* Galliphot/Pompignac • *238* : h, M. Masera ; *b,* M. Nahmias • *243, 244, 245* et *246 :* Éric Lieuré, décorateur/photos R. Martinot • *247 : h,* C. de Benedetti ; *b g,* M. Nahmias ; *b d,* Mondadori • *256 : h,* C. de Benedetti ; *b,* S.R.D./Pierrehumbert • *257 : h,* Seven P./J. Primois ; *b g,* S.R.D./Pierrehumbert ; *b d,* R. Martinot • *258 : h,* Mondadori/M. Masera ; *b g,* S.R.D./Pierrehumbert - Meubles et Fonction ; *b d,* S.R.D./Pierrehumbert - Knoll International • *259 :* Berengier/Création G. Frydman - Production E. F. A. • *262 :* M. Masera • *264 : n° 1,* Lynx • *265 : nos 2, 3, 6* et *8,* S.R.D./Pierrehumbert - Sie Matic ; *nos 4* et *5,* Paris Graphic ; *n° 7,* S.R.D./Pierrehumbert - Goldreif • *274 : n° 1,* C. de Benedetti ; *n° 2,* Marie-France • *275 : n° 3,* Seven P. ; *n° 4,* Seven P./J. Primois • *276 :* S.R.D./Pierrehumbert • *356* et *357 :* S.R.D./Pierrehumbert • *367 :* S.R.D./Oronoz • *368 :* Musées nationaux • *369 :* Connaissance des Arts/P. Hinous. Chez le comte et la comtesse de Billy • *375 :* P. Jahan • *376 : h,* l'Œil ; *b,* Connaissance des Arts/Millet. Décoration de Samy Chalom • *377 :* Connaissance des Arts/R. Guillemot. Propriété du comte Patrice de Voguë • *385 :* Mondadori • *387 : b g,* Connaissance des Arts/P. Hinous. Boudoir du château de Millemont ; *b d,* Connaissance des Arts/R. Guillemot. Propriété de lord et lady Saint-Oswald • *388 :* Me M. Rheims/Photo Routhier • *394 :* Connaissance des Arts/P. Hinous. Hôtel d'Arenberg • *395 : h g,* K. Dundans ; *h d,* Connaissance des Arts/R. Guillemot. Ambassade d'Allemagne à Paris ; *b g,* et *d,* Connaissance des Arts/R. Guillemot. Musée des Arts décoratifs, Paris • *397 :* Connaissance des Arts/P. Hinous. Hôtel d'Arenberg • *403 :* Connaissance des Arts/Millet. Appartement de M. Chelo, décorateur • *407 : b g,* Connaissance des Arts/R. Bonnefoy. Appartement Napoléon III, à Paris ; *b d,* J. L. Seigner • *409 :* Connaissance des Arts/R. Guillemot. Musée des Arts décoratifs, Paris • *412 :* Connaissance des Arts/M. Desjardins. Château de Ferrières, propriété du baron Guy de Rothschild • *413 :* Connaissance des Arts/R. Guillemot. Château de Ferrières, propriété du baron Guy de Rothschild • *415 : h,* Réalités/M. Desjardins. Haseley Court ; *b,* British Muséum of Transport • *418 :* Connaissance des Arts/P. Hinous. Appartement, à Bruxelles • *420 :* Me G. Blache • *422 : h,* Connaissance des Arts/P. Hinous. Appartement, à Bruxelles ; *b,* S.R.D./Fronval • *425 :* l'Estampille/Photo J. P. Durell • *428 : h g,* l'Estampille/Photo J. P. Durell ; *h d,* Connaissance des Arts/R. Guillemot. Collection de M. Nanoukian ; *b,* Connaissance des Arts/R. Guillemot. Chambre décorée par Serge Royaux • *434 :* Ezra Stoller • *436 : n° 1,* Citroën ; *nos 2, 4, 5, 8,* S.R.D./Pierrehumbert ; *n° 9,* Nemerlin Frères • *437 : nos 3, 6, 7, 10,* S.R.D./Pierrehumbert ; *n° 11,* P. Berdoy ; *n° 12,* Ronéo • *439 : h* et *b,* A. Chadefaux • *443 : h,* A. Chadefaux ; *b,* C. Basnier • *444, 445,* et *447 :* Transworld Feature • *448 :* A. Bouclaud • *469 : h g,* Galliphot/J. Dominique ; *h d* et *b,* Me M. Rheims/Photo Routhier • *471 :* Connaissance des Arts/R. Guillemot. Décoration de Madeleine Castaing • *475, 476, 477* et *478 :* Galliphot/Regard • *480 :* Fotogram/Schklowski • *482 :* S.R.D./Bablin • *495 :* Collection privée.